MANZSCHE KURZLEHRBUCH-REIHE

19

Handelsrecht

von

Dr. Heinz Krejci
o. Universitätsprofessor in Wien

Dritte, neu bearbeitete Auflage

Wien 2005
Manzsche Verlags- und Universitätsbuchhandlung

Zitiervorschlag: *Krejci,* Handelsrecht[3] (2005) [Seite].

Printed in Austria

ISBN 3-214-14674-2 (br)
ISBN 3-214-14673-4 (geb)

Telefon: (01) 531 61-0
eMail: verlag@MANZ.at
World Wide Web: www.MANZ.at
Datenkonvertierung, Satzherstellung und Druck: MANZ CROSSMEDIA, 1051 Wien

Vorwort

Das Warten auf die österreichische Handelsrechtsreform hat dazu geführt, dass die zweite Auflage dieses Lehrbuches schon seit einiger Zeit nachgedruckt werden musste. Nunmehr liegt die Regierungsvorlage eines Handelsrechts-Änderungsgesetzes (1058 BlgNR XXII. GP) vor und es darf damit gerechnet werden, dass das Gesetz noch im Jahre 2005 beschlossen wird. In Kraft treten soll das Reformwerk allerdings erst mit 1. 1. 2007, sodass bis dahin noch die derzeitige Rechtslage fortbestehen wird. Es erscheint daher verfrüht, das Handelsrechtslehrbuch bereits uneingeschränkt auf das neue Recht abzustellen. Statt dessen wird der sachlich gebotene Mittelweg eingeschlagen. Die dritte Auflage des vorliegenden Lehrbuches aktualisiert somit zum einen die Darstellung des geltenden Rechts, geht zum anderen aber bereits auf die (voraussichtlich) neue Rechtslage ein, so dass sich die Leser auch bereits ein Bild über das künftige Unternehmensrecht machen können. Um das alte und das neue Recht säuberlich zu trennen, wird der Blick in die Zukunft in eigene Rahmen gestellt, die allesamt den Titel „Handelsrechtsreform" tragen. So ist auch dann nichts verhackt, wenn der Gesetzgeber aus im Moment nicht erkennbaren Gründen davon Abstand nehmen sollte, die RV zum Gesetz zu erheben.

Bei der Aktualisierung des Stoffes haben mich, was das Rechnungslegungsrecht betrifft, mein Assistent Herr MMag. Dr. *Thomas Haberer,* und was die übrigen Teile des Buches betrifft, meine Assistentin Frau Mag. *Elisabeth Metzler,* die sich vor allem um das Sammeln der seit der zweiten Auflage geschaffenen Judiktur und Literatur verdient gemacht hat, wesentlich unterstützt, wofür ich herzlich Dank sage. Für die Durchsicht der Druckfahnen danke ich neben diesen beiden Mitarbeitern auch noch meinen Assistenten Frau Dr. *Susanne Augenhofer,* Herrn DDr. *Rainer van Husen* und Dr. *Gerhard Saria.*

Wien, im September 2005 *Heinz Krejci*

Inhaltsverzeichnis

2. Teil
Organisation

1. Abschnitt
Unternehmen

2. Abschnitt
Rechnungslegung

3. Teil
Geschäftsverkehr

1. Abschnitt
Stellvertretung

2. Abschnitt
Allgemeines Handelsgeschäftsrecht

3. Abschnitt
Handelskauf

4. Abschnitt
Absatzmittlergeschäfte

5. Abschnitt
Transportgeschäfte

Abkürzungsverzeichnis

aA	anderer Ansicht
aaO	am angegebenen Ort
AB	Ausschussbericht
ABGB	Allgemeines bürgerliches Gesetzbuch
abl	ablehnend
ABl	Amtsblatt
Abs	Absatz
AC	Sammlung von Entscheidungen zum Handelsgesetzbuch, herausgegeben von *Adler* und *Clemens,* fortgeführt von *Friedländer*
AcP	Archiv für die civilistische Praxis (dt)
ADHGB	Allgemeines Deutsches Handelsgesetzbuch
ADR	Accord Européen relatif au transport international des marchandises dangereuses par route = Europäisches Übereinkommen über die internationale Beförderung gefährlicher Güter auf der Straße
ADSp	Allgemeine Deutsche Spediteurbedingungen
ADV	automationsunterstützte Datenverarbeitung
aE	am Ende
aF	alte Fassung
AG	Aktiengesellschaft Die Aktiengesellschaft (dt)
AGB	Allgemeine Geschäftsbedingungen
AGB-G	Gesetz zur Regelung des Rechts der Allgemeinen Geschäftsbedingungen (dt)
AGBKU	Allgemeine Geschäftsbedingungen der Kreditunternehmungen
AHG	Amtshaftungsgesetz
AHGB	Allgemeines Handelsgesetzbuch
AktG	Aktiengesetz
allg	allgemein
ALR	Preußisches Allgemeines Landrecht
AngG	Angestelltengesetz
Anh	Anhang
Anm	Anmerkung(en)
AnwBl	Österreichisches Anwaltsblatt
AO	Ausgleichsordnung
AÖSp	Allgemeine Österreichische Spediteurbedingungen
AP	Arbeitspapier
APB	Accounting Principles Board
AR	Aufsichtsrat
ARB	Accounting Research Bulletins
Arb	Sammlung arbeitsrechtlicher Entscheidungen, herausgegeben von *Tades,* früher vom BMJ
ArbVG	Arbeitsverfassungsgesetz
ArchBR	Archiv für Bürgerliches Recht (dt)
ARD	ARD-Betriebsdienst
Arge	Arbeitsgemeinschaft
Art	Artikel
Ass-FS	Assistenten-Festschrift
ASVG	Allgemeines Sozialversicherungsgesetz
AT	Allgemeiner Teil
ATL	Allgemeine Transportbedingungen für das Lastfuhrwerksgewerbe

Aufl	Auflage
AußStrG	Außerstreitgesetz
AVB	Allgemeine Versicherungsbedingungen
AVG	Allgemeines Verwaltungsverfahrensgesetz
AVRAG	Arbeitsvertragsrechts-Anpassungsgesetz
BAG	Berufsausbildungsgesetz Bundesarbeitsgericht (dt)
BAO	Bundesabgabenordnung
BauSpG	Bausparkassengesetz
BB	Betriebsberater (dt)
BBG	Bundesbahngesetz
Bd(e)	Band (Bände)
Beih	Beiheft
BesT	Besonderer Teil
BetFG	Beteiligungsfondsgesetz
BFuP	Die Betriebswirtschaftliche Forschung und Praxis (dt)
BG	Bundesgesetz
BGB	Bürgerliches Gesetzbuch (dt)
BGBl	Bundesgesetzblatt
BGH	Bundesgerichtshof (dt)
BGHZ	Entscheidungen des Bundesgerichtshofs in Zivilsachen (dt)
Bil	Bilanz
BinnGütBefG	Binnengüterbeförderungsgesetz
BinnSchiffG	Binnenschifffahrtsgesetz
BiRiLiG	Bilanzrichtliniengesetz (dt)
BlgNR	Beilage(n) zu den stenografischen Protokollen des Nationalrates
BM	Bundesminister, Bundesministerium
BMJ	Bundesminister(ium) für Justiz
BMT	Beförderungsbedingungen für den Möbeltransport
BörseG	Börsegesetz
BöSG	Börsesensalegesetz
BR-Dr	Bundesrat-Drucksache
BStFG	Bundes-Stiftungs- und Fondsgesetz
BT	Bundestag (dt)
BTX	Bildschirmtext
BuschsA	Archiv für Theorie und Praxis des deutschen Handels- und Wechselrechts (dt)
BVergG	Bundesvergabegesetz
B-VG	Bundes-Verfassungsgesetz
BWG	Bankwesengesetz
BWL	Betriebswirtschaftslehre
bzgl	bezüglich
bzw	beziehungsweise
CFR	cost and freight = Kosten und Fracht mit Nennung des Bestimmungshafens
CIF	cost, insurance, freight = Kosten, Versicherung, Fracht mit Nennung des Bestimmungshafens
CIM	Convention internationale concernant le transport des marchandises par chemins de fer = Internationales Übereinkommen über den Eisenbahnfrachtverkehr
CIP	carriage and insurance paid to = frachtfrei versichert mit Nennung des Bestimmungshafens oder -ortes
CIV	Convention internationale concernant le transport des voyageurs et des bagages par chemins de fer = Internationales Übereinkommen über den Eisenbahn-Personen- und -Gepäckverkehr
CMI	Comité Maritime International = Internationales Seerechtskomitee

CMR	Convention relative au Contrat de transport international de marchandises par route = Übereinkommen über den Beförderungsvertrag im internationalen Straßengüterverkehr
Co	Compagnon
COMECON	Council for Mutual Economic Assistance = Rat für gegenseitige Wirtschaftshilfe
COTIF	Convention relative aux transports internationaux ferroviaires = Übereinkommen über den internationalen Eisenbahnverkehr
CPT	carriage paid to = frachtfrei mit Nennung des Bestimmungsortes bei Beförderung zu Lande
CT	Combined Transport
d	siehe dt
D	siehe Dtld
DAF	delivered at frontier = geliefert Grenze
DB	Der Betrieb (dt)
dBGBl	deutsches Bundesgesetzblatt
DBW	Die Betriebswirtschaft, vormals: Zeitschrift für Handelswissenschaft und Handelspraxis (dt)
DCS	Dispositions Complémentaires Spéciales = Besondere Zusatzbestimmungen zur CIM
DCU	Dispositions Complémentaires Uniformes = Einheitliche Zusatzbestimmungen zur CIM und CIV
DDP	delivered duty paid = geliefert verzollt
DDR	(vormalige) Deutsche Demokratische Republik
DDSG	Donau-Dampfschifffahrts-Gesellschaft
DDU	delivered duty unpaid = geliefert unverzollt
DepG	Depotgesetz
DEQ	delivered ex quay = ab Kai mit Nennung des Bestimmungshafens
ders	derselbe
DES	delivered ex ship = geliefert ab Schiff mit Nennung des Bestimmungshafens
dgl	dergleichen
DGV	Der Güterverkehr (dt)
dh	das heißt
DHG	Dienstnehmerhaftpflichtgesetz
dHGB	Handelsgesetzbuch (dt)
dies	dieselbe(n)
diesbzgl	diesbezüglich
DIN	Deutsche Industrienorm
Diss	Dissertation
DJ	Deutsche Justiz
DJT	Deutscher Juristentag
DJZ	Deutsche Juristenzeitung
DNotZ	Deutsche Notar-Zeitschrift, vormals: Zeitschrift des Deutschen Notarvereins
DRdA	Das Recht der Arbeit
dRGBl	Reichsgesetzblatt (dt)
DSG	Datenschutzgesetz
DStR	Deutsches Steuerrecht
dt	deutscher, -e, -es
Dtld	Deutschland
DtRPfl	Der Deutsche Rechtspfleger
DV	Durchführungsverordnung
DVZ	Deutsche Versicherungszeitschrift (für) Sozialversicherung und Privatversicherung, vormals: Versicherungswissenschaft, Versicherungspraxis, Versicherungsmedizin (dt)

E	Entscheidung(en)
EA	Einigungsamt
EAG	Einheitliches Gesetz über den Abschluss von internationalen Kaufverträgen über bewegliche Sachen
EB	Erläuternde Bemerkungen, siehe Erl
EBG	Eisenbahnbeförderungsgesetz
ECE	Economic Commission for Europe = Wirtschaftskommission der Vereinten Nationen für Europa
ecolex	ecolex, Fachzeitschrift für Wirtschaftsrecht
EDV	Elektronische Datenverarbeitung
EEG	Eingetragene Erwerbsgesellschaft
EFTA	European Free Trade Association = Europäische Freihandelszone
EG	Europäische Gemeinschaft(en)
EGen	Europäische Genossenschaft
EG-RL	Richtlinie der Europäischen Gemeinschaft(en)
EGG	Erwerbsgesellschaftengesetz
EGHGB	Einführungsgesetz zum dHGB
EGT	Ergebnis gewöhnlicher Geschäftstätigkeit
EGV	siehe EWGV
EheG	Ehegesetz
EKG	Einheitliches Gesetz über den internationalen Kauf beweglicher Sachen
EKHG	Eisenbahn- und Kraftfahrzeughaftpflichtgesetz
EMT	Einlagerungsbedingungen für den Möbeltransport
engl	englischer, -e, -es
Entw	Entwurf
EO	Exekutionsordnung
EÖBevMG	Erdölbevorratungs- und Meldegesetz
ER	Einheitliche Rechtsvorschriften
Erg	Ergänzung
Erg-Bd	Ergänzungsband
Erl	Erläuterungen, siehe EB Erlass
EStG	Einkommensteuergesetz
& Co	et (und) Compagnon
etc	et cetera
ETR	European Transport Law = Europäisches Transportrecht (dt)
EU	Europäische Union
EU-GesRÄG	EU-Gesellschaftsrechtsänderungsgesetz
EU-RL	Richtlinien der Europäischen Union
EV	Einführungsverordnung
EvBl	Evidenzblatt der Rechtsmittelentscheidungen, in: Österreichische Juristen-Zeitung
EVHGB	Einführungsverordnung zum Handelsgesetzbuch
EVO	Eisenbahnverkehrsordnung
EWG	Europäische Wirtschaftsgemeinschaft
EWGV	Vertrag zur Gründung der Europäischen Wirtschaftsgemeinschaft
EWIV	Europäische Wirtschaftliche Interessenvereinigung
EWIVG	EWIV-Ausführungsgesetz
EWR	Europäischer Wirtschaftsraum
EWR-A	Abkommen über den Europäischen Wirtschaftsraum
EWS	Europäisches Wirtschafts- und Steuerrecht (dt)
EXW	ex works (ab Werk)
f	folgender, -e, -es
Fa	Firma

FAS	free alongside ship = frei Längsseite Schiff mit Nennung des Verschiffungshafens
FB	Firmenbuch
FBG	Firmenbuchgesetz
FBL	FIATA Negotiable Combined Transport Bill of Lading
FCA	free carrier = frei Frachtführer
FCR	Forwarders (Forwarding-Agents) Certificate of Receipt = Spediteur-Übernahmebescheinigung
FCT	Forwarders Certificate of Transport
ff	und die folgenden
FG	Fachgutachten
FIATA	Fédération internationale des associations de transitaires et assimilés
FinStrG	Finanzstrafgesetz
FJ	Finanz-Journal
FlößG	Flößereigesetz
FMA	Finanzmarktaufsicht
FMAG	Finanzmarktaufsichtsgesetz
FOB	free on board = frei an Bord mit Nennung des Beladungs- oder Verschiffungshafens
FOR	free on rail = frei Waggon mit Nennung des Abgangsortes
FS	Fachsenat
	Festschrift
G	Gesetz
GAngG	Gutsangestelltengesetz
GBlÖ	Gesetzblatt für das Land Österreich
GBU	GmbH-Bulletin
GedS	Gedächtnisschrift
gem	gemäß
Gen	Genossenschaft
GenG	Genossenschaftsgesetz
GenRevG	Genossenschaftsrevisionsgesetz
GenRevRÄG	Genossenschaftsrevisionsrechts-Änderungsgesetz
GenRevV	Genossenschaftsrevisionsverordnung
GenVG	Genossenschaftsverschmelzungsgesetz
GesBR	Gesellschaft bürgerlichen Rechts
GesRÄG	Gesellschaftsrechtsänderungsgesetz
GesRZ	Der Gesellschafter
GewO	Gewerbeordnung
GGSt	Bundesgesetz über die Beförderung gefährlicher Güter auf der Straße
GlU	Sammlung von zivilrechtlichen Entscheidungen des k. k. Obersten Gerichtshofes, herausgegeben von *Glaser* und *Unger,* fortgeführt von *Walther*
GlUNF	Sammlung von zivilrechtlichen Entscheidungen des k. k. Obersten Gerichtshofes, Neue Folge, begonnen von *Glaser* und *Unger,* fortgeführt von *Pfaff, Schey, Kupsky, Schrutka von Rechtenstamm* und *Stepan*
GmbH	Gesellschaft mit beschränkter Haftung
GmbHG	Gesetz über Gesellschaften mit beschränkter Haftung
GmbHR	Rundschau für die GmbH (dt)
GMG	Gebrauchsmustergesetz
GoB	Grundsätze ordnungsmäßiger Buchführung
GoBil	Grundsätze ordnungsmäßiger Bilanzierung
GOG	Gerichtsorganisationsgesetz
GP	Gesetzgebungsperiode
GroßK	Großkommentar
Gruchot	Beiträge zur Erläuterung des Deutschen Rechts, begründet von *Gruchot* (dt)

GrünhutsZ	Zeitschrift für das Privat- und öffentliche Recht der Gegenwart, begründet von *Grünhut*
GRUR	Gewerblicher Rechtsschutz und Urheberrecht (dt)
GRURInt	Gewerblicher Rechtsschutz und Urheberrecht, Internationaler Teil
GS	Gesetzessammlung
GütBefG	Güterbeförderungsgesetz
GuV	Gewinn- und Verlustrechnung
GV	Generalversammlung
GZ	Allgemeine Österreichische Gerichtszeitung
H	Heft
h	herrschend
hA	herrschende Ansicht
HAgG	Handlungsagentengesetz
HB	Handbuch
HBA	Handbuch Bilanz- und Abschlussprüfung
HBÖ	Handelsbräuche in Österreich
HBzKSchG	Handbuch zum Konsumentenschutzgesetz
HeizKG	Heizkostenabrechnungsgesetz
HGB	Handelsgesetzbuch
hgg	siehe hrsg
HK	Heidelberger Kommentar zum HGB
HlSchG	Halbleiterschutzgesetz
hM	herrschende Meinung
HRA	Handelsregister Abteilung A
HRefG	Handelsrechtsreformgesetz (dt)
HRB	Handelsregister Abteilung B
Hrsg	Herausgeber
hrsg	herausgegeben
Hs	Halbsatz
HS	Handelsrechtliche Entscheidungen, herausgegeben von *Stanzl, Friedl, Steiner,* fortgeführt von *Jabornegg*
Hst	Hauptstück
HVertrG	Handelsvertretergesetz
HVG	siehe HVertrG
HWB	Handwörterbuch
HWR	Handwörterbuch des Rechnungswesens (dt)
HWRev	Handwörterbuch der Revision (dt)
IAS	International Accounting Standard(s)
IASB	International Accounting Standards Board
IASC	International Accounting Standards Committee
IATA	International Air Traffic Association = Internationale Lufttransportvereinigung für Passagiere und Gepäck und für Frachtgut
ICC	International Chamber of Commerce = Internationale Handelskammer
idF	in der Fassung
idgF	in der geltenden Fassung
IDGT	Internationale Donaugütertarife
idR	in der Regel
idS	in diesem Sinne
IdW	Institut der Wirtschaftsprüfer (dt)
idZ	in diesem Zusammenhang
ieS	im engeren Sinn
IFRS	International Financial Reporting Standards
IGT I	Internationaler Eisenbahn-Gütertarif Teil I
igZ	im gegebenen Zusammenhang

IMCO	Intergovernmental Maritime Consultative Organization = Zwischenstaatliche Beratende Seeschifffahrtsorganisation
ImmZ	Österreichische Immobilien-Zeitung
IMV	Immobilienmaklerverordnung
Incoterms	International commercial terms
Ind	Die Industrie
info	Information
insb	insbesondere
InvFG	Investmentfondsgesetz
IÖWP	Institut österreichischer Wirtschaftsprüfer
IPR	Internationales Privatrecht
IPRG	Bundesgesetz über das Internationale Privatrecht
IRÄG	Insolvenzrechtsänderungsgesetz
IRU	International Road Transport Union = Internationale Straßentransportvereinigung
iS	im Sinne
IV	ideelle Vereine
IVersVG	Bundesgesetz über internationales Versicherungsvertragsrecht für den Europäischen Wirtschaftsraum
iVm	in Verbindung mit
iwS	im weiteren Sinn
iZw	im Zweifel
J	Jahr
JA	Jahresabschluss Juristische Arbeitsblätter (dt) Justizausschuss
JAB	Justizausschussbericht
JABl	Amtsblatt der österreichischen Justizverwaltung
JAP	Juristische Ausbildung und Praxisvorbereitung
JB	Jahrbuch
JBl	Juristische Blätter
JfB	Journal für Betriebswirtschaft
JGS	Justizgesetzessammlung
Jhdt	Jahrhundert
JhJb	Jherings Jahrbücher für die Dogmatik des bürgerlichen Rechts, früher: Jahrbücher für die Dogmatik des heutigen römischen Rechts und deutschen Privatrechts
JN	Jurisdiktionsnorm
JR	Juristische Rundschau (dt)
Jura	Jura (dt)
jurP	juristische Person
JuS	Juristische Schulung (dt)
JUS	JUS-EXTRA, Beilage zur Wiener Zeitung
JW	Juristische Wochenschrift (dt)
JZ	Juristenzeitung (dt)
Kap	Kapitel
KapBG	Kapitalberichtigungsgesetz
KartG	Kartellgesetz
Kdm	Kundmachung
KEG	Kommandit-Erwerbsgesellschaft Kraftloserklärungsgesetz
KFS	Fachsenat der Kammer der Wirtschaftstreuhänder
Kfz	Kraftfahrzeug
KG	Kommanditgesellschaft
KGaA	Kommanditgesellschaft auf Aktien

KHVG	Kraftfahrzeughaftpflichtversicherungsgesetz
KMG	Kapitalmarktgesetz
KO	Konkursordnung
Komm	Kommentar
Komm.Ges.	siehe KG
KonzaG	Konzernabschlussgesetz
KSchG	Konsumentenschutzgesetz
KStG	Körperschaftsteuergesetz
KuratorenG	Kuratorengesetz
KWG	Kreditwesengesetz
KWT	Kammer der Wirtschaftstreuhänder
LblSlg	Loseblatt-Sammlung
LFG	Luftfahrtgesetz
LGBl	Landesgesetzblatt
Lit	Literatur
lit	litera
LitNw	Literaturnachweis(e)
Lkw	Lastkraftwagen
LReg	Landesregierung
LRW	Lexikon des Rechnungswesens (dt)
lt	letzter, -e, -es
LuftVG	Luftverkehrsgesetz
M	Meinung
m	mit
MaklerG	Maklergesetz
MarkSchG	Markenschutzgesetz
Mat	Materialien
maW	mit anderen Worten
MDR	Monatsschrift für Deutsches Recht (dt)
mE	meines Erachtens
Miet	siehe MietSlg
MietSlg	Mietrechtliche Entscheidungen, herausgegeben von *Würth, Hurch, Palten, Schimetschek*
MinEntw	Ministerialentwurf
Mio	Million(en)
MOG	Marktordnungsgesetz
Mon	Monografie
MR	Medien und Recht
Mrd	Milliarde(n)
MRG	Mietrechtsgesetz
MRK	Europäische Menschenrechtskonvention
MSVS	Möbel-Speditionsversicherungsschein
MT	Multimodal Transport
MTO	Multimodal Transport Operator = Unternehmer der multimodalen Beförderung
MustSchG	Musterschutzgesetz
mwNw	mit weiteren Nachweisen
N	Nachweis(e)
NahVG	Nahversorgungsgesetz
NBG	Nationalbankgesetz
Neudr	Neudruck
NJW	Neue Juristische Wochenschrift (dt)
NJW-RR	NJW-Rechtsprechungsreport (dt)
NormenG	Bundesgesetz über das Normenwesen
Nov	Novelle

NPO	Non-Profit-Organisation
NR	Nationalrat
Nr	Nummer
NRsp	Neue Rechtsprechung des OGH, Beilage zur Österreichischen Juristen-Zeitung
Nw	Nachweis(e)
NZ	Österreichische Notariats-Zeitung
NZ-K	Kartei in Außerstreitsachen, in: Österreichische Notariats-Zeitung
o	oben
O	Ordnung
ÖBA	Österreichisches Bankarchiv
ÖBB	Österreichische Bundesbahnen
ÖBl	Österreichische Blätter für gewerblichen Rechtsschutz und Urheberrecht
OEG	Offene Erwerbsgesellschaft
ÖEKR	Österreichischer Einheitskontenrahmen
OG	Offene Gesellschaft
ÖGB	Österreichischer Gewerkschaftsbund
ÖGBau	Österreichische Gesellschaft für Baurecht
OGH	Oberster Gerichtshof
ÖGT	Österreichischer Gütertarif
ÖGZ	Österreichische Gemeinde-Zeitung
OHG	Offene Handelsgesellschaft
ÖHU	Österreichische Holzhandelsusancen
oJ	ohne Jahr
ÖJT	Österreichischer Juristentag
ÖJZ	Österreichische Juristen-Zeitung
ÖKW	Österreichisches Kuratorium für Wirtschaftlichkeit
OLG	Oberlandesgericht
ON	Österreichisches Normungsinstitut
ÖNorm	Österreichische Norm
OPMS	Oberster Patent- und Markensenat
ÖPT	Österreichischer Eisenbahn-Personen- und Reisegepäcktarif
ÖPWZ	Österreichisches Zentrum für Wirtschaftlichkeit und Produktivität
OR	Obligationenrecht (schw)
ORF	Österreichischer Rundfunk
ÖSD	Österreichische Staatsdruckerei
österr	österreichischer, -e, -es
ÖStGT	Österreichischer Straßengüter-Tarif
ÖStMT	Österreichischer Mineralöl-Tarif
ÖStZ	Österreichische Steuer-Zeitung
ÖStZB	Die finanzrechtlichen Erkenntnisse des VwGH und VfGH in lückenloser Folge, Beilage zur Österreichischen Steuer-Zeitung
OTIF	Organisation intergouvernementale pour les transports internationaux ferroviaires
ÖZG	Öffnungszeitengesetz
ÖZW	Österreichische Zeitschrift für Wirtschaftsrecht
oZw	ohne Zweifel
P	siehe Pkt
PatG	Patentgesetz
PBl	Österreichisches Patentblatt
PHG	Produkthaftungsgesetz
PKG	Pensionskassengesetz
Pkt	Punkt
PKVV	Personalkreditvermittlungsverordnung

PostG	Postgesetz
PostO	Postordnung
PostSpG	siehe PSKG
ppa	per procura
PrAG	Preisauszeichnungsgesetz
Prot	Protokoll
PS	Privatstiftung
PSG	Privatstiftungsgesetz
PSK	Postsparkasse
PSKG	Postsparkassengesetz
PublG	Publizitätsgesetz (dt)
PVÜ	Pariser Verbandsübereinkunft zum Schutze des gewerblichen Eigentums
QuHGZ	Quartalshefte der Girozentrale
RabelsZ	Rabels Zeitschrift für ausländisches und internationales Privatrecht, früher: Zeitschrift für ausländisches und internationales Privatrecht, begründet von *Rabel* (dt)
RAO	Rechtsanwaltsordnung
RatenG	Ratengesetz
RdA	Recht der Arbeit (dt)
RdS	Rundschreiben
RdW	Österreichisches Recht der Wirtschaft
RealZ	Österreichische Realitäten-Zeitung
ReLÄG	Rechnungslegungsänderungsgesetz
RFG	Rundfunkgesetz
RG	Reichsgericht (dt)
RGBl	Reichsgesetzblatt
RGZ	Entscheidungen des Reichsgerichts in Zivilsachen (dt)
RHdW	Rechtsvergleichendes Handwörterbuch für das Zivil- und Handelsrecht des In- und Auslandes, herausgegeben von *Schlegelberger,* Bde I – VII (dt)
RICo	Internationale Ordnung für die Eisenbahnbeförderung von Containern
RID	Internationale Ordnung für die Eisenbahnbeförderung von gefährlichen Gütern
RIEx	Internationale Ordnung für die Eisenbahnbeförderung von Expressgut
RIP	Internationale Ordnung für die Eisenbahnbeförderung von Privatwagen
RIW	Recht der internationalen Wirtschaft; Außenwirtschaftsdienst des Betriebsberaters (dt)
RL	Richtlinie
RLG	Rechnungslegungsgesetz
ROI	Return on Investment
RPfl	Der österreichische Rechtspfleger
Rsp	Rechtsprechung
RV	Regierungsvorlage
RVS	Rollfuhrversicherungsschein
RWZ	Österreichische Zeitschrift für Rechnungswesen
RZ	Österreichische Richterzeitung
Rz	Randziffer
s	siehe
S	Seite
SABI	Sonderausschuss Bilanzrichtliniengesetz des Instituts der Wirtschaftsprüfer (dt)
Sach	Der Sachverständige
SAT	Internationaler Eisenbahngütertarif Österreich – UdSSR

SCE	Europäische Genossenschaft
SCEV	VO über das Statut der Europäischen Genossenschaft
SchG	Scheckgesetz
SchR	Schuldrecht
SchR AT	Schuldrecht, Allgemeiner Teil
SchR BesT	Schuldrecht, Besonderer Teil
schw	Schweizer, schweizerischer, -e, -es
SchwJT	Schweizer Juristentag
SE	Societas Europaea; Europäische Gesellschaft
SEG	Gesetz über das Statut der Europäischen Gesellschaft
SFAS	Statements on Financial Accounting Standards
sog	so genannter, -e, -es
SozSi	Soziale Sicherheit, Zeitschrift für Sozialversicherung
Sp	Spalte Sparkasse
SP	Speditionspolizze
SpaltG	Spaltungsgesetz
SpG	Sparkassengesetz
SpR	Spruchrepertorium des Obersten Gerichtshofes
SSV	Entscheidungen des Oberlandesgerichtes Wien im Leistungsstreitverfahren zweiter Instanz der Sozialversicherung
SSVNF	Entscheidungen des Obersten Gerichtshofes in Sozialrechtssachen, herausgegeben von *Resch/Bauer*
StB	Der Steuerberater (dt)
StGB	Strafgesetzbuch
StGBl	Staatsgesetzblatt für die Republik Österreich
StGG	Staatsgrundgesetz
str	strittig
strA	strittige(r) Ansicht
strM	strittige(r) Meinung
stRsp	ständige Rechtsprechung
StrukVG	Strukturverbesserungsgesetz
StuB	Steuer und Beratung (dt)
StuW	Steuer und Wirtschaft (dt)
SVDolmG	Sachverständigen- und Dolmetschergesetz
SVS	Speditionsversicherungsschein
SWI	Steuer & Wirtschaft international
SWK	Österreichische Steuer- und Wirtschaftskartei
SZ	Entscheidungen des österreichischen Obersten Gerichtshofes in Zivil- (und Justizverwaltungs-)sachen, veröffentlicht von seinen Mitgliedern
TBd	Teilband
TCM	Übereinkommen über die gemischte Beförderung im internationalen Güterverkehr (Entwurf)
TN	Teilnovelle
TNov	siehe TN
TR	Transportrecht (dt)
tw	teilweise
u	und
ua	und andere
uä	und ähnliche(s)
uam	und andere(s) mehr
udgl	und dergleichen
UdSSR	Union der Sozialistischen Sowjet-Republiken
UEC	Union Europeenne des Experts Comptables Economiques et Financiers

UGB	Unternehmensgesetzbuch
UK	United Kingdom
UmgrStG	Umgründungssteuergesetz
umstr	umstritten
UmwG	Umwandlungsgesetz
UN	United Nations = Vereinte Nationen
UNCITRAL	United Nations Commission on International Trade Law = UN-Kommission für internationales Handelsrecht
UNCTAD	United Nations Conference for Trade and Development = Welthandelskonferenz der Vereinten Nationen (Genf)
UNIDO	United Nations Industrial Development Organization = Organisation der Vereinten Nationen für industrielle Entwicklung
UNIDROIT	Institut international pour l'unification du droit privé = Internationales Institut für die Vereinheitlichung des Privatrechts
UNK	Übereinkommen der Vereinten Nationen über Verträge über den Internationalen Warenkauf
UNO	United Nations Organization = Organisation der Vereinten Nationen
unstr	unstrittig
URG	Unternehmensreorganisationsgesetz
UrhG	Urheberrechtsgesetz
USA	United States of America = Vereinigte Staaten von Amerika
US-GAAP	United States Generally Accepted Accounting Principles
USt	Umsatzsteuer
UStG	Umsatzsteuergesetz
usw	und so weiter
uU	unter Umständen
uva	und viele(s) andere
UWG	Gesetz gegen den unlauteren Wettbewerb
V	Verordnung
v	von
va	vor allem
VAG	Versicherungsaufsichtsgesetz
VerG	Vereinsgesetz
Verh	Verhandlung(en)
VerPat	Vereinspatent
VersR	Versicherungsrecht, Juristische Rundschau für die Individualversicherung (dt)
verst	verstärkter (Senat des OGH)
VersVG	Versicherungsvertragsgesetz
VfGH	Verfassungsgerichtshof
vgl	vergleiche
VKI	Verein für Konsumenteninformation
VO	siehe V
Vol	Volume (Band)
Vorb	Vorbemerkung(en)
VR	Die Versicherungsrundschau
VVaG	Versicherungsverein auf Gegenseitigkeit
VwG	Verwaltergesetz
VwGH	Verwaltungsgerichtshof
VwSlgNF	Erkenntnisse und Beschlüsse des Verwaltungsgerichtshofes, Neue Folge, hrsg von *Lennkh, Putz, Kaniak, Hrdlitzka* und *Ondraczek*
w	weiterer, -e, -es
WA	Warschauer Abkommen zur Vereinheitlichung von Regeln über die Beförderung im internationalen Luftverkehr
wbl	Wirtschaftsrechtliche Blätter

WG	Wechselgesetz
WGG	Wohnungsgemeinnützigkeitsgesetz
WK	Wirtschaftskammer
WKÖ	Wirtschaftskammer Österreich
WM	Wertpapiermitteilungen, Zeitschrift für Wirtschafts- und Bankrecht
wN	weitere Nachweise
WoBl	Wohnrechtliche Blätter
WP	Wirtschaftsprüfer
WPg	Die Wirtschaftsprüfung (dt)
WR	Wiener Judikatur, Beilage zu Der Wiener Richter
WRP	Wettbewerb in Recht und Praxis
WT	Wirtschaftstreuhänder
WTBO	Wirtschaftstreuhänder-Berufsordnung
WTKG	Wirtschaftstreuhänder-Kammergesetz
WU	Wirtschaftsuniversität
WuR	Wirtschaft und Recht (dt)
Z	Ziffer
z	zu, zum, zur
ZAkDR	Zeitschrift der Akademie für Deutsches Recht
ZAS	Zeitschrift für Arbeitsrecht und Sozialrecht
zB	zum Beispiel
ZBH	Zentralblatt für Handelsrecht (dt)
ZBl	Zentralblatt für die juristische Praxis
ZfA	Zeitschrift für Arbeitsrecht (dt)
ZfB	Zeitschrift für Betriebswirtschaft (dt)
ZfBF	(Schmalenbachs) Zeitschrift für betriebswirtschaftliche Forschung (dt)
ZfRV	Zeitschrift für Rechtsvergleichung
ZfV	Zeitschrift für Verwaltung
ZfVB	Die administrativrechtlichen Entscheidungen des VwGH und die verwaltungsrechtlich relevanten Entscheidungen des VfGH in lückenloser Folge, Beilage zur ZfV
ZfVw	Zeitschrift für Versicherungswesen (dt)
ZGB	Zivilgesetzbuch (schw)
ZGR	Zeitschrift für Unternehmens- und Gesellschaftsrecht (dt)
ZGV	Zeitschrift für Gebühren und Verkehrssteuern
ZHR	Zeitschrift für das gesamte Handelsrecht und Wirtschaftsrecht (dt)
ZIE	Zeitschrift für den internationalen Eisenbahnverkehr (dt)
Zif	siehe Z
ZIK	Zeitschrift für Insolvenzrecht und Kreditschutz
ZinsG	Zinsengesetz
ZIP	Zeitschrift für Wirtschaftsrecht, früher: Zeitschrift für Wirtschaftsrecht und Insolvenzpraxis (dt)
zit	zitiert
ZKW	Zeitschrift für das gesamte Kreditwesen (dt)
ZollG	Zollgesetz
ZPO	Zivilprozessordnung
ZPR	Zivilprozessrecht
ZRS	Zivilrechtssachen
ZSR	Zeitschrift für Schweizerisches Recht
ZStaatsW	Zeitschrift für die gesamten Staatswissenschaften (dt)
zT	zum Teil
zust	zustimmend
zutr	zutreffend
zutrA	zutreffender Ansicht
ZVR	Zeitschrift für Verkehrsrecht
Zw	Zweifel

Literaturhinweise

Im Folgenden wird nur auf ausgewählte *österreichische Gesetzesausgaben, Kommentare, Lehrbücher und Lehrbehelfe, Entscheidungssammlungen und Fachzeitschriften zum Handelsrecht* hingewiesen. Bei unkommentierten Gesetzesausgaben wird auf den Umstand, dass die genannten Personen lediglich Bearbeiter, Zusammensteller, Redakteure bzw Herausgeber sind, nicht näher hingewiesen. Weitere Literaturangaben (Monographien und Aufsätze) finden sich bei den einzelnen Kapiteln dieses Lehrbuches.

Gesetzesausgaben und Kommentare

Gesamtausgaben und HGB:

Cuber, Handelsrecht, Rechtstextesammlung, laufend Neuauflagen
Jabornegg (Hrsg), HGB-Kommentar (1997), Ergänzungsheft 1999
Nowotny/Zetter, HGB samt den wichtigsten handelsrechtlichen Nebengesetzen[14] (2003)
Straube, Kommentar zum HGB, Bd I[3] (2003); Bd II[2] (2000)
Weilinger, Kodex Handelsrecht, laufend Neuauflagen

Firmenbuchrecht:

Danzl, Das neue Firmenbuch (1991)
Eiselsberg/Schenk/Weißmann, Firmenbuchgesetz (1991)
Kodek/Nowotny/Umfahrer, Firmenbuchgesetz (2005)
Feil, Firmenbuchgesetz (2005)

Rechnungslegungsrecht:

Bertl/Mandl, Handbuch zum RLG. Rechnungslegung, Prüfung und Offenlegung (Loseblatt-Slg)
Lukas/Zetter/Maukner, Rechnungslegungsgesetz[3] (2001) Ergänzungsblätter 2002
Straube (Hrsg), Kommentar zum HGB mit einschlägigen Rechtsvorschriften, Bd II[2] Rechnungslegung (2000)
Weilinger, Rechnungslegungsbestimmungen des HGB idF des EU-Gesellschaftsrechtsänderungsgesetzes 1996 (1996)
Weilinger, Rechnungslegungsgesetz idF des FBG 1991 (1991)
KODEX Internationale Rechnungslegung IAS-IFRS, laufend Neuauflagen

Gesellschaftsrecht und Privatstiftungsrecht:

Arnold, Privatstiftungsgesetz Kommentar (2002)
Brändle/Schnetzer, Das österreichische Vereinsrecht[3] (2002)
Brinek/ua, Genossenschaftsrecht. Eine Zusammenstellung einschlägiger Gesetze und Verordnungen[2] (1989)
Cerha/Eiselsberg/Kirschner/Knirsch, Privatstiftungsgesetz (1993)
Dellinger, Genossenschaftsgesetz samt Nebengesetzen. Kommentar (2005)
Dellinger/Mohr, Eigenkapitalersatz-Gesetz (2004)
Doralt/Nowotny/Kalss, Kommentar zum Aktiengesetz, 2 Bde (2003)
Doralt/Nowotny/Kalss, Privatstiftungsgesetz Kommentar (1995)
Eiselsberg, AktG[2] (2004)
Eiselsberg, GmbHG idF des EU-GesRÄG 1996 (1996)
Eiselsberg, Spaltungsgesetz (1994)
Feil, Privatstiftungsgesetz (1994)
Fruehmann/Nagy, Aktiengesetz, The Austrian Stock Corporation Act, Bilingual Edition (2004)

Gassner/Göth/Gröhs/Lang, Privatstiftungen. Gestaltungsmöglichkeiten in der Praxis (2000)
Gellis/Feil, Kommentar zum GmbH-Gesetz[5] (2004)
Grünberger, Praxisfaden für Sportvereine, Vereinsgesetz 2002 – Vereinsrichtlinien – Haftungsfragen – Rechnungswesen – Fallbeispiele (2002)
Hausmaninger/Feyl, Europäische Wirtschaftliche Interessenvereinigung (EWIV) (1995)
Hausmaninger/Herbst, Übernahmegesetz. Kurzkommentar (1999)
Heidinger, Aktiengesetz[4] (2001)
Huber/Löber, Übernahmegesetz. Kommentar (1999)
Jabornegg/Strasser, Kommentar zum AkG[4] (in Teilbänden ab 2001)
Kalss/Bachner, Handkommentar zur Verschmelzung – Spaltung – Umwandlung. Die gesellschaftsrechtlichen Bestimmungen (AktG, GmbHG, SpaltG und UmwG) idF des EU-Gesellschaftsrechtsänderungsgesetzes (1997)
Kalss/Hügel, Europäische Aktiengesellschaft SE-Kommentar (2004)
Koppensteiner, GmbH-Gesetz Kommentar[2] (1999)
Krejci, Erwerbsgesellschaftengesetz (1991)
Krejci/S. Bydlinski/Rauscher/Weber-Schallauer, Vereinsgesetz 2002 (2002)
Prändl, Vereinsgesetz 2002 (2002)
Rauscher/Scherhak/Hinterleitner, Vereine. Ihr Ratgeber für Vereinsangelegenheiten. Plus zahlreiche Praxisbeispiele und Hinweise[2] (2005)
Reich-Rohrwig, EU-Gesellschaftsrechtsänderungsgesetz (1996)
Reich-Rohrwig/Zehetner, Genossenschaftsrecht idF GenRevRÄG 1997
Schärf, Übernahmegesetz (2001)
Scherff, Das neue Vereinsrecht (VerG 2002) 2002
Schiemer/Jabornegg/Strasser, Kommentar zum AktG[3] (1993)
Schopper/Vogt, Eigenkapitalersatzgesetz (2003)
Torggler/Torggler, GmbHG und die wichtigsten Nebengesetze[8] (2000)
Vögel/Egger/Steirer, Der neue Verein in 313 Fragen und Antworten (2002)
Wünsch, Kommentar zum GmbHG, in Lieferungen ab 1987

E-Commerce-Recht:

Blume/Hammerl, ECG E-Commerce-Gesetz (2002)
Zankl, E-Commerce-Gesetz (2002)
Mayer-Schönberger/Pilz/Reiser/Schmölzer, Signaturgesetz (1999)
Brenn/R. Posch, Signaturverordnung (2000)
Straube/Fina, E-Commerce- und Internetrecht. Rechtstextsammlung[3] (2005)

Absatzmittler- und Transportrecht:

Berger, Gefahrgutrecht. Gefahrgut Beförderungsgesetz GGBG 1998 mit Novelle 1999 und erläuternden Bemerkungen – Container Sicherheitsgesetz CSG 1996 – CSC-Übereinkommen – EU-Richtlinien – Gefahrgut (1999)
Bydlinski S., Das Maklergesetz und die Änderungen des KSchG durch das BGBl 1996/262 mit Auszügen aus der Regierungsvorlage und erläuternden Anmerkungen (1996)
Derbolav, Immobilienmaklerverordnung (1990)
Feil, Tiertransportgesetz (1994)
Fromherz, Kommentar zum Maklergesetz (1997)
Grundtner/Stratil, Beförderung gefährlicher Güter auf der Straße[2] (1991)
Jabornegg, HVG Handelsvertreterrecht und Maklerrecht (1987)
Ostermayer, Immobilienmaklerverordnung 1996. Kommentar mit umfassendem Anhang (1996)
Ostermayer/Schuster, Maklerrecht. Kommentar des Maklergesetzes samt Materialien und umfassendem Anhang (1996)
Weilinger/Weilinger, Handelsvertretergesetz 1993 (1993)
Wiesbauer/Zetter, Transporthaftung (1984), ErgBd 1990

Versicherungs-, Bank- und Börserecht:

Baran, Das Versicherungsaufsichtsgesetz[3] (2000)
Eiselsberg, BWG Bankwesengesetz WAG Wertpapieraufsichtsgesetz[2] (1997)
Fenyves/Koban, Österreichisches Versicherungsrecht, Allgemeine Versicherungsbedingungen[3] (2000)
Fenyves/Kronsteiner/Schauer, VersVG-Novellen. VersVG. Die Novellen '92, '94 und '96. Kommentar (1998)
Fremuth/Laurer/Linc/Pötzelberger/Strobl, Bankwesengesetz samt den wichtigsten Nebengesetzen[2] (1999) Ergänzungsband 2002
Grubmann, Das Versicherungsvertragsgesetz[5] (2002)
Haschek/Braumann/Doralt/Csoklich (Hrsg), Österreichisches Bank- und Börserecht[3] (1994)
Hausmaninger, BWG[3] – Bankwesengesetz idF des Finanzmarktaufsichtsgesetzes (2002)
Heiss/Lorenz, Versicherungsvertragsgesetz samt Nebengesetzen. Gesetzestexte, Materialien und Kommentierung anhand der österreichischen Rechtsprechung[2] (1996)
Honsell (Hrsg), Berliner Kommentar zum Versicherungsvertragsgesetz. Kommentar zum deutschen und österreichischen VVG (1998)
Iro/Koziol, Allgemeine Bedingungen für Bankgeschäfte (2001)
Raschauer/Hartmann, Bankgesetze (1993)
Rudisch, Das neue Versicherungsrecht (1994)
Weilinger G. Kodex Bank- und Börserecht, laufend Neuauflagen
Weilinger G. Kodex Versicherungsrecht, laufend Neuauflagen
Weilinger, Börsegesetz (1990)
Weilinger, Kapitalmarktgesetz (1992)

Wertpapierrecht:

Kapfer, Handkommentar zum Wechselgesetz (1969)
Pimmer, Wechselgesetz und Scheckgesetz[9] (1992)

Wettbewerbs- und Immaterialgüterrecht:

Barfuß/Auer, Kartellrecht[4] (1989), Ergänzungsband 1994
Auer/Urlesberger, Kartellrecht[5] (2003)
Dillenz/Gutmann, Praxiskommentar zum Urheberrecht. Österreichisches Urheberrechtsgesetz und Verwertungsgesellschaftengesetz[2] (2004)
Dittrich, Österreichisches und europäisches Urheberrecht[4] (2004)
Friedl/Schönherr/Thaler, Patent- und Markenrecht (1979)
Gräser/Kucsko, Halbleiterschutzgesetz (1988)
Gugerbauer, Kommentar zum Kartellgesetz[3] (1999)
Gugerbauer, Kartellrecht (2002)
Knittel/Kucsko, Musterschutzgesetz 1990 (1991), Nachtrag 1993
Kucsko, Markenschutzgesetz 1970 – MSchG idF der Markenrechtsnovelle 1999 (1999)
Loibl/Pruckner, Musterschutzgesetz. Kurzkommentar (1993)
Puchberger/Jakadofsky, Musterrecht mit Auszügen aus den Gesetzesmaterialien, Anmerkungen sowie einer Übersetzung des Musterschutzgesetzes 1990 ins Englische, allen Verordnungen und dem Abkommen von Lucarno (1991)
Reich-Rohrwig/Zehetner, Kartellrecht I (2000)
Schönherr, Patentrecht (1984) Nachtrag 1987
Wiltschek, UWG[7] (2003)
KODEX Wirtschaftsgesetze, 2 Bde, laufend Neuauflagen
Grünzweig, Praxiskommentar zum Markenschutzgesetz (2005)
Ciresa, Österreichisches Urheberrecht. Kommentar (2004)
Walter M., Europäisches Urheberrecht (2001)
Walter M., Urheberrechtsgesetz UrhGNov 2003 (2003)

Lehrbücher, Lehrbehelfe und Grundlegendes

Gesamt- u. Teildarstellungen des allgemeinen Handelsrechts:

Gruber, Handelsgeschäfte[6] (2005)
Hämmerle/Wünsch, Handelsrecht, 3 Bd, 3. Auflage 1976–1979; Bd I, Allgemeine Lehren und Handelsstand[4] (1990) Bd II: Personengesellschaften[4] (1993)
Holzhammer, Allgemeines Handelsrecht und Wertpapierrecht[8] (1998)
Krejci, Handelsrecht (1995)
Roth/Fitz, Handels- und Gesellschaftsrecht (2000)
Schummer, Handelsstand[5] (2005)
Kalss/Schauer, Allgemeines Handelsrecht (2002)
Grünwald/Hauser/Reininghaus, Privates Wirtschaftsrecht[2] (2002)

Zur Handelsrechtsreform:

Harrer/Mader (Hrsg), Die HGB-Reform in Österreich (2005)
Krejci/K. Schmidt, Vom HGB zum Unternehmergesetz (2002)
Krejci, Handelsrechtsreform – Stand Herbst 2004 (2004)
Torggler U., Abschied vom Handelsrecht? Zum Entw eines UGB (2005)

Rechnungslegungsrecht:

Achatz/Oberleitner, Besteuerung und Rechnungslegung der Vereine (2004)
Auer, Buchhaltung-Bilanzierung-Analyse (2003)
Auer, IAS/IFRS Kompakt[2] (2003)
Becker, IAS/US-GAAP leicht gemacht (2002)
Bertl/Deutsch-Goldoni/Hirschler, Buchhaltungs- und Bilanzierungshandbuch[4] (2004)
Bertl/Kofler/Mandl, Praxis der neuen Rechnungslegung[4] (1997)
Bertl/Mandl, Handbuch zum Rechnungslegungsgesetz. Rechnungslegung, Prüfung und Offenlegung (2004)
Bitzyk/Steckel, Der Jahresabschluss – Einzelabschluss[3] (2005)
Bitzyk/Steckel, Der Jahresabschluss – Konzernabschluss[2] (2003)
Blaich/Egger/Weilinger, Einführung in die Rechnungslegung – Buchhaltung, Bilanzierung, Kostenrechnung[2] (1997)
Casey/Kunz/Prachner, IAS-US GAAP-HGB, Rechnungslegung im Vergleich (2002)
Deutsch/Rohatschek, Bilanzierung (2001)
Egger/Samer/Bertl, Der Jahresabschluss nach dem HGB Bd I – Der Einzelabschluss[8] (2002), Bd II – Der Konzernabschluss[5] (2004)
Frick, Bilanzierung nach dem Rechnungslegungsgesetz[7] (2004)
Gelter, Neue Rechnungslegungsnormen im Handelsrecht (2001)
Grünberger, Buchhaltung und Bilanz – Einführung und Überblick (2001)
Grünberger, Praxis der Bilanzierung[9] 2003/2004 (2003)
Grünberger/Grünberger, IAS/IFRS 2005[3] (2004)
Haller, Internationale Rechnungslegungsstandards für Österreich (2004)
Hassler/Kerschbaumer, Praxisleitfaden zur internationalen Rechnungslegung (IFRS) (2005)
Keinert, Rechnungslegungsrecht für Juristen (2004)
Kofler/Nadvornik/Pernsteiner/Vodrazka, Handbuch Bilanz und Abschlußprüfung[3] (2001)
KPMG, International Financial Reporting Standards (2004)
Lansky/Matznetter/Pätzold/Steinwandtner/Thunshirn, Rechnungslegung der Vereine (2004)
Mandl, Das große Lexikon Rechnungswesen und Rechnungslegung (2003)
Mandl, HB der Buchführung und Jahresabschlussaufstellung[2] (1999)
Maukner/Rohatschek, Rechnungslegung nach IFRS, Überblick mit erläuternden Beispielen[2] (2005)

Steckel, Internationale Prüfungsstandards – International Standards on Auditing. Eine Einführung (2004)
Wagenhofer, Bilanzierung & Bilanzanalyse[7] (2002)
Wagenhofer, Internationale Rechnungslegungsstandards – IAS/IFRS[5] (2005)
Weilinger, Die Aufstellung und Feststellung des Jahresabschlusses im Handels- und Gesellschaftsrecht (1997)
Zehetner, Die Rechnungslegung der Genossenschaften (1999)

Gesellschaftsrecht und Privatstiftungsrecht:

Achatz/Aigner/Kofler/Tumpel, Internationale Umgründungen (2005)
Achatz/Jabornegg/Karollus, Eigenkapitalersatz im Gesellschafts-, Steuer- und Arbeitsrecht (1999)
Barnert/Dolezal/Egermann/Illigasch, Societas Europaea (2005)
Bertl/Eberhartinger/Egger ua, Eigenkapital (2005)
Bertl/Mandl/Mandl ua, Die Personengesellschaft im Handels- und Steuerrecht (2001)
Birkner/Löffler, Handbuch Corporate Governance (2004)
Dellinger/Keppert, Eigenkapitalersatzrecht (2004)
Doralt/Kalss, Aktuelle Fragen des Privatstiftungsrechts (2001)
Feil, ABC des Gesellschaftsrechts, 4 Bde (2001)
Haberer, Corporate Governance (2003)
Haemmerle/Wünsch, Handelsrecht II: Personengesellschaften[4] (1993)
Haeseler/Gampe, Corporate Governance (2002)
Holzhammer/M. Roth, Gesellschaftsrecht[2] (1997)
Kalss/Burger/Eckert, Die Entwicklung des österreichischen Aktienrechts (2003)
Kalss/Eckert, Zentrale Fragen des GmbH-Rechts (2005)
Kalss/Rüffler, Eigenkapitalersatz im österreichischen, italienischen und slowenischen Recht (2004)
Kalss/Wessely, Die Rechte des Aktionärs (1994)
Kastner/Doralt/Nowotny, Grundriß des österreichischen Gesellschaftsrechts[5] (1990)
Keinert, Österreichisches Genossenschaftsrecht, Lehr- und Handbuch (1988)
Kostner, Aktiengesellschaft (1984)
Kostner/Umfahrer, Die Gesellschaft mit beschränkter Haftung[5] (1998)
Lind, Die Europäische Aktiengesellschaft (2004)
Mader, Kapitalgesellschaften[4] (2002)
Nowotny G., Gesellschaftsrecht (2005)
Reich-Rohrwig, Das österreichische GmbH-Recht in systematischer Darstellung (1983) 2. Auflage in 2 Bd: Bd I[2] (1997)
Schindler, Die Europäische Aktiengesellschaft-SE, gesellschafts- und steuerrechtliche Aspekte (2002)
Schneider/Temmel, Das österreichische GmbH-Gesetz Deutsch/Englisch (2003)
Schummer, Das Eigenkapitalersatzrecht (1998)
Schummer, Personengesellschaften[5] (2005)
Straube, Die Gesellschaft mit beschränkter Haftung[8] (2004)
Temmel/Schneider, Das österreichische Aktiengesetz Deutsch/Englisch (2004)
Zehetner/Bauer, Eigenkapitalersatzrecht (2004)

E-Commerce-Recht:

Janisch/Mader, E-Business[2] (2002)
Jochum (Hrsg), Elektronik und Urkunde. Elektronisches Dokument und Rechtssicherheit (2000)
Menzel, Elektronische Signaturen (2000)
Schauer B., e-commerce in der EU (1999)
Studiengesellschaft für Wirtschaft und Recht, Internet und Recht. Rechtsfragen von E-Commerce und E-Government (2002)

Absatzmittler- und Transportrecht:

Csoklich, Einführung in das Transportrecht (1990)
Grohmann, Die Praxis des Franchising[2] (1999)
Jesser, Frachtführerhaftung nach der CMR. Internationaler und nationaler Straßengütertransport (1992)
Liebscher/Petsche, Franchising in Österreich (2002)
Mohr, Der Franchisevertrag (1999)
Nocker, Der Handelsvertretervertrag (2000)
Noss, Maklerrecht[2] (2004)

Versicherungs-, Bank- und Börserecht:

Aicher/Kalss/Oppitz, Grundfragen des neuen Börserechts (1998)
Avancini/Iro/Koziol, Österreichisches Bankvertragsrecht Bd I 1987 Bd II 1993
Schauer, Das österreichische Versicherungsrecht[3] (1995)
Gruber, Aktuelle Fragen des Versicherungsrechts (2003)
Österreichische Juristenkommission, Neuere Entwicklungen des österreichischen Bankenrechts im europäischen Zusammenhang (2002)
Koban/Rubin/Vonkilch, Aktuelle Entwicklungen im Versicherungsrecht (2005)
Schauer/ua, Versicherungshandbuch (2005)

Wertpapierrecht:

Ewald/Schärf, Einführung in das Wertpapierrecht und in das neue Börsegesetz (1990)
Feil, ABC des Wechselrechts (2002)
Grünwald/Schummer, Wertpapierrecht[4] (2004)
Hauser, Wechsel- und Scheckrecht (1995)
Roth, Grundriß des österreichischen Wertpapierrechts[2] (1999)
Zirkounig/Eichler, Handbuch für Wertpapiere[3] (1989)

Wettbewerbs- und Immaterialgüterrecht:

Barfuß/Wollmann/Tahedl, Österreichisches Kartellrecht (1996)
Feil, ABC des Wettbewerbsrechts (2002)
Fitz/Gamerith, Wettbewerbsrecht. Unlauterer Wettbewerb und Kartelle[4] (2003)
Gugerbauer, Kartellrecht[3] (2004)
Hauser/Thomasser, Wettbewerbs- und Immaterialgüterrecht (1998)
Haybäck, Das Recht am geistigen Eigentum (2004)
Haybäck, Grundzüge des Marken- und Immaterialgüterrechts[2] (2004)
Haybäck/Tüchler, Österreichisches und europäisches Kartellrecht. Eine praxisorientierte Einführung (1999)
Kecht, Kartellrecht, Österreich und die EU. Eine Einführung (1995)
Koppensteiner, Österreichisches und europäisches Wettbewerbsrecht[3] (1997)
Kucsko (Hrsg), innovation + rechtsschutz (2004)
Kucsko, Die Gemeinschaftsmarke (1996)
Kucsko, Geistiges Eigentum. Markenrecht, Musterrecht, Patentrecht, Urheberrecht (2003)
Kucsko, Österreichisches und europäisches Urheberrecht[4] (1996)
Kucsko, Österreichisches und europäisches Wettbewerbs-, Marken-, Muster- und Patentrecht[4] (1995)
Kucsko, Roadmap Geistiges Eigentum (2004)
Resch, Kartelle in Österreich (2003)
Rinner, Gewerblicher Rechtsschutz[2] (1982)
Roniger/Punz, Das österreichische Kartellrecht (1996)
Schönherr, Gewerblicher Rechtsschutz und Urheberrecht. Grundriß Allgemeiner Teil (1982)
Schutzverband gegen unlauteren Wettbewerb, Aktuelle Fragen des Lauterkeitsrechts (2004)
Stockenhuber, Europäisches Kartellrecht (1999)

Entscheidungssammlungen

Birnbauer/Saria, Gesellschaftsrechtliche Entscheidungen der Firmenbuchgerichte (2004)
Fenyves, VersE: Versicherungsrechtliche Entscheidungssammlung, ab 1989
Grünwald/Schummer, Gesellschaftsrecht 1990–1994. Mit Anmerkungen und Literaturhinweisen versehene Judikatur des OHG (1996) (gesellschaftsrechtliche Entscheidungen)
Jabornegg/Karollus, HS: Handelsrechtliche Entscheidungen, ab 1939 vormals (ab 1939) hrsg von *Stanzl, Friedl* und *Steiner,* nunmehrige Hrsg: *Jabornegg/Karollus*
Mitglieder des OGH, SZ: Entscheidungen des österreichischen Obersten Gerichtshofes in Zivil- (und Justizverwaltungs-)sachen, veröffentlicht von seinen Mitgliedern
Reisinger, Versicherungsrechtliche Entscheidungen (2005)
Schmidt A./Saria, Rechtsmittelentscheidungen des Handelsgerichts Wien Bd I, Serviceteil, Materielles Recht Bd II, Verfahrensrecht, (Loseblatt-Slg ab 2001)
Schönherr/Thaler, Entscheidungen zum Markenrecht (1985)
Schönherr/Thaler, Entscheidungen zum Patentrecht (1980)

Zeitschriften

Aufsichtsrat aktuell
Der Gesellschafter (GesRZ)
Die Versicherungsrundschau (VR)
ecolex, Fachzeitschrift für Wirtschaftsrecht
Gewerblicher Rechtsschutz und Urheberrecht (GRUR)
GmbH-Bulletin (GBU)
Juristische Blätter (JBl)
Österreichische Blätter für gewerblichen Rechtsschutz und Urheberrecht (ÖBl)
Österreichische Juristen-Zeitung (ÖJZ)
Österreichische Zeitschrift für Recht und Rechnungswesen (RWZ)
Österreichische Zeitschrift für Wirtschaftsrecht (ÖZW)
Österreichisches Bankarchiv (ÖBA)
Österreichisches BankArchiv (ÖBA)
Recht der Wirtschaft (RdW)
Wirtschaftsrechtliche Blätter (wbl)
Zeitschrift für Gesellschafts- und Steuerrecht (GeS)

1. Teil

Grundlagen

1. Abschnitt
Verständnis und Rechtsquellen des Handelsrechts

1. Kapitel
Verständnis des Handelsrechts

Lit: *Raisch,* Geschichtliche Voraussetzungen, dogmatische Grundlagen und Sinnwandlung des Handelsrechts (1965); *ders,* Die rechtsdogmatische Bedeutung der Abgrenzung von Handelsrecht und bürgerlichem Recht, JuS 1967, 533; *Flume,* Um ein neues Unternehmensrecht (1980); *K. Schmidt,* Das HGB und die Gegenwartsaufgaben des Handelsrechts (1983); *Zöllner,* Wovon handelt das Handelsrecht? ZGR 1983, 82; *Baumann,* Strukturfragen des Handelsrechts, AcP 184 (1984) 45; *F. Bydlinski,* Handels- oder Unternehmensrecht als Sonderprivatrecht. Ein Modellbeispiel für die systematische und methodologische Grundlagendiskussion (1990); *Raisch,* Handels- oder Unternehmensrecht als Sonderprivatrecht? ZHR 154 (1990) 567; *F. Bydlinski,* Sonderprivatrechte – Was ist das? FS Kastner (1992) 71; *Ittenbach,* Handelsrechtssystem in Dtld, Frankreich und England. Entwicklung, Ausgestaltung und Zukunftsperspektiven (1994); *K. Schmidt,* Wozu noch Handelsrecht? Vom Kaufmannsrecht zum Unternehmensrecht, JBl 1995, 341; *Henssler,* Gewerbe, Kaufmann und Unternehmen, ZHR 161 (1997) 13; *K. Schmidt,* Woher – wohin? ADHGB, HGB und die Besinnung auf den Kodifikationsgedanken, ZHR 161 (1997) 2.

Lit zur Handelsrechtsreform vgl unter IV.D.

I. Begriff des Handelsrechts

1. Üblicherweise versteht man unter „Handelsrecht“ das „Sonderprivatrecht der Kaufleute“.

- Es ist *Privatrecht,* weil es die Beziehungen von Privatrechtssubjekten untereinander regelt.
- Es ist *Sonderprivatrecht,* weil es sich *nicht an alle* Privatrechtssubjekte wendet, sondern nur an eine Personengruppe, die bestimmte Eigenschaften aufweist (sowie an jene, die mit dieser Personengruppe kontrahieren).
- Es ist *Kaufmannsrecht,* soweit es im HGB kodifiziert ist und soweit dessen Grundtatbestände des Kaufmannsbegriffes (§§ 1–7 HGB) auch für andere Sondergesetze relevant sind. Das Handelsrecht ist jedoch *kein Standesrecht der Kaufleute,* weil ihm auch die nichtkaufmännischen Vertragspartner der Kaufleute unterstehen.

Der HGB-bedingte kaufmännische Ansatz des Handelsrechtsverständnisses hat zwei gravierende Nachteile: Zum einen erfasst das HGB nicht die gesamte Materie des Handelsrechts, zum anderen ist der am „Kaufmannsbegriff“ anknüpfende Grundtatbestand des HGB sachlich verfehlt, weil er zu eng gefasst und überdies zu kompliziert konzipiert ist.

2. Dem „Kaufmannsrecht" (= HGB-Recht) sind nichtkaufmännische Rechtsbereiche angegliedert. Das gilt insb für den nichtkaufmännischen Teil des *Firmenbuch- und Firmenrechts,* für den nichtkaufmännischen Teil *des Gesellschaftsrechts, des Rechts der Absatzmittler, des Wertpapierrechts* sowie für die Gebiete des *Wettbewerbs- und Immaterialgüterrechts.* All diesen Gebieten ist gemeinsam, dass sie für jedwede unternehmerische Tätigkeit im Wirtschaftsleben von Belang sind. Man pflegt vom „Handelsrecht im weiteren Sinn" zu sprechen, wodurch das HGB-Recht zum „Handelsrecht im engeren Sinn" wird.

3. Vom Kaufmanns- zum Unternehmer- oder Unternehmensrecht. *Sachgerechter* ist es daher, den Begriff des Handelsrechts angesichts der Mitbeachtung nichtkaufmännischer Rechtsbereiche weiter zu fassen und als **Sonderprivatrecht der Unternehmer** zu verstehen, wobei allerdings in Kauf zu nehmen ist, dass das HGB (vorläufig noch) *nicht alle* Unternehmer erfasst, sondern eben nur jene, die dem gegliederten Kaufmannsbegriff der §§ 1–6 HGB entsprechen. Unternehmer ist, wer ein Unternehmen betreibt. Der Unternehmer definiert sich also aus seiner professionell organisierten, wirtschaftlichen Tätigkeit heraus: dem Unternehmen. Man sollte daher besser statt vom Handelsrecht vom **Unternehmensrecht** sprechen.

Überhaupt passt der Ausdruck „Handelsrecht" schlecht für die von ihm gemeinte Rechtsmaterie. Schon die Kaufleute des HGB betreiben nicht nur „Handel", der (dem Wortlaut nach) eigentlich nur den *Waren- und Wertpapiervertrieb* erfasst, sondern sind weit darüber hinaus selbstständig erwerbswirtschaftlich tätig.

Eben deshalb gibt es längst schon keinen „*Handels*minister" mehr, sondern einen „Wirtschaftsminister"; nennen wir die „Wirtschaftskammern" nicht mehr „*Handels*kammern", heißt die „Hochschule für Welt*handel*" längst „Wirtschaftsuniversität" und fügen einschlägige Institute dem Ausdruck „Handelsrecht" entweder üblicherweise noch etwas hinzu (zB „Handels- und Wertpapierrecht" oder „Handels- und Wirtschaftsrecht" oder „Handels- und Unternehmensrecht") oder haben sich überhaupt vom Ausdruck „Handelsrecht" bereits getrennt, wie das „Institut für Unternehmens- und Wirtschaftsrecht" der Rechtswissenschaftlichen Fakultät der Universität Wien.

Handelsrechtsreform: Die bereits seit einigen Jahren diskutierte Handelsrechtsreform zielt darauf ab, den überkommenen Kaufmannsbegriff des HGB aufzugeben und durch einen umfassenden Unternehmerbegriff zu ersetzen, der sich am weiten Begriff des Unternehmens iS des KSchG orientiert, wobei den freien Berufen und Land- und Forstwirten eine Sonderstellung zukommen wird. Durch die Öffnung des Grundtatbestandes des HGB hin zu einem umfassenden Unternehmensbegriff wird der Anwendungsbereich des HGB dem Anwendungsbereich der übrigen unternehmensrechtlichen Gesetze im Wesentlichen angepasst. Der Abschied vom Kaufmannsbegriff führt auch zum Abschied vom Ausdruck „Handelsrecht". Daher wird das reformierte HGB in Zukunft Unternehmensgesetzbuch (UGB) heißen. Der Ausdruck „Handelsrecht" wird sich erübrigen und durch den Begriffsträger „Unternehmensrecht" ersetzt werden.

II. Gegenstand und Anliegen des Handelsrechts

A. Allgemeines zum Gegenstand des Handelsrechts

Das Handelsrecht (iwS) befasst sich mit vom allgemeinen bürgerlichen Recht nicht ausreichend, nicht zufrieden stellend oder überhaupt nicht beantworteten Ordnungsfragen der kaufmännischen bzw unternehmerischen Tätigkeit.

Diese Fragen betreffen – sieht man von der Beschreibung der handelsrechtlichen **Grundtatbestände** (Kaufmannsbegriffe) und ihrer **Publizität** (Firmenbuch, Firma) ab –

- die **Organisation** dieser Tätigkeit (Unternehmen, Rechnungslegung, Gesellschaften) **einschließlich ihres Schutzes** (insb vor unlauterem Wettbewerb und vor Eingriffen in Immaterialgüterrechte [„Gewerblicher Rechtsschutz"]) und
- ihren **Geschäftsverkehr** (Stellvertretung, Handelsgeschäfte) **einschließlich des Wertpapierrechts.**

B. Anliegen im Bereich der unternehmerischen Organisation

1. Spezialisierung. Das allgemeine Zivilrecht ist zwar die systematische Heimat des Rechts der juristischen Person, enthält sich jedoch eingehender Regelungen. Auch sonst sind die Ansätze für eine **rechtliche Ordnung organisierten Wirtschaftens** bescheiden. So kennt das allgemeine Zivilrecht so gut wie keine Regelungen über das **Phänomen des Unternehmens** und bietet keine näheren Anhaltspunkte für die Gestaltung eines geordneten **Rechnungswesens,** das dem Unternehmer hilft, über seine Vermögens-, Ertrags- und Finanzlage auf methodisch korrekte Weise Bescheid zu wissen.

Das allgemeine Zivilrecht hat ferner kein detailliertes Organisationsrecht der **Kooperation zu gemeinschaftlicher Interessenverfolgung** entwickelt; es regelt lediglich die *Miteigentumsgemeinschaft* und die *GesBR.* Das Wirtschaftsleben bedarf jedoch weitaus eingehenderer Regelungen. Dies bietet das weite Feld des **Gesellschaftsrechts,** das den Interessierten verschiedene Organisationsformen und -typen zur Wahl stellt und solcherart die privatautonome Gestaltung von Zusammenschlüssen erleichtert.

2. Gesellschafter- und Gläubigerschutz, Schutz öffentlicher Interessen. Das Organisationsrecht kennt auch zahlreiche zwingende Regelungen. Sie haben Schutzfunktion; insb sollen einzelne Gesellschafter oder Minderheiten von Gesellschaftern, insb aber auch Gläubiger vor ihnen nachteiligen Maßnahmen der Gesellschaft(er) geschützt werden. Mitunter bezwecken zwingende Regelungen des privaten Organisationsrechts auch den Schutz der Allgemeinheit bzw öffentlicher Interessen. Näheres wird im Rahmen der Darstellung des Gesellschaftsrechts dargetan.

3. Schutz der unternehmerischen Tätigkeit. Nicht zum Kernbereich des Organisationsrechts zählen, wohl aber seiner Ergänzung dienen all jene Vorschriften, die darauf abzielen, die unternehmerische Tätigkeit bzw das Unternehmen **vor störenden Eingriffen zu schützen.**

Da es nach österreichischem Recht kein eigenes, umfassendes und einheitliches **„Recht am Unternehmen"** gibt, kommt ein ganzes Bouquet unterschiedlichster Rechtspositionen in Betracht, um die unternehmerische Tätigkeit vor ungerechtfertigten Angriffen Außenstehender zu schützen. Soweit das Instrumentarium des allgemeinen Zivilrechts (Sachen- und Schuldrecht) für einen Schutz von Teilbereichen der unternehmerischen Tätigkeit nicht greift, spielen das **Wettbewerbsrecht** (insb der Schutz vor unlauterem Wettbewerb) und das **Immaterialgüterrecht** (Marken-, Geschmacks- und Gebrauchsmuster-, Patent- und Urheberrecht) eine maßgebliche Rolle.

C. Anliegen im Bereich des kaufmännischen Geschäftsverkehrs

Der kaufmännische Geschäftsverkehr wird durch einige Grundsätze geprägt, die eigenständige, vom allgemeinen Zivilrecht abweichende bzw dieses ergänzende Regelungen erfordern.

Handelsrechtsreform: Im Zuge der Handelsrechtsreform wurde überprüft, wieweit die im Folgenden genannten Grundsätze (die sich mitunter nur auf einige bestimmte Einzelvorschriften beziehen und daher nicht immer ein das Handelsrecht *insgesamt* durchwirkendes Prinzip darstellen) in der Tat handelsrechtsspezifische sind und ob nicht der eine oder andere, unter der Flagge des Handelsrechts segelnde Aspekt letztlich seinen Heimathafen im allgemeinen bürgerlichen Recht hat. Andererseits erscheinen manche Bestimmungen zwar als handelsrechtsspezifisch, rechtspolitisch aber überdenkenswert.

1. Professionalität erfordert Entgeltlichkeit. Kaufmännische Tätigkeit ist iZw entgeltlich; Entgeltlichkeit muss also nicht vereinbart werden (vgl § 354 HGB). Das schließt ausnahmsweise Unentgeltlichkeit nicht aus. Die Regel aber ist, dass der nach Gewinn (oder zumindest Kostendeckung) strebende Unternehmer mittels seiner Leistung etwas erwerben will. „Der Kaufmann macht nichts umsonst."

Allerdings ist auch dem allgemeinen bürgerlichen Recht der Gedanke, dass Verträge im Zweifel angemessen entgeltlich sind, nicht fremd (§ 1152 ABGB).

2. Professionalität ermöglicht „Bewegungsfreiheit" und „Beschleunigung" des Geschäftsverkehrs. Wir erinnern uns: Hermes (= Merkur [vgl merx: der Markt; mercator: der Kaufmann!]), der Gott (nicht nur) der Kaufleute, trägt Flügelschuhe und einen beflügelten Helm!

a) Befreiung von nicht erforderlichen Schutz- bzw Formvorschriften. Professionelles Tätigsein setzt entsprechende Fähigkeiten voraus. Daher bedürfen Kaufleute im Geschäftsverkehr untereinander weniger Schutz als nicht professionell tätige „Private".

Der handelsrechtliche Effekt der Befreiung von nicht erforderlichem allgemeinen zivilrechtlichen Schutz ist allerdings bei näherer Betrachtung eher bescheiden: Als „Kronzeuge" für sein Bestehen wird meist nur § 350 HGB aufgerufen, der **Bürgschaftserklärungen des Vollkaufmanns** vom Schriftformgebot befreit. In der Praxis kommt die mündliche Bürgschaftserklärung allerdings kaum vor, weil sich jeder vernünftige Gläubiger schon allein aus Beweisgründen eine Bürgschaft schriftlich geben lässt.

Im Übrigen befreit das Handelsrecht aber weitgehend nicht von allgemeinen zivilrechtlichen Formvorschriften. Man denke darüber hinaus an zahlreiche **Formvorschriften insb im Gesellschaftsrecht.** Auch die (selbstverständlich unerlässliche) Bürokratie des gesamten unternehmerischen **Rechnungswesens** ist alles andere als ein Beitrag zur „Befreiung" der Unternehmer von Formzwängen iwS.

Die angesichts professioneller Fähigkeiten bestehende **Überlegenheit des Unternehmers** gegenüber anderen zeitigt insb in den Rechtsbereichen des **Verbraucherrechts** (Konsumentenschutzrechts) und des **Arbeitsrechts** auch zahlreiche formale Zwänge. Verbraucher und Arbeitnehmer werden gegenüber benachteiligenden Aktivitäten der Unternehmer geschützt. Dies aber führt zu erheblichen Einschränkungen der „Bewegungsfreiheit" der Unternehmer in ihren Rechtsbeziehungen zu Verbrauchern und Arbeitnehmern. Von besonderen Schutzanliegen getragen und damit gleichfalls „bewegungshemmend" für Unternehmer sind zB auch das **Wohnrecht** (insb das Mietrecht) und das **Versicherungs-, Bank- und Kapitalmarktrecht.**

b) Schnellere und einfachere Abwicklung. Als Beispiele für die Verwirklichung des Anliegens, dem kaufmännischen Geschäftsverkehr eine schnellere und einfachere Abwicklung als im allgemeinen Privatrecht zu ermöglichen, können die Regelungen über den **Pfandverkauf** ohne gerichtliche Mitwirkung (Art 8 Nr 14 EVHGB), über den **Selbsthilfeverkauf** (§ 373 HGB), das **Fixgeschäft** (§ 376 HGB) und die **Mängelrüge** (§§ 377f HGB) dienen. Auch die Einrichtung des **Kontokorrent** (§§ 355–357 HGB) zielt auf Vereinfachung des Geschäftsverkehrs. Schnellere Abwicklung wird auch durch Regeln über **fingierte Willenserklärungen,** die den Parteien das Reden ersparen, und durch den erweiterten Vertrauensschutz und Verkehrsschutz gefördert. Letztlich dienen auch **wesentliche Partien des Wertpapierrechts** dem Ziel der Vereinfachung des Geschäftsverkehrs.

In diesem Zusammenhang sollte nicht übersehen werden, dass es keinen überzeugenden Grund dafür gibt, das Institut des **Kontokorrent** Kaufleuten vorzubehalten. – Das komplizierte, aus dem BGB stammende Recht des **Pfandverkaufs** regt dazu an, über ein einfacheres System nachzudenken und dieses in das allgemeine bürgerliche Recht zu transferieren. – Auch der handelsrechtliche **Selbsthilfeverkauf** ist ein Institut, das man in adaptierter Form in das allgemeine bürgerliche Recht verpflanzen könnte. – Die handelsrechtliche Regel über die **stillschweigende Angebotsannahme** hat angesichts moderner Kommunikationsmittel erheblich an Bedeutung verloren.

c) Erweiterte Selbsthilfe. Soweit igZ Regeln über den Selbsthilfeverkauf angesprochen sind, pflegt man diese unter dem Aspekt des Grundsatzes der erweiterten Selbsthilfe gesondert hervorzuheben.

d) Erweiterter Vertrauens- und Verkehrsschutz. Dem Anliegen des Handelsrechts nach erweitertem Vertrauens- und Verkehrsschutz, der im Grunde auch der „Beflügelung" des Rechtsverkehrs dient, begegnet man einerseits im Zusammenhang mit zahlreichen **Publizitätsvorschriften,** andererseits bei der kaufmännischen **Stellvertretung.**

Dem Grundsatz des erweiterten Vertrauensschutzes entsprechen auch die Vorschriften über den **gutgläubigen Eigentumserwerb vom Nichtberechtigten** (§§ 366f HGB). Diesen gibt es allerdings auf weitgehend affine Weise auch im allgemeinen Zivilrecht.

3. Spezialisierung. In zahlreichen Ordnungsfragen zu einzelnen Handelsgeschäften zeigt sich das allgemeine Privatrecht als zu wenig spezialisiert. Daher sieht das Handelsrecht besondere Regelungen für eine ganze Reihe von Handelsgeschäftstypen vor. So finden sich Sonderregelungen zum **Kaufvertrag,** ferner im Bereich der **Absatzmittlergeschäfte** (Handelsvertreter-, Makler-, Kommissionsgeschäft), der **Transportgeschäfte** (Speditions-, Lager- und Frachtgeschäft einschließlich zahlreicher Sonderfrachtgeschäfte) sowie der **Versicherungs-, Bank- und Börsegeschäfte.** Für Österreich von geringerer Bedeutung ist der im Übrigen aber wichtige Bereich des **Seehandels.**

Trotz all dieser Regelungen vermag das gesatzte Handelsrecht den Spezialisierungsbedarf des kaufmännischen Geschäftsverkehrs nicht hinreichend zu decken. Eben deshalb haben sich in vielen Branchen **AGB** entwickelt, die noch weitere Spezialisierungen vornehmen.

Zu verweisen ist zB auf das Transport-, Bank- und Versicherungswesen, die Leasingbranche, das Bauwesen, Tourismus und Fremdenverkehr (Reiserecht), die Vertragshändler- und Franchisesysteme, das Verlagswesen und die mannigfaltigen Lizenz- und Knowhow-Verträge in den Sektoren des Immaterialgüterrechts.

Den Anliegen des Geschäftsverkehrs dient letztlich auch das vom allgemeinen Privatrecht nicht näher erörterte **Wertpapierrecht:** Es zielt darauf ab, schuldrechtliche Beziehungen mit Hilfe sachenrechtlicher Bauelemente den speziellen Bedürfnissen des Geschäftsverkehrs anzupassen und solcherart Schuldrechte „verkehrsfähiger" zu machen.

III. Abgrenzung des Handelsrechts

A. Handelsrecht und allgemeines Privatrecht

1. Subsidiarität des allgemeinen Privatrechts. Das Handelsrecht baut auf den Grundlagen und Institutionen des allgemeinen Privatrechts auf und ist ohne sie undenkbar. Dort, wo kaufmännisches Wirken keine Sonderregelungen erfordert, gilt das allgemeine Privatrecht. Dabei wird auch dem Handelsgewohnheitsrecht der Vorrang vor dem gesatzten allgemeinen Privatrecht eingeräumt (Art 4 zweiter Satz EVHGB).

> **Handelsrechtsreform:** Im Zuge der Neuregelung wird der Vorrang des Handelsgewohnheitsrechts gegenüber gesatztem allgemeinen Privatrecht gestrichen.

2. HGB, ABGB und BGB. Der dt Gesetzgeber stimmte das dHGB und das BGB (beide 1900) harmonisch aufeinander ab. Als 1939 das dHGB (nicht aber das BGB) in Österreich (das als Teil des „Dritten Reiches" „Ostmark" hieß) eingeführt wurde, wurde damit das HGB in seinem nunmehr erweiterten Geltungsbereich aus seinem bisherigen zivilrechtlichen Umfeld (dem BGB) herausgelöst und der Welt des ABGB eingepflanzt. Der Gesetzgeber hat aber nun keineswegs das HGB an das ABGB angepasst; vielmehr hat er eine Reihe von Vorschriften des BGB, die ihm als Begleitregelungen wichtig erschienen, gleichfalls in Österreich eingeführt. Dies geschah durch die EVHGB (es handelte sich dabei um die 4. handelsrechtliche Einführungsverordnung). Diese HGB-Ergänzung enthält überwiegend BGB-Regelungen.

Der Gesetzgeber hat davon Abstand genommen, das ABGB aufzuheben und an seine Stelle das BGB zu setzen, weil rechtspolitisch beabsichtigt war, das BGB auch im „Dritten Reich" aufzuheben und durch ein „Volksgesetzbuch" zu ersetzen; dieses sollte dann auch in Österreich gelten. Zu dieser Zivilrechtsreform kam es aber nicht.

Wenn man sich in der Folge in Österreich bemühte, die durch die EVHGB eingeführten, das HGB ergänzenden BGB-Regelungen als „handelsrechtliche Regelungen" zu verstehen, so krankten all diese Bemühungen dogmatisch daran, dass diese Regelungen keineswegs *handelsrechtsspezifische* waren. Vielmehr verstand sie der Gesetzgeber sehr wohl als das, was sie ihrer Natur nach waren und blieben: allgemeine Zivilrechtsregeln, die er (vorerst eben nur) im Bereich des Handelsrechts einführte, um eine ihm wichtig erscheinende zivilrechtliche Rechtsgleichheit des Handelsverkehrs mit Deutschland zu erreichen.

> **Handelsrechtsreform:** Die EVHGB wird aufgehoben. Zahlreiche, bisher geltende BGB-Bestimmungen werden durch einschlägige Regeln des ABGB ersetzt.

3. Verallgemeinerungstendenzen und Eigenständigkeit des Handelsrechts. Mitunter haben handelsrechtliche Sonderregelungen im Wege analoger Anwendung im allgemeinen Privatrecht eine Verallgemeinerung erfahren und sind solcherart dem Handelsrecht entwachsen.

Derartige Tendenzen haben bislang weder in Dtld noch in Österreich Zweifel an der Eigenständigkeit des Handelsrechts aufkommen lassen. Dessen ungeachtet gibt es Privatrechtsordnungen, die kein eigenständiges Handelsrecht kennen (zB die italienische und schweizerische). Es ist also keineswegs ausgeschlossen, das Unternehmensrecht im allgemeinen Zivilrecht aufgehen zu lassen; dies freilich auf Kosten einer Differenzierung des Anwendungsbereichs zivilrechtlicher Regelungen, die üblicherweise ja für *alle* Normadressaten gelten sollen und nicht nur für zB Unternehmer, Arbeitnehmer oder Verbraucher.

Handelsrechtsreform: Auch in Zukunft denkt der österr Gesetzgeber nicht daran, das Unternehmensrecht „aufzulösen" und im allgemeinen Zivilrecht aufgehen zu lassen. Es ist auch nicht daran gedacht, das HGB, das ja nur mehr der Torso einer Kodifikation ist, in ein Publizitätsgesetz (Firma und Firmenbuchrecht), ein Rechnungslegungsgesetz, ein Gesetz über Personengesellschaften und ein Gesetz über unternehmensbezogene Rechtsgeschäfte aufzuspalten (wobei man bezüglich der schuld- und sachenrechtlichen HGB-Regelungen durchaus an eine Integrierung in das ABGB denken könnte). Stattdessen soll lediglich (als „kleine Reform") das HGB novelliert werden. Auch der Gedanke einer „Neukodifizierung" des gesamten Unternehmensrechts (einschließlich einer Eingliederung des GesBR-, Kapitalgesellschafts- und Genossenschaftsrechts) wird als unrealistische Mammutaufgabe abgelehnt.

B. Handelsrecht und öffentliches Recht

Öffentlich-rechtliche Einschlüsse finden sich insb im *Firmenbuch-* und *Firmenrecht, Rechnungslegungsrecht,* im *Gesellschaftsrecht, Immaterialgüterrecht* und *Wettbewerbsrecht,* aber auch im *Kapitalmarktrecht.*

Auch das handelsrechtsspezifische Verfahrensrecht zählt zum öffentlichen Recht. Wir unterscheiden die *streitige und außerstreitige Handelsgerichtsbarkeit* und registrieren darüber hinaus eine umfangreiche *Schiedsgerichtsbarkeit in Handelssachen,* die geeignet ist, den Insuffizienzen der staatlichen Gerichtsverfahren vor allem im Bereich des internationalen Geschäftsverkehrs zu begegnen. Gerade im (insb auch internationalen) Wirtschaftsleben ist die Neigung zur Streitbereinigung außerhalb der staatlichen Gerichtsbarkeit groß; selbst die Handelsschiedsgerichtsbarkeit sucht man über Formen der „Wirtschaftsmediation" zu vermeiden (vgl *Allmayer-Beck,* Wirtschaftsmediation und Handelsgerichtsbarkeit – Möglichkeiten eines Dialoges? RZ 2000, 220).

Grundsätzliche Ausklammerung des öffentlichen Wirtschaftsrechts. Im Übrigen aber umschließt das Handelsrecht als Sonder*privat*recht nicht auch all jene Partien des öffentlichen Rechts, die unternehmerisches Wirken bzw die Wirtschaft insgesamt betreffen: Sohin sind insb die Gebiete des öffentlichen Wirtschaftsrechts (Wirtschaftsverfassungs- und Wirtschaftsverwaltungsrecht) vom Handelsrecht zu unterscheiden. Partielle Überschneidungen des öffentlichen Wirtschaftsrechts mit dem Handelsrecht ergeben sich insb im Hinblick auf das Versicherungs- und Bankaufsichtsrecht bzw auf das Wettbewerbsrecht.

C. Handelsrecht, Arbeitsrecht und Verbraucherrecht

Sowohl das Arbeitsrecht als auch das Verbraucherrecht (Konsumentenschutzrecht) tangieren den Unternehmer nicht minder als das Handelsrecht. Dennoch sind Arbeitsrecht und Verbraucherrecht keine Teile des Handelsrechts, weil sie besonderen Schutzanliegen, dem *Arbeitnehmerschutz* einerseits und dem *Verbraucherschutz* andererseits, dienen. Es geht also nicht primär um die Interessen der Unternehmer, sondern um Interessen ihrer Mitarbeiter bzw Kunden.

Eine Verbindung zwischen Arbeits- und Handelsrecht bringt das Gesellschaftsrecht dort, wo Aufsichtsräte auch Arbeitnehmervertreter zu Mitgliedern haben.

IV. Entwicklung des Handelsrechts

Lit: *Blodig,* Die Handelsrechtsgesetzgebung in Österreich, GZ 1857/108–112; *Endemann,* Beiträge zur Kenntnis des Handelsrechts im Mittelalter, ZHR 5 (1862) 333; *Stobbe,* Miscellen zur Geschichte des dt Handelsrechts, ZHR 8 (1865) 28; *Lastig,* Entwicklungswege und Quellen des Handelsrechts (1877); *Goldschmidt,* Universalgeschichte des Handelsrechts (1891); *K. Lehmann,* Die Entwicklung des dt Handelsrechts, ZHR 52 (1902) 1; *Rehme,* Geschichte des Handelsrechts, in Ehrenbergs HB I (1913) 28, 178; *Demelius,* Zur Vergangenheit und Zukunft des österr Handelsrechts, JBl 1946, 222; *Raisch,* Die Abgrenzung des Handelsrechts vom bürgerlichen Recht als Kodifikationsproblem des 19. Jhdts (1962); *Jud,* Der Stand der Handelsrechtswissenschaft zur Zeit Keplers, GS Johannes Kepler (1975) 615; *Bürge,* Römisches und Romanistisches zum Unternehmensrecht, WuR 1980, 133; *Sprung,* Das Privileg und die Ordnung Erzherzogin Claudias von Medici vom 15. 9. 1635 für die Bozner Märkte und Messen, FS Bozner Handelskammer (1981) 9; *Conradi,* Das Unternehmen im Handelsrecht, Eine rechtshistorische Untersuchung vom ALR bis zum ADHGB (1993); *Scherner* (Hrsg), Modernisierung des Handelsrechts im 19. Jhdt (1993).

A. Mos mercatorum, frühes Handelsgewohnheitsrecht

Schon im 12. Jhdt entfaltete sich vorerst im Bereich der italienischen Seehandelsstädte (Amalfi, Pisa, Venedig, Genua), später in Spanien, Frankreich, England und ab dem 13. Jhdt auch in Deutschland ein nach größerer Beweglichkeit trachtendes, die Grundlagen des allgemeinen Zivilrechts modifizierendes und ergänzendes Gewohnheitsrecht; insb wurden die Buchführung, das Bankwesen und der Wechselverkehr entwickelt.

Auch das österr Handelsrecht beruhte vorerst auf Gewohnheitsrecht. Ab dem 17. Jhdt kam es zu vereinzelter Handelsgesetzgebung (verschiedene *Wechselordnungen* sowie sog *Fallitenordnungen;* diese enthielten neben insolvenzrechtlichen Vorschriften auch handelsrechtliche Regelungen).

B. Kodifikationen des Handelsrechts

Zur Kodifizierung des Handelsrechts schritt man erst ab dem 17. Jhdt:

Frankreich, Spanien: 1673 wurden in Frankreich unter Ludwig XIV. die *Ordonnance sur le Commerce,* 1681 die *Ordonnance touchant la Marine,* 1807 unter Napoleon der *Code de Commerce,* 1829 in Spanien der *Codigo de Comercio* erlassen.

Deutschland: 1794 nahm das preußische *Allgemeine Landrecht* (ALR) handelsrechtliche Regelungen auf. Nachdem 1848 im Rahmen des deutschen Zollvereins eine einheitliche Wechselordnung geschaffen wurde, setzte die Deutsche Bundesversammlung 1856 die Nürnberger Kommission zur Erarbeitung des *Allgemeinen Deutschen Handelsgesetzbuches* (ADHGB) ein. Das ADHGB galt ab 1861 in allen Ländern des Deutschen Bundes, ab 1869 als Bundesrecht des Norddeutschen Bundes, ab 1871 als Reichsrecht des Deutschen Reiches. Das ADHGB musste im Zuge der Zivilrechtsreform, an deren Ende das BGB stand, überarbeitet werden. Das BGB und das neue *Handelsgesetzbuch* (HGB) traten am 1. 1. 1900 gemeinsam in Kraft und gelten in novellierter Fassung heute noch.

Österreich: In Österreich bemühte man sich zwar in der ersten Hälfte des 19. Jhdts, eine Handelsrechtskodifikation zustande zu bringen; die Bemühungen hatten jedoch keinen Erfolg. Stattdessen führte Österreich 1862 das ADHGB unter der Bezeichnung *„Allgemeines Handelsgesetzbuch"* (AHGB) ein. Als 1900 in Dtld gemeinsam mit dem BGB ein neues HGB in Kraft trat, gab es auch in Österreich Bestrebungen, das AHGB durch das HGB zu ersetzen. Dazu kam es allerdings erst 1939, wobei die 4. EVHGB eine Reihe von Bestimmungen des BGB in Österreich einführte. Es ist daher irreführend zu sagen, dass die 4. EVHGB das HGB an die Vorschriften des ABGB angepasst hätte. Richtig ist das Gegenteil: Etliche Vorschriften des BGB haben solche des ABGB verdrängt. Der Grund dafür, dass nicht überhaupt das BGB in Österreich eingeführt wurde, lag in der Absicht des NS-Regimes, in absehbarer Zeit ein neues „Deutsches Volksgesetzbuch" einzuführen. – Das RechtsüberleitungsG 1945 leitete das HGB in den Rechtsbestand der 2. Republik über.

Das HGB gilt nach wie vor, entfernt sich aber insofern immer mehr von der in Deutschland geltenden Fassung, als dt Entwicklungen nicht mitgemacht wurden, umgekehrt österr Novellierungen ein Abweichen von der dt Rechtslage mit sich brachten. Die größte Änderung erfuhr das HGB durch das RLG.

Handelsrechtsreform: Die österr Handelsrechtsreform nähert sich bezüglich gewisser Fragen der dt Handelsrechtsreform an: so im Hinblick auf die Liberalisierung des Firmenrechts, bei der Beschränkung der Nachhaftung des Unternehmensveräußerers und des ausscheidenden Personengesellschafters; zugleich aber entfernt sich das UGB weiter vom dHGB als bisher: so bei der Neufassung des Grundtatbestandes (Ersetzung des Kaufmanns- durch den Unternehmerbegriff), im OHG/KG-Recht und auch bei den allgemeinen schuldrechtlichen HGB-Bestimmungen des 4. Buches. Dabei erscheint die österr Handelsrechtsreform als die in einiger Hinsicht mutigere und konsequentere.

C. Der Trend zur Einzelgesetzgebung

Der Kodifikation des Handelsrechts war ein ähnliches Schicksal beschieden wie der Kodifikation des Zivilrechts: Der Gesetzgeber kam mit der Kodifikation nicht aus; zahlreiche handelsrechtliche Ordnungsfragen, die er im Laufe der Zeit zu beantworten hatte, wurden nicht mehr im Rahmen der Kodifikation, sondern im Wege der Einzelgesetzgebung geregelt.

1. Das Firmenbuchrecht (Registerrecht) ist weitgehend nicht im HGB enthalten (FBG).

2. Das Recht der „kaufmännischen Hilfspersonen" wurde weitgehend ausgegliedert: vgl vor allem das AngG, HVertrG bzw das MaklerG.

Überhaupt emanzipierte sich das Recht der *unselbstständigen* kaufmännischen Hilfspersonen zum eigenständigen Gebiet des Arbeitsrechts. Auch das Handelsvertreter- und Maklerrecht ist kein Kaufmannsrecht mehr.

3. Maßgebliche Teile des Gesellschaftsrechts finden sich nicht im HGB (vgl zB AktG, GmbHG, EGG, GenG, PSG, SpaltG, UmwG, EWIVG, SEG, SCEV). Die GesBR war von Anfang an ausschließlich im ABGB geregelt; so ist es bis heute geblieben.

Das Gesellschaftsrecht wird zwar immer ein wesentlicher Teilbereich des Handelsrechts bleiben; dessen ungeachtet zeigt es aber beachtliche Tendenzen hin zu einem allgemeinen privaten Organisationsrecht.

4. Das Transportrecht wurde um zahlreiche Rechtsquellen außerhalb des HGB erweitert (vgl zB CMR iVm § 439a HGB; EBG; LuftVG; BinnSchiffG; PostG). Dazu kommen unüberschaubar viele internationale Abkommen.

5. Das HGB enthielt nie Regelungen über das **Versicherungsgeschäft** (vgl zB VersVG, KHVG, VAG).

6. Ebenso wenig sind die **Bank- und Börsegeschäfte** im HGB geregelt (vgl das BWG und zahlreiche Einzelgesetze, zB SpG, DepG; BörseG, KMG, KEG, WAG).

Das Transportrecht, das Versicherungsrecht und das Bank- und Börserecht sind schon angesichts ihres Umfanges dem allgemeinen Handelsrecht entwachsen und haben sich bereits zu eigenen Sonderprivatrechtsgebieten entwickelt.

7. Das Wertpapierrecht war und ist nur zu einem äußerst kleinen Teil im HGB integriert (nur die kaufmännischen Wertpapiere, nicht hingegen das Wechsel- und Scheckrecht: vgl WG, SchG).

8. Das Immaterialgüterrecht (MarkSchG, MustSchG, GMG, PatG, UrhG, HlSchG) und das **Wettbewerbsrecht** (UWG, KartG, NahVG) zählten nie zu den im HGB geregelten Rechtsmaterien.

Auch diese beiden Rechtsbereiche verdienen es längst, als eigenständige Rechtsgebiete anerkannt zu werden. Diese beiden Gebiete werden mitunter als „Recht des gewerblichen Rechtsschutzes" miteinander verbunden. Der Grund dafür liegt vor allem darin, dass das UWG auch immaterialgüterrechtliche Regelungen enthält und es diesbezüglich zu inhaltlichen Überschneidungen kommt, wenn man die beiden Gebiete getrennt lehrt. Dennoch spricht die Wesensverschiedenheit der beiden Rechtsgebiete für ihre Trennung.

D. Zur Handelsrechtsreform

Lit: *P. Bydlinski,* Zentrale Änderungen des HGB durch das HRefG, ZIP 1998, 1169; *ders,* Die Reform des dt HGB: Vorbild für Österreich? JBl 1998, 405; *K. Schmidt,* Das Handelsrechtsreformgesetz, NJW 1998, 2161; *Schauer,* Die Reform des Handelsrechts und ihr möglicher Einfluß auf das österreichische Recht, FS 100 Jahre WU (1998) 47; *Winkler,* Kaufmann quo vadis? Der Kaufmannsbegriff und seine Reform (1999); *Nowotny,* Kleine Reformschritte im Wirtschaftsrecht, RdW 2000, 650; *Krejci,* Reformbedarf im Handels- und Gesellschaftsrecht, FS Handler (2001) 263; *ders,* Methodisches, Dogmatisches und Politisches zur Grundtatbestandsbildung im Handelsrecht, FS F. Bydlinski (2002) 219; *Krejci/K. Schmidt,* Vom HGB zum Unternehmergesetz (2002); *Roth/Fitz,* Eckdaten einer österreichischen HGB-Reform, JBl 2002, 409; *Barfuß,* Zum Stand der HGB-Reform, ÖJZ 2003/17, 292; *Benn-Ibler,* Rechtsanwalt – Unternehmer, AnwBl 2003, 57; *Harrer,* Über die „Vormännerhaftung" und Reformerfordernisse im Recht der KG, wbl 2003, 209; *Kerschner,* Gedanken zur Haftung des falsus procurator nach Handelsrecht – de lege lata und de lege ferenda, JBl 2003, 901; *Krejci,* HGB-Reform und freie Berufe, AnwBl 2003, 67; *ders,* HGB-Reform und freie Berufe, FS Weißmann (2003) 451; *ders,* Zum MinEntw einer HGB-Reform, VR 2003, 218; *ders,* HGB-Reform: Gesellschaftsrechtliche Aspekte, GeS 2003, 232; *Schauer,* Zur Reform des österreichischen Handelsrechts – Kastners Vorschläge und die heutige Perspektive, GesRZ 2003, 3; *ders,* Integration des Handels- und Unternehmensrechts in das ABGB? in *Fischer-Czermak/Hopf/Schauer* (Hrsg), Das ABGB auf dem Weg in das 3. Jahrtausend (2003) 137; *Scheuba,* Gedanken zur Einbeziehung der Rechtsanwälte ins HGB, AnwBl 2003, 75; *K. Schmidt,* Zum Stand der HGB-Reform. Rechtsdogmatische und rechtspolitische Überlegungen, JBl 2003, 137; *Straube,* Grenzverschiebungen im Personengesellschaftsrecht, JBl 2003, 739; *Beig,* Vertragsübernahme und Unternehmensübergang, ecolex 2004, 9; *Beig/Größ,* Sonderprivatrechtliche Anknüpfung bei Vertragsübernahmen, RdW 2004/458; *Bertl/Hirschler,* Auswirkungen der Reform des Unternehmerbegriffs des UGB auf die steuerlichen Gewinnermittlungsvorschriften, SWK 2004, W 17; *S. Bydlinski,* Das Projekt eines Unternehmensgesetzbuchs – Darstellung der Weichenstellungen im MinEntw, JBl 2004, 2; *Dehn,* Vom Kaufmann zum Unternehmer, JBl 2004, 5; *dies,* Auf dem Weg zum Unternehmensgesetzbuch: Der MinEntw zur HGB-Reform, RWZ 2004/1; *Werner Doralt,* Das neue UGB – Ende des § 5 EStG? RdW 2004/36; *Eiselsberg/Haberer,* Das neue Firmenrecht der Gesellschaften, ecolex 2004, 16; *Haberer,* Nachhaftungsbegrenzung bei Dauerschuldverhältnissen, ecolex 2004, 275; *Haberl,* Neue Aspekte der Handelsgerichtsbarkeit nach dem Entwurf eines UGB, RZ 2004, 269; *Harrer,* Kommanditgesellschaft und HGB-Reform, GesRZ 2004, 85; *Karner,* Gutgläubiger Mobiliarerwerb und HGB-Reform, RdW 2004/106, 137; *Keinert,* Bemerkungen zum Entwurf eines Unternehmensgesetzbuches, ÖJZ 2004, 460; *Kolba/Bitriol,* „Giftzähne" für Konsumentenschutz – Kritik am Entwurf für neues Handelsrecht, ecolex 2004, 98; *Krejci,* Gesellschaftsrechtliche Neuerungen des UGB, JBl 2004, 10; *ders,* Handelsrechtsreform – Stand Herbst 2004 (2004); *ders,* Abschied von der falsus-procurator-Haftung nach Art 8 Nr 11 EVHGB, FS Welser (2004) 559; *Pernt,* Vom Kaufmann zum Unternehmer, persaldo 2004, H 1, 19; *Rabl,* HGB-Reform: Gefahrenübergang beim Versendungskauf – Bitte nicht so! ecolex 2004, 602; *Resch,* Abgrenzungsfragen zur geplanten offenen Personengesellschaft, SWK 2004, W 21; *Schauer,* Das Sondervertragsrecht der Unternehmer im UGB, JBl 2004, 23; *ders,* Grundzüge der geplanten Handelsrechtsreform, ecolex 2004, 4; *K. Schmidt,* Der Entwurf eines Unternehmensgesetzbuchs – eine rechtspolitische Analyse, JBl 2004, 31; *Spitzer,* Die Pfandverwertung im Zivil- und Handelsrecht (2004); *Wilhelm,* Müllabfuhr Unternehmensgesetzbuch, ecolex 2004, 1; *Thurnher/Wittwer,* Verwertung verpfändeter Forderungen durch Unternehmer – Neuerungen durch die HGB-Reform, ecolex 2004, 936, GBU 2004/12/08; *Weilinger,* Zum Entstehen von Unternehmern kraft Rechtsform, FS Doralt (2004) 671; *ders,* Zum Anwendungsbereich des geplanten Unternehmensgesetzbuchs, FS Welser (2004), 1135; *Harrer/Mader* (Hrsg), Die HGB-Reform in Österreich (2005); *Rüffler,* Kritisches zum UGB. Eine Besprechung von *Harrer/Mader* (Hrsg), Die HGB-Reform in Österreich, RdW 2005/106, 85; *U. Torggler,* Abschied vom Handelsrecht. Zum Entwurf eines Unternehmensgesetzbuchs (2005).

Die Handelsrechtsreform verfolgt folgende Ziele:

1. Neufassung des Grundtatbestands des HGB. Der gegliederte Kaufmannsbegriff der §§ 1–6 HGB wird aufgegeben. Er wird durch den Unternehmerbegriff des KSchG ersetzt. Damit fügt sich das UGB in das allgemeine Konzept eines umfassenden Unternehmensrechts ein, das sich insgesamt (nämlich über den Bereich des HGB hinaus) mit Fragen der Organisation und dem Geschäftsverkehr der Unternehmen unter Einschluss des Wettbewerbs- und Immaterialgüterrechts befasst.

Die Größe der Unternehmen und damit bestimmte Größenkriterien sollen zum einen nur im Rechnungslegungsrecht eine Rolle spielen, zum anderen bei der Pflicht von Einzelunternehmern, sich in das FB eintragen zu lassen sowie dort, wo eine GesBR die handelsrechtliche Rechnungslegungspflicht erreicht: Denn eine solche GesBR hat sich als OG oder KG in das FB eintragen zu lassen. Im Übrigen unterliegen alle Unternehmer (sofern keine tätigkeitsspezifischen Ausnahmen gelten), auch die kleinen, dem Regime des UGB. Das ist nicht anders als im KSchG.

Besonderes gilt jedoch für freie Berufe und Land- und Forstwirte. Sie sind nur bestimmten Regeln unterstellt: so dem 4. Buch über unternehmensbezogene Geschäfte sowie dem Gesellschaftsrecht und insofern auch dem für Gesellschaften maßgebenden Firmen- und Firmenbuchrecht. Die übrigen Regeln des UGB gelten nur für solche einen freien Beruf ausübende oder eine Land- und Forstwirtschaft betreibende Einzelunternehmer, die sich dem Regime des UGB freiwillig unterwerfen.

2. Das Firmenrecht wird grundlegend liberalisiert. Von speziellen Firmenbildungsvorschriften, wie sie derzeit noch gelten, wird in Zukunft abgesehen. Hingegen wird dem Prinzip des stets wahren Rechtsformzusatzes lückenlos zum Durchbruch verholfen.

3. Die Eintragung in das FB soll für alle unternehmenstragenden jurP und rechtsfähigen Gesellschaften konstitutiv sein. Damit soll lückenlos das Normativsystem verankert werden. Die Eintragung von Einzelunternehmen ist grundsätzlich deklarativ, hat also keinen Einfluss auf die Unternehmereigenschaft (es wäre denn, ein *Nicht*unternehmer würde eingetragen). Die Anwendung des UGB auf Unternehmer hängt aber in Zukunft nicht mehr von einer FB-Eintragung ab. Wer zu Unrecht eingetragen ist, weil er kein Unternehmer ist, dessen ungeachtet aber unter der eingetragenen Firma handelt, untersteht auf Grund der Eintragung dem Regime des UGB.

4. Unternehmensübergang. Im Falle der Veräußerung eines Unternehmens im Wege der Einzelrechtsnachfolge wird die Übertragung des Unternehmens gegenüber der derzeitigen Regelung der §§ 25 ff HGB insofern erleichtert, als in Zukunft der Erwerber, sofern nichts anderes vereinbart ist, in alle unternehmensbezogenen Rechtsverhältnisse (also insb auch in Vertragspositionen) eintritt; dies unabhängig davon, ob die Firma fortgeführt wird. Die Weiterhaftung des Veräußerers wird, konsequenter als bisher, auf fünf Jahre beschränkt. Vorbild ist die Nachhaftungsbeschränkung nach dt Recht. Die Neuregelung erfolgt in den §§ 38 ff UGB.

5. Die OHG/KG und die OEG/KEG werden zu einheitlichen Rechtsformen zusammengefasst, allesamt im UGB integriert (wodurch das EGG fortan seine Bedeutung verliert) und für jedwede erlaubte Zwecke geöffnet. In Zukunft wird von „offenen Gesellschaften (OG)" und „Kommanditgesellschaften (KG)" gesprochen werden. Die firmenrechtlichen Besonderheiten für freiberuflich tätige OG/KG bleiben erhalten.

Die Rechtsfähigkeit der OG/KG wird klargestellt, wodurch sich bisherige Missverständnisse bzw strittige Vorstellungen erübrigen. Das Recht der rechtsfähigen Personengesellschaften wird ausschließlich auf dem Normativsystem beruhen.

Das Organisationsrecht wird insb im Hinblick auf Fragen der Kontenführung und der Gewinn- und Verlustverteilung den Anforderungen der Praxis angepasst.

6. Die allgemeinen schuld- und sachenrechtlichen Bestimmungen des HGB werden, soweit sich gezeigt hat, dass ihnen allgemeine Rechtsgedanken zugrunde liegen, in das ABGB transferiert und im Übrigen dem Umstand angepasst, dass das UGB für alle Unternehmer gelten soll. Als überflüssig erkannte Bestimmungen werden gestrichen.

Eine Revision einzelner unternehmensbezogener Vertragstypen im Bereich der Absatzmittler- und Transportgeschäfte bleibt späteren Reformschritten vorbehalten.

7. Rechtsbereinigung und Deregulierung. Insgesamt soll eine grundlegende Rechtsbereinigung und Deregulierung stattfinden. Die EVHGB wird aufgehoben. Soweit sie auch in Zukunft unerlässliche Vorschriften enthält, werden diese in das UGB bzw ABGB integriert. Das 4. Buch soll künftig als Umsetzungsort für europarechtlich erforderliche Regelungen über unternehmensbezogene Rechtsgeschäfte dienen.

E. Internationale Entwicklungen

1. Allgemeines. Das Wirtschaftsleben war immer schon und ist heute mehr denn je grenzüberschreitend und insofern „international“. Gerade der Handel war daher stets an praktikablen Regeln für den internationalen Waren- und Geldverkehr interessiert. Dieses Interesse betraf und betrifft nicht nur das **Kollisionsrecht,** sondern auch das Anliegen der **Rechtsvereinheitlichung.**

2. Vom ius commune zu den nationalen Privatrechtskodifikationen. Vormals unterstützte die Lehre vom ius commune das Bestreben nach einem Mindestmaß an gemeinsamem Recht, das über die jeweiligen Landesgrenzen hinaus gleiche Rechtsvorstellungen förderte.

Das Erstarken der Nationalstaaten und die Entwicklung der privatrechtlichen Kodifikationen (ALR, Code Napoleon, ABGB, BGB, ZGB einerseits und der Handelsrechtskodifikationen andererseits) vertieften die ohnehin schon bestehenden Unterschiede zwischen den einzelnen Rechtsordnungen.

3. Rechtsvereinheitlichungstendenzen. Nicht zuletzt durch die erhöhte „Nationalisierung“ der einzelnen Rechtsordnungen erhielten (als Gegenbewegung) die Bemühungen um internationale Rechtsvereinheitlichung Auftrieb. Verstärkend wirkte wohl auch der zunehmende grenzüberschreitende Handelsverkehr. Man war bemüht, teils das **IPR anzugleichen,** teils **einheitliches Fremdenrecht,** teils **einheitliches Privatrecht** zu schaffen.

Schon im 19. Jhdt wurden beachtenswerte **Erfolge handelsrechtlicher Rechtsvereinheitlichung** erzielt: so auf dem Gebiet des **gewerblichen Rechtsschutzes** und des **Transportrechts.** Früh gelang es auch, das **Wechsel- und Scheckrecht** weitgehend zu vereinheitlichen. Auch heute noch liegen die Schwergewichte handelsrechtlicher Rechtsvereinheitlichung in den genannten Bereichen, die Entwicklungstendenzen greifen aber längst darüber hinaus.

4. Recht der EU. Ein erheblicher Intensivierungsschub zur Rechtsangleichung geht vom **Europarecht** aus, in erster Linie vom Einheits- und Einheitsrahmenrecht der EU (vormals EG, noch früher EWG). Es gewinnt in erheblichem Maße auch in Staaten an Bedeutung, die der EU nicht angehören, mit der EU aber in engen Wirtschaftsbeziehungen stehen. Insb haben die dem EWR angehörenden Staaten ein beträchtliches Normenpaket des EU-Rechts übernommen.

Wichtige handelsrechtliche Gesetze und Novellen der jüngsten Zeit (vgl insb RLG, FBG, BWG, einige GesRÄG, insb das EU-GesRÄG; grundlegende Änderungen im Urheber- und Markenrecht) wurden durch einschlägige EG-Richtlinien ausgelöst und inhaltlich bestimmt.

2. Kapitel

Handelsgewohnheitsrecht und Handelsbrauch

I. Handelsgewohnheitsrecht

Lit: *Mokre,* Theorie des Gewohnheitsrechts (1932); *Walter,* Die Gewohnheit als rechtserzeugender Tatbestand, ÖJZ 1963, 225; *Gschnitzer,* Gibt es noch Gewohnheitsrecht? Verh 3. ÖJT 1967, Bd II/6, 24; *Esser,* Richterrecht, Gerichtsgebrauch und Gewohnheitsrecht, FS v Hippel (1967) 95; *Freitag,* Gewohnheitsrecht und Rechtssystem (1976).

Unter Gewohnheitsrecht versteht man eine nicht gesatzte, lang andauernde, gleichförmige, österreichweite, allgemeine Gepflogenheit (Gewohnheit, Übung, consuetudo, usus), von der man überzeugt ist, dass sie verbindliches Recht darstellt *(opinio iuris).* Ob opinio iuris vorliegt, erweist idR die Rsp (der Gerichtsgebrauch). Die Feststellung von Gewohnheitsrecht ist *Rechts-, nicht Tatfrage.*

Handelsgewohnheitsrecht unterscheidet sich vom allgemeinen Gewohnheitsrecht dadurch, dass es sich auf den Bereich des *kaufmännischen Geschäftsverkehrs* bezieht.

Grundsätzlich geht gesatztes Recht dem Gewohnheitsrecht vor. Handelsgewohnheitsrecht geht hingegen gesatztem bürgerlichen Recht vor (Art 4 zweiter Satz EVHGB). Insofern hat das Handelsgewohnheitsrecht **(mos mercatorum)** seine einstige Rolle, das Handelsrecht vom allgemeinen Privatrecht zu emanzipieren, bis heute beibehalten.

Handelsrecht ist heute weitgehend gesatztes Recht. Dem Handelsgewohnheitsrecht kommt daher nur mehr bescheidene Bedeutung zu.

An Beispielen werden genannt: die Gestaltung der Handelsbücher, die actio socii pro societate, die Zulässigkeit der Organgesellschaft, die Regeln über das kaufmännische Bestätigungsschreiben (soweit diesbezüglich keine rechtsdogmatische Lösung anerkennenswert erscheint, was strittig ist).

Wenn ferner als Beispiele für Handelsgewohnheitsrecht genannt werden: die Gültigkeit eines Handelskaufs ohne Preisvereinbarung, der Vorbehalt des Rückkaufs von Leerflaschen, die GmbH & Co KG und die Treuhand, so ist dem entgegenzuhalten, dass sich diese Phänomene auch ohne Berufung auf Handelsgewohnheitsrecht dogmatisch erklären lassen.

> **Handelsrechtsreform:** Mit der Aufhebung der EVHGB wird auch der Vorrang des Handelsgewohnheitsrechts vor dem allgemeinen Zivilrecht beseitigt. Damit ist das Privileg des Handelsgewohnheitsrechts, vor dem gesatzten allgemeinen bürgerlichen Recht zu rangieren, gefallen.

II. Begriff und Abgrenzung des Handelsbrauches

Lit: *F. Bydlinski,* Privatautonomie und objektive Grundlagen des verpflichtenden Rechtsgeschäftes (1967); *Limbach,* Die Feststellung von Handelsbräuchen, FS Hirsch (1968) 77; *Sonnenberger,* Verkehrssitten im Schuldvertrag (1970); *Kramer,* Grundfragen der vertraglichen Einigung (1972); *Rummel,* Vertragsauslegung nach der

Verkehrssitte (1972); *Bonell,* Die Bedeutung der Handelsbräuche im Wiener Kaufrechtsübereinkommen von 1980, JBl 1985, 385; *Weiss,* Der Handelsbrauch (1992), Nachträge 1995, 1998; *Saria,* Touristisches Kooperationsabkommen als Kodifikation von Handelsbräuchen? wbl 1999, 89.

A. Begriff, Rechtsnatur und Beweis des Handelsbrauches

Handelsbräuche (Handelssitten, handelsrechtliche Verkehrssitten) sind während einer gewissen Zeit *tatsächlich* geübte, von den beteiligten kaufmännischen Verkehrskreisen anerkannte Gepflogenheiten im Bereich des handelsrechtlichen Geschäftsverkehrs. *Rechtsüberzeugung (opinio iuris) fehlt.* Wohl aber liegt eine weitgehend übereinstimmende Auffassung der beteiligten Kreise darüber vor, dass die zur Diskussion stehende Verhaltensweise als Handelsbrauch anzusehen ist *(opinio usus).*

Handelsbräuche sind demnach *Tatsachen, nicht Recht.* Die Feststellung des Handelsbrauches ist daher *Tat-, nicht Rechtsfrage* (HS 12.200 ua), unterliegt der richterlichen Beweiswürdigung und ist daher nicht mittels Revision bekämpfbar (EvBl 1964/63). *Rechtsstreitigkeiten* kann es nur im Hinblick auf Fragen der *Anwendung* eines Handelsbrauches geben, nicht aber bezüglich seines *Bestehens* bzw seines *Inhaltes.*

Wer sich auf einen Handelsbrauch beruft, hat ihn **nach allgemeinen Beweisregeln** nachzuweisen (EvBl 1964/63). Das Gericht braucht Handelsbräuche nicht zu kennen. Wer sich auf Handelsbräuche beruft, hat dies schon in der 1. Instanz zu tun (Neuerungsverbot im Berufungsverfahren).

Der Handelsbrauch ist dem Gericht mittels **Sachverständigenbeweises** bzw durch **Gutachten** der Wirtschaftskammer Österreich (WKÖ) nachzuweisen. Die WKÖ erhebt Handelsbräuche in ganz Österreich durch (mitunter mit dem Gericht akkordierte) Umfrage. Nur wenn 2/3 der Mitglieder aus den betroffenen Kammersektionen das Bestehen eines Handelsbrauches bejahen, gibt die WKÖ ein positives Gutachten ab. Der **Präsident des Handelsgerichts Wien** sammelt auf Grund eines Erlasses des BMJ (JABl 1974/14) die für Österreich erstellten Gutachten über Handelsbräuche, erfasst sie in einer Kartei und veröffentlicht sie laufend im JABl sowie in der alle 2 bis 3 Jahre erscheinenden Broschüre **„Handelsbräuche in Österreich“ (HBÖ).**

Dauer: Handelsbräuche dauern idR zwar lange an, können aber auch bloß *zeitlich begrenzt* in Erscheinung treten. Mitunter genügen sporadische Geschäftsfälle, um einen Handelsbrauch entstehen zu lassen (ZBl 1924/66).

Ortsgebrauch genügt. Handelsbräuche müssen sich nicht auf das gesamte Bundesgebiet beziehen. Manchmal entstehen Handelsbräuche auch nur im Bereich einer bestimmten **Berufsgruppe** oder einer **Branche.** Lediglich individuelle Gepflogenheiten sind kein Handelsbrauch.

B. Abgrenzung des Handelsbrauches

1. Handelsbrauch und allgemeine Verkehrssitte. Handelsbräuche sind Verkehrssitten (§ 914 ABGB) im Bereich des kaufmännischen Geschäftsverkehrs. Greift ein Handelsbrauch im Laufe der Zeit über den Bereich des handelsrechtlichen Geschäftsverkehrs hinaus, wird er zur allgemeinen Verkehrssitte.

2. Handelsbrauch und Verkehrsanschauung. Unter Verkehrsanschauung versteht man die in den maßgeblichen Verkehrskreisen herrschenden Vorstellungen über bestimmte Vorgänge und Verhaltensweisen, wobei sich noch keine tatsächliche Übung gebildet hat. Die Verkehrsanschauung enthält *Wertungen;* sie *beurteilt* ein Verhalten (zB ob es der Sorgfaltspflicht des ordentlichen Kaufmanns entspricht) und stellt selbst keines dar.

3. Handelsbrauch und Allgemeine Geschäftsbedingungen. AGB sind Vertragstexte, die von Unternehmern (meist von diesen einseitig vorformuliert; Ausnahme: zB ÖNormen) einer Vielzahl von mit Kunden geschlossenen Verträgen zugrunde gelegt werden (Vertragsschablonen). Sie müssen idR vertraglich vereinbart werden, um verbindlich zu werden, haben jedoch bereits im Rahmen der Bindungswirkung von Angeboten, die auf AGB verweisen, rechtliche Relevanz. Wer im Rahmen einer öffentlichen Ausschreibung all jenen die gleichen Bedingungen setzt, die sich an der Ausschreibung beteiligen wollen, verwendet AGB.

Im Allgemeinen handelt es sich bei AGB nicht um Handelsbräuche. Ob insb branchenübliche AGB *ausnahmsweise* Handelsbrauch werden können, ist umstritten. Zwischen zwei Fallgruppen ist zu unterscheiden:

a) AGB-Inhalte als Handelsbrauch. Der OGH hat bezüglich der *Holzhandelsusancen* (HS 159; SZ 27/208; RdW 1990, 405; JBl 1999, 318) und der *AGB der österr Kreditunternehmungen (AGBKU)* (JBl 1974, 261; ÖBA 1988, 499 Anm *Rummel* = RdW 1989, 126 Anm *Iro*) bejaht, dass der Inhalt dieser AGB Handelsbrauch sei. Bzgl der *AÖSp* hält er es für möglich (SZ 26/180; JBl 1974, 473; HS XIV/XV/8). Dass der gesamte Inhalt bestimmter AGB als Handelsbrauch angesehen werden kann, ist wohl nur höchst selten der Fall.

b) Die Verwendung von AGB als Handelsbrauch. Von den Fällen handelsüblicher AGB-*Inhalte* sind jene zu unterscheiden, in denen es lediglich üblich ist, dass Unternehmer laufend AGB *verwenden;* dies *unabhängig* davon, welchen *Inhalt* diese AGB jeweils haben. Hier geht es also lediglich darum, dass mit der Verwendung von AGB auch dann zu rechnen ist, wenn nichts darüber gesagt wird. Dann liegt, wird zwischen den Vertragsparteien nichts Gegenteiliges klargestellt, eine schlüssige Vereinbarung der AGB nahe (§ 863 ABGB).

Der OGH befürwortet dies bei *Massen- und Unterwerfungsverträgen* bzgl der *AGBKU* (HS 8227), der *AVB* der Versicherer (HS 6240), der AGB der *Elektrizitätsunternehmen* (HS 6238, 6239) und der *AÖSp* (HS 7605; EvBl 1970/229). Die Lehre ist diesbzgl weniger großzügig; wohl aber wird anerkannt, dass ständige Geschäftsbeziehungen es nicht erforderlich machen, immer wieder auf die Vereinbarung der laufend von den Vertragspartnern verwendeten und vertraglich anerkannten AGB hinzuweisen.

4. Handelsbrauch und ÖNormen. ÖNormen sind vom **Österreichischen Normungsinstitut (ON)** auf Grundlage des NormenG 1971 erarbeitete Richtlinien und dienen als Vertragsschablonen.

Zwar haben die ÖNormen vor allem im Bereich der Bemühung um Vereinheitlichung *technischer* Daten, Maße, Dimensionierungen udgl Bedeutung **(technische Normen);** das ON bemüht sich aber auch, das rechtliche Vertragswesen der Wirtschaft zu vereinheitlichen und zu verbessern **(Vertragsnormen).** ÖNormen sind grundsätzlich unverbindlich (SZ 46/79). ÖNormen können aber uU durch **Gesetz oder Verordnung** für verbindlich erklärt werden (§ 5 NormenG 1971). Meist ist dies aber nicht der Fall. Dann sind sie nichts anderes als **AGB;** allerdings solche, die nicht der einzelne Unternehmer, sondern das ON vorformuliert hat, was ihnen aber verbraucherrechtlich keinen Sonderstatuts einräumt.

Ob und inwieweit **ÖNormen Handelsbrauch** sein können, ist nicht minder umstritten als die Frage nach der Handelsbrauchqualität von AGB. Der OGH anerkennt, dass nicht für verbindlich erklärte ÖNormen durch tatsächliche Übung Handelsbrauch oder Verkehrssitte werden können (SZ 59/101).

Soweit es um **technische Normen** geht, darf wohl angenommen werden, dass Vertragspartner, die das Problem der technischen Kompatibilität des Vertragsgegenstandes und seiner Teile nicht ausdrücklich ansprechen, von deren „gewöhnlichen Eigenschaften" ausgehen. Hiezu zählt, dass die technischen Daten dem Üblichen – und damit den einschlägigen technischen ÖNormen – entsprechen. (Zur Bedeutung der einschlägigen ÖNorm für die handelsübliche Beschaffenheit von Dachziegeln: HS Erg/44.) ÖNormen können jedoch von der Entwicklung überholt werden; es ist also durchaus möglich, dass der allgemein anerkannte Stand der Technik bereits anderes erfordert, als (noch nicht angepasste) ÖNormen vorschreiben. Dann ist der allgemein anerkannte Stand der Technik maßgebend.

Bei ÖNormen, die ausschließlich das **rechtliche Vertragswesen** betreffen, wird man hingegen im Allgemeinen keinen Handelsbrauch annehmen dürfen.

III. Handelsbrauch als Auslegungshilfe

Handelsbräuche gewinnen als **Auslegungshilfe** nur *mittelbar* rechtliche Bedeutung: „Unter Kaufleuten ist in Ansehung der Bedeutung und Wirkung von Handlungen auf die im Handelsverkehr geltenden Gewohnheiten und Gebräuche Rücksicht zu nehmen." (§ 346 HGB; vgl idZ auch §§ 863 Abs 2; 914 ABGB).

Interpretierende Handelsbräuche geben gemachten Erklärungen einen bestimmten, verkehrstypischen Sinn. **Ergänzende Handelsbräuche** betreffen Regelungen, die im Vertrag nicht enthalten, bei Verträgen dieser Art aber üblich sind.

Beispiele für Handelsbräuche: „Waggonverladen" bedeutet im Holzhandel, dass der Verkäufer bis zur Verladung im Waggon die Gefahr zu tragen hat (HS 159; SZ 25/261); „Service" bedeutet nicht Reparatur (HS 590); die Vereinbarung „handelsüblicher Preise" bedeutet, dass der Gläubiger Entgelt nach billigem Ermessen so erhöhen kann, dass es dem Marktpreis zur Lieferzeit entspricht (HS 4219/3); „in Vorlage für jemanden gehen" bedeutet: „für jemanden anderen zahlen" (SZ 27/94); wer erklärt, er werde sich bei Herstellung der von ihm gewünschten Geschäftsbeziehung „in beträchtlichem Maße erkenntlich zeigen", meint eine Provisionsvereinbarung (HS 413/97); „frei Haus" bzw „frei Baustelle" bedeutet, dass Ware an den Bestimmungsort zu liefern und dort auch abzuladen ist, ohne dass der Käufer mithelfen muss (SZ 55/102); technische Angaben sind uU iS von ÖNormen auszulegen (SZ 59/101); die Kontoangabe auf Geschäftspapier oder Rechnung bedeutet, dass der Gläubiger das angegebene Kreditinstitut als Zahlstelle und Zahlungen auf das Konto als schuldbefreiend gelten lässt (SZ 61/64). Vgl weitere Beispiele bei *Kramer* in *Straube*[3] § 346 Rz 32; *Kerschner* in *Jabornegg* § 346 Rz 34.

Handelsbräuche sind grundsätzlich nur bei **beiderseitigen Handelsgeschäften** zu beachten (SZ 27/189). Minder- oder Scheinkaufmannseigenschaft genügt. Erfasst sind jedoch nur die **an jenem Geschäftsverkehr beteiligten Verkehrskreise, der vom Handelsbrauch betroffen ist.**

Schließt ein Kaufmann ein Geschäft, das mit seinem Handelsgewerbe nichts zu tun hat, sodass ihm die für dieses Geschäft relevanten Handelsbräuche typischerweise unbekannt sind, ist er diesbzgl wie ein Nichtkaufmann zu behandeln (SZ 1/70). Entsprechendes gilt bei ortsbeschränkten, **lokalen Handelsbräuchen** für den **auswärtigen Kaufmann** (ZBl 1922/53; aA Rsp 1929/375; 1932/149), es sei denn, der Schwerpunkt des Vertrages liegt am Ort des Handelsbrauches oder der Auswärtige unterhält länger währende, ständige Geschäftsbeziehungen zu Kaufleuten dieses Ortes, sodass erwartet werden kann, dass der Auswärtige über den ortsbeschränkten Handelsbrauch inzwischen Bescheid weiß bzw sich hinreichend informieren konnte (EvBl 1964/63; NZ 1974, 77, 78; JBl 1974, 473, 475).

Nichtkaufleute sind nur dann tangiert, wenn das Gesetz es vorsieht, die Anwendung des Handelsbrauches vereinbart ist (Schlüssigkeit genügt) bzw der Handelsbrauch bereits zur allgemeinen Verkehrssitte wurde (SZ 25/261).

Günstigkeitsregel? Im gegebenen Zusammenhang wird mitunter gesagt, dass nicht vereinbarte bzw nicht vom Gesetzgeber für beachtlich erklärte Handelsbräuche auch dann anzuwenden seien, wenn sie für den Nichtkaufmann günstiger sind als die sonstige Gesetzes- bzw Vertragslage. Dieser Ansicht fehlt eine überzeugende rechtsdogmatische Grundlage; ausnahmsweise könnte ein Anwendungsfall der Unklarheitenregel des § 915 ABGB vorliegen.

Kenntnis des Handelsbrauches ist für seine Relevanz unbeachtlich (EvBl 1964/63). Das gilt im Allgemeinen auch für Ausländer, die im Inland Geschäfte machen (JBl 1974, 473); einschränkend NZ 1974, 77: Handelsbräuche am Ort des Geschäftsabschlusses gelten für einen Ausländer, der sie nicht kannte, dann, wenn er sich die nötige Kenntnis darüber hätte verschaffen können.

Ablehnung von Handelsbräuchen. Wer sich dem Handelsbrauch nicht unterwerfen will, muss ihn ausdrücklich vertraglich ausschließen; dies auch dann, wenn ein Vertragsteil das Bestehen des Handelsbrauches bestreitet (BGH NJW 1966, 502).

IV. Handelsbrauch und Gesetz

A. Gesetzeszwang und gute Sitten

Handelsbräuche dürfen weder zwingendem Gesetzesrecht noch den guten Sitten (§ 879 ABGB, § 1 UWG) widersprechen (SZ 29/76). Überhaupt haben Handelsbräuche *redlich* zu sein (JBl 1957, 563). Das inkludiert auch das Verbot standeswidriger Handelsbräuche.

B. Dispositives Gesetzesrecht

Es besteht weder der Grundsatz „Dispositives Recht geht dem Handelsbrauch vor", noch der Grundsatz „Handelsbrauch geht dispositivem Recht vor"; ob das eine oder andere zutrifft, hängt vielmehr von den Umständen des Falles ab.

1. Sofern das **Gesetz ausdrücklich vorrangig** auf den Handelsbrauch verweist oder der Handelsbrauch der **Konkretisierung der gesetzlichen Anordnung** dient, ist der Handelsbrauch beachtlich (Vgl §§ 354 Abs 1; 359 Abs 1; 393 Abs 2; 394 Abs 1; 396 Abs 1; 428 Abs 1 u 2 HGB).

2. Gleiches gilt, wenn ein **Vertrag ausdrücklich oder schlüssig auf den Handelsbrauch verweist.** Kenntnis des Handelsbrauches ist dabei nicht erforderlich (SZ 50/112), sofern nur der Vertragspartner darauf vertrauen durfte und auch darauf vertraut hat, dass die andere branchenkundige Partei (HS 10.551) mit der Anwendung des Handelsbrauches einverstanden ist.

3. Fehlt eine ausdrückliche oder auch nur schlüssige Einigung über die Anwendung eines Handelsbrauches und ist die Ordnungsfrage, die der Handelsbrauch beantwortet, vertraglich nicht geregelt, stellt sich die Frage, ob in einem solchen Fall das vorhandene, dispositive Recht oder der Handelsbrauch vorgeht. Da der Handelsbrauch lediglich die Funktion der **Vertragsergänzung** haben kann, eine Vertragsergänzung aber nicht geboten ist, wenn dispositives Recht die offene Ordnungsfrage klärt, gebührt hier **grundsätzlich dem dispositiven Recht der Vorrang** (idS HS Erg/2 und 127; VII/46; aA HS II/48; EvBl 1964/63 = HS 4218; 6232; JBl 1984, 383, 387). Zur Frage, ob die „Holzhandelsusancen" das UN-Kaufrecht verdrängen: ecolex 2000, 789 *(Wilhelm)*.

Das ist ausnahmsweise anders, wenn die Vertragsergänzung durch das dispositive Recht zu einem Ergebnis führt, das die Parteien angesichts der gegebenen Umstände vernünftigerweise nicht gewollt haben können. Dann soll der Handelsbrauch zur Vertragsergänzung herangezogen werden. Mitunter kann sich aus dem erkennbaren (hypothetischen) **Parteiwillen** auch ergeben, dass weder das dispositive Recht noch der Handelsbrauch gelten soll.

2. Abschnitt

Kaufleute

3. Kapitel

Begriff und rechtliche Bedeutung des Kaufmanns

Lit: *Schirrmeister,* Der Kaufmannsbegriff nach geltendem und zukünftigem dt Handelsrecht, ZHR 48 (1899) 418; 49 (1900) 29; *Schultze v Lasaulx,* Die Zukunft des Kaufmannsbegriffes in der dt Rechtsordnung (1939); *Rittner,* Unternehmen und freier Beruf als Rechtsbegriffe (1962); *Müller,* Die Einbeziehung der freien Berufe in das Handelsrecht unter bes Berücksichtigung von Ärzten, Apothekern, Rechtsanwälten, Wirtschaftsprüfern und Architekten (1967); *Raisch,* Bedeutung und Wandel des Kaufmannsbegriffes in der neueren Gesetzgebung, FS Ballerstedt (1975) 443; *Wessel,* Der Kaufmannsbegriff, BB 1977, 1226; *Wünsch,* Gedanken zur Kaufmannseigenschaft juristischer Personen, FS Kralik (1986) 597; *Freiling,* Kaufmannseigenschaft, Handelsfirma und Handelsregister (1988); *Hartenstein,* Handelsfrau, in RHdW IV 156; *Henssler,* Gewerbe, Kaufmann und Unternehmen. Herkunft und Zukunft der subjektiven Anknüpfung des Handelsrechts, ZHR 161 (1997) 13; *K. Schmidt,* Woher–wohin? ADHGB, HGB und die Besinnung auf den Kodifikationsgedanken, ZHR 161 (1997) 2; *Takacs,* Das dt Handelsrechtsreformgesetz – Der Referentenentwurf mit Anmerkungen zur österr Rechtslage, SWI 1997, 161; *Ebner/Pablik,* Klagen der Handelsgerichtsbarkeit, ÖJZ 2004, 488; *Feil,* Umwandlung der GesBR – OHG bei Entwicklung zum vollkaufmännischen Gewerbe, GesRZ 2004 Kurzinfo XVI.

Zur Handelsrechtsreform: *P. Winkler,* Kaufmann quo vadis? Der Kaufmannsbegriff und seine Reform (1999); *Krejci,* Methodisches, Dogmatisches und Politisches zur Grundtatbestandsbildung im Handelsrecht, FS F. Bydlinski (2001) 219; *Benn-Ibler,* Rechtsanwalt – Unternehmer, AnwBl 2003, 57; *Krejci,* HGB-Reform und freie Berufe, AnwBl 2003, 67; *ders,* HGB-Reform und freie Berufe, FS Weißmann (2003) 451; *Scheuba,* Gedanken zur Einbeziehung der Rechtsanwälte ins HGB, AnwBl 2003, 75. Weitere Lit im 1. Kapitel IV.D.

I. Das „abgeschwächt subjektive System“ des HGB

Den Regeln des HGB unterfällt, wer **Kaufmann** ist. Man sagt, das HGB baue auf einem **„abgeschwächt subjektiven System“** auf.

Ein „*subjektives* System“ knüpft den Geltungsbereich eines Gesetzes an bestimmte *Eigenschaften der Beteiligten:* zB an eine bestimmte berufliche Tätigkeit. Ein „*objektives* System“ wäre demgegenüber eines, das lediglich auf bestimmte *Rechtsgeschäftstypen* abstellt. IdS knüpfte das AHGB am Phänomen der „Handelsgeschäfte“ an. Dennoch kann nicht gesagt werden, dass das AHGB auf einem „objektiven System“ aufbaute. Es entschied sich vielmehr für ein „gemischtes objektiv-subjektives System“. Denn gemäß Art 4 AHGB war als Kaufmann „anzusehen“, „wer gewerbsmäßig Handelsgeschäfte betreibt“. Es kam also nicht bloß auf das Vorliegen von Handelsgeschäften an, sondern darauf, dass jemand diese Geschäfte gewerbsmäßig zu schließen pflegt. Der objektive Systemansatz sind die Handelsgeschäfte, der subjektive das gewerbsmäßige Betreiben. Das HGB strebte in der Folge eine weitgehende „Subjektivierung“ an, indem es, losgelöst vom „Handelsgeschäft", jeden gewerblichen Unternehmer einer bestimmten Größe (§ 2 HGB) erfasst. Dessen ungeachtet klingen im heutigen Katalog der Grundhandelsgewerbe des § 1 HGB gewisse „objektive" Systemansätze noch nach. Daher spricht man beim HGB von einem „abgeschwächt subjektiven System".

Handelsrechtsreform: Das UGB beschreibt keine bestimmten „Handelsgewerbe" mehr (wie dies § 1 HGB bzgl der „Grundhandelsgewerbe" oder „natürlichen Handelsgewerbe" tut: eine Reminiszenz an das „objektive System"), sondern geht von einem umfassenden Unternehmer- bzw Unternehmensbegriff aus. Allerdings bleibt die Differenzierung zwischen Unternehmern (einschließlich der Formunternehmer) einerseits und den freien Berufen sowie den Land- und Forstwirten andererseits deshalb erhalten, weil für Freiberufler und Land- und Forstwirte nur bestimmte Teile des UGB gelten. Das UGB gilt allerdings dann uneingeschränkt auch für einzelunternehmerische Freiberufler und Land- und Forstwirte, wenn sich diese freiwillig in das FB eintragen lassen. Zwar kennt das UGB wie das HGB bestimmte Rechtsgeschäftstypen (den Handelskauf, das Kommissionsgeschäft sowie das Speditions-, Lager- und Frachtgeschäft), doch kommen die Regelungen über diese Geschäfte nur zur Anwendung, wenn einer der Beteiligten ein Unternehmer ist. Das UGB baut somit auf dem „subjektiven System" auf.

Die Grundtatbestände des HGB sind erstaunlich kompliziert aufgebaut (vgl §§ 1–7 HGB) und bergen überdies erhebliche Ungereimtheiten.

Handelsrechtsreform: Eben wegen dieser Kompliziertheit und Ungereimtheiten geht das UGB dazu über, seinen Grundtatbestand radikal zu vereinfachen und – sachlich gerechtfertigt – auf einem allgemeinen Unternehmerbegriff aufzubauen. Als Orientierungshilfe dient § 1 KSchG. Ausnahmen bestehen bzgl freiberuflich oder land- und forstwirtschaftlich tätiger Unternehmer, die aber nicht gänzlich vom Anwendungsbereich des UGB ausgeschlossen sind.

Auch der dt Gesetzgeber hat jüngst die Kaufmannstatbestände weitgehend vereinfacht; vgl das dt Gesetz zur Neuregelung des Kaufmanns- und Firmenrechts und zur Änderung anderer handels- und gesellschaftsrechtlicher Vorschriften (Handelsrechtsreformgesetz – HRefG) vom 22. 6. 1998, dBGBl I 1998, 1474. Das reformierte dHGB geht jedoch einen anderen Weg. Als Grundtatbestand dient nach wie vor der Kaufmannsbegriff: „Kaufmann im Sinne dieses Gesetzbuches ist, wer ein Handelsgewerbe betreibt." (§ 1 Abs 1 dHGB). „Handelsgewerbe ist jeder Gewerbebetrieb, es sei denn, dass das Unternehmen nach Art oder Umfang einen in kaufmännischer Weise eingerichteten Geschäftsbetrieb nicht erfordert" (§ 1 Abs 2 dHGB). Minderkaufleute gibt es also keine mehr. Das dHGB gilt nur noch für „größere" Kaufleute, wobei die Imponderabilien der Größenabgrenzung (ein Geschäftsbetrieb, der nach Art und Umfang kaufmännische Einrichtungen erfordert) erhalten geblieben sind. „Kleine" können sich jedoch freiwillig in das Handelsregister eintragen lassen. Land- und Forstwirte können sich dem dHGB durch freiwillige Eintragung in das Handelsregister unterstellen; für Freiberufler gilt das dHGB insgesamt nicht.

II. Begriff des Kaufmanns

A. Kaufleute betreiben Handelsgewerbe.

Kaufmann iS des HGB ist, *wer ein Handelsgewerbe betreibt* (§ 1 Abs 1 HGB). Der Kaufmannsbegriff ist somit durch **Tätigkeitsmerk-**

male gekennzeichnet. Die sog **Formkaufleute** sind demgegenüber ausschließlich kraft ihrer spezifischen Rechtsform Kaufleute. Dazu weiter unten.

B. Gewerbebegriff

Zu klären ist, was man unter einem **„Gewerbe"**, insb unter einem **„Handelsgewerbe"**, versteht. Das HGB definiert den Gewerbebegriff nicht.

Lehre und Rsp verstehen unter **Gewerbe** jede

- **selbstständige,**
- **auf Dauer angelegte und berufsmäßig organisierte,**
- **auf Gewinn,** zumindest aber auf unternehmenserhaltenden Erwerb durch Erzielung von Leistungsentgelten **gerichtete,**
- **nicht freiberufliche Tätigkeit,**
- die **wirtschaftlich werthafte Leistungen auf dem Markt anbietet.**

Diese Merkmale bedürfen einerseits der Erklärung; andererseits gibt das eine oder andere Merkmal zu denken:

1. Selbstständig handelt, wer *rechtlich* unabhängig und eigenverantwortlich, also idR *auf eigene Rechnung* agiert. Der Selbstständige trägt das Unternehmerwagnis; er ist, was seine Unternehmensführung betrifft, weisungsfrei tätig. *Wirtschaftliche* Abhängigkeit von einem anderen hindert *rechtliche* Selbstständigkeit nicht.

2. Auf Dauer angelegt und berufsmäßig organisiert ist eine Tätigkeit, wenn laufend, also immer wieder, bestimmte Geschäfte bzw Arten von Geschäften getätigt werden. Es muss die Absicht bestehen, sich eine dauernde, nicht bloß gelegentliche Einnahmequelle zu verschaffen (ZBl 1916/14). *Unbestimmte* Dauer ist nicht erforderlich. Unterbrechungen bzw vorübergehende Stilllegungen schaden nicht (SZ 10/144). Entscheidend ist, dass vor allem die Dauer des Tätigseins eine entsprechende, professionelle Organisation erfordert.

3. Gewinnabsicht („Gewinnerzielungsabsicht"; AC 1726; GlUNF 7585; EvBl 1964/364; 1971/93; 1978/18) liegt vor, wenn mit der Tätigkeit **Überschüsse** erzielt werden sollen, also die durch die Tätigkeit erzielten Einnahmen höher sein sollen als der erforderliche Aufwand (SZ 52/82). *Absicht* genügt; misslingt das Bemühen, geht deshalb das Gewerbe nicht unter (VwGH ZfVB 1984/2/502).

Auf Dauer kann sich freilich niemand auf dem Markt halten, der immer nur Verluste einfährt. *Nicht jedes einzelne* Geschäft muss auf Gewinn ausgerichtet sein, vielmehr kommt es auf die Zwecksetzung des Unternehmens *insgesamt* an. Die Inkaufnahme von „Produktionsumwegen" ist unbeachtlich (SZ 24/87); ebenso, wofür der Gewinn verwendet wird (AC 1726; GlUNF 7585; SpR 261). Bei Grundhandelsgewerben wird Gewinnerzielungsabsicht vermutet (RGZ 138, 16).

Kostendeckung genügt. dass es auf das *Streben nach Überschüssen* ankommt, ist zwar nach wie vor überwiegende Meinung (HS 1/36), wird aber zunehmend mit guten Gründen abgelehnt.

Denn die Gewinnabsicht ist letztlich *nur ein Indiz* für einen ganz anderen Umstand, der für die Anwendung des Handelsrechts entscheidend ist: Dieser Umstand liegt in der **Professionalität der dauernden wirtschaftlichen Tätigkeit.** *Sie selbst* löst die handelsrechtlichen Regelungsbedürfnisse aus. Professionell handelt, wer auch für die für seine Tätigkeit erforderlichen Mittel sorgt. Wird durch die Tätigkeit die Deckung ihrer Kosten erwirtschaftet, muss dies genügen.

Da **Formkaufleute** kein Handelsgewerbe betreiben müssen, braucht bei ihnen schon deshalb keine Gewinnabsicht vorliegen. Konzerne halten sich nicht selten für bestimmte Zwecke eigene Gesellschaften, die vorweg keinen Gewinn machen sollen. Auch der **Unternehmerbegriff des KSchG** setzt keine Gewinnabsicht voraus (§ 1 Abs 2 KSchG).

4. Land- und forstwirtschaftliche Betriebe sind zwar gewerblicher Art, sie sind aber nach § 3 Abs 1 HGB keine *Handels*gewerbe (Nach dHGB sind sie Kannkaufleute).

Handelsrechtsreform: Das UGB unterstellt die Land- und Forstwirte nicht uneingeschränkt seinen Vorschriften, überlässt es ihnen jedoch, sich dem Regime des UGB freiwillig zu unterstellen, sei es mit dem gesamten land- und forstwirtschaftlichen Unternehmen oder nur im Hinblick auf ein land- und forstwirtschaftliches Nebengewerbe. Sofern Land- und Forstwirte Gesellschaften bilden, unterstehen sie uneingeschränkt den Regelungen des Gesellschaftsrechts. Ferner haben sich alle Land- und Forstwirte an das 4. Buch zu halten. Die handelsrechtlichen Rechnungslegungsvorschriften gelten für Land- und Forstwirte nicht, auch nicht für jene, die sich freiwillig in das FB eintragen lassen.

5. Keine freiberufliche Tätigkeit. *Nicht gewerblich* sind freiberufliche Aktivitäten. Für sie gilt das HGB daher nicht.

Handelsrechtsreform: Die Aufrechterhaltung der Ausnahme der freien Berufe vom Handelsrecht ist rechtspolitisch strittig. Die Angehörigen der freien Berufe haben ihre Einbeziehung in das UGB vehement abgelehnt. Nunmehr wurde eine Kompromisslösung erzielt. Freiberufler können sich dem gesamten Regime des UGB freiwillig unterstellen, sofern sie dies wollen bzw sofern dies die berufsrechtlichen Vorschriften erlauben. Jedenfalls aber gelten die Regelungen des 4. Buches auch für die freien Berufe. Auch unterstehen sie, soweit sie ihre Tätigkeit in der Rechtsform von Gesellschaften ausüben, den allgemeinen gesellschaftsrechtlichen Regeln. Auch wer sich dem UGB freiwillig unterstellt, unterliegt nicht den Rechnungslegungsvorschriften. Das gilt auch für freiberufliche Personengesellschaften.

Zu den freien Berufen zählt man Tätigkeiten überwiegend wissenschaftlichen, künstlerischen, religiösen, sozialen, lehrenden, heilenden oder rechtswahrenden Charakters (OLG Wien NZ 1960, 108). Hiezu gehören im Wesentlichen vor allem jene Tätigkeiten, für die es eigene gesetzliche Interessenvertretungen (Kammern) gibt: Ärzte, Dentisten, Notare, Patentanwälte, Rechtsanwälte, Tierärzte, Wirtschaftstreuhänder, Ziviltechniker.

Vorsicht ist insofern geboten, als **Apotheker,** die in der Apothekerkammer zusammengefasst sind, durchaus als Kaufleute anerkannt sind, weil sie in ihren Apotheken in hohem Maße Arzneimittel anschaffen und weiterveräußern, somit Umsatzgeschäfte betreiben.

Die Stellung der **Notare** als Freiberufler macht angesichts ihrer Amtsbefugnisse und festen Stellen Probleme. Freiberufler, die ausschließlich dann tätig werden dürfen, wenn ihnen eine gesetzlich vorgesehene Amtsstelle übertragen ist, sind jedenfalls etwas Besonderes.

Wirtschaftstreuhänder (OLG Wien HS 8003) und **Ziviltechniker** dürfen, obwohl sie kein Handelsgewerbe betreiben, bemerkenswerterweise zwecks Ausübung ihres freien Berufes Handelsgesellschaften gründen. Neuerdings ist es auch **Rechtsanwälten** erlaubt, zur Ausübung ihres Berufes eine GmbH zu gründen. Auch **Ärzte** dürfen sich zu Gruppenpraxen zusammenschließen. Überall dort, wo der freie Beruf auch in einer unternehmerisch organisierten Rechtsform ausgeübt werden darf, kommt das klassische Element der Freiberuflichkeit nur mehr in verminderter Intensität zum Tragen.

Ansonst sind freie Berufe zB: Schriftsteller, Dichter, Übersetzer, Privatgelehrte, Erfinder, Privatlehrer, Marktforscher, Künstler, Journalisten, Bildberichterstatter, Schiedsrichter udgl.

Das Wesen des freien Berufes zu erfassen und von gewerblicher Tätigkeit abzugrenzen, fällt schwer, weil auch der freie Beruf nahezu alle Merkmale der gewerblichen Tätigkeit aufweist. Bei freien Berufen ist es allerdings eher als bei gewerblichen Tätigkeiten der Fall, dass die **persönlichen Dienste** des Freiberuflers erwünscht sind, weil seine Leistung sehr eng mit seinen **persönlichen Fähigkeiten** verbunden ist bzw zu ihm persönlich ein besonderes **Vertrauensverhältnis** besteht. Doch findet sich auch dieser Aspekt bei manchen Gewerben. Dass die Bedeutung der individuellen Persönlichkeit des Freiberuflers für die unternehmerische Organisation der Berufsausübung nicht von essenziell qualitativer Bedeutung ist, zeigen insb auch die bei freien Berufen zunehmenden gesellschaftlichen Zusammenschlüsse zu größeren Einheiten (vgl *Enzinger,* Gesellschaften von Angehörigen freier Berufe. Schnittstellen zwischen Gesellschafts- und Standesrecht, FS Krejci [2001] I, 553). Angesichts der bestehenden Abgrenzungsprobleme hilft es wenig, auf die **Umstände des Einzelfalles** abzustellen (VwGH HS 1007), weil auch deren Beurteilung nur möglich ist, wenn man hinreichend klare, allgemeine Beurteilungsmaßstäbe hat.

Was bleibt, ist die Orientierung an jenen Berufen, die schon bisher von der **Verkehrsanschauung** (OLG Wien HS 1) als freie Berufe akzeptiert wurden. Soweit neue Berufe, deren Zuordnung zu den freien Berufen noch nicht gefestigt ist, bereits anerkannten freien Berufen im Wesentlichen gleich sind, spricht dies dafür, auch sie den freien Berufen zuzuordnen.

Die Fülle der Rsp zeigt, dass es der Praxis nicht leicht fällt, die Grenzen der Freiberuflichkeit auszumachen. Das gilt allgemein (als *Gewerbe* angesehen wird die Tätigkeit des Zahntechnikers, Vermögensberaters, Betriebsberaters, Beraters in Zolltarif- und Speditionsangelegenheiten, Planungsinstallateurs, Gerichtsdolmetschers, Konzertagenten, Theaterunternehmers, der Tanzschule), insb aber für die Abgrenzung des freiberuflichen Künstlers von demjenigen, der „lediglich“ ein Kunstgewerbe ausübt (*Künstler* ist zB der Bildhauer, Maler, Opernsänger, Instrumentalkünstler, Schauspieler, Komponist, Kapellmeister; *Gewerbetreibender* ist der Werbe- und Gebrauchsgrafiker, Modezeichner, Modeschöpfer, Brillendesigner, Keramiker, Reklamemaler, Kunst- oder Pressefotograph, Notenkopist, Friedhofsänger).

6. Dem Markt widmet sein Wirken, wer auf dem Markt, also gegenüber der interessierten Allgemeinheit, auftritt und mit Anbietern und Nachfragern so kommuniziert, dass sein wirtschaftliches Tun von den einschlägig interessierten Verkehrskreisen als solches erkannt wird. Mitunter wird auch gesagt, gewerbliche Tätigkeit muss „nach außen in Erscheinung treten“. Entscheidend ist das objektive Erscheinungsbild des Tätigen im Geschäftsverkehr unter Beachtung der Verkehrsanschauung, nicht die bloß subjektive Einstellung und Einschätzung.

Wer zB nur für sich selbst Antiquitäten sammelt oder mit Wertpapieren spekuliert, betreibt kein Gewerbe. Wohl aber, wer als Antiquitätenhändler oder Broker seine Dienste allgemein anbietet. Freilich gibt es Abgrenzungsprobleme. Ein Hobby kann sich im Laufe der Zeit zum Beruf mausern. Die Errichtung und Verpachtung eigener Immobilien ist idR keine gewerbliche Tätigkeit; vgl RPfl 1992/1, 39.

7. Rechtmäßigkeit bzw Erlaubtheit wird mitunter zusätzlich gefordert. Dabei geht es nicht darum, dass im Zuge erlaubten Wirkens das eine oder andere Mal ein Gesetz verletzt wird. Entscheidend ist vielmehr, dass der Hauptzweck des Wirkens nicht verboten ist. Das **Fehlen einer öffentlich-rechtlichen Erlaubnis** hindert das Vorliegen der Kaufmannseigenschaft nicht (vgl § 7 HGB).

C. Begriff des Handelsgewerbes

Wer weiß, was Gewerbe heißt, hat noch keine Auskunft darüber, worin die Besonderheiten des *Handels*gewerbes liegen. Dies zu klären, führt zum Konzept des Geltungsbereiches des HGB und damit zum Kaufmannsbegriff zurück.

1. Grundhandelsgewerbe. Vorweg so viel: § 1 Abs 2 Z 1–9 HGB zählt bestimmte gewerbliche Tätigkeiten auf, die nach dem Willen des Gesetzgebers *Handels*gewerbe sein sollen. Diese Tätigkeiten werden im Zuge der Erörterung der Figur des „Muss-“ oder „Istkaufmanns“ näher beschrieben.

2. Geschäftsbetriebe nach den §§ 2 und 3 HGB. Darüber hinaus betreibt ein Handelsgewerbe, wer ein **gewerbliches Unternehmen** führt, **das nach Art und Umfang einen in kaufmännischer Weise eingerichteten Geschäftsbetrieb erfordert.** Kaufmann wird ein solcher Gewerbetreibender aber erst mit Eintragung ins Firmenbuch. Auch ein land- und forstwirtschaftliches Nebengewerbe kann unter der Größenvoraussetzung des § 2 HGB zu einem Handelsgewerbe werden, sofern eine Firmenbucheintragung erfolgt.

3. Keine Handelsgewerbe betreiben *freie Berufe, Land- und Forstwirte,* jene an sich grundhandelsgewerblich tätigen Unternehmer, die auf Grund ihrer Betriebsform von § 1 HGB überhaupt ausgenommen sind (*handwerkliche Lohnfabrikation,* § 1 Abs 2 Z 2 HGB; *nicht anstaltsmäßige Personenbeförderung zu Lande oder auf Binnengewässern,* § 1 Abs 2 Z 5 HGB; *handwerkliche Druckereien,* § 1 Abs 2 Z 9 HGB) und nicht grundhandelsgewerblich tätige gewerbliche Unternehmer, deren Betrieb *die Größe nach § 2 HGB nicht erreicht.*

D. „Betreiber" eines Handelsgewerbes

Kaufleute „betreiben" ein Handelsgewerbe. Sie üben die gewerbliche Tätigkeit *selbst* und *eigenverantwortlich* aus, handeln *im eigenen Namen,* können sich freilich auch vertreten lassen bzw müssen im Falle eigener Geschäftsunfähigkeit vertreten werden. Die Vertreter selbst betreiben das Handelsgewerbe nicht, sie werden lediglich für den Betreiber tätig.

Solange das Handelsgewerbe auch noch im Konkurs weiterbetrieben wird, bleibt nach hM der Gemeinschuldner Kaufmann, auch wenn ihm selbst verboten ist, tätig zu sein (SZ 39/128; 40/92). Diese Ansicht ist insofern bedenklich, als der Masseverwalter (anders als der gesetzliche Vertreter eines Geschäftsunfähigen) keineswegs die Aufgabe hat, den *Gemeinschuldner* zu vertreten; der Masseverwalter nimmt vielmehr im *eigenen* Namen auf fremde Rechnung die Interessen der *Gläubiger* wahr (GesRZ 1989, 83 Anm *Ostheim*). Trifft dies zu, dann kann man aber nicht davon sprechen, dass der *Gemeinschuldner* (mit Hilfe des Masseverwalters) weiterhin sein Handelsgewerbe betreibt, sondern dann betreibt es entweder der *Masseverwalter* im eigenen Namen (und nicht als Vertreter des Gemeinschuldners) oder, sieht man im Masseverwalter das Organ der Masse, *die Masse selbst,* was freilich ihre Anerkennung als eigenständiges Zurechnungssubjekt voraussetzt. Dementsprechend müsste dem Masseverwalter bzw der Masse die Kaufmannseigenschaft zukommen.

Eigentümer der für die Ausübung des Handelsgewerbes erforderlichen Betriebsgegenstände muss man nicht sein, um ein Handelsgewerbe zu betreiben. **Inhaber zu sein, genügt.** Man kann also auch ein fremdes Unternehmen im eigenen Namen eigenverantwortlich führen. Überhaupt spielt es keine Rolle, ob man die benötigten Produktionsmittel kauft, mietet, least oder borgt.

Der **Pächter** (AC 3045; SZ 43/238) und nicht der Verpächter (AC 1773; 2319; 2401) betreibt das Handelsgewerbe. Ebenso der **Treuhänder** (SZ 26/181) bzw „Strohmann" und nicht der Treugeber. Handelsgewerbe können auf *eigene* (Pächter) oder auf *fremde* Rechnung (Treuhänder) betrieben werden.

III. Kaufmannseigenschaft, Rechts- und Geschäftsfähigkeit

1. Kaufmann kann nur sein, wer rechtsfähig ist. Bei den juristischen Personen kommen nicht nur jene Rechtsformen in Betracht, die als solche schon Kaufmannseigenschaft haben (Formkaufleute, § 6 HGB). Auch andere juristische Personen sowohl des privaten als auch des öffentlichen Rechts können, *so sie ein Handelsgewerbe betreiben,* Kaufleute sein.

So: **Erwerbs- und Wirtschaftsgenossenschaften,** sofern sie nicht bereits auf Grund gesetzlicher Aufsichtsratspflicht gemäß § 24 GenG Formkaufleute sind, **Wirtschaftsvereine** nach dem VerPat 1852; **ideelle Vereine** nach dem VerG, die zwar nicht auf Gewinn gerichtet sind, wohl aber im Rahmen des „Nebenerwerbs- oder Nebenzweckprivilegs" wirtschaftlich tätig sein dürfen (RdW 1993, 147); **Privatstiftungen** nach dem PSG im Rahmen ihrer Nebentätigkeitsbefugnis; **gemeinnützige und mildtätige Stiftungen und Fonds** nach dem BStFG; **Betriebsratsfonds** (§ 74 ArbVG); gewohnheitsrechtlich als jurP anerkannte **Realgemeinschaften;** aber auch **Körperschaften öffentlichen Rechts** (Bund, Länder, Gemeinden, Gemeindeverbände, Kammern, Sozialversicherungsträger). Desgleichen **politische Parteien,** die durch Hinterlegung ihrer Statuten beim BMI Rechtsfähigkeit erlangt haben, denn auch ihnen ist es möglich, ein Handelsgewerbe zu betreiben.

Die ÖBB sind Kaufmann auf Grund § 1 Abs 2 BBG; der **österr Rundfunk** auf Grund § 1 Abs 4 ORF-G. Die Postverwaltung des Bundes ist kein Kaufmann (§ 452 HGB), doch wurde zur Besorgung der Aufgaben der Postverwaltung die Post und Telekom Austria AG errichtet (PTSG). Auch die PSK wurde in eine AG eingebracht (BGBl Nr 1996/742). Ausgegliederte Rechtsträger, die in der Rechtsform einer Kapitalgesellschaft geführt werden, sind schon deshalb Formkaufleute nach § 6 HGB.

Auch **teilrechtsfähige Gebilde** können Kaufmannseigenschaft haben: so die OHG, KG, OEG, KEG, EWIV. Bei anderen teilrechtsfähigen Gebilden kommt es darauf an, ob ihre Teilrechtsfähigkeit eine kaufmännische Tätigkeit deckt.

Kaufleute sind nach fragwürdiger hM die **persönlich haftenden Gesellschafter** der OHG bzw KG (RZ 1968, 175; SZ 50/124), auch wenn sie nicht geschäftsführungs- bzw vertretungsbefugt sind (SZ 25/7), zutreffend aber nicht Kommanditisten (GesRZ 1973, 81 Anm *Griehsler*) oder stille Gesellschafter. Sieht man in der OHG als solcher und nicht im persönlich haftenden Gesellschafter den Vertragspartner der von der OHG geschlossenen Geschäfte, dann ist die Kaufmannseigenschaft der persönlich haftenden Gesellschafter gar nicht erforderlich.

Die **juristische Person selbst** ist Kaufmann und nicht ihre Organe.

So ist die AG bzw die GmbH und nicht ihr Vorstand Kaufmann. Ebenso wenig ist der GmbH-Gesellschafter, der Aktionär oder der Genossenschafter Kaufmann. Der Gesellschafter-Geschäftsführer einer GmbH ist nicht Kaufmann: ÖBA 1995, 59 Anm *Schumacher*. Überhaupt sind Gesellschafter und Geschäftsführer einer Kapitalgesellschaft keine Kaufleute, RdW 1999, 25.

Sachen, Sachgesamtheiten, faktische Organisationen ohne Rechtspersönlichkeit (zB Betriebe, Unternehmen, Konzerne) sind schon mangels Rechtsfähigkeit keine Kaufleute. Liegt ein kaufmännischer Betrieb vor, kommt die Kaufmannseigenschaft dem Zurechnungssubjekt dieses Betriebes zu.

Nicht die GesBR, wohl aber jeder ihrer Gesellschafter kann Kaufmann sein (HS 24.001).

2. Kaufleute müssen nicht geschäftsfähig sein. Für sie handelt der gesetzliche Vertreter. Es gelten die einschlägigen Regeln des bürgerlichen Rechts. Auch hier ist klarzustellen: Der *Geschäftsunfähige* ist Kaufmann, *nicht* sein gesetzlicher Vertreter.

Soweit gesetzliche Vertretung erforderlich ist, muss beachtet werden, dass der **Erwerb und die Führung eines Handelsunternehmens** nicht zum ordentlichen Wirtschaftsbetrieb der Vermögensverwaltung gehören. Es ist hierfür die gerichtliche Genehmigung einzuholen (SZ 55/51). Wird sie für den Betrieb des Unternehmens erteilt, ist sie für einzelne Geschäfte, die in seinem Rahmen getätigt werden, nicht mehr erforderlich, außer das Gericht hat Genehmigungsvorbehalte gemacht. Dem beschränkt geschäftsfähigen Kaufmann darf grundsätzlich auch ein **Unternehmen zur freien Verfügung überlassen** werden, sofern davon ausgegangen werden kann, dass hiedurch die Befriedigung seiner Lebensbedürfnisse nicht gefährdet wird (§ 151 Abs 2 ABGB). Angesichts des mit dem Betrieb eines Unternehmens verbundenen Risikos wird man idZ in besonderem Maße die restriktive Haltung der Rsp zu beachten haben (SZ 56/16).

4. Kapitel

Arten von Kaufleuten

Lit: *Bovesiepen,* Der Minderkaufmann und sein Recht (1905); *Weiß,* Über den Begriff des Minderkaufmanns (1905); *Wellspacher,* Das Vertrauen auf äußere Tatbestände im bürgerlichen Recht (1906); *v. Zech,* Der Minderkaufmann (1909); *May,* Der Scheinkaufmann (1909); *Mayer,* Die Abgrenzung des Minderkaufmanns vom Vollkaufmann (1928); *Groschuff,* Kaufmann, Kleingewerbetreibender, Handwerker, JW 1934, 3030; *W. Schmidt,* Die Kannkaufleute (1935); *Greitemann,* Wirtschaftliche Gegebenheiten als wesentliche Anhaltspunkte für die Reichweite des § 2 HGB, FS Möhring (1965) 43; *Mahn,* Ist zu wünschen, daß künftig Handelsrecht auf die Landwirtschaft Anwendung finde? (1967); *Hannak,* Die Kaufmannseigenschaft der Handwerker nach österr und dt Recht, JBl 1967, 337; *Limbach,* Die Lehre vom Scheinkaufmann, ZHR 134 (1970) 137; *Olshausen,* Neuerungen im System der handelsrechtlichen Rechtsscheingrundsätze, BB 1970, 137; *Gotthardt,* Vertrauensschutz und Registerpublizität, JZ 1971, 312; *Canaris,* Die Vertrauenshaftung im dt Privatrecht (1971); *Frotz,* Verkehrsschutz im Vertretungsrecht (1972); *K. Schmidt,* Gilt § 5 HGB auch im „Unrechtsverkehr"? DB 1972, 959; *Hofmann,* Die Kaufmannseigenschaft von Land- und Forstwirten, NJW 1976, 1297; *John,* Fiktionswirkung oder Schutz typisierten Vertrauens durch das Handelsregister, ZHR 140 (1976) 236; *Olshausen,* Die Kaufmannseigenschaft der Land- und Forstwirte, ZHR 141 (1977) 93; *K. Schmidt,* Sein – Schein – Handelsregister, JuS 1977, 209; *Nickel,* Der Scheinkaufmann, JA 1980, 566; *Reinicke,* Sein und Schein bei § 15 HGB, JZ 1985, 272; *Keinert,* Genossenschaften als Formkaufleute, ecolex 1991, 535; *Ph. Längle,* Gründungsgeschäfte werdender Unternehmer im Spannungsfeld zwischen HGB und KSchG, FS Krejci (2001) I, 227; *Saria,* Der Yachtvercharterer als Grundhandelsgewerbe-Kaufmann, FS Krejci (2001) I, 287; *ders,* Tiere als Güter, ÖJZ 2001, 161.

I. Überblick

Wir unterscheiden folgende Arten von Kaufleuten:

1. Kaufleute kraft betriebenen Grundhandelsgewerbes (§ 1 HGB): („Istkaufmann" oder „Musskaufmann"); im Hinblick auf den Umfang des ausgeübten Gewerbes wird hier weiters zwischen Vollkaufleuten und Minderkaufleuten (§ 4 HGB) unterschieden;

2. Kaufleute kraft obligatorischer Firmenbucheintragung (§ 2 HGB): bei gewerblichen Unternehmen bestimmter Größe, die kein Grundhandelsgewerbe betreiben („Sollkaufmann");

3. Kaufleute kraft fakultativer Firmenbucheintragung (§ 3 HGB): bei land- und forstwirtschaftlichen Nebengewerben bestimmter Größe („Kannkaufmann");

4. Kaufleute kraft unzulässiger Firmenbucheintragung (§ 5 HGB): bei Betrieb eines nicht (voll)kaufmännischen Gewerbes unter eingetragener Firma (irreführend: „Fiktivkaufmann" bzw unrichtig: „Scheinkaufmann kraft Eintragung" genannt);

5. Kaufleute kraft Rechtsform (§ 6 HGB): unabhängig von der Art bzw dem Umfang der Tätigkeit („Formkaufmann");

6. Scheinkaufleute kraft Auftretens (Lehre und Rsp): Auf diese Nichtkaufleute, die wie Kaufleute auftreten, wird auf Grund des so erzeugten Rechtsscheins und des dadurch in Anspruch genommenen Vertrauens auf Wunsch des Vertragspartners Handelsrecht angewandt.

Handelsrechtsreform:

1. Unternehmer kraft betriebenen Unternehmens. Das UGB geht grundsätzlich davon aus, dass jeder Unternehmer dem UGB unabhängig davon unterfällt, ob er im FB eingetragen ist oder nicht. Das UGB kennt daher in erster Linie Unternehmer kraft betriebenen Unternehmens.

2. Sollunternehmer kennt das UGB *nicht.* Es gibt keine Unternehmer, die erst eingetragen werden müssen, um dem UGB zu unterstehen.

3. Kannunternehmer kennt auch das UGB: Das sind jene Freiberufler oder Land- und Forstwirte, die sich durch freiwillige Eintragung in das FB dem *gesamten* UGB unterstellen. Dem 4. Buch und dem Gesellschaftsrecht unterliegen sie dessen ungeachtet ohnehin.

4. Unternehmer kraft unzulässiger FB-Eintragung wird es auch künftig geben, weil es dazu kommen kann, dass ein *Nichtunternehmer* eingetragen wird oder ein eingetragener Unternehmer den Betrieb seines Unternehmens einstellt, ohne sich im FB löschen zu lassen. Der bisherige § 5 HGB lebt insofern weiter.

5. Unternehmer kraft Rechtsform („Formunternehmer") wird es auch weiterhin geben. Dazu zählen die AG, GmbH, EWIV, Gen, VVaG, Sp, SE und EGen. In Zukunft können auch OG/KG zu nichtunternehmerischen Zwecken gegründet werden. Rechtspolitische Erwägungen, auch diese Gesellschaften als „Unternehmer kraft Rechtsform" zu qualifizieren, wurden jedoch im Hinblick darauf verworfen, dass eine OG/KG, die keinerlei professionelle Tätigkeit ausübt, eher als Verbraucher denn als Unternehmer gewertet werden sollte. Auch bezüglich der PS hat man in der rechtspolitischen Diskussion davon Abstand genommen, die PS als „Unternehmer kraft Rechtsform" zu sehen. In diesen Fällen kommt es eben darauf an, ob die OG/KG oder PS tatsächlich unternehmerisch tätig ist oder nicht. Wenn nein, soll sie nicht als Unternehmer iSd UGB gewertet werden, obwohl sie den gesellschaftsrechtlichen und den damit zusammenhängenden firmen(buch)rechtlichen Regelungen unterfällt.

6. Scheinunternehmer kraft Auftretens sind auch weiterhin solche Nichtunternehmer, die im Geschäftsverkehr so auftreten, dass Dritte redlicher Weise davon ausgehen dürfen, es mit einem Unternehmer zu tun zu haben. Die derzeitigen Fälle der nicht eingetragenen gewerblichen Unternehmer nach § 2 HGB werden sich in Zukunft allerdings nicht finden.

II. Kaufleute kraft betriebenen Grundhandelsgewerbes

A. Allgemeines

1. Istkaufmann oder Musskaufmann. Die in § 1 Abs 2 HGB aufgezählten Handelsgewerbe nennt man **Grundhandelsgewerbe** oder **natürliche Handelsgewerbe.** Wer eines betreibt, untersteht dem Regime des Handelsrechts unabhängig von seiner Eintragung im Firmenbuch. Dennoch ist er eintragungspflichtig. Er heißt **„Musskaufmann“.**

Diese Bezeichnung ist irreführend. Denn wer ein Grundhandelsgewerbe ausübt, *ist* bereits Kaufmann. Ein zusätzliches *„Müssen“* ist nicht erforderlich. Geeigneter ist daher die Bezeichnung **„Istkaufmann“.** Dies nicht zuletzt auch deshalb, weil der Name „*Muss*kaufmann“ besser auf die „*Soll*kaufleute“ nach § 2 HGB passen würde. Um eine endgültige Sprachverwirrung zu vermeiden, empfiehlt sich, die Ausdrücke **„Istkaufmann“ (§ 1)** und **„Sollkaufmann“ (§ 2)** zu verwenden.

Handelsrechtsreform: Das UGB geht grundsätzlich vom Istunternehmer aus. Dieser Begriff erfasst alle unternehmerischen Tätigkeiten. Es gibt daher keine „Grundhandelsgewerbe“ mehr, also ganz bestimmte „privilegierte“ Aktivitäten, die sich von anderen unternehmerischen Tätigkeiten unterscheiden.

2. Vorbereitungsgeschäfte. Ein Grundhandelsgewerbe betreibt bereits, wer **Vorbereitungsgeschäfte** tätigt.

Sie sind allerdings unbeachtlich, wenn in der Folge das Grundhandelsgewerbe nicht ausgeübt wird (RdW 1992, 77). Bei Prüfung der Voraussetzungen der Firmenbucheintragung sind auch die noch bevorstehenden Entwicklungen zu berücksichtigen (NZ 1988, 141).

Handelsrechtsreform: In Zukunft begründen Vorbereitungsgeschäfte noch keine Unternehmereigenschaft. Damit wird eine Harmonisierung mit dem KSchG erreicht. Unternehmer ist also erst, wer bereits das Unternehmen betreibt und die Vorbereitungsgeschäfte abgeschlossen hat.

B. Die Grundhandelsgewerbe im Überblick

§ 1 Abs 2 HGB zählt die Grundhandelsgewerbe taxativ auf. Es handelt sich um solche Tätigkeiten, die in den Augen des Gesetzgebers gleichsam zum „inneren Kreis“ handelsgewerblichen Wirkens gehören. Diese Tätigkeiten sind solche, die jedermann auch ohne Registrierung erkennen lassen, dass sie kaufmännischer Art sind.

Es handelt sich um folgende in § 1 Abs 2 Z 1–9 HGB aufgezählte Tätigkeiten: *Umsatzgeschäfte* (Z 1), *Lohnfabrikation* (Z 2), *Versicherung gegen Prämie* (Z 3), *Bankgeschäfte* (Z 4), *Beförderungsgeschäfte* (Z 5), *Kommissionen, Speditionen, Lagerhaltung* (Z 6), *Handelsvertreter, Handelsmakler* (Z 7), *Verlags-* und sonstige *Geschäfte des Buch- und Kunsthandels* (Z 8), *Druckereigeschäfte* (Z 9).

Im Folgenden werden die einzelnen Grundhandelsgewerbe vorgestellt:

C. Umsatzgeschäfte

1. § 1 Abs 2 Z 1 HGB betrifft die **Anschaffung und Weiterveräußerung von beweglichen Sachen (Waren) oder Wertpapieren,** ohne Unterschied, ob die Waren unverändert oder nach einer Bearbeitung oder Verarbeitung weiterveräußert werden.

Umsatzgeschäfte sind in erster Linie **Kauf-,** aber auch **Werklieferungsverträge.** Ein Werklieferungsvertrag betrifft ein eigens für den Besteller hergestelltes Produkt – also eine unvertretbare Sache –, ohne dass der Besteller dafür den Werkstoff liefert (vgl auch § 381 Abs 2 HGB; das ABGB sagt nichts über den Werklieferungsvertrag, EvBl 1951/356; JBl 1969, 563). Der klassische Werkvertrag (Besteller stellt Stoff bei) fällt nicht unter § 1 Abs 2 Z 1 HGB.

Anschaffen meint privatrechtlichen, entgeltlichen, derivativen Eigentumserwerb, *nicht* aber originäre Gewinnung durch Urproduktion (SZ 31/121; HS 7009; 7015), bei der Waren unmittelbar aus der Natur gewonnen werden: Steine aus dem Steinbruch, Tafelwasser aus Quellen, Elektrizität aus Wasserkraft, Blumen aus Beeten, Fische aus Teichen, Erz aus dem Berg.

Weiterveräußern meint entgeltliche, endgültige Weitergabe; nicht bloß ein Verschenken, Verborgen oder bloßes Vermieten. Wer einen Fahrradverleih betreibt, veräußert nichts, sondern räumt lediglich Nutzungsrechte an eigenen Sachen ein.

Anschaffen „und" Weiterveräußern. Das Umsatzgeschäft besteht darin, dass *sowohl* angeschafft *als auch* weiterveräußert wird und die Tätigkeit sich nicht bloß im Anschaffen (zB Vieh zur Viehzucht, EvBl 1948/705) oder bloß im Veräußern (zB aus Urproduktion Gewonnenes) erschöpft.

Bearbeitung meint Formänderung; Verarbeitung meint Wesensänderung. Wer Stoffe färbt, Edelsteine schleift, Häute gerbt, Hosen kürzt, Autos lackiert, Möbel poliert, der bearbeitet; wer aus Mehl Brot bäckt oder aus Holz Möbel fertigt, aus Stoffen Kleider schneidert, aus Gold Ringe schmiedet, der verarbeitet. Damit fallen **Waren herstellende Handwerker und Fabrikanten** unter Z 1: sie erzeugen bewegliche Spezies- oder Gattungssachen aus von ihnen selbst angeschafften Materialien (HS 10.007).

Waren sind bewegliche Sachen, sohin körperliche Sachen einschließlich Energie (zB elektrischer Strom), keine Rechte, Forderungen udgl. Die Beweglichkeit muss bei Anschaffung und Weiterveräußerung gegeben sein. IZw entscheidet der Parteiwille: zB beim Erwerb von selbst zu brechenden Steinen (RGZ 6,7). Wer aus beweglichen Sachen unbewegliche herstellt (Baumeister), tätigt kein Umsatzgeschäft iS der Z 1. Dienstleistungen sind keine Sachen. Wer für seine Dienstleistung auch Material braucht, tätigt deshalb noch kein Umsatzgeschäft. Warenumsatz kann aber mit Dienstleistungen *vermischt* sein.

Wertpapiere sind igZ Umlaufpapiere: Inhaber- und Orderpapiere, nicht Legitimations- und Rektapapiere.

2. „Gemischtes Gewerbe". Werden grundhandelsgewerbliche Tätigkeiten mit solchen vermengt, die an sich dem Regime des HGB nicht unterstehen, stellt sich die Frage, ob und inwieweit Kaufmannseigenschaft anzunehmen ist. Die hM anerkennt, dass **der kaufmännische Teil seiner Tätigkeit den Unternehmer auch bzgl der nichtkaufmännischen**

zum Kaufmann macht. Dabei muss der kaufmännische Teil weder umfänglich bedeutender sein als der andere noch diesem gleichwertig. Er muss jedoch geeignet sein, für sich allein die Kaufmannseigenschaft zu begründen, und sei es bloß die eines Minderkaufmanns. Überdies müssen beide Tätigkeitsarten im Rahmen einer einheitlichen Organisation (also im selben Unternehmen) betrieben werden. Ist entweder der kaufmännische Teil oder der Gesamtbetrieb so gestaltet, dass er einen nach Art und Umfang kaufmännisch eingerichteten Geschäftsbetrieb erfordert, liegt ein Vollhandelsgewerbe vor.

Grundhandelsgewerbe auf Grund gemischten Dienstleistungsgewerbes betreiben: zB Gastwirte (SZ 25/94; JBl 1959, 374; ecolex 1994, 313; EvBl 2001/28), sofern es sich nicht um reine Herbergswirte handelt (SZ 50/112); Kaffeehausbesitzer (ZBl 1906/101); Betreiber einer Diskothek (RdW 1993, 107); Pensionsinhaber (SZ 12/233); diese alle, weil sie nicht nur Dienstleistungen erbringen, sondern auch angeschaffte Speisen und Getränke verkaufen. Ein Bauunternehmer kann ein Grundhandelsgewerbe nach Z 1 betreiben, wenn er zusätzlich einen Baumaterialienhandel betreibt (RdW 1994, 143). Auch Bauhandwerker, bei denen die Lieferung von Bauprodukten (zB Türen und Fenster) im Vordergrund steht und ihr gegenüber der Einbau oder die Montage an Bedeutung zurücktritt, betreiben ein Grundhandelsgewerbe nach Z 1. Als Kaufleute nach § 1 Abs 2 Z 1 HGB anerkannt wurden: Spengler, welche die zu verarbeitenden Bleche erwerben (HS Erg/139); Schneider, die das Schneiderzugehör für die zu fertigenden Kleider kaufen (GlUNF 2081). Auch Tischler (WR 1984/78) und Installateure, die zugleich Anlagen und Geräte verkaufen, sind Kaufleute nach Z 1.

Nicht als Kaufleute nach § 1 Abs 2 Z 1 HGB angesehen wurden hingegen solche Werkunternehmer, die nur Hilfsstoffe für ihr gewerbliches Erzeugnis anschaffen (WR 1987/252 und 253); zB Buchbinder, die Leim kaufen (AC 1558); Maler und Anstreicher, die Farben erwerben (JBl 1916, 406). Ebenso wenig gehören zu den Kaufleuten nach § 1 Abs 2 Z 1 HGB: Bauunternehmer (SZ 51/74; 51/172); auch wenn sie Generalunternehmer sind, sofern sie nicht auch Baustoffe verkaufen. Bauhandwerker, bei denen das Schwergewicht ihrer Arbeit an der Baustelle selbst liegt und die dort ein Werk nach Plan und Maß erstellen, sind den Bauunternehmern gleichzuhalten (wbl 1994, 169). Kein Kaufmann nach Z 1 ist ein Gartengestalter (SZ 61/162).

D. Lohnfabrikation

1. § 1 Abs 2 Z 2 HGB betrifft die **Übernahme der Bearbeitung oder Verarbeitung von Waren für andere,** sofern der Betrieb über den Umfang des Handwerks hinausgeht. Es werden also **fremde Sachen** be- oder verarbeitet: Veräußerungsgeschäfte finden keine statt; desgleichen wird kein Eigentum an den zu bearbeitenden Sachen übertragen. Lohnfabrikation erfolgt idR auf Grund von **Werkverträgen.**

Die Tatbestandsmerkmale der Be- und Verarbeitung entsprechen jenen des § 1 Abs 2 Z 1 HGB.

Wer bloß Garagierung bietet, ist trotz der damit verbundenen Nebentätigkeiten, wie Wagenwaschen, kein Lohnhandwerker (EvBl 1952/199). Lohnfabrikationen sind idR (entsprechend große, also industriemäßig betriebene) nicht als Handwerker einzustufende *Dienstleistungsunternehmen,* zB Chemischputzereien, Kleiderreinigungen, Wäschereien (SZ 45/85); Reparaturbetriebe (JBl 1977, 543); Schmiedewerkstätten (HG Wien RZ 1960, 142); Tierdresseure (VwSlgNF 1706F); auch Trabertrainer (VwSlgNF 1286F); Mechaniker (JBl 1977, 543).

2. Die Tätigkeit des Lohnhandwerkers geht nicht über den Umfang des Handwerks hinaus, womit der Umfang des *Kleingewerbes* gemeint ist (Art 6 Nr 2 EVHGB; HS 5009). Ein dermaßen „kleiner" Lohnhandwerker ist kein Istkaufmann; *auch kein Minderkaufmann* iS des § 4 HGB; zB ein Flickschuster oder -schneider. Im Übrigen kann ein Handwerk entsprechend seiner sonstigen kaufmännischen Einrichtungen Voll- oder Minderkaufmann sein. Der Begriff „Handwerk" wird im Gesetz nicht definiert.

Handwerk und Industrie: Für das Handwerk charakteristisch sind: individuelle Einzelanfertigung, Auftragsfertigung, geringe technische Ausstattung, Vorrang menschlicher gegenüber maschineller Arbeit, keine Fließbanderzeugung oder computergesteuerte Produktion, keine Produktion auf Lager, geringer Grad an Arbeitsteilung. Für die Industrie (Fabrikation) gilt jeweils das Gegenteil. Diese Tatbestandsmerkmale sind *Typusbegriffe;* es entscheidet das Übergewicht der charakteristischen Merkmale des einen bzw des anderen Typus (iS eines *„beweglichen Systemdenkens"*).

E. Versicherung gegen Prämie

1. § 1 Abs 2 Z 3 HGB nennt die Übernahme von **Versicherungen gegen Prämie.** *Kein* Grundhandelsgewerbe ist die **Versicherung auf Gegenseitigkeit.**

2. Rechtsform. Die Diskussion um die Qualifikation sämtlicher Versicherungstätigkeiten als Handelsgewerbe erübrigt sich weitgehend, weil für die Versicherungsbranche ein besonderer **Rechtsformzwang** besteht: Die Versicherung gegen Prämie darf nur in der **Rechtsform der AG** geführt werden. Die AG ist jedoch Formkaufmann (§ 3 AktG iVm § 6 HGB).

3. Die Versicherung auf Gegenseitigkeit darf hingegen nur in der Rechtsform des **Versicherungsvereines auf Gegenseitigkeit** (VVaG) einer AG oder SE betrieben werden (§ 3 Abs 1 iVm § 26 VAG). „Große" VVaG sind Formkaufleute (§ 27 iVm §§ 62f VAG). Somit unterstehen auch „große" VVaG dem Regime des Handelsrechts.

4. Versicherungsgeschäft. Grundlage des Versicherungsgeschäftes ist der **Versicherungsvertrag.** Das HGB enthält keine Regelungen darüber. Die knappen §§ 1288–1292 ABGB geben nicht einmal über das Wesen der Versicherung eine verlässliche Auskunft.

Hauptquelle des gesatzten **Versicherungsvertragsrechts** ist das **VersVG.** Auch dieses Gesetz sagt aber weder, was unter Versicherung zu verstehen ist, noch enthält es ausreichende Regelungen über die einzelnen Versicherungszweige und -arten; vielmehr werden vor allem allgemeine Anordnungen getroffen.

Das materielle Versicherungsvertragsrecht beruht weitgehend auf den **AVB der Versicherungsunternehmungen.**

F. Bankgeschäfte

1. § 1 Abs 2 Z 4 HGB nennt die **Bankier- und Geldwechslergeschäfte.** Die Bedeutung dieser Zuordnung tritt insoweit in den Hintergrund, als Bankgeschäfte weitestgehend nur von Formkaufleuten betrieben werden dürfen.

2. Rechtsform. Bankgeschäfte dürfen nur von **Kreditinstituten** betrieben werden. Die Berechtigung hiezu ist nur auf Grund einer Konzession möglich (vgl insb §§ 4, 9 ff, 103 Z 5 BWG; PSK-G). Die Konzession ist für Kreditinstitute nur dann zu erteilen, wenn das Kreditinstitut in der Rechtsform einer **Kapitalgesellschaft, Genossenschaft oder Sparkasse** geführt wird. Kapitalgesellschaften und Sparkassen sind Formkaufleute; Genossenschaften nur dann, wenn sie aufsichtsratspflichtig sind, also dauernd mindestens 40 Arbeitnehmer beschäftigen (§ 1 Abs 3 iVm § 24 Abs 1 GenG).

3. Bankgeschäfte. Welche Geschäfte das sind, verrät das HGB nicht. Es handelte sich vormals um die allgemein anerkannte gewerbliche Tätigkeit der „Bankiers und Geldwechsler". Nunmehr werden die **Bankgeschäfte in § 1 BWG aufgezählt,** zugleich ist das BMF ermächtigt, diese Tätigkeiten durch Verordnung zu ändern bzw zu erweitern, sofern dies im Hinblick auf das EWR-Abkommen bzw EU-Recht erforderlich ist. Der nähere Inhalt der einzelnen Bankgeschäfte ist gesetzlich weitgehend nicht geregelt.

Insofern kommt den **AGBKU** und nach wie vor der Verkehrsauffassung grundlegende Bedeutung zu.

G. Beförderungsgeschäfte

1. § 1 Abs 2 Z 5 HGB nennt die **Beförderung von Gütern oder Reisenden zur See, Geschäfte der Frachtführer, Geschäfte der zur Beförderung von Personen zu Lande oder auf Binnengewässern bestimmten Anstalten, Geschäfte der Schleppschifffahrtsunternehmer.**

2. Beförderungsgeschäfte betreffen *sowohl* die Personen- *als auch* die Güter- bzw Warenbeförderung.

Unter **Transportgeschäften** versteht man hingegen alle Geschäfte, die sich mit der *Waren*beförderung befassen. Dazu gehört nicht nur das **Frachtgeschäft,** sondern auch das **Speditions- und Lagergeschäft.** Das Speditions- und das Lagergeschäft erwähnt § 1 Abs 2 HGB allerdings erst in seiner Z 6, dort gemeinsam mit dem Kommissionsgeschäft.

3. Luftfracht- und Luftpersonenbeförderung. Das HGB sagt nicht, ob auch das Luftfracht- und Luftpersonenbeförderungsgeschäft zu den Grundhandelsgewerben zählt. Diese Geschäfte werden idR von Formkaufleuten und überdies im Umfang von Unternehmen iS des § 2 HGB betrieben, sodass sich die Frage nach der Eigenschaft des Luftfrachtgeschäftes als Grundhandelsgewerbe weitgehend erübrigt. Unabhängig davon ist per analogiam auch das Luftfracht- und Luftpersonenbeförderungsgeschäft als Grundhandelsgewerbe anzuerkennen (SZ 43/87; gegenteilig SZ 45/103).

4. Anstaltsmäßiger Betrieb. § 1 Abs 2 Z 5 HGB anerkennt die Kaufmannseigenschaft dessen, der Personen zu Lande oder auf Binnengewässern befördert, nur dann, wenn eine **Anstalt** vorliegt. Anstalt meint „Großbetrieb"; eine Gleichschaltung mit dem Verständnis des Geschäftsbetriebes iS des § 2 HGB bzw des § 4 HGB liegt nahe, obgleich die Wortwahl des Gesetzes eher dagegen spricht. Man sollte sich dennoch an der Betriebsgrößenvorstellung der §§ 2 und 4 HGB orientieren. Im Zusammenhang mit dem im HGB nicht näher geregelten Recht der Personenbeförderung steht das gesamte **Reiserecht,** das weitgehend verbraucherschutzrechtliche Aspekte verfolgt.

Verkehrsspezifische Charakteristika (Fahrplan, Liniendienst udgl) spielen im gegebenen Zusammenhang jedenfalls keine Rolle. Wer über nur *ein einziges* Taxi oder *einen einzigen* Autobus verfügt, betreibt keine „Anstalt". Ein Omnibusunternehmer ist erst dann Kaufmann, wenn er über eine größere Anzahl von Beschäftigten und von Bussen verfügt (SZ 62/106; EvBl 1955/126; vgl auch ZVR 1958/89). Auch die Personenbeförderung auf Binnengewässern vermittelt nur im Falle eines Großbetriebes Kaufmannseigenschaft; nie über § 2 HGB (EvBl 1987/80). Das Verchartern von Segelyachten (auch Kapitän wird beigestellt) wird als Handelsgewerbe nach § 1 Abs 2 Z 5 HGB angesehen: RdW 1999, 469 = wbl 1999, 378 = SZ 72/57; vgl *Saria,* FS Krejci (2001) I, 287.

Die Differenzierung zwischen Fracht und Personenbeförderung befremdet: Der Koffer schleppende Dienstmann ist Kaufmann; wer hingegen mit seinem (einzigen) Bus Personen befördert, nicht.

H. Kommissionäre, Spediteure, Lagerhalter

§ 1 Abs 2 Z 6 HGB macht Kommissionäre, Spediteure und Lagerhalter zu Istkaufleuten. Die Kaufmannseigenschaft besteht unabhängig von der Unternehmensgröße. Diese Geschäfte werden im 18., 22. und 23. Kapitel näher dargestellt.

I. Handelsvertreter und Handelsmakler

§ 1 Abs 2 Z 7 HGB zählt die Handelsvertreter und Handelsmakler zu den Istkaufleuten. Die Unternehmensgröße spielt keine Rolle. Näheres im 19. und 20. Kapitel.

J. Verlags- und sonstige Geschäfte des Buch- oder Kunsthandels

§ 1 Abs 2 Z 8 HGB. Istkaufmann ist, wer **Verlagsgeschäfte sowie die sonstigen Geschäfte des Buch- oder Kunsthandels** betreibt. Er ist unabhängig von der Unternehmensgröße Kaufmann. *Nicht alle* Verlagsgeschäfte sind beachtlich, sondern nur die *Verlagsgeschäfte des Buch- und Kunsthandels* (arg: „sowie die *sonstigen*").

Sonstige Geschäfte des Buch- oder Kunsthandels betreiben zB Subskribentensammler, Buchhändlerkommissionäre, Kolporteure (EvBl 1950/493); nicht aber Leihbüchereien und Lesezirkel. Wer Bücher oder Kunstgegenstände lediglich kauft und verkauft, tätigt Umsatzgeschäfte und unterfällt insoweit schon dem Tatbestand der Z 1. Adress- und Telefonbuchverlage (BGHZ 10, 91), Zeitungs- und Zeitschriftenverlage unterfallen – abweichend vom Gesetzestext – gleichfalls dem Tatbestand der Z 8. Auch ein Musikverleger ist per analogiam Istkaufmann.

Über die Verlags- und sonstigen Geschäfte des Buch- und Kunsthandels gibt das HGB keine weitere Auskunft. Spärliches sagen die §§ 1172f ABGB zum **Verlagsvertrag.** Demnach verpflichtet sich der **Urheber eines Werkes,** es einem anderen zur Vervielfältigung und zur Verbreitung für eigene Rechnung zu überlassen, der **Verleger** dagegen, das Werk zu vervielfältigen und zu verbreiten. Zahlreiche Ordnungsfragen des Verlagsgeschäftes sind überhaupt nicht gesetzlich geregelt. Manche Präzisierungen ergeben sich mittelbar aus dem **Urheberrecht** (UrhG).

Der Begriff des Verlagsgeschäfts in § 1 Abs 2 Z 8 HGB ist weit zu verstehen: Kommissions- und Selbstverlag sind miterfasst. Auch urheberrechtlich nicht (mehr) geschützte Werke können verlegt werden. Insofern passt § 1172 ABGB nicht.

K. Druckereigeschäfte

1. § 1 Abs 2 Z 9 HGB. Istkaufmann ist, wer die Geschäfte der Druckereien betreibt, sofern ihr Betrieb über den Umfang des Handwerks hinausgeht. Auch diese Geschäfte regelt das HGB nicht näher. Es handelt sich idR um Werkverträge. Z 9 meint gewerbsmäßige Vervielfältigungen solcher Werke, die nach Z 8 verlegt und gehandelt werden.

2. Inhalt der Druckwerke. Es kommen aber nicht nur literarische und künstlerisch wertvolle Druckwerke in Betracht: auch Prospekte, Formulare, Lieferscheine, Anzeigen, Zeitungen, Zeitschriften udgl. Verselbstständigte Teiltätigkeiten von Druckereien genügen. Auf das Druckverfahren kommt es nicht an.

3. Über den Umfang des Handwerks hinaus: Wichtig aber ist, dass nicht bloß ein Handwerksbetrieb im Ausmaß des Kleingewerbes vorliegt. Sollte dies der Fall sein, ist der Druckereibetrieb überhaupt kein Kaufmann, also nicht einmal ein Minderkaufmann. Was oben zum Unterschied der Begriffe Handwerk und Industrie gesagt wurde, gilt auch hier.

III. Umfang des Grundhandelsgewerbes

A. Nichtkaufleute

Wer ein Grundhandelsgewerbe betreibt, ist prinzipiell **unabhängig von der Unternehmensgröße Kaufmann.** Doch gibt es **drei Ausnahmen.** Bei ihnen spielt die Unternehmensgröße sehr wohl eine Rolle: nämlich bei der **Lohnfabrikation** (§ 1 Abs 2 Z 2 HGB), bei der **Personenbeförde-**

rung zu Lande und auf Binnengewässern (§ 1 Abs 2 Z 5 HGB) und bei den **Druckereigeschäften** (§ 1 Abs 2 Z 9 HGB).

Lohnfabrikation und Druckereigeschäfte müssen *über den Umfang des Handwerks hinausgehen;* die Personenbeförderung zu Lande und auf Binnengewässern muss *anstaltsmäßig* betrieben werden. Beide Tatbestandsmerkmale wurden bereits oben behandelt. Erreichen die genannten Tätigkeiten den vorgeschriebenen Umfang *nicht,* so sind die Betreiber **keine Kaufleute. Auch keine Minderkaufleute.** Wird der erforderliche Umfang aber erreicht, sind sie Ist- und nicht bloß Sollkaufleute.

> **Handelsrechtsreform:** Das UGB erfasst auch jedweden kleinen Unternehmer. Auch die in § 1 Abs 2 Z 2, 5 und 9 HGB Genannten sind daher Unternehmer iSd UGB.

B. Voll- und Minderkaufleute

Istkaufleute können entweder Voll- oder Minderkaufleute sein. Dabei handelt es sich um eine **Unterscheidung nach Art und Umfang der kaufmännischen Tätigkeit.** Sie ist nur bei Istkaufleuten relevant.

Denn **Soll- und Kannkaufleute** müssen von vornherein ein Unternehmen führen, das seinem Umfang nach einem Vollhandelsgewerbe entspricht. *„Minder-Sollkaufleute"* oder *„Minder-Kannkaufleute"* gibt es also nicht. Denn wer ein nicht § 1 Abs 2 HGB unterliegendes, gewerbliches Unternehmen in geringerem Umfang als jenem betreibt, den § 2 HGB voraussetzt, ist überhaupt kein Kaufmann.

Bei den **Formkaufleuten** spielt der Umfang ihrer Tätigkeit keinerlei Rolle. Insofern erübrigt sich auch bei ihnen eine Differenzierung nach der Unternehmensgröße. Formkaufleute brauchen überhaupt kein Handelsgewerbe zu betreiben; tun sie es, was idR der Fall ist, so ist unbeachtlich, in welchem Umfang dies geschieht.

1. Minderkaufmann ist, **wessen Gewerbebetrieb nach Art oder Umfang einen in kaufmännischer Weise eingerichteten Geschäftsbetrieb nicht erfordert** (§ 4 Abs 1 HGB).

Minderkaufleute sind Kleingewerbetreibende, zB Kleinhändler („Greißler", Trödler, Hausierer), Kleingastwirte, kleine Hilfsgewerbetreibende und kleine Warenhandwerker.

Auch Minderkaufleute sind vor dem Handelsgericht zu klagen, sofern die sonstigen Zuständigkeitsvoraussetzungen gegeben sind. Das gilt auch für eine minderkaufmännische EEG (*Krejci* EEG vor §§ 5 ff Rz 27 mwN; OGH ecolex 1005/59, 137).

Wird aus dem betriebenen Minderhandelsgewerbe ein Vollhandelsgewerbe, wird der Minderkaufmann zum Vollkaufmann. Eine minderkaufmännische OEG wird zur OHG, eine KEG zur KG. Es handelt sich um einen identitätswahrenden Rechtsformwechsel. Da beim natürlichen Handelsgewerbe die OHG allein durch Aufnahme der vollhandelsgewerblichen Tätigkeit entsteht und die nachträgliche Firmenbucheintragung lediglich deklarativ ist, steht die umgewandelte OHG im vorliegenden Fall immer noch als OEG im Firmenbuch. § 5 HGB kommt hier nicht zur Anwendung, weil § 5 HGB nicht auf eingetragene OEG/KEG anwendbar ist, wohl aber § 15 Abs 1 HGB. Dessen ungeachtet hat ein identitätswahrender Rechtsformwechsel von der OEG/KEG in eine OHG/KEG stattgefunden. Erweitert sich das Minderhandelsgewerbe einer GesBR, entsteht gleichfalls automatisch eine OHG. Die hRsp nimmt auch hier einen identitätswahrenden Rechtsformwechsel an (OGH ecolex 2004/17, 35; ecolex 2004/90, 184 = AnwBl 2004, 542; vgl auch OGH GesRZ 2003, 237; GesRZ 2003, 346). Die Identitätswahrung ist allerdings insofern zweifelhaft, als die GesBR als solche nicht rechtsfähig ist, daher die Gesellschafter selbst Träger der gesellschaftlichen Rechte und Pflichten sind, während die OHG als solche über eine eigene Rechtsfähigkeit verfügt (§ 124 HGB). Insofern tritt die OHG als neuer Rechtsträger in alle Rechte und Pflichten der GesBR-Gesellschafter ein, die allerdings auch als OHG-Gesellschafter persönlich für die Gesellschaftsverbindlichkeiten weiterhaften.

2. Vollkaufmann ist, **wessen Gewerbebetrieb nach Art und Umfang einen in kaufmännischer Weise eingerichteten Geschäftsbetrieb erfordert.** Vollkaufleute sind insofern Großgewerbetreibende (NZ 1982/70). Dieser Formel kommt auch im Zusammenhang mit dem Tatbestandsmerkmal des **Sollkaufmanns** entscheidende Bedeutung zu. Sie wird bei Erörterung des Sollkaufmanns (§ 2 HGB) näher erklärt.

Auch **Handwerker** können Vollkaufleute sein. Ob jemand seinen Betrieb handwerklich oder industriell organisiert, ist also kein für die Unterscheidung zwischen Voll- und Minderkaufmann maßgebliches Kriterium. De facto werden freilich angesichts des technischen Fortschrittes handwerkliche Großbetriebe immer seltener.

C. Unterschiede in der Handelsrechtsanwendung

Für Minderkaufleute gilt Handelsrecht, eine Reihe wichtiger Regelungen ist aber auf sie nicht anwendbar: Es sind dies gem §§ 4 und 351 HGB die Vorschriften über **die Firma und ihre Registrierung im Firmenbuch, die Prokura, die handelsrechtliche Rechnungslegung, die Vertragsstrafe, die Bürgschaft, die OHG und KG.**

Der Grund für den Teilausschluss der Minderkaufleute aus dem Regime des Handelsrechts liegt darin, dass Minderkaufleute angesichts ihres bescheidenen Tätigkeitsbereiches der handelsrechtlichen Publikations- und Organisationsvorschriften weitgehend nicht bedürfen. Überdies sind sie im Geschäftsverkehr schutzbedürftiger als Vollkaufleute.

Handelsrechtsreform: Zwischen „Voll- und Minderunternehmern" wird nicht mehr unterschieden. Alle (auch kleine) Unternehmer unterstehen unabhängig davon, ob sie im FB eingetragen sind, dem Regime des UGB. Größenbedingte Differenzierungen im Hinblick auf die Anwendung des UGB gibt es nur im Rechnungslegungsrecht. – Formunternehmer entstehen erst mit Eintragung in das FB. Allen Einzelunternehmern steht es frei, sich in das FB eintragen zu lassen und somit eine Firma zu führen. Nur wer sich eintragen lässt, ist befugt, einen Prokuristen zu bestellen. – Die OG/KG ist keineswegs nur größeren Unternehmern vorbehalten, sondern kann für jedwede Tätigkeit, auch für bloße Vermögensverwaltungen, eingesetzt werden und klein sein. – Die schuldrechtlichen Vorschriften werden teils aufgehoben, teils so weit „entschärft", dass sie ohne Schwierigkeit auch für kleine Unternehmer anwendbar sind. Dessen ungeachtet haben sich unternehmerisch tätige natürliche Personen, die nach § 189 UGB der Pflicht zur Rechnungslegung unterliegen, in das FB eintragen zu lassen. Betreiben mehrere Personen ein Unternehmen in der Rechtsform einer GesBR und überschreitet die Gesellschaft den Schwellenwert des § 189 UGB, so sind diese Personen zur Eintragung der Gesellschaft als OG oder als KG verpflichtet (§ 8 Abs 1 und 3 UGB). Diese Eintragungspflicht betrifft nicht die freien Berufe und die Land- und Forstwirte.

IV. Kaufleute kraft obligatorischer Firmenbucheintragung

A. Regelung und Zweck des § 2 HGB

§ 2 HGB erweitert gegenüber § 1 HGB den Kreis der Kaufleute. Neben den Istkaufleuten sollen auch noch andere Gewerbetreibende Kaufleute sein, sofern ihr **Unternehmen eine bestimmte Größe** erreicht hat und sie ins FB eingetragen sind. Solche Kaufleute nennt man **„Sollkaufleute“.** Es besteht **Eintragungspflicht.** Die Eintragung ist **konstitutiv.**

Beachte aber § 189 Abs 4 HGB, wonach das Rechnungslegungsrecht auch für nicht eingetragene Unternehmer gilt, die nach Art und Umfang einen kaufmännisch eingerichteten Geschäftsbetrieb benötigen. Davon abgesehen gilt nahe liegender Weise § 2 HGB auch für den nicht eingetragenen Unternehmer nach § 2 HGB.

Die Erweiterung des Anwendungsbereiches des HGB über die Tatbestände des § 1 HGB hinaus ist an sich sinnvoll, denn es ist nicht einzusehen, warum nur Grundhandelsgewerbe dem Regime des Handelsrechts unterstehen sollen und andere Unternehmen nicht.

Vom heutigen Standpunkt leuchtet hingegen weit weniger als zur Zeit der Schaffung des HGB ein, dass der Gesetzgeber den Auffangtatbestand des § 2 HGB mit einer konstitutiven Eintragung verknüpft hat. Der historische Grund dafür lag in der damaligen Annahme des Gesetzgebers, die beiden Kaufmannsgruppen seien **unterschiedlich erkennbar.** Man ging davon aus, dass zwar der nichteingetragene Istkaufmann als solcher schon auf Grund seiner (als Handelsgewerbe längst bekannten) Tätigkeit im Geschäftsverkehr hinreichend erkannt würde, die „neuen“ Unternehmer nach § 2 HGB hingegen nicht. Der konstitutiven Registrierung fiel die Aufgabe zu, Zweifel über die Kaufmannseigenschaft solcher Unternehmen zu vermeiden. Die Konstitutivität der Eintragung sollte also die Rechtssicherheit erhöhen. Vgl auch § 5 HGB. Wie bereits erwähnt, sind die Rechnungslegungsvorschriften bereits auf nicht eingetragene Unternehmer iS des § 2 HGB anzuwenden. Es ist nicht einzusehen, warum in diesen Fällen die Rechtssicherheit hinreichend gegeben ist, im Übrigen aber nicht.

B. Begriff des Sollkaufmanns

Sollkaufmann ist, wer ein **gewerbliches Unternehmen betreibt, das nach Art und Umfang einen in kaufmännischer Weise eingerichteten Geschäftsbetrieb erfordert** und keinem Grundhandelsgewerbe dient (§ 2 HGB).

Gewerbliches Unternehmen. „Gewerblich“ meint den Gewerbebegriff des § 1 HGB. Eine eigene Definition des Unternehmens bietet das HGB nicht. Zum Unternehmensbegriff wird noch Stellung zu nehmen sein. Kein Gewerbe betreibt, wer einen *freien Beruf* ausübt. Hingegen ist ein *Land- und Forstwirt* (obwohl er kein Gewerbe iSd GewO betreibt) durchaus gewerblich tätig.

Erfordernis eines kaufmännisch eingerichteten Geschäftsbetriebes. Nur solche gewerbliche Unternehmen sind gemeint, die nach Art und Umfang einen in kaufmännischer Weise eingerichteten Geschäftsbetrieb erfordern.

Art und Umfang. Es spielen qualitative („Art") *und* quantitative („Umfang") Kriterien eine Rolle (NZ 1989, 155).

Kaufmännische Einrichtungen sind: Buchführung, Vertretung, Firmenführung, Werbung, Bankverbindungen, Kontokorrent- und Wechselverkehr.

Erfordernis. Die kaufmännischen Einrichtungen müssen nicht tatsächlich vorhanden, wohl aber für die kaufmännische Tätigkeit *erforderlich* sein. Es genügt zB, dass Bücher geführt werden müssten, um den Betrieb in Ordnung zu halten; werden sie nicht geführt, kann sich der Gewerbetreibende nicht darauf berufen. Indizien für das Erfordernis kaufmännischer Einrichtungen sind ein bestimmter Umsatz, die Beschäftigung einer Mindestanzahl von kaufmännischen Angestellten, ein entsprechendes Betriebsvermögen und umfangreiche Betriebseinrichtungen.

Wie hoch der Umsatz sein muss bzw wie viele Angestellte tätig sein müssen, um vom Erfordernis kaufmännischer Einrichtungen sprechen zu können, wird nicht gesagt. Interessant ist nur die „Mindestgröße" des Unternehmens. Aus der Rsp ergibt sich cum grano salis, dass uU schon ein Umsatz von 210.000 bis 350.000 € bzw eine Beschäftigung von mehr als 3 bis 5 Angestellten die Annahme einer vollkaufmännischen Tätigkeit rechtfertigen kann. Zu beachten ist, dass nicht der Umsatz und die Zahl der Dienstnehmer als „kaufmännische Einrichtung" anzusehen sind, sondern nur die oben genannten Gegebenheiten. Umsatz und Dienstnehmerzahl stellen jedoch ein Indiz für das Erfordernis kaufmännischer Einrichtungen dar.

Die Buchführungsgrenzen des § 125 BAO sind igZ zwar von maßgeblicher Bedeutung, doch ist das **Gesamtbild des Unternehmens** zu beachten (RdW 1996, 60; vgl schon NZ 1973, 176). Nicht alle diese Einrichtungen müssen im Einzelfall gegeben bzw erforderlich sein: wohl aber so viele und in solchem Maße, dass das Unternehmen als hinreichend groß qualifiziert werden kann. Auch hier ist *„bewegliches Systemdenken"* angesagt; auch hier haben wir es mit einem *Typusbegriff* zu tun. Dh: Ohne wertende Betrachtung unter vornehmlicher Einbeziehung des Normzweckes kommt man nicht aus. Eben dies fördert nicht gerade die Rechtssicherheit.

Wer sein Unternehmen kaufmännisch einrichtet, obwohl es dessen nach Art und Umfang nicht bedarf, ist kein Sollkaufmann (NZ 1974, 23).

Unternehmer iS des § 2 HGB sind insb *hinreichend große Dienstleistungsgewerbe:* etwa Betriebs- und Anlageberatungen, Vermögensverwaltungen, Werbeagenturen, Inkassobüros, Bewachungsunternehmen, Detekteien, Internate, Übersetzungsbüros, Kinos, Theater, Sanatorien; Verleihgewerbe, etwa Auto-, Bootsvermietung, Kostümverleih, Leihbibliotheken, Filmverleih, Leasingunternehmen; Urproduktionen, die nicht zur Land- und Forstwirtschaft zählen: etwa Steinbrüche, Bergbauunternehmen, Mineral- und Heilquellenbetriebe, Elektrizitätswerke; Immobiliengewerbe: etwa Realitätenvermittler, Immobilienverwaltungen; Bauunternehmen.

V. Kaufleute kraft fakultativer Firmenbucheintragung

A. Regelung und Zweck des § 3 HGB

§ 3 HGB schließt **Betriebe der Land- und Forstwirtschaft** von der Geltung des Handelsrechts aus. **Land- und Forstwirte betreiben zwar ein Gewerbe und sind Unternehmer,** unterfallen aber nach § 3 HGB nicht dem § 1 Abs 2 HGB.

Sofern mit dem Betrieb einer Land- und Forstwirtschaft ein **Nebengewerbe** verbunden ist, das **nach Art und Umfang einen kaufmännisch eingerichteten Geschäftsbetrieb erfordert** (§ 2 HGB), ist der Land- bzw Forstwirt hingegen *berechtigt,* dieses Nebengewerbe ins FB eintragen zu lassen. Man spricht daher vom **„Kannkaufmann".** Ist die Eintragung einmal erfolgt, **darf sich der Eingetragene nicht nach Belieben wieder löschen lassen** und sein Nebengewerbe als Nichtkaufmann weiterbetreiben. Vielmehr gelten die allgemeinen Löschungsvorschriften (§ 3 Abs 2 lt Satz HGB). Eine Löschung ist gerechtfertigt, wenn das Nebengewerbe eingestellt wird. Potenzielle Kannkaufleute, die eine Personengesellschaft gründen wollen, dürfen wählen, ob sie das Nebengewerbe als kaufmännisches eintragen lassen und insofern eine OHG oder KG gründen; oder ob sie sich lediglich als OEG oder KEG eintragen lassen.

Die Gründe für die Ausklammerung der Land- und Forstwirtschaft aus dem Geltungsbereich des Handelsrechts liegen wohl im ursprünglich engen Verständnis vom Handelsgewerbe. Sie überzeugen heute nicht mehr. In Dtld sind Land- und Forstwirte als solche seit 1976 Kannkaufleute (§ 3 Abs 2 dHGB). Daneben besteht die Wahlmöglichkeit, nur mit einem land- und forstwirtschaftlichen Nebenbetrieb Kaufmann zu werden, die Land- und Forstwirtschaft jedoch weiterhin aus dem Regime des HGB auszuklammern (§ 3 Abs 3 dHGB) oder aber sich überhaupt mit dem eigentlichen land- und forstwirtschaftlichen Betrieb dem Regime des HGB zu unterstellen.

Handelsrechtsreform: Land- und Forstwirte können sich entweder mit ihrem gesamten land- und forstwirtschaftlichen Betrieb oder nur mit einem land- und forstwirtschaftlichen Nebengewerbe in das FB eintragen lassen und damit dem gesamten UGB unterstellen, ohne deshalb aber bereits den Rechnungslegungsvorschriften zu unterliegen. Jeder Land- und Forstwirt untersteht jedoch den Vorschriften des 4. Buches und hat die gesellschaftsrechtlichen Regelungen zu respektieren. Auch Land- und Forstwirte können eine OG/KG gründen.

B. Begriff des Nebengewerbes einer Land- und Forstwirtschaft

Landwirtschaft heißt Nutzung eigenen oder überlassenen Bodens zur Gewinnung organischer Erzeugnisse.

ZB: Anbau von Getreide, Obst, Wein, Hopfen, Gemüse, Tabak, Wiese, Nutzpflanzen; (nicht: Züchtung von Zierpflanzen; Gewinnung anorganischer Stoffe wie Schotter, Tafelwasser, Sand, Erde, Lehm). Viehzucht gehört nur unter Beachtung besonderer Bedingungen zur Landwirtschaft: Zucht und Pflege von (nicht Handel mit) Nutztieren (Rinder, Schweine, Pferde, Schafe, Bienen, Geflügel; nicht: Hunde, Vögel, Fische, Pelztiere) bzw Erzeugung tierischer Produkte (Fleisch, Milch, Eier) in eigener

Bodennutzung. Nicht zur Landwirtschaft zählen: Zucht- und Erzeugerbetriebe, die vorwiegend fremderzeugte Futtermittel verwenden; zB Hühnerfarm, gewerbsmäßige Fischerei, Jagd, Köhlerei, Verarbeitung fremder landwirtschaftlicher Produkte. Eine Gärtnerei, die Gartenerzeugnisse aus Samen zieht und in Verkehr bringt, ist ein landwirtschaftlicher Betrieb und kein Handelsgewerbe (EvBl 1954/278).

Forstwirtschaft heißt Gewinnung von Waldprodukten und planmäßige Walderhaltung.

ZB: Holzgewinnung, Aufforstung, Waldpflege, dem Nutzpflanzenanbau dienende Baumschulen (sofern man sie nicht als Gärtnereien sieht).

Nebengewerbe ist ein dem land- bzw forstwirtschaftlichen Hauptgewerbe untergeordnetes, mit ihm persönlich und sachlich verbundenes, zugleich aber relativ selbstständiges Gewerbe. Nur solche Nebengewerbe sind idZ interessant, die überdies den Größenanforderungen des § 2 HGB genügen.

a) Relative Selbstständigkeit. Liegt lediglich ein *Hilfsbetrieb* des Hauptbetriebes vor, so handelt es sich nicht um ein Nebengewerbe iS des § 3 Abs 2 HGB. Hilfsbetriebe sind bloß Teil des Hauptbetriebes. Ihnen fehlt die erforderliche *relative* Selbstständigkeit. Diese zeigt sich etwa darin, dass *nicht ausschließlich* die Produkte des Hauptbetriebes be- oder verarbeitet bzw vertrieben werden, sondern *auch fremde Produkte* eine Rolle spielen, insb zur Verarbeitung hinzugekauft werden. Der Fremdanteil darf aber nicht überwiegen oder gar ausschließlich beachtlich sein. Denn dann liegt kein Neben-, sondern ein völlig *(absolut)* selbstständiger Betrieb vor.

b) Persönlicher Zusammenhang meint *Inhaberidentität.* Haupt- und Nebenbetrieb müssen von derselben Person betrieben werden. Wird der Nebenbetrieb einem anderen übertragen, liegt keine Inhaberidentität mehr vor.

c) Sachlicher Zusammenhang setzt dieselbe wirtschaftliche Basis voraus.

Der Nebenbetrieb (zB Brauerei, Brennerei, Molkerei, Mühle, Sägewerk, Bäckerei, Gewinnung und Vertrieb von Tafelwasser, HS 7009) verwertet *vorwiegend* die Produkte des Hauptbetriebes. Kein Nebengewerbe ist ein Fuhrwerksgewerbe, wenn ein innerer Zusammenhang mit dem Landwirtschaftsbetrieb fehlt (SZ 13/125).

VI. Kaufleute kraft unzulässiger Firmenbucheintragung

A. Regelung und Zweck des § 5 HGB

Erfolgte die Eintragung eines **unter einer Firma betriebenen Gewerbes** ins FB schon von vornherein zu Unrecht oder sind erst nachträglich Eintragungsvoraussetzungen weggefallen, sodass die Eintragung gelöscht werden muss, stellt sich die Frage, welche Wirkung der bis dahin noch aufrechten Eintragung zukommt.

ZB: Das Handelsgewerbe des Eingetragenen sinkt auf ein minderkaufmännisches herab oder das für die Eintragung maßgebliche Handelsgewerbe wird von vornherein nicht ausgeübt oder wird später gänzlich eingestellt.

Mit der Antwort darauf befasst sich § 5 HGB: „Ist eine Firma im FB eingetragen, so kann gegenüber demjenigen, welcher sich auf die Eintragung beruft, nicht geltend gemacht werden, dass das unter der Firma betriebene Gewerbe kein Handelsgewerbe sei oder dass es zu den im § 4 Abs 1 bezeichneten Betrieben“ – also zu den Minderhandelsgewerben – „gehöre“.

§ 5 HGB gilt nicht für *alle* im FB eingetragenen Rechtsträger, sondern nur für jene, die *wegen ihrer* vorerst tatsächlich gegebenen oder angeblichen *vollkaufmännischen Tätigkeit* eingetragen wurden. Somit gilt § 5 HGB **nicht für Formkaufleute, sonstige Erwerbs- und Wirtschaftsgenossenschaften, EEG und Privatstiftungen,** weil alle diese Rechtsträger *unabhängig vom Betrieb eines Vollhandelsgewerbes* eingetragen werden.

§ 5 HGB bezweckt Verkehrsschutz, nicht Vertrauensschutz. Die Eintragung jemandes, der unter einer Firma ein Gewerbe betreibt, soll im laufenden Geschäftsverkehr jedwede Streitigkeit darüber abschneiden, ob nun tatsächlich (noch) die diesbzgl Eintragungsvoraussetzungen gegeben sind. Wer eingetragen ist, soll bis zur Löschung Vollkaufmann bleiben, auch wenn das von ihm unter der eingetragenen Firma betriebene Gewerbe kein Vollhandelsgewerbe (mehr) ist. Damit wird der **Geschäftsverkehr von störenden Unsicherheiten befreit.**

Man erspart sich nicht nur den mitunter diffizilen Streit um das ausreichende Vorliegen der für die Vollkaufmannseigenschaft maßgeblichen Tatbestandsmerkmale im konkreten Fall, sondern darüber hinaus auch die mit einer bloßen Rechtsscheinregel verbundene Diskussion darüber, ob und inwieweit derjenige, der sich auf die Anwendung des Handelsrechts beruft, hinreichend gutgläubig war.

Man sagt, § 5 HGB stelle bzgl des Bestehens der Vollkaufmannseigenschaft eine **unwiderlegliche Vermutung** auf. Mitunter wird auch von einer gesetzlichen **Fiktion** gesprochen. In Wahrheit liegt schlicht und einfach ein **eigener Fall von Vollkaufmannseigenschaft** vor. Denn § 5 HGB ordnet nichts anderes an, als dass auch der zu Unrecht Eingetragene bis zur Löschung der Eintragung **Vollkaufmann ist, sofern bzw solange er unter der eingetragenen Firma sein (nicht vollkaufmännisches) Gewerbe betreibt.**

Daher ist es zumindest irreführend, im gegebenen Zusammenhang vom „Scheinkaufmann kraft Eintragung“ zu sprechen; auch der Ausdruck „Fiktivkaufmann“ ist nicht glücklich.

Dass §-5-Kaufleute zu löschen sind, vermag nichts daran zu ändern, dass den Eingetragenen bis dahin im laufenden Geschäftsverkehr die uneingeschränkte Stellung von Vollkaufleuten zukommt. Auch derjenige darf sich auf die Eintragung berufen, der über das Fehlen der Eintragungsvoraussetzung Bescheid weiß oder wissen muss.

Handelsrechtsreform: Auch das UGB kennt die Regel, dass auch ein Nichtunternehmer dem Regime des UGB unterfällt, sofern er zu Unrecht eingetragen wurde oder zu Unrecht eingetragen bleibt. Dabei kommt es aber nicht darauf an, dass er weiterhin irgendein Gewerbe betreiben muss. Dieses Tatbestandsmerkmal des § 5 HGB passt schon deshalb nicht auf die künftige Rechtslage, weil das UGB ja jedwede unternehmerische Tätigkeit, auch eine geringfügige, erfasst. Was hingegen auch weiterhin relevant bleibt, ist der Umstand, dass der Eingetragene im Geschäftsverkehr unter der eingetragenen Firma auftritt (ohne deshalb schon ein Gewerbe zu betreiben).

B. Abgrenzung zu § 15 HGB

Während § 5 HGB der Beseitigung von Ungewissheit über das Vorliegen eines Vollhandelsgewerbes dient, schützt § 15 Abs 1 HGB lediglich das Vertrauen des *gutgläubigen* Geschäftsverkehrs auf die Vollständigkeit des Firmenbuches. Sofern § 5 HGB nicht greift (zB, weil das Gewerbe gänzlich eingestellt wurde), kann § 15 HGB zum Tragen kommen. Nur in diesen Fällen des § 15 HGB ist es gerechtfertigt, von einem „Scheinkaufmann kraft Eintragung“ zu sprechen: Denn nur hier geht es um Vertrauens-, und nicht, wie bei § 5 HGB, um Verkehrsschutz.

C. Tatbestandsmerkmale des § 5 HGB

Die Anwendung des § 5 HGB setzt voraus, dass **unter der eingetragenen Firma ein Gewerbe betrieben** wird.

***Eintragung* genügt,** Bekanntmachung ist nicht erforderlich. **Irgendein *Gewerbe* reicht aus;** es muss kein *Handels*gewerbe sein. Der Betrieb eines *nicht gewerblichen* Unternehmens (zB eines freien Berufes) genügt hingegen nicht.

Das **Gewerbe muss *ausgeübt* werden.** Wer seine Tätigkeit erst gar nicht begonnen oder überhaupt eingestellt hat, unterfällt der Regel des § 5 HGB nicht. Das Gewerbe muss überdies **unter der eingetragenen Firma** ausgeübt werden. Im materiellen öffentlichen Recht kommt § 5 HGB nicht zur Anwendung. § 5 HGB hat ferner keine Bedeutung für solche Rechtsträger, die unabhängig davon, ob sie ein eintragungspflichtiges Handelsgewerbe betreiben oder nicht, im FB einzutragen sind. So ist eine Genossenschaft oder eine Privatstiftung, auch wenn sie ein Gewerbe betreibt, das den Voraussetzungen der Vollkaufmannseigenschaft nach §§ 1, 4 Abs 1 HGB oder des § 2 HGB nicht entspricht, nicht schon wegen der erfolgten Eintragung ein § 5-Kaufmann.

D. Wirkung des § 5 HGB

§ 5 HGB stellt außer Streit: das Vorliegen eines Vollhandelsgewerbes und das Erfordernis kaufmännischer Einrichtungen.

Unzulässige Einwendungen sind demnach: es werde kein Grundhandelsgewerbe betrieben, es liege bloß ein Minderhandelsgewerbe vor, es liege kein gewerbliches Unternehmen iSd § 2 HGB vor.

Zulässig ist hingegen zB die Einwendung: es werde *überhaupt kein* Gewerbe (mehr) betrieben oder der Eingetragene sei mit dem Betreiber *nicht identisch* (etwa weil er das Unternehmen einem anderen verpachtet hat).

Ist eine GesBR zu Unrecht als OHG bzw KG eingetragen, so liegt auf Grund des § 5 HGB bis zur Löschung der Eintragung eine OHG bzw KG vor.

Auch wer als Erbe eines persönlich haftenden Gesellschafters in die Gesellschaft eintritt, muss sich § 5 HGB entgegenhalten lassen (BGH NJW 1982, 45). § 5 HGB macht jedoch die eingetragenen Personen nicht zu Gesellschaftern, wenn sie es nicht auch wirklich sind.

VII. Kaufleute kraft Rechtsform

A. Regelung und Zweck des § 6 HGB

Bei Formkaufleuten hängt die Kaufmannseigenschaft nicht von Art und Umfang der Tätigkeit, sondern ausschließlich von der gewählten Rechtsform ab. Für Formkaufleute gilt Vollkaufmannsrecht selbst dann, wenn kein Unternehmen betrieben wird, das nach Art und Umfang eines kaufmännisch eingerichteten Geschäftsbetriebes bedarf (§ 6 Abs 2 iVm § 4 Abs 1 HGB).

Die Einrichtung des Formkaufmanns erübrigt die sonst erforderlichen Mühen, Art und Umfang der unternehmerischen Tätigkeit zu prüfen und zu überwachen. Formkaufmannseigenschaft erlangt der Formkaufmann mit Entstehen seiner Rechtspersönlichkeit. Entsteht sie durch konstitutive Eintragung, ist insofern die Eintragung von Bedeutung.

Vorgesellschaft: Eine noch nicht eingetragene Gesellschaft kann allerdings bereits als selbst rechtsfähige Vorgesellschaft tätig werden. Daher stellt sich die Frage, ob auch eine solche Vorgesellschaft bereits als Formkaufmann anzuerkennen ist. Sofern die Vorgesellschaft ein Grundhandelsgewerbe ausübt, folgt schon daraus ihre Vollkaufmannseigenschaft und die gestellte Frage erübrigt sich. Ist die Vorgesellschaft hingegen noch nicht vollkaufmännisch tätig, bleibt zu prüfen, ob die (durch die Lehre von der Vorgesellschaft anerkannte) Vorwirkung der Rechtsfähigkeit der eigentlichen Gesellschaft es rechtfertigt, auch die Vorwirkung der Formkaufmannseigenschaft anzuerkennen. Im Bemühen um eine wertungswiderspruchsfreie Lösung erscheint eine Analogie durchaus erwägenswert.

B. Die maßgeblichen Rechtsformen

§ 6 Abs 2 HGB spricht zwar von „Rechten und Pflichten eines *Vereins, dem das Gesetz ohne Rücksicht auf den Gegenstand des Unternehmens die Eigenschaft eines Kaufmanns beilegt*“, sagt aber nicht, welche Rechtsformen damit gemeint sind. Das beantworten die jeweils hiezu in Frage kommenden gesetzlichen Regelungen.

Formkaufleute sind: die **AG** (§ 3 AktG), die **GmbH** (§ 61 Abs 3 GmbHG), die **SE,** die **aufsichtsratspflichtigen Gen** (§ 1 Abs 3 iVm § 24 GenG); zu nennen sind idZ ferner: die **Sparkassen** (§ 1 Abs 2 SpG) und die **großen Versicherungsvereine auf Gegenseitigkeit** (§ 27 iVm § 63 Abs 1 VAG) und die **EWIV** (§ 1 Abs 2 EWIVG).

Bei **Sparkassen und großen VVaG** ist aber zu beachten, dass sie von vornherein nur geeignet sind, bestimmte wirtschaftliche Tätigkeiten zu verrichten, die ihrerseits Handelsgeschäfte sind oder bei richtigem Verständnis als solche anerkannt sein sollten.

Besonderes ist zu den **formkaufmännischen Gen** zu bemerken: Da *alle* Erwerbs- und Wirtschaftsgenossenschaften ins FB eingetragen werden und keine Eintragung über die Aufsichtsratspflichtigkeit erfolgt, kann man dem FB nicht entnehmen, welche Genossenschaft Formkaufmann ist. Man weiß auch nicht, welche Genossenschaft ein Vollhandelsgewerbe betreibt.

OHG und KG sind keine Formkaufleute, denn § 4 Abs 2 HGB stellt klar, dass eine OHG oder KG nicht gebildet werden kann, wenn lediglich ein Minderhandelsgewerbe betrieben wird. Die Bildung einer OHG oder KG setzt also voraus, dass ein **Vollhandelsgewerbe iS des § 1 HGB oder ein Unternehmen iS der §§ 2 oder 3 HGB** vorliegt.

Handelsrechtsreform: Auch das UGB kennt den Formunternehmer. AG, GmbH, SE, EWIV, Gen, SCE, VVaG und Sp sollen Formunternehmer sein. Bei den Gen wird von der derzeit maßgeblichen Differenzierung zwischen aufsichtsratspflichtigen und anderen Gen zugunsten einer einheitlichen Regelung abgesehen. Desgleichen sollen künftig alle VVaG und nicht nur die „großen“ Formunternehmer sein. Die Personengesellschaften sind nach eingehender rechtspolitischer Erörterung auch weiterhin keine Formkaufleute; ebenso wenig die PS; dies deshalb, weil solche Gebilde auch kleine, reine Vermögensverwaltungen sein können und insofern nicht in die Unternehmerrolle gedrängt werden sollen.

VIII. Scheinkaufleute kraft Auftretens

A. Inhalt und Zweck dieser Lehre

Wer wie ein Kaufmann auftritt, ohne Kaufmann zu sein, muss sich vom gutgläubigen Geschäftspartner wie ein Kaufmann behandeln lassen; dh: das geschlossene Geschäft darf (muss aber nicht) vom Vertrauenden als Handelsgeschäft gewertet werden. In solchen Fällen spricht man vom **„Scheinkaufmann kraft Auftretens.“** Er ist kein Kaufmann; darf aber so behandelt werden bzw muss sich so behandeln lassen, als ob er es wäre. Jemand kann entweder den Anschein erwecken, *Voll*kaufmann oder *Minder*kaufmann zu sein.

Das **Vertrauen** des Geschäftspartners darauf, es mit einem Kaufmann zu tun zu haben, wird von Lehre und Rsp für schützenswert erachtet. Das HGB schweigt. Grundlage der Erwägungen zum Scheinkaufmann kraft Auftretens ist die Lehre von der **Rechtsscheinhaftung.** Wer zu Unrecht wie ein Kaufmann auftritt, ist tadelnswert, weil er den Geschäftsverkehr durch sein zu Fehlschlüssen Anlass gebendes Auftreten irritiert. Zum Ausgleich hat er sich wie ein Kaufmann behandeln zu lassen.

B. Tatbestandsmerkmale des Scheinkaufmanns kraft Auftretens

Auf den Umstand der Scheinkaufmannseigenschaft kraft Auftretens darf man sich berufen, wenn ein nachhaltiger **objektiver, „äußerer Tatbestand“** begründet wird, der den Anschein erweckt, es trete ein Kaufmann auf; wenn der Rechtsschein **auf einem Verhalten beruht, das dem Auftretenden zurechenbar ist;** wenn der Rechtsschein für das Verhalten des Dritten **kausal** ist; und wenn der Dritte **schutzwürdig,** weil gutgläubig, ist.

1. „Äußerer Tatbestand“. Wer ein Unternehmen iS des § 2 HGB führt und nicht eingetragen ist, ist zwar der Sache nach kaufmännisch tätig, aber mangels Eintragung noch nicht Kaufmann. Er setzt demnach einen derartigen „äußeren Tatbestand“. Es interessieren auch jene Fälle, in denen der Scheinkaufmann ein nichtkaufmännisches oder minderkaufmännisches Unternehmen führt, aber den Eindruck erweckt, er sei (Voll-)Kaufmann (vgl auch wbl 1994, 169).

2. Zurechenbarkeit. Nur solche Verhaltensweisen kommen in Betracht, die dem angeblichen Kaufmann zurechenbar sind. Erweckt weder er noch jemand seiner Leute den Anschein, er sei Kaufmann, sondern ist dieser Anschein auf Verhaltensweisen sonstiger Dritter zurückzuführen, so darf dies dem angeblichen Kaufmann nicht angelastet werden.

3. Kausalität. Der Rechtsschein muss für das Verhalten des Vertrauenden kausal gewesen sein. Adäquanz genügt.

4. Guter Glaube. Der Verhandlungspartner des Scheinkaufmanns muss darauf vertrauen, dass er es mit einem wirklichen Kaufmann zu tun hat. Der gute Glaube muss im Zeitpunkt des Geschäftsabschlusses vorliegen.

Dass Scheinkaufleute kraft Auftretens nicht im FB aufscheinen, hindert den guten Glauben nicht, wenn die Einsichtnahme in das FB im konkreten Fall unzumutbar erscheint. Ganz allgemein ist davon auszugehen, dass Fahrlässigkeit den guten Glauben zerstört. Ob bereits leichte Fahrlässigkeit genügt, ist strittig. Angesichts der Anforderungen des Geschäftsverkehrs ist auf grobe Fahrlässigkeit abzustellen. Zweifel verhindern den guten Glauben; erst recht das Wissen um die fehlende Kaufmannseigenschaft.

5. Reichweite und Relevanz des Rechtsscheins. Die Scheinkaufmannseigenschaft ist nur für Geschäfte beachtlich, die während des aufrechten Anscheins geschlossen werden. Das scheinkaufmännische Auftreten ist ferner nur soweit relevant, als der erweckte „Schein“ bzw der gute Glaube des Vertrauenden überhaupt besteht. Das konkret zu beurteilende Geschäft muss ferner zum „Scheinhandelsgewerbe“ gehören.

C. Wirkung der Scheinkaufmannseigenschaft kraft Auftretens

Unter den genannten Voraussetzungen muss sich der Scheinkaufmann kraft Auftretens als Kaufmann behandeln lassen. Dh:

1. Beiderseitiges bzw einseitiges Handelsgeschäft. Ist der vertrauende Geschäftspartner selbst Kaufmann, so ist das Geschäft als beiderseitiges (und nicht bloß als einseitiges) Handelsgeschäft zu sehen; ist der Geschäftspartner hingegen Nichtkaufmann, gilt das Geschäft als einseitiges Handelsgeschäft.

2. Die Alternative des Vertrauenden. Der Gutgläubige kann sich jedoch, sobald nach Geschäftsabschluss hervorkommt, dass der andere kein Kaufmann ist, dafür entscheiden, das Geschäft jenem Regime zu unterstellen, das gegolten hätte, wäre das Geschäft von vornherein in Kenntnis der wahren Verhältnisse geschlossen worden. Der Scheinkaufmann darf sich also nicht seinerseits auf Handelsrecht berufen, wenn der Vertrauende nicht will. Der Rechtsschein wirkt somit *nur für und nicht gegen* den Gutgläubigen.

Keine „Rosinentheorie". Der Gutgläubige darf nicht die eine Ordnungsfrage des fraglichen Geschäftes dem einen, die andere dem anderen Regime unterstellen, je nachdem, was für ihn gerade günstiger erscheint. Er hat sich vielmehr grundsätzlich zu entscheiden, ob er, wie es sein guter Glaube bei Geschäftsabschluss erlaubt, den „Scheinkaufmann" als Kaufmann behandelt wissen will oder nicht. Einmal so, einmal anders: Das geht nicht.

3. Haftung bei schuldhaftem Verhalten. Wer arglistig einem anderen vorgaukelt, Kaufmann zu sein (BGHZ 5, 133; 17, 14) oder diesen Eindruck unter Verletzung vorvertraglicher Sorgfalts- und Verkehrspflichten erweckt, haftet zudem aus culpa in contrahendo.

Handelsrechtsreform: Wie schon das HGB sieht auch das UGB keine Regelungen über den Scheinunternehmer kraft Auftretens vor. Da der Grundtatbestand des UGB ohnehin jedweden Unternehmer erfasst, besteht im Hinblick auf den weiten Anwendungsbereich des UGB ein erheblich geringerer Bedarf an dieser Lehre, als dies beim HGB der Fall ist, weil das UGB keinen konstitutiv in das FB einzutragenden „Sollkaufmann" (§ 2 HGB) kennt. Dessen ungeachtet kann es auch in Zukunft sein, dass jemand wie ein Unternehmer auftritt, ohne es tatsächlich zu sein. Dann soll er den mit diesem Rechtsschein für Dritte verbundenen Nachteil auch tragen.

IX. Dauer der Kaufmannseigenschaft

A. Beginn der Kaufmannseigenschaft

1. Istkaufmann wird man mit Aufnahme des Betriebes des Grundhandelsgewerbes, wobei *Vorbereitungsgeschäfte* schon zur Betriebsaufnahme zählen (HS 20.004/14).

Vgl demgegenüber § 1 Abs 3 KSchG: Demnach ist der „werdende" Unternehmer noch Verbraucher. Zur Problematik der Vorbereitungsgeschäfte: NZ 1988, 141; RdW 1992, 77. Ob **öffentlich-rechtliche Vorschriften** erfüllt sind, spielt keine Rolle (§ 7 HGB). Die Eintragung ins FB ist bei Istkaufleuten grundsätzlich nur deklarativ. Konstitutiv wäre sie, wenn die Eintragung vor Aufnahme der Tätigkeit erfolgte.

Handelsrechtsreform: Künftig zählen Vorbereitungsgeschäfte noch nicht zum Unternehmensbetrieb. Auf diese Weise wird die Harmonisierung mit dem KSchG erreicht.

2. Soll- und Kannkaufmann wird man mit konstitutiver Eintragung ins FB (beachte jedoch die „Vorwirkungen" des § 15 Abs 2 FBG und § 189 Abs 4 HGB), **Formkaufmann** mit Entstehen der rechtsfähigen Rechtsform.

3. Die Kaufmannseigenschaft nach § 5 HGB beginnt mit Eintragung, sofern die einschlägigen Voraussetzungen *von vornherein* nicht gegeben sind; *ansonst* mit Wegfall einer von ihnen.

B. Ende der Kaufmannseigenschaft

1. Istkaufmann ist man nicht mehr, sobald das Grundhandelsgewerbe eingestellt bzw nicht mehr betrieben wird oder in den Fällen des § 1 Abs 2 Z 2, 5 und 9 HGB den erforderlichen Umfang verliert. Das Grundhandelsgewerbe wird insb auch durch Veräußerung oder Verpachtung des Unternehmens nicht weiterbetrieben (ecolex 1994, 501).

In all diesen Fällen ist die Eintragung zu löschen. Bis dahin greift entweder die §-5-Kaufmannseigenschaft, oder es ist (bei Gewerbeeinstellung) § 15 Abs 1 HGB anzuwenden.

Wird ein Istkaufmann zu Unrecht im FB gelöscht, bleibt er es weiter, solange er das Grundhandelsgewerbe betreibt.

2. Die Vollkaufmannseigenschaft des Istkaufmanns als solche geht verloren, sobald das von ihm betriebene Handelsgewerbe auf den Umfang eines Minderhandelsgewerbes absinkt. Dann wird der Voll- zum Minderkaufmann. Solange er jedoch im FB eingetragen bleibt, greift bei gegebenen Voraussetzungen § 5 HGB bzw § 15 Abs 1 HGB.

3. Soll- und Kannkaufmann ist man nicht mehr, sobald man im FB gelöscht ist bzw sobald man das Unternehmen einstellt oder in seinem Umfang so mindert, dass keine Eintragungspflicht mehr besteht. Doch kommen auch hier, je nach den Umständen, § 5 HGB oder § 15 Abs 1 HGB zur Anwendung.

4. Die Formkaufmannseigenschaft geht mit dem Untergang der Rechtspersönlichkeit verloren.

5. Keinen Einfluss auf das Ende der Kaufmannseigenschaft haben der Eintritt der Geschäftsunfähigkeit, die Abwicklung (Liquidation), solange das Gewerbe nicht eingestellt ist, und nach problematischer, aber hM die Eröffnung des Konkurses.

3. Abschnitt

Publizität

5. Kapitel

Firmenbuch

Lit: *Rintelen,* Untersuchungen über die Entwicklung des Handelsregisters, ZHR Beiheft 75 (1914); *A. Hueck,* Gilt § 15 Abs 1 HGB auch beim Erlöschen und bei der Änderung nicht eingetragener, aber eintragungspflichtiger Rechtsverhältnisse? AcP 118 (1920) 350; *Keim,* Das sogenannte Publizitätsprinzip im dt Handelsrecht (1930); *Prausnitz,* Rechtsschein und Wirklichkeit im Handelsregister, ZHR 96 (1931) 10; *Pramer,* Österr Handelsregisterrecht (1969); *Olshausen,* Neuerungen im System der handelsrechtlichen Rechtsscheingrundsätze, BB 1970, 137; *Canaris,* Die Vertrauenshaftung im dt Privatrecht (1971); *Frotz,* Verkehrsschutz im Vertretungsrecht (1972); *John,* Fiktionswirkung oder Schutz typisierten Vertrauens durch Handelsregister? ZHR 140 (1976) 236; *Deschler,* Handelsregisterpublizität und Verkehrsschutz (Diss Tübingen 1977); *K. Schmidt,* Sein – Schein – Handelsregister, JuS 1977, 209; *Bär,* Der öffentliche Glaube des Handelsregisters, Berner Festgabe zum SchwJT (1979) 131; *Hügel,* Rechtsscheinhaftung bei nicht offengelegter Haftungsbeschränkung im Rahmen einer ständigen Geschäftsverbindung, RdW 1985, 34; *Köhler/Gürtler,* Handelsregisterrecht (1980); *Reinicke,* Sein und Schein bei § 15 Abs 1 HGB, JZ 1985, 272; *Stockinger,* ADV-Handelsregister – ein Diskussionsbeitrag, RPfl 1986/2, 29; *Pahl,* Haftungsrechtliche Folgen versäumter Handelsregistereintragungen und Bekanntmachungen (1987); *Schilken,* Abstrakter und konkreter Vertrauensschutz im Rahmen des § 15 HGB, AcP 187 (1987) 1; *Stockinger,* Das Handels- und Genossenschaftsregister im Wandel der Zeit – Von der Kurrenteintragung bis zum Bildschirmtext, RPfl 1988/3, 28; *Olshausen,* Rechtsschein und „Rosinentheorie", AcP 189 (1989) 223; *Zib,* Reformvorschläge für ein ADV-Handelsregister. Zur Rechtsangleichung an die Publizitätsrichtlinie der EWG (1989); *Auer,* Das Firmenbuch, RPfl 1990/2, 1; *Zib,* Auf dem Weg zum ADV-Handelsregister, wbl 1990, 249; *Zib,* Rechtsangleichung an die Publizitäts-RL der EWG in: Reformvorschläge für ein ADV-Handelsregister (1990); *Danzl,* Das neue FB (1991); *Duschanek,* FB und Datenschutz, ecolex 1991, 211; *Eiselsberg/Schenk/Weißmann,* FBG (1991); *Kurschel,* Das neue Firmenbuch, ein erster Überblick, ecolex 1991, 41, 68; *Reich-Rohrwig,* Rund um das FBG, ecolex 1991, 93; *Schenk,* Anmeldungen zum FB (gem Rundschreiben des HG Wien), ecolex 1991, 98; *K. Schmidt,* Ein Lehrstück zu § 15 HGB, JuS 1991, 1002; *Brunner,* FB und ADV, GesRZ 1992, 20; *Hofmann,* Das Handelsregister und seine Publizität, Jura 1992, 57; *Oberhofer,* Anträge und Anmeldungen zum FB (1992); *Schenk,* Das neue österr Firmenbuch, NZ 1992, 41; *Thiery,* Firmenbuchanmeldung einer EEG, ecolex 1992, 97; *Altmeppen,* Disponibilität des Rechtsscheins. Struktur und Wirkungen des Redlichkeitsschutzes im Privatrecht (1993); *Gruber/Schoibl,* Abfrage und Gebühren im ADV-Firmenbuch, wbl 1993, 174; *Gruber/Schoibl,* Firmenbuch-Umstellung – Der zweite Akt, wbl 1993, 174; *Hügel,* Drittschuldneranerkenntnis und Einwendungsausschluß im Zessionsrecht – Zugleich ein Beitrag zur Lehre von der Rechtsscheinhaftung, FS Frotz (1993) 67; *Stockinger,* Die Erfahrungen mit dem neuen FB aus der Sicht der Rechtspfleger, RPfl 1993/3; *Zib/Auer,* Vom Handelsregister zum Firmenbuch. Eine rechtsvergleichende Studie unter besonderer Berücksichtigung des Einsatzes der Automationsunterstützung in Österreich (1993); *Auer,* Zum ADV-Firmenbuch, RPfl 1995/1, 30; *Gruber,* § 15 HGB im ADV-Firmenbuch. Kurznotiz zu einem Publizitätsproblem, wbl 1995, 186; *Haselberger,* Einfluß der europäischen Rechtsentwicklung auf das Firmenbuch, GesRZ 1995, 163; *Oberhammer,* Das neue FB – Meilenstein der Erneuerung des Justizbetriebes, AnwBl

1995, 7; *Roth,* Die Umwandlung einer Erwerbsgesellschaft nach § 25 Abs 2 FBG, RdW 1995, 49; *Burgstaller,* Zur Beteiligtenstellung im Firmenbuchverfahren, RZ 1996, 30; *Jaeger,* Die Registersperre im neuen Verschmelzungsrecht, RdW 1996, 157; *Zib,* FB und Verkehrsschutz (unveröffentlichte Habilitationsschrift 1996); *Nowotny,* Beglaubigte Einreichung des Jahresabschlusses – eine nicht gebotene Belastung, RdW 1998, 53; *Schoibl/Gruber,* Neue Firmenbuchgebühren nach europarechtlichen Vorgaben, RdW 1998, 49; *Stern,* Firmenbuchanmeldungen durch Prokuristen, RdW 1998, 451; *Zehetner,* Beglaubigte Einreichung des Jahresabschlusses nicht erforderlich, SWK 1998, W 135; *ders,* Die Eintragungsfähigkeit eines „Company Secretary" einer englischen Kapitalgesellschaft, ecolex 1999, 775; *Fellner,* OGH zur Registerpublizität der Urkundensammlung des Firmenbuches, RdW 2000, 582; *Knechtel/Reichelt/Zib,* Europäisches Handelsregister (2000); *Krejci,* Muss eine notarielle Bestätigung aus dem FB (§ 89 a NO) die FB-Nummer angeben? NZ 2000, 129; *Auer,* Existenz, Gründung und Verwendung von Mantelgesellschaften, wbl 2001, 245; *Novacek,* VwGH zu Gerichtsgebühren für Umwandlung; Schlussfolgerungen für andere Umgründungsvorgänge, RdW 2001/297, 271; *Nowotny,* Neue Medien und Gesellschaftsrecht, FS Krejci 2001, 771; *ders,* Neuerungen im FB- und Gesellschaftsrecht, NZ 2001, 432; *Torggler,* Das Sein und das Nichts: Die Vorgesellschaften als Rechtsverhältnis und als Rechtsträger, FS Krejci 2001, 945; *Thöni,* Zur Reichweite der Prüfungsbefugnis des FB-Gerichts bei GmbH-Gesellschafterbeschlüssen, FS Koppensteiner 2001, 231; *Werkusch,* Nachträgliche Geschäftsunfähigkeit des GmbH-Geschäftsführers, ecolex 2001, 913; *Zehetner,* Offenlegung und Zwangsstrafen, ecolex 2001, 280; *Weigand,* Firmenbuchrechtliche Prüfungspflicht bei Anmeldungen von Bestellung und Abberufung vertretungsbefugter Personen, NZ 2003/23, 65; *Andrae,* Löschung von Firmen aus Sicht des Rechtspflegers, NZ 2003/100, 364; *Birnbauer,* Euro-Umstellung von Kommanditeinlagen im Firmenbuch, GeS 2003, 52; *Deu/Helm,* Die Anmeldung zum Firmenbuch. Einzelunternehmen, Personengesellschaften und GmbH (2003); *Fellner,* Zum Verhältnis von Anscheinsvollmacht und falsus-procurator-Haftung; zwingender Vertrauensschutz oder Wahlrecht? JBl 2003, 621; *Nowotny,* Miscellen: Rechtsmittel im Firmenbuchverfahren, NZ 2003/70, 274; *Szöky,* Miscellen: In- und ausländische juristische Personen – Bescheinigung der Vertretungsbefugnis, NZ 2003/84, 325; *Andrae,* Löschung von Firmen aus Sicht des Rechtspflegers, NZ 2004/2, 18; *Pilgersdorfer,* Betriebseinbringungen mit „unbaren Entnahmen" – ein Problem der verdeckten Sacheinlage. Zugleich eine Besprechung von OGH 6 Ob 81/02h und 6 Ob 196/03x, wbl 2004, 353; *Kodek/G. Nowotny,* Zur Parteistellung der Gesellschaft im Zwangsstrafenverfahren, NZ 2004, 165; *Schindler,* Das Ausführungsgesetz zur Europäischen Aktiengesellschaft, wbl 2004, 253; *Szöky,* Das Firmenbuchverfahren (2004); *Kodek/G. Nowotny/Umfahrer,* Firmenbuchgesetz. FBG und firmenbuchrechtliche Bestimmungen des HGB (2005).

I. Begriff und Aufgabe des Firmenbuchs

1. Begriff. Das FB ist ein von den Gerichten im Außerstreitverfahren (§ 8 HGB; § 15 Abs 1 FBG) geführtes **öffentliches Verzeichnis (Register)** über bestimmte, für den Geschäftsverkehr wichtige Tatsachen zum Zweck ihrer Offenlegung.

Bevor das FBG galt, hieß das FB (wie heute noch in anderen Staaten) **Handelsregister.**

2. Die Rechtsquellen zum Firmenbuchrecht finden sich in zahlreichen Gesetzen. Hervorzuheben sind die §§ 8–16 HGB und das FBG BGBl 1991/10 idgF.

3. Aufgabe. Das FB trägt entscheidend zur **Publizität** des Wirkens der eingetragenen Rechtsträger bei. Diese Rechtsträger sind nicht nur Kaufleute. Insofern reicht die Aufgabe des Firmenbuches über die Publizität bloß kaufmännischen Wirkens hinaus. Der Publizitätseffekt wird durch zusätzliche **Bekanntmachungspflichten** verstärkt, die allerdings durch die **gesetzliche Bekanntmachungsfiktion** an Bedeutung verloren haben (Art XXIII Abs 15 FBG).

Handelsrechtsreform: Der Gesetzgeber hat davon abgesehen, im Zuge der Handelsrechtsreform das Firmenrecht des HGB und die Regelungen des FBG zu einem einheitlichen Regelungskomplex zusammenzufassen. Somit bleibt es auch weiterhin dabei, dass sich einige firmenrechtliche Regelungen im UGB finden, während das eigentliche Firmenbuchrecht im FBG verbleibt. Insofern gibt es vorerst auch in Zukunft kein (im UGB integriertes oder aber aus ihm ausgegliedertes) „Publizitätsgesetz“. Da aber beabsichtigt ist, ein über das FB hinausgehendes „Unternehmerregister“ zu schaffen, in welchem alle bisher in unterschiedlichen Verzeichnissen festgehaltenen selbstständig Erwerbstätigen erfasst werden, ist auf diesem Gebiet das letzte rechtspolitische Wort noch nicht gesprochen.

II. Organisation des Firmenbuchs

1. Ort und Art der Firmenbuchführung. Das FB wird im *Bundesrechenzentrum als zentrale Datenbank* geführt.

2. Hauptbuch und Urkundensammlung. Das FB besteht aus dem Hauptbuch und der Urkundensammlung (§ 1 FBG). Die Eintragungen werden im Hauptbuch vorgenommen.

In die Urkundensammlung sind jene Urkunden aufzunehmen, auf Grund deren eine Eintragung im Hauptbuch vorgenommen wird oder für welche die Aufbewahrung bei Gericht angeordnet ist (§ 12 FBG). Die Offenlegung von Urkunden in der Urkundensammlung erfolgt im Interesse der Allgemeinheit und der Rechtsträger. § 12 FBG sieht die Aufnahme nur solcher Urkunden in die Urkundensammlung vor, die die Grundlage für eine Eintragung bilden oder für die die Aufbewahrung bei Gericht angeordnet ist.

Daraus ergibt sich, dass ohne gesetzliche Anordnung in Urkundenform verfasste Wissenserklärungen von Organen der im FB eingetragenen Rechtsträger nicht in die Urkundensammlung aufgenommen werden dürfen (RdW 2001, 432 = ecolex 2002/11, 25). Eine Zurückstellung von Urkunden, die Grundlage einer Eintragung im FB waren, stünde zu § 12 FBG in Widerspruch und kann daher nicht erfolgen (RdW 2002/15, 21 = wbl 2002/161, 231 = GesRZ 2002, 36 = ecolex 2002/257, 669).

Einzutragen sind zB: Gesellschaftsverträge, Satzungen, Jahresabschlüsse, aktienrechtliche Sonderberichte, Verzeichnisse von Aufsichtsratsmitgliedern. Die für eine Umgründung einer GesBR in eine OEG erstellte Zusammenschlussbilanz ist in die Urkundensammlung aufzunehmen (OGH RdW 2002/12, 21 = wbl 2002/161, 231 = GesRZ 2002, 36 = ecolex 2002/257, 669).

3. FB-Nummer. Anlässlich der Neuanmeldung von Rechtsträgern im Bundesrechenzentrum wird eine für ganz Österreich einheitliche – fortlaufende – FB-Nummer vergeben, die der Rechtsträger auch bei Sitzverlegung oder Umwandlung seiner Rechtsform bis zu seiner Löschung beibehält. Rechtsform und Sitz lassen sich daher aus der FB-Nummer nicht erkennen.

Zweigniederlassungen werden unter der FB-Nummer der Hauptniederlassung erfasst (§ 120 JN).

Die FB-Nummer besteht aus einer fünfstelligen Zahl, der ein Buchstabe als Prüfzeichen folgt. *Zahl und Prüfzeichen* bilden zusammen die FB-Nummer. Die FB-Nummer ist von Kapitalgesellschaften auf Geschäftsbriefen anzugeben (vgl zu Weiterem § 14 HGB).

Notarielle Bestätigungen aus dem FB bedürfen angesichts sonstiger Identitätsmerkmale des Betroffenen keiner Angabe der FB-Nummer, ecolex 2001, 46; so schon *Krejci,* NZ 2000, 33.

4. Firmenbuchabfrage. Das ADV-Firmenbuch kann von jedermann über bei den Gerichten oder bei Notaren installierte Bildschirme abgefragt werden. Die Einsicht in das Hauptbuch erfolgt durch *Ausdruck eines Firmenbuchauszuges.* § 34 FBG sieht überdies die Firmenbuchabfrage auch über private Terminals vor.

Es sind auch **Sammelabfragen** zulässig, die sich auf sämtliche Eintragungen aller FB-Gerichte oder zumindest eines FB-Gerichts beziehen.

5. Historischer Firmenbuchauszug und Stichtagsauszug

a) Allgemeines. § 31 FBG ordnet an, dass zu löschende Eintragungen in der Datenbank des FB entsprechend zu kennzeichnen sind, aber weiter abfragbar bleiben müssen (§ 33 Abs 4 FBG). Eine zu löschende Eintragung wird mit „#" gekennzeichnet und dadurch in das Verzeichnis der gelöschten Eintragungen übertragen. In einem Firmenbuchauszug, der die aufrechten Eintragungen wiedergibt, scheint eine solcher Art gelöschte Eintragung nicht mehr auf. Dem gesetzlichen Erfordernis der Abfragemöglichkeit gelöschter Eintragungen wird dadurch entsprochen, dass auch **Firmenbuchauszüge mit gelöschten Daten** oder mit den aufrechten **Eintragungen, bezogen auf bestimmte Stichtage,** abgefragt werden können (*Umfahrer* in *Kodek/G. Nowotny/Umfahrer,* FBG § 31 Rz 2).

b) Historische Auszüge enthalten alle aufrechten und gelöschten Eintragungen eines Rechtsträgers. In solchen Auszügen werden gelöschte Eintragungen als durchgestrichene dargestellt.

c) Stichtagsauszüge zeigen die für das gewählte Datum aufrechten Eintragungen, wobei Eintragungen, die nach diesem Stichtag gelöscht wurden, nicht besonders gekennzeichnet sind. Der Auszug enthält aber einen allgemeinen Hinweis, wenn im Auszug ersichtliche Eintragungen nach dem gewählten Stichtag erfolgt sind.

III. Öffentlichkeit des Firmenbuchs

1. Einsichtsrecht. Jedermann darf das FB (das Hauptbuch wie die Urkundensammlung) einsehen (§ 9 Abs 1 HGB).

2. Recht auf Auszüge. Es können Auszüge (Ausdrucke) von Eintragungen und den zur Urkundensammlung eingereichten Schriftstücken gefordert werden. Sie sind zu beglaubigen, sofern darauf nicht verzichtet wird (§ 9 Abs 2 HGB). Der Firmenbuchauszug kann sich auf die *aktuellen* Eintragungen beschränken oder auch Auskunft über die früheren, inzwischen gelöschten Eintragungen geben. Ein solcher Ausdruck heißt *„historischer Firmenbuchauszug“.*

3. Beweisfähige Zeugnisse. Ein Zeugnis des FB-Gerichts über die Eintragung weist Behörden gegenüber nach, wer der Inhaber einer in das FB eingetragenen Firma eines Einzelkaufmanns ist oder wer zur Vertretung eines Einzelkaufmanns oder einer Handelsgesellschaft befugt ist (§ 9 Abs 3 HGB).

4. Negativatteste. Das FB-Gericht hat auf Verlangen zu bescheinigen, dass bezüglich des Gegenstandes einer Eintragung weitere Eintragungen nicht vorliegen oder eine bestimmte Eintragung nicht erfolgt ist (§ 9 Abs 4 HGB).

5. Bekanntmachungen. Grundsätzlich sind alle Eintragungen von Amts wegen vollinhaltlich öffentlich bekanntzumachen. Die Bekanntmachung hat im „Amtsblatt zur Wiener Zeitung“ und in der Ediktskartei zu erfolgen (§ 10 Abs 1 HGB). Soweit Eintragungen über Einzelkaufleute, Personengesellschaften des Handelsrechts und EEG in der Datenbank des Firmenbuches vorgenommen wurden, *gelten sie als bekannt gemacht.* Insofern ist also keine Bekanntmachung erforderlich (Vgl Art XXIII Abs 15 BGBl 1991/10 mit FBG).

6. Insolvenzentscheidungen. Inwieweit in Insolvenzverfahren ergangene Entscheidungen einzutragen und bekanntzumachen sind, bestimmen die Insolvenzgesetze (§ 32 Abs 1 HGB; §§ 74ff KO; §§ 4ff AO).

IV. Einzutragende Rechtsträger

Ins Hauptbuch einzutragen sind (§ 2 FBG): **Einzelkaufleute, sofern sie keine Minderkaufleute sind; OHG und KG; OEG und KEG; AG und GmbH; Erwerbs- und Wirtschaftsgenossenschaften; (große) Versicherungsvereine auf Gegenseitigkeit; Sparkassen; Privatstiftungen; EWIV; SE und SCE; sonstige Rechtsträger, deren Eintragung gesetzlich vorgesehen ist.**

Zu den sonstigen Rechtsträgern gehören juristische Personen, die keine Handelsgesellschaften sind, aber ein Vollhandelsgewerbe betreiben und nach § 33 HGB eintragungspflichtig sind. Einzutragen sind ferner: ÖBB (§ 1 Abs 2 BBG), der ORF (§ 1 Abs 4 iVm § 44 Abs 2 ORF-G), die ÖSD (§ 1 Abs 2 StaatsdruckereiG); vormals eintragungs*berechtigt* nach § 27 Abs 1 PSKG war die PSK, die nunmehr als AG betrieben wird.

Nicht einzutragen sind GesBR; sie sind einerseits nicht rechtsfähig und werden, sobald sie ein Grundhandelsgewerbe zu betreiben beginnen, automatisch zur OHG.

Betreiben sie ein gewerbliches Unternehmen nach § 2 HGB, müssen sie sich als OHG registrieren lassen.

Vormals strittig war zB die Eintragung einer englischen private limited company, die im Ausland keinen effektiven Verwaltungssitz hat (OLG Bayern, IPRax 1999, 364; vgl demgegenüber: Eintragung der Zweigniederlassung einer englischen „Briefkastengesellschaft", wbl 2000, 85). Auf Grund der EuGH-Rsp dürfen ausländische Gesellschaften in Österreich tätig sein und sich daher auch in Österreich niederlassen (vgl EuGH *(„Centros")* = GesRZ 1999, 245 = wbl 1999, 262; EuGH *(„Überseering"),* GeS aktuell 2003, 69 = wbl 2003, 169; EuGH *(„Inspire Art"),* wbl 2003, 575 = ecolex 2003, 929).

V. Eintragungen im Firmenbuch

1. Man unterscheidet eintragungspflichtige und **eintragungsfähige Tatsachen.** Eintragungspflichtige Tatsachen *müssen* (auf Antrag oder von Amts wegen), eintragungsfähige *können* eingetragen werden.

Liegt nicht einmal eine eintragungsfähige Tatsache vor, *darf* sie *nicht* eingetragen werden. Geschieht es doch, sind damit nicht jene Rechtsfolgen verbunden, die für eintragungspflichtige oder eintragungsfähige Tatsachen vorgesehen sind.

Unzulässig ist zB die Eintragung einer *Handlungsvollmacht* oder eines *Ergebnisabführungsvertrages* (RdW 1999, 597 = EvBl 1999/200 = RWZ 1999, 259 Anm *Wenger*), die Eintragung von *Übertragungsbeschränkungen* (RdW 2000, 281; wbl 2000, 329) oder die Eintragung der Einschränkung einer an sich eintragungsfähigen Vertretungsbefugnis *für den Fall der Verhinderung des Vorstandes* (GesRZ 1995, 58 = wbl 1995, 205). Der *Masseverwalter* darf gemäß § 3 Z 13 und § 5 Z 6 FBG nicht als Gesellschafter einer GmbH eingetragen werden (ZIK 2003/86, 65 = wbl 2003/204, 344 = RdW 2003/324, 386; so auch ecolex 2003/143, 348 = RdW 2003/376, 447 = ZIK 2003/238, 169). Die Anmeldung einer *Anfechtungsklage* im FB (bei den betroffenen Gesellschaften) ist im Gesetz nicht vorgesehen. § 43 Abs 3 KO ist im Firmenbuchrecht nicht analog anzuwenden (RdW 2002/295, 287 = ZIK 2002/34, 22 = ÖJZ EvBl 2002/37, 152 = ecolex 2002/139, 358 = GesRZ 2002, 139).

Keine Eintragung noch nicht eingetretener Tatsachen: Nicht einzutragen ist eine *erst in Zukunft eintretende Änderung* (GesRZ 1997, 188). Unzulässig ist die Eintragung des Zusammenschlusses einer OHG mit einer anderen, *noch gar nicht bestehenden* (RdW 1999, 24 = wbl 1999, 84). Ob die Geschäftstätigkeit der Filiale in einem bestimmten, in der Zukunft liegenden Zeitpunkt tatsächlich beendet ist, ist nicht mit Sicherheit vorhersehbar. Eine entsprechende Erklärung ist erst nach Eintritt dieser Tatsache nachzutragen. Hingegen sind an sich eintragungspflichtige oder -fähige Tatsachen auch dann einzutragen, wenn sie einen bereits abgelaufenen Zeitraum betreffen (NZ 1996, 279 = RPfl 1996/1, 19). Voraussetzung für die Eintragung der Einbringung eines Betriebes im FB gemäß § 3 Z 15 FBG ist die Tatfrage, ob es tatsächlich zur Betriebsübergabe gekommen ist (RdW 2001/616, 595 = RWZ 2001/101, 323); solange dies nicht der Fall ist, ist die Einbringung nicht anzumelden.

Eintragung auch überholter Tatsachen: Auch bereits überholte, dem letzten Erwerb vorangehende Übertragungsakte sind im Zeitpunkt des Erwerbes der Kommanditbeteiligung durch den letzten Erwerber durch Eintragung der zwischenzeitigen Kommanditisten samt Nachfolgevermerken und durch sofortige Löschung dieser Zwischeneintragungen im FB darzustellen – Eintragungspflicht aller Zwischenschritte bei mehrfacher Übertragung von Kommanditanteilen (ecolex 2004/412, 867 = GeS 2004, 312 = RdW 2004/542, 597).

Keine Löschung ex tunc. Unrichtige Daten sind nicht ex tunc zu löschen. Selbst wenn feststeht, dass Daten schon bei der Eintragung unrichtig waren – etwa weil ein

Geschäftsführer nie wirksam bestellt war –, können diese nur mit Wirksamkeit ex nunc im FB gelöscht werden (OLG Wien, NZ 2005, 96).

Zurückziehung einer Anmeldung. Die Erklärung, dass eine bereits eingebrachte Anmeldung einer eintragungspflichtigen Tatsache wieder zurückgezogen wird, ist wirkungslos; ein Firmenbuchantrag auf Eintragung einer erfolgten Umwandlung der Rechtsform kann nicht zurückgezogen werden, weil die Anmeldung eintragungspflichtiger Tatsachen nicht im Belieben des Anmeldungspflichtigen steht (GeS 2003, 444 = wbl 2003/334, 597 = RdW 2003/627, 705).

2. Allgemeine Eintragungen. Bei allen oben genannten Rechtsträgern sind eine beachtliche Anzahl von Tatsachen einzutragen (§ 3 FBG):

FB-Nummer; Firma; Rechtsform; Sitz (mit politischer Gemeinde; zur Eintragung der politischen Gemeinde als Firmensitz: RdW 1994, 175) und Geschäftsanschrift (Sind an der im FB eingetragenen Geschäftsanschrift einer KEG keine Zustellungen mehr möglich, ist der persönlich haftende Gesellschafter bei sonstiger Zwangsstrafe zur Anmeldung einer für Zustellungen maßgeblichen Geschäftsanschrift in das FB verpflichtet; OLG Wien, NZ 2003/75, 286); der Umstand, dass eine für Zustellungen maßgebliche Geschäftsanschrift unbekannt ist; Kurzbezeichnung des Geschäftszweiges; Zweigniederlassungen (Geschäftsanschrift, abweichende Firma); Tag der Satzungsfeststellung bzw des Abschlusses des Gesellschaftsvertrages; Name und Geburtsdatum des Einzelkaufmanns; Name und Geburtsdatum organschaftlicher Vertreter, Vertretungsbeginn und -art; Name und Geburtsdatum von Prokuristen, Beginn und Art der Vertretung; Vereinbarungen nach §§ 25 Abs 2; 28 Abs 2 HGB; die begrenzte Dauer eines Unternehmens; Name und Geburtsdatum von Abwicklern (Liquidatoren), Vertretungsbeginn und -art, exekutions- und insolvenzrechtliche Verfügungsbeschränkungen und ihre Aufhebung, Namen der gesetzlichen Vertreter; Abweisung eines Konkursantrages mangels Masse (RdW 2000, 474; der Masseverwalter darf gemäß § 3 Z 13 und § 5 Z 6 FBG nicht als Gesellschafter einer GmbH eingetragen werden: ZIK 2003/86, 65 = wbl 2003/204, 344 = JUS Z/3512 = RdW 2003/324, 386; so auch ecolex 2003/143, 348 = RdW 2003/376, 447 = ZIK 2003/238, 169), die Zurückweisung des Antrags auf Eröffnung des Konkurses; Vorgänge und Rechtsgrund einer (Teil-)Betriebs-übertragung (Für die Anmeldung einer derartigen Übertragung ist der bisherige Firmeninhaber gemeinsam mit dem Erwerber verpflichtet. OLG Wien, NZ 2004/29, 92 = NZ 2004/28); sonstige gesetzlich vorgeschriebene Eintragungen. Der Übergang eines Anteils einer GmbH muss der Gesellschaft (dem Geschäftsführer) nachgewiesen werden. Der Geschäftsführer hat die formelle und materielle Richtigkeit des Übertragungsaktes und seine Wirksamkeit zu prüfen. Der Geschäftsführer haftet für diesbezügliche Erklärungen. Die Anmeldung des Gesellschafterwechsels ist vom Geschäftsführer oder einem Vertreter mit Spezialvollmacht vorzunehmen (ecolex 2003/178 = AnwBl 2004, 10).

3. Besondere Eintragungen. Die §§ 4–9 FBG zählen noch eine Reihe weiterer Eintragungen auf, die jeweils speziell für Einzelkaufleute, OHG, KG, OEG und KEG, für AG und GmbH, für Erwerbs- und Wirtschaftsgenossenschaften, für (große) Versicherungsvereine auf Gegenseitigkeit und für Sparkassen gelten. Bzgl der EWIV gibt über besondere Eintragungen § 3 EWIVG Auskunft.

a) Bei Einzelkaufleuten, Personengesellschaften des Handelsrechts und EEG (§ 4 FBG) sind zusätzlich zu den Tatsachen, die in § 3 FBG aufgezählt sind, einzutragen: Ehepakte, eine Sachwalterbestellung, Verlängerung der Minderjährigkeit und das Verlassenschaftsprovisorium (§ 32a HGB), Substitutionen und Anordnungen, die ihnen nach den §§ 707 bis 709 ABGB gleichzuhalten sind;

b) bei Personengesellschaften des Handelsrechts und EEG außerdem: der Tag ihres Beginns; Name und Geburtsdatum der nicht vertretungsbefugten persönlich haftenden Gesellschafter (gegebenenfalls ihre FB-Nummer); Name und Geburtsdatum der Kommanditisten (gegebenenfalls ihre FB-Nummer sowie die Höhe ihrer Vermögenseinlagen; auch jede diesbezügliche Änderung von Gesellschaftern: NZ 1999, 352); der Tag der Einreichung des Jahres- und Konzernabschlusses sowie deren Abschlussstichtag, falls die Einreichung des Jahresabschlusses oder des Konzernabschlusses vorgeschrieben ist.

c) Bei AG und GmbH sind ferner einzutragen (§ 5 FBG idF BGBl I 2004/67): Name und Geburtsdatum des Vorsitzenden, seiner Stellvertreter und der übrigen Mitglieder des AR; die Höhe des Grund- oder Stammkapitals, dessen Erhöhung oder Herabsetzung und die darauf gerichteten Beschlüsse sowie bei Aktiengesellschaften die Art der Aktie (Nennbetragsaktien oder Stückaktien) und bei Stückaktien deren Zahl; der Tag der Einreichung des Jahres- und Konzernabschlusses (§§ 277 bis 280 HGB) sowie deren Abschlussstichtag; die Verschmelzung in den Fällen der §§ 219 ff AktG, die Vermögensübertragung in den Fällen der §§ 235 ff AktG, die Umwandlung in den Fällen der §§ 239 ff AktG und nach dem UmwG, die Verschmelzung nach §§ 96 ff GmbHG sowie die Spaltung nach dem SpaltG; die beabsichtigte Verschmelzung durch Übertragung des Vermögens der Gesellschaft auf eine SE mit Sitz im Ausland und die Erfüllung der Gründungsbedingungen für die beabsichtigte Gündung einer Holding-SE; Urteile, durch die eine AG, eine GmbH oder ein in das FB eingetragener Beschluss der HV einer AG oder der GV einer GmbH rechtskräftig für nichtig erklärt werden; bei GmbH außerdem Name und Geburtsdatum der Gesellschafter, gegebenenfalls ihre FB-Nummer sowie ihre Stammeinlagen und die darauf geleisteten Einzahlungen. Gehören alle Anteile an einer AG alleine oder neben der Gesellschaft einem Aktionär, so ist dieser Umstand sowie der Name des Alleinaktionärs, gegebenenfalls sein Geburtsdatum bzw seine FB-Nummer einzutragen.

d) Bei SE (§ 5 a FBG idF BGBl I 2004/67) sind die für AG gem § 5 FBG vorgesehenen Angaben sowie folgende weitere Angaben einzutragen: im Falle der Sitzverlegung nach Österreich die bisherige Firma, der bisherige Sitz, das Register, bei dem die Gesellschaft früher geführt wurde, und die bisherige Nummer der Eintragung in diesem Register; die beabsichtigte Verlegung des Sitzes in einen anderen Mitgliedstaat; bei der Eintragung der Mitglieder des Verwaltungsrats auch eine allfällige Funktion als Vorsitzender, Stellvertreter des Vorsitzenden oder geschäftsführender Direktor.

e) Bei Erwerbs- und Wirtschaftsgenossenschaften (§ 6 FBG) sind ferner einzutragen: das Datum des Genossenschaftsvertrags; die Höhe des Geschäftsanteils und des Haftungsbetrags sowie die Art der Haftung der Genossenschafter; die Art und Weise der von der Genossenschaft ausgehenden Bekanntmachungen; die Verschmelzung nach dem GenVG; die Zugehörigkeit zu einem bestimmten Revisionsverband oder die Befreiung von der Verbandspflicht; die Durchführung der Revision und die Zeit, während welcher sie vorgenommen wurde, sowie der Tag der Einreichung eines Mängelberichts; der Abschlussstichtag sowie der Tag der Einreichung des Jahres- und Konzernabschlusses (§§ 277 bis 280 HGB), falls die Einreichung des Jahresabschlusses oder des Konzernabschlusses vorgeschrieben ist.

f) Zu VVaG und Sp vgl §§ 7, 8 FBG.

g) Bei allen Rechtsträgern mit Ausnahme der Einzelkaufleute sind einzutragen: die Auflösung und Fortsetzung, bei Personengesellschaften des Handelsrechts und EEG die Auflösung auch dann, wenn gleichzeitig ein neuer Rechtsträger eingetragen wird.

4. Verknüpfung mit den Daten des Zentralen Gewerberegisters. Die Gewerbebehörde ist verpflichtet, bei den im FB eingetragenen Rechtsträgern den Gewerberechtswortlaut, Gewerbeinhaber, gewerberechtlichen Geschäftsführer oder Pächter, Fortbetriebsberechtigten, Standort und die Zwangsverpachtung oder Zwangsverwaltung sowie alle Änderungen und Löschungen dieser Daten unverzüglich dem FB-Gericht mitzuteilen. Dieser Mitteilungspflicht wird durch Verknüpfung der Daten des Zentralen Gewerberegisters mit der Datenbank des FB nachgekommen (§ 13 Abs 2 FBG).

VI. Verfahren in Firmenbuchsachen

A. Außerstreitverfahren und Parteifähigkeit

1. Außerstreitfverfahren. Firmenbuchsachen sind Außerstreitsachen. Soweit nichts anderes bestimmt ist, sind die allgemeinen Bestimmungen des AußStrG, ausgenommen die §§ 72 bis 77 über das Abänderungsverfahren (§ 15 Abs 1 FBG) anzuwenden.

Der EuGH erachtet die Tätigkeit der ersten Instanz des FB-Gerichts (sowie der affinen mitgliedstaatlichen Registergerichte) nicht als Rechtsprechungstätigkeit iSd Art 234 EGV, weshalb er in stRsp die von erstinstanzlich tätigen Registergerichten gestellten Vorabentscheidungsersuchen zurückweist (EuGH C-477/00, wbl 2002/75: *„Holto Ltd“;* C-182/00, ecolex 2002, 184: *„Lutz GmbH“ (Zehetner);* C-86/00, EuZW 2001, 499 = NJW 2001, 3179: *„Wohnbau GmbH“; P. Burgstaller,* ecolex 2002, 216; *Bachner,* RdW 2001, 653; *Kodek/G. Nowotny/Umfahrer,* FBG § 9 HGB Rz 8). Dies gilt selbst dann, wenn das Erstgericht über Rekurse entscheidet. Das OLG als Rekursgericht und nahe liegender Weise auch der OGH (*Kodek/G. Nowotny/Umfahrer* aaO) dürfen hingegen sehr wohl Vorabentscheidungsansuchen stellen.

2. Rechtsfähigkeit. Rechtsträger, die ihre Rechtspersönlichkeit erst durch die Eintragung in das FB erlangen, sind im Verfahren über die erste Eintragung parteifähig und von den vorgesehenen Organen zu vertreten (§ 15 Abs 2 FBG). Insofern ist die Konstitutivität der Eintragung relativiert. Dennoch ist die antizipierte Parteifähigkeit kein Nachweis dafür, dass nach dem Normativsystem einzutragende Rechtsträger schon vor ihrer Eintragung uneingeschränkte Rechtsfähigkeit besäßen (wie die Lehre von der Vorgesellschaft meint). Wäre dem so, wäre § 15 Abs 2 FBG überflüssig.

B. Gerichtszuständigkeit

1. Sachlich zuständig sind die mit Handelssachen betrauten Gerichtshöfe 1. Instanz (§ 120 Abs 1 JN), für den Sprengel des LGZ Wien: das Handelsgericht Wien.

2. Örtlich zuständig ist das Gericht der Hauptniederlassung des Unternehmens (§ 120 Abs 2 JN). Bei *ausländischen Unternehmen* ist das Gericht der inländischen Zweigniederlassung zuständig; gibt es mehrere Zweigniederlassungen, ist jenes Gericht zuständig, welches als Erstes eine dieser Zweigniederlassungen registriert hat.

3. Zuständigkeitsvereinbarungen sind *unzulässig* (Zwangszuständigkeit).

4. Es entscheidet beim Gerichtshof 1. Instanz ein Einzelrichter; funktionell zuständig ist der Firmenbuchrechtspfleger; es gibt aber Angelegenheiten, die dem Richter vorbehalten sind.

C. Die zur Anmeldung Verpflichteten

Im Folgenden werden die zur Anmeldung Verpflichteten vorgestellt. Wer seiner diesbezüglichen Pflicht nicht nachkommt, kann dazu gerichtlich angehalten werden.

1. Einzelkaufmann. Sofern es um die Anmeldung eines Einzelkaufmanns geht, liegt nahe, dass ihn selbst die Pflicht zur Firmenbuchanmeldung trifft. Näherer Hinweise bedarf es bzgl anzumeldender juristischer Personen iSd § 33 HGB, Gesellschaften, Erwerbs- und Wirtschaftsgenossenschaften und Privatstiftungen.

2. Juristische Personen iS des § 33 HGB sind von sämtlichen Mitgliedern des Vorstandes zur Eintragung ins FB anzumelden.

Gleiches gilt für die übrigen Anmeldungen nach § 34 HGB. Sobald Anmeldungen nach der Anmeldung der ersten Liquidatoren erfolgen, sind sie von den Liquidatoren durchzuführen. Die Eintragung gerichtlich bestellter Vorstandsmitglieder oder Liquidatoren erfolgt von Amts wegen.

Sind Erwerber und Veräußerer eines Handelsgeschäftes im gleichen FB eingetragen, sind sie zur gemeinsamen Anmeldung des Inhaberwechsels verpflichtet (ecolex 1997, 675 = GesRZ 1997, 180 = RdW 1997, 335).

3. Personengesellschaften

a) Die OHG/OEG (künftig: OG) als solche und Änderungen des Gesellschaftsvertrages sind von allen Gesellschaftern vorzunehmen, auch wenn sie nicht geschäftsführungs- und vertretungsbefugt sind (§§ 108, 143

HGB; HS 1409; 4103; 7118). Scheidet ein Gesellschafter aus, hat auch er bei der Anmeldung des Ausscheidens mitzuwirken (GesRZ 1979, 71). Die Anmeldepflicht ist eine solche *öffentlichen* Rechts. Daneben besteht eine entsprechende *zivilrechtliche* Anmeldepflicht, die im Gesellschaftsvertrag ihre Grundlage hat. Der auf Mitwirkung bei der Anmeldung geklagte Gesellschafter kann nur Einwendungen geltend machen, die sich gegen das Bestehen seiner öffentlich-rechtlichen Anmeldepflicht richten, nicht aber zB Einwendungen aus nicht erfülltem Vertrag (wbl 2000, 90; 2001, 42).

Anmeldungen, die nicht den Gesellschaftsvertrag betreffen, sind von vertretungsbefugten Gesellschaftern zu bewirken; auch gemischte Gesamtvertretung ist zulässig.

b) Die KG/KEG (künftig: KG) und Vertragsrelevantes ist von allen ihren Gesellschaftern zum FB anzumelden, also auch von den Kommanditisten. Sonstige Anmeldungen sind von Komplementären nach Maßgabe ihrer Vertretungsbefugnis vorzunehmen; auch gemischte Gesamtvertretung ist erlaubt.

Wird eine Gesellschaft angemeldet, an der Minderjährige beteiligt sind, und wären sie auch nur Kommanditisten, so ist die Genehmigung des Pflegschaftsgerichts oder die Bestätigung, dass diese entbehrlich ist, vorzulegen (JBl 1996, 461 = RdW 1996, 12 = NZ 1996, 278 = GesRZ 1996, 43).

c) EWIV. Sie ist von sämtlichen ihrer Mitglieder anzumelden, ebenso Änderungen des Gründungsvertrages sowie die Bestellung der jeweiligen Geschäftsführer oder Abwickler sowie das Erlöschen oder eine Änderung der Vertretungsbefugnis.

Die sonst gesetzlich vorgeschriebenen Eintragungen sind von den Geschäftsführern oder Abwicklern anzumelden. Vgl § 2 Abs 2 EWIVG. Weitere fakultative Anmeldungsrechte regelt § 2 Abs 3 EWIVG.

4. Kapitalgesellschaften

a) Die AG ist von allen Gründern, Vorstands- und Aufsichtsratsmitgliedern anzumelden (§ 28 Abs 1 AktG). Sonstige Anmeldungen hat der Vorstand durchzuführen. Dazu ist nicht der Gesamtvorstand erforderlich; es genügt die Anmeldung durch vertretungsbefugte Vorstandsmitglieder; gemischte Gesamtvertretung ist erlaubt. Änderungen des Grundkapitals sind vom Vorstand gemeinsam mit dem Vorsitzenden des Aufsichtsrats bzw seinem Stellvertreter anzumelden (§§ 151, 162, 176, 180, 182, 192 AktG).

b) Die GmbH ist von allen Geschäftsführern anzumelden (§ 9 Abs 1 GmbHG). Die Gesellschafter wirken nicht mit (GesRZ 1994, 305). Die Geschäftsführer sind den Gesellschaftern, nicht der Öffentlichkeit verpflichtet.

Ein noch nicht wirksam bestellter Geschäftsführer ist nicht anmeldebefugt (ecolex 1998, 639); wohl aber kann ein mit Wirkung zum Tag nach der Anmeldung zum FB zurückgetretener Geschäftsführer die Anmeldung durchführen (ecolex 1997, 505 Anm

Zehetner = RdW 1997, 321 Anm *Nowotny*). Da die Bestellung eines GmbH-Geschäftsführers idR mit Fassung des diesbezüglichen Gesellschafterbeschlusses sofort wirksam ist und der Firmenbucheintragung nur deklarative Wirkung zukommt, ist auch ein neu bestellter Geschäftsführer bereits anmeldungsbefugt. Erfolgt die Bestellung jedoch unter der aufschiebenden Bedingung der Eintragung im Firmenbuch, so kommt dem neu bestellten Geschäftsführer keine Antragslegitimation zu (OLG Wien, NZ 2002/107, 283).

Wird der Übergang eines Geschäftsanteils nachgewiesen, besteht eine Anmeldeverpflichtung der Geschäftsführer, die im Interesse des Geschäftsverkehrs und Gläubigerschutzes nötigenfalls mit Zwangsstrafen durchzusetzen ist; die Geschäftsführer haften für die Richtigkeit der Angaben. Erlangt das FB-Gericht von einem Abtretungsvorgang Kenntnis, hat es auf die Eintragung des Gesellschafterwechsels im FB zu dringen. Besteht eine Anmeldungspflicht im öffentlichen Interesse, ist das Zwangsstrafenverfahren selbst das durchzuführende Verbesserungsverfahren. Die Anmeldung des Gesellschafterwechsels ist eine Wissenserklärung, die vom Geschäftsführer persönlich abzugeben ist; eine Vertretung setzt eine Spezialvollmacht voraus (RdW 2004/124, 156).

5. Erwerbs- und Wirtschaftsgenossenschaften sind vom ersten Vorstand, sofern er noch nicht bestellt ist, von den hiezu im Genossenschaftsvertrag bestimmten Personen (Gründern) anzumelden (§ 16 GenG).

6. Sparkassen. Der Sparkassenvorstand hat die Änderung jeder in das FB einzutragenden Tatsache und jede Satzungsänderung dem FB-Gericht unverzüglich bekannt zu geben. Die Finanzmarktaufsicht (FMA) hat Abschriften diesbzgl Bescheide dem FB-Gericht zu übermitteln (§ 30 SpG). Die Verschmelzung von Sparkassen ist vom Vorstand jeder Sparkasse zur Eintragung in das FB des Sitzes seiner Sparkasse anzumelden (§ 25 Abs 4 SpG). Die Löschung der Sparkasse haben die Abwickler zu veranlassen (§ 27 Abs 8 SpG).

7. Privatstiftungen sind vom ersten Stiftungsvorstand anzumelden (§ 12 Abs 1 PSG). Sonstige Eintragungen meldet der Stiftungsvorstand an; so Änderungen der Stiftungserklärung, bestimmte Fälle der Auflösung der Privatstiftung, den Schluss der Abwicklung sowie die Umwandlung einer Stiftung nach dem BStFG in eine Privatstiftung (§§ 33 Abs 3; 35 Abs 5; 37; 38 Abs 3 PSG).

8. Sonstiges

a) Anmeldebefugnis des Masseverwalters: Zur Anmeldung einer während des Konkurses der Gesellschaft beschlossenen Firmenänderung ist nur der Masseverwalter legitimiert, nicht auch der Geschäftsführer. Hat der Gläubigerausschuss der Firmenänderung nicht zugestimmt, und wurde dieser Beschluss vom Konkursgericht nicht ausdrücklich untersagt, dann hat auch der Masseverwalter einen Antrag auf Eintragung der Firmaänderung zu unterlassen (ZIK 2003/130, 95 = RdW 2003/375, 446 = ecolex 2003/211, 529 = ÖJZ EvBl 2003/122, 559 = RZ 2003, 214 = GesRZ 2003, 168 = AnwBl 2004, 88). Ein im Konkurs befindlicher persönlich haftender Gesellschafter kann die Löschung ohne Zustimmung des Konkursgerichtes bzw des Masseverwalters nicht beantragen (OLG Wien, NZ 2005, 95).

b) Ersetzung der Anmeldebefugnis durch Gerichtsurteil: Ein (rechtskräftiges) Feststellungsurteil, mit dem zB festgestellt wird, dass ein Gesellschafter (hier: Kommanditist) zur Mitwirkung an der Anmeldung zur Eintragung der Auflösung der KG und zur Eintragung von Liquidatoren verpflichtet ist, stellt – ungeachtet der Möglichkeit, bereits ein Leistungsurteil zu erwirken – einen geeigneten Titel dar, diese Mitwirkung an den vorzunehmenden Anmeldungen zum FB iSd § 16 Abs 1 HGB zu ersetzen. Wie auch bei anderen sog „materiellrechtlichen Feststellungsklagen" ist das Feststellungsinteresse hier nicht gesondert zu behaupten und zu überprüfen (RdW 2004/613, 667 = EvBl 2005/13, 63).

c) Vertretungsfragen: Die (bloße) Anmeldung von anmeldungspflichtigen Umständen zum FB ist nicht vertretungsfeindlich. Ist jedoch eine Erklärung abzugeben, die den sonst erforderlichen Nachweis der Voraussetzungen für die angemeldete Eintragung ersetzt und für deren Inhalt der Anmeldende haftet, wird gefordert, dass diese Erklärung vom Anmeldepflichtigen entweder persönlich abgegeben wird oder dass er dem Einschreiter eine die Abgabe dieser Erklärung deckende Spezialvollmacht erteilt hat. Ein Eintragungsbegehren, das sich auf den angestrebten Firmenbuchstand beschränkt und die Löschung bestimmter Eintragungen, die es zwangsläufig voraussetzt (hier: des abtretenden und zur Gänze ausscheidenden Gesellschafters), nicht gesondert beantragt, genügt dem Bestimmtheitserfordernis des § 16 FBG (OLG Wien, ecolex 2004/93, 185).

D. Eröffnung des Verfahrens

1. Anmeldung einer Eintragung. Die begehrte bzw erforderliche Eintragung ist in der Anmeldung bestimmt zu bezeichnen. Eine Anmeldung zum FB ist idR schriftlich einzubringen; nur unter berücksichtigungswürdigen Umständen kann eine Anmeldung lediglich zu Protokoll erklärt werden (§ 16 FBG). Mit der Anmeldung wird das Eintragungsverfahren eröffnet.

2. Musterzeichnung. Für die Eintragung erforderliche Unterschriften bedürfen der Musterzeichnung. Anmeldung und Musterzeichnung sind persönlich vorzunehmen *oder* in öffentlich beglaubigter Form einzureichen. Auch eine Vollmacht zur Anmeldung bedarf dieser Form (§ 12 HGB).

Die Firmenbuchanmeldung durch den Erben des verstorbenen Firmeninhabers ist ungeachtet der abhandlungsbehördlichen Genehmigung der Antragstellung zu beglaubigen (OLG Wien, NZ 2002/102, 275).

3. Vereinfachte Anmeldung. In bestimmten Fällen wird vom Beglaubigungsgebot abgesehen (**„vereinfachte Anmeldung"** nach § 11 FBG). Hier genügt die Unterfertigung namens des Rechtsträgers durch vertretungsbefugte Personen in der zur Vertretung notwendigen Anzahl. Urkunden müssen nicht vorgelegt werden (ecolex 2002/10, 25).

Gemeint sind: Anmeldungen, welche die für Zustellungen maßgebliche *Geschäftsanschrift* (OLG Linz HS 24.027), den *Geschäftszweig,* den Vorsitzenden, seine Stellvertreter und die übrigen *Mitglieder des AR* sowie die *Gesellschafter einer GmbH,* deren *Stammeinlagen* oder die darauf geleisteten *Einzahlungen* betreffen. Auch beim *Jahresabschluss* ist keine beglaubigte Einreichung erforderlich (NZ 1999, 94). Die Anmeldung der *Änderung des Namens des Gesellschafters* kann vom Geschäftsführer in vereinfachter Form vorgenommen werden (RdW 2001/562, 537 = ecolex 2001/279, 752 = RWZ 2001/61, 191 = wbl 2002/26, 40; wbl 2003/89, 142 = ecolex 2003/178, 424).

Die vereinfachte Anmeldung kann auch von einem Rechtsanwalt oder einem Notar als Vertreter des Anmeldepflichtigen unter Berufung auf eine ihm hierfür erteilte Spezialvollmacht vorgenommen werden (ecolex 2004/132, 283 = GeS 2004, 30 = AnwBl 2004, 334; OLG Wien, ecolex 2004/93). Rechtsanwälte und Notare können sich bei der vereinfachten Anmeldung auf die ihnen erteilte Vollmacht berufen, ohne diese vorlegen zu müssen (NZ 2001, 336).

Die Anmeldung der Übertragung eines Geschäftsanteils einer GmbH beim FB-Gericht hat entweder durch den Geschäftsführer persönlich zu erfolgen (vereinfachte Anmeldung genügt; ecolex 2004/132, 283 = GeS 2004, 30 = AnwBl 2004, 334; vgl auch GeS 2003, 444 = RdW 2003/627) oder dieser muss eine *Spezialvollmacht* erteilen. Da der Geschäftsführer die formelle und materielle Richtigkeit des Übertragungsaktes und seine Wirksamkeit prüft und für die Richtigkeit seiner Erklärung haftet, ist die Anmeldung des Gesellschafterwechsels zum FB durch einen Rechtsanwalt unter Hinweis auf eine allgemeine Vollmachtserteilung nicht ausreichend, vielmehr ist eine *Spezialvollmacht* durch den Geschäftsführer erforderlich (wbl 2003/89, 142 = ecolex 2003/178, 424). Die vorzulegende Spezialvollmacht muss die gleiche Form wie die Anmeldung aufweisen. Wenn der Geschäftsführer die schriftliche Anmeldung – wenn auch gem § 11 FBG nicht beglaubigt – fertigen muss, hat auch die Erteilung der Spezialvollmacht schriftlich mit der Unterschrift des Vollmachtgebers zu erfolgen (ecolex 2004/132, 283 = GeS 2004, 30 = AnwBl 2004, 334; *Saurer,* AnwBl 2004, 542; vgl auch GeS 2003, 444 = RdW 2003/627).

4. Rechtsnachfolger eines Beteiligten haben die Rechtsnachfolge soweit tunlich durch öffentliche Urkunden nachzuweisen (§ 12 Abs 2 HGB).

5. Antizipierte Parteifähigkeit. Bemerkenswert ist, dass Rechtsträger, die erst durch Eintragung entstehen, bereits im Verfahren über die erste Eintragung parteifähig sind und von den vorgesehenen Organen vertreten werden können (§ 15 Abs 2 FBG). „Nachwirkende Parteifähigkeit“: Auch eine als „aufgelöst und vollbeendet“ im FB gelöschte Gesellschaft (hier: KEG) ist parteifähig, RdW 2000, 416. Zur Fortsetzung eines Passivprozesses gegen eine gelöschte GmbH: RdW 1999, 414 = ecolex 1999/161.

6. Vermutete Vertretungsmacht des Notars. Hat ein inländischer Notar (RZ 1995, 235/67) eine einzutragende Erklärung beurkundet oder beglaubigt, genügt dies, um im Namen des Anmeldungspflichtigen anzumelden, Zustellungen entgegenzunehmen und Rechtsmittel zu erheben (§ 23 FBG).

Ein ausländischer Notar hat die ihm vom Anmeldenden erteilte Vollmacht urkundlich nachzuweisen (EvBl 1994/136).

7. Anmeldung einer Änderung. Hat sich eine eingetragene Tatsache geändert, ist die Änderung unverzüglich anzumelden (bzgl jeder Änderung von Gesellschaften: NZ 1999, 352). Das FB-Gericht hat die Eintragung entsprechend zu ändern bzw im Fall ihrer Unzulässigkeit zu löschen (§ 10 Abs 1 FBG).

E. Prüfung der Anmeldung

1. Formelle Prüfpflicht. Das FB-Gericht prüft die Zulässigkeit einer Anmeldung in erster Linie nach formalen Gesichtspunkten. Ist es zuständig? Ist der Anmeldende hinreichend legitimiert? Sind die angemeldeten Tatsachen eintragungsfähig? Ist die Anmeldung ihrer Form nach korrekt? Weist sie die gebotenen Inhaltsmerkmale auf?

2. Materielle Prüfpflicht. Ob die Anmeldung auch inhaltlich richtig ist, also der Wahrheit entspricht, ist hingegen nur dann zu prüfen, wenn das FB-Gericht diesbzgl Zweifel hat. Dies schmälert jedoch grundsätzlich nicht die Pflicht des FB-Gerichts zur amtswegigen materiellen Prüfung der Anmeldung.

Das FB-Gericht hat auf Grund des Untersuchungsgrundsatzes jedes Eintragungsgesuch in formeller und materieller Hinsicht zu prüfen, wobei die materielle Prüfpflicht sowohl in tatsächlicher als auch in rechtlicher Hinsicht besteht (OLG Wien, NZ 2004, 92 = GBU 2004/04/01). Das FB-Gericht hat im Rahmen seiner amtswegigen Prüfpflicht die Eintragungsvoraussetzungen in formeller und materieller Hinsicht zu prüfen, insb, ob die begehrte Eintragung gegen zwingende handelsrechtliche Normen verstößt, ob der Gläubigerschutz beeinträchtigt erscheint, ob Vorschriften über die Sachgründung, das Verbot der Einlagenrückgewähr oder das Verbot des Erwerbs eigener Geschäftsanteile verletzt wurde; eine Prüfpflicht in steuerrechtlicher Hinsicht besteht nicht (RdW 2001/616, 595 = RWZ 2001/101, 323; ecolex 2004/15, 46 = GBU 2005/01/02). Im Fall einer bereits erfolgten fehlerhaften Eintragung kann das Gericht eine Eintragung von Amts wegen löschen, wenn sie mangels einer wesentlichen Voraussetzung unzulässig ist oder wird. Eine auf fehlerhafter Grundlage erfolgte Eintragung einer Gesellschaft lässt sich nicht im Wege der Abweisung des den Mangel nicht begründenden Antrages auf Eintragung einer Änderung des Gesellschaftsvertrages sanieren (ecolex 2004/15, 46 = GBU 2005/01/02).

Das FB-Gericht hat nicht die öffentlich-rechtlichen Voraussetzungen für die Führung des Unternehmens zu prüfen. So darf die Eintragung nicht verweigert werden, weil die Führung eines Apothekenbetriebes ohne Konzession unzulässig ist; wohl aber ist zu prüfen, ob das Unternehmen überhaupt besteht (ecolex 1994, 762). Nicht zu prüfen sind die Erfüllung steuerlicher Voraussetzungen eines Zusammenschlusses (NZ 1997, 191) und Ansprüche Dritter (EvBl 1999/66). Bei der Anmeldung zum FB eines ihm nachgewiesenen Gesellschafterwechsels müssen vom Geschäftsführer der GmbH keine Urkunden vorgelegt werden. Eine Prüfung der Unzulässigkeit des Abtretungsvorganges erfolgt nur, wenn aufgrund vorgelegter Urkunden durch den Geschäftsführer Bedenken an der Zulässigkeit der Abtretung bestehen (RdW 2001/614, 594).

Sehr wohl aber ist das FB-Gericht zu amtswegiger Prüfung verpflichtet, wenn der Verdacht einer Umgehung des AuslBG besteht (RPfl 1996/1, 20); es hat ferner bei Eintragung eines Betriebsüberganges dessen handelsrechtliche Voraussetzungen zu prüfen (RdW 1997, 579) und bei Anmeldung der „Steuerspaltung“ einer GmbH, ob ein Verstoß gegen das Verbot der Einlagenrückgewähr vorliegt (AnwBl 1998, 288). Das FB-Gericht hat insb von Amts wegen zu prüfen, ob sich die einzutragende Firma deutlich von den nach § 30 HGB geschützten unterscheidet (JBl 1997, 468). Allgemein zur formellen und materiellen Prüfungspflicht bei Eintragung eines Gesellschafterwechsels bei der GmbH vgl NZ 1997, 128; zur Änderung des Namens eines GmbH-Gesellschafters, wbl 2000, 382.

Das FB-Gericht hat die Eintragung in Fällen absoluter Nichtigkeit, unwirksamer Scheinbeschlüsse oder bei gegen öffentliche Interessen verstoßenden Verletzungen zwingender Bestimmungen des GmbHG abzulehnen. Die bloße Anfechtbarkeit eines Gesellschafterbeschlusses hindert seine Eintragung im FB jedoch nicht (OLG Wien, NZ 2002/107, 283). Vgl demgegenüber: Das FB-Gericht hat nicht die Rechtmäßigkeit des Zustandekommens von Gesellschafterbeschlüssen zu prüfen (NZ 1996, 251; 1997, 186).

Zweifel an der Bewertung der Sacheinlagen lösen die materielle Prüfpflicht des FB-Gerichts aus (RdW 2004/122, 154 = GeS 2004, 153). Entstehen solche Zweifel nicht, besteht keine Pflicht des FB-Gerichts, solche Bewertungen zu kontrollieren. Das FB-Gericht hat in Entsprechung seiner Pflicht zur amtswegigen Wahrheitserforschung den maßgeblichen Sachverhalt nur dann aus eigenem zu ermitteln und sachdienliche Erhebungen durchzuführen, wenn Zweifel an der Richtigkeit der dem Gesuch zugrunde liegenden Tatsachen (hier: am rechtswirksamen Zustandekommen des Abtretungsvertrags) bestehen (OLG, NZ 2002/122, 310). Eine Prüfung des Abtretungsvorganges durch das FB-Gericht erfolgt dann, wenn der Geschäftsführer Urkunden vorgelegt hat und danach Bedenken an der Zulässigkeit der Abtretung bestehen (SZ 70/268; ecolex 2002/10, 25). Hegt das FB-Gericht Bedenken gegen die Angaben der Beteiligten in einem Einbringungsvertrag und gegen die dort vorgenommenen Qualifikationen, hat es von Amts wegen den Sachverhalt zu erheben und gegebenenfalls iSd § 17 FBG vorzugehen (ecolex 2001/17, 47 = NZ 2001, 337 = SZ 73/71).

Da Geschäftsführer zur Prüfung der formellen und materiellen Richtigkeit des Übertragungsaktes vor Anmeldung eines Gesellschafterwechsels verpflichtet sind und für die Richtigkeit seiner Angaben gegenüber dem FB-Gericht haften, ist die Prüfungspflicht des FB-Gerichts insofern eingeschränkt. Eine generelle Pflicht zur Vorlage des Abtretungsvertrages besteht nicht. Fehlen im Eintragungsgesuch jedoch jegliche konkrete Angaben über die Abtretung des Geschäftsanteils, so kann nicht einmal eine eingeschränkte Prüfung erfolgen (RdW 2001/562, 537 = ecolex 2001/279, 752 = RWZ 2001/61, 191 = wbl 2002/26, 40).

F. Verbesserung der Anmeldung

1. Unvollständige oder sonst behebbar mangelhafte Anmeldungen sind auf Auftrag des FB-Gerichts in gesetzter, angemessener Frist, erforderlichenfalls unter der notwendigen gerichtlichen Anleitung, zu verbessern. Das FB-Gericht erteilt einen **Verbesserungsauftrag.** War die Anmeldung gesetzlich befristet, so wird die rechtzeitig verbesserte Anmeldung als am Tag ihres ersten Einlangens überreicht angesehen (§ 17 FBG).

Zur grundsätzlichen *Einheit des Anmeldungsbegehrens:* RdW 1994, 175. Beachte jedoch: Werden in einer Anmeldung mehrere, voneinander rechtlich unabhängige Eintragungen begehrt, von denen nur einzelne zu bewilligen sind, darf dies nicht zur Abweisung des gesamten Begehrens führen (AnwBl 1995, 910 Anm *Müller*). Solange ein Verbesserungsauftrag besteht, ist die angemeldete Tatsache nicht einzutragen (NZ 1995, 70). Bei Vorliegen eines Abweisungsgrundes hinsichtlich eines von mehreren miteinander verbundenen Eintragungsbegehren ist vor Abweisung des gesamten Gesuches ein Verbesserungsverfahren einzuleiten, um klarzustellen, ob der Einschreiter auch eine nur teilweise Stattgebung seines Gesuches anstrebt (GesRZ 2005, 44).

Besteht für die eintragungspflichtige Tatsache eine Anmeldungspflicht im öffentlichen Interesse, die zwangsweise durchzusetzen ist, ist das *Zwangsstrafverfahren* zugleich auch das bei mangelhaften Anträgen durchzuführende Verbesserungsverfahren (ecolex 2004/132, 283 = GeS 2004, 30 = GBU 2004/01/06 = AnwBl 2004, 334; vgl auch GeS 2003, 444 = RdW 2003/627).

Bei Änderungen eines GmbH-Gesellschaftsvertrages muss mit der Anmeldung der Änderung die notariell beurkundete Fassung des Gesellschaftsvertrages in seinem vollständigen Wortlaut vorgelegt werden. Dies gilt auch bei vollkommener Neufassung der Satzung. Die Eintragung nur der mängelfreien Bestimmungen des Gesellschaftsvertrages bei gleichzeitiger Ablehnung der mangelhaften Bestimmungen kommt nicht in Betracht. Gelangt das FB-Gericht bei der Inhaltsprüfung der Satzung zu dem Ergebnis, dass von mehreren Änderungen eine einzelne mit zwingendem GmbH-Recht nicht vereinbar ist und bleibt ein auf die Behebung dieses Mangels abzielender Verbesserungsversuch erfolglos, so hat es gemäß dem Grundsatz der Einheitlichkeit des Firmenbuchgesuches die Eintragung der Satzungsänderung insgesamt abzulehnen (OLG Wien, NZ 2004/27, 87 = GBU 2004/04/02).

Misslingt die Verbesserung oder erfolgt sie nicht rechtzeitig, ist die Anmeldung zurück- oder abzuweisen.

2. Bloße Schreibfehler und offenbare Unrichtigkeiten sind auf Antrag oder von Amts wegen zu berichtigen. Offensichtlich unwesentliche Berichtigungen müssen nicht bekannt gemacht werden (§ 26 FBG).

G. Verfügungen zu Lasten der Rechte eines Eingetragenen

Soll durch eine Verfügung des FB-Gerichts in Rechte eines Eingetragenen eingegriffen werden, ist er hievon zu verständigen und zur Äußerung innerhalb angemessener (mindestens 14-tägiger) Frist aufzufordern. Wer schweigt, scheint einverstanden (§ 18 FBG). Gemäß § 18 FBG ist nur zu verständigen, wer nach dem Verfahrensgegenstand (dem amtswegig angestrebten oder beantragten Verfahrensziel) in seiner auf der Eintragung beruhenden Rechtsstellung beschränkt werden soll.

Diese Gesetzesbestimmung wird eng ausgelegt (EvBl 1994/152; ecolex 1995, 418). Ein Anspruch auf Verständigung nach § 18 FBG besteht nicht (wbl 1994, 278).

H. Unterbrechung des Verfahrens

Hängt die Entscheidung über die Eintragung, Änderung oder Löschung vom Bestehen oder Nichtbestehen eines Rechtsverhältnisses ab, das in einem anderen Gerichts- oder Verwaltungsverfahren festzustellen ist, *kann* das FB-Gericht sein Verfahren bis zur rechtskräftigen Entscheidung des anderen unterbrechen (§ 19 Abs 1 FBG). Die Unterbrechung ist aber dann zu unterlassen, wenn das rechtliche oder wirtschaftliche Interesse an einer raschen Erledigung erheblich überwiegt (§ 19 Abs 2 FBG).

§ 19 Abs 1 FBG sieht eine Unterbrechung wegen eines anhängigen Vorabentscheidungsverfahrens nicht vor (OLG Wien, NZ 2002/153, 369). Nur wenn ein bereits anhängiges Verfahren präjudiziell ist, ist das Firmenbuchverfahren zu unterbrechen. Jedoch sind auch die Erfolgsaussichten einer Klage vom FB-Gericht zu berücksichtigen. Es ist aber auch zu prüfen, ob die Fragen mit den Mitteln des Außerstreitverfahrens geklärt werden können. Gegen den Unterbrechungsbeschluss ist vorzubringen, dass ein konkretes rechtliches oder wirtschaftliches Interesse an der raschen Erledigung des Firmenbuchverfahrens erheblich überwiegt. Dies ist dann nicht gegeben, wenn der im FB eingetragene Gesellschafter weder die Abberufung und Bestellung eines Geschäftsführers oder eine Satzungsänderung verhindern kann noch ein Minderheitsrecht (etwa ein Sonderprüfungsverfahren gemäß § 45 GmbHG) rechtsmissbräuchlich auszuüben beabsichtigt (OLG Wien, NZ 2005, 96).

I. Rechtsmittel und Ende des Verfahrens

1. Beschluss. Das FB-Gericht entscheidet über die Eintragung mit Beschluss, der deren Wortlaut zu enthalten hat.

2. Rechtsmittelverfahren. Für dieses gelten die Vorschriften des AußStrG, ausgenommen die §§ 72 bis 77 über das Abänderungsverfahren.

Das Gericht 1. Instanz hat den Beschluss des Rechtsmittelgerichts, mit dem eine Eintragung rechtskräftig geändert oder aufgehoben wird, zu vollziehen (§ 20 FBG).

a) Fälle zulässiger Rechtsmittel. Gesellschafter einer GmbH sind nur dann rekurslegitimiert, wenn sie durch den Beschluss des FB-Gerichts in ihrer Rechtssphäre berührt sind (NZ 1996, 277); eine Interessenvertretung nur, soweit sie für den (unrichtig eingetragenen) Rechtsträger zuständig ist (AnwBl 1996, 75); ein GmbH-Gesellschafter ist rekurslegitimiert hinsichtlich der Eintragung eines seine Gesellschafterstellung betreffenden Gesellschafterwechsels (NZ 1997, 128); auch wenn ein solcher Gesellschafter noch nicht eingetragen ist, sofern es um das seiner Eintragung dienende Verfahren geht (GesRZ 1998, 211); ein Mitgesellschafter, wenn ihm der ausscheidungswillige Gesellschafter trotz bestehenden Vorerwerbsrechts den Gesellschaftsanteil nicht angeboten hat (NZ 1997, 332); ein Firmenrechtsträger hat ein Revisionsrekursrecht im Amtslöschungsverfahren wegen unzulässiger Firma (JBl 1999, 60); rekursberechtigt ist auch ein Firmenrechtsträger, der sich durch eine eingetragene neue Firma in seinem Ausschließlichkeitsrecht verletzt fühlt, mag er auch kein Recht auf Verständigung von der strittigen Firmenbucheintragung haben (JBl 1997, 468). Der GmbH-Gesellschafter ist im Verfahren über die amtswegige Löschung der Gesellschaft rechtsmittelbefugt (RdW 2003/23, 20 = ecolex 2003/251, 602 = GesRZ 2003, 101). Zum Rekursrecht neuer GmbH-Gesellschafter: wbl 1999, 21 = ecolex 1999/39.

Äußert sich ein Beteiligter, der nach § 18 FBG ordnungsgemäß zur Äußerung zu einem Antrag aufgefordert wurde, nicht, so verliert er zwar nicht das Rekursrecht als solches, kann aber das versäumte Vorbringen nicht in Form von Neuerungen im Rekurs nachtragen (OLG Wien, NZ 2004/28, 90).

Der mit dem Konkursantrag nicht einverstandene GmbH-Geschäftsführer ist gem § 69 Abs 3 und 4 KO als organschaftlicher Vertreter zur Einbringung des Rekurses gegen den vom anderen Geschäftsführer erwirkten Konkurseröffnungsbeschluss berechtigt. Seine Eintragung ins FB ist hierfür nicht erforderlich. § 15 Abs 1 HGB steht dieser Beurteilung nicht entgegen, weil diese Vorschrift infolge ihrer Verkehrsschutzfunktion nur für den Geschäftsverkehr gilt und daher insb bei der Beurteilung der Vertretungsbefugnis des Geschäftsführers im Konkurseröffnungsverfahren nicht anwendbar ist (vgl SZ 62/160; EvBl 1979/202; RdW 2004/126, 158).

b) Fälle, in denen kein Rechtsmittel zulässig ist. Kein Rechtsmittel besteht bei mit der Firmenbucheintragung nicht im Zusammenhang stehenden Wettbewerbsverstößen (ecolex 1995, 418; GesRZ 1996, 182; NZ 1996, 67); nicht rekurslegitimiert ist ein Aktionär, der die Eintragung eines Umwandlungsbeschlusses bekämpfen will (NZ 1997, 165); überhaupt ein Minderheitsaktionär im Firmenbuchverfahren (RdW 1999, 209 = EvBl 1999/99); auch ein Dritter, der eine amtswegige Löschung, zB wegen Verstoßes gegen den Firmenausschließlichkeitsgrundsatz, angeregt hat (NZ 1997, 374; RdW 1995, 141 = wbl 1995, 123). Kein Rechtsmittel steht gegen eine Verständigung iS des § 18 FBG zu (ecolex 2000, 515; GesRZ 2000, 86; RdW 2000, 475); auch nicht gegen die Androhung einer Zwangsstrafe (GesRZ 1999, 182). Bei einer Down-stream-Verschmelzung steht einem Gläubiger der übernehmenden Gesellschaft kein Rekursrecht gegen die vom FB-Gericht angeordnete Löschung der übertragenden Gesellschaft, die Übertragung von deren Vermögen auf die übernehmende Gesellschaft und die Eintragung der Verschmelzung zu (GesRZ 2001, 87 = RdW 2001/376, 342 = ecolex 2001/179, 537 = RWZ 2001/36, 100 = NZ 2002/95, 247). Gegen die Ablehnung der Anregung zur amtswegigen Löschung der Firmenbucheintragung einer Firma steht kein Rekurs zu, weil eine derartige Anregung kein Mittel zur Durchsetzung des Anspruches auf Firmenausschließlichkeit ist (GesRZ 1994, 305; wbl 1995, 123).

Keine Rekurslegitimation liegt bei bloßer **Aufforderung zur Vornahme einer Einreichung** zum FB vor (OLG Wien, NZ 2002/124, 312).

Verbesserungsaufträge in FB-Sachen sind nicht anfechtbar; ebenso wenig sind die Aufforderung der Vornahme einer vom Gericht für geboten erachteten Anmeldung und die Androhung der Einleitung eines Zwangsstrafenverfahrens anfechtbar (OLG Wien, NZ 2001, 409).

Gegen die **Abweisung des Unterbrechungsantrags** durch die Vorinstanzen ist gem § 19 Abs 3 FBG kein Rechtsmittel zulässig, weil kein Fall einer zwingend vorgeschriebenen Verfahrensunterbrechung vorliegt; der Revisionsrekurs ist somit absolut unzulässig (ecolex 2004/372, 796; ecolex 2005/94, 218).

Die bloße **Androhung einer Zwangsstrafe** kann nicht angefochten werden (RdW 2005/116, 92; GesRZ 1999, 182). Erteilt das FB-Gericht den Gesellschaftern einer GmbH den Auftrag, einen Geschäftsführer zu bestellen und Jahresabschlüsse vorzulegen, widrigenfalls ein Zwangsstrafenverfahren eingeleitet werde, so ist ein Rekurs gegen diese Androhung als unzulässig zurückzuweisen (RdW 2002/497, 533 = wbl 2002/292, 422 = ecolex 2002/346, 888).

Den Parteien steht zwar zu, ihr erstinstanzliches Vorbringen im Rechtsmittelverfahren zu ergänzen, es ist ihnen aber nicht die Nachholung eines schon in erster Instanz möglichen, jedoch verabsäumten Tatsachenvorbringens gestattet (OLG Wien, NZ 2003/22, 57; NZ 2002/65, 154). So auch OLG Wien, NZ 2002/111, 286: Rechtsmittel sind erst gegen die tatsächliche Verhängung, nicht aber bereits gegen die bloße Androhung einer Zwangsstrafe zulässig. Auch der Auftrag zur Vornahme einer Einreichung beim FB unter Androhung einer Zwangsstrafe ist nicht anfechtbar (OLG, NZ 2003/20, 57).

3. Zustellungen und Benachrichtigungen. Der Beschluss über die Eintragung ist dem Antragsteller, dem „Betroffenen", der zuständigen gesetzlichen Interessenvertretung und bei Erwerbs- und Wirtschaftsgenossenschaften dem zuständigen Revisionsverband zuzustellen (§ 21 FBG). Das zuständige Finanzamt für Gebühren und Verkehrsteuern ist zu benachrichtigen. Bestimmte Eintragungen sind überdies der Sozialversicherungsanstalt der gewerblichen Wirtschaft mitzuteilen. Zum Bekanntmachungsgebot vgl bereits oben.

„Betroffener" ist nur, wer in seiner auf einer Firmenbucheintragung beruhenden Rechtsstellung unmittelbar beschränkt werden soll (NZ 1996, 67; ecolex 1997, 260; 1997, 582; wbl 1995, 339; 1996, 410; GesRZ 1996, 211).

J. Registerzwang

1. Allgemeines. § 24 FBG ordnet die Verhängung von Zwangsstrafen durch den Rechtspfleger (RdW 2000, 606; GesRZ 2000, 260) über jene an, die ihrer Anmelde-, Zeichnungs- oder Einreichungspflicht nicht nachkommen oder eine ihnen nicht zustehende Firma gebrauchen. Überdies werden die Betroffenen zur Pflichterfüllung bzw im Falle unberechtigter Firmenführung zur Unterlassung angehalten, sofern sie nicht dartun, dass keine Eintragungspflicht besteht bzw die gerügte Firmenführung rechtmäßig ist. Im Weigerungsfall wird die Zwangsstrafe erhöht und der Strafbeschluss veröffentlicht.

Sinn und Zweck des Zwangsstrafenverfahrens ist es, die Verpflichteten zur Offenlegung zu veranlassen.

Eine dem § 24 FBG vergleichbare Regelung enthält § 283 HGB. *Das Verhältnis der beiden Bestimmungen zueinander* bereitet Schwierigkeiten: Teils wird § 283 HGB als Spezialnorm zu § 24 FBG gesehen (vgl RdW 2001/362, 327 *(Burgstaller)* = RdW

2001/372, 338 = ecolex 2002/42 *(Zehetner);* so auch ecolex 2002/198, 519), teils nicht (ecolex 2001/80, 207). Auch in den Fällen des § 283 HGB ist § 24 FBG die maßgebliche Vorschrift für die Verhängung einer Zwangsstrafe über die Geschäftsführer der Gesellschaft (ecolex 2001/82, 209 = JBl 2001, 62). Die Verhängung von Zwangsstrafen nach § 24 FBG iVm § 283 HGB fällt in die Kompetenz des Rechtspflegers (ecolex 2001/84, 210 = AnwBl 2001/7728, 104 = wbl 2001/68, 90 = ARD 5201/30/2001).

Von der *öffentlich-rechtlichen Anmeldepflicht* zu unterscheiden ist die *aus dem Gesellschaftsvertrag ableitbare Pflicht* der Gesellschafter, an den zur Erreichung des Gesellschaftszwecks erforderlichen Anmeldungen zum FB mitzuwirken. Diese Mitwirkung kann jeder Gesellschafter von den anderen zur Anmeldung verpflichteten Gesellschaftern durch Klage begehren (wbl 2001/31, 42).

Zwangsstrafen dürfen nur verhängt werden, wenn die Pflicht zur Offenlegung durch Verweigerung verletzt wird; eine GmbH, die ihren Bilanzstichtag ohne Gesellschaftsvertragsänderung – de facto – verändert hat und dies dem FB-Gericht durch entsprechende Vorlage der Bilanzen nachweist, erfüllt somit ihre gesetzlichen Verpflichtungen zur Offenlegung des Jahresabschlusses (OLG Wien, NZ 2001, 241).

Wird eine von zwei oder mehreren unter Androhung einer einheitlichen Strafe zusammengefassten Aufforderungen vor der Straffestsetzung erfüllt, so entfällt die Wirksamkeit der Strafandrohung insgesamt (OLG Wien, NZ 2002/110, 286 = NZ 2002/136, 351).

Ist es nach dem Tod eines Geschäftsführers einer GmbH dem verbliebenen zweiten Geschäftsführer auf Grund der im Gesellschaftsvertrag angeordneten Gesamtvertretung rechtlich unmöglich, die Löschung des Verstorbenen im FB anzumelden, so ist deshalb die Verhängung einer Zwangsstrafe über ihn nicht zulässig. Dies gilt auch bei Verletzung der vorgelagerten, allerdings nicht von Amts wegen durch Beugestrafen zu erzwingenden Verpflichtung, für die Einsetzung handlungsfähiger Organe zu sorgen – Keine Beugestrafe bei Verletzung vorgelagerter Verpflichtungen (GesRZ 2004, 323 = RdW 2004/682, 732 = EvBl 2005/34, 148).

Andererseits sind Zwangsstrafen auch dann zu verhängen, wenn die Vorlage von mehrere Jahre zurückliegenden Jahresabschlüssen erzwungen werden soll (ecolex 2002/198, 519).

2. Grenzen der Erzwingbarkeit. Nicht alles kann erzwungen werden. So etwa nicht die Bestellung von Geschäftsführern (RPfl 1997/1, 32); wohl aber die alle Gesellschafter einer OEG treffende Verpflichtung, an einer Eintragung mitzuwirken (wbl 2003/305, 540 = RdW 2003/438, 507 = ecolex 2003/341, 844 = GesRZ 2003, 298), oder die Pflicht, einen Gesellschafterwechsel anzumelden (ecolex 2004/132, 283 = GeS 2004, 30 = GBU 2004/01/06 = RdW 2004/124, 156 = EvBl 2004/60, 267 = AnwBl 2004, 334; siehe auch GeS 2003, 444 = RdW 2003/627).

3. Vorgehen gegen alle Mitglieder eines Kollegialorgans. Bei der Verletzung von Offenlegungspflichten können Beugemittel gegen alle Mitglieder des kollegialen Vertretungsorgans angewendet werden (wbl 2000/286; RdW 2002/84, 89 = wbl 2002/95, 134 = EvBl 2002/43, 189 = ecolex 2002/141, 359 = RdW 2002/532, 586 *(Fröhlich/Gelter)* = GesRZ 2002, 141). Alle Mitglieder von Kollegialorganen sind ohne Rücksicht auf die interne Ressortverteilung Adressaten der Zwangsstrafen (OLG Wien, NZ 2001, 236).

4. Stufenweises Vorgehen. Gemäß § 24 FBG ist ein Anmeldungspflichtiger zum FB vom Gericht durch Zwangsstrafen anzuhalten, seine Verpflichtung (hier: Offenlegungspflicht) zu erfüllen oder darzutun, dass die Verpflichtung nicht besteht. Aus diesem Recht, die Unmöglichkeit der Erfüllung der Anmeldungspflicht darzutun, ist abzuleiten, dass das FB-Gericht den Verpflichteten zunächst unter Fristsetzung und Androhung einer Zwangsstrafe zur Erfüllung der Anmeldungspflicht oder zur Bekanntgabe entgegenstehender Hindernisse aufzufordern hat. Der Betroffene soll mittels *stufenweisen Vorgehens* zur Erfüllung seiner Verpflichtung angehalten werden (RdW 2000, 735). Die *Steigerung des Zwanges* zur Erreichung des Zieles ist Ausdruck des *Beugecharakters der Zwangsstrafe* und des Prinzips des gelindesten Mittels und entspricht der Verfahrensökonomie (ARD 5233/38/2001). Daher kann das FB-Gericht eine Zwangsstrafe erst nach Aufforderung zur Offenlegung und Androhung einer Zwangsstrafe verhängen (ecolex 2001/84, 210 = AnwBl 2001/7728, 104 = wbl 2001/68, 90 = ARD 5201/30/2001).

Bleibt der Anmeldepflichtige trotz Aufforderung (und Androhung einer Zwangsstrafe) säumig, hat das FB-Gericht eine Strafe innerhalb des gesetzlichen Rahmens so zu bemessen, dass einerseits die Gesellschaft und ihre Geschäftsführer (Vorstandsmitglieder) nicht über Gebühr belastet werden, die Zwangsstrafe aber andererseits doch so hoch bemessen wird, dass die Erzwingung der Offenlegung wahrscheinlich erscheint (ecolex 2002/81; RdW 2002/212). Weigern sich die Geschäftsführer beharrlich, die Offenlegung in der der Größe ihrer Kapitalges entsprechenden Weise vorzunehmen, ist eine Verdoppelung der Zwangsstrafe keineswegs unverhältnismäßig. Es erscheint vielmehr angezeigt, trotz teilweiser Offenlegung, mit einer Verdoppelung der zunächst verhängten Zwangsstrafe vorzugehen, damit jener Druck erzeugt werden kann, der nach dem Willen des Gesetzgebers erforderlich ist, um die Geschäftsführer zur vollständigen Erfüllung ihrer Pflicht zu veranlassen (ecolex 2002/171, 437).

5. Beugestrafen trotz zwischenzeitlicher Zweckerreichung. Beugestrafen sind auch dann zulässig, wenn das FB-Gericht unmittelbar eine Löschung verfügen könnte (RPfl 1996/1, 19). Soll die Anmeldung einer OHG durch Zwangsstrafen erzwungen werden, so sind *Einwendungen aus dem Innenverhältnis* gegen die öffentlich-rechtliche Eintragungspflicht unzulässig (RdW 1999, 474). Zwangsstrafen sind auch dann noch zu vollziehen, wenn zwischenzeitlich die gebotene Einreichung der Anmeldung erfolgte (RdW 2000, 157).

Verfassungskonformität. Die handelsrechtlichen Offenlegungsvorschriften und ihre Durchsetzung mit Zwangsstrafen sind *verfassungskonform* und entsprechen dem Gemeinschaftsrecht (Bilanzrichtlinie) (RdW 2001/620, 598). Überhaupt sind die Publizitätsvorschriften nicht gemeinschaftsrechtswidrig (ÖJZ EvBl 2001/4, 20). Auch die mehrfache Verhängung von Zwangsstrafen gegen alle Geschäftsführer zur Folge fortgesetzter Nichteinhaltung der gesetzlichen Verpflichtungen ist *nicht unverhältnismäßig;* so auch ecolex 2002/198, 519: Erst diese für die Betroffenen empfindliche Sanktion stellt die Befolgung des gesetzlichen Auftrags zur Offenlegung einigermaßen sicher. Insbesondere ist die Verhängung von Zwangsstrafen gegen jeden mehrerer Geschäftsführer weder gleichheitswidrig noch unverhältnismäßig (SZ 73/44).

K. Amtswegige Löschung

1. Löschungsermessen. Wegen Mangels wesentlicher Eintragungsvoraussetzungen unzulässige Eintragungen *kann* das FB-Gericht von Amts wegen löschen (§ 10 Abs 2 FBG). Dies bedeutet keineswegs, dass es dem FB-Gericht freistünde, gegen unzulässige Eintragungen etwas zu unternehmen. Doch liegt es in solchen Fällen im Ermessen des Gerichts, ein Zwangsstrafverfahren nach § 24 FBG oder ein Amtslöschungsverfahren nach § 10 Abs 2 iVm § 18 FBG einzuleiten, wobei eine amtswegige Löschung insb geboten erscheint, wenn die Löschung im öffentlichen Interesse an der Richtigkeit des Firmenbuches liegt (OLG Wien NZ 1995, 18).

Das FB-Gericht hat im amtswegigen Löschungsverfahren vor der Löschung einer täuschungsfähigen Firma gem § 18 FBG den im FB Eingetragenen zu verständigen, ihn zur Äußerung aufzufordern und ihn über die Rechtsfolgen im Falle der Nichtäußerung zu belehren. Kein Rechtsschutzinteresse bei Bekämpfung einer Verfügung nach § 18 FBG (OLG Wien 28 R 325/00w, NZ 2002/66, 157).

Eine unzulässiger Weise erfolgte Eintragung der Umwandlung einer verschmelzenden Umwandlung nach Konkurseröffnung ist von Amts wegen zu löschen (OLG Wien, ecolex 2002/43, 101 = NZ 2002/101, 272).

Wird nachträglich die Unwirksamkeit einer Kaduzierung festgestellt, ist die auf Grund dieser Kaduzierung erfolgte Änderung des Gesellschafters im FB von Amts wegen zu löschen, selbst wenn feststünde, dass eine spätere Kaduzierung desselben Anteiles wirksam ist (OLG Wien, NZ 2005, 94).

Die im Falle der Nichteinhaltung der Offenlegungsbestimmungen normierte Vermutung der Vermögenslosigkeit führt als Löschungstatbestand zur Einleitung des Löschungsverfahrens. Hingegen berechtigt die Verletzung von Rechnungslegungsvorschriften für sich gesehen nicht zur Löschung. Das FB-Gericht ist vielmehr verpflichtet zu prüfen, ob Vermögen offenkundig vorhanden ist (OLG Wien 28 R 3/01 v, NZ 2002/84, 217).

Das Erlöschen einer Gewerbeberechtigung hat nicht das Erlöschen der Firma zur Folge (OLG Wien, NZ 2002/67).

2. Löschungspflicht. Das FB-Gericht muss von Amts wegen löschen, wenn der Verpflichtete binnen zweier Monate ab rechtskräftiger Verhängung der Zwangsstrafe keine Änderungsanmeldung gemacht hat (§ 24 Abs 2 FBG).

Es besteht kein Anspruch auf Löschung historischer Eintragungen im FB (ecolex 2000, 210; RdW 2000, 92). Auch bei Konkursaufhebung wegen Rekurses des Gemeinschuldners sind historische Daten nicht zu löschen (ZIK 1999, 204).

Wird eine ursprünglich richtige Eintragung nachträglich unrichtig, kann die Löschung nur ex nunc erfolgen (NZ 1997, 129).

3. Amtswegige Umschreibung einer OHG/KG in eine OEG/KEG. Verliert eine eingetragene OHG oder KG ihre Vollkaufmannseigenschaft bzw sinkt der Umfang ihres Unternehmens unter den des § 2 HGB, so soll sie, wünschen die Gesellschafter nicht anderes, als OEG oder KEG fortbestehen. Es kommt daher zu keiner Löschung, sondern zu einer Änderung der bisherigen Eintragung (§ 25 Abs 2 FBG). Solange die Gesellschaft noch als OHG oder KG eingetragen ist und unter ihrer bisherigen Firma ein Gewerbe betreibt, liegt noch eine OHG oder KG vor (§ 5 HGB).

4. Bestimmungen über die Löschung vermögensloser Gesellschaften. Die §§ 39ff FBG werden im Rahmen der Darstellung des Gesellschaftsrechts behandelt.

VII. Wirkungen der Firmenbucheintragung

A. Allgemeines

1. Schutz des gutgläubigen Geschäftsverkehrs. Alle Tatsachen, die im FB eingetragen sind, *gelten als bekannt.* Insofern dient das FB ganz allgemein dem Schutz des gutgläubigen Geschäftsverkehrs (HS 10.041; VfGH HS 1057; 5498).

2. Beeinträchtigung außerbücherlichen guten Glaubens. Zugleich ist das FB geeignet, etwaigen sonstigen guten Glauben, der auf außerbücherlichen Umständen fußt, zu beeinträchtigen. Wer auf etwas vertraut, ohne es verlässlich zu wissen, verliert seinen guten Glauben, wenn ihn der Firmenbuchstand nicht bestätigt. Anderes gilt, wenn verlässliche Kenntnis darüber besteht, dass die Eintragung im FB *falsch* ist (HS 1059).

3. Erster Anschein der Gesetzmäßigkeit und Richtigkeit der Eintragung. Ob eingetragene Tatsachen die widerlegliche Vermutung der Gesetzmäßigkeit und Richtigkeit für sich haben (JBl 1958, 405), darf allerdings bezweifelt werden. Der Gesetzgeber sagt darüber nichts. Die *materielle* firmenbuchgerichtliche Prüfung der Anmeldungen hält sich, wie bereits oben gezeigt wurde, in engen Grenzen. Es ist daher bzgl der Gesetzmäßigkeit und Richtigkeit der eingetragenen Tatsachen keine echte Beweislastumkehr anzunehmen; bestenfalls ist eine Anwendung der Grundsätze über den Prima-facie-Beweis vertretbar.

Nach § 9 Abs 3 HGB kann Behörden gegenüber der Nachweis, wer Inhaber einer eingetragenen Firma eines Einzelkaufmanns oder für ihn vertretungsbefugt ist, durch ein gerichtliches Zeugnis über die Eintragung geführt werden. Diese Regel stützt die These von der Gesetzmäßigkeits- und Richtigkeitsvermutung.

B. Deklarative Wirkung

Viele Eintragungen ins FB wirken nur deklarativ; also **„rechtsbekundend“.** Die Eintragung verschafft einer *schon bestehenden* Tatsache oder Rechtslage lediglich Publizität; die Tatsache oder Rechtslage **gibt es aber auch ohne Eintragung.** Damit ist nicht gesagt, dass solche Eintragungen keinerlei Rechtswirkungen hätten; dies sehr wohl, nur nicht die, dass die eingetragene Tatsache oder Rechtslage erst durch die Eintragung *entsteht.*

Deklarativ ist zB die Eintragung des Istkaufmanns (§ 29 HGB); die Eintragung der Erteilung oder des Widerrufs der Prokura (§ 53 HGB); die Eintragung einer Personenhandelsgesellschaft, die ihr Grundhandelsgewerbe bereits betreibt (§ 123 Abs 2 HGB). Die Niederlegung der Funktion eines Geschäftsführers einer GmbH ist sofort wirksam und von der Eintragung ins FB unabhängig (ZUV 1996/3, 25).

Wenn gesagt wird, dass die Löschung einer Gesellschaft (RdW 2003/313, 377 = ecolex 2003/213, 529 = immolex 2003/109, 200 = GesRZ 2003, 167), insb die Löschung einer GmbH (ecolex 2004/92, 184 = GBU 2004/03/06) bzw ihrer Firma (infas 2002, A 115 = infas 2002, 188) nur deklarativ wirkt, so trifft dies nur in jenen Fällen zu, in welchen die Löschung der Gesellschaft zu Unrecht erfolgt ist (etwa weil trotz erfolgter Löschung noch Gesellschaftsvermögen vorhanden ist oder die Gesellschaft noch in einem Prozess verfangen ist).

Nur deklarativ wirkt ferner die Eintragung des Übergangs eines Geschäftsanteils (RdW 2004/124, 156). Gleiches gilt zB für die Eintragung der Löschung eines zurückgetretenen Vorstandsmitglieds (hier: einer PS) (OLG Wien, GesRZ 2004, 214). Auch die Löschung von Vorstandsmitgliedern und AR-Mitgliedern einer Kapitalgesellschaft, die zwar noch im FB eingetragen sind, im Übrigen aber ihre Funktion verloren haben, erfolgt insofern deklarativ, als diese Personen die eingetragene Position gesellschaftsrechtlich nicht (mehr) inne haben. Dessen ungeachtet bleibt zu beachten, dass diese Personen dennoch, so lange sie im FB eingetragen sind, die eingetragene Funktion gegenüber Dritten ausüben können (es wäre denn, dem Dritten ist der Mangel bekannt und wird diesem entgegengehalten; § 17 Abs 3 GmbHG; § 73 Abs 4 AktG).

C. Konstitutive Wirkung

hat die Eintragung dann, wenn die eingetragene Tatsache oder Rechtslage erst **durch die Eintragung entsteht.** Die Eintragung wirkt dann **„rechtsbegründend“.** Vor der Eintragung besteht die Tatsache oder Rechtslage nicht.

Konstitutiv wirkt die Eintragung des Sollkaufmanns (§ 2 HGB), des Kannkaufmanns (§ 3 HGB), des §-5-Kaufmanns, dem schon bei Eintragung die Eintragungsvoraussetzungen fehlen (§ 5 HGB), der ihr Grundhandelsgewerbe noch nicht ausübenden OHG (KG), der ein Handelsgewerbe nach den §§ 2 oder 3 HGB betreibenden OHG (KG) (§ 123 HGB), der EWIV (Art 1 Abs 2 EWIV-V), der AG (§ 34 Abs 1 AktG), der GmbH (§ 2 GmbHG), der Erwerbs- und Wirtschaftsgenossenschaft (§ 8 GenG), der EEG (§ 3 EGG), der SE (Art 16 Abs 1 SE-VO; § 2 Abs 1 SEG), des VVaG (§ 39 VAG); der Sp (§ 13 Abs 5 SpG); der PS (§ 7 PSG).

Soweit bzgl der GmbH & Co KG behauptet wird, dass ihre Existenz die Eintragung in das FB voraussetzt (FLD Wien, NÖ, Bgld, SWK 2001, S 471 = SWK 2001, 689), so darf nicht übersehen werden, dass die GmbH & Co KG lediglich eine Sonderform der KG ist und die KG dann, wenn sie ein Grundhandelsgewerbe betreibt, schon vor Eintragung in das FB rechtlich entsteht.

Fehlen Eintragungsvoraussetzungen oder fallen sie nachträglich fort, so heilt die Eintragung nicht das Fehlen oder den Wegfall der Eintragungsvoraussetzungen; vielmehr ist die Eintragung zu löschen. Eine konstitutive Eintragung, die trotz Fehlens von Eintragungsvoraussetzungen erfolgt oder trotz nachträglichen Fortfalls von Eintragungsvoraussetzungen bestehen bleibt, zeitigt aber bis zur Löschung sehr wohl die mit der Publizität der Eintragung verbundenen Rechtswirkungen.

D. Grundsätzliches zur Publizitätswirkung

Ein heikles Kapitel des Firmenbuchrechts stellen die Regeln über die Publizitätswirkungen von Firmenbucheintragungen dar. Zur Diskussion steht der **Schutz des guten Glaubens Dritter im Geschäftsverkehr** an wichtigen Tatsachen und Rechtslagen. Die hier maßgebliche knappe Regel des § 15 HGB hat schon viel Kopfzerbrechen bereitet. Manches davon spielt seit In-Kraft-Treten des FBG eine andere Rolle als früher, weil durch dieses Gesetz § 15 Abs 2 HGB entscheidend geändert wurde.

Negative Publizitätswirkung: *Einerseits* geht es darum, welche Bedeutung es für den Geschäftsverkehr hat, wenn Tatsachen oder Rechtslagen, die ins FB einzutragen sind, **weder eingetragen noch bekannt gemacht** wurden. Der damit angeschnittene Fragenkreis wird unter dem Titel **„negative Publizität"** erörtert (§ 15 Abs 1 HGB).

Positive Publizitätswirkung: *Andererseits* interessiert, welche Bedeutung **Eingetragenem und Bekanntgemachtem** zukommt, insb wenn es ein Dritter dennoch nicht kennt. Man spricht von **„positiver Publizität"** (§ 15 Abs 2 HGB). Zusätzliche Fragen ergeben sich dann, wenn die **Eintragungen unrichtig** sind (hiezu § 15 Abs 3 dHGB; § 15 HGB schweigt diesbzgl).

§ 15 HGB gilt nur für den Geschäftsverkehr (einschließlich gesetzlicher Schuldverhältnisse, die mit ihm zusammenhängen), *nicht* aber für die an der Eintragung Beteiligten, *nicht* im Konkurs- und Ausgleichsverfahren (§ 32 Abs 1 HGB; HS 10.044), auch *nicht* im Sozialversicherungsrecht (OLG Wien SSV 1983/49). Im Prozessrecht gilt § 15 HGB nur für Parteihandlungen, die an und für sich privatrechtliche Wirkungen haben, aber im Zuge eines Prozesses gesetzt werden. Im Bereich des öffentlichen Rechts greift § 15 HGB nicht.

Auf **Haftungsausschlüsse** nach §§ 25 Abs 2; 28 Abs 2 HGB ist § 15 Abs 1 HGB insofern nicht anzuwenden, als die nicht eingetragenen und bekannt gemachten Haftungsausschlüsse, um wirksam zu sein, mitgeteilt werden müssen; sonstige Kenntnis des Dritten davon, dass der Erwerber nicht haften soll oder will, nützt dem Erwerber hingegen nichts. Von § 15 HGB abweichende Regelungen enthalten auch die §§ 159 Abs 2; 174 HGB.

E. Die „negative" Publizität

1. § 15 Abs 1 HGB lautet: „Solange eine in das FB einzutragende Tatsache nicht eingetragen und bekannt gemacht ist, kann sie von demjenigen, in dessen Angelegenheiten sie einzutragen war, einem Dritten nicht entgegengesetzt werden, es sei denn, dass sie diesem bekannt war."

2. Normzweck. Diese Regel will Dritte gegen die Folgen nicht eingetragener und/oder nicht bekannt gemachter Tatsachen schützen. Es geht um die **Wirkung des Schweigens des Firmenbuches.** Wer solche Tatsachen nicht aus anderen Gründen kennt, braucht nicht zu fürchten, dass sie ihm von denjenigen entgegengehalten werden können, in deren Angelegenhciten die Tatsachen einzutragen waren.

Auch wenn sich der Dritte auf das Schweigen des Firmenbuches berufen darf, steht ihm zu, die wahre Rechtslage für sich zu nutzen.

3. Einzutragende Tatsachen sind solche, deren Eintragung gesetzlich vorgeschrieben ist. Ob die Tatsache zur Eintragung angemeldet werden muss oder von Amts wegen einzutragen ist, spielt keine Rolle. Tatsachen, die zwar eintragungsfähig, nicht aber eintragungspflichtig sind, fallen nicht unter die Regel des § 15 Abs 1 HGB.

4. Was erst durch Eintragung konstitutiv begründet wird, entfaltet vor Eintragung keine oder zumindest keine gleiche Wirkung. Es gibt daher vor Eintragung keine ihr inhaltlich voll entsprechende „wahre" Rechtslage. Sobald jedoch eine Eintragung, aber noch keine Bekanntmachung erfolgte, können sich diejenigen, in deren Angelegenheiten die Tatsachen einzutragen waren, noch nicht auf die Eintragung berufen. Durch die Bekanntmachungsfiktion im ADV-Firmenbuch fällt die Bekanntmachung jedoch mit der Abrufbarkeit der Eintragung zusammen.

5. Der, „in dessen Angelegenheiten die Tatsache einzutragen war", ist, wer durch sie entlastet, von Haftungen befreit oder von der Bindung an die Vertretungsmacht eines anderen gelöst wird.

ZB: Der Einzelkaufmann kann im Falle der Nichteintragung (und/oder Nichtbekanntmachung; vgl die gesetzliche Bekanntmachungsfiktion, Art XXIII Abs 15 FBG) unwissenden Dritten nicht das Erlöschen einer Prokura entgegenhalten; der ehemalige Geschäftsführer nicht sein Ausscheiden; die Gesellschaft nicht ihre Auflösung; der ehemalige Geschäftsinhaber nicht die Abgabe seines Unternehmens an einen anderen.

6. Kenntnis des Dritten und *nicht bloß Kennenmüssen* ist beachtlich. Dh vor allem: Der Dritte ist nicht zu Nachforschungen verpflichtet. Insb muss nicht das FB eingesehen worden sein. Auch genügt nicht, Tatsachen zu kennen, aus denen sich die interessierende Tatsache ergibt; uU ergibt sich daraus aber ein Prima-facie-Beweis für die Kenntnis. Zurechenbare Kenntnis von Vertretern genügt.

7. Der Zeitpunkt des Vorgangs, aus dem der Dritte Rechte herleitet, ist maßgebend. Es kommt darauf an, was in diesem Zeitpunkt eingetragen und bekannt gemacht war bzw der Dritte wusste.

8. Nichteingetragene Vortatsachen. Das Problem: Eine Tatsache, zB das Erlöschen einer Prokura, wurde nicht eingetragen. Es ist aber schon die Prokura selbst (zu jener Zeit, in welcher sie aufrecht war) nicht eingetragen gewesen. Sie ist die *„Vortatsache"* der nicht eingetragenen Löschung. Angeblich soll der Schutz des § 15 Abs 1 HGB auch dann bestehen, wenn auch die Vortatsache nicht eingetragen war. Dagegen bestehen erhebliche Bedenken: Fehlt es am durch Eintragung der Vortatsache ausgelösten Rechtsschein, ist ein firmenbuchrechtlicher Vertrauensschutz unangebracht (HS 10.037; 10.038).

Verliert der Geschäftsführer einer GmbH die Geschäftsfähigkeit, bleibt er aber im FB als Geschäftsführer eingetragen, dann haftet die GmbH für den dadurch erzeugten Rechtsschein, wenn die Gesellschafter nicht unverzüglich einen Notgeschäftsführer bestellt haben (SZ 73/186). Der vom eingetragenen GmbH-Geschäftsführer mit der Prozessführung betraute Rechtsanwalt ist „Dritter" iSd § 15 Abs 1 HGB und § 17 Abs 3 GmbHG, so dass auch ihm der in diesen Bestimmungen verankerte Vertrauensschutz zugute kommt (EvBl 2003/186, 897 = wbl 2003/335, 599 = RdW 2003/624, 703 = GesRZ 2004, 54 = ecolex 2004/134, 284 = AnwBl 2004, 500).

F. Die „positive" Publizität richtiger Eintragungen

1. § 15 Abs 2 HGB sagt: „Ist die Tatsache eingetragen und bekannt gemacht worden, so muss ein Dritter sie gegen sich gelten lassen. Dies gilt nicht bei Rechtshandlungen, die innerhalb von 15 Tagen nach der letzten Bekanntmachung vorgenommen werden, sofern der Dritte beweist, dass er die Tatsache weder kannte noch kennen musste." Vor dem FBG galt dieser Tatbestand allgemein und ohne Fristsetzung.

2. Normzweck. Es geht um die **Wirkung eingetragener und bekannt gemachter *zutreffender* Tatsachen gegen Dritte.** Zur Diskussion steht das **„redende" Firmenbuch.** Was ordnungsgemäß und richtigerweise eingetragen und bekannt gemacht ist, muss ein Dritter grundsätzlich gegen sich gelten lassen. Er kann nicht sagen, er kenne die Eintragung nicht; sie müsse ihm auch nicht bekannt sein.

Dritter ist, wer von der einzutragenden Tatsache weder selbst betroffen ist noch der Vereinigung, in deren Angelegenheiten die Eintragung zu erfolgen hat, als Gesellschafter oder Mitglied angehört, noch Vorstand, Geschäftsführer oder Abwickler ist (RGZ 120, 363; HS 6023; 10.040; EvBl 1977/192). Sofern die Eintragung ohnehin nur die tatsächlich zutreffenden Verhältnisse wiedergibt, liegt fürs Erste nahe, dass ein Dritter daran grundsätzlich nicht vorbeigehen kann. Insoweit sagt § 15 Abs 2 erster Satz HGB prima facie Selbstverständliches.

3. Die außerbücherliche Vertrauenslage ist schwächer als die des Firmenbuchstandes. Ergibt sich aus außerbücherlichen Umständen jedoch eine vom Buchstand abweichende Vertrauenslage, also ein *äußerer Tatbestand gegen das FB* (ohne dass deshalb schon eine eintragungspflichtige Tatsache vorläge: vgl § 15 Abs 1 HGB; GesRZ 1981, 227; wbl 1993, 227), dann stellt sich die Frage, was stärker ist: der Buchstand oder die hievon abweichenden äußeren Umstände. In solchen Fällen zielt § 15 Abs 2 Satz 1 HGB darauf ab, diesen *außerbücherlichen Vertrauenstatbestand zu zerstören.* Der Dritte hat grundsätzlich die *eingetragene und bekannt gemachte* Tatsache zu respektieren. Dies kann den Dritten mitunter hart treffen, weil es durchaus möglich ist, dass der Dritte für den auf Grund des äußeren Tatbestandes gewonnenen Eindruck nichts kann.

4. „Schonfrist". Diese Härte wird in den Fällen des § 15 Abs 2 zweiter Satz HGB abgeschwächt. Dort ist klargestellt, dass die Eintragung und Bekanntmachung für eine „Schonfrist" von 15 Tagen keine Rolle spielt, sofern der Dritte *beweist, dass er die eingetragene richtige Tatsache weder kannte noch kennen musste.* Kennt der Dritte diese Eintragung nicht und ist ihm im konkreten Fall auch nicht zuzumuten, dass er das FB konsultiert, dann darf er auf das vertrauen, was er angesichts der gegebenen Umstände für die richtige Tatsache gehalten hat. Diese Regel galt *vor dem FBG unbefristet,* also ohne „Schonfrist". Die erste RL zur Koordinierung des Gesellschaftsrechts hat die nunmehrige Regelung erforderlich gemacht.

Die Schonfrist-Regel bedeutet prima facie, dass sich der Dritte *nach Ablauf der 15 Tage* auch dann nicht auf außerbücherliche, sein Vertrauen auf deren Richtigkeit unzutreffenderweise auslösende Umstände berufen darf, wenn er sich über die richtigen, eingetragenen und bekannt gemachten Tatsachen nicht informieren konnte.

Relativierung der Schonfristregel durch außerbücherlichen Vertrauensschutz. Dass nach Ablauf der „Schonfrist" der Firmenbuchstand außerbücherliche Vertrauenstatbestände ausnahmslos unbeachtlich macht, wäre eine untragbare Konsequenz. Auch wenn § 15 Abs 2 Satz 1 HGB expressis verbis keine Ausnahme kennt, kann dennoch unter bestimmten Umständen ein außerbücherlicher Vertrauensschutz gerechtfertigt sein.

Das versteht sich in Fällen *rechtsmissbräuchlicher* außerbücherlicher Verhaltensweisen dessen, in dessen Angelegenheiten die Eintragung vorgenommen wurde, von selbst; es kann aber auch weitere Fälle anerkennenswerten außerbücherlichen Vertrauens des Dritten geben. So wird sich nicht selten ein weiterer Schutz des Dritten aus *vertragsrechtlichen* Gründen ergeben. Insb dann, wenn der Dritte mit dem eingetragenen Unternehmer in ständiger Geschäftsbeziehung steht, aber auch in Fällen erstmaligen Kontakts, bei dem erkennbar ist, dass der Dritte keine zumutbare Möglichkeit hat, das FB zu konsultieren, werden es die vom Eingetragenen gegenüber seinem Partner zu wahrenden Interessenwahrungs- und Sorgfaltspflichten gebieten, diesen über zwar eingetragene, für ihn aber unerwartete Tatsachen zu informieren, um ihn vor Schaden zu bewahren.

G. Die „positive" Publizität bei unrichtigen Eintragungen

1. Allgemeine Grundsätze der Rechtsscheinhaftung. § 15 Abs 2 HGB geht von *richtigen* Eintragungen aus. Was in Fällen rechtens sein soll, in denen die Firmenbucheintragung *unrichtig* ist, regelt § 15 HGB *nicht.* Eine dem § 15 Abs 3 dHGB entsprechende Norm ist dem HGB unbekannt. Stattdessen greifen die allgemeinen Grundsätze der Rechtsscheinhaftung. Es geht nicht an, dass sich derjenige, der sich um die Richtigkeit der Eintragung zu kümmern hat, Dritten gegenüber Vorteile daraus schlägt, dass das FB unrichtige Eintragungen enthält.

Gesellschafter einer bereits aufgelösten, aber unrichtigerweise noch im FB eingetragenen KG müssen den damit verbundenen haftungsbegründenden Rechtsschein gegen sich gelten lassen (RdW 1997, 130). Hingegen kann der Gläubiger einer GmbH nicht im Vertrauen auf den FB-Stand eine vermeintlich noch ausständige Stammeinlage pfänden, die in Wahrheit bereits voll aufgebracht ist (ecolex 1996, 272 = RdW 1996, 410 = GesRZ 1996, 242).

2. Vertrauensschutz des Dritten bei schuldhafter Herbeiführung einer unrichtigen Eintragung. Wer eine unrichtige Eintragung veranlasst oder eine zwar nicht von ihm veranlasste, wohl aber von ihm als unrichtig erkannte oder zu erkennende Eintragung aus Verschulden nicht löschen lässt, muss die unrichtige Eintragung *dem gutgläubigen Dritten gegenüber im Geschäftsverkehr als richtig gelten lassen.* Vorausgesetzt wird allerdings, dass das konkrete Rechtsgeschäft im Vertrauen auf die unrichtige Eintragung geschlossen wurde.

3. Geschäftsunfähige trifft allerdings, auch wenn sie zu Unrecht eingetragen wurden, keine Rechtsscheinhaftung: Geschäftsunfähigenschutz geht vor Vertrauensschutz.

4. Erkennbare Unzulässigkeit einer Eintragung. Erkennbar unzulässige Eintragungen bewirken gleichfalls keine Rechtsscheinhaftung.

5. Besonderes ordnet das Gesellschaftsrecht an: Wird jemand als **Geschäftsführer einer GmbH** eingetragen oder bekannt gemacht, obwohl er gar nicht zum Geschäftsführer bestellt wurde, so kann ein Bestellungsmangel einem Dritten nur entgegengehalten werden, wenn der Mangel diesem bekannt war (§ 17 Abs 3 GmbHG); Entsprechendes gilt für **Vorstandsmitglieder einer AG:** § 73 Abs 4 AktG; und für **Abwickler:** § 207 Abs 5 AktG; § 92 iVm § 17 GmbHG.

Handelsrechtsreform: Die negative und positive Publizität der FB-Eintragungen bleibt auch nach dem UGB so wie bisher erhalten. Das UGB sieht jedoch für die Fälle *unrichtiger* Eintragungen in Zukunft eine ausdrückliche Regelung vor, die im Wesentlichen der hL zur Rechtsscheinhaftung für unrichtige Eintragungen entspricht: So soll fortan § 15 Abs 3 UGB lauten: „Wer eine unrichtige Eintragung veranlasst oder eine, wenn auch nicht von ihm veranlasste, wohl aber von ihm als unrichtig erkannte oder erkennbare Eintragung aus Verschulden nicht löschen lässt, muss die unrichtige Eintragung dem Dritten gegenüber im Geschäftsverkehr gegen sich gelten lassen, sofern er nicht beweist, dass der Dritte nicht im Vertrauen auf die Eintragung gehandelt hat oder deren Unrichtigkeit kannte oder grob fahrlässig nicht kannte."

VIII. Angaben auf Geschäftspapieren

Lit: *Rieser,* Briefpapier künftig mit näheren Firmenangaben, SWK 1991 B III 25; *Wünsch,* Angaben auf Geschäftspapieren – Gedanken zu einer neuen Publizitätsvorschrift, FS Schwarz (1991) 573; *Auer,* Muss die HRBV-Nummer ab 1. 1. 1993 wirklich auf dem Briefpapier stehen? AnwBl 1992, 791; *Brodil,* Neue Informationspflicht für Kapitalgesellschaften auf Geschäftspapieren, RdW 1992, 333; *Oberhofer/Strickner,* Angaben auf Geschäftspapieren von Kapitalgesellschaften, ÖJZ 1992, 119; *Gruber,* Geschäftspapiere als Publizitätsmittel – Glossen zu § 14 HGB, JBl 1993, 698, 762; *Nowotny,* Massenaussendung und Angabepflicht auf Geschäftspapieren (§ 14 HGB), RdW 1994, 270; *Szöky,* Pflichtangaben auf Geschäftsbriefen und Bestellscheinen gemäß § 14 HGB, GeS 2003, 404.

1. Normzweck des § 14 HGB. Die Vorschriften über Pflichtangaben und freiwillige Angaben auf Geschäftspapieren wollen die *Publizität der Kapitalgesellschaften* verstärken und solcherart die Position der Geschäftspartner verbessern. Ziel der Regelung ist, die Interessen aktueller oder potenzieller Geschäftspartner zu wahren, die sich durch die Geschäftsbriefe als persönlich angesprochen betrachten dürfen (RdW 1994, 270). Wer diesen Verpflichtungen nicht nachkommt, ist vom FB-Gericht durch Zwangsstrafen zur Einhaltung zu bewegen.

2. Pflichtangaben. § 14 HGB schreibt Organwaltern (Vorstand, Geschäftsführern, Abwicklern; nicht jedoch Angestellten, ecolex 2004/97,

194) von **Kapitalgesellschaften** vor, im **geschäftlichen Schriftverkehr** (auf Geschäftsbriefen und Bestellscheinen, die an einen bestimmten Empfänger gerichtet sind) bestimmte Mindestangaben über die Gesellschaft zu machen (Pflichtangaben). Pflichtangaben sind zu machen über die Rechtsform, den Sitz und die FB-Nummer der Gesellschaft; über das FB-Gericht und gegebenenfalls, dass sich die Gesellschaft in Liquidation befindet.

Auf Geschäftsbriefen und Bestellscheinen, die von einer inländischen Zweigniederlassung einer Kapitalgesellschaft mit ausländischer Hauptniederlassung oder mit ausländischem Sitz benützt werden, sind außer den genannten Pflichtangaben die FB-Nummer der Zweigniederlassung und das FB-Gericht anzugeben (§ 14 Abs 2 HGB).

Auch *PS* haben Angaben iS des § 14 HGB zu machen (§ 32 PSG). Auf *GmbH & Co KG* und *Gen* ist § 14 HGB analog anzuwenden. Für *EWIV* gilt Art 25 EWIV-V.

Verstöße gegen diese Vorschriften führen zu Zwangsstrafen (§ 283 Abs 2 HGB iVm § 258 Abs 1 AktG bzw § 125 GmbHG).

Die Zwangsstrafdrohung gilt nicht für Privatstiftungen (NZ 1994, 282).

3. Keiner Pflichtangaben bedarf es bei Mitteilungen oder Berichten, die im Rahmen einer bestehenden Geschäftsverbindung ergehen und für die üblicherweise Vordrucke verwendet werden, in denen lediglich die im Einzelfall erforderlichen besonderen Angaben eingefügt zu werden brauchen (§ 14 Abs 3 HGB).

Die (auch mehrfache, frühere) Zusendung von Gewinnzusagen, Bestellscheinen und Verkaufsangeboten begründet noch keine Geschäftsverbindung iSd § 14 Abs 3 HGB. Gerade bei derartigen Aussendungen liegt nahe, dass ein Großteil der angeschriebenen Personen solche Postsendungen nicht weiter beachtet und umgehend entsorgt, sodass bei späteren derartigen Zusendungen der wahre Absender dieser Schreiben nicht mehr zu ermitteln ist, auch wenn früher einmal § 14 HGB entsprechende Angaben auf den Schreiben enthalten gewesen sein sollten (GeS 2003, 404 = wbl 2003/277, 494 = RdW 2003/436, 504 = ecolex 2004/91, 184).

4. Freiwillige Angaben. Gewisse, weitere, freiwillige Informationen sind so zu geben, dass sie keine Fehlschlüsse auslösen *(Freiwillige Angaben).* Freiwillige Angaben sind solche über das Grund- oder Stammkapital der Gesellschaft oder über den Gesamtbetrag noch ausstehender Einlagen.

5. Geschäftsbriefe sind alle schriftlichen geschäftlichen Mitteilungen *mit bestimmtem Empfänger* (NZ 1994, 282).

Dem Informationszweck des § 14 Abs 1 HGB entsprechend ist der Begriff des Geschäftsbriefes weit auszulegen. Es ist darunter jede geschäftliche Mitteilung zu verstehen, die an einen bestimmten Empfänger gerichtet ist, unabhängig davon, ob sie einen auf den Empfänger bezogenen individuellen Inhalt hat, formularmäßig abgefasst ist, in Postkartenform oder mit Hilfe moderner Telekommunikationsformen versandt wird. Nicht von dieser Vorschrift erfasst sind Geschäftsbriefe, die nicht an einen bestimmten Empfänger gerichtet sind. Diese Voraussetzung ist nur dann erfüllt, wenn weder die geschäftliche Mitteilung selbst noch der sie verschließende Umschlag an eine individuell bezeichnete Person adressiert ist (GeS 2003, 404 = wbl 2003/277, 494 = RdW 2003/436, 504 = ecolex 2004/91, 184).

Auch **Massenaussendungen** können so gestaltet sein, dass sich der jeweilige Adressat persönlich angesprochen fühlt. Eine persönlich an den jeweiligen Empfänger adressierte Massenaussendung wird jedenfalls als Geschäftsbrief iS des § 14 HGB angesehen (wbl 1994, 240). Die äußere Form und die Art der Herstellung der Texte ist unbeachtlich. Angesichts des weiten Begriffes des Geschäftsbriefes hätte es sich erübrigt, **Bestellscheine** gesondert zu erwähnen.

Handelsrechtsreform: Der Anwendungsbereich des § 14 HGB wird erheblich erweitert. Die Pflichtangaben auf Geschäftspapieren und Bestellscheinen, die auf Papier oder in sonstiger Weise an einen bestimmten Empfänger gerichtet sind, sowie auf ihren Webseiten, sollen in Zukunft alle in das FB eingetragene Unternehmer treffen, soweit dies die Firma, die Rechtsform, den Sitz und die FB-Nummer des Unternehmers und das FB-Gericht betrifft, gegebenenfalls auch den Umstand, dass er sich in Liquidation befindet. Bei der OG/KG, bei der kein persönlich haftender Gesellschafter eine natürliche Person ist, sind diese Angaben auch über die persönlich haftenden Gesellschafter zu machen. Einzelunternehmer haben ihren Namen anzugeben, sofern sich dieser von der Firma unterscheidet.

6. Kapitel
Firma

Lit: *Demelius,* Firma und Grundbuchsrichter, GZ 1926, 195; *Demelius,* Fremdsprachige Handelsnamen, ZBl 50 (1932) 241; *Krieger/Lenz,* Firma und Handelsregister (1938); *Hunna,* Der Schutz des Handelsnamens nach Art 8 PVÜ und § 10 MSchG, FS 60 Jahre Österr Patentamt (1959) 91; *Nipperdey,* Die Zulässigkeit doppelter Firmenführung, FS Hueck (1959) 195; *Wünsch,* Zur mehrfachen Firmenführung durch Handelsgesellschaften, JBl 1963, 236; *Saint-Gal,* Der internationale Schutz des Handelsnamens, GRURInt 1964, 289; *Demelius,* Firmenmehrheit im Lichte des Registerrechts, JBl 1965, 489; *Kraft,* Die Führung mehrerer Firmen (1966); *Wünsch,* Zum Erfordernis des Zusatzes „GmbH & Co KG" bei abgeleiteter Firma, GesRZ 1976, 6; *John,* Der Grundsatz der Firmenmehrheit in Deutschland und in Österreich, FS Duden (1977) 173; *Kramer/Meindl,* Zum Problem der Firmenfortführung durch eine GmbH & Co KG, ÖJZ 1977, 90; *Schönherr,* Fragen des internationalen Kennzeichenrechts aus österr Sicht, GesRZ 1978, 58; *Achleitner,* Die Firma der GmbH & Co KG, NZ 1982, 26; *Avancini,* Zur Einschränkung des Grundsatzes der Firmenbeständigkeit bei Änderungen in der Inhaberschaft des Unternehmens, GesRZ 1982, 79; *Heinrich,* Firmenwahrheit und Firmenbeständigkeit (1982); *Jud,* Zur abgeleiteten Firma der GmbH & Co KG und der Registerbereinigung bei ihrer Unzulässigkeit, NZ 1983, 129; *Jud,* Zur Gestaltung der abgeleiteten Firma einer GmbH & Co KG in der Praxis, NZ 1984, 58; *Wagner,* Zur Gestaltung der abgeleiteten Firma einer GmbH & Co KG in der Praxis, NZ 1984, 57; *Weber,* Das Prinzip der Firmenwahrheit im HGB und die Bekämpfung irreführender Firmen nach dem UWG (1984); *Enzinger,* Täuschungseignung von Firmenzusätzen, die den Anschein einer Beziehung zu öffentlichen Einrichtungen erwecken, NZ 1985, 185; *Beier,* Marken- und Firmenrechte im Verhältnis von Mutter- und Tochtergesellschaft, GedS Schönherr (1986) 25; *Bokelmann,* Das Recht der Firmen- und Geschäftsbezeichnungen[3] (1986); *Knaak,* Firma und Firmenschutz (1986); *Bruckbauer,* Die abgeleitete Firma der GmbH & Co KG, RPfl 1987/2, 27; *Frotz,* Schadenersatz wegen Gebrauchs einer verwechslungsfähigen Firma, GesRZ 1987, 143; *Müller-Gugenberger,* Die Firma der EWIV, BB 1989, 1922; *Roth,* Unzulässiger firmenmäßiger Gebrauch einer zulässig geführten Geschäftsbezeichnung, ZGR 1992, 632; *Kögel,* Der Grundsatz der Firmenwahrheit – noch zeitgemäß? BB 1993, 1741; *Möller,* Europäisches

Firmenrecht im Vergleich, EWS 1993, 22; *Bokelmann,* Zur Entwicklung des dt Firmenrechts unter den Aspekten des EG-Vertrages, ZGR 1992, 632; *Möller,* Firmenbildung von Kapitalgesellschaften in den EG-Mitgliedstaaten, GmbHR 1993, 640; *Enzinger,* Grenzenloses Firmenrecht – Auswirkungen des EU-Beitritts, ÖBl 1994, 99; *Hinz,* Firmenrecht und Handelsrecht sind reformbedürftig, WM 1994, 1515; *Lutter,* Die handelsrechtliche Publizität – direkt für die Mülltonne? AG 1994, 347; *Wöblke/Danckwerts,* EWIV: Eintragung mit einer reinen Sachfirma? DB 1994, 413; *Chajet/Shachtman,* Image – Design – Corporate Identity für Firmen, Marken und Produkte (1995); *Högler/Pracher,* Die Firma der EWIV, ecolex 1995, 27; *Raffel,* Die Verwertbarkeit der Firma im Konkurs (1995); *Schneider,* Name – Firma – Titel – Marke. Grundzüge des Rechts an der Bezeichnung, JuS 1995, 119; *Thienel,* Die „Firma" im Verwaltungsverfahren. Unter Berücksichtigung der Neuregelungen in der GewO, ÖJZ 1996, 201, 248; *Gruber,* „X & Partner" – eine zulässige GmbH-Firma? wbl 1998, 477; *Wenger,* Namen der Gesellschafter in der Firma der GmbH, RWZ 1999, 205; *Filzmoser,* Gewerberechtliche Namens- und Kennzeichnungsvorschriften im E-Commerce, RdW 2000, 194; *Geist,* Zur Fortführung der Firma einer GmbH bei Ausscheiden des namensgebenden Gesellschafters, ÖJZ 2000, 126; *Reich-Rohrwig,* Firma der GmbH, Kundenstock und Wettbewerb durch Gesellschafter, FS Krejci (2001), 787; *Höller,* @ – Möglicher Bestandteil einer Firma? RdW 2002/126, 142; *Verweijen,* Ist die Kleinschreibung von Firmenwortlauten zulässig? NZ 2002/125, 321; *Platzer,* Zum Stand der Entwicklung des Firmenrechts in Österreich und Deutschland (Diss Wien 2004); *Szoka,* § 30 HGB – Die Firmenausschließlichkeit, NZ 2004/15, 67.

I. Begriff und Aufgabe der Firma

1. Firma heißt der Name, unter dem der Vollkaufmann im Handel seine Geschäfte betreibt und die Unterschrift abgibt (§ 17 Abs 1 HGB).

Der Ausdruck „Firma" leitet sich aus der mittelalterlichen Wendung: „cartam firmare" ab: der Urkundenbekräftigung durch Handzeichen oder Handauflegen. Im Italienischen und Spanischen heißt „firma" nichts weiter als Unterschrift. Im Alltagsleben bezeichnet man als „Firma" oft das kaufmännische Unternehmen als solches. Dieses „praktische" Firmenverständnis ist aber nicht das des HGB; idS auch ZfVB 1999/1098: Die Firma des Einzelkaufmanns ist keine jurP; nicht die Firma ist Träger von Rechten und Pflichten, sondern die dahinter stehende Rechtsperson. Auch wenn also die Bezeichnung des Unternehmens als „Firma" unrichtig ist, so ist der Nahebezug der „Firma" zum Unternehmen nicht zu übersehen: Tritt der Kaufmann doch immer nur dann unter seiner Firma auf, wenn er im Rahmen seines Unternehmens tätig wird. Insb liegt auf der Hand, dass derjenige, der unter seiner Firma auftritt, nicht sein rechtsunfähiges Unternehmen meint, sondern sich als Rechtsträger eben dieses Unternehmens (idS VwGH ÖstZB 2003/480, 446 = SWK 2003, R 39 = SWK 2003, 583).

2. Recht und Pflicht zur Firmenführung. Grundsätzlich sind *nur Vollkaufleute* berechtigt, aber auch verpflichtet, eine Firma zu führen (§ 4 Abs 1 HGB). Das gilt für Einzelkaufleute ebenso wie für handelsrechtliche Personengesellschaften und Kapitalgesellschaften. Doch führen auch EWIV, EEG und alle Gen, also auch jene, die weder Formkaufmann sind noch ein Vollhandelsgewerbe betreiben, Firmen.

Privatstiftungen (PS) und VVaG haben zwar nur einen „Namen", sind aber dennoch im FB einzutragen. Ideelle Vereine (IV) werden nicht in das FB eingetragen, sondern (seit dem VerG 2002) in das Vereinsregister; sie haben gleichfalls nur einen „Namen". Sofern aber PS oder IV im Rahmen des „Nebenzweckprivilegs" ein Handelsgewerbe betreiben, sind sie als Einzelkaufleute in das FB einzutragen und führen als solche auch eine Firma.

3. Rechtsquellen. An firmenrechtlichen Bestimmungen außerhalb des HGB vgl §§ 4, 266 AktG; § 5 GmbHG; § 4 GenG; §§ 2, 6 Abs 2 EGG; § 5 EWIVG; § 28 VAG; § 94 BWG; § 19 InvFG; § 13 BetFG; § 43 PKG; § 37 Abs 1 WGG. Besondere Vorschriften zum Firmenrecht enthalten auch §§ 63–67 GewO.

4. Aufgabe. Die Firma dient der *Publizität* des Wirkens und der *Identifizierung* des Unternehmensträgers. Nur wer unter einer *kaufmännischen* Firma (es gibt auch andere) auftritt, lässt überdies erkennen, dass er als Vollkaufmann am Geschäftsverkehr teilnimmt und somit dem Regime des HGB unterliegt. Die Vorschriften über die Firmenführung haben *öffentliche Interessen* im Auge (wbl 1994, 167). Das Firmenrecht schafft keine Schutzgesetze zugunsten des Vertragspartners dessen, der gegen firmenrechtliche Vorschriften verstößt (anders bzgl § 94 BWG: ÖBA 1996, 540; vgl auch *Frotz/Dellinger,* ecolex 1996, 369).

II. Rechtliche Qualifikation der Firma

1. Absolutes Recht. Das subjektive Recht, eine Firma zu führen, besteht gegenüber jedermann. Es handelt sich daher um ein absolutes Recht.

Eine Firma zu führen, bedeutet nicht nur, unter ihrer Angabe zu handeln: also **Geschäfte zu schließen** und **Unterschriften zu leisten;** der Firmenberechtigte kann auch unter ihr **klagen und geklagt werden;** dh die Firma kann im Zivilprozess als **Parteibezeichnung** verwendet werden.

Soweit Rechtsträger keinen anderen Namen als ihre Firma haben (Handelsgesellschaften, Erwerbs- und Wirtschaftsgenossenschaften, EEG), *können* sie *nur* unter ihrer Firma klagen und geklagt werden. Auch ins Grundbuch können sie nur unter Angabe ihrer Firma eingetragen werden. Hingegen ist unzulässig, Einzelkaufleute unter ihrer Firma ins Grundbuch einzutragen (SZ 64/125).

2. Persönlichkeitsrecht. Das Recht, eine Firma zu führen, entspricht jedenfalls dem **Namensrecht.** Das Zurechnungssubjekt der Firma genießt den Schutz des Namensrechts iS des § 43 ABGB.

3. Immaterialgüterrecht. Anders als das Namensrecht ist das Firmenrecht *nicht höchstpersönlich.* Es kann Gegenstand des Rechtsverkehrs sein und hat insofern Vermögenswert. Zwar kann die Firma nicht allein veräußert werden (es gibt *keine „Leerübertragung“*), wohl aber *gemeinsam mit dem Unternehmen,* das unter der Firma betrieben wird (§ 23 HGB).

Wird nur ein **Teilbetrieb** übertragen, darf es zu keiner Aufspaltung oder Vervielfältigung der Firmenbezeichnung kommen, weil sonst eine Irreführung zu befürchten ist (RdW 1993, 366). Somit kommt dem Recht, eine Firma zu führen, der Charakter eines Immaterialgüterrechts zu.

4. Bifunktionalität der Firma. Da die Firma sowohl Elemente eines Persönlichkeitsrechts als auch eines Immaterialgüterrechts aufweist, spricht man von der „Bifunktionalität der Firma“ und ihrer „ambivalenten Rechtsnatur“ (EvBl 1963/292; BGHZ 17, 209, 214). Auch der Ausdruck *„Januskopfigkeit“* der Rechtsnatur der Firma wird mitunter verwendet.

III. Abgrenzung der Firma von ähnlichen Kennzeichen

A. Bürgerliche Namen, Pseudonyme udgl

Auch die Firma ist ein Name. Allerdings ein besonderer. Er verknüpft den Berechtigten mit seiner Tätigkeit, insb mit seinem Unternehmen. Eben dies führt zum erweiterten, handelsrechtlichen Rechtsschutz.

Pseudonym, Deck- oder Berufsname. Nicht nur Kaufleute üben ihre wirtschaftliche Tätigkeit unter einem besonderen Namen aus. So wählen sich zB Künstler ein Pseudonym, einen Deck- oder Berufsnamen. Das ist noch keine Firma. Der gesetzliche Firmenschutz kommt ihnen nicht zugute, wohl aber der zivilrechtliche Namensschutz bzw gegebenenfalls der Schutz des Wettbewerbsrechts. Das gilt auch für **Monogramme oder sonstige Zeichen,** zB für ein **„Logo“,** mit Namensfunktion. **Adelswappen** genießen als solche seit Abschaffung des Adels keinen besonderen Schutz, können aber nach anderen allgemeinen Vorschriften geschützt sein (zB als sonstiges Zeichen mit Namensfunktion, als Bildmarke oder Ausstattung, uU auch nach Urheberrecht).

Der Name hat Kennzeichnungs- und Unterscheidungsfunktion. Schutzberechtigt sind nicht nur natürliche Personen, sondern auch juristische Personen des privaten und öffentlichen Rechts und Personengesellschaften, zB auch Universitäten und politische Parteien. Objekt des Namensschutzes sind Bezeichnungen mit Namensfunktion. Diese weist auf einen Namensträger als solchen oder auf ein Unternehmen hin (wbl 2001, 43).

Zur Kennzeichnungs- und Namensfunktion von Domain-Namen: wbl 2000, 142. Domain-Namen sind nicht verwechselbar, wenn sie unterschiedlichen Unternehmensgegenständen gewidmet sind (wbl 2000, 579); sie sind nach § 43 ABGB geschützt (RdW 2000, 341). Für Domain-Namen besteht allerdings kein sondergesetzliches „Täuschungsverbot“ wie etwa im Markenrecht (§ 4 Abs 1 Z 8 MSchG) oder Firmenrecht (§ 18 Abs 2 HGB) (RdW 2003/471, 558 = ÖBl 2003/65, 241).

B. Geschäftsbezeichnungen

1. Begriff. Auch wer keine Firma führen darf, gibt seinem Unternehmen mitunter einen eigenen Namen. Vom Pseudonym unterscheidet sich die Geschäftsbezeichnung dadurch, dass das Pseudonym die *Person,* die Geschäftsbezeichnung hingegen das *Unternehmen* kennzeichnet. Man spricht auch von *Unternehmens- oder Etablissementbezeichnung.* Wer sein nicht firmenpflichtiges Unternehmen lediglich unter seinem bürgerlichen Namen betreibt, führt keine Geschäftsbezeichnung. Die Geschäftsbezeichnung unterscheidet sich also vom bürgerlichen Namen.

Eine Geschäftsbezeichnung führt zB, wer sein Gasthaus „Zur weißen Gans“, seine Apotheke „Schutzengelapotheke“, sein Hotel „Berghof“ nennt. Die Geschäftsbezeichnung muss Namensfunktion haben: Bildzeichen, Telegrammadressen udgl haben diese Funktion nicht.

2. Verbot der Firmenähnlichkeit. Geschäftsbezeichnungen müssen von Firmen deutlich unterscheidbar und *dürfen nicht firmenähnlich* sein. Wer eine Geschäftsbezeichnung führt, die einer eintragungspflichtigen Firma gleicht, täuscht insofern den Geschäftsverkehr. Das FB-Gericht kann den Gebrauch einer solchen Geschäftsbezeichnung jedenfalls dann verbieten, wenn dadurch das Firmenrecht eines Eingetragenen verletzt wird (§ 24 FBG, § 37 HGB). Darüber hinaus kann in der Verwendung einer firmenähnlichen Geschäftsbezeichnung eine unlautere Wettbewerbshandlung, uU ein Verstoß gegen immaterialgüterrechtliche Bestimmungen liegen.

3. Der Rechtsschutz einer Geschäftsbezeichnung beschränkt sich, sofern nicht auch zivilrechtlicher Namensschutz greift (§ 43 ABGB), auf den (zusätzlichen) Schutz des Wettbewerbs- und uU des Immaterialgüterrechts. Die Vorschriften über die Firma finden auf Geschäftsbezeichnungen grundsätzlich keine Anwendung.

C. Firmenabkürzung und Firmenschlagwort

1. Begriff. Oft ist der Firmenwortlaut länger und komplizierter als die Bezeichnung, unter der ein Kaufmann im Geschäftsverkehr auftritt. Der Kaufmann ist nicht gezwungen, laufend den vollen Firmenwortlaut zu verwenden. Stattdessen kann er den Firmenwortlaut entweder monogrammartig abkürzen (zB BA, IBM, PSK, RZB, VW; uU auch in Form eines „Logo") oder lediglich ein Firmenschlagwort gebrauchen. Firmenschlagwort nennt man bei Personenfirmen die *aus einem den Inhabervermerk umfassenden Firmenteil gebildete Kurzbezeichnung der Firma.* Bei Sachfirmen kommt es darauf an, dass ein wesentlicher Teil des Firmenkerns hervorgehoben wird. Andernfalls liegt lediglich eine Geschäftsbezeichnung vor.

Lautet die Firma etwa: „Dipl.-Ing. Ernst Pockberger Hoch- und Tiefbaugesellschaft mbH", dann ist die Wortfolge: „Pockberger Bau" ein mögliches Firmenschlagwort. Wird anstatt der Firma: „Jakob Ferner & Co, Arnoldsteiner Steinbruchunternehmen" lediglich vom „Arnoldsteiner Steinbruch" gesprochen, fehlt der „Inhabervermerk", und es liegt bloß eine Geschäftsbezeichnung vor. Beispiele für Sachfirmenschlagworte: Allianz, Coca-Cola, Die Erste, Microsoft, Phillips, Uniqua.

2. Rechtsschutz einer Firmenabkürzung oder eines Firmenschlagwortes. Nur die Firma, nicht aber auch das Firmenschlagwort genießt den qualifizierten Firmenschutz. Auch sonst steht bezüglich des Rechtsschutzes das Firmenschlagwort der Geschäftsbezeichnung gleich. Es kann also zivilrechtlicher Namensschutz gegeben sein; ferner der Schutz des Wettbewerbs- (wbl 1995, 168) und uU des Immaterialgüterrechts.

Wie immer eine Firma auch gestaltet sein mag, so beschränkt sie sich doch auf Worte und Schriftzeichen, nicht jedoch auf sonstige Darstellungen, Bilder oder Zeichen. Dies bleibt der Marke vorbehalten. Daher kann ein Firmenwortlaut nicht den „Klammeraffen" der e-mails: das „@", enthalten (LG München, ARD 5293/26/2002). Gleiches gilt zB für die Raute: „#" und vergleichbare Zeichen.

D. Sonstige Unternehmenskennzeichen

Von der Firma zu unterscheiden sind ferner Marken, Muster, Titel, Ausstattungen und sonstige Geschäftsabzeichen und der Unterscheidung dienende Einrichtungen.

1. Marken sind besondere Zeichen, die dazu dienen, für den Handelsverkehr bestimmte, gleichartige Waren und Dienstleistungen eines Unternehmens zu kennzeichnen, um sie von anderen zu unterscheiden (§ 1 MarkSchG). Auch wenn die frühere Verbindung von Marke und Unternehmen im Laufe der Entwicklung des Markenrechts gelockert wurde, so signalisiert auch heute noch die Marke vor allem die Herkunft einer Ware oder Dienstleistung aus einem bestimmten Unternehmen.

2. Geschmacksmuster sind Vorbilder für das Aussehen gewerblicher Erzeugnisse (§ 1 MustSchG).

Von ihnen zu unterscheiden sind die *Gebrauchsmuster* (GMG), die eher „kleinen Patenten" entsprechen. *Patente* sind Erfindungen auf technischem Gebiet und als solche mehr bzw etwas anderes als bloß Unternehmenskennzeichen. Näheres regelt das PatG.

3. Ausstattung. Darunter versteht § 9 Abs 3 UWG solche Geschäftsabzeichen und sonstige zur Unterscheidung des Unternehmens von anderen Unternehmen bestimmte Einrichtungen, insb auch Ausstattungen von Waren, ihrer Verpackung oder Umhüllung oder von Geschäftspapieren, die innerhalb beteiligter Verkehrskreise als Kennzeichen des Unternehmens gelten. Es gibt also sowohl *unternehmens-* als auch *warenunterscheidende* Ausstattungen. Erst die *„Verkehrsgeltung"* verschafft derartigen Ausstattungen den Schutz des UWG. Dazu gehört zB das Firmenlogo, bestimmte Firmenfarben, nicht registrierte Marken, besondere Verpackungsweisen, spezifische Werbesprüche udgl.

4. Rechtsschutz. Für Marken, Muster und urheberrechtlich geschützte Rechtspositionen sieht das **Immaterialgüterrecht** besondere Schutzregeln vor. Ansonst schützt das **Wettbewerbsrecht,** und zwar auch Namen, Firmen, Geschäftsbezeichnungen und Firmenschlagworte.

IV. Firmenarten

1. Einfache und zusammengesetzte Firma. Einfache Firmen umfassen lediglich den gesetzlich vorgeschriebenen „Firmenkern". Wird dieser durch **Firmenzusätze** angereichert (die entweder gesetzlich vorgeschrieben oder freiwillig dem Firmenkern hinzugefügt werden können), hat man eine zusammengesetzte Firma vor sich.

Betreibt zB Bernd Handler als Einzelkaufmann einen Gemüsegroßhandel und beschränkt er sich darauf, seine Firma „Bernd Handler" zu nennen, so liegt eine einfache Firma vor. Heißt die Firma jedoch: „Bernd Handler, Gemüsegroßhandel", haben wir eine zusammengesetzte Firma vor uns. Auch der gesetzlich vorgeschriebene Rechtsformzusatz oder der Hinweis auf den Umstand, dass die Firma von einem anderen fortgeführt wird (Nachfolgezusatz), macht aus einer einfachen Firma eine zusammengesetzte.

2. Personen-, Sach- und gemischte Firma. Personenfirmen beinhalten den oder die bürgerlichen Namen des oder der Zurechnungssubjekte des Unternehmens. Sachfirmen nehmen auf den Gegenstand des Unternehmens Bezug (NZ 1986, 233). Gemischte Firmen setzen sich aus beiden Elementen zusammen.

ZB: Betreibt Jörg Kauffer einen Antiquitätenhandel, so heißt seine Personenfirma: „Jörg Kauffer"; nennt sich eine das gleiche Geschäft betreibende GmbH „Antiquitätenparadies", liegt eine Sachfirma vor. Eine Mischfirma wäre die Firma „Antiquitätenparadies Jörg Kauffer".

Meist bestimmt die Rechtsform, ob eine Personen- oder eine Sachfirma zu bilden ist. Eine Wahlmöglichkeit bietet das GmbH-Recht.

Sachfirmen werden mitunter zugleich als Marke verwendet. Dies wirft mitunter Zulässigkeitsfragen auf. Für zulässig wurde zB gehalten: die Fa „Compact" Fensterproduktions- und Handels-GmbH, die Fenster aus Kunststoff unter der Marke „Compact-Fenster" erzeugt: NZ 1983, 188.

3. Ursprüngliche und abgeleitete Firma. Wird die Firma neu gebildet, heißt sie ursprünglich; handelt es sich um eine Firma, die bereits besteht und von einem anderen fortgeführt wird, ist sie abgeleitet.

V. Firmenbildung

A. Einzelkaufmann

1. Personenfirma. Die Firma eines Einzelkaufmanns hat eine Personenfirma zu sein. Sie besteht in ihrem Kern aus seinem Familiennamen mit mindestens einem ausgeschriebenen Vornamen (§ 18 Abs 1 HGB). Nur wenn der Einzelkaufmann die Firma eines anderen fortführt, tritt er unter einer Firma auf, die einen anderen als seinen bürgerlichen Namen aufweist.

2. Wahlfreiheit bei juristischen Personen, die Einzelkaufleute sind. Einzelkaufmann ist nicht nur eine **physische Person;** auch **juristische Personen,** die keine Handelsgesellschaften sind, können neben der Erfüllung ihrer anderen Aufgaben auch ein Handelsgewerbe betreiben, etwa ein ideeller Verein, eine Privatstiftung (beide im Rahmen ihres „Nebenerwerbs- oder Nebenzweckprivilegs") oder eine Körperschaft öffentlichen Rechts, soweit ihr dies gestattet ist. Solche juristischen Personen können nach hM zwischen einer Personen- oder Sachfirma wählen.

Solche juristischen Personen sind *Einzelkaufleute, nicht aber Handelsgesellschaften.* Für sie erscheinen daher fürs Erste die Vorschriften über die Firma des Einzelkaufmannes anwendbar. Dies bedeutet, dass diese juristischen Personen das Handelsgewerbe jedenfalls fürs Erste unter ihrem Namen führen sollten. Aus den Materialien ergibt sich aber, dass der Gesetzgeber bewusst von einer firmenrechtlichen Regelung für juristische Personen abgesehen hat (HGB-Denkschrift 43). Daraus wird abgeleitet, dass juristische Personen, die keine Handelsgesellschaften oder Erwerbs- und Wirtschaftsgenossenschaften sind, bei der Bildung ihrer Firma auch nicht dem Firmenrecht für Einzelkaufleute unterliegen, sondern frei sind, soweit die gewählte Firma nicht gegen allgemeine Firmengrundsätze verstößt.

3. Firmenzusätze, die der Unterscheidung der Person bzw des Unternehmens von anderen dienen, sind erlaubt, dürfen aber nicht geeignet sein, eine Täuschung über die Art und den Umfang des Geschäftes oder die Verhältnisse seines Inhabers herbeizuführen. Vor allem darf die Firma keine Zusätze enthalten, die den Eindruck erwecken, man habe es mit einer Gesellschaft zu tun (§ 18 Abs 2 HGB).

Ein unterscheidungsfähiger Firmenzusatz ist *geboten,* wenn die Firmen zweier Einzelkaufleute am selben Ort angesichts bestehender Namensgleichheit den gleichen Firmenkern haben. Führt ein Einzelkaufmann eine Gesellschaftsfirma fort, die mehrere Namen umfasst, so ist ein Nachfolgezusatz geboten, um den unrichtigen Anschein einer günstigeren Haftungssituation zu vermeiden (NZ 1998, 319).

B. Personenhandelsgesellschaften

Die Firmen von Personenhandelsgesellschaften müssen **Personenfirmen** sein. Im Einzelnen:

1. OHG. Die Firma einer OHG hat den Namen wenigstens eines Gesellschafters mit einem das Gesellschaftsverhältnis andeutenden Zusatz oder die Namen aller Gesellschafter zu enthalten (§ 19 Abs 1 HGB). Zur Firma der OHG und KG: HS 9033, 9034. Vornamen braucht die Firma nicht zu enthalten (§ 19 Abs 3 HGB).

ZB: Arndt Amann, Bernd Bauer und Clemens Charvat gründen eine OHG. Die Firma kann lauten: Amann & Co oder Bauer & Co oder Charvat & Co. Aber ebenso gut Amann, Bauer und Charvat. Desgleichen genügt zB: Amann und Bauer, Bauer und Charvat oder Charvat und Amann. Auch aus diesen Kombinationen geht hervor, dass es sich um eine OHG handeln muss.

Unzulässig ist es, andere Namen als die der OHG-Gesellschafter in die Firma aufzunehmen (§ 19 Abs 4 HGB). Im Falle einer Firmenfortführung (§§ 22, 24 HGB) darf die Firma einen fremden Namen enthalten. Für eine derartige Firmenfortführung ist die Zustimmung des ausgeschiedenen Gesellschafters bzw seiner Erben notwendig.

Die im Firmenwortlaut angeführten Gesellschafter müssen nicht vertretungsbefugt sein (ecolex 1995, 724 = wbl 1995, 510).

2. Kommanditgesellschaft. Die Firma einer KG hat den Namen wenigstens eines Komplementärs, also eines persönlich haftenden Gesellschafters, mit einem das Vorhandensein einer Gesellschaft andeutenden Zusatz zu enthalten (§ 19 Abs 2 HGB). Auch hier braucht kein Vorname genannt zu werden.

Unzulässig ist es, andere Namen als die der Komplementäre in die Firma aufzunehmen (§ 19 Abs 4 HGB). Es darf also insb kein Kommanditist in der Firma genannt werden. Es kann aber auch hier ein Fall der Firmenfortführung vorliegen.

Die Rechtsform der KG kommt nur dann deutlich zum Ausdruck, wenn der Gesellschaftszusatz „Kommanditgesellschaft" oder „KG" lautet. Es ist aber auch ein Gesellschaftszusatz anerkannt, der die Rechtsform der KG nicht klar zum Ausdruck bringt, sondern lediglich den Schluss auf eine Personenhandelsgesellschaft zulässt: zB die Nennung zweier Komplementäre. Wird nur der einzige Komplementär genannt und der Zusatz „& Co" beigefügt, können Dritte allein aus dem Firmenwortlaut nicht erkennen, ob es noch weitere Komplementäre oder nur noch Kommanditisten gibt (es sei denn, man nimmt an, dass das „& Co" lediglich den Schluss auf einen oder weitere Komplementäre erlaubt, was aber nicht zwingend ist). Diese Unschärfen nimmt die Rechtsordnung bei Personenhandelsgesellschaften in Kauf; nicht hingegen bei EEG.

Der Firmenzusatz „Gebrüder" ist bei einer KG (KEG) auch dann zulässig, wenn nicht nur 2 Brüder persönlich haftende Gesellschafter sind (RPfl 1997/1, 33).

3. GmbH & Co KG. Bei dieser gemischten Rechtsform ist der oft einzige Komplementär eine GmbH (HS 9036–9038).

Frühere Streitfragen sind heute allerdings weitgehend geklärt:

Ist die Firma der GmbH eine Personenfirma und enthält sie den Namen eines Kommanditisten der GmbH & Co KG, so verstößt dies nicht gegen das Verbot, Kommanditisten in der KG-Firma zu nennen (EvBl 1968/7). Denn dieser Name bezeichnet in der Firma der GmbH & Co KG nicht einen Kommanditisten, sondern ist Teil der GmbH-Firma, die in der KG-Firma den Komplementär bezeichnet.

Ist die GmbH-Firma eine Sachfirma, so verstößt dieser Umstand als solcher nicht schon gegen die Regel, dass KG-Firmen Personenfirmen sein müssen, weil hier keine Sachfirma der KG vorliegt, sondern die Sachfirma der GmbH in der KG-Firma lediglich den Komplementär der KG signalisiert.

Immer noch umstritten ist, ob sich die Sachfirma auf den Unternehmensgegenstand der KG beziehen muss (was sich von selbst versteht, wenn die GmbH lediglich ihrer Komplementärsfunktion wegen gegründet wurde und daher ohnehin dem Unternehmensgegenstand der KG gewidmet ist) oder aber jenen Unternehmensgegenstand zum Ausdruck bringen darf, den die GmbH als solche (unabhängig von ihrer Komplementärsfunktion) hat. Sieht man in der GmbH-Firma zutreffenderweise lediglich den Namen des Komplementärs, sollte es nicht weiter stören, dass darin ein Sachfirmenkern enthalten ist, der nichts mit dem Unternehmensgegenstand der KG zu tun hat. Allem Anschein nach gehen die am Geschäftsverkehr Beteiligten aber überwiegend nicht davon aus, dass die Sachfirma der Komplementär-GmbH nichts mit dem Unternehmensgegenstand der KG zu tun hat, weshalb gefordert wird, dass die Komplementär-GmbH ihre Sachfirma ändern muss, wenn diese Sachfirma nicht mit dem Unternehmensgegenstand der KG harmoniert.

Der Gesellschaftszusatz „GmbH" (oder ähnlich) ist erforderlich, um den Komplementär richtig zu beschreiben; es besteht nicht die Gefahr, diesen Gesellschaftszusatz auf die KG zu beziehen, sofern nur klar genug erkennbar ist, dass die GmbH in eine Personengesellschaft eingebettet ist. Der Zusatz „& Co KG" ist dabei nicht unerlässlich; vielmehr genügt auch ein „& Co" (NZ 1981, 94), sofern man nicht aus Gründen möglichster Klarheit darüber, dass eine KG vorliegt, eine Präzisierung des Zusatzes bevorzugt.

Wird für die GmbH & Co KG firmenmäßig gezeichnet, ist unter die Firma der KG jene der GmbH zu setzen und nach den für diese bestehenden Vertretungsregeln zu unterzeichnen (JBl 1983, 538), denn die GmbH, vertreten durch ihre(n) Geschäftsführer, vertritt ihrerseits als Komplementär die KG (§ 161 Abs 2 iVm § 125 HGB).

C. Eingetragene Erwerbsgesellschaften

1. Firmenrecht der OHG und KG. Auch die EEG führen Firmen, obwohl sie kein Vollhandelsgewerbe betreiben (§§ 1, 2 EGG). Für EEG, also die OEG und KEG, gelten die für die OHG und KG geltenden handelsrechtlichen Firmenrechtsvorschriften (§ 4 Abs 1 EGG). Was also oben zur OHG und KG gesagt wurde, gilt sinngemäß auch hier. Darüber hinaus sind die §§ 2 und 6 EGG zu beachten (RdW 1994, 47):

2. Gesellschaftszusatz. Die Firma der OEG bedarf des Zusatzes **„offene Erwerbsgesellschaft" oder „OEG"**; die Firma der KEG hat den Zusatz **„Kommandit-Erwerbsgesellschaft" oder „KEG"** zu enthalten (§ 2 Abs 1 EGG).

Bei EEG ist also stets ein Firmenzusatz aufzunehmen, aus dem erkennbar ist, ob eine OEG oder KEG vorliegt (RdW 1993, 242). Wird in eine OEG ein Kommanditist aufgenommen, ist der Firmenzusatz OEG in KEG zu ändern (RdW 1993, 242; 1994, 47).

3. Wird ein freier Beruf in der Rechtsform einer EEG ausgeübt, können andere Zusätze verwendet werden: An die Stelle der Bezeichnung „offene Erwerbsgesellschaft" kann die Bezeichnung **„Partnerschaft"** oder – sofern die Firma nicht die Namen aller Gesellschafter enthält – der Zusatz **„und Partner"** bzw „& Partner", an die Stelle der Bezeichnung „Kommandit – Erwerbsgesellschaft" die Bezeichnung „Kommandit-Partnerschaft" treten.

Nimmt ein einzelner Rechtsanwalt seine Frau als Kommanditistin in eine EEG auf, so ist der Firmenzusatz „und Partner" irreführend, weil der Eindruck entsteht, es würden in der KEG mehrere Anwälte kooperieren (EvBl 1993/128; NZ 1998, 345). „Law" ist als Name einer Rechtsanwaltsgemeinschaft unzulässig (RdW 1999, 76 = ÖBl 1999, 91).

Freiberufliche EEG müssen überdies **zwingend einen Hinweis auf den ausgeübten freien Beruf** enthalten (§ 6 Abs 2 EGG).

Der Zusatz „Partnerschaft" bzw „Partner" ist nicht exklusiv den freien Berufen vorbehalten. Die Gefahr von Verwechslungen besteht weitgehend nicht, weil andere als freiberufliche EEG keinen Hinweis auf einen freien Beruf enthalten und überdies trotz Verwendung des Wortes „Partnerschaft" bzw „Partner" den OEG- bzw KEG-Zusatz benötigen. Verwechslungen können sich allerdings bei freiberuflichen Gesellschaften bürgerlichen Rechts einstellen. ZB: „Mayer, Huber und Partner, Rechtsanwälte". So sieht eine OEG-Firma aus; ebenso kann aber auch eine GesBR vorliegen. Die GesBR wird sich allerdings angesichts der bestehenden Verwechslungsgefahr anders nennen müssen. Vgl oben das Verbot der Firmenähnlichkeit von Geschäftsbezeichnungen.

D. EWIV

Die Firma der EWIV kann entweder dem Gegenstand der EWIV entlehnt, also Sachfirma, oder aber eine Namensfirma sein. Ist sie Namensfirma, genügt es, wenn sie den Namen nur eines Mitgliedes enthält; es steht der EWIV aber frei, in der Firma die Namen mehrerer oder aller

Mitglieder zu führen. Andere Namen darf die Firma der EWIV jedoch nicht enthalten. Zur Firma der EWIV: ecolex 1995, 27.

E. Kapitalgesellschaften

Eine Kapitalgesellschaft hat keinen anderen Namen als ihre Firma. Sie tritt im Geschäftsverkehr daher ausschließlich unter ihrer Firma auf (vgl auch unten VI A 4).

1. Gesellschaft mit beschränkter Haftung. Das GmbHG enthält nur wenige firmenrechtliche Bestimmungen. Insofern werden die firmenrechtlichen Regelungen des HGB, soweit dies sachlich gerechtfertigt erscheint, auch auf die GmbH-Firma angewandt (NZ 1982, 93; 1987, 21). Die GmbH-Fa darf insb auch nicht § 18 HGB widersprechen (RdW 1986, 41).

Sach- oder Personenfirma. Die GmbH-Firma ist entweder eine Sach- oder eine Personenfirma. An sich passt auf körperschaftlich organisierte Gesellschaften, bei denen das personalistische Element zurücktritt, besser eine Sach- als eine Personenfirma. Die GmbH lässt aber durchaus auch Gestaltungen zu, die das personalistische Element betonen. Insofern ist das Modell der GmbH ambivalent. Dem entspricht, sowohl Sach- als auch Personenfirmen zuzulassen, ohne dass deshalb schon die Pflicht bestünde, einer eher personalistisch konzipierten GmbH eine Personenfirma zu geben.

Sachfirma. Sie hat sich am Gegenstand des Unternehmens zu orientieren (§ 5 Abs 1 GmbHG). Es dürfen keine Bezeichnungen aufgenommen werden, die Einrichtungen der öffentlichen Verwaltung oder unter öffentlicher Aufsicht stehenden Anstalten zukommen. Unzulässig ist zB die Bezeichnung „Institut für Wirtschaftsrecht“ in Verbindung mit dem Titel und Namen eines Universitätsprofessors, weil dadurch ein irreführender „amtlicher Eindruck“ entsteht (RdW 2001, 81 = EvBl 2001/29). Eine Fantasiebezeichnung ist als Firmenkern einer Sachfirma unzulässig (wbl 2000, 479 = RdW 2000, 351).

Personenfirma. Sie muss zumindest *einen* Gesellschafter, kann aber auch *mehrere oder alle* nennen. Andere Personen dürfen in der GmbH-Firma nicht aufscheinen, es sei denn, es liegt der Fall einer Firmenfortführung vor (§ 5 Abs 1 GmbHG).

Firmenzusatz. Die GmbH-Firma hat jedenfalls den Zusatz: „Gesellschaft mit beschränkter Haftung“, ausgeschrieben oder entsprechend abgekürzt (zB GmbH), zu enthalten (§ 5 Abs 2 GmbH).

2. Aktiengesellschaft. AG-Firmen sind **Sachfirmen,** die dem Unternehmensgegenstand zu entnehmen sind. Einen anderen Inhalt darf die Firma nur aus wichtigem Grund haben. Jedenfalls hat die Firma die Bezeichnung „Aktiengesellschaft“ zu enthalten (§ 4 Abs 1 AktG); dies auch dann, wenn eine fremde Firma fortgeführt wird (§ 4 Abs 2 AktG); dieser

Zusatz kann auch abgekürzt werden („AG“; § 4 Abs 1 AktG idF BGBl 1996/304).

An welcher Stelle der Rechtsformzusatz steht, ist gleichgültig, solange es zu keiner Unklarheit oder Täuschung kommt; demgegenüber hat der Gesellschaftszusatz bei der GmbH am Schluss zu stehen (RdW 2000, 218). Der Rechtsformzusatz bei der Firma einer AG muss nicht notwendig am Schluss der Firma stehen (JBl 2000, 384).

F. Erwerbs- und Wirtschaftsgenossenschaften

Genossenschaftsfirmen sind Sachfirmen. Sie sind dem Gegenstand des Unternehmens entlehnt und haben die Bezeichnung „registrierte Genossenschaft“ und je nach Beschaffenheit ihrer Haftung (§ 2 GenG) den Beisatz „mit unbeschränkter Haftung“, „mit beschränkter Haftung“ oder „mit Geschäftsanteilshaftung“ zu enthalten (§ 4 Abs 1 GenG). Der Name von Genossenschaftern oder anderen Personen darf in die Firma nicht aufgenommen werden (§ 4 Abs 2 GenG).

G. Alte Firmen

Firmen, die bereits am 1. 3. 1939 in einem österreichischen Handelsregister eingetragen waren, deren Firmenbild aber dem heute geltenden Recht nicht entspricht, können unverändert fortgeführt werden, wenn sie nach früherem Recht zulässig waren (Art 25 EVHGB). ZB: Julius Meinl AG.

„Neu“ sind auch eine „alte“ Firma, sofern sie geändert werden soll (OLG Wien NZ 1982, 9; OLG Linz NZ 1988, 232) und eine schon länger gebrauchte, bisher aber noch nicht eingetragene Firma.

H. Namensregelungen für VVaG und Privatstiftungen

1. Große VVaG sind Kaufleute (§ 27 VAG). Dennoch führen sie *keine Firma,* sondern haben einen Namen.

Namenszusatz. Im Namen des VVaG oder in einem Zusatz ist auszudrücken, dass der Verein die Versicherung auf Gegenseitigkeit betreibt (§ 28 VAG). Sonstige Vorschriften über den Namensinhalt kennt das VAG nicht.

2. Privatstiftungen sind zwar ins FB einzutragen, führen aber keine Firma, sondern haben einen Namen. § 2 PSG sagt darüber nichts Näheres. Es wird lediglich festgehalten, dass er von allen eingetragenen Privatstiftungen deutlich unterscheidbar sein muss und nicht irreführend sein darf. Privatstiftungen dürfen sowohl Personen- als auch Sachnamen haben und wohl auch Elemente beider mischen.

Namenszusatz. Dem Stiftungsnamen ist der Zusatz „Privatstiftung“ hinzuzufügen.

Keine Firma im Falle des Betriebes eines Handelsgewerbes. Firmenrechtliche Fragen wie jene, die sich zB im Falle eines ins FB einzutragenden ideellen Vereins, der ein Handelsgewerbe betreibt, im Hinblick auf § 33 HGB stellen, ergeben sich bei der Privatstiftung nicht. Denn die Privatstiftung ist vorweg mit ihrem Namen im FB einzutragen und kann nicht zusätzlich noch unter einer eventuell anders lautenden Firma eingetragen werden.

Handelsrechtsreform: Das Firmenrecht wird, dem Vorbild der dt Handelsrechtsreform folgend, „liberalisiert"; dh: Die zahlreichen Sondervorschriften über die Firmenbildung beim Einzelunternehmer sowie bei den einzelnen Rechtsformen entfallen. Das UGB begnügt sich mit der allgemeinen Feststellung, dass die Firma zur Kennzeichnung des Unternehmers geeignet sein und Unterscheidungskraft besitzen muss. Ferner darf die Firma keine Angaben enthalten, die geeignet sind, über geschäftliche Verhältnisse, die für die angesprochenen Verkehrskreise wesentlich sind, irrezuführen. Dabei wird die diesbezügliche Prüfung durch das FB-Gericht insofern relativiert, als im Verfahren vor dem FB-Gericht die Eignung der Irreführung nur berücksichtigt wird, „wenn sie ersichtlich ist". Auf diese Weise wird die gerichtliche Prüfung auf ein „Grobraster" reduziert, das zwar nicht zu oberflächlicher Prüfung des Tatbestands führen darf, wohl aber von umfangreichen Beweisaufnahmen entlasten soll (vgl zum dHGB BR-Dr 340/97, 54). Ersichtlich ist, was dem FB-Gericht auf Grund eigener Sachkenntnis und verfügbarer Informationsquellen als irreführend erkennbar ist. Die „Feinsteuerung" erfolgt über die zivilrechtliche Unterlassungsklage (*Baumbach/Hopt,* dHGB[31] § 18 Rz 20). Bei Firmen von Einzelunternehmern hält das UGB, anders als das dHGB, fest, dass die Namen anderer Personen als der des Einzelunternehmers oder eines persönlich unbeschränkt haftenden Gesellschafters in die Firma grundsätzlich nicht aufgenommen werden dürfen. Sachfirmen können jedoch auch bei Einzelunternehmern verwendet werden.

VI. Firmengrundsätze

Einige Grundsätze prägen das Firmenrecht im objektiven Sinn: Es sind dies die Grundsätze der Firmeneinheit, Firmenöffentlichkeit, Firmenausschließlichkeit, Firmenwahrheit, Firmenbeständigkeit und Unternehmensbindung.

A. Firmeneinheit

Der Grundsatz der Firmeneinheit sagt in seiner radikalsten Form, dass niemand zugleich zwei Firmen führen dürfe. Ob und inwieweit dieser Grundsatz das österreichische Handelsrecht prägt, ist allerdings zT umstritten.

1. Kein einheitliches Unternehmen mit mehreren Firmen. Keine Diskussion gibt es darüber, dass niemand für dasselbe, als organisatorische Einheit geführte Unternehmen zwei Firmen haben darf.

2. Eigene Firmen für Haupt- und Zweigniederlassung. Doch muss die Zugehörigkeit der Niederlassungen zum selben Unternehmen erkennbar sein. Die Firma einer Zweigniederlassung hat daher entweder den Firmenkern der Hauptniederlassung mit einem speziellen Filialzusatz oder aber einen eigenständigen Firmenkern mit einem Firmenzusatz zu enthalten, der seinerseits den Firmenkern der Hauptniederlassung beinhaltet.

3. Eigene Firmen für organisatorisch selbstständige Unternehmen des Einzelkaufmanns. Anerkannt ist, dass ein Einzelkaufmann für jedes von mehreren, organisatorisch voneinander getrennten Unternehmen eine eigene Firma haben kann. Dies erlaubt dem Einzelkaufmann, ein Unternehmen zu erwerben und dessen Firma fortzuführen, ohne die bisherige, eigene Firma aufgeben zu müssen.

4. Nur eine Firma für eine Handelsgesellschaft. Umstritten ist, ob die für Einzelkaufleute entwickelte Lösung auch für Handelsgesellschaften gilt. Die Rsp bejaht dies für Personengesellschaften (SZ 47/90), nicht aber für Kapitalgesellschaften (NZ 1952, 64; OLG Wien NZ 1960, 107; NZ 1969, 26, 125; NZ 1972, 110; NZ 1972, 13). Die Lehre divergiert: Teils wird die Möglichkeit, mehrere Firmen zu führen, für alle Handelsgesellschaften bejaht, teils nur für Personengesellschaften, teils wird diese Möglichkeit für alle Handelsgesellschaften abgelehnt.

Handelsgesellschaften haben auch dann, wenn sie mehrere, getrennt organisierte Wirtschaftseinheiten führen, rechtlich immer nur ein einziges Unternehmen, denn sie haben nur ein einheitliches Vermögen, über das sie auch in einem einzigen Jahresabschluss Rechnung legen. Überdies bilden bei Handelsgesellschaften Firma und Name stets eine notwendige Einheit; dürfte sie für jede selbstständig organisierte Wirtschaftseinheit einen eigenen Namen führen, wäre die Gesellschaft nicht mehr eindeutig identifizierbar. Die Skepsis gegenüber der Vorstellung, Handelsgesellschaften dürften mehrere Firmen führen, ist daher gerechtfertigt.

Die Regel über die Haupt- und Zweigniederlassung gilt dennoch auch für Handelsgesellschaften.

B. Firmenöffentlichkeit

Die Firma dient schon als solche der Publizität unternehmerischen Wirkens und stellt insofern einen Beitrag zur Rechtssicherheit des Geschäftsverkehrs dar. Dieser Effekt wird durch die Pflicht, die Firma – als eine der **eintragungspflichtigen Tatsachen** – ins FB eintragen zu lassen, weiter verstärkt. Insofern spricht man vom Firmengrundsatz der Öffentlichkeit.

C. Firmenausschließlichkeit oder Firmenunterscheidbarkeit

1. Unterscheidbarkeit am Ort. Der Grundsatz der Firmenausschließlichkeit oder Firmenunterscheidbarkeit besagt, dass jede neue, dh noch nicht eingetragene Firma (ecolex 1990, 619) sich von allen am selben Ort oder in der politischen Gemeinde bereits bestehenden und im FB eingetragenen Firmen **deutlich unterscheiden** muss (§ 30 Abs 1 HGB).

Welcher geographische Raum einen „Ort" bildet, entscheidet die Verkehrsauffassung ohne Rücksicht auf die bestehenden Kommunalgrenzen (RPfl 1996/1, 18). Gleich lautende oder verwechselbare Firmen schaden nicht, wenn sie unterschiedliche Einsatzbereiche haben, also das eine Unternehmen zB in Vorarlberg tätig ist, das andere in Wien. Klosterneuburg und Wien sind nicht der gleiche Ort bzw die gleiche Gemeinde iSd § 30 HGB, weil der Begriff mit der politischen Gemeinde gleichzusetzen ist. Durch diese Bestimmung soll dem Rechtsverkehr ermöglicht werden, das Unternehmen durch den Sitz und die Firma zu identifizieren. Es existiert weder eine gerichtsbekannte Übung, Klosterneuburg und Wien als einen Ort aufzufassen, noch eine Verordnung nach § 30 Abs 4 HGB (OLG Wien, NZ 2005, 93).

Wirbt in Wien ein Unternehmen, das an einem anderen Ort bzw in einer anderen politischen Gemeinde seinen Sitz hat, ohne in Wien auch nur eine Zweigstelle zu haben, so kann sich die Verwechselbarkeit der beiden Firmen zwar nicht *firmenrechtlich,* wohl aber namens- und wettbewerbsrechtlich auswirken.

Auch wenn in zahlreichen Mitgliedstaaten der EU ein liberaleres Firmenrecht gilt als in Österreich, so sind sich doch alle Rechtsordnungen darin einig, dass sich Firmen deutlich voneinander unterscheiden müssen (§ 30 HGB) und dass das Täuschungsverbot gilt (§ 18 Abs 2 HGB); keinesfalls sind § 18 Abs 2 und § 30 HGB EU-widrig (GesRZ 2004, 129 = wbl 2004, 194 = ecolex 2004/250, 541 = RdW 2004/192, 218).

Ob eine neu einzutragende Firma eines Unternehmens dem im § 30 Abs 1 HGB normierten Grundsatz der Firmenunterscheidbarkeit entspricht, hängt grundsätzlich von den Umständen des Einzelfalls ab. Bei der Beurteilung der Unterscheidbarkeit kommt es auf eine tatsächlich schon erfolgte Täuschung des maßgeblichen Geschäftsverkehrs oder eine allenfalls mit Hilfe von Meinungsumfragen festzustellende konkrete Täuschungsgefahr nicht an (GesRZ 2004, 129 = ecolex 2004/250, 541 = RdW 2004/192, 218 = wbl 2004, 194).

Bei der Prüfung der Verwechselbarkeit zweier Firmen sind die zu vergleichenden Firmen nicht in ihren vollständig ausgeschriebenen Fassungen, sondern in ihren im Geschäftsleben verwendeten Formen heranzuziehen, da erfahrungsgemäß Firmenschlagworte, Abkürzungen oder Fantasieworte, die in der Firma enthalten sind, im Geschäftsverkehr häufig allein zur Bezeichnung des Unternehmensträgers verwendet werden. Die bloße Unterscheidung in der Rechtsform genügt nicht zur Vermeidung der Verwechselbarkeit (OLG Wien, NZ 2003/45, 155).

Die Eintragung einer SPHINX AG, die mit EDV-Produkten handelt, ist unzulässig, wenn am selben Ort bereits eine Sphinx GmbH besteht, die in der gleichen Branche tätig ist, mit der ersten Gesellschaft aber in keiner wirtschaftlichen Verbindung steht (ecolex 2003/85, 178 = RdW 2003/113, 138 = wbl 2003/117, 185).

2. Unterschiede im Firmenkern und in Firmenzusätzen. Haben Einzelkaufleute denselben Namen, ist die Unterscheidung nur durch geeignete Firmenzusätze zu erreichen (§ 30 Abs 2 HGB). Ansonst sollen auch die Firmenkerne die erforderlichen Unterschiede aufweisen. Ist dies gegeben, können Firmenzusätze durchaus gleich sein. Unterschiedliche Gesellschaftszusätze allein haben zu wenig Unterscheidungskraft.

3. Deutliche Unterscheidbarkeit. Die Firmen müssen deutlich unterscheidbar sein.

Die Beurteilung, ob sich die neu einzutragende Firma von einer bereits eingetragenen hinreichend deutlich unterscheidet, ist eine Rechtsfrage (NZ 1997, 62), die im Hinblick auf die geschützten öffentlichen Interessen amtswegig zu prüfen ist (RPfl 1995/1, 35; JBl 1997, 468).

Entscheidend ist die *Verkehrsauffassung* (NZ 1992, 139; 1997, 62). Unterscheidbarkeit, die genauer Betrachtung bedarf, ist zu wenig. Denn der *Schnelligkeit des Geschäftsverkehrs* entspräche es nicht, eine minutiöse Betrachtung der Firmen zu fordern. Die erforderlichen Unterschiede müssen also ebenso deutlich wie leicht erkennbar sein, um den Differenzierungsanforderungen des gewöhnlichen Geschäftsverkehrs zu entsprechen (NZ 1995, 18). Was nur mit Mühe als unterschiedlich auszumachen ist, ist verwechselbar. Firmen sind aber nicht schon deshalb verwechselbar, weil sie dem Unachtsamen und Oberflächlichen so erscheinen (NZ 1972, 121; ecolex 1990, 619). Geht es um

Unternehmen mit gleichem Gegenstand, sind an die Unterscheidbarkeit der Firmen strenge Anforderungen zu stellen (OLG Wien NZ 1995, 18; RPfl 1995/1, 35). Bei der Prüfung ist vom Charakteristikum des Firmenwortlautes auszugehen (NZ 1997, 62).

4. Priorität. Geschützt wird vor allem die *zuerst eingetragene* Firma gegenüber der nicht unterscheidbaren, noch nicht eingetragenen. Man spricht von Priorität. Für sie ist der Zeitpunkt der Eintragung entscheidend. Doch gebührt der nicht eingetragenen älteren Firma eines §-1-Kaufmanns und einer § 1-OHG/KG Vorrang gegenüber der von ihr nicht unterscheidbaren, später verwendeten, aber früher zum FB angemeldeten Firma (vgl auch § 9 UWG). Der nachrangigen, nicht unterscheidbaren Firma ist die Eintragung zu verweigern.

Wird eine neue Zweigstelle angemeldet, ist auch bei ihr die Unterscheidbarkeit von bereits eingetragenen Firmen zu prüfen. Zur Vermeidung der Verwechslungsgefahr hat die Firma der Zweigniederlassung einen der Unterscheidung dienenden Zusatz zu erhalten (§ 30 Abs 3 HGB).

5. Schutzzweck. Das bloße *Einverständnis* des bereits eingetragenen Firmenberechtigten damit, dass ein anderer eine nicht hinreichend unterscheidbare Firma führt, vermag eine derartige Firmenführung nicht zu rechtfertigen. Denn es geht beim Grundsatz der Firmenausschließlichkeit nicht nur um den *individuellen Schutz* dessen, der in seinem Firmenrecht beeinträchtigt wird, weil ein anderer eine verwechslungsfähige Firma führt, sondern um *allgemeinen Verkehrsschutz* überhaupt (SZ 51/120; wbl 1992, 63).

D. Firmenwahrheit

Lit: *Walter,* Die Zulässigkeit des Firmenzusatzes „Supermarkt“, ÖBl 1967, 73; *Hofmann,* Der Grundsatz der Firmenwahrheit, JuS 1972, 233; *Kasper,* Zur Bedeutung des geographischen Firmenzusatzes, JBl 1973, 79; *Prunbauer,* Zur Täuschungsfähigkeit des Begriffes „Markt“, ÖBl 1980, 148; *Avancini,* Zur Einschränkung des Grundsatzes der Firmenbeständigkeit bei Änderungen in der Inhaberschaft des Unternehmens, GesRZ 1982, 79; *Heinrich,* Firmenwahrheit und Firmenbeständigkeit (1982); *Weber,* Das Prinzip der Firmenwahrheit und die Bekämpfung irreführender Firmen nach dem UWG (1984); *Wünsch,* Zur Zulässigkeit von Firmenzusätzen, die Beziehungen zum Staat oder zu einer anderen öffentlichen Einrichtung zum Ausdruck bringen, NZ 1984, 205; *Enzinger,* Täuschungseignung von Firmenzusätzen, die den Anschein einer Beziehung zu öffentlichen Einrichtungen erwecken, NZ 1985, 181.

1. Der Grundsatz. Es liegt nahe, dass die Firma den tatsächlichen Verhältnissen des einzutragenden Rechtsträgers und des Unternehmens zu entsprechen hat und *weder täuschen noch irreführen* soll. Die Firma soll also *wahr* sein.

Dieser in § 18 Abs 2 HGB zum Ausdruck kommende Grundsatz der Firmenwahrheit gilt nicht nur für die dort geregelte Firmenbildung des Einzelkaufmanns, sondern allgemein; er betrifft sowohl Firmenzusätze als auch den Firmenkern (NZ 1977, 13; 1979, 43; GesRZ 1979, 125; 1985, 104; SZ 58/51; 61/209).

Personenfirma: Der Einzelkaufmann darf nur seinen bürgerlichen Namen in die Firma aufnehmen und keinen anderen; auch Personenfirmen von Gesellschaften dürfen keine anderen als Gesellschafter nennen.

Sachfirmen müssen dem Gegenstand des Unternehmens entsprechen und dürfen keinen gesellschaftsfremden Unternehmensgegenstand erwähnen.

Die Firma, insb ein Firmenzusatz, darf nicht geeignet sein, eine Täuschung über die Art und den Umfang des Geschäfts oder die Verhältnisse des Geschäftsinhabers herbeizuführen. Prüfungsmaßstab ist (wie bei § 2 UWG) die Gefahr der Irreführung eines nicht unbeachtlichen Teils der durch die Firma angesprochenen Verkehrskreise (ÖBl 1986, 126; ecolex 1990, 695; wbl 1991, 30; ÖBA 2002, 398; *Schuhmacher* in *Straube*[3] § 18 Rz 8). Dabei ist auf den weitesten in Betracht kommenden Personenkreis Bedacht zu nehmen. Auf eine Irreführungsabsicht kommt es nicht an (NZ 1988, 83; EvBl 2000/151 = RdW 2000, 416 = wbl 2000, 576; EvBl 2001/204; ÖBA 2002, 261). Mehrdeutigkeiten sind zu Lasten dessen, der die Firma führt, auszulegen (OLG Wien NZ 1988, 230; 1991, 202 ua). Die Täuschungsgefahr festzustellen, obliegt dem FB-Gericht, das diesbzgl auch Gutachten der zuständigen Interessenvertretung einholen kann (OLG Wien NZ 1982, 93; 1980, 152).

Auch darf die Firma nicht geeignet sein, eine Täuschung über die Art oder den Umfang des betriebenen Handelsgeschäftes oder über die Verhältnisse des Geschäftsinhabers herbeizuführen. Unzulässig ist auch die Bildung einer Firma unter einer *täuschungsfähigen Wortmarke* (RPfl 1987/1, 34).

Geographische Firmenzusätze sind nur zulässig, wenn dem Unternehmen für das im Firmenzusatz genannte Gebiet auf Grund seiner Größe, Wichtigkeit bzw seines Gepräges eine zumindest überdurchschnittliche Bedeutung zukommt (RdW 2000, 218).

Insb darf der Firma kein Zusatz beigefügt werden, der ein *Gesellschaftsverhältnis* andeutet, wenn die Firma lediglich ein Einzelkaufmann führt. Bei der Umwandlung einer KG in eine OHG darf der Rechtsformzusatz „KG" in der Firma nicht beibehalten werden (RdW 2001/232, 214 = EvBl 2001/94).

Die Rsp hat sich mit zahlreichen Firmenzusätzen befasst; zB mit den Firmenzusätzen: „Architektur", „Austria", „Austro", „centers", „Drugstore", „Euro-", „Europa", „europäisch", „Forschungsgemeinschaft Technik", „Haus", „Incentive Tours", „Industrieprodukte", „international", „Kaffee-Konditorei", „Markt", „Österreich", „Pfandleihinstitut", „Rechtsstudien", „Schokoladen- und Süßwarenfabrik", „Sparkasse", „Technik", „Volksbazar", „Waschdienst", „Zentrale", „Zentrum" (wN bei *Schuhmacher* in *Straube*[3] § 18 Rz 12–17).

2. Gebietet Firmenwahrheit Firmenvollständigkeit? Firmenwahrheit bedeutet nicht auch Firmenvollständigkeit. Sollen Firmen ihre Funktion erfüllen, müssen sie kurz und einprägsam sein. Deshalb können Sachfirmen die oft vielfältigen Aktivitäten eines Unternehmens nicht vollständig widerspiegeln. In Personenfirmen können nicht immer alle Gesellschafter genannt werden. Die Firma muss also das *Wesentliche* erfassen; *Vollständigkeit* kann dabei aber oft *nicht* erreicht werden.

3. Durchbrechung des Wahrheitsgrundsatzes durch den Grundsatz der Firmenbeständigkeit (vgl E). Der Wahrheitsgrundsatz wird vor allem aus Rücksicht vor dem hohen Wert einer im Geschäftsverkehr bekannten Firma durchbrochen. *Dem Wahrheitsgrundsatz widerspricht der Grundsatz der Firmenbeständigkeit,* demzufolge man Firmen anderer unter bestimmten Umständen fortführen kann. Fortgeführte Firmen geben daher über die Verhältnisse des Fortführenden keine Auskunft und sind insofern nicht mehr wahr. Die Bedeutung der *Firmenkontinuität* konterkariert also in erheblichem Maße das Anliegen der Firmenwahrheit.

Aus der Durchbrechung des Grundsatzes der Firmenwahrheit folgt, dass er nur für die *ursprüngliche* Firma, also die für ein Unternehmen *neu zu bildende* Firma, sowie in jenen Fällen gilt, in denen eine *bestehende* Firma *geändert* wird.

4. Resistenz des Wahrheitsgrundsatzes gegenüber dem Grundsatz der Firmenbeständigkeit. Der Wahrheitsgrundsatz setzt sich jedoch gegenüber dem Kontinuitätsgrundsatz in den Fällen der **Rechtsformzusätze** durch:

a) Bei EEG muss auch bei fortgeführten Firmen die Rechtsform der EEG ausgewiesen werden. Nicht ausdrücklich geregelt ist die Frage, ob eine OHG/KG, die eine Einzelfirma fortführt, einen das Gesellschaftsverhältnis andeutenden Zusatz benötigt. Die Frage ist konsequenter Weise zu bejahen. Die andere Ansicht, wonach in einem solchen Fall ein Gesellschaftszusatz nicht erforderlich sei, stützt sich offenbar auf den Gedanken, dass die Vergesellschaftung den Gläubigern, die bislang mit einem Einzelkaufmann rechneten, nur weitere voll haftende Schuldner bringt; also ein Nichterkennen einer OHG oder KG kein Nachteil sei. Träfe dies zu, dann bräuchte man freilich auch bei der OHG oder KG als solcher keinen Hinweis darauf, dass man es mit einer Gesellschaft zu tun habe. Denn die Haftung mehrerer Gesellschafter ist immer *mehr* als bloß die Haftung lediglich dessen, der in der Firma aufscheint. Dennoch fordert der Gesetzgeber im Falle einer Personenhandelsgesellschaft eine Firma, die erkennen lässt, dass eine solche Gesellschaft vorliegt. Es erscheint daher konsequent, auch im vorliegenden Beispiel einen das Gesellschaftsverhältnis andeutenden Zusatz zu fordern.

Handelsrechtsreform: In Zukunft wird bei allen OG und KG ein entsprechender Rechtsformzusatz zwingend vorgeschrieben. Selbst Einzelunternehmer, die in das FB eingetragen sind, werden die Bezeichnung „eingetragener Unternehmer" oder „eingetragene Unternehmerin" (e.U.) zu führen haben.

b) Bei Kapitalgesellschaften ist stets dafür zu sorgen, dass die jeweils aktuelle Rechtsform klar zum Ausdruck kommt. Gleiches gilt, wenn eine **SE, EWIV, Gen, PS,** ein **IV** oder **VVaG** die Firma eines Einzelkaufmanns oder einer anderen Gesellschaft fortführt.

c) Bei GmbH & Co KG darf nach hM eine fremde Firma nur fortgeführt werden, wenn zusätzlich zum Ausdruck gebracht wird, dass der einzige Komplementär eine GmbH ist (SZ 51/40 = EvBl 1978/157 = GesRZ 1978, 77 unter Aufgabe der früheren gegenteiligen Ansicht).

d) Ein Einzelunternehmer darf den Rechtsformzusatz der von ihm fortgeführten Firma einer Gesellschaft oder eines sonstigen Rechtsträgers nicht beibehalten. Hiezu findet sich zwar eine uneinheitliche Rsp, doch ist SZ 47/90 zu folgen, wonach irreführende Zusätze schlechthin gestrichen werden müssen, „etwa der Hinweis auf eine nicht mehr zutreffende Gesellschaftsform". Dem ist jedenfalls dann zuzustimmen, wenn kein wahrer Nachfolgezusatz die Bedeutung des durch die Firmenfortführung unrichtig gewordenen Gesellschaftszusatzes relativiert (Nw bei *Schuhmacher* in *Straube*[3] § 22 Rz 18).

E. Firmenbeständigkeit (Firmenkontinuität)

1. Der Grundsatz

Wird eine Firma von einem Rechtsnachfolger fortgeführt, spricht man von einer *abgeleiteten* Firma. Dass derartige Firmenfortführungen zulässig sind, ermöglicht der Grundsatz der Firmenbeständigkeit oder Firmenkontinuität.

a) Unternehmensübergang. Eine Firmenfortführung iS des § 22 HGB setzt voraus, dass ein bestehendes Handelsgeschäft dergestalt übertragen wird, dass ein Übergang des Unternehmens „im Großen und Ganzen" (also im Unternehmenskern) stattfindet. Der Erwerber ist grundsätzlich zur Fortführung der Firma berechtigt, aber nicht verpflichtet. Es bleibt ihm also unbenommen, für das übernommene Unternehmen eine neue Firma zu wählen; die fortgeführte Firma muss aber jedenfalls hinsichtlich des Firmenkerns unverändert bleiben (RZ 2001, 233 = wbl 2001/317, 536 = ZIK 2002/25, 18).

b) Keine Weiterbenutzung der Firma durch den Übergeber. Eine Firmenfortführung, die § 22 HGB mit oder ohne Beifügung eines das Nachfolgeverhältnis andeutenden Zusatzes für zulässig erklärt, setzt ferner im Allgemeinen voraus, dass der bisherige Firmeninhaber die durch den Erwerber fortgeführte Firma selbst nicht mehr benutzt. Das trägt dem durch § 18 Abs 2 und § 30 Abs 1 HGB angestrebten Schutz des Rechtsverkehrs vor Täuschung Rechnung (ZIK 2001/64, 35 = ecolex 2000/349).

c) Fortführung des bisherigen Firmennamens im Wesentlichen. Eine Fortführung liegt nur dann vor, wenn der bisherige Firmenname im Wesentlichen beibehalten wird. Ein Nachfolgezusatz ändert daran nichts. Der Grundsatz der Firmenwahrheit wird nur im Falle einer zulässigen Firmenfortführung durch jenen der Firmenkontinuität verdrängt. Es ist dabei die Firma grundsätzlich unverändert fortzuführen, insb sind Änderungen im Firmenkern unzulässig. Sonstige Änderungen dürfen nur dann vorgenommen werden, wenn sie nach der Verkehrsauffassung unwesentlich sind und keine Zweifel an der Identität der Firma aufkommen. Zum Firmenkern gehört nur der Familienname des Gesellschafters; der in der Firma zusätzlich enthaltene Vorname kann bei Firmenfortführung weggelassen werden. Wird jedoch der bisherige Vorname durch einen anderen ersetzt, liegt keine die Firmenidentität wahrende, bloß unwesentliche und geringfügige Änderung des Firmenwortlautes vor, da sich einerseits das Klangbild der Firma entscheidend verändert und andererseits den beteiligten Verkehrskreisen der Eindruck vermittelt wird, die beherrschende Stellung des bisherigen Alleingesellschafters sei auf die in der Firma aufscheinende Person übergegangen (OLG Wien, NZ 2004/27, 87 = GBU 2004/04/02). Geringfügige Nuancierungen, die den Eindruck der Beibehaltung der Firma nicht beeinträchtigen, tangieren die Firmenbeständigkeit nicht. Gesellschaftsrechtlich gebotene Änderungen von Rechtsformzusätzen ebenso wenig. Wird zwar der Rechtsformzusatz und der im Firmenkern enthaltene Nachname fortgeführt, nicht aber der Vorname, dieser vielmehr durch Initialen eines anderen Vornamens ersetzt, so liegt keine Firmenfortführung vor (ecolex 2000, 882 *[St. Korinek]*).

d) Firmenfortführung bei Insolvenz. In Fällen der Veräußerung des gemeinschuldnerischen Unternehmens (GmbH & Co KG) durch den Masseverwalter kann die Firma durch den Erwerber nur dann fortgeführt werden, wenn – neben der vollständigen Einstellung des Geschäftsbetriebes der Gemeinschuldnerin – für die Dauer der zeitlich befristeten Abwicklung der Firma der Gemeinschuldnerin ein Liquidationszusatz hinzugefügt wird und der Unternehmensübergang entsprechend § 3 Z 15 FBG im FB sowohl der übertragenden Gemeinschuldnerin als auch der das Unternehmen fortführenden Erwerberin eingetragen ist (ZIK 2001/64, 35 = ecolex 2000/349).

e) Zustimmung. IdR ist die Zustimmung des bisherigen Geschäftsinhabers zur Firmenfortführung erforderlich (vgl §§ 22; 24 Abs 2; 25 Abs 1 HGB). Die Zustimmung wirkt auch gegenüber dem Rechtsnachfolger des Erwerbers (JBl 2001, 54). Ist der bisherige Geschäftsinhaber noch vor der Veräußerung seines Unternehmens verstorben, so geht sein allfälliges Zustimmungsrecht auf seine Erben oder – vor Einantwortung – auf den Verlassenschaftskurator als Vertreter des ruhenden Nachlasses über (RZ 2001, 233 = wbl 2001/317, 536 = ZIK 2002/25, 18). Eine Zustimmung liegt nicht vor, wenn der bisherige Geschäftsinhaber die Verwendung seines Namens nur für die Dauer seiner Gesellschafterstellung gestattet (RdW 1999, 528 = EvBl 1999/127 = JBl 1999, 610 = SZ 72/58).

2. Fälle der Firmenfortführung

a) Namensänderung (durch Heirat, Adoption, Legitimation, Scheidung) hindert nicht die Fortführung der bisherigen Firma (§ 21 HGB). Das Recht des Geschiedenen, dem vormaligen Ehepartner die Weiterführung des Namens zu untersagen, geht aber § 21 HGB vor. So kann eine Scheidung uU auch den good will eines bewährten Firmennamens beeinträchtigen. Wird das Unternehmen noch vor Untersagung von einem Dritten erworben und die Firma fortgeführt, greift das Untersagungsrecht nicht mehr.

b) Unternehmenserwerb (§ 22 HGB). Wer ein Handelsunternehmen unter Lebenden oder von Todes wegen erwirbt, darf die bisherige Firma mit oder ohne Beifügung eines Nachfolgezusatzes fortführen, wenn die Einwilligung des Vorberechtigten bzw seiner Erben vorliegt. Das gilt auch für Pacht, Nießbrauch und ähnliche Nutzungsverhältnisse. Fortführungsbeschränkungen können vereinbart werden. Wird das Fortführungsrecht missbraucht, steht ein Widerrufsrecht zu.

Anmeldung zum FB: Eine zum Erwerb eines Handelsgeschäftes gegründete, aber noch nicht ins FB eingetragene GmbH & Co KG kann unter der vom Einzelunternehmer gem § 22 HGB übernommenen Firma eingetragen werden, doch ist analog § 5 Abs 2 GmbHG der Zusatz „GmbH & Co KG" beizufügen (ecolex 1997, 675). Der bisherige Firmeninhaber ist gemeinsam mit dem Erwerber anmeldungspflichtig. Die Firma eines Gemeinschuldners darf vom Erwerber mit einem Liquidationszusatz fortgeführt werden, wenn es nur mehr um eine befristete Abwicklung geht (ecolex 2000, 881 Anm *St. Korinek*). Die Anmeldung der Firmenfortführung ist auch bei der Verpachtung des Unternehmens nach § 22 HGB vom bisherigen Firmeninhaber gemeinsam mit dem Erwerber vorzunehmen. Bei Erlöschen der Firma nach dem Tod des Firmeninhabers hat der als ex lege in das Pachtverhältnis eintretende Erbe den Inhaberwechsel anzuzeigen. Ist aber die Firma schon vor dem Tod des Inhabers erloschen, sind die Erben nicht zur Anmeldung des Erlöschens der Firma verpflichtet (OGH 6 Ob 44/01 s, RdW 2002/145, 155).

c) Gesellschafterwechsel bei Personengesellschaften (§ 24 Abs 1 HGB) hindert gleichfalls nicht, die bisherige Firma fortzuführen. Bleibt der Name des Ausscheidenden in der Firma, ist zur Fortführung der Firma seine oder seiner Erben Einwilligung geboten.

Tritt ein namengebender Gesellschafter einer zweigliedrigen OEG, deren Firma aus den Familiennamen beider Gesellschafter und einem Rechtsformzusatz gebildet ist, in die Rolle des Kommanditisten zurück, ist in Analogie zu § 24 Abs 2 HGB die Zulässigkeit der Firmenfortführung zu bejahen. Die Änderung des Rechtsformzusatzes in „KEG" ist ausreichend (wbl 2001/352, 586; vgl auch RdW 2000, 416; 2000, 606 = wbl 2000, 576).

d) Vergesellschaftung (§ 24 Abs 1 HGB). Bildet jemand mit einem Einzelkaufmann eine Personengesellschaft und betreibt diese das bisherige Einzelunternehmen weiter, so kann auch hier die Gesellschaft die Einzelfirma fortführen.

e) Übernahme eines Gesellschaftsunternehmens durch einen Einzelkaufmann. Auch hier kann die Firma fortgeführt werden. Der Gesellschaftszusatz irritiert in solchen Fällen, wenn kein Nachfolgezusatz gemacht wird. Unterbleibt er, ist auch der Gesellschaftszusatz zu streichen.

f) Umgründungen lassen gleichfalls Firmenfortführungen zu. Doch ist im Bereich der Kapitalgesellschaften und Genossenschaften zu beachten, dass die jeweils aktuelle Rechtsform klar zum Ausdruck kommt.

Die abgeleitete Firma einer GmbH & Co KG, bei der die GmbH einziger Komplementär ist, muss dies hinreichend zum Ausdruck bringen (GesRZ 1983, 90).

Firmen eines Einzelkaufmanns oder einer Handelsgesellschaft dürfen als EEG-Firmen nur fortgeführt werden, wenn der OEG- oder KEG-Zusatz beigefügt wird. Umgekehrt dürfen OEG- oder KEG-Firmen von Vollkaufleuten oder Handelsgesellschaften nur fortgeführt werden, wenn der OEG- oder KEG-Zusatz gestrichen oder ein Nachfolgezusatz beigefügt wird. Andere Einzelunternehmer dürfen eine EEG-Firma überhaupt nicht fortführen (§ 2 Abs 2 EGG). GesBR sind schon deshalb nicht firmenfähig, weil ihnen keine Rechtsfähigkeit zukommt.

F. Unternehmensbindung

Firmen sind zwar Namen, dennoch aber *übertragbar. „Leerübertragungen“* sind nicht möglich. Die Firma kann nur gemeinsam mit dem Unternehmen, das der Rechtsträger unter der Firma betreibt, übertragen werden (§ 23 HGB). Insofern sagt man, das Firmenrecht ist ein gebundenes Recht; oder: die Firma „klebt“ am Unternehmen.

Wer ein Unternehmen gemeinsam mit der Firma erwirbt, das Unternehmen aber nicht weiterbetreibt, sondern endgültig einstellt und abwickelt, hat auch die übernommene Firma zu löschen und kann sie nicht als abgeleitete Firma „auf Eis legen“, um sie später einmal für ein neues Unternehmen zu verwenden.

Das Erlöschen der Gewerbeberechtigung führt für sich allein nicht zum Erlöschen der Firma, sondern nur dann, wenn es die dauernde Einstellung des Handelsgewerbes nach sich zieht (OLG Wien, NZ 2002/67, 158). Erwirbt eine GmbH das Unternehmen eines Einzelkaufmannes, ohne dessen Firma fortzuführen, so erlischt diese Firma. Dieser Umstand ist vom bisherigen Firmeninhaber zur Eintragung in das FB anzumelden (OLG Wien, NZ 2004, 92 = GBU 2004/04/01).

VII. Firmenschutz

1. Handelsrechtlicher Firmenschutz

a) Unterlassungsansprüche. § 37 HGB gewährt demjenigen, der in seinen Rechten dadurch verletzt wird, dass ein anderer eine Firma unbefugt gebraucht, einen Unterlassungsanspruch.

Unzulässiger Firmengebrauch liegt nicht nur dann vor, wenn unter der unbefugt angemaßten oder „angeeigneten“ Firma Geschäfte abgeschlossen und unterschrieben werden. Auch die Anmeldung der nicht zustehenden Firma zum FB gehört hierher; ferner ihr Führen in Briefen, Anschlägen, Preislisten, Reklamen, ihre Angabe in Telefon- und Adressbüchern udgl. Unzulässig ist ferner, einem anderen unter Berufung auf ein angebliches eigenes Firmenrecht unbefugterweise das Recht abzusprechen, eine bestimmte Firma zu führen (unzulässige Firmenbestreitung).

Auf die Verletzung einer vertraglichen Verpflichtung, eine bestimmte, gesetzlich zulässige Firma nicht zu führen, ist § 37 HGB nicht anzuwenden. Der Unterlassungsanspruch beruht in diesem Fall vielmehr auf Vertrag.

b) Schadenersatzansprüche stehen überdies zu. Die firmenrechtlichen Vorschriften des HGB und der gleichzuhaltenden anderen Gesetze werden als Schutzgesetze iS des § 1311 ABGB anerkannt (ecolex 1996, 248 Anm *Frotz/Dellinger* = ÖBA 1996, 289 Anm *Graf* = SZ 68/242 = RdW 1996, 310 Anm *Stillfried;* vgl auch *Pletzer,* ecolex 1996, 231).

c) Zwangsstrafen. Wer eine ihm nicht zustehende Firma gebraucht, ist vom FB-Gericht durch Zwangsstrafen bis zu 3.600 € anzuhalten, den Gebrauch der Firma zu unterlassen oder darzutun, dass der Gebrauch der Firma rechtmäßig ist (§ 24 Abs 1 FBG). Kommt der Betroffene innerhalb zweier Monate nach Eintritt der Rechtskraft des Gerichtsbeschlusses über die Verhängung der Zwangsstrafe dem nicht nach, ist sie bis zu 7.260 € zu erhöhen und der diesbzgl Gerichtsbeschluss auf Kosten des Bestraften zu veröffentlichen.

Das Einschreiten des FB-Gerichts setzt nicht voraus, dass ein anderer in seinen Rechten verletzt wird.

d) Löschung. Wer eine ihm nicht zustehende bzw unzulässige Firma ins FB eintragen ließ, ist gehalten, die Firma wieder löschen zu lassen. Die Löschung kann auch von Amts wegen erfolgen (vgl § 10 FBG).

2. Zivilrechtlicher Namensschutz. Die Firma ist ein Name. Insofern kommt dem Firmenberechtigten der Namensschutz nach § 43 ABGB zugute. Er erfasst jedwede Beeinträchtigung des Namensgebrauches, steht aber nur dem Namensträger selbst zu. Eingriffe in das Firmenrecht lösen Ansprüche auf **Unterlassung, Beseitigung des gesetzwidrigen Zustandes** und – bei Verschulden – **Schadenersatz** aus. Wird das Namensrecht bestritten, stehen auch **Urteilsveröffentlichung** und Abgabe einer **öffentlichen Erklärung** zu (§§ 1323, 1330 Abs 2 ABGB).

3. Wettbewerbsrechtlicher Firmenschutz. Wer im Geschäftsverkehr eine Firma in einer Weise benützt, die geeignet ist, Verwechslungen mit Unternehmenskennzeichen hervorzurufen, deren sich ein anderer befugterweise bedient, kann von diesem auf *Unterlassung, Beseitigung des gesetzwidrigen Zustandes* und – bei Verschulden – auf *Schadenersatz* in Anspruch genommen werden (§§ 9, 15 UWG). Dass der Firmenmissbrauch überdies Wettbewerbszwecken dienen müsste, wird in § 9 UWG (anders sals bei zahlreichen anderen wettbewerbsrechtlichen Tatbeständen) nicht gesagt.

Auch ein nach § 37 HGB oder § 43 ABGB zur Führung der Firma Befugter kann wettbewerbswidrige Verwechslungen mit anderen Firmen hervorrufen. Er kann dann nach § 9 UWG in Anspruch genommen werden.

4. Markenrechtlicher Firmenschutz. Firmen dürfen nicht ohne Zustimmung des Berechtigten zur Kennzeichnung von Waren oder Dienstleistungen gebraucht werden (§ 12 MarkSchG). Ein Verstoß wird markenschutzrechtlich mit Ansprüchen auf angemessenes Entgelt, Herausgabe der Bereicherung und Schadenersatz geahndet (§ 53 MarkSchG). Sofern ein Strafverfahren durchgeführt wird, darf Urteilsveröffentlichung verlangt werden (§ 55 MarkSchG).

5. Gewerberechtlicher Firmenschutz. Auch die GewO kennt im Rahmen der Bestimmungen über „Namensführung und Bezeichnung von Betriebsstätten" Regeln über die Firma (§§ 63 Abs 3 und 4; 64 Abs 2 und 3; 65 GewO). Nichteinhaltung löst Verwaltungsstrafen aus (§ 368 Z 1.15 und Z 4 GewO).

6. Internationaler Firmenschutz. Er wird durch die Pariser Verbandsübereinkunft zum Schutz des gewerblichen Eigentums 1883 gewährt.

2. Teil
Organisation

1. Abschnitt
Unternehmen

7. Kapitel
Begriff und rechtliche Bedeutung des Unternehmens

Lit: *Ohmeyer,* Das Unternehmen als Rechtsobjekt (1906); *Pisko,* Das Unternehmen als Gegenstand des Rechtsverkehrs (1907); *Isay,* Das Recht am Unternehmen (1910); *Pisko,* Das kaufmännische Unternehmen, in Ehrenbergs HB II, 195; *Jacobi,* Betrieb und Unternehmen als Rechtsbegriffe (1926); *Oppikofer,* Das Unternehmensrecht in geschichtlicher, vergleichender und rechtspolitischer Betrachtung (1927); *Jessen,* Unternehmen und Unternehmensrecht, ZHR 96 (1931) 37; *Fechner,* Die wirtschaftliche Unternehmung in der Rechtsordnung (1941); *Julius v Gierke,* Das Handelsunternehmen, ZHR 111 (1948) 1; *Gieseke,* Recht am Unternehmen und Schutz des Unternehmens, GRUR 1950, 298; *Brecher,* Das Unternehmen als Rechtsgegenstand (1953); *Krause,* Unternehmer und Unternehmung (1954); *Hubmann,* Das Recht am Unternehmen, ZHR 117 (1955) 41; *Schippel,* Das Recht am eingerichteten und ausgeübten Gewerbebetrieb (1956); *Rittner,* Unternehmen und freier Beruf als Rechtsbegriffe (1962); *Geiger,* Die Entwicklung der rechtlichen Erfassung des Handelsgeschäfts im 19. Jhdt (1963); *Hämmerle,* Zur rechtlichen Struktur des Unternehmens, JBl 1966, 445; *Fikentscher,* Das Recht am Gewerbebetrieb (Unternehmen) als „sonstiges Recht", FS Kronstein (1967) 261; *E. Wolf,* Das Recht am eingerichteten und ausgeübten Gewerbebetrieb, FS Hippel (1967) 665; *Th. Raiser,* Das Unternehmen als Organisation. Kritik und Erneuerung der juristischen Unternehmenslehre (1969); *Wenger,* Die öffentliche Unternehmung (1969); *Schrauder,* Wettbewerbsverstöße als Eingriffe in das Recht am Gewerbebetrieb (1970); *Arnold,* Das Recht am Unternehmen in der Rechtsprechung des Schweizerischen Bundesgerichts und des dt BGH (1971); *Buchner,* Die Bedeutung des Rechts am eingerichteten und ausgeübten Gewerbebetrieb für den deliktsrechtlichen Unternehmensschutz (1971); *Krejci,* Betriebsübergang und Arbeitsvertrag. Zugleich ein Beitrag zur Lehre von der Vertragsübernahme (1972); *Preusche,* Unternehmensschutz und Haftungsbeschränkung im Deliktsrecht (1974); *Nobel,* Anstalt und Unternehmen. Dogmengeschichtliche und vergleichende Vorstudien (1978); *Flume,* Unternehmen und juristische Person, FS Beitzke (1979) 43; *Nobel,* Das „Unternehmen" als juristische Person? WuR 1980, 27; *Th. Raiser,* Unternehmensziele und Unternehmensbegriff, ZHR 144 (1980) 206; *Bergfried,* Einzelkaufmann und Unternehmen, Person und Organisation im Handelsrecht, in *Coing/Wilhelm* (Hrsg), Wissenschaft und Kodifikation des Privatrechts im 19. Jhdt, Bd VI (1982) 126; *Edlbacher,* Der Stand der Persönlichkeitsrechte in Österreich, ÖJZ 1983, 423; *Conradi,* Die rechtliche Erfassung des Unternehmens in den Kodifikationsentwürfen und Kodifikationen des Handelsrechts im 19. Jhdt, in: Jahrbuch junger Zivilrechtswissenschaftler 1991, 111; *Frick,* Persönlichkeitsrechte (1991); *Conradi,* Das Unternehmen im Handelsrecht. Eine rechtshistorische Untersuchung vom ALR bis zum ADHGB (1993); *K. Schmidt,* Integritätsschutz von Unternehmen nach § 823 BGB, JuS 1993, 985; *Haselberger,* Strukturen des lebenden Unternehmens, GesRZ 1997, 232; *Haselberger,* Das Unternehmen vom Standpunkt des Sachen- und Gesellschaftsrechts, GesRZ 1998, 20; *Heine,* Unternehmen, Strafrecht und europäische Entwicklungen, ÖJZ 2000, 871; *P. Oberhammer,* Unternehmen, Gesamtsache, Unternehmenszubehör – und Pfändung, FS Krejci (2001) I, 257.

I. Begriff des Unternehmens

Das Unternehmen als Phänomen des Wirtschaftslebens ist (nicht nur) für das Handelsrecht von zentraler Bedeutung. Was das Wesen des Unternehmens ausmacht, ist ebenso erklärungsbedürftig wie seine rechtliche Qualifikation. Es ist daher geboten, vorerst seine **reale Erscheinung** (als *Sachverhalt* und nicht schon als juristischer Tatbestand) allgemein zu erfassen und erst dann seine Stellung in der Rechtsordnung zu orten.

1. Unternehmen sind Organisationen, die den Zweck verfolgen, auf dem Markt wirtschaftlich werthafte Leistungen gegen Entgelt anzubieten. Unternehmen sind „organisierte Erwerbsgelegenheiten" (*Ehrenzweig* I/1[2] 138).

a) Organisation. Unter einer Organisation versteht man allgemein ein von einer Personengruppe gebildetes **Aktions- und Handlungssystem** mit dem Zweck fortgesetzter Verfolgung eines relativ genau umschriebenen Zieles unter rationalem Einsatz zweckdienlicher Mittel.

Auch der Staat, die Gebietskörperschaften, das Bundesheer, politische Parteien, Rettung, Feuerwehr, ideelle Vereine, Gesellschaften, die meisten juristischen Personen sind Organisationen. Die differentia specifica des Unternehmens- gegenüber dem ihm übergeordneten Organisationsbegriff liegen im Anbieten wirtschaftlich werthafter Leistungen gegen Entgelt.

Was üblicherweise als **Gestaltungselemente des Unternehmens** aufgezählt wird (*objektive:* die im Unternehmen zusammengefassten Sachwerte; *subjektive:* die unternehmerische Idee und Zielsetzung, Gestaltungswille und -kraft der Unternehmerpersönlichkeit; *organisatorische:* das „lebendige" arbeitsteilige Zusammenwirken), ist in ähnlicher Weise „Baumaterial" jedweder Organisation. Es wäre falsch, das Wesen des Unternehmens bzw der Organisation ausschließlich in *einer* dieser drei Gruppen von Gestaltungselementen zu sehen; vielmehr ist eine kombinatorische Betrachtungsweise geboten: Alle drei Gruppen zusammen, je nach Art des Unternehmens oder der Organisation in unterschiedlichem Gewicht, machen gemeinsam das zu beschreibende Phänomen aus. Die genannten Bauelemente bilden also ein „bewegliches System" („Typusbegriff").

b) Anbieten wirtschaftlich werthafter Leistungen gegen Entgelt. Hierzu zählt die Veräußerung von angeschafften, selbsterzeugten oder verarbeiteten Waren, die Beförderung von Personen, Sachen oder Nachrichten, die Gewährung von Krediten, die Übernahme von Risiken, die Vermittlungsdienste der Handelsvertreter und Makler, Dienstleistungen unterschiedlichster Art (im Bereich der Wirtschaft, der Medizin, der Wissenschaft, der Medien, der Freizeitgestaltung, der Kultur), wenn sie auf privatwirtschaftlicher Basis der Allgemeinheit angeboten werden.

Abgrenzung zu NPOs. Auch wenn man davon absieht, dass Unternehmen auf Gewinn gerichtet sein müssen, so unterscheiden sie sich doch von *Non-profit-Organisations (NPOs).* Das erwerbswirtschaftlich tätige Unternehmen ist darauf angelegt, sich (zumindest auf längere Sicht) durch die Erbringung seiner eigenen Leistungen auf dem Markt über die dadurch erzielten Einnahmen zu (re)finanzieren. NPOs benötigen hingegen, um ihre Leistungen erbringen zu können, Spender, Sponsoren, sonstige Hilfen der öffentlichen Hand udgl, weil NPOs ihre Aufwendungen nicht durch Entgelte für die von ihnen erbrachten Leistungen decken können; diese Deckung erfolgt vielmehr über Zuwendungen Dritter. NPOs widmen ihre Leistungen kostenlos oder zu in keiner

Weise kostendeckenden Entgelten entweder der Allgemeinheit oder Personengruppen, die den Wert der ihnen gewährten Leistungen gar nicht entgelten könnten. Dies hindert NPOs allerdings nicht daran, bestimmte ihrer Leistungen auch auf dem Markt gegen Entgelt anzubieten, um selbst zur Mitfinanzierung ihres eigentlichen Wirkens beizutragen. Insofern kann es zur Konkurrenz mit Wirtschaftsunternehmen kommen, was diese dann besonders stört, wenn NPOs auf Grund ihrer sonstigen finanziellen Unterstützung durch Spender und Sponsoren zu Dumpingpreisen auf dem Markt auftreten. Überdies sind NPOs idR professionell geführt, so dass sie mitunter durchaus Wesenszüge handelsrechtlich relevanter Wirtschaftsunternehmen aufweisen.

2. Ansätze im Gesetz. Der Gesetzgeber trifft viele Regelungen für Unternehmen, sagt aber meist nicht, was er darunter versteht. § 1 Abs 2 KSchG bemüht sich um eine Umschreibung. Dort wird unter einem Unternehmen *jede auf Dauer angelegte Organisation selbstständiger wirtschaftlicher Tätigkeit* verstanden, mag sie auch nicht auf Gewinn gerichtet sein (§ 1 Abs 2 KSchG). Dieses Verständnis korrespondiert durchaus mit der vorhin entwickelten Allgemeinvorstellung vom Unternehmen als Organisation.

3. Unternehmensgliederungen. Solche Organisationen können relativ eigenständige Untergliederungen (Subsysteme) aufweisen, denen bestimmte Teilaufgaben zufallen. So kann ein Unternehmen mehrere **Betriebe** (§ 34 ArbVG) bzw **Zweigniederlassungen** (§§ 13f, 29 HGB) umfassen. Solche Betriebe können ihrerseits wiederum verschiedenen Aufgaben gewidmete **Abteilungen** haben bzw sich aus **Teilbetrieben** zusammensetzen. Je komplexer und vielfältiger ein Handlungssystem aufgebaut ist, desto eher ist es möglich, es auch zu teilen bzw aufzuspalten.

4. Unternehmensverbindungen und -vereinigungen. Mitunter werden aber auch mehrere Unternehmen zu einer höheren wirtschaftlichen Organisationseinheit verbunden, ohne dabei ihre jeweilige *rechtliche* Selbstständigkeit aufzugeben. Werden solche Unternehmen zu wirtschaftlichen Zwecken einer einheitlichen Leitung unterstellt, bilden sie einen **Konzern:** ein aus mehreren selbstständigen Rechtsträgern zusammengesetztes *Gesamtunternehmen* (§ 115 GmbHG; § 15 AktG). Mehrere Unternehmen können aber auch zu einer rechtlichen Einheit verschmolzen werden **(Verschmelzung, Fusion).**

II. Rechtliche Qualifikation des Unternehmens

Die Rechtsordnung erfasst reale Phänomene entweder als **Person, Sache oder Rechtsverhältnis.** Lassen sich Unternehmen mit Hilfe dieser Kategorien rechtlich hinreichend charakterisieren?

1. Unternehmen sind als solche keine juristischen Personen. Ob eine Organisation juristische Person ist, sagt die Rechtsordnung. Unternehmen als solche sind es nicht. Stets ist sohin zwischen Unternehmen und dem rechtlichen *Unternehmensträger,* also dem *Zurechnungssubjekt* des Unternehmens, zu unterscheiden. So ist zB die AG oder GmbH als solche kein Unternehmen, sondern sein Rechtsträger.

2. Unternehmen sind keine sachenrechtlichen Gesamtsachen. Immer wieder wird unzutreffenderweise betont, Unternehmen seien Gesamtsachen iS des § 302 ABGB. Mag sein, dass vor allem der weite Sachbegriff des ABGB zu einer solchen Sicht einlädt, eine nähere Betrachtung der Bauelemente des Unternehmens lässt jedoch berechtigte Zweifel an der Zweckmäßigkeit und auch Richtigkeit dieser Ansicht aufkommen:

Die unternehmensbezogenen Schuldverhältnisse (Arbeitsverträge, freie Dienstverträge, Liefer- und Werkverträge, Miet- und Leasingverträge, Versicherungs-, Kredit-, Lizenzverträgen udgl mehr) vermag das sachenrechtlichen Institut der Gesamtsache nicht zu erfassen. Verträge, Forderungen, Verbindlichkeiten, schuldrechtliche Gestaltungsrechte können nicht nach sachenrechtlichen Grundsätzen übertragen werden; sie bedürfen vielmehr der Vertragsübernahme, der Zession, der Schuldübernahme.

Auch Immaterialgüterrechte sind nicht Gegenstand sachenrechtlicher traditio, sondern werden nach eigenen Regeln übertragen.

Sachenrechtliche Differenzierungen. Selbst im Bereich der sachenrechtsfähigen Unternehmensgegenstände erleichtert die Figur der Gesamtsache die sachenrechtliche Verfügung über das Unternehmen nur *teilweise.* So wird das **Eigentum an Liegenschaften** nicht durch (symbolische) Übergabe des Unternehmens uno actu mitübertragen; vielmehr wird Liegenschaftseigentum durch Eintragung im Grundbuch erworben. Uno actu kann also lediglich der *Besitz* an der Summe aller sachenrechtsfähigen Elemente des Unternehmen begründet werden. Eigentum lässt sich via § 302 ABGB uno actu lediglich an den beweglichen, zum Unternehmen gehörenden Sachen erwerben.

3. Das Unternehmen als schuldrechtlicher Verpflichtungsgegenstand. Das Unternehmen stellt aber nicht einmal *schuldrechtlich* einen *einheitlichen* Verpflichtungsgegenstand dar. Denn bezüglich unternehmensbezogener Schuldverhältnisse kann der Veräußerer, solange er die erforderlichen Zustimmungen seiner Gläubiger und Vertragspartner nicht hat, dem Erwerber gegenüber lediglich *Verwendungszusagen* (§ 880a ABGB) machen. Davon abgesehen ist freilich nichts dagegen einzuwenden, das Unternehmen insgesamt zum Gegenstand eines Vertrages zu machen.

4. Das Unternehmen als Sondervermögen. Trotz des weiten Sachbegriffes des ABGB erscheint es somit passender, das Unternehmen nicht als Gesamtsache, sondern als **Sondervermögen** zu sehen, das sich von *anderen* Sondervermögen dadurch unterscheidet, dass es eine spezielle Organisation aufweist, deren Zweck es ist, „organisierte Erwerbsgelegenheit" zu sein.

Der Begriff des Vermögens erfasst mehr als nur das Eigentum. Darum ist auch ungenau, das Zurechnungssubjekt des Unternehmens, den Unternehmer, als „Eigentümer" des Unternehmens zu bezeichnen. Wenn *Kalss/Schauer* (Allgemeines Handelsrecht Rz 3/19) gegen die Vorstellung des Unternehmens als „Sondervermögen" einwenden, diese erwecke den Eindruck, dass das Unternehmen innerhalb des Gesamtvermögens des Unternehmers eine besondere rechtliche Behandlung genieße, was aber im Privatrecht nur ganz ausnahmsweise der Fall sei (*Kalss/Schauer,* Allgemeines Handelsrecht Rz 3/19), so zeigen die Autoren selbst, dass dem Unternehmen eine solche Sonderstellung durchaus zukommt: Denn das übrige Privatvermögen wird weder von der unternehmerischen Buchführung noch von seinem Jahresabschluss erfasst. Das Unternehmen bildet durchaus einen eigenständigen „Rechnungskreis" im Gesamtvermögen des Unternehmers. Dass dennoch Gläubiger des Unternehmers auch auf dessen *sonstiges* Vermögen (sein „Privatvermögen") greifen können, wenn er seine Geschäftsverbindlichkeiten nicht erfüllt, ändert nichts daran, dass die Unternehmensorganisation eine eigene „organisierte Wirtschaftseinheit" bildet. Missverständlich ist auch, die Vorstellung vom „Sondervermögen" als Aspekt des „Unternehmens als Rechtsobjekt" zu sehen (*Kalss/Schauer* aaO vor Rz 3/18). Forderungen, Verbindlichkeiten, Vertragspositionen, Immaterialgüterrechte lassen sich gerade nicht mit sachenrechtlichen Instrumenten fassen. Andernfalls fände man ja ohne Weiteres mit der Figur der „Gesamtsache" das Auslangen.

5. Rechtliche Sonderfragen des Unternehmens

a) Zur „Körperlichkeit" bzw „Unkörperlichkeit" des Unternehmens. Sieht man im Unternehmen ein Sondervermögen, erübrigt sich ein sachenrechtlicher Disput darüber, ob Unternehmen nun „körperlich" oder „unkörperlich" seien.

b) Zur „Beweglichkeit" bzw „Unbeweglichkeit" des Unternehmens. Missverständlich sind auch Diskussionen über die „Beweglichkeit" oder „Unbeweglichkeit" eines Unternehmens, wenn es konkret nur darum geht, die passende Gewährleistungsfrist (§ 933 ABGB), Einlösungsfrist beim Vorkaufsrecht (§ 1075 ABGB) oder Probezeit beim Kauf auf Probe (§ 1082 ABGB) zu bestimmen oder zu klären, ob ein Wiederkaufsrecht (§ 1070 ABGB) oder ein Rückverkaufsrecht (§ 1071 ABGB) vereinbart werden darf. Hier sprechen gute Gründe, die sich aus der Teleologie der einzelnen Bestimmungen ergeben, dafür, die jeweils für *unbewegliche* Sachen vorgesehenen Bestimmungen für beachtlich zu halten. Deswegen sind Unternehmen als solche nicht schon „unbeweglich".

c) Gutglaubenserwerb vom Nichtberechtigten. Ebenso wenig gelten für Unternehmen die Regeln über den Gutglaubenserwerb vom Nichtberechtigten (§§ 366ff HGB; § 367 ABGB).

d) Eigentumsvorbehalt. Auch die Vereinbarung von Eigentumsvorbehalten an veräußerten Unternehmen wird zu Recht abgelehnt (NZ 1970, 38)

e) Hauptsache, Bestandteil und Zubehör. Probleme bereitet es auch, die sachenrechtlichen Vorschriften über Hauptsachen, Bestandteile und Zubehör auf Unternehmen anzuwenden, soweit es um *schuldrechtliche* Positionen geht.

f) Verpfändung. Ein Unternehmen als solches zu verpfänden, gerät, von anderen Einwänden abgesehen, mit dem sachenrechtlichen Grundsatz der Spezialität in Konflikt (EvBl 1966/232).

Einzelne Produktionsmittel, Liegenschaften, Forderungen können hingegen durchaus verpfändet werden; ferner kann in krassen Fällen mit einem wichtigen Gläubiger auch ein *Betriebsführungsvertrag* geschlossen werden, der dem Gläubiger das Recht gibt, das Unternehmen zur Wahrung seiner Interessen selbst zu leiten. Die Veräußerungs- und Verpfändungsverbote nach § 379 Abs 3 EO sind auf Unternehmen nicht anwendbar.

g) Unternehmen sind keine Waren. Es liegt auch in der Besonderheit des Unternehmens, dass darauf die für Waren und Wertpapiere geltenden Vorschriften nicht passen. So gelten die §§ 373 ff HGB über den Handelskauf grundsätzlich nicht für Unternehmen, weil diese eben keine Waren sind. Besondere Probleme stellen sich auch angesichts des allgemeinen Schuldrechts ein. So bereiten insb Gewährleistungsfragen des Unternehmenskaufes Schwierigkeiten.

III. Recht am Unternehmen (Unternehmensschutz)

Da das Unternehmen als solches keine juristische Person, sondern Sondervermögen ist, wird es einem (oder mehreren) Rechtsträger(n) zugerechnet. Welche Rechte am Unternehmen hat ein solches „Zurechnungssubjekt“?

1. Das Unternehmen insgesamt ist nicht eigentumsfähig. Eigentum kann man nur an eigentumsfähigen Sachen haben; nicht aber an schuldrechtlichen oder immaterialgüterrechtlichen Positionen. Diesbezüglich von einem **„Eigentum iwS“** oder Vergleichbarem zu reden (SZ 23/75) verwirrt nur die allgemein anerkannten juristischen Grundbegriffe. Vermögen ist eben mehr als Eigentum.

2. Es gibt kein spezielles Persönlichkeitsrecht am Unternehmen. Es bliebe nur die theoretische Möglichkeit, ein solches Persönlichkeitsrecht entweder aus einem *allgemeinen Persönlichkeitsrecht* abzuleiten oder aber per analogiam aus den bestehenden, *besonderen Persönlichkeitsrechten* zu entwickeln. Unsere Rechtsordnung kennt kein allgemeines Persönlichkeitsrecht. Es brächte überdies größte Konkretisierungsprobleme mit sich. Die einzelnen, anerkannten Persönlichkeitsrechte bieten hingegen keine geeignete Analogiebasis.

3. Es gibt kein spezielles Immaterialgüterrecht am Unternehmen. Immaterialgüterrechte gibt es nur insoweit, als die Rechtsordnung sie vorsieht *(Typenzwang; Enumerationsprinzip)*. Ein allgemeines und umfassendes Immaterialgüterrecht am Unternehmen als solchem kennt die österr Rechtsordnung ebenso wenig wie ein allgemeines Persönlichkeitsrecht. Immaterialgüterrechtlich geschützt werden vielmehr nur ganz bestimmte Rechtspositionen (Schutz vor unlauterem Wettbewerb, Marken-, Muster-, Gebrauchsmuster-, Patent-, Halbleiter-, Urheberrechtsschutz). Das in Dtld anerkannte Recht am eingerichteten und ausgeübten Gewerbebetrieb gibt es nach österr Recht nicht.

4. Unternehmens- bzw Unternehmerschutz durch Einzelrechte. Dem Unternehmersträger verbleibt dennoch eine ganze Palette einzelner Rechte, die seine Position absichern:

a) Sachenrechtlicher Schutz. Er genießt den Eigentumsschutz an allen in seinem Eigentum stehenden, zum Unternehmen gehörenden Sachen. Darüber hinaus ist er auch im Hinblick auf sonstige, ihm zustehende dingliche Rechte (Dienstbarkeiten, Reallasten, Baurecht, Pfandrecht) an unternehmenszugehörigen Sachen gegenüber jedermann geschützt. Soweit der Unternehmer bloß Rechtsbesitzer einer Sache ist, genießt er immerhin den diesbezüglichen Rechtsschutz.

b) Schutz einzelner Persönlichkeits- und Immaterialgüterrechte. Auch soweit der Unternehmer Persönlichkeits- und Immaterialgüterrechte geltend machen kann, kann er jedermanns Eingriffe abwehren. Hieher gehören der Namensschutz, Firmenschutz, Markenschutz, Geschmacksmusterschutz, Ausstattungsschutz, Gebrauchsmusterschutz, Patentschutz, Halbleiterschutz und Urheberschutz.

c) Schutz vor unlauterem Wettbewerb. Überdies gewährt das UWG Schutz vor unlauterem Wettbewerb. Das UWG kennt eine ganze Reihe gesetzlicher Tatbestände, deren Verwirklichung dem dadurch nachteilig berührten Unternehmer die rechtliche Möglichkeit bietet, gegen den unlauter Handelnden mit Unterlassungs- und Schadenersatzansprüchen vorzugehen (vgl insb das Irreführungsverbot, § 2 UWG, und das Herabsetzungsverbot, § 7 UWG); überdies können in einer ganzen Anzahl derartiger Fälle auch Verwaltungsstrafen verhängt werden.

Da der Katalog von Sondertatbeständen des UWG die Kreativität für neue Strategien unlauteren Wettbewerbes nicht zu hemmen vermag, hat der Gesetzgeber überdies eine Generalklausel geschaffen, die einen Auffangtatbestand gegen die Entwicklung neuer Ideen zu nicht leistungsgerechtem Wettbewerb bildet. Die Generalklausel des § 1 UWG gewährt Unterlassungs- und Schadenersatzansprüche gegen denjenigen, der *im geschäftlichen Verkehr zu Zwecken des Wettbewerbes* Handlungen vornimmt, die *gegen die guten Sitten* verstoßen. Hunderte Entscheidungen zeugen davon, dass dieser Auffangtatbestand im Kampf gegen den unlauteren Wettbewerb seine volle Berechtigung hat.

d) Deliktsrechtlich beachtliche Schutzgesetze und vorsätzliche sittenwidrige Eingriffe. Unternehmer werden insb durch einschlägige Straftatbestände in ihrer Unternehmenssphäre geschützt. So weisen die Tatbestände der *Wirtschaftsdelikte* besondere Unternehmensbezüge auf (zB Untreue, Geheimnisverrat, Betriebsspionage, Kridadelikte). Auch macht vorsätzliche, sittenwidrige Schädigung ersatzpflichtig (§ 1295 Abs 2 ABGB).

e) Schuldrechtliche Positionen aus Verträgen können grundsätzlich nur gegenüber den Vertragspartnern geltend gemacht werden, sieht man von den Ausnahmefällen der sog „absoluten Wirkung relativer Rechte" (*Koziol,* Die Beeinträchtigung fremder Forderungsrechte [1967]) ab.

IV. Niederlassungen des Unternehmens

Lit: *Heymann,* Die Zweigniederlassung im dt Handelsrecht (1907); *Silberschmidt,* Zum Begriff der „Zweigniederlassung", ZHR 82 (1920) 277; *Krückmann,* Zum Recht der Zweigniederlassung, ZBH 1930, 97; *Belger,* Begriff der Zweigniederlassung (1931); *Edlich,* Die Zweigniederlassung als Organisationsform (1965); *Knieper/Jahrmarkt,* Zweigniederlassung, Zweigbüro, Filiale, Nebenbetrieb (1971); *Mayer-Maly,* Die inländische Zweigniederlassung bei im Ausland vollzogener Verschmelzung, FS Hämmerle (1972) 221; *Kastner,* Die Errichtung von Tochtergesellschaften und Zweigniederlassungen in Österreich, ZGR 1977, 534; *Lechner,* Ort der Geschäftsführung von inländisch beherrschten ausländischen Gesellschaften, FS Stoll (1990) 395; *Schuhmacher/Gruber* (Hrsg), Rechtsfragen der Zweigniederlassung (1993); *Schummer,* Zweigniederlassungen und Tochtergesellschaften ausländischer Unternehmen in Österreich, FS Posch (1996) 345; *Korn/Thaler,* Das Urteil des EuGH in der Rs Centros, wbl 1999, 247; *Nowotny,* OGH anerkennt Niederlassungsfreiheit für EU/EWR-Gesellschaften, RdW 1999, 697; *Bachner/Winner,* Das österreichische internationale Gesellschaftsrecht nach Centros, GesRZ 2000, 73, 161; *St. Korn,* Sitztheorie contra Niederlassungsfreiheit: Die Private Limited Company mit Hauptverwaltung in Österreich, wbl 2000, 56; *Straube,* Gesellschaftskollissionsrecht im Wandel? FS Krejci (2001), 2095; *Zehetner,* Die Schließung von Zweigniederlassungen ausländischer Kapitalgesellschaften, FS Krejci (2001) I, 389; *Zehetner,* Vorabentscheidungsverfahren: Verstößt die Sitztheorie gegen die Niederlassungsfreiheit? ecolex 2001, 771; *Ratka,* Grenzüberschreitende Sitzverlegung von Gesellschaften (2002); *Biebl,* Niederlassungsfreiheit und Zuzug doppelt ansässiger Kapitalgesellschaften, SWI 2003, 168; *Greindl,* EuGH-Urteil in der Rechtssache Inspire Art: Nochmals: Kapitalgesellschaften ohne Mindestkapital! EuGH entscheidet gegen Einhaltung von Mindestkapitalvorschriften, SWK 2003, 1301 = SWK 2003, W 161; *Hach,* Die Sitztheorie nach dem Urteil „Überseering", GesRZ 2003, 32; *Handik,* EuGH zur Niederlassungsfreiheit von Gesellschaften, ecolex 2003, 88; *Kersting/Schindler,* Die EuGH-Entscheidung „Inspire Art" und ihre Auswirkungen auf die Praxis, RdW 2003/539; *Nemeth,* Das EuGH-Urteil „Überseering" oder das endgültige Aus der Sitztheorie, wbl 2003, 149; *Rehberg,* Internationales Gesellschaftsrecht im Wandel: Das Überseering-Urteil des EuGH und seine Folgen (Tagungsbericht), IPRax 2003, 175; *Roth,* Internationales Gesellschaftsrecht nach Überseering (zu EuGH 5. 11. 2002, C-208/00 – Überseering BV/Nordic Construction Company Baumangement GmbH (NCC), IPRax 2003, 65), IPRax 2003, 117; *Straube/Ratka,* Das Herkunftsland im EU-Gesellschaftsrecht nach der „Überseering"-Entscheidung, ÖZW 2003, 34; *dieselben,* Nach „Centros" und „Überseering" folgt nun „Inspire Art": nationales Gesellschaftsrecht (fast) chancenlos? GeS 2003, 148; *Ehrlich,* Anerkennung von Auslandsgesellschaften und Zweigniederlassungen vor österreichischen Gerichten, RdW 2005/300.

A. Niederlassung bzw Hauptniederlassung

1. Begriff der Niederlassung. Niederlassung heißt jener Ort, von dem aus das Unternehmen kaufmännisch geleitet und betrieben wird. Gibt es nur *einen* solchen Standort, hat das Unternehmen demgemäß auch nur eine *einzige* Niederlassung. Dann erübrigt es sich, von Haupt- und Zweigniederlassungen zu reden; andernfalls nicht. Niederlassungen können auch verlegt werden (§ 13 a HGB).

Der Sitz einer Gesellschaft ist nicht ausschließlich der Ort, an dem die Verwaltung oder bei mehreren in Betracht kommenden Orten die Hauptverwaltung geführt wird; es genügt vielmehr ein für das Publikum erkennbarer Zusammenhang mit der tatsächlichen Organisation des Unternehmens (SZ 71/23).

Sitztheorie und Niederlassungsfreiheit. Was ausländische Unternehmensträger, die in einem EU/EWR-Staat gegründet wurden, betrifft, hat der OGH die Sitztheorie aufgegeben und die Niederlassungsfreiheit für solche Unternehmen in Österreich anerkannt (so für eine englische Briefkastengesellschaft: RdW 1999, 719 = ecolex 1999, 771, 775 Anm *Zehetner* = GesRZ 1999, 248). Die in § 10 IPRG normierte *Sitztheorie,* wonach die Zweigniederlassung einer ausländischen Gesellschaft nur dann ins FB eingetragen werden kann, wenn die Hauptgesellschaft im Ausland wirksam gegründet wurde und dort einen effektiven Verwaltungssitz hat (IPRax 2003/18, 266), steht mit der europarechtlichen *Niederlassungsfreiheit* im Widerspruch. Aus dem Anwendungsvorrang des Gemeinschaftsrechts folgt, dass das Fehlen einer Geschäftstätigkeit im Eintragungsstaat der Gesellschaft der Eintragung einer inländischen Zweigniederlassung nicht entgegensteht (RdW 1999, 719 = ecolex 1999, 771, 775 Anm *Zehetner* = GesRZ 1999, 248 = RZ 2000, 182; vgl *Nowotny,* RdW 1999, 697).

2. Begriff der Hauptniederlassung. Die Hauptniederlassung (Zentrale, Hauptgeschäft) ist der Sitz der Geschäftsleitung des gesamten Unternehmens. Die Hauptniederlassung bildet seinen wirtschaftlichen Mittelpunkt. Sie ist das Machtzentrum des gesamten unternehmerischen Geschehens. Die *Haupt*niederlassung dominiert die übrigen Niederlassungen des Unternehmens. Diese sind bloß *Neben*standorte. In Zweifelslagen beruht die Festlegung, welche von mehreren in Frage kommenden Niederlassungen die Hauptniederlassung sein soll, allein auf der unternehmerischen Willensentscheidung.

3. Ein Unternehmen – eine Hauptniederlassung. *Ein* Unternehmen hat nur *eine* Hauptniederlassung. Betreibt ein Einzelkaufmann nicht nur ein einziges Unternehmen, sondern unter jeweils anderer Firma **mehrere, organisatorisch voneinander völlig getrennte Unternehmen,** hat jedes eine eigene Hauptniederlassung. Handelsgesellschaften haben hingegen auch in solchen Fällen *nur einen Hauptsitz.* Denn *eine* Handelsgesellschaft betreibt auch in solchen Fällen *rechtlich* nur *ein* Unternehmen.

4. Rechtliche Bedeutung der Hauptniederlassung

a) Firmenbucheintragung des Sitzes und seiner Verlegung. Die ins FB einzutragenden „Rechtsträger" (§ 2 FBG) haben ua auch ihren „Sitz und die für Zustellungen maßgebliche Geschäftsanschrift" bei dem Gerichte, in dessen Bezirk sich die Niederlassung befindet, eintragen zu lassen (§ 3 Z 4 FBG iVm § 29 HGB). Auch die Sitzverlegung ist beim Gericht des bisherigen Sitzes anzumelden. Ändert sich die Gerichtszuständigkeit (§ 120 JN), ist dies vom bisherigen Sitzgericht dem neuen mitzuteilen und einzutragen (vgl § 13a HGB).

b) Gesetzlicher Erfüllungsort. Die Niederlassung des Unternehmers ist gesetzlicher Erfüllungsort nach § 905 ABGB; somit begründet der Ort der Niederlassung auch den Gerichtsstand des Erfüllungsortes (§ 88 JN).

c) Gerichtsstand. Personen, die außerhalb des Gerichtssprengels ihres Wohnsitzes oder ihres gewöhnlichen Aufenthaltes ein Unternehmen betreiben, können in unternehmensbezogenen Rechtsstreitigkeiten beim Gericht des Sprengels, in dem sich die Niederlassung des Unternehmens befindet, geklagt werden (vgl § 87 Abs 1 JN). Vgl idZ auch den Gerichtsstand für Warenforderungen nach § 87a JN.

d) Anknüpfung im Internationalen Handelsrecht. Gegenseitige Verträge, nach denen die eine Partei der anderen zumindest überwiegend Geld schuldet, sind nach dem Recht des Staates zu beurteilen, in dem die andere Partei ihren gewöhnlichen Aufenthalt hat. Schließt diese Partei den Vertrag als Unternehmer, so ist die Niederlassung maßgebend, in deren Rahmen der Vertrag geschlossen wurde (§ 36 IPRG). Einseitig verpflichtende Verträge sind nach dem Recht der Niederlassung des Schuldners zu beurteilen (§ 37 IPRG). Auch bei Bank- und Versicherungsgeschäften spielt die Niederlassung eine Rolle (vgl § 38 IPRG), desgleichen bei Verträgen über Immaterialgüterrechte (§ 43 IPRG) sowie bei Arbeitsverträgen eines in mehr als einem Staat eingesetzten Arbeitnehmers (§ 44 IPRG).

e) Zur wechsel- und scheckrechtlichen Relevanz der Niederlassung vgl Art 87 WG, Art 6 Abs 3 und Art 15 Abs 5 SchG.

B. Zweigniederlassung

1. Begriff der Zweigniederlassung. Eine Zweigniederlassung setzt eine Hauptniederlassung voraus. Eine Zweigniederlassung ist eine *räumlich* von der Hauptniederlassung getrennte, auf *längere Zeit* (nicht nur vorübergehend) eingerichtete, trotz *wesentlich selbstständiger Leitung und „eigener" Vertretung* (SZ 51/29) intern doch den *Weisungen der Hauptniederlassung* unterstellte (SZ 15/79; 24/7), *wesentliche Geschäfte* (nicht bloß Hilfsgeschäfte) der Hauptniederlassung laufend tätigende (EvBl 1948/771; SZ 24/7), *organisatorisch weitgehend verselbstständigte Subeinheit* des Gesamtunternehmens *ohne eigene Rechtspersönlichkeit* (SZ 7/406; EvBl 1956/361; 1968/92; HS E/115; E/147; 1045; 7019; 9014; 9015; 10.029; GesRZ 1991, 44). Erforderlich sind daher auch entsprechende Einrichtungen in kommerzieller Hinsicht, die es ermöglichen, den vorgesehenen Geschäftsbetrieb fortlaufend und relativ selbstständig zu führen.

Kein begriffsnotwendiges Erfordernis, wohl aber *typisch* für Zweigniederlassungen sind eine *gesonderte Buchführung,* (dafür SZ 26/40; dagegen OGH SZ 15/97; 24/7), ein *abgesondertes Vermögen* (NZ 1983, 28), spezielle Bankverbindungen. Dabei handelt es sich freilich stets um einen *Teil* der *Gesamt*buchführung des Unternehmens, um einen Teil des *Gesamt*vermögens bzw *aller* Bankverbindungen des Unternehmens. Auch wenn eine Zweigniederlassung einen eigenen Jahresabschluss erstellen sollte, so kann dieser nur Teil des Gesamtjahresabschlusses des Rechtsträgers des Gesamtunternehmens sein.

Die Zweigniederlassung ist also ein Art *„Zwitterwesen"*, das einerseits zur organisatorischen (nicht aber zur rechtlichen!) Selbstständigkeit tendiert, andererseits aber doch von der Hauptniederlassung in wesentlichen Fragen abhängig ist.

2. Abgrenzung der Zweigniederlassung. Der Begriff der Zweigniederlassung ist mit einer Reihe vergleichbarer bzw ähnlicher Begriffe nicht ident: So ist nicht jeder Unternehmens- und Betriebsteil, nicht jede Abteilung, Zweig- oder Außenstelle, nicht jedes Verkaufsbüro, jede Betriebsstätte iS des § 34 ArbVG, § 29 BAO und § 46 Abs 1 GewO eine Zweigniederlassung im handelsrechtlichen Sinn.

Keine Zweigniederlassungen sind zB Fahrkartenverkaufsstellen und Benzintankstellen: SZ 24/7; Magazine: AC 1706; Lagerstätten, an denen nur faktische Dienste geleistet werden: AC 2552; technische Büros: SZ 15/79. Bloße Vermittlungsstellen ohne eigene Abschlussbefugnis erfüllen die Voraussetzungen einer Zweigniederlassung ebenso wenig wie Schauräume, Werkstätten oder Auslieferungslager, in denen nur faktische Dienste geleistet werden (GesRZ 2004, 272 = RdW 2004/490, 544 = EvBl 2004/199 = wbl 2004/232).

3. Rechtliche Bedeutung der Zweigniederlassung. Zweigniederlassungen spielen im Handelsrecht verschiedentlich eine Rolle:

a) FB-Eintragung. Zweigniederlassungen sind mit ihrem Ort, der für Zustellungen maßgeblichen Geschäftsanschrift und ihrer Firma, wenn sie von der Firma der Hauptniederlassung abweicht, ins FB einzutragen (§ 3 Z 6 FBG iVm § 29 HGB). Zweigniederlassungen werden im Hauptbuch jenes Gerichts eingetragen, in dessen Sprengel das Unternehmen seine Hauptniederlassung bzw seinen Sitz hat (§ 3 Z 6 FBG iVm § 120 Abs 2 JN). Wird eine Zweigniederlassung verlegt, liegt registerrechtlich Aufhebung und Neuerrichtung vor (NZ 1989, 104).

b) Firma der Zweigniederlassung. Die Firma der Zweigniederlassung besteht entweder aus der Firma des Unternehmensträgers, erweitert um einen **Filialzusatz,** oder hat einen **anders lautenden Firmenkern,** dem die Firma des Unternehmensträgers in einem Firmenzusatz beigefügt ist. Ein unterscheidungskräftiger Zusatz ist ferner *vorgeschrieben,* wenn am Ort oder der Gemeinde der Errichtung einer Zweigniederlassung bereits eine gleiche eingetragene Firma besteht (§ 30 Abs 3 HGB).

c) Filialprokura (Niederlassungsprokura). Gemäß § 50 Abs 3 HGB kann für eine Zweigniederlassung mit eigener Firma auch eine Prokura erteilt werden, die nur für den Betrieb einer von mehreren Niederlassungen gilt (§ 50 Abs 3 lt Satz HGB).

Die organschaftliche Vertretung einer inländischen Zweigniederlassung ist nach dem Personalstatut der ausländischen Hauptniederlassung zu bestimmen. Hingegen ist für die Filialprokura für eine inländische Zweigniederlassung eines ausländischen Unternehmens österr Recht maßgeblich (SZ 68/181).

Die Filialprokura ist im FB nicht direkt iVm den die Zweigniederlassung betreffenden Tatsachen nach § 3 Z 6 FBG einzutragen, sondern nach § 3 Z 9 FBG, dh im Zusammenhang mit Prokurabeschränkungen.

Die Filialprokura irritiert das Ziel der Formalvollmacht, unbeschränkbar zu sein. Denn die Filialprokura schränkt die Vertretungsmacht des Prokuristen, der ja den Rechtsträger der Haupt- und aller seiner Zweigniederlassungen vertritt, auf Geschäfte der Zweigniederlassung ein. Ob aber der Filialprokurist im konkreten Fall ein Geschäft tätigt, das zur Zweigniederlassung gehört oder darüber hinausreicht, ist dem Dritten mitunter nicht erkennbar. Hier hilft allerdings § 344 HGB sinngemäß. Dem Dritten ist also entweder bewusst, dass das vom Filialprokuristen geschlossene Geschäft nicht zur Zweigniederlassung gehört: Dann fehlt dem Filialprokuristen die Vertretungsmacht zum Abschluss eines solchen Geschäfts. Oder der Dritte kann dies nicht erkennen oder hat zumindest Zweifel: Dann gilt das Geschäft als solches, das zum Tätigkeitsbereich der Zweigniederlassung gehört. Dies relativiert allerdings den Wert der Filialprokura.

d) Inländische Zweigniederlassungen ausländischer Unternehmer. Liegt die Hauptniederlassung oder der Sitz eines Rechtsträgers im Ausland, so ist der Rechtsträger in das FB einzutragen, wenn er im Inland eine Zweigniederlassung hat (§ 13 Abs 1 HGB). Bei der Anmeldung ist das Bestehen des Rechtsträgers nachzuweisen. Wer vorgibt, in Österreich eine Zweigniederlassung zu gründen, obwohl er im Ausland zwar formal seinen Sitz hat, aber dort keinerlei Aktivitäten entfaltet, gründet in Österreich in Wahrheit keine Zweigniederlassung, sondern seinen eigentlichen Hauptsitz.

In die Anmeldung sind die in das FB einzutragenden Tatsachen aufzunehmen (§ 13 Abs 2 HGB), ferner die Tätigkeit der Zweigniederlassung, das Personalstatut des Rechtsträgers (§§ 9, 10 IPRG) sowie, sofern das Personalstatut eine Registereintragung vorsieht, das Register, bei welchem der Rechtsträger geführt wird, und die Nummer der Eintragung in dieses Register. Nicht schon auf Grund des Gesetzes Vertretungsbefugte sind nur einzutragen, wenn sich die Vertretungsbefugnis auf die inländische Zweigniederlassung bezieht (§ 13 Abs 3 HGB).

Ob eine inländische Zweigniederlassung vorliegt, richtet sich nach österreichischem Recht (GesRZ 2004, 272 = RdW 2004/490, 544 = EvBl 2004/199, 893 = wbl 2004/232 = ecolex 2004/411, 867).

Wenn ein Staatsangehöriger eines Mitgliedstaates, der eine Gesellschaft gründen möchte, diese in dem Mitgliedstaat errichtet, dessen gesellschaftsrechtliche Vorschriften ihm die größte Freiheit lassen, und anschließend in anderen Mitgliedstaaten Zweigniederlassungen gründet, so übt er damit die ihm durch den EGV garantierte Niederlassungsfreiheit im Binnenmarkt aus. Der Umstand, dass eine Gesellschaft in dem Mitgliedstaat, in dem sie ihren Sitz hat, keine Tätigkeit entfaltet und ihre Tätigkeit ausschließlich oder hauptsächlich im Mitgliedstaat ihrer Zweigniederlassung ausübt, belegt noch kein missbräuchliches und betrügerisches Verhalten, das es dem letzteren Mitgliedstaat erlauben würde, auf die betreffende Gesellschaft die Gemeinschaftsvorschriften über das Niederlassungsrecht nicht anzuwenden (RdW 2004/490, 544 = GesRZ 2004, 272 = ecolex 2004/411, 867 = wbl 2004, 438; so auch RdW 2004/681, 731).

Das Fehlen einer Geschäftstätigkeit im Heimatstaat steht der **Eintragung einer englischen Ltd** nicht entgegen. Das FB-Gericht hat nicht zu prüfen, ob mit der Errichtung einer österreichischen Zweigniederlassung einer in England gegründeten Gesellschaft österreichische Gründungsvorschriften umgangen werden, die Gesellschaft über hinreichendes Vermögen verfügt oder die Hauptniederlassung in England tatsächlich errichtet wurde und eine Geschäftstätigkeit ausübt (RdW 2004/681, 731). Die Anmeldung eines ausländischen Rechtsträgers nach § 13 HGB erfordert jedoch den Nachweis der tatsächlichen Errichtung einer Zweigniederlassung im Inland. Dazu ist der Nachweis ausreichend, dass räumliche und organisatorische Vorkehrungen getroffen wurden, die Rückschlüsse darauf zulassen, dass tatsächlich eine Betriebsstätte geschaffen wird, die einen fortlaufenden und weitgehend verselbstständigten Geschäftsbetrieb im Sinn des Unternehmenszwecks ermöglicht (RdW 2004/681, 731). Insofern müssen bei Anmeldung zumindest räumliche und organisatorische Vorkehrungen getroffen werden, die Rückschlüsse darauf zulassen, dass tatsächlich eine Betriebsstätte geschaffen wird (RdW 2004/490, 544 = GesRZ 2004, 272 = ecolex 2004/411, 867 = wbl 2004, 438; so auch RdW 2004/681, 731).

Für die Anmeldungen, Zeichnungen, Einreichungen, Eintragungen und Bekanntmachungen gelten, soweit nicht das ausländische Recht Abweichungen nötig macht, sinngemäß die inländischen Vorschriften für Hauptniederlassungen oder Niederlassungen am Sitz der Gesellschaft (§ 13 Abs 4 HGB). Vgl im Übrigen § 254 AktG; § 107 GmbHG.

Die Eintragung hat so zu erfolgen wie die Eintragung einer inländischen Hauptniederlassung. Liegt eine inländische Zweigniederlassung vor, besteht die Verpflichtung zur Anmeldung (EvBl 2004/2, 23).

Die Umwandlung eines ausländischen Rechtsträgers ist bei der inländischen Zweigniederlassung ins FB einzutragen. Der Umfang der einzutragenden Tatsachen sowie Form und Bedeutung von Eintragungen bestimmen sich nach österreichischem Recht (OLG Wien, NZ 2004/29, 92). Bei einer formwechselnden Umwandlung der ausländischen Gesellschaft ist die Tatsache der erfolgten Umwandlung ebenso einzutragen wie die damit verbundene Satzungs- und Firmenänderung. Der Nachweis der Umwandlung und Firmenänderung ist durch Firmenbuchauszug oder mangels eines solchen durch andere öffentliche Urkunden zu erbringen. Wird im Zuge des Verfahrens über die Eintragung der Rechtsformänderung der ausländischen Hauptniederlassung lediglich im Rahmen einer Stellungnahme die Schließung der inländischen Zweigniederlassung für die Zukunft in Aussicht gestellt und beantragt, von einer Eintragung der umgewandelten Gesellschaft samt Zweigniederlassung abzusehen, so stellt dies noch keinen formgerechten Antrag auf Löschung der inländischen Zweigniederlassung dar. Bis zur Beendigung des erst durchzuführenden Verfahrens über die Löschung der inländischen Zweigniederlassung bedarf es daher der Richtigstellung der im FB eingetragenen Tatsachen hinsichtlich des ausländischen Rechtsträgers (OLG Wien, NZ 2003/44, 153).

e) Ausländische Zweigniederlassungen eines inländischen Unternehmers werden nicht eingetragen (NZ 1989, 104).

Die Verlegung des Satzungssitzes einer in Deutschland gegründeten GmbH ins Ausland (Niederlande) kann nicht in das deutsche Handelsregister eingetragen werden (OLG Düsseldorf, ARD 5293/28/2002).

f) Geschäftspapiere inländischer Zweigniederlassungen ausländischer Gesellschaften. Vgl dazu § 14 Abs 2 HGB und 5. Kapitel VIII.

8. Kapitel

Unternehmen als Gegenstand des Rechtsverkehrs

Lit: siehe einerseits im 7. Kapitel, andererseits im Folgenden unter II. und III. *Sudhoff,* HB der Unternehmensnachfolge (1972); *Brugger,* Unternehmenserwerb in Österreich (1990); *Claussen/Krüger,* Optimale Unternehmensnachfolge. Aktuelle Fragen des Gesellschafts-, Erb- und Steuerrechts sowie der Finanzierung (1992); *Wolf* (Hrsg), Betriebsübertragungen in Theorie und Praxis (2000); *Fraberger,* Nationale und internationale Unternehmensnachfolge (2001); *Huber/Leitner,* Die Unternehmensnachfolge. Ein Leitfaden für die Praxis[2] (2004).

I. Arten des Unternehmenserwerbes

Unternehmen können auf die verschiedenste Art und Weise Gegenstand des Rechtsverkehrs sein. Sie werden entweder durch **Einzel- oder**

durch (erb- oder gesellschaftsrechtliche) Gesamtrechtsnachfolge (asset deal) erworben.

Man kann sich die Herrschaft über ein Unternehmen aber auch durch **Beteiligungserwerb** (share deal) verschaffen, also mit Hilfe der Übernahme von Anteilen an jener Gesellschaft, die schon Zurechnungssubjekt des Unternehmens ist. In diesen Fällen wird freilich nicht das Zurechnungssubjekt des Unternehmens gewechselt; vielmehr wechseln lediglich die Anteilseigner.

Keine Fälle des Unternehmenserwerbes sind „identitätswahrenden Umwandlungen", bei denen lediglich die Rechtsform, nicht aber die Identität des Unternehmensträgers geändert wird. (Eine AG wird zB in eine GmbH oder eine GmbH in eine AG umgewandelt; Näheres darüber in der Darstellung des Gesellschaftsrechts).

Je nach Art des Unternehmenserwerbs stellen sich unterschiedliche Fragen. Manche Fragen sind allerdings stets die gleichen: So die Frage nach dem **Unternehmenswert** und der hierfür erforderlichen Prüfungen (gegebenenfalls eine Due-Diligence Prüfung). Dazu im 10. Kapitel unter VIII.

II. Unternehmenserwerb durch Gesamtrechtsnachfolge

Lit: *Steinbömer,* Die Funktionsnachfolge (1957); *Kastner,* Erbrecht und Gesellschaftsrecht bei Personengesellschaften des Handelsrechts, ÖJZ 1958, 365; *Demelius,* Zum Grenzstreit zwischen Gesellschafts- und Erbrecht: Fortsetzungsklausel und Nachlaßverteilung, GedS Gschnitzer (1969) 117; *Kastner,* Nachfolge der Erben in der Personenhandelsgesellschaft, pflegschafts-, erb- und gesellchaftsrechtliche Probleme der Kautelarjurisprudenz, NZ 1971 Sonderheft 20, 175; *Reuter,* Die handelsrechtliche Erbenhaftung, ZHR 135 (1971) 511; *Kastner,* Die rechtsfunktionelle Kompetenzabgrenzung von Gesellschafts- und Erbrecht, NZ 1973, 33; *Steininger,* Die Erbenhaftung beim Dauerschuldverhältnis, FS Wilburg (1975) 369; *Schönherr,* Die Rechtsstellung des Erbschaftskäufers im österr Recht der Personenhandelsgesellschaften, FS Schwind (1978) 251; *M. Wolf,* Die Fortführung eines Handelsgeschäfts durch die Erbengemeinschaft, AcP 181 (1981) 480; *Aicher/Ostheim,* OHG als Erbengemeinschaft, ÖJZ 1982, 42; *Harrer,* Folgeprobleme des Todes eines Gesellschafters einer OHG, GesRZ 1982, 42; *Fenyves,* Erbenhaftung und Dauerschuldverhältnis (1983); *Frotz,* Rechtsfragen der „unbeschränkten Erbenhaftung nach Handelsrecht", GedS Schönherr (1986) 339; *Schwind,* Grenzen der Universalsukzession, FS Kralik (1986) 515; *Jud,* Anfechtbarkeit des Unternehmenskaufs aus einer Verlassenschaft wegen laesio enormis oder Irrtums über den Wert, FS Wagner (1987) 213; *Friedrich,* Die Haftung des endgültigen Erben und des „Zwischenerben" bei Fortführung eines einzelkaufmännischen Unternehmens (1990); *Lieb,* Haftungsprobleme beim Übergang des Gesellschaftsvermögens auf einen Kommanditisten, ZGR 1991, 572; *Marotzke,* Haftungsverhältnisse und Probleme der Nachlaßverwaltung bei der Beerbung des einzigen Komplementärs durch den einzigen Kommanditisten, ZHR 1992, 17; *Maurer,* Das Einzelunternehmen in der Vor- und Nacherbschaft (1992); *K. Schmidt,* „Übernahmerecht" und „Übernahmeprozeß" nach § 142 HGB – Betrachtungen zum Umgang mit mißlungenen Rechtsnormen, FS Frotz (1993) 401; *ders,* Handelsrechtliche Erbenhaftung als Bestandteil des Unternehmensrechts, ZHR 1993, 600; *Ernst,* Haftung der Erben für neue Geschäftsverbindlichkeiten (1994); *Hohensee,* Die unternehmenstragende Erbengemeinschaft (1994); *Grashoff,* Staatensukzessionsbedingter Schuldnerwechsel (1995); *Jabornegg,* Haftung bei Übertragung von Kommanditanteilen und Rechtsnachfolgevermerk, GesRZ 1998, 66; *Grote,*

Möglichkeiten der Haftungsbeschränkung für den Erben eines einzelkaufmännischen Gewerbebetriebes, BB 2001, 2595.

A. Wesen der Gesamtrechtsnachfolge (Universalsukzession)

Der Übergang eines Unternehmens auf einen anderen Rechtsträger bereitet, soweit es die Übertragung des Erwerbsvermögens betrifft, dann keine sonderlichen Probleme, wenn ein Unternehmen als solches im Rahmen einer Gesamtrechtsnachfolge (Universalsukzession) erworben wird. Im typischen Fall geht der bisherige Unternehmensträger unter; an seine Stelle tritt der Gesamtrechtsnachfolger uno actu (auch) in alle unternehmensbezogenen (nicht höchstpersönlichen) Rechte und Pflichten des Vorgängers ein.

Zu Universalsukzessionen kommt es einerseits in Erbfällen und andererseits in gesellschaftsrechtlichen Konstellationen.

B. Erbrechtliche Gesamtrechtsnachfolge

1. Allgemeines

Der Nachlass und damit *auch* das zu ihm gehörende Unternehmen geht mit **Einantwortung** auf den oder die Erben über.

Haftung auf Grund Universalsukzession. Nach erbrechtlichen Regeln haften die Erben auch dann, wenn sie keine handelsrechtliche Erbenhaftung trifft (SZ 31/17) Auf Erbrechtsfragen ist hier nicht einzugehen, wohl aber auf die *handelsrechtliche* Erbenhaftung bei Unternehmens- und Firmenfortführung nach § 27 HGB.

Vermächtnisnehmer sind keine Erben. Sie erwerben ein Unternehmen im Wege der Einzelrechtsnachfolge auf Grund rechtsgeschäftlicher, dem Vermächtnis entsprechender Übertragung an den Vermächtnisnehmer durch den Erben. Wird das den Erben eingeantwortete **Unternehmen von der Erbengemeinschaft fortgeführt,** entsteht eine OHG; der Übergang des Unternehmens auf die OHG ist keine Gesamtrechtsnachfolge, sondern Einzelrechtsnachfolge (RdW 1998, 460 = JBl 1998, 597 = ecolex 1998, 922). **Wer Gesellschaftsanteile erbt,** erbt *diese* und nicht das von der Gesellschaft betriebene Unternehmen als solches oder Teile davon: Denn das Unternehmen wird in einem solchen Fall nach wie vor von der *Gesellschaft* betrieben, die – so sie trotz Ausscheidens eines Gesellschafters aufrecht bleibt – durch den Anteilseignerwechsel ihre Identität nicht verliert.

2. Handelsrechtliche Erbenhaftung bei Unternehmens- und Firmenfortführung (§ 27 HGB)

a) Die besondere handelsrechtliche Haftungsregel. Wer ein unter einer Firma betriebenes kaufmännisches Unternehmen erbt, haftet *unbeschadet seiner Erbenstellung, sofern er das Geschäft und die Firma fortführt,* nach § 25 HGB. Die Erbenhaftung nach § 27 HGB setzt nicht voraus, dass der Nachlass bereits eingeantwortet wurde (RZ 1967, 70). Unternehmens- und Firmenfortführung (EvBl 1986/151) signalisieren nicht anders als die Fälle des § 25 HGB die *Kontinuität der bisherigen Unter-*

nehmensverhältnisse. Die Witwe, die das zum Nachlass gehörende Unternehmen bloß kraft eines ihr letztwillig vermachten Fruchtgenussrechts fortführt, haftet nicht nach § 27 HGB (HS 1096).

aa) Relevanz bei bedingter Erbserklärung. Wer eine *unbedingte* Erbserklärung abgegeben hat, haftet schon deshalb unbeschränkt; bei *bedingter* Erbserklärung trifft den Erben aber bei gegebenen Voraussetzungen die strengere handelsrechtliche Haftung (SZ 31/17; EvBl 1986/151).

bb) Unternehmens- und Firmenfortführung. „Das Geschäft" und die Firma müssen *fortgeführt* werden. Unternehmenseinstellung schließt sohin die Erbenhaftung aus.

Unbeachtlich ist, ob der Erbe die Firma persönlich oder durch einen Bevollmächtigten bzw gesetzlichen Vertreter fortführt (EvBl 1956/86; BGHZ 30, 391). Bedeutungslos ist ferner, auf wessen Rechnung das Geschäft fortgeführt wird (SZ 43/128). Doch kann die Tätigkeit eines gerichtlich ernannten Masseverwalters, sieht man seine Funktion richtigerweise nicht als Vertreter des Kaufmanns, nicht iS des § 27 HGB den Erben zugerechnet werden (BGHZ 35, 13).

Abwicklung des Unternehmens ist keine Fortführung. Strittig ist, ob *Veräußerung* oder *vorübergehender Wechsel des Unternehmensträgers* als „Einstellung" des Geschäftes zu werten ist. Wird die Firma vom Dritten fortgeführt, ist keine „Einstellung" anzunehmen; wird die Firma hingegen nicht fortgeführt, liegt „Einstellung" vor. Wird zwar das Unternehmen als solches fortgeführt, nicht aber die Firma, liegt nach zutrA gleichfalls „Einstellung" vor. Bloß *vorübergehende Einstellung* des Betriebes genügt für die Haftungsbefreiung nicht.

Erbengemeinschaft. Die Mitglieder einer Erbengemeinschaft entscheiden gemeinsam (absolute Mehrheit genügt), ob das Unternehmen fortgeführt werden soll. Sie haften gesamtschuldnerisch (EvBl 1956/86). § 27 HGB betrifft alle Erben, sie mögen durch Erbvertrag, Testament oder Gesetz berufen sein.

cc) Haftung des Nacherben. Er haftet auch für die vom Vorerben im Rahmen des Fortbetriebes des Unternehmens eingegangenen Geschäftsverbindlichkeiten (BGHZ 32, 60).

b) Keine Haftung

aa) Bei Unternehmenseinstellung. Die Haftung nach § 27 HGB trifft den Erben nicht, wenn er die Fortführung des Geschäftes vor Ablauf dreier Monate nach Einantwortung, Überlassung der Verlassenschaft nach § 810 ABGB, Bestellung eines gesetzlichen Vertreters oder Eintritt der vollen Handlungsfähigkeit des nicht eigenberechtigten Erben einstellt. *Der Zweck dieser Regelung* liegt darin, dem Erben eine Bedenkzeit einzuräumen, in der er prüfen kann, ob er das Unternehmen fortführen will oder nicht.

bb) Bei Firmenänderung. Auch Firmenänderung während der Bedenkzeit führt zum Ausschluss der Haftung nach § 27 HGB.

cc) Bei Erklärung eines Haftungsausschlusses. Ebenso ist es nach zutreffender, aber strA zulässig, die Haftung in entsprechender Anwendung des § 25 Abs 2 HGB durch Eintragung des Haftungsausschlusses ins FB und Bekanntmachung bzw Mitteilung an die Gläubiger iS des § 25 Abs 2 HGB auszuschließen. Dies wird der Erbe vor allem dann tun, wenn er eine bedingte Erbserklärung abgegeben hat.

C. Gesellschaftsrechtliche Gesamtrechtsnachfolgen

Gesellschaftsrechtliche Fälle der Gesamtrechtsnachfolge sind die der **Verschmelzung und Gesamtvermögensübertragung,** die **Umwandlung** nach dem UmwG, die Fälle der **Einbringung** nach BWG und VAG und die **Spaltung.** Die gesellschaftsrechtlichen Gesamtrechtsnachfolgen werden im Zuge der Darstellung des Gesellschaftsrechts behandelt.

III. Unternehmenserwerb durch Einzelrechtsnachfolge

Lit: *Rünger,* Haben der Erwerb und die Fortführung einer Firma den Übergang der Schulden und Forderungen zur Folge? (1881); *Kühn,* Die Haftung des Erwerbers eines Handelsgeschäfts (1906); *Demelius,* Vertragsübernahme, JhJb 72 (1924) 241; *Steinwenter,* Vermögensübernahme und Vertragsübernahme, ZBl 1934, 406; *Demelius,* Erwerberhaftung bei Geschäftsübernahme, insb in der Ostmark, Soziale Praxis 1939, Sp 833; *Kastner,* Schuldübernahme bei Rückstellung von Unternehmungen, ÖJZ 1948, 341; *Klang,* § 1409 ABGB in der Rechtsübung, JBl 1948, 437; *Wellacher,* Die Schuldenhaftung des Übernehmers beim Übergange von Vermögen und Unternehmungen (1951); *Hausmann,* Die Bedeutung der Rechtsfolgenanordnung „gelten als" in § 25 Abs 1 Satz 2 HGB. Ein Beitrag zum Verhältnis von Fiktion, Vermutung und Rechtsschein (1952); *Koumantos,* Erwerberhaftung bei Unernehmensveräußerung (1955); *Wellacher,* § 1409 ABGB in der oberstgerichtlichen Judikatur 1951–1956, ÖJZ 1957, 309; *Wellacher,* Vergebliche Umgehungsversuche der Erwerberschuldenhaftung nach § 1409 ABGB, ÖJZ 1957, 449; *Pieper,* Vertragsübernahme und Vertragsbeitritt (1963); *Gschnitzer,* Zur Vertragsübernahme, insb beim Kreditverhältnis, FS Wilburg (1965) 99; *Schwarz,* Das Arbeitsverhältnis bei Übergang des Unternehmens (1967); *Schwarz,* Erwerberhaftung und Grenzwert des Erwerbes, JBl 1967, 113; *Koziol,* Welchen Schulden tritt der Übernehmer eines Vermögens, Unternehmens oder Handelsgeschäftes bei? JBl 1969, 550; *Morisse,* Der Rechtsgrund der Haftung des Erwerbers (1969); *Krejci,* Betriebsübergang und Arbeitsvertrag. Zugleich ein Beitrag zur Lehre von der Vertragsübernahme (1972); *Reindl,* Zur Haftung des fehlerhaft eingetretenen Gesellschafters, FS Demelius (1973) 427; *Wilburg,* Abschied von § 419 BGB, FS Larenz (1973) 661; *Fenyves,* Gleichheitswidrige Diskriminierung von nahen Angehörigen bei Vermögens- und Unternehmensübernahmen nach § 1409 ABGB? JBl 1975, 617; *Heckelmann,* Die Grundlage der Haftung aus Firmenfortführung nach § 25 Abs 1 HGB: Vertragsübernahme kraft Gesetzes, FS Möhring (1975) 37; *Hommelhoff,* Die Sachmängelhaftung beim Unternehmenskauf (1975); *Krejci,* Ist zur Vertragsübernahme bei Unternehmensveräußerung Dreiparteieneinigung erforderlich? ÖJZ 1975, 449; *Gerlach,* Die Haftungsordnung der §§ 25, 28, 130 HGB (1976); *G. Nitsche,* ÖZW 1976, 40; *Waskönig,* Rechtsgrund und Tragweite der §§ 25, 28 HGB (1979); *Hommelhoff,* Zur Abgrenzung von Unternehmenskauf und Anteilserwerb, ZGR 1982, 366; *Fenyves,* Zivilrechtliche Ordnungsfragen bei Unternehmensnachfolge: Haftung und Vertragsübernahme, in *Ruppe* (Hrsg), Rechtsprobleme der Unternehmenssanierung (1983) 149; *Honsell/Harrer,* Die Haftung für Altschulden nach §§ 28, 130 HGB bei arglistiger Täuschung, ZIP 1983, 259; *Jung,* Praxis des Unternehmenskaufs (1983); *Nörr/Scheyhing,* Sukzessionen (1983); *Nitsche,* Zivilrechtliche Probleme bei der Betriebsübergabe zwischen Angehörigen, in *Ruppe* (Hrsg), HB der Familienverträge[2] (1985) 667; *P. Bydlinski,* Die Übertragung von Gestaltungsrechten (1986) 95; *Kantenwein,* Die Sachmängelgewährleistung beim Unternehmenskauf (1988); *Hölters,* HB des Unternehmens- und Beteiligungskaufs[2] (1989); *K. Schmidt,* Was wird aus der Haftung nach § 419 BGB? ZIP 1989, 1025; *Brockmeier,* Die Haftung bei Geschäftsübernahme mit Firmenfortführung (1990); *Commandeur,* Betriebs-, Firmen- und Vermögensübernahme. Eine Gesamtdarstellung der haftungsrechtlichen Probleme bei Einzelrechtsnachfolge (§§ 613 a, 419 BGB, § 25 HGB, § 75 AO) (1990); *Cadmus,* Gläubiger- und Verkehrsschutz bei der Übernahme von Unternehmen und Vermögensmassen (1991); *Fenyves,* Die Schuldenhaftung des Unternehmenserwerbers, ecolex 1990, 137; *Reich-Rohrwig,* Unternehmenskauf und Beteiligungserwerb, ecolex 1990, 140, 219; *Beisel/Klumpp,* Der Unternehmenskauf[2] (1991); *Reich-Rohrwig/Thiery,* Gewährleistungsfragen beim Anteilskauf, ecolex 1991, 89; *Lieb,* Die Haftung für Verbindlichkeiten aus Dauerschuldverhältnissen bei Unternehmensübergang (1992); *Pelster,* Wettbewerbsverbote in Unternehmensveräußerungsverträgen nach EG-Recht (1992); *Reicheneder,* Mergers & Acquisitions (1992); *Riedler,* Der Vermögens- und Unternehmensbegriff des § 1409 ABGB, JBl 1992, 563; *Bertl/Mandl/Mandl/Ruppe* (Hrsg), Kauf und Verkauf von Unternehmungen (1993); *Canaris,* Unternehmenskontinuität als Haftungs- und Enthaftungsgrund im Rahmen von § 25 HGB? FS Frotz (1993) 11; *Grünwald,* Zur Geschäftsübernahme bei der GesBR, RdW 1993, 269; *Stainer,* Die Gewährleistung beim Unternehmenskauf (1993); *Holzapfel/Pöllath,* Recht und Praxis des Unternehmenskaufs[7] (1994); *Nemec/Reicheneder,* Der Unternehmenskauf und seine Abwicklung in der Praxis (1994); *H. Schmidt,* Leveraged Management Buy-Out. Begriff, Gestaltung, optimale Kapitalstruktur und ökonomische Bewertung (1994); *Canaris,* Unternehmenskontinuität als Haftungs- und Enthaftungsgrund im Rahmen des § 25 HGB? FS Frotz (1995) 11; *Karollus,* Unternehmerwechsel und Dauerschuldverhältnis, ÖJZ 1995, 241, 292; *Kober,* Sonderformen des Beteiligungskaufes: Der Mantelkauf (1995); *Reich-Rohrwig,* Unternehmenskauf (ecolex-Checklist), ecolex 1995, 265; *Picot* (Hrsg), Kauf und Restrukturierung von Unternehmen (1995); *Puck,* Anteilskauf: Haftung für die Ertragskraft des Unternehmens, ecolex 1995, 247; *Rummel,* Haftungsfragen im Zusammenhang mit einem Betriebs(teil)übergang – Zur Reichweite des § 6 AVRAG und seine Bedeutung im System der Haftungsregeln, in *Tomandl,* Der Betriebs(teil)übergang im Arbeitsrecht (1995) 91; *Puck,* Gewährleistung, Schadenersatz und Irrtum beim Unternehmens- und Anteilskauf (1996); *Bucher,* Unternehmensübergang und Altlasten, ecolex 1997, 646; *Frotz,* Einbringung und gesetzlicher Schuldbeitritt, FS Hempel (1997) 24; *Wagnest,* Die Haftung bei Übergang eines Unternehmens oder Betriebes. Inhalt und Abgrenzung von § 6 AVRAG und § 1409 ABGB (1997); *Haselberger,* Das Unternehmen vom Standpunkt des Sachen- und Gesellschaftsrechts, GesRZ 1998, 20; *Nowotny/Gelter,* „Bilanzklausel" und Unternehmenserwerb, GesRZ 2000, 63; *Theißen,* Die Schuldenhaftung nach § 25 HGB beim Erwerb von unselbständigen Unternehmensteilen (2000); *Wiedenbauer,* Markenrecht bei Unternehmensveräußerung, ecolex 2000, 404; *K. Schmidt,* Zum Verständnis des § 26 HGB, Eine Skizze zur Nachhaftungsbegrenzung, FS Krejci (2001) I, 325; *Hölters* (Hrsg), Handbuch des Unternehmens- und Beteiligungskaufs (2002); *Beisel,* Der Unternehmenskauf (2003); *Kalss,* Ausgewählte Fragen der Haftung der sonstigen Gesellschaften gem § 15 SpaltG, wbl 2003, 49; *Picot* (Hrsg), Unternehmenskauf und Restrukturierung (2004).

Schwierigkeiten bereitet die Übertragung des Unternehmens auf ein anderes Zurechnungssubjekt im Wege der Einzelrechtsnachfolge. Denn in diesen Fällen kann das Unternehmen nicht uno actu mit all seinen sachen-, vermögens- und immaterialgüterrechtlichen Rechtsbeziehungen auf den Erwerber übergehen.

A. Unternehmensidentität

Unternehmensänderung im Zuge der Übertragung. Ob jemand sein Unternehmen als ganzes, „so wie es ist", oder aber nur in modifizierter Form bzw überhaupt nur teilweise veräußert, ist – von Fragen der Vertragsauslegung abgesehen – rechtlich solange uninteressant, als es nicht um die Erfüllung gesetzlicher Tatbestände geht, die eine Veräußerung des *gesamten* Unternehmens voraussetzen.

Übertragung des Unternehmens unter Wahrung seiner Identität. Im Hinblick auf die Haftungstatbestände des § 1409 ABGB oder des § 25 HGB ist zu klären, wie viel gestalterische Eingriffe eine konkrete Unternehmensorganisation verträgt, bis sie ihre Identität verliert. Der Rsp ist zu folgen, wenn sie idZ von einem sehr elastischen bzw beweglichen Identitätsverständnis ausgeht.Demnach kommt es darauf an, dass der **„wesentliche Kern eines Unternehmens"** übernommen wird (GesRZ 1983, 99 = JBl 1984, 436 Anm *Koziol* = SZ 56/6).

Dieser „wesentliche Kern" hat den „Schwerpunkt des Unternehmens" mit den zur **Betriebsfähigkeit** notwendigen Zubehörstücken und sachlichen Ausstattungen zu umfassen, mit denen die **Fortführung des Betriebes nach allgemeiner Verkehrsauffassung möglich** ist (SZ 56/6; 65/32). Es muss also dem Erwerber möglich sein, die bisherigen Unternehmensaufgaben mit jenem Substrat, das übernommen wird, im Wesentlichen weiterhin zu verfolgen. Die Übertragung des Klientenstocks eines Steuerberaters stellt den wesentlichen Kern des Unternehmens des Steuerberaters dar (vgl AnwBl 1998, 288).

Auf einen einzigen Übertragungsakt kommt es nicht an. Ein Unternehmen kann auch durch mehrere Geschäfte übertragen werden, die sich zwar formell auf einzelne Unternehmensteile beschränken, nach ihrem Zweck und Zusammenhang aber wirtschaftlich auf die Übertragung des Gesamtunternehmens hinauslaufen (HS I/5; 6046). Darauf, *wie* das Unternehmen übergegangen ist, kommt es also nicht an (SZ 25/266).

B. Übertragungserfordernisse

Das Unternehmen als Organisation kann, wie bereits oben gezeigt wurde, nicht insgesamt uno actu übertragen werden. Vielmehr sind verschiedene Übertragungsakte erforderlich: **Dingliche Rechte** sind nach sachenrechtlichen Vorschriften zu übertragen, wobei dingliche Rechte an Liegenschaften grundbücherlicher Intabulation bedürfen; **Immaterialgüterrechte** sind nach den immaterialgüterrechtlichen Vorschriften zu übertragen; **Forderungen** sind zu zedieren; **Verbindlichkeiten** durch Schuldübernahmen und ganze **Parteistellungen** durch Vertragsübernahmen zu übernehmen. **Gewinnchancen** stellen sich hingegen, soweit sie mit dem Unternehmenserwerb verbunden sind, von selbst ein; sie bedürfen keiner eigenen Übertragung.

Probleme bereitet in diesem Zusammenhang die immer wieder erforderliche **Zustimmung von Gläubigern und Vertragspartnern** des bisherigen Unternehmensträgers. Naheliegenderweise besteht das Bedürfnis, all diese Positionen möglichst *ohne* solche Zustimmungen übertragen zu können und zu dürfen. Die Rechtsordnung hat bisher allerdings nur in Einzelfällen Regelungen getroffen, die diesem Bedürfnis entgegenkommen:

C. Gesetzliche Vertragsübernahmen

In bestimmte Verträge tritt der Erwerber des Unternehmens teils aus Gründen des Schutzes Dritter (dann zwingend), teils aus Gründen des Schutzes von Unternehmerinteressen (dann nach Wunsch des Veräußerers und mitunter ohne Erfordernis der Zustimmung des Dritten) von Gesetzes wegen ein; so in: **Arbeitsverträge** (§ 3 AVRAG), **Mietverträge** mit Mietern (§ 2 Abs 1 MRG, § 1120 ABGB), mit Vermietern (§ 12a Abs 1 MRG) und verdinglichte Bestandverträge (§ 1095 ABGB), **Versicherungsverträge** bei Sacherwerb (§ 69 VersVG) und bei Bestandsübertragung nach § 13 VAG, **Lizenzverträge** nach Patent- (§ 37 PatG), Marken- (§ 11 MarkSchG) und Halbleiterschutzrecht (§ 12 Abs 4 HlSchG), **Werknutzungsverträge** (§ 28 UrhG).

Eine allgemeine Gesetzesregel fehlt, derzufolge der Unternehmenserwerber iZw in alle unternehmensbezogenen Verträge seines Vorgängers einträte. Die Rsp behilft sich mit der Annahme, die Beteiligten würden die **Vertragsübernahme konkludent vereinbaren** (§ 863 ABGB; SZ 19/145; Arb 4100; 5754; 7031; 7237; 8255). Mitunter wird schlüssige Vorauszustimmung des Dritten zur Vertragsübernahme bei Unternehmensübergang angenommen (wbl 1991, 141).

Erwägungen, wonach die **Regelungsgrundsätze der §§ 25, 28 HGB** iZw eine Fortsetzung unternehmensbezogener Vertragsverhältnisse mit dem Unternehmenserwerber nahe legen (vgl weiter unten die **„Kontinuitätstheorie“**), haben vor allem in Dtld an Boden gewonnen, wurden aber in Österreich immer wieder abgelehnt (bejahend allerdings schon *Krejci,* Betriebsübergang und Arbeitsvertrag [1972] 212ff; vgl *ders,* Ist zur Vertragsübernahme bei Unternehmensveräußerung Dreiparteieneinigung nötig? ÖJZ 1975, 449).

Handelsrechtsreform: In Zukunft soll jedoch klargestellt werden, dass der Erwerber eines Unternehmens nicht (wie bisher) nur für die unternehmensbezogenen Verbindlichkeiten des Veräußerers haftet und dem dritten Schuldner gegenüber als Zessionar der unternehmensbezogenen Forderungen gilt, sondern, sofern nichts anderes vereinbart ist, in die unternehmensbezogenen Vertragsverhältnisse im Wege einer gesetzlichen Vertragsübernahme unter Forthaftung des Veräußerers für die Altschulden eintritt. Dazu Näheres weiter unten.

D. Allgemeines zu den gesetzlichen Haftungsregeln

Aus Gründen des Gläubigerschutzes kennt die Rechtsordnung einige Bestimmungen, die im Falle des Unternehmenserwerbes den Erwerber auch dann, wenn diesbezüglich keine Vereinbarungen getroffen wurden, zur **Haftung für unternehmensbezogene Verbindlichkeiten** heranziehen: §§ 1409, 1409a ABGB; §§ 25ff HGB; § 67 Abs 4–9 ASVG; § 14 BAO.

E. Zivilrechtliche Erwerberhaftung (§§ 1409f ABGB)

1. Die Haftungsregel (§ 1409 Abs 1 ABGB)

Wer ein Vermögen oder Unternehmen **rechtsgeschäftlich erwirbt,** tritt **zwingend** (§ 1409 Abs 3 ABGB) jenen vermögens- oder **unternehmensbezogenen Schulden** des Veräußerers bei **(Schuldbeitritt),** die er bei Übergabe **kannte oder kennen musste.** Leichte Fahrlässigkeit genügt (SZ 37/184; GesRZ 1982, 321). Bei nahen Angehörigen wird das Kennen bzw Kennenmüssen gesetzlich vermutet (§ 1409 Abs 2 ABGB).

2. Betragsbeschränkung

Der Erwerber wird von der Haftung insoweit frei, als er an solchen Schulden schon so viel berichtigt hat, wie der Wert des übernommenen Vermögens oder Unternehmens beträgt. Er **haftet pro viribus** (§ 1409 Abs 1 lt Satz ABGB).

3. Zweck der Haftungsregel

Der gesetzliche Schuldbeitritt nach § 1409 ABGB soll den Gläubigern das Vermögen bzw Unternehmen des Schuldners trotz erfolgter Veräußerung als Haftungsfonds erhalten **(Haftungsfondstheorie)** (SZ 52/12; 54/67; 56/140; 59/163; 61/49).

Dieser Gedanke passt nicht auf Fälle, in denen dem Veräußerer ohnehin der Unternehmenswert voll vergütet wurde und den Gläubigern auch keine zusätzlichen Zugriffshürden entstehen. Die Gegenleistung des Erwerbers ist also zugunsten des Erwerbers zu berücksichtigen, wenn und soweit sie den Gläubigern die gleiche Sicherheit und die gleiche Befriedigungsmöglichkeit bietet wie das veräußerte Unternehmen. Denn dann ist der Haftungsfonds nicht geschmälert.

§ 1409 ABGB ist also jedenfalls anzuwenden, wenn für das Vermögen bzw Unternehmen entweder überhaupt keine Gegenleistung zusteht; der Kaufpreis erheblich geringer als der Wert des Übernommenen ist; der Kaufpreis uneinbringlich ist (vgl idZ SZ 52/12), der Kaufpreis dem Veräußerer aus sonstigen Gründen nicht zugute kommt (SZ 24/88; JBl 1984, 436 Anm *Koziol;* wbl 1987, 158); wenn die Gegenleistung nicht die gleiche Sicherheit bzw Befriedigungsmöglichkeit bietet wie das veräußerte Gut (SZ 61/49; ÖBA 1991, 383).

4. Haftungsausschluss bei Insolvenz

Der gesetzliche Schuldbeitritt gilt nicht, wenn das Unternehmen im Wege der Zwangsvollstreckung, des Konkurses, des Ausgleichsverfahrens oder der Überwachung des Schuldners durch Sachwalter der Gläubiger erworben wird (§ 1409a ABGB).

5. Einzelfragen

a) Rechtsgeschäftliche Übernahme. Das Vermögen oder Unternehmen muss *rechtsgeschäftlich* erworben werden (SZ 41/112; 44/170; JBl 1977, 95).

§ 1409 ABGB gilt daher nicht für öffentlich-rechtliche Verfügungen (SZ 25/266), Erbgänge (SZ 16/19; problematisch im Hinblick auf Vermächtnisse: vgl NZ 1931, 73), auch nicht für die bloße Übertragung eines Gebrauchsrechts (Arb 5361), der Einräumung von Nutzungs- und Anwartschaftsrechten (EvBl 1971/265) oder für Verpachtungen (EvBl 1957/260).

Die Haftung wird durch die „Übernahme" ausgelöst; damit ist das *Verfügungsgeschäft* gemeint (SZ 43/163).

Konkludenter Verfügungswille genügt (JBl 1977, 95) nicht aber bloß der „äußere Tatbestand" einer Unternehmensübergabe ohne entsprechenden Verfügungswillen (SZ 25/266; JBl 1972, 39; 1977, 95; aA OGH SZ 7/333).

Auch wer laufend einzelne Rechtspositionen übertragen erhält, sodass im Ergebnis doch eine rechtsgeschäftliche Vermögens- bzw Unternehmensübertragung vorliegt, haftet nach § 1409 ABGB (RdW 1995/178).

b) Vermögen oder Unternehmen. Vermögen meint im Wesentlichen den gesamten Güterstand des Überträgers (SZ 52/12; ÖBA 1995, 475). Der Unternehmensbegriff wurde bereits oben erörtert; die Teleologie des § 1409 ABGB gibt keinen Anlass zu Modifizierungen.

Auf den **Erwerb eines Unternehmensteils** ist § 25 HGB nur dann anzuwenden, wenn der Unternehmensteil im Wesentlichen einem selbstständigen Unternehmen entspricht (DRdA 1996, 422) und der erworbene Unternehmensteil unter der bisherigen Firma fortgeführt wird, wobei der Firmenkern Bestandteil der Firma des Erwerbers wird (NZ 1995, 88). Wird nur ein Unternehmensteil erworben, haftet der Übernehmer nach Ansicht der Rsp dennoch für alle früheren Unternehmensverbindlichkeiten (SZ 25/266; 32/74; 44/170). Dieses Ergebnis vermag nicht zu überzeugen. Konsequent wäre, den Übernehmer nur für jene Verbindlichkeiten haften zu lassen, die zum übernommenen Unternehmensteil gehören; iZw wäre wertanteilsmäßige Haftung anzunehmen.

c) Die erfassten Verbindlichkeiten. Nur die zum Vermögen bzw Unternehmen gehörigen privatrechtlichen (vertraglichen wie gesetzlichen, EvBl 1977/239; ecolex 1995, 330), soweit übertragbar auch öffentlich-rechtlichen, Verbindlichkeiten (SZ 59/163) sind erfasst.

aa) Unternehmenszugehörig oder unternehmensbezogen sind jene Verbindlichkeiten, die mit dem Unternehmen in einem solchen Zweckzusammenhang („wirtschaftlichen", „inneren", „funktionellen", „sachlichen" Zusammenhang) stehen (SZ 14/184; 16/108; 25/266; HS 1098), dass sie als Folge des Betriebes erscheinen (SZ 44/171; JBl 1989, 256 Anm *Thiery*).

Sie dürfen nicht bloß private Beziehungen des Veräußerers betreffen (JBl 1989, 256). Bei der Beurteilung, ob Geschäftsverbindlichkeiten vorliegen, kommt es nicht (nur) auf den Willen des Unternehmers und auch nicht (nur) darauf an, unter welchem Namen das Geschäft geschlossen wurde; entscheidend ist vielmehr die Verkehrsauffassung darüber, ob das Geschäft „der Handelssphäre" angehört (HS 1093). Die §§ 343, 344 HGB sind beachtlich. Irrelevant ist, ob die Verbindlichkeit im Rahmen der ordentlichen oder außerordentlichen Verwaltung eingegangen wurde (BGHZ 32, 60).

bb) Nicht nur bereits *fällige* Verbindlichkeiten sind gemeint, sondern alle, die bereits **vor Übergang des Unternehmens bedingt oder betagt *begründet*** worden sind (JBl 1994, 410; ecolex 1995, 330) insb auch **Verbindlichkeiten aus Dauerrechtsverhältnissen,** soweit dem Erwerber des Unternehmens auch die den erst künftig fälligen Verbindlichkeiten korrespondierenden Ansprüche zustehen. Eine besondere Verjährungsregel zugunsten des Veräußerers (vgl § 26 HGB) kennt das ABGB nicht.

d) Besondere Verteilungsvorschriften für den Fall, dass die konkurrierenden Verbindlichkeiten den Wert der übernommenen Aktiva übersteigen, sind dem § 1409 ABGB unbekannt. Wer zuerst kommt, mahlt zuerst (SZ 8/131; 44/170; JBl 1984, 436).

F. Gesamtsachhaftung

Die Rsp neigt dazu, in Fällen, in denen § 1409 ABGB unanwendbar ist, dennoch aber ein Unternehmen oder Vermögen im Wege der Einzelrechtsnachfolge auf ein anderes Zurechnungssubjekt übergeht, eine sog „Gesamtsachhaftung“ cum viribus anzunehmen (SZ 25/266; 25/296). Die Lehre lehnt dies ab. Unternehmen sind als solche weder eigene Zurechnungssubjekte noch kann man Verbindlichkeiten als „Bestandteile“ des Unternehmens qualifizieren.

G. Handelsrechtliche Erwerberhaftung (§§ 25 f HGB)

1. Die Haftungsregel

Wer rechtsgeschäftlich (unter Lebenden) ein kaufmännisches Unternehmen (Handelsgeschäft) erwirbt und es **unter der bisherigen Firma** mit oder ohne Nachfolgezusatz **fortführt,** tritt **allen im Geschäftsbetrieb begründeten Verbindlichkeiten des früheren Inhabers** bei **(Schuldbeitritt)** (§ 25 Abs 1). Veräußerer und Erwerber haften solidarisch, doch ist die besondere Verjährungsregel zugunsten des Veräußerers zu beachten. Die Erwerberhaftung nach § 25 HGB erfasst nur vollkaufmännische Unternehmen, weil nur diese Firmen führen und in das FB eingetragen sind (OLG Wien, NZ 2002/152, 367).

2. Weitergehende Haftungen

Die **zwingende Erwerberhaftung nach § 1409 ABGB** sowie Haftungen aus besonderem Verpflichtungsgrund bleiben aufrecht (§ 25 Abs 3 und 5 HGB).

3. Ausschluss der Erwerberhaftung nach § 25 HGB

a) Gesetzlicher Haftungsausschluss bei Insolvenz. Der Erwerber haftet von Gesetzes wegen nicht nach § 25 Abs 1 HGB, wenn er das kaufmännische Unternehmen im Wege der Zwangsvollstreckung, des Konkurses, des Ausgleichsverfahrens oder der **Überwachung** des Schuldners durch Sachwalter der Gläubiger erwirbt (§ 25 Abs 4 HGB).

b) Vertraglicher, registrierter bzw mitgeteilter Haftungsausschluss. Der Erwerber haftet ferner dann nicht nach § 25 Abs 1 HGB, wenn die

Haftung durch eine entsprechende **Vereinbarung** zwischen Veräußerer und Erwerber ausgeschlossen wurde, sofern dieser Haftungsausschluss im FB **eingetragen und bekannt gemacht** oder vom Erwerber oder Veräußerer **dem Dritten mitgeteilt** worden ist (§ 25 Abs 2 HGB).

4. Verjährung

a) Gläubigeransprüche gegen den früheren Inhaber verjähren in den Fällen des § 25 Abs 1 HGB spätestens mit Ablauf von 5 Jahren ab Eintragung des Erwerbers ins Firmenbuch; in den Fällen des § 25 Abs 3 HGB ab Kundmachung der Übernahme. Konnte der Gläubiger die Leistung erst später verlangen, ab diesem Zeitpunkt (§ 26 HGB). Zur Verjährungsproblematik bei Ansprüchen aus Dauerschuldverhältnissen vgl unten 6e) cc).

b) Fortsetzung und Unterbrechung der Verjährung. Die vom Veräußerer als Schuldner begonnene Verjährung wird vom Erwerber fortgesetzt. Dass die Verjährung nach der Veräußerung gegenüber dem Veräußerer unterbrochen wurde, geht den Erwerber nichts an (RGZ 135, 104). Sofern die Gläubigeransprüche erst nach Ablauf der 5-Jahre-Frist verjähren, bleibt nach Ablauf dieser Verjährungsfrist der Erwerber allein Schuldner. Erst dann wird aus dem vormaligen gesetzlichen Schuld*beitritt* eine Schuld*übernahme.*

5. Zweck des § 25 HGB

Lehre und Rsp haben zutreffend erkannt, dass die Bedeutung der Bestimmungen der §§ 25–28 HGB über die Aufgabe rein firmenrechtlicher Vorschriften, wie sie die §§ 17–24 und 29–37 HGB enthalten, erheblich hinausgeht. Die §§ 25–28 HGB enthalten vielmehr „den Kern eines allgemeinen Unternehmensverkehrsrechts" (SZ 65/32).

Umstritten sind die rechtsdogmatischen Grundlagen dieser Bestimmungen. Am ehesten vermag noch die Kontinuitätstheorie die Haftungsregelung zu erklären. Im Folgenden werden die wichtigsten Erklärungsversuche vorgestellt, die – wohl angesichts ihrer Strittigkeit – (bloß) „Theorien" genannt werden.

a) Schon dem Grunde nach verfehlte Theorien sind jene, die versuchen, dem unter einer Firma geführten Unternehmen *Rechtssubjektivität* zuzubilligen (Firmentheorie, Subjektstheorie), oder meinen, zu solchen Unternehmen würden als *„Zubehör"* (Pertinenztheorie) oder Bestandteil der Gesamtsache „Unternehmen" (Gesamtsachtheorie) *auch die Verbindlichkeiten* gehören. Diese Lehren brauchen angesichts ihrer rechtsdogmatisch unvertretbaren Prämissen nicht näher erörtert zu werden. Hier ist lediglich zu erwähnen, dass solche Ansätze den Umstand nicht erklären, dass lediglich ein gesetzlicher Schuld*beitritt,* nicht aber eine *privative* Schuld*übernahme* angeordnet ist. Schon gar nicht geht der Gesetzgeber von einer gesetzlich angeordneten Zession der unternehmensbezogenen Forderungen aus.

Die genannten Theorien werden von der (nicht nur) im Geschäftsleben durchaus verbreiteten und auch realistischen Vorstellung getragen, dass die Aktiva und Passiva eines Unternehmens letztlich „zusammengehören". Nicht beantwortet wird, *warum* dieses Ergebnis *rechtlich* geboten sein soll. Die Erfindung einer spezifischen Rechtspersönlichkeit reicht dazu ebenso wenig aus wie die unpassende Berufung auf sachenrechtliche Hilfsfiguren.

b) Die Haftungsfondstheorie meint, der gesetzliche Schuldbeitritt des Erwerbers des Unternehmens sei geboten, weil den Gläubigern (wie bei § 1409 ABGB) der Haftungsfonds erhalten bleiben solle.

Kritik: Dem widerspricht, dass § 25 HGB keinen Rechtszwang zugunsten der Gläubiger kennt. Der Haftungsfonds kann den Gläubigern nach § 25 Abs 2 HGB also ganz leicht entzogen werden. Ferner haftet der Erwerber unabhängig von den übernommenen Aktiva unbeschränkt mit seinem eigenen Vermögen. Überdies kann die Haftungsfondstheorie nicht erklären, warum die Gläubiger nur bei Geschäfts- und Firmenfortführung geschützt werden sollen. Schließlich passt die gesetzliche Fiktion einer Forderungszession nicht zur Haftungsfondstheorie.

c) Die Erklärungstheorie vertritt die Ansicht, der Erwerber wolle durch die Geschäfts- und Firmenfortführung der „Öffentlichkeit" gegenüber (gemeint können wohl nur seine Gläubiger sein) eine *verbindliche Haftungserklärung* abgeben (SZ 23/209; 42/42).

Kritik: Wäre im Geschäftsverkehr anerkannt, dass eine Fortführung des übernommenen Unternehmens unter gleichzeitiger Fortführung der Firma die Abgabe einer derartigen Haftungserklärung bedeuten würde, genügte hierfür § 863 ABGB über die schlüssige Willenserklärung. Gerade weil in der Geschäfts- und Firmenfortführung *keine derartige Erklärung* liegt, sah sich der Gesetzgeber veranlasst, eine eigene Gesetzesregel aufzustellen, die einen Schuldbeitritt anordnet. Die Frage nach dem Warum bleibt offen.

d) Die Rechtsscheintheorie meint, dass derjenige, der ein kaufmännisches Unternehmen und auch dessen Firma fortführt, den *Anschein* erwecke, dass sich trotz Wechsels im Zurechnungssubjekt des Unternehmens nichts geändert habe und alles beim Alten bleibe. Gläubiger dürfen demnach iZw damit rechnen, dass der Erwerber für die unternehmensbezogenen Verbindlichkeiten einstehe. Schuldner dürfen iZw davon ausgehen, dass sie an den Erwerber mit schuldbefreiender Wirkung zahlen können. Der Erwerber soll iZw der in Geschäfts- und Firmenfortführungsfällen anzunehmenden Erwartungshaltung der Gläubiger und Schuldner entsprechen.

Kritik: Gegen die Rechtsscheintheorie wird eingewandt, dass die Haftung auch dann bestehe, wenn man der Firma einen Nachfolgezusatz beifüge. Der Nachfolgehinweis kann aber auch als Bekräftigung des Rechtsscheins gesehen werden. Wenn man ferner sagt, Rechtsschein erfordere guten Glauben, § 25 HGB schütze aber nicht nur Gutgläubige, so könnte erwidert werden, dass bloßes Hörensagen vom angeblichen Haftungsausschluss den Rechtsschein eben nicht ausreichend erschüttert; vielmehr dem Dritten *seitens der Beteiligten* mitgeteilt oder *im FB eingetragen und bekannt gemacht* werden muss, dass die Haftung ausgeschlossen ist. Dennoch bleibt der Grund für den tendenziell an Verkehrsschutz erinnernden Vertrauensschutz unerklärt.

e) Kontinuitätstheorie. Nach den Vorstellungen der Kontinuitätstheorie ist § 25 HGB vom Anliegen getragen, im Falle der Unternehmensveräußerung den Fortbestand des Unternehmens als wirtschaftliche und organisatorische Einheit angesichts der verkehrsunfreundlichen Kompliziertheit der Einzelrechtsnachfolge zu erleichtern. Für Dritte ist der Unternehmensbezug ihrer Rechtsverhältnisse idR wichtiger als die Identität des Vertragspartners. Dieses *Kontinuitätsbedürfnis* besteht idR auch bei den Parteien der Unternehmensveräußerung. Die Praxis des Wirtschaftslebens zeigt, dass tatsächlich die meisten unternehmensbezogenen Rechtsbeziehungen mit veräußerten Unternehmen „mitwandern". Dennoch bestehen im Einzelfall diesbezüglich den Rechtsverkehr belastende Unsicherheiten. Sie sollen durch eine dispositive Gesetzesregel, die ohnehin der üblichen Verkehrserwartung entgegenkommt, beseitigt werden.

6. Einzelfragen

a) Vollkaufmännisches Unternehmen. § 25 HGB geht vom firmenführenden, daher vollkaufmännischen Unternehmen („Handelsgeschäft") aus (SZ 42/42; 56/6; 65/32).

aa) Unternehmen einer EEG. Sofern § 25 HGB auch für EEG gilt (§ 4 Abs 1 EGG), sind auch nicht- oder minderkaufmännische Unternehmen erfasst. Das Unternehmen der EEG muss dabei nicht die Größe eines nach Art und Umfang kaufmännisch eingerichteten Geschäftsbetriebes haben. Insofern gilt § 25 HGB keineswegs nur für „größere" Unternehmen iSd Vollkaufmanns oder gewerblichen Unternehmens iSd § 2 HGB, sondern auch für Minderkaufleute und kleine Zusammenschlüsse von Freiberuflern und Land- und Forstwirten.

bb) Erwerb eines Unternehmensteiles. Wird bloß ein Unternehmensteil erworben (eine Zweigniederlassung, ein Betrieb von mehreren, die das Unternehmen bilden), so ist § 25 HGB nur dann anwendbar, wenn der Unternehmensteil als solcher im Wesen einem selbstständigen Unternehmen in etwa entspricht (JBl 1989, 256 Anm *Thiery;* OLG Wien NZ 1995, 88) und eine Firmenfortführung überhaupt möglich ist. Das aber bedeutet, dass letztlich die Unternehmensidentität erhalten bleiben muss (vgl § 23 HGB).

Wird eine Zweigniederlassung erworben, darf die fortgeführte Firma nicht den Eindruck erwecken, es läge immer noch eine Zweigniederlassung des Veräußerers vor, der das nicht weitergegebene Restunternehmen noch weiterführt.

b) Erwerbsart. Der Erwerb kann auf **jedwedem Rechtsgeschäft unter Lebenden** beruhen: Kauf, Tausch, Schenkung, Vergleich, Auseinandersetzung, auch Erwerb auf Zeit wie Nießbrauch und Pacht (RdW 1991, 356; SZ 42/42; 56/6; 65/32). Werden nicht nur Räume, sondern auch die wesentlichen Grundlagen für eine Betriebsführung, wie Betriebsmittel, Warenlager, Kundenstock, Gewerbeberechtigung, in Bestand gegeben sowie eine Betriebspflicht vereinbart, liegt Pacht vor (NZ 1993, 84).

Auch der **Vermächtnisnehmer** erhält das Unternehmen im Wege einer rechtsgeschäftlichen Übertragung vom Erben. Der **Erbgang** selbst ist hingegen ein Unternehmenserwerb von Todes wegen. Hier erübrigt sich § 25 HGB (vgl aber § 27 HGB).

Unwirksames Erwerbsgeschäft: Nach hM gilt § 25 HGB auch dann, wenn das Erwerbsgeschäft *unwirksam* ist (HS I/5). Dies ist nicht einzusehen, wenn der Erwerber das Unternehmen wieder herausgeben muss, also letztlich mangels Erwerbes gar nicht fortführen kann.

c) Unternehmensfortführung. Unternehmen *und* Firma müssen fortgeführt werden. Stellt der Erwerber das Unternehmen ein, greift § 25 HGB nicht. Der bloße Anschein der Unternehmensfortführung genügt nicht. Das Unternehmen wird fortgeführt, wenn es weiterhin betrieben wird, also der Erwerber mit seiner Hilfe weiterhin wirtschaftlich werthafte Leistungen gegen Entgelt anbietet. Organisatorische Umgestaltungen seitens des Erwerbers hindern die Annahme der Fortführung nicht, sofern die Umgestaltungen nicht die Unternehmensidentität ändern.

d) Firmenfortführung setzt Identität des Firmenwortlautes voraus; darunter wird grundsätzlich die unveränderte Übernahme des Firmenwortlautes mit oder ohne Beifügung eines Nachfolgezusatzes verstanden (RPfl 1990/2, 37). Doch erfolgt keine allzu strenge Beurteilung.

Wohl aber muss der **bisherige Firmenkern** erhalten bleiben; bloße Fortführung eines Firmenzusatzes oder einer Geschäftsbezeichnung genügt nicht (GesRZ 1982, 321; OLG Wien NZ 1995, 88). Firmenfortführung liegt immer dann vor, wenn für das fortgeführte Unternehmen keine von der bisherigen Firma nach der Verkehrsauffassung deutlich abweichende gewählt und tatsächlich geführt wird (RdW 1987, 255; 1989, 130; 1989, 190; SZ 65/32). Geben die Gesellschafter einer GmbH zwar ihre Gesellschaftsanteile zugunsten eines Dritten weiter (Verkauf bloß des „GmbH-Mantels“), führten sie jedoch das von der GmbH betriebene Unternehmen gemeinsam (als OHG) unter der bisherigen Firma weiter, liegt Firmenfortführung iS des § 25 Abs 1 HGB vor (vgl RdW 1991, 356).

Das Ändern, Hinzufügen oder Weglassen eines Firmenzusatzes hindert den Tatbestand der Firmenfortführung und damit auch die Rechtsfolge der Haftung nicht (SZ 56/6; 65/32) und ist mitunter sogar geboten.

Wird die **bisherige Firma lediglich als Zusatz zur neuen Firma** des Erwerbers weiterverwendet, ist zu prüfen, ob nach der Verkehrsauffassung mit dem neuen Firmenbestandteil klar gemacht wird, dass es sich um eine neue Firma handelt (RdW 1987, 82; OLG Wien NZ 1995, 88).

Der Zeitpunkt des Unternehmenserwerbes und der Firmenfortführung müssen nicht identisch sein (SZ 64/39). Auch bloß **vorübergehende Firmenfortführung** (zB 2 Monate) genügt (SZ 23/209); ebenso die **Fortführung einer gesetzwidrigen** (RGZ 113, 306), **unbefugt geführten** (BGHZ 22, 234) oder **nicht eingetragenen Firma** des Vorgängers (SZ 42/42); nicht jedoch die Fortführung des nicht registrierten Handelsnamens eines Minderkaufmanns (EvBl 1970/165).

e) Haftung für Geschäftsverbindlichkeiten. Der Erwerber haftet nur für *Geschäfts*verbindlichkeiten. Sie sind **unternehmensbezogen;** hiezu bereits oben.

aa) Der Rechtsgrund der Geschäftsverbindlichkeit ist unerheblich (OGH SZ 37/106). Meist wird es wohl um Vertragspflichten gehen; Geschäftsverbindlichkeiten können aber auch auf *gesetzlichen* Schuldverhältnissen beruhen, zB deliktsrechtliche Schadenersatz-, Bereicherungs- oder Ansprüche aus Geschäftsführung ohne Auftrag sein; auch *öffentlich*-rechtliche Pflichten, zB sozialversicherungsrechtliche Beitragsschulden, kommen in Betracht.

bb) Schuldinhalt. Es ist nicht gesagt, dass der haftende Erwerber nur Geld schuldet. Auch rückständige Lieferpflichten sind zumindest dann zu erfüllen, wenn die geschuldeten Leistungen nur von demjenigen erbracht werden können, der über das Unternehmen verfügt. Auch für Verbindlichkeiten, die vor Übernahme des Geschäftes begründet wurden, aber zu diesem Zeitpunkt noch nicht fällig sind, wird gehaftet.

cc) Dauerschuldverhältnisse. Besondere Fragen wirft die Erwerberhaftung im Hinblick auf Dauerschuldverhältnisse auf (Zur Haftung für Leibrentenforderungen: RdW 1989, 190; für Betriebspensionen: RdW 1989, 309). Dass der Erwerber für bis zum Zeitpunkt des Unternehmenserwerbes rückständige Leistungen des Veräußerers haftet, versteht sich von selbst. Dauerschuldverhältnisse, *die über den Zeitpunkt des Unternehmenserwerbes hinaus währen,* lösen aber weiterlaufende Verbindlichkeiten aus. Hier geht die hM davon aus, dass Erwerber und Veräußerer grundsätzlich gemeinsam auch für die künftig aus dem Dauerschuldverhältnis entspringenden Verbindlichkeiten, die schon vor Unternehmensübergang begründet wurden, haften.

Dieses Ergebnis sollte bezüglich der Forthaftung des Veräußerers angesichts der Sonderverjährungsregel des § 26 HGB überdacht werden (vgl das dt NachhaftungsbegrenzungsG dBGBl 1994 I 560). Die Rsp anerkennt die Verjährungsregel des § 26 HGB auch für erst später fällig werdende Ansprüche aus Dauerschuldverhältnissen (SZ 62/26; zu § 159 HGB: RdW 1985, 308; 1988, 388). Dem Gesetzeszweck des § 26 HGB entspräche es weit mehr, den Veräußerer nur für solche Schulden aus fortlaufenden Dauerrechtsverhältnissen haften zu lassen, die binnen 5 Jahren nach Eintragung des Erwerbers in das FB entstehen bzw fällig werden; für später enstehende bzw fällig werdende hingegen nicht.

Zur Haftung aus Dauerschuldverhältnissen nach § 15 Abs 1 SpaltG: Die Haftung der „übrigen an der Spaltung beteiligten Gesellschaften“ gem § 15 Abs 1 SpaltG für Forderungen, deren Entstehungsursache vor dem Tag der Eintragung der Spaltung liegt und für die der Gläubiger keine Vorleistung erbracht hat, ist analog zu §§ 26, 159 HGB auf 5 Jahre zeitlich begrenzt (ecolex 2004/130, 280 = JBl 2004, 178 = EvBl 2004/51; vgl zu dieser Problematik schon *Kalss,* wbl 2003, 49; in der Folge *Haberer,* ecolex 2004, 275).

dd) Unbeachtlichkeit des Kennens oder Kennenmüssens. Anders als bei § 1409 ABGB kommt es *nicht* auf das Kennen oder Kennenmüssen der Verbindlichkeiten durch den Erwerber an.

ee) Schuldbeitritt beim Erwerb eines Unternehmensteiles oder einer Zweigniederlassung. Sofern ein Unternehmensteil oder eine Zweigniederlassung auf nach § 25 HGB relevante Weise erworben wird, erstreckt sich die Haftung des Erwerbers nur auf solche Verbindlichkeiten, die sich auf den übertragenen Unternehmensteil bzw auf die Zweigniederlassung beziehen. Dies kann freilich heikle Zuordnungsprobleme mit sich bringen. Vgl diesbzgl die vom SpaltG geregelten Ordnungsfragen.

f) Vertragliche Haftungsausschlüsse müssen, um wirksam zu sein, in unmittelbarem zeitlichen Zusammenhang mit der Geschäftsübernahme ins FB eingetragen und bekannt gemacht (vgl aber Art XXIII Abs 15 FBG) oder vom Erwerber oder Veräußerer dem einzelnen Gläubiger mitgeteilt werden (SZ 42/42; 45/30). Die Mitteilung kann *auch schon vor* Registrierung gemacht werden (RGZ 131, 27). Der Haftungsausschluss muss *unverzüglich nach* Unternehmensübergang angemeldet werden; Eintragung und Bekanntmachung müssen in angemessenem Zeitabstand folgen (BGHZ 29,1). Unbeachtlich ist, ob die Verzögerung der Eintragung und Bekanntmachung verschuldet wurde oder ob sich bereits eine Verkehrsauffassung über die Haftung bilden konnte.

Das Gesetz sagt nichts darüber aus, **wer den vertraglichen Haftungsausschluss zur Eintragung im FB anzumelden hat** (wbl 1990, 218 Anm *Thiery*). Es genügt, dass der Erwerber des Unternehmens die Anmeldung vornimmt (SZ 65/32). Da der Haftungsausschluss eine Vereinbarung zwischen Veräußerer und Erwerber voraussetzt, muss der allein anmeldende Erwerber nachweisen, dass eine solche Vereinbarung besteht (SZ 64/39).

Grundsätzlich ist der **Haftungsausschluss bei jener Firma zu registrieren, die das Unternehmen übertragen bzw verpachtet hat** (EvBl 1986/45). Wird das vollkaufmännische Unternehmen eines nicht registrierten Rechtsträgers von einem Registrierten erworben, ist der Haftungsausschluss bei der Firma des fortführenden Unternehmers einzutragen (SZ 65/32).

H. Erwerberhaftung bei Fortführung eines in eine Personengesellschaft eingebrachten Unternehmens

1. Die Haftungsregel. Wurde ein kaufmännisches Unternehmen bislang von einem Einzelkaufmann betrieben und bildet dieser in der Folge mit einem anderen eine OHG oder KG bzw EEG, sodass fortan diese Gesellschaft das Unternehmen fortführt, so haftet die Gesellschaft auch dann, wenn sie die bisherige Firma nicht fortführt, für alle im Geschäftsbetrieb entstandenen Verbindlichkeiten des vormaligen Einzelkaufmanns (§ 28 Abs 1 HGB).

Da bei einer OHG (OEG) jeder Gesellschafter unbeschränkt für die Gesellschaftsschulden haftet, bedeutet dies zugleich, dass **der eintretende Gesellschafter auch persönlich** für die von der Gesellschaft übernommenen Geschäftsschulden des vormaligen Einzelkaufmanns einzustehen hat (vgl §§ 128, 130 HGB). § 28 HGB gilt auch bei rechtlich fehlerhaftem Eintritt (BGH BB 1972, 895).

2. Vereinbarter Ausschluss der Haftung bzw der Abtretungsregel. Es kann aber vereinbart werden, dass die Gesellschaft für die früheren Verbindlichkeiten des Einzelkaufmanns **nicht zu haften** hat und dass die Forderungen als nicht auf den Erwerber übergegangen gelten.

Eine solche Vereinbarung ist Dritten gegenüber aber nur wirksam, wenn dies ins FB eingetragen und bekannt gemacht (vgl aber Art XXIII Abs 15 FBG) oder von einem Gesellschafter dem Dritten mitgeteilt wurde (§ 28 Abs 2 HGB).

Ist die Haftung bereits eingetreten, kann sie nachträglich nicht mehr ausgeschlossen werden (OLG Wien NZ 1954, 111). Wenn sich ein Einzelunternehmer mit anderen zu einer Personengesellschaft zusammenschließt, so kann zwar die Haftung der *Gesellschaft* für die Altverbindlichkeiten des Einzelunternehmers ausgeschlossen werden, nicht aber die Haftung des Einzelunternehmers selbst für seine bisherigen Geschäftsverbindlichkeiten (NZ 1952, 125).

I. Erwerberhaftung nach öffentlichem Recht

1. Steuerrecht. § 14 BAO betrifft die Haftung des Erwerbers eines Unternehmens oder eines im Rahmen eines Unternehmens gesondert geführten Betriebes für die betriebsbezogene Abgabenschuld, soweit die Abgaben auf die Zeit seit dem Beginn des letzten, vor der Übereignung liegenden Kalenderjahres entfallen. Die Haftung trifft den Erwerber nur insoweit, als er im Zeitpunkt der Übereignung die in Betracht kommenden Schulden kannte oder kennen musste und er an solchen Abgabenschuldigkeiten nicht schon so viel entrichtet hat, wie der Wert der übertragenen Gegenstände und Rechte ohne Abzug übernommener Schulden beträgt (§ 14 Abs 1 BAO). Die Regelung gilt nicht bei einem Erwerb aus einer Konkursmasse oder im Zuge eines Zwangsvollstreckungsverfahrens, eines Ausgleichs oder der Schuldnerüberwachung (§ 14 Abs 2 BAO).

2. Sozialversicherungsrecht. § 67 Abs 4–8 ASVG betrifft die Haftung des Betriebsnachfolgers für rückständige Sozialversicherungsbeiträge des Vorgängers (unbeschadet der Haftung nach §§ 1409, 1409a ABGB und § 25 HGB) für die Zeit von höchstens 12 Monaten, vom Tag des Erwerbes zurückgerechnet. Im Falle einer Anfrage beim Sozialversicherungsträger wird nur bis zur Höhe jenes Betrages gehaftet, der im Rückstandsausweis genannt wird.

Auch diese Bestimmung gilt nicht im Falle eines Erwerbes aus einer Konkursmasse oder im Zuge eines Vollstreckungsverfahrens (§ 67 Abs 5 ASVG).

J. Regelungen über unternehmensbezogene Forderungen

1. Allgemeines. Inwieweit unternehmensbezogene Forderungen auf den Unternehmenserwerber übergehen, entscheiden Veräußerer und Erwerber. Dass im Falle eines Unternehmenserwerbes die unternehmensbezogenen Forderungen automatisch (als „Unternehmenspertinenz") auf den Erwerber übergingen, kann nicht gesagt werden. Allgemein gilt Folgendes: Solange der Schuldner von einer rechtsgeschäftlich erfolgten Zession nicht *verständigt* wurde, kann er mit schuldbefreiender Wirkung an den Zedenten leisten (§ 1395 ABGB). Das Bekanntwerden des Unternehmensüberganges kommt einer Verständigung des Schuldners von der erfolgten Zession nicht gleich.

2. § 25 Abs 1 HGB bestimmt Besonderes: Die im Betrieb begründeten Forderungen *gelten den Schuldnern gegenüber* als auf den Erwerber übergegangen, falls der bisherige Inhaber oder seine Erben in die Fortführung der Firma gewilligt haben (tatsächliche Firmenfortführung genügt nicht, wbl 1993, 358). Es findet also **keine Legalzession** unternehmensbezogener Forderungen statt; vielmehr wird lediglich der Schuldner so gestellt, als sei die unternehmensbezogene Forderung des Veräußerers gegen den Schuldner dem Erwerber des Unternehmens abgetreten worden. Diese Regelung nützt dem Schuldner solcher Forderungen, die vom Veräußerer dem Erwerber tatsächlich *nicht* abgetreten wurden oder die zwar abgetreten wurden, der Schuldner davon aber nicht verständigt worden ist.

Der einschlägigen Regel des § 25 Abs 1 HGB entspricht § 28 Abs 1 lt Satz HGB bezüglich einer Gesellschaft, die das Unternehmen eines Einzelkaufmanns fortführt. Firmenfortführung ist hier allerdings nicht gefordert.

3. Normzweck. Die gesetzliche Regelung ermöglicht dem Schuldner, **mit schuldbefreiender Wirkung an den Unternehmenserwerber zu zahlen,** obwohl dieser mangels erfolgter Zession *nicht* Gläubiger der Forderung geworden ist. Wurde mit schuldbefreiender Wirkung an den an sich nicht berechtigten Erwerber gezahlt, kann sich der wahre Gläubiger an den Erwerber halten und von ihm herausverlangen, was ihm seitens des Schuldners zu Unrecht zugekommen ist.

4. Vertraglicher Ausschluss. Die Begünstigung des Schuldners können Veräußerer und Erwerber vertraglich ausschließen. Zur Wirksamkeit dieses Ausschlusses ist Firmenbucheintragung und Bekanntmachung oder Mitteilung an den Schuldner durch den Veräußerer oder Erwerber erforderlich (§ 25 Abs 2 HGB). Eine derartige Mitteilung erfolgt solange noch rechtzeitig, als der Schuldner dem Erwerber gegenüber noch keine schuldtilgende Handlung vorgenommen hat (SZ 45/30).

K. Regressverhältnisse

1. Erwerberregress gegen den Veräußerer

a) Begleichung einer Verbindlichkeit gegenüber einem Gläubiger. Sofern der Erwerber des Unternehmens nach § 25 HGB bzw § 1409 ABGB Dritten für Verbindlichkeiten haftet, die im Innenverhältnis zum Veräußerer von diesem selbst endgültig getragen werden sollen, steht dem auf Grund der gesetzlichen Erwerberhaftung vom Dritten in Anspruch genommenen Erwerber ein Rückgriffsanspruch gegenüber dem Veräußerer zu. Der Regressanspruch ergibt sich entweder bereits aus der Vereinbarung selbst oder lässt sich, je nach den Umständen, auf § 896 ABGB (Soldarschuldnerregress), auf § 1358 ABGB (Bürgschaftsregress) oder § 1422 ABGB bzw auf Verwendungsansprüche gemäß § 1041 oder § 1042 ABGB oder auf Kondiktionsansprüche stützen.

Zum Regress des Betriebsübernehmers nach Befriedigung von Dienstnehmeransprüchen: Sowohl aus den Haftungsregeln der §§ 6 Abs 1 und 2 AVRAG, § 1409 ABGB und § 25 HGB als auch aus den allgemeinen Grundgedanken der bereicherungsrechtlichen Bestimmungen der §§ 1041 ff ABGB ist zu schließen, dass es wohl am sachgerechtesten ist, dann, wenn der Betriebsübergang ohne Vereinbarung mit dem alten Betriebsinhaber erfolgt, den Regress danach zu bestimmen, welchen Nutzen der alte Betriebsinhaber als Arbeitgeber aus den Leistungen des Arbeitnehmers gezogen hat und welche Entgeltbestandteile diesen Nutzen abgelten sollen. Der Grad dieses Nutzens wird vereinfachend mit dem Anteil an der Dienstdauer gleichgesetzt werden können (*Schima,* RdW 1996, 319 f; RdW 2004/251, 274 = EvBl 2004/122).

b) Bezahlung einer Forderung durch einen Schuldner. Ist auf den Erwerber eine unternehmensbezogene Forderung übergegangen, wurde diese jedoch vom Schuldner mangels Verständigung von der Zession dem Veräußerer bezahlt, so erfolgte diese Leistung mit schuldbefreiender Wirkung, woraus dem Erwerber ein Nachteil erwächst. Der Veräußerer hat daher dem Erwerber das Erhaltene herauszugeben. Hat der Schuldner jedoch an den Veräußerer bezahlt, obwohl er vom Forderungsübergang verständigt wurde oder er den Forderungsübergang hätte kennen müssen, befreit ihn seine Leistung an den Veräußerer nicht und er hat nochmals dem Erwerber zu zahlen. In diesem Fall hat der Schuldner seinerseits einen Regressanspruch gegen den Veräußerer, der die Schuldnerleistung rechtsgrundlos erhalten hat.

2. Veräußererregress gegen den Erwerber

a) Begleichung einer Verbindlichkeit gegenüber einem Gläubiger. Hat der Erwerber des Unternehmens dem Veräußerer zugesagt, die unternehmensbezogenen Verbindlichkeiten gegenüber Dritten im Innenverhältnis endgültig zu tragen, und hat der Dritte nicht den Erwerber, sondern den Veräußerer in Anspruch genommen, dann schuldet der Erwerber dem Veräußerer den gebührenden Ausgleich. Was oben zum Regressanspruch des zahlenden Erwerbers gegen den verpflichteten Veräußerer gesagt wurde, gilt auch hier auf affine Weise umgekehrt.

b) Bezahlung einer Forderung durch einen Schuldner. Ist auf den Erwerber eine unternehmensbezogene Forderung *nicht* übergegangen, hat sie der Schuldner aber dennoch gegenüber dem Erwerber beglichen und kann sich der Schuldner diesbezüglich auf die Zessionsfiktion des § 25 HGB berufen, so hat der Veräußerer einen Regressanspruch gegen den Erwerber auf Herausgabe des Erhaltenen.

L. Handelsrechtsreform

1. Allgemeines. Das UGB verabschiedet sich von §§ 25 ff HGB und bietet eine neue Lösung für den rechtsgeschäftlichen Unternehmensübergang im Wege der Einzelrechtsnachfolge an. Dabei spielt die Firmenfortführung keine Rolle mehr. Daher werden die neuen Regelungen in den (seit dem RLG „freien“) 4. Abschnitt des 1. Buches als §§ 38 bis 40 UGB eingefügt.

2. Vertragsübernahme und Haftung des Erwerbers. In Zukunft übernimmt jeder einzelrechtsnachfolgende Erwerber eines Unternehmens, sofern er das Unternehmen fortführt, zum Zeitpunkt des Unternehmensübergangs die unternehmensbezogenen Rechtsverhältnisse des Veräußerers mit den bis dahin begründeten Rechten und Verbindlichkeiten, wobei jedoch der Veräußerer für letztere forthaftet. Auch für unternehmensbezogene Verbindlichkeiten des Veräußeres bestellte Sicherheiten bleiben für diese Verbindlichkeiten aufrecht, mögen sie nach dem Unternehmensübergang fortan auch vom Erwerber zu befriedigen sein.

Der Dritte kann der Übernahme seines Vertragsverhältnisses binnen dreier Monate nach Mitteilung sowohl dem Erwerber als auch dem Veräußerer gegenüber widersprechen. Auf diese Möglichkeit ist in der Mitteilung hinzuweisen. Das Widerspruchsrecht kann auch vom Besteller einer für die unternehmensbezogene Verbindlichkeit des Veräußerers gewährte Sicherheit ausgeübt werden. Wird wirksam widersprochen, dann besteht das Vertragsverhältnis mit dem Veräußerer fort.

Solange keine Mitteilung erfolgt, kann der Dritte sowohl gegenüber dem Veräußerer als auch gegenüber dem Erwerber Vertragserklärungen abgeben, Ansprüche geltend machen oder Verbindlichkeiten erfüllen.

Auch wenn der Erwerber nicht in unternehmensbezogene Verträge eintritt, haftet er für die unternehmensbezogenen Verbindlichkeiten des Erwerbers. Eine davon abweichende Vereinbarung über die Haftung ist einem Dritten gegenüber nur wirksam, wenn sie beim Unternehmensübergang in das FB eingetragen, auf verkehrsübliche Weise bekannt gemacht oder dem Dritten vom Veräußerer oder Erwerber mitgeteilt worden ist.

All dies gilt nicht, wenn ein Unternehmen im Wege der Zwangsvollstreckung, des Konkurses, des Ausgleichsverfahrens (auch des fortgesetzten Verfahrens) oder der Überwachung des Schuldners durch Sachwalter der Gläubiger erworben wurde.

3. Nachhaftungsbeschränkung zugunsten des Veräußerers. Übernimmt der Erwerber des Unternehmens die unternehmensbezogenen Rechtsverhältnisse des Veräußerers mit den bis zum Unternehmensübergang begründeten Rechten und Verbindlichkeiten, so haftet der Veräußerer für die Verbindlichkeiten nur, wenn sie vor Ablauf von fünf Jahren nach dem Unternehmensübergang fällig werden.

4. Rechtsstellung des Erben bei Unternehmensfortführung. Wird ein zu einem Nachlass gehörendes Unternehmen vom Erben fortgeführt, so haftet er für die unternehmensbezogenen Verbindlichkeiten unbeschadet seiner Haftung als Erbe unbeschränkt, es wäre denn, das Unternehmen wird spätestens 3 Monate nach Einantwortung eingestellt oder die Haftung wird so, wie dies bei der rechtsgeschäftlichen Einzelrechtsnachfolge vorgesehen ist, ausgeschlossen.

IV. Beteiligungserwerb

Die heiklen Probleme der Einzelrechtsnachfolge in ein Unternehmen erspart man sich, wenn man anstelle des Unternehmens Anteile an dessen Rechtsträger erwirbt. Dabei ist allerdings zwischen Personen- und Kapitalgesellschaften zu unterscheiden. Alle damit zusammenhängenden Fragen werden im Gesellschaftsrecht behandelt. Hier vorerst nur so viel:

Sofern ein Unternehmen insb von einer Kapitalgesellschaft betrieben wird, erspart man sich zahlreiche, mit dem Unternehmenserwerb durch Einzelrechtsnachfolge verbundene Probleme, wenn man, was idR auch geschieht, statt des Unternehmens die **Gesellschaftsanteile** ganz oder zum Teil erwirbt. Denn in diesem Fall ändert sich am bisherigen Rechtsträger des Unternehmens nichts; alle seine Rechtsbeziehungen bleiben weiterhin aufrecht; stattdessen ist der Erwerber in die Position der bisherigen Gesellschafter eingerückt. Mit dieser Stellung aber sind keine persönlichen Haftungen verbunden, wie sie dem Recht der Personengesellschaften bekannt sind.

Ob der Erwerber die Anteile durch **Einzel- oder Gesamtrechtsnachfolge** erhält, spielt im Hinblick auf den uneingeschränkten Fortbestand des Zurechnungssubjektes des Unternehmens und damit der diesbezüglichen Eigentums- und sonstigen Verfügungsrechte keine Rolle. Der Anteilserwerber gewinnt durch seinen Erwerb lediglich Einfluss auf die Willensbildung des Unternehmensträgers und damit auch auf das vom Unternehmensträger betriebene Unternehmen.

Der **Wert der Gesellschaftsanteile** hängt weitgehend vom Unternehmenswert ab. Insofern sind auch hier die entsprechenden Bewertungen vorzunehmen. Ansonst gelten für den Anteilserwerb die jeweils einschlägigen Vorschriften des Gesellschaftsrechts.

2. Abschnitt

Rechnungslegung

Lit zum HGB: *Bertl/Mandl,* Handbuch zum Rechungslegungsgesetz (Loseblatt ab 1991); *Bertl/Kofler/Mandl,* Praxis der neuen Rechnungslegung[4] (1997); *Blaich/Egger/Weilinger,* Einführung in die Rechnungslegung – Buchhaltung, Bilanzierung, Kostenrechnung[2] (1997); *Weilinger,* Die Aufstellung und Feststellung des Jahresabschlusses im Handels- und Gesellschaftsrecht (1997); *Jabornegg* (Hrsg), HGB-Kommentar (1997); *Mandl,* HB der Buchführung und Jahresabschlussaufstellung[2] (1999); *Zehetner,* Die Rechnungslegung der Genossenschaften (1999); *Bertl/Fraberger,* Materielle Instrumente der Bilanzpolitik, RWZ 2000/39; *Straube* (Hrsg), HGB-Kommentar II[2] (2000); *Weilinger,* Rechnungslegungsrecht quo vadis? FS Krejci (2001) 361; *Lukas/Zetter/Maukner,* Rechnungslegungsgesetz[3] (2001/02); *Bitzyk/Steckel,* Der Jahresabschluss – Konzernabschluss[2] (2003); *Egger/Samer/Bertl,* Der Jahresabschluss nach dem HGB I – Der Einzelabschluss[8] (2002), II – Der Konzernabschluss[5] (2004); *Bertl/Deutsch-Goldoni/Hirschler,* Buchhaltungs- und Bilanzierungshandbuch[4] (2004); *Frick,* Bilanzierung nach dem Rechnungslegungsgesetz[7] (2004); *Bitzyk/Steckel,* Der Jahresabschluss – Einzelabschluss[3] (2005).

Dtld: *Küting/Weber,* Handbuch der Rechnungslegung (Loseblatt ab 2002); *Staub* in *Canaris/Schilling/Ulmer,* HGB-Großkommentar[4] (2002); *Baetge/Kirsch/Thiele,* Bilanzrecht (Loseblatt ab 2003); *Berger/Ellrott/Förschle/Hense,* Beck'scher Bilanz-Kommentar[5] (2003); *Großfeld/Luttermann,* Bilanzrecht[4] (2005).

9. Kapitel

Grundfragen, Handelsbücher, Inventar

I. Allgemeines

Wer ein Unternehmen erfolgreich betreiben will, muss über dessen **Vermögens-, Finanz- und Ertragslage** Bescheid wissen. Dieses Wissen ist nur über ein funktionierendes betriebliches **Rechnungswesen** zu erlangen. Das IRÄG 1997 schreibt für Kapitalgesellschaften die Führung eines den Anforderungen des Unternehmens entsprechenden Rechnungswesens und ein **internes Kontrollsystem** vor.

Ein **Rechnungswesen** umfasst die Finanzbuchhaltung inklusive Erstellung des Jahresabschlusses (die eigentliche **Rechnungslegung**), ferner die Kosten- und Leistungsrechnung und die Investitionsrechnung.

Unter einem **internen Kontrollsystem** werden sämtliche aufeinander abgestimmten Methoden und Maßnahmen in einem Unternehmen verstanden, die dazu dienen, das Vermögen zu sichern, die Genauigkeit und Zuverlässigkeit der Abrechnungsdaten zu gewährleisten und die Einhaltung der vorgeschriebenen Geschäftspolitik zu unterstützen. Umfassender ist der Begriff des **Risikomanagemensystems,** wie er etwa im Österreichischen Corporate Governance Kodex geregelt ist. Wir befassen uns im Folgenden ausschließlich mit einigen Grundinformationen über die Rechnungslegung.

Buchführung und Jahresabschluss dokumentieren betriebliche Vorgänge in Zahlen zu Zwecken geeigneter Information. So können der Gewinn oder Verlust ermittelt, die Wirtschaftlichkeit der Unternehmensführung kontrolliert und betriebswirtschaftlich sinnvolle unternehmerische Entscheidungen getroffen werden.

Die handelsrechtliche Rechnungslegung nützt vor allem dem **Vollkaufmann** selbst. Sie kommt ferner den am Unternehmen **Beteiligten** (insb Gesellschaftern, Aktionären, Anteilsscheininhabern), aber auch der **Belegschaft** des Unternehmens, mittelbar oder auf Grund spezieller Vertragsposition aber auch den **Gläubigern** und letztlich der **Allgemeinheit** zugute.

II. Rechtsquellen der Rechnungslegung

1. Zivilrechtliche Rechnungslegung. Schon das allgemeine Privatrecht verpflichtet zur Rechnungslegung,

a) wenn fremdes Vermögen verwaltet wird (zB vom gesetzlichen Vertreter, Verwalter, Miteigentümer, Mitgesellschafter, Auftragnehmer, Geschäftsführer) oder

b) wenn es um Verpflichtungen geht, deren Erfüllung vom Gläubiger nur dann kontrolliert werden kann, wenn ihm Einblick in jene erfüllungsrelevanten Abläufe gewährt wird, die sich in der Sphäre des Schuldners abspielen (zB beim partiarischen Darlehen).

Darüber, *wie* eine korrekte Rechnungslegung *durchzuführen* ist, gibt das allgemeine Privatrecht keine näheren Auskünfte. Es verweist auf die jeweils passenden Grundsätze ordnungsmäßiger Buchführung.

2. Handelsrechtliche Rechnungslegung. Wesentliche Bestimmungen enthält das 3. Buch des HGB (§§ 189–283), eingeführt durch das RLG 1990.

Vor dem RLG begnügte sich das HGB mit einigen wenigen Regeln über die *Handelsbücher* (§§ 38–47 aF HGB). Das RLG änderte ferner das AktG, GmbHG, KapBG, die AO, das KWG (nunmehr BWG), VAG und ArbVG. Rechnungslegungsvorschriften enthalten ferner das GenG, PSKG, BBG, NBG; Buchführungs- und Bilanzierungsvorschriften finden sich auch im BWG, UmwG, UmgrStG, PSG, SpaltG und in der KO. Weitere Anpassungen an das EU-Recht sowie die internationale Rechnungslegung brachten das EU-GesRÄG 1996, das IRÄG 1997, das GenRevRÄG 1997, das KonzaG 1999, das Fair Value-Bewertungsgesetz 2003, das Rechnungslegungsänderungsgesetz 2004 sowie das GesRÄG 2005.

Handelsrechtsreform: Sie bringt zwar keine inhaltlichen Neuerungen, aber eine Neuregelung des Anwendungsbereichs. Dazu unter III.

3. Steuerrechtliche Rechnungslegung. Auch der Fiskus ist aus nahe liegenden Gründen an einer funktionierenden Buchführung und Bilanzierung abgabenpflichtiger Unternehmer interessiert. Die Steuergesetze enthalten daher gleichfalls Rechnungslegungsvorschriften. Vgl insb §§ 124–132 BAO; §§ 4–14 EStG; §§ 7–20 KStG. Wer nach Handelsrecht oder anderen gesetzlichen Vorschriften zur Führung und Aufbewahrung von Büchern oder Aufzeichnungen verpflichtet ist, hat diese Verpflichtung auch im Interesse der Abgabenerhebung zu erfüllen (§ 124 BAO).

Umgekehrt ist es möglich, dass eine Rechnungslegungspflicht nach Steuerrecht besteht (insb weil die Grenzen des § 125 BAO überschritten werden), nicht aber nach Handelsrecht.

Maßgeblichkeitsgrundsatz: Nach § 5 EStG ist für die steuerliche Gewinnermittlung von registrierten Kaufleuten grundsätzlich der Gewinn nach der Handelsbilanz maßgebend. Es gibt also keine eigene Steuerbilanz, diese wird vielmehr aus der Handelsbilanz abgeleitet. Sich auf Grund zwingender steuerlicher Vorschriften ergebende Abweichungen sind über eine „Mehr-Weniger-Rechnung" zu berücksichtigen. Im Wege der „Mehr-Weniger-Rechnung" wird das steuerliche Ergebnis mittels Hinzu- und Abzugsrechnungen aus dem handelsrechtlichen Ergebnis abgeleitet. In der Praxis führt dies oft dazu, dass ein bestimmter handelsrechtlicher Ansatz eben deshalb gewählt wird, um steuerrechtlichen Vorschriften zu genügen. Man spricht von *„umgekehrter Maßgeblichkeit"*.

Zum Maßgeblichkeitsprinzip in Hinsicht auf die internationale Rechnungslegung vgl Kapitel 10 IX F.

III. Die handelsrechtlich Rechnungslegungspflichtigen

1. Überblick. Zur handelsrechtlichen Rechnungslegung verpflichtet sind alle **Vollkaufleute** (§ 4 Abs 1 HGB), auch Soll-, Kann- und Formkaufleute, wohl auch §-5-Kaufleute (strittig); Personen, die nach § 2 HGB als Sollkaufleute eintragungspflichtig, aber noch nicht eingetragen sind (§ 189 Abs 4 HGB; diese Regel gilt aber nicht für Scheinkaufleute kraft Auftretens); **ausländische Unternehmensträger,** die im Inland eine Zweigniederlassung (§ 13 HGB) betreiben, für diese (vgl § 112 GmbHG), **Privatstiftungen,** auch wenn sie (wie in der Regel) keine vollkaufmännische Tätigkeit ausüben (§ 18 PSG), ferner je nach Größe differenziert **ideelle Vereine** (§ 22 VerG 2002).

> **Handelsrechtsreform:** Mit der geplanten Handelsrechtsreform wird der Kaufmanns- durch den Unternehmerbegriff ersetzt. Damit fällt auch der bisher in § 189 HGB vorgesehene Anknüpfungspunkt der Vollkaufmannseigenschaft weg. Stattdessen ist vorgesehen, dass die Rechnungslegungsvorschriften auf Formunternehmer (AG, SE, GmbH, Gen, SCE, EWIV, VVaG, Sp) sowie auf solche Einzelunternehmer anwendbar sind, die mindestens 400.000 € Umsatzerlöse im Geschäftsjahr überschreiten. Freiberufler und Land- und Forstwirte sollen der Rechnungslegungspflicht nach UGB auch in Zukunft nicht unterliegen. Dies ändert nichts daran, dass diese Unternehmer nach anderen Vorschriften rechnungslegungspflichtig sein können.

2. Bei Personenhandelsgesellschaften sind **alle persönlich haftenden Gesellschafter** gemeinsam zur Rechnungslegung berufen. Der von der Geschäftsführung ausgeschlossene, persönlich haftende Gesellschafter hat zwar den Jahresabschluss mitzuunterzeichnen (§ 194 HGB), ist aber nicht rechnungslegungspflichtig.

3. Bei Kapitalgesellschaften und Erwerbs- und Wirtschaftsgenossenschaften obliegt die Rechnungslegungspflicht **allen Vorstandsmitgliedern** (§ 82 AktG; § 22 Abs 1 GenG) bzw **allen Geschäftsführern** (§ 22 Abs 1 GmbHG) *gemeinsam.* Das gilt auch im Fall einer internen Ressortverteilung.

4. Abwicklung und Insolvenz. Bei Abwicklungen sind die Liquidatoren bzw Abwickler rechnungslegungspflichtig (§ 154 HGB; §§ 209 Abs 2; 211 AktG; §§ 91 Abs 1; 92 Abs 1 GmbHG; § 49 GenG). Im **Konkurs** ist der Masseverwalter buchführungspflichtig und hat den Jahresabschluss aufzustellen; im Ausgleich bleibt weiterhin der Ausgleichsschuldner rechnungslegungspflichtig.

IV. Rechtsfolgen der Verletzung des Rechnungslegungsrechts

Die Rechnungslegungsvorschriften sind weitgehend **sanktionslos,** weil sie hauptsächlich der *Selbstinformation* des Kaufmanns dienen.

A. Privatrechtliche Erfüllungs- und Ersatzansprüche

Doch können Dritte berechtigt sein, vom Vollkaufmann die Erfüllung der ihn treffenden handelsrechtlichen Rechnungslegungspflichten zu fordern. Dann drohen Sanktionen.

1. Gesellschaftsrecht. Sowohl eine **Personengesellschaft** als solche als auch jeder **Gesellschafter** kann die geschäftsführenden Gesellschafter auf Erfüllung ihrer Pflicht zur Buchführung und zur Aufstellung des Jahresabschlusses klagen. Überdies drohen den Säumigen Schadenersatzpflichten.

Der **stille Gesellschafter** ist berechtigt, vom Kaufmann die abschriftliche Mitteilung des Jahresabschlusses zu verlangen und dessen Richtigkeit unter Einsicht der Bücher und Schriften zu prüfen.

Wer als *Minderkaufmann* einen stillen Gesellschafter hat, ist deshalb aber nicht schon nach den Vorschriften für Vollkaufleute rechnungslegungspflichtig. Detaillierte Gegenüberstellung von Erträgen und Aufwendungen ist ausreichend (ecolex 1999/44).

Im Bereich der **Kapitalgesellschaften** haften der Gesellschaft die zur Aufstellung des Jahresabschlusses verpflichteten Organwalter (§ 82; § 84 Abs 2 AktG; § 22 Abs 1; § 25 Abs 2 GmbHG; vgl auch § 22 Abs 1; § 23 GenG).

2. Betriebsverfassungsrecht. Überdies ist der Betriebsinhaber gegenüber der Arbeitnehmerschaft verpflichtet, dem Betriebsrat (bzw Zentralbetriebsrat) eine Abschrift des Jahresabschlusses und des Anhanges zu übermitteln (Näheres vgl in § 108 Abs 3, 4 ArbVG). Dies inkludiert die Pflicht zu entsprechender Buchführung und Bilanzierung.

3. Allgemeines Vertragsrecht. Sofern der Vollkaufmann außen stehenden Dritten zur Rechnungslegung verpflichtet ist (etwa auf Grund zugesagter Gewinnbeteiligung), folgt daraus die Pflicht, Vorsorge zu treffen, das Ausmaß des Gewinnes oder dessen Fehlen hinreichend dartun zu können. Auch Kreditverträge fordern des Öfteren Kennzahlen des Rechnungswesens (sog *financial covenants*).

Zu diesem Zweck ist zwar nicht immer schon das Instrumentarium der *handelsrechtlichen* Buchführung und Bilanzierung erforderlich, sofern jedoch ein Vollkaufmann eine Gewinnbeteiligung zugesagt hat, versteht sich von selbst, dass er nicht dieser Zusage wegen just ein *anderes* Rechnungslegungssystem aufbauen wird als jenes, zu dem er als Vollkaufmann ohnehin verpflichtet ist. Dann aber steht dem Dritten das Recht zu, vom Vollkaufmann den gebotenen Gewinn- bzw Verlustausweis anhand jener Dokumentation zu verlangen, die der Vollkaufmann im Rahmen seiner handelsrechtlichen Rechnungslegungspflichten verwendet.

4. Deliktshaftung. Den Rechnungslegungsvorschriften als solchen kommt nicht die Funktion deliktsrechtlicher Schutzgesetze zu (§ 1295 iVm § 1311 ABGB). Anderes gilt, wenn das Fehlverhalten des Vollkaufmanns bzw seiner Vertreter nicht bloß gegen Rechnungslegungsvorschriften verstößt, sondern überdies zB auch noch Strafrechtstatbestände erfüllt.

B. Strafen

1. Sonderstrafbestimmungen im Bereich der Kapitalgesellschaften und Genossenschaften. Verschiedene gesellschaftsrechtliche Sonderstrafbestimmungen stellen unrichtige oder unvollständige Darstellungen der Verhältnisse der Gesellschaft, insb in Jahresabschlüssen, Lageberichten, in öffentlichen Aufforderungen zur Beteiligung an der Gesellschaft oder in Vorträgen oder Auskünften in der Haupt- bzw Generalversammlung bzw an Abschlussprüfer oder sonstige Prüfer der Gesellschaft unter Strafe (vgl § 255 AktG; § 122 GmbHG; § 89 GenG). Die meisten dieser Zwangsstrafen sind vom FB-Gericht von Amts wegen zu verhängen (vgl § 283 HGB).

2. Straftatbestände des StGB. Das StGB kennt kein spezifisches Bilanzdelikt mehr, insb keine dem vormaligen § 486a StG entsprechende Strafdrohung für mangelnde Buchführung. Der Kridatar ist jedoch einer erhöhten Strafdrohung ausgesetzt, wenn er überdies seine Geschäftsbücher verfälscht, beiseite schafft oder vernichtet. Vgl ferner §§ 156–159 StGB sowie andere Deliktstatbestände (zB §§ 133ff; 146ff StGB).

3. Abgabenrechtliche Strafbestimmungen. Abgabenrechtliche Buchführungs- und Aufzeichnungsvorschriften können durch Zwangsstrafen gemäß § 111 BAO erzwungen werden. Die Nichtbefolgung steuerrechtlicher Mußvorschriften ist außerdem als Finanzordnungswidrigkeit strafbar (§ 51 Abs 1 lit c FinStrG). Werden Muss- oder Sollvorschriften (zB Formalvorschriften nach § 131f BAO) verletzt und dadurch keine oder zu wenig Abgaben entrichtet, so können die Tatbestände der **Abgaben-**

hinterziehung (§ 33 FinStrG) oder der fahrlässigen **Abgabenverkürzung** (§ 34 FinStrG) erfüllt sein.

Sachlich unrichtige oder formell mangelhafte Bücher oder Aufzeichnungen können ferner die für die Betroffenen oft unangenehme **Schätzung** der Grundlagen für die Abgabenerhebung zur Folge haben (§ 184 Abs 3 BAO).

C. Insolvenzrechtliche Konsequenzen

Im Insolvenzverfahren wirkt sich mangelhafte Buchführung insofern nachteilig aus, als das Ausgleichsgericht einem Ausgleich die Bestätigung versagen, das Konkursgericht einen Antrag auf Zwangsausgleich zurückweisen kann, wenn es infolge der Beschaffenheit oder des Mangels geschäftlicher Aufzeichnungen des Gemeinschuldners nicht möglich ist, einen hinreichenden Überblick über dessen Vermögenslage zu gewinnen (§ 51 Z 2 AO; § 142 Z 3 KO). Vgl überdies § 22 URG.

V. Handelsbücher

1. Allgemeines. Der Vollkaufmann hat Bücher zu führen und darin seine Handelsgeschäfte und die Lage seines Geschäftsvermögens nach den Grundsätzen ordnungsmäßiger Buchführung (GoB) ersichtlich zu machen (§ 189 HGB). Die Buchführung hat so beschaffen zu sein, dass sie einem sachverständigen Dritten innerhalb angemessener Zeit einen Überblick über die Geschäftsvorfälle und über die Lage des Unternehmens vermitteln kann. Die Geschäftsvorfälle müssen sich in ihrer Entstehung und Abwicklung verfolgen lassen (§ 189 Abs 1 HGB), also nachprüfbar und nachvollziehbar sein.

2. Begriff der Handelsbücher. Der Gesetzgeber sagt nicht, was Handelsbücher sind. Die GoB verstehen unter Handelsbüchern das **gesamte Instrumentarium der kaufmännischen Buchführung** (die fortlaufenden Aufzeichungen der Handelsgeschäfte und alle anderen Bücher, Blätter, Datenträger udgl, auf denen sich Aufzeichnungen befinden, die der Ersichtlichmachung der Vermögenslage des Vollkaufmanns dienen: sowohl urkundliche als auch nichturkundliche Informationsträger).

3. Handelsbücher sind Urkunden iS des § 74 Z 7 StGB. Ihre Fälschung bzw Verfälschung mit dem Vorsatz, sie im Rechtsverkehr zu Beweiszwecken zu gebrauchen, ist daher nach § 223 StGB, ihre Unterdrückung nach § 229 StGB strafbar.

4. Grund-, Haupt- und Nebenbücher. Handelsbücher sind üblicherweise entweder Grund-, Haupt- oder Nebenbücher. In den Grundbüchern (auch *Journal* genannt) werden die Geschäftsfälle *chronologisch,* in den Hauptbüchern *systematisch* festgehalten; die Nebenbücher erfassen bestimmte Teilbereiche an Geschäftsvorfällen mit dem Ziel, sie summenmäßig zusammengefasst ins Hauptbuch zu übernehmen. Nebenbücher sind zB Kassen- und Warenbücher, Einkaufs- und Verkaufsbücher.

5. Konto. Kaufmännische Aufzeichnungen, die als **Buchhaltungen** bezeichnet werden können, arbeiten mit Konten. Ein Konto (Bestandskonto) ist ein zweiteiliges Rechenfeld über einen einheitlichen Buchungsgegenstand, in das nach einer einfachen Plus-Minus-Rechenmethode Anfangsbestand und Zugänge auf der einen Seite (bzw Spalte) und Abgänge auf der anderen Seite (bzw Spalte) eingetragen werden.

Unterscheide Konto und Skontro. Von der kontenförmigen Verrechnung verschieden ist die **Skontrierung.** Ein Skontro stellt eine staffelförmige Verrechnung über Bestände und Bestandsveränderungen dar **(Staffelform).** Hier bedient man sich nur einer **einzigen Betragsspalte** zur Eintragung von Anfangsbestand, Zugängen und Abgängen. Nach jedem Zu- bzw Abgang muss der neue (Soll-)Endbestand berechnet werden, um Fehler möglichst zu vermeiden. Die kontenförmige Verrechnung **(Kontoform)** wird der Methode der Skontrierung vorgezogen; vgl aber weiter unten die Ausführungen zur Gewinn- und Verlustrechnung in **Staffelform.**

6. Buchung nennt man die Eintragung in das Konto. Der einzelne Vorgang wird „gebucht".

7. „Soll" und „Haben". Die *linke* Seite eines Kontos nennt man „Soll" und die *rechte* „Haben".

Diese Bezeichnungen leiten sich aus dem italienischen „*deve* dare" (*soll* geben) und „deve *avere*" (soll *haben* iS von „soll bekommen") ab und sind auf das Führen von Personenkonten zurückzuführen: *Links* stand demnach alles, was der Eintragende von seinem Geschäftspartner zu erhalten hat, also die dem Eintragenden geschuldeten Waren und Gelder; *rechts* stand alles, was der Eintragende seinem Geschäftspartner noch zu geben hat, also die Verbindlichkeiten des Eintragenden.

Eine Buchung im Soll eines Kontos bezeichnet man als **Sollbuchung,** eine Buchung auf der Habenseite als **Habenbuchung.**

8. Saldo heißt die Differenz zwischen der Summe der „Plus"-Seite (Anfangsbestand plus Zugänge) und der Summe der „Minus"-Seite (Abgänge) eines Kontos. Der Saldo zeigt an, wie viel von der auf dem betreffenden Konto verrechneten Bestandsart im Zeitpunkt der **Saldoziehung** vorhanden *ist* bzw vorhanden sein *sollte.*

Ist die Sollseite größer als die Habenseite spricht man von einem **Sollsaldo** (der somit selbst aber *zum Ausgleich der beiden Seiten* auf der Habenseite steht!), ist die Habenseite größer spricht man von einem **Habensaldo** (der selbst *zum Ausgleich der beiden Seiten* aber auf der Sollseite steht).

9. Elektronische Datenträger, Speicherbuchführung. Handelsbücher dürfen (und werden in der Praxis überwiegend) auch im Wege der elektronischen Datenverarbeitung geführt werden. Sofern es um Urkunden geht, muss ihre **inhaltsgleiche, vollständige und geordnete,** hinsichtlich der Handelsbriefe auch die **urschriftgetreue Wiedergabe** bis zum Ablauf der gesetzlichen Aufbewahrungsfrist (§ 212 HGB) jederzeit gewährleistet sein. Der Gesetzgeber gestattet aber auch die reine *Speicherbuch-*

führung. Nähere Auskunft geben einschlägige Fachgutachten des Fachsenats für Betriebswirtschaft und Organisation (Nr 58 und 62).

10. Handelsbücher als kaufmännisches Vermögen. Handelsbücher gehören zum Vermögen des Kaufmanns. Sie bilden auch einen Teil der Konkursmasse (§§ 1 Abs 1; 105 Abs 1 KO).

Die *laufenden* Handelsbücher sind mit dem Unternehmen veräußerbar und gehen iZw auf den Erwerber über. Hingegen sind die in § 212 Abs 1 HGB genannten Unterlagen, die Auskunft über *Vergangenes* geben, weiterhin vom Veräußerer aufzubewahren. Überdies hat der Veräußerer bzgl der übergebenen Handelsbücher Vorsorge zu treffen, dass er trotz Übergabe den Zugriff behält, um auch noch später seinen insb abgabenrechtlichen Verpflichtungen nachkommen zu können.

VI. Buchhaltungssysteme

1. Allgemeines. Man unterscheidet die Einnahmen-Ausgaben-Rechnung, die einfache Buchhaltung, die doppelte Buchhaltung und die Kameralistik. Das HGB ordnet nicht ausdrücklich an, welches dieser Buchhaltungssysteme anzuwenden ist. Dennoch hat die Buchführung des Vollkaufmanns dem System der **doppelten Buchführung** zu entsprechen. Dies ergibt sich mittelbar aus der gesetzlichen Verpflichtung, neben der Bilanz auch eine **Gewinn- und Verlustrechnung** (GuV; § 200 HGB) aufzustellen.

2. Die Einnahmen-Ausgaben-Rechnung beschränkt sich grundsätzlich auf die **bloße Aufzeichnung von Zahlungsvorgängen.** Der Erfolg der unternehmerischen Tätigkeit wird erkennbar aus der **Gegenüberstellung von Betriebseinnahmen und Betriebsausgaben,** bereinigt um Privateinlagen und Privatentnahmen. Werden lediglich die Einnahmen und Ausgaben gebucht, spricht man von einem **Kassa-Konto.**

Nachteil: Da Vermögenswerte, die nicht aus Geld bestehen (Forderungen, Verbindlichkeiten, Vorräte, Anlagen), in die Betrachtung der Einnahmen-Ausgaben-Rechnung nicht einbezogen werden, kann diese kein umfassendes Bild über die Vermögens- und Ertragslage des Unternehmens verschaffen.

3. Einfache Buchhaltung. Werden über die Einnahmen und Ausgaben hinaus (Kassa-Konto) auch noch Forderungen (also *künftige* Einnahmen; **Konto für Forderungen**) und Verbindlichkeiten (also *künftige* Ausgaben; **Konto für Verbindlichkeiten**) gebucht, sodass ein Blick in die Zukunft eröffnet wird, ist ein erster Schritt in Richtung *Buchhaltung* getan. Fügt man all diesen Konten noch ein weiteres **Konto für „Vorräte“** sowie ein **Konto für „Anlagen“** hinzu, liegt eine vollständige Verrechnung aller konkreten Vermögenswerte und damit eine **einfache kaufmännische Buchführung** vor. Ihre praktische Bedeutung ist gering.

Die Einbeziehung von Sachgütern setzt deren Bewertung in Geld voraus. Der Erfolg des Unternehmens zeigt sich bei der Gegenüberstellung des betrieblichen Reinvermögens am Beginn der Rechnungsperiode und des betrieblichen Reinvermögens am Ende der Rechnungsperiode, bereinigt um Privateinlagen und Privatentnahmen.

Nachteil: Die einfache Buchhaltung lässt nicht erkennen, *aus welchen Quellen* der Gewinn bzw Verlust entsteht, als welche Geschäftstätigkeiten Gewinne bzw Verluste verursacht haben. Um diesen Nachteil auszugleichen, wurde die doppelte Buchhaltung entwickelt.

4. Die doppelte Buchhaltung („Doppik") ist das Buchhaltungssystem der Vollkaufleute; steuerrechtlich aber auch all jener Unternehmer, die gewisse Umsatz-, Gewinn- oder Vermögensgrenzen überschreiten (§ 125 BAO).

a) Die doppelte Buchführung ist dadurch gekennzeichnet, dass *jeder Geschäftsfall doppelt gebucht* wird: und zwar **(mindestens) auf einem Konto im Soll und (mindestens) auf einem Konto im Haben.** Die Summen der jeweils einschlägigen Soll- und Habenbuchungen sind betragsmäßig gleich. Jeder Geschäftsfall wird somit sowohl von der Geldseite wie von der Güter- und Leistungsseite her erfasst. Daher werden bei der doppelten Buchhaltung nicht nur **Veränderungen des Vermögens und der Schulden** erkennbar, sondern auch die **Aufwendungen und Erträge.**

b) Die Doppik ermöglicht es, den Unternehmenserfolg auf zwei verschiedenen Wegen zu ermitteln: einmal durch **Vermögensvergleich** (Bilanz) und das andere Mal durch **Gegenüberstellung der Erträge und Aufwendungen** (GuV). **Die GuV lässt erkennen, aus welchen Tätigkeitsbereichen der Gewinn bzw der Verlust kommt.** Der Bilanzgewinn, der das Endergebnis der Gewinn- und Verlustrechnung ist, ist auch in der Bilanz (als Teil des Eigenkapitals) enthalten. Dadurch sind diese beiden Rechenwerke miteinander verklammert.

c) Noch einen weiteren Grund für die Bezeichnung „doppelte Buchführung" gibt es: jeder Geschäftsfall wird einerseits chronologisch (im erwähnten Grundbuch oder Journal), andererseits systematisch (im Hauptbuch) verbucht.

5. Kameralistik. Kameralistik nennt man das Abrechnungssystem der öffentlichen Hand.

a) Einnahmen und Ausgaben. Das Abrechnungssystem der Kameralistik beruht einerseits auf der Registrierung der Einnahmen und Ausgaben und weist insofern die der Einnahmen-Ausgaben-Rechnung geläufigen Nachteile auf.

b) Budget. Die Kameralistik kennt darüber hinaus aber eine *Soll-Rechnung* in Form eines *Haushaltsplanes* (Budget), wonach die Einnahmen und Ausgaben des *kommenden* Rechnungsjahres *geschätzt* werden.

c) Rechnungsabschluss. Diesen Soll-Werten werden nach Ablauf des kommenden Rechnungsjahres die Ist-Werte gegenübergestellt (Rechnungsabschluss). Der Aufstellung des Haushaltsplanes steht also die Kontrolle seiner Einhaltung gegenüber.

Auch bei privaten Unternehmen finden sich vergleichbare **Planbilanzen.** Die Untersuchung der Abweichungen der Planwerte von den tatsächlich erreichten Istwerten ist Gegenstand der betriebswirtschaftlichen **Abweichungsanalyse.**

VII. Grundfragen der Buchführung

1. Die Buchführung muss abschlussgerecht sein. Sie bereitet die Inventur vor; das im Wege der Inventur erstellte Inventar ist seinerseits Voraussetzung für den Jahresabschluss, der zur Erreichung der Ziele der vollkaufmännischen Rechnungslegung notwendig ist. Soll die Buchführung abschlussgerecht sein, müssen die den Jahresabschluss regelnden Vorschriften weitgehend schon die Buchführung prägen. Grundsätze und Gegenstand der Buchführung ergeben sich aus Anliegen, Inhalt und Umfang des Jahresabschlusses; desgleichen die Frage, zu welchem Zeitpunkt zu buchen ist.

2. Grundsätze ordnungsmäßiger Buchführung (GoB). Die den gesamten Bereich der Rechnungslegung, insb den Jahresabschluss und hier vor allem die Bilanz, bestimmenden Prinzipien heißen **Grundsätze ordnungsmäßiger Buchführung.** Sie sind *auch,* aber keineswegs ausschließlich der Buchführung gewidmet; sie werden daher weiter unten erörtert. Im Moment genügt ein allgemeiner Hinweis zur Buchung:

Bucheintragungen und sonst erforderliche Aufzeichnungen müssen **vollständig, richtig, zeitgerecht und geordnet** vorgenommen werden (§ 190 Abs 2 HGB). Überdies müssen Handelsbücher **verständlich** geführt werden (§ 190 Abs 1 HGB). Die Verständlichkeit gebietet, dass die Bedeutung von Abkürzungen, Zahlen, Buchstaben oder Symbolen im Einzelfall eindeutig feststeht.

Es dürfen keine **Veränderungen** vorgenommen werden, die den Inhalt der ursprünglichen Eintragung nicht mehr erkennen lassen (§ 190 Abs 3 HGB). Die Unterlagen müssen ferner 7 Jahre **geordnet aufbewahrt** werden (§ 212 Abs 1 HGB).

Bei der Führung von Handelsbüchern und den sonst erforderlichen Aufzeichnungen hat sich der Eintragungspflichtige einer **lebenden Sprache** zu bedienen (§ 190 Abs 1 HGB). Da der Jahresabschluss in Deutsch abgefasst sein muss, liegt nahe, auch die Handelsbücher in Deutsch zu führen.

3. Gegenstand der Buchführung. Zu buchen sind **lückenlos alle abschlussrelevanten Geschäftsvorfälle** *(Grundsatz der Vollständigkeit).* Umgekehrt dürfen keine Buchungen vorgenommen werden, denen keine tatsächlichen Geschäftsvorfälle entsprechen *(Grundsatz der Richtigkeit).* Weiters gilt der Grundsatz *„Keine Buchung ohne Beleg.“* Die **Bilanzgliederung** bietet einen Überblick darüber, welche Vorgänge zu buchen sind.

4. Zeitpunkt der Buchung. Die Eintragungen müssen laufend und unverzüglich nach Eintritt des zu buchenden Geschäftsvorfalles erfolgen. Die Anschaffung von Vermögensgegenständen wird erst dann gebucht, wenn sie in die Gewahrsame des buchungspflichtigen Vollkaufmanns gelangen (also mit Lieferung). Die Buchung von Forderungen und Verbindlichkeiten setzt voraus, dass sie bereits entstanden sind.

5. Rechtswirkung der Buchung. Die Eintragungen des Kaufmanns in seine Bücher begründen Dritten gegenüber weder Rechte noch Pflichten. Umgekehrt haben Dritte auch keinen Anspruch darauf, dass ihre Leistung oder Forderung auf bestimmte Weise gebucht wird (HS 9081). Es können aber diesbzgl Vertragsansprüche eingeräumt werden. Im Übrigen sind Buchungen wichtige Beweismittel.

VIII. Inventar und Inventur

1. Inventar heißt das Verzeichnis aller zum Betrieb des Handelsgewerbes gehörenden Vermögensgegenstände und Schulden unter Angabe ihrer Werte.

Vermögensgegenstand ist alles, was zur Aktivseite der Bilanz gehört. Es geht nicht nur um Eigentum, sondern um alle selbstständig bewertbaren und verkehrsfähigen, materiellen und immateriellen Güter, die in der Verfügungsmacht des Vollkaufmanns stehen (also etwa Maschinen, Grundstücke, Rohstoffe, Forderungen, Wertpapiere, Patent- und Lizenzrechte uva).

Schulden sind nicht nur **Verbindlichkeiten,** die nach Grund und Höhe gewiss sind, sondern auch **Rückstellungen** für drohende Aufwendungen und Belastungen, die nach Grund bzw Höhe noch ungewiss sind oder die für drohende Verluste aus schwebenden Geschäften gebildet werden.

2. Bewertung. Das Inventar hat Wertangaben zu enthalten. Die Bewertung ist nach den für die Bilanzerstellung maßgeblichen Regeln vorzunehmen.

3. Arten des Inventars. Zwischen Eröffnungs- und Jahresinventar wird unterschieden:

a) Eröffnungsinventar. Der Vollkaufmann hat „zu Beginn seines Handelsgewerbes" ein Inventar aufzustellen (§ 191 Abs 1 HGB).

b) Jahresinventar. Ferner hat der Vollkaufmann ein Inventar für den Schluss eines jeden Geschäftsjahres (24 Uhr des Bilanzstichtages; SZ 52/72) aufzustellen (§ 191 Abs 2 HGB). Der **Inventarstichtag** fällt mit dem **Bilanzstichtag** zusammen. Das Inventar muss nicht am Inventarstichtag erstellt sein, wohl aber in angemessener, die Umstände und Verhältnisse des Unternehmens berücksichtigender Frist.

4. Inventur heißt die zur Errichtung des Inventars erforderliche, grundsätzlich körperliche Aufnahme (Zählen, Messen, Wiegen, sonstige überprüfbare Mengenfeststellungen) des Bestandes der Vermögensgegenstände und Schulden und ihre Bewertung (§ 192 Abs 1 HGB). Die Aufnahmeergebnisse sind dokumentarisch festzuhalten (schriftlich, per EDV, mittels Diktiergerätes). Die Inventur ist der Weg zum Inventar. Das Inventar setzt also eine Inventur voraus. Das Inventar ist nichts anderes als das Ergebnis der Inventur.

5. Arten der Inventur. Man unterscheidet zwischen Stichtagsinventur, laufender (permanenter) Inventur und Stichprobeninventur.

a) Stichtagsinventur liegt vor, wenn die Bestände am Bilanzstichtag erfasst werden.

b) Laufende (permanente) Inventur (§ 192 Abs 2 HGB). Hier wird die körperliche Aufnahme über das gesamte Geschäftsjahr verteilt und bis zum Bilanzstichtag fortgerechnet. Hier müssen kontinuierlich Aufzeichnungen über die Bestandsbewegungen (Bestände-, Lager-, Anlagenkartei) gemacht werden. Eine laufende Inventur kommt nur in Frage, wenn eine Stichtagsinventur zu aufwändig wäre oder den Betrieb zu sehr stören würde. Eine laufende Inventur darf nicht bei besonders wertvollen Gütern oder bei Beständen angewandt werden, die durch Schwund, Verderb udgl unkontrollierbare Abgänge nennenswerten Umfangs erleiden können.

c) Stichprobeninventur. Gemäß § 192 Abs 4 HGB darf der Bestand von Vermögensgegenständen nach Art, Menge und Wert auch mit Hilfe anerkannter **mathematisch-statistischer Methoden** auf Grund von Stichproben ermittelt werden. Anerkannt ist die sog **„freie"** und die **„gebundene Mittelwertschätzung".**

Gebot der Aussageäquivalenz: Der Aussagewert eines Stichprobeninventars muss dem Aussagewert eines auf Grund einer körperlichen Bestandsaufnahme aufgestellten Inventars gleichkommen. Das gilt für den Einzelnachweis der Vermögensgegenstände wie für ihren Gesamtwert.

IX. Aufbewahrungs- und Vorlagepflicht

1. Aufbewahrungspflicht. Der Vollkaufmann hat seine Handelsbücher, Inventare, Eröffnungsbilanzen, Jahresabschlüsse samt den Lageberichten, Konzernabschlüsse samt den Konzernlageberichten, empfangene Handelsbriefe sowie Abschriften der abgesendeten Handelsbriefe (auch Telegramme, Telefaxe, Fernschreiben udgl) und Belege für Buchungen in den von ihm zu führenden Büchern (Buchungsbelege) geordnet aufzubewahren (§ 212 HGB; vgl auch § 189 Abs 2 HGB). Diese Vorschrift dient der Dokumentation der Geschäftsfälle, also ihrem Nachweis.

Die Aufbewahrungsfrist beträgt 7 Jahre, währt aber darüber hinaus noch so lange, als dies für ein anhängiges gerichtliches oder behördliches Verfahren, in dem der Vollkaufmann Parteistellung hat, von Bedeutung ist (§ 212 Abs 1 HGB).

2. Vorlagepflicht. Unbeschadet der Vorschriften der ZPO über die Verpflichtung des Prozessgegners zur Vorlage von Urkunden ordnet § 213 HGB an, dass das Gericht im Laufe eines Rechtsstreites auf Antrag oder von Amts wegen die Vorlage der Handelsbücher einer Partei anordnen kann. Werden in einem Rechtsstreit Handelsbücher vorgelegt, so bezieht sich die vorzunehmende Einsicht nur auf die den Streitpunkt betreffenden Stellen. Sie sind daher vorher zu bezeichnen. Gegebenenfalls ist ein Auszug anzufertigen.

Der übrige Inhalt der Bücher ist dem Gericht insoweit offen zu legen, als dies zur Prüfung ihrer ordnungsmäßigen Führung notwendig ist (§ 214 lt Satz HGB). Dieses Recht zu erweiterter Einsicht steht nur dem Gericht zu. Es wird dann davon Gebrauch machen, wenn es den Eindruck gewinnt, die Bücher könnten nicht ordnungsmäßig geführt sein.

Die Einsicht in den gesamten Inhalt der Bücher darf das Gericht bei Vermögensauseinandersetzungen zB in Erbschafts-, Gütergemeinschafts- und Gesellschaftsteilungssachen anordnen (§ 215 HGB).

Die im Verlauf eines Rechtsstreites angeordnete Vorlage von Handelsbüchern einer Partei kann nicht erzwungen werden (SZ 53/95).

10. Kapitel

Jahresabschluss

I. Teile und Erweiterung des Jahresabschlusses

Der **Jahresabschluss** besteht aus der **Bilanz** sowie der **Gewinn- und Verlustrechnung** (§ 193 Abs 4 HGB). Bei Kapitalgesellschaften ist darüber hinaus ein den Jahresabschluss erweiternder **Anhang** und ein (formal nicht zum Jahresabschluss zählender, mit ihm aber inhaltlich zusammenhängender) **Lagebericht** zu erstellen (§ 222 Abs 1 HGB). Der Ersichtlichmachung der Finanzlage dient vor allem der *Anhang* zum Jahresabschluss.

II. Auf- und Feststellung des Jahresabschlusses

Lit: *Weilinger,* Die Aufstellung und Feststellung des Jahresabschlusses im Handels- und Gesellschaftsrecht (1997).

Grundsätzlich ist zwischen Auf- und Feststellung des Jahresabschlusses zu unterscheiden. Die *Aufstellung* des Jahresabschlusses ist rechtsformübergreifend in § 193 HGB geregelt; die *Feststellung* des Jahresabschlusses wird nur bei den Kapitalgesellschaften erwähnt, ist aber im gesamten Gesellschaftsrecht relevant.

A. Aufstellung des Jahresabschlusses

1. Anliegen der Aufstellung. Es soll das Vermögen und Kapital des Unternehmens sowie der Jahreserfolg (Gewinn oder Verlust) zum Abschlussstichtag ordnungsgemäß ermittelt werden. Die Aufstellung des Jahresabschlusses ist abgeschlossen, sobald der Jahresabschluss zur Prüfung bzw Feststellung vorgelegt werden kann.

2. Die Aufstellungspflichtigen. Es obliegt der Geschäftsführung, den Jahresabschluss aufzustellen. **Mehreren Geschäftsführern** obliegt dies gemeinsam. Das gilt auch in Fällen einschlägiger Ressortaufteilung (SZ 52/116). Die eigentlichen Aufstellungsarbeiten werden idR Hilfspersonen übertragen. Das bedeutet, dass die tatsächliche Erstellung idR nicht von den Geschäftsführern selbst, wohl aber unter ihrer Verantwortung erfolgt.

B. Feststellung des Jahresabschlusses

1. Anliegen der Feststellung. Die Feststellung des Jahresabschlusses (auch „Genehmigung" genannt: ein gesellschaftsrechtlicher Beschluss über ein atypisches Rechtsgeschäft) macht ihn rechtsverbindlich. Die Feststellung legt auch den Bilanzgewinn bzw -verlust fest, entscheidet über die Auflösung von Rücklagen und fixiert die Ausgangswerte für die Rechnungslegung der Folgejahre.

Die Feststellung des Bilanzgewinns darf nicht mit dem Gewinnverteilungsbeschluss verwechselt werden; dieser betrifft die Frage, ob und inwieweit der ermittelte Bilanzgewinn ausgeschüttet oder auf neue Rechnung vorgetragen wird.

2. Die zur Feststellung Berufenen sind **bei der OHG** die Gesellschafter. **Bei der KG** ist strittig, ob die Kommanditisten mitwirkungsbefugt sind (dagegen: GesRZ 1973, 118). **Bei der AG** erfolgt die Genehmigung des Jahresabschlusses idR durch den Aufsichtsrat und nur ausnahmsweise durch die Hauptversammlung (§ 125 Abs 2 und 3 AktG); bei der **GmbH** und bei der Genossenschaft durch die Generalversammlung.

C. Stichtag und Geschäftsjahr

Der Jahresabschluss ist zum Bilanzstichtag zu erstellen. Für den Regelabschluss ist dies **der letzte Tag des Geschäftsjahres.** Sagt der Gesellschaftsvertrag oder bestimmt der Einzelkaufmann nichts anderes, gilt das **Kalenderjahr als Geschäftsjahr.** Eine **Änderung des Geschäftsjahres** ist möglich, doch darf ein Geschäftsjahr nicht länger als 12 Monate dauern. Eine Änderung des Geschäftsjahres bedeutet daher stets, dass ein **Rumpfgeschäftsjahr** entsteht.

D. Fristen zur Auf- und Feststellung

1. Höchstfristen. Die gesetzlichen Fristen zur Auf- und Feststellung des Jahresabschlusses sind allesamt Höchstfristen.

2. Einzelvollkaufleute und Personengesellschaften des Handelsrechts haben den Jahresabschluss zum Stichtag in den ersten 9 Monaten des Geschäftsjahres für das vorangegangene Geschäftsjahr aufzustellen (§ 193 Abs 2 HGB). Auch wenn der Gesetzgeber schweigt, ist bei Personengesellschaften wohl auch eine Feststellung erforderlich. Sie sollte gleichfalls innerhalb der ersten 9 Monate des Geschäftsjahres oder unverzüglich nach Ablauf dieser Frist erfolgen.

3. Aktiengesellschaften haben in den ersten 5 Monaten des Geschäftsjahres den um den Anhang erweiterten Jahresabschluss für das vorangegangene Geschäftsjahr zu erstellen sowie einen Lagebericht zu verfassen und den Mitgliedern des Aufsichtsrates vorzulegen (§ 222 Abs 1 HGB). Die Prüfung durch den Abschlussprüfer ist nach Aufstellung und vor Feststellung des Jahresabschlusses durchzuführen.

Der Aufsichtsrat hat sich innerhalb von 2 Monaten nach Vorlegung gegenüber dem Vorstand über den Jahresabschluss zu erklären (§ 125 Abs 1 AktG). Bei Billigung gilt der Jahresabschluss als festgestellt; Vorstand und Aufsichtsrat können sich aber auch dafür entscheiden, den Jahresabschluss von der Hauptversammlung feststellen zu lassen (§ 125 Abs 2 AktG). Die Hauptversammlung ist ferner unverzüglich einzuberufen, wenn der Aufsichtsrat den vom Vorstand vorgeschlagenen Jahresabschluss nicht billigt (§ 125 Abs 3 AktG).

Die Prüfung durch den Aufsichtsrat erfasst nach dem Gesetzeswortlaut nur den Einzelabschluss, nach Ansicht der Lehre aber auch den Konzernabschluss (vgl *Gelter/Haberer,* Aufsichtsrat und Konzernabschluss, GesRZ 2001, 169). Das GesRÄG 2005 bezieht die Prüfpflicht ausdrücklich auch auf den Konzernabschluss (§ 125 Abs 1 AktG nF).

Die Hauptversammlung zur Feststellung des Jahresabschlusses hat in den ersten 8 Monaten des Geschäftsjahres stattzufinden (§ 125 Abs 4 AktG). Eine Feststellung des Konzernabschlusses ist (weiterhin) nicht vorgesehen.

Der Vorstand hat den Jahresabschluss unverzüglich nach seiner Behandlung in der Hauptversammlung (§ 277 Abs 1 HGB), jedenfalls aber spätestens bis zum Ablauf von 9 Monaten nach dem Bilanzstichtag zum Firmenbuch einzureichen (§ 277 Abs 2 HGB).

4. Gesellschaften mit beschränkter Haftung unterliegen bzgl der Feststellung des Jahresabschlusses durch die Generalversammlung sinngemäß demselben Fristenregime wie AG. Nach § 35 Abs 1 Z 1 GmbHG hat die Generalversammlung den Jahresabschluss des vergangenen Geschäftsjahres innerhalb der ersten 8 Monate des laufenden Geschäftsjahres zu prüfen und festzustellen. Auch darin zeigt sich die größere Bedeutung der Generalversammlung der GmbH gegenüber der Hauptversammlung der AG.

5. Erwerbs- und Wirtschaftsgenossenschaften. Bei ihnen hat der Vorstand spätestens in den ersten 5 Monaten jedes Geschäftsjahres einen Rechnungsabschluss des vergangenen Geschäftsjahres nebst einem Bericht zu erstellen und dem Aufsichtsrat, so einer besteht, zur Prüfung und Weiterleitung an die Generalversammlung vorzulegen (§ 22 Abs 2 Satz 1 GenG). Die Generalversammlung hat den Abschluss innerhalb der ersten 8 Monate festzustellen (§ 27a GenG). Je nach Größe der Genossenschaft verweist das GenG auf unterschiedliche Rechnungslegungsvorschriften des HGB (vgl Näheres in § 22 GenG).

E. Datierung und Unterzeichnung des Jahresabschlusses

Die Urschrift des festgestellten Jahresabschlusses ist vom Vollkaufmann bzw von allen persönlich haftenden Gesellschaftern unter Beisetzung des Datums firmenmäßig zu unterzeichnen (§ 194 HGB). Bei Kapitalgesellschaften und Genossenschaften sind sämtliche Vorstandsmitglieder bzw Geschäftsführer unterschriftspflichtig.

Der OGH (RdW 2002/84) lässt die Unterzeichnung durch die Geschäftsführer in vertretungsbefugter Zahl (auch unter Mitwirkung von Prokuristen bei gemischter Gesamtvertretung) genügen, bejaht dabei aber eine Art materielle Prüfpflicht des FB-Gerichts (aA *Fröhlich/Gelter,* Wer unterzeichnet den Jahresabschluss? RdW 2002/532).

Die Unterschrift als solche macht nicht die Feststellung aus, sondern sie dokumentiert nur das Vorliegen eines festgestellten Jahresabschlusses. Sie ist eine Funktion seiner Schriftlichkeit. Auf Grund eines zwar festgestellten, aber noch nicht unterschriebenen Jahresabschlusses ausgeschüttete Gewinne stehen sohin zu (BGH BB 1975, 1605).

F. Nachträgliche Berichtigung und Änderung des Jahresabschlusses

1. Berichtigung. Verstößt der Inhalt des festgestellten Jahresabschlusses gegen Rechnungslegungsvorschriften, ist er zu **berichtigen.** Offensichtliche **Schreib- und Rechenfehler** können von der Geschäftsführung korrigiert werden.

2. Freiwillige Änderung. Es kann aber auch sein, dass nachträglich eine andere als die im Rahmen des Zulässigen verwirklichte Gestaltungsmöglichkeit gewünscht wird. Dann kommt eine *freiwillige Änderung* des Jahresabschlusses in Betracht. Sie soll nur aus wichtigem Grund erfolgen. Liegt bereits eine vorgeschriebene Abschlussprüfung vor, ist der geänderte Jahresabschluss nochmals zu prüfen. Freiwillige Änderungen nach Feststellung sind ohne Zustimmung jener, denen aus dem festgestellten Jahresabschluss bereits Rechte erwachsen sind, unzulässig.

G. Nichtigkeit und Anfechtbarkeit des Feststellungsbeschlusses

Was über die Nichtigkeit und Anfechtbarkeit von gesellschaftsrechtlichen Beschlüssen allgemein zu sagen und in den Darstellungen des Gesellschaftsrechts nachzulesen ist, gilt grundsätzlich auch hier. Erwähnenswert sind igZ lediglich die folgenden Regelungen:

1. Nichtigkeit bei fehlender gesetzlicher Abschlussprüfung. Nichtig ist ein Feststellungsbeschluss jedenfalls dann, wenn dem Jahresabschluss keine gesetzlich verpflichtende Abschlussprüfung zugrunde liegt (§ 268 Abs 1 lt Satz HGB, §§ 199 Abs 1; 202 Abs 1 Z 4 AktG).

2. Anfechtungsverbot bei geringfügigem Gliederungsverstoß. Eine Anfechtung, die auf eine Verletzung der Vorschriften über die Gliederung des Jahresabschlusses gestützt wird, ist unzulässig, wenn Klarheit und Übersichtlichkeit des Jahresabschlusses nur unwesentlich beeinträchtigt sind (§ 195 Abs 3 AktG). Diese aktienrechtliche Regel darf analog auf die übrigen Gesellschaftsformen angewandt werden. Sie ist vom allgemeinen Gedanken getragen, dass der einmal festgestellte Jahresabschluss nicht wegen Minima angreifbar sein soll.

3. Konsequenzen unwirksamer Feststellungsbeschlüsse. Wird ein Feststellungsbeschluss wirksam angefochten oder als nichtig festgestellt, so wird dadurch auch dem **Ergebnisverwendungsbeschluss** die Grundlage entzogen. Die Möglichkeit einer Berichtigung oder freiwilligen Änderung des festgestellten Jahresabschlusses durch einen neuerlichen Beschluss wird durch die Regelungen über Anfechtungs- und Nichtigkeitsklagen nicht berührt.

III. Grundsätze ordnungsmäßiger Buchführung

A. Begriff und Rechtsnatur der GoB

An zahlreichen Stellen verweist der Gesetzgeber auf die GoB (vgl §§ 189 Abs 1; 192 Abs 2; 193 Abs 1; 195; 198; 200; 201 Abs 1 u 2; 209 Abs 2; 269 Abs 2 HGB). Darunter versteht man **die allgemein anerkannten Leitgedanken „richtiger" Buchführung und Bilanzierung.**

Angesichts des Umstandes, dass die Ziele aller GoB vom Gesetzgeber vorgegeben werden, ist davon auszugehen, dass vom Gesetzgeber behandelte Fragen der GoB *Rechtsfragen* (keine *Tatfragen*) sind und sohin der *Richter* darüber befindet, ob und inwieweit einschlägig Praktiziertes den GoB entspricht. Insofern sind die GoB aus den vorgegebenen rechtlichen Zielen zu **deduzieren.**

Die Entwicklung weiterer, vom Gesetzgeber bislang noch nicht erfasster GoB ist jedoch nicht auszuschließen. Insofern ist Raum für die Entfaltung betriebswirtschaftlichen Sachverstandes; es können sich auch Handelsbräuche oder auch Gewohnheitsrecht bilden. Wer meint, die derzeit rechtlich kodifizierten GoB stellen bereits einen geschlossenen Prinzipienrahmen dar, wird für induktives Aufspüren von GoB keinen Raum sehen.

Eine bestimmte **Rangordnung** zwischen den GoB gibt es nicht. Im Folgenden werden die wichtigsten GoB vorgestellt.

B. Grundsatz der „Bilanzwahrheit" (Bilanzrichtigkeit und Bilanzvollständigkeit)

Die Bilanz ist so zu erstellen, dass das betriebliche Vermögen und Kapital dem Grunde und der Höhe nach (Bewertung) **richtig (Bilanzrichtigkeit)** und **vollständig (Bilanzvollständigkeit)** ausgewiesen werden (vgl schon § 190 Abs 2 HGB zur Buchführung). Diese beiden miteinander verwandten Aspekte pflegt man unter dem Stichwort **Bilanzwahrheit** zusammenzufassen.

Der Ausdruck ist irreführend. Denn die Bilanz lässt den „wahren" Wert von Vermögensgegenständen bzw des Unternehmens insgesamt meist nicht erkennen: Die „Buchwerte" (Anschaffungswert minus Abschreibungen) entsprechen oft nicht den tatsächlichen Zeitwerten. Der Firmenwert des Unternehmens kommt in der Bilanz idR nicht zum Ausdruck (wohl aber dann, wenn eine Beteiligung an einem Unternehmen erworben wird und der diesbzgl Firmenwert im Anschaffungswert enthalten ist). Da die Bilanz keine Auskunft über die „wahren" Werte des Unternehmens gibt, ist es besser, lediglich von Bilanzrichtigkeit und Bilanzvollständigkeit zu sprechen. Der Gesetzgeber spricht nur davon, dass der Jahresabschluss ein „möglichst getreues" Bild der Vermögens-, Finanz- und Ertragslage des Unternehmens zu vermitteln hat (§ 195 HGB), *nicht* aber ein „den tatsächlichen Verhältnissen entsprechendes" (vgl § 264 Abs 2 dHGB).

1. Grundsatz der Richtigkeit. Schon die Eintragungen in die Handelsbücher müssen **inhaltlich zutreffen.** Was eingetragen ist, muss tatsächlichen Geschäftsfällen entsprechen. Richtig bedeutet zugleich auch **vorschriftsgemäß:** Dh, die Eintragungen müssen den gesetzlichen Regelungen und den GoB entsprechen.

2. Grundsatz der Vollständigkeit. Die Eintragungen in Handelsbüchern und in sonst erforderlichen Aufzeichnungen müssen ferner vollständig sein. Dh: Es müssen **alle Geschäftsvorfälle lückenlos erfasst** sein. Was einzutragen *ist,* muss eingetragen *werden.* Es darf keine Geschäfte geben, die in den Büchern nicht vermerkt sind (vgl § 196 Abs 1 HGB).

3. Ausnahmen vom Grundsatz der Vollständigkeit bilden einerseits die **Bilanzierungsverbote,** auch „Aktivierungsverbote" genannt (§ 197 HGB): Aufwendungen für die Unternehmensgründung und Eigenkapitalbeschaffung sowie immaterielle Gegenstände des Anlagevermögens, die nicht entgeltlich erworben wurden, dürfen nicht als Aktivposten in die Bilanz eingestellt werden. Das bedeutet etwa, dass ein Softwareunternehmen selbst erstellte Patente nicht aktivieren darf, was zu Verzerrungen der Vermögensdarstellung führt.

Andererseits stellen die **Aktivierungswahlrechte** Ausnahmen vom Grundsatz der Vollständigkeit dar. Vgl § 198 Abs 3 HGB: Aufwendungen für das Ingangsetzen und Erweitern eines Betriebes; § 198 Abs 7 HGB: der Unterschiedsbetrag zwischen dem Ausgabebetrag und dem höheren Rückzahlungsbetrag einer Verbindlichkeit (sog *Damnum* oder *Disagio*) darf als aktiver Rechnungsabgrenzungsposten aufgenommen werden; § 202 Abs 2 HGB betrifft Bewertungsfragen bei Umgründungen; § 203 Abs 5 HGB schafft ein Aktivierungswahlrecht für den entgeltlich erworbenen (derivativen) Firmenwert, also den Unterschiedsbetrag zwischen der bezahlten Gegenleistung bei Übernahme eines Betriebes und den Vermögenswerten abzüglich der Schulden; § 226 Abs 3 HGB schafft ein Wahlrecht, geringwertige Vermögensgegenstände im Jahr der Anschaffung zu aktivieren oder gleich vollständig abzuschreiben.

Ausnahmen ermöglicht auch der **Grundsatz der Wesentlichkeit (Materiality-Prinzip):** Sofern eine Information für ein möglichst getreues Bild der Vermögens-, Finanz- und Ertragslage von untergeordneter Bedeutung ist, darf auf die Anwendung der die Information auslösenden

Rechnungslegungsvorschrift verzichtet werden. In welchen Fällen das Materiality-Prinzip zum Tragen kommt, sagt das Gesetz.

4. Grundsatz der wirtschaftlichen Betrachtungsweise. Die Zuordnung der Vermögensgegenstände erfolgt unter Beachtung des Grundsatzes der wirtschaftlichen Betrachtungsweise. Dieser Grundsatz besagt, dass die bilanzielle Zurechnung nicht (nur) von formellen juristischen Gestaltungen abhängt, sondern von den wahren wirtschaftlichen Verhältnissen, die dem Sinn und Zweck der Zurechnungsnorm entsprechend zu berücksichtigen sind.

Das bedeutet: Nicht (nur) auf formelle Rechtspositionen, sondern (in erster Linie) auf die tatsächliche (daraus resultierende) Risikotragung und Verfügungsbefugnis kommt es an. ZB ist für die Zurechnung nicht entscheidend, dass der Treuhänder Eigentümer des Treugutes ist; das Treugut wird vielmehr dem Treugeber zugerechnet, der auf Grund des Treuhandverhältnisses die Verfügungsmacht des bloß formal berechtigten Treuhänders so sehr einschränkt, dass wirtschaftlich der Treugeber als „Herr" über das Treugut zu werten ist. Entsprechendes gilt für Fälle des Eigentumsvorbehaltes. Von besonderer Bedeutung ist der Grundsatz der wirtschaftlichen Betrachtungsweise zB bei Leasingverträgen.

5. Bruttoprinzip = Verrechnungsverbot. Auch das Verrechnungsverbot nach § 196 Abs 2 HGB, wonach Posten der Aktivseite nicht mit Posten der Passivseite, Aufwendungen nicht mit Erträgen, Grundstücksrechte nicht mit Grundstückslasten verrechnet werden dürfen (Bruttoprinzip), wird als Ausdruck des Vollständigkeitsgrundsatzes verstanden.

C. Grundsatz der Bilanzklarheit

Der Jahresabschluss ist klar und übersichtlich aufzustellen (§ 195 HGB), dh: Er ist so abzufassen, dass er dem Vollkaufmann bzw einem verständigen Dritten ein klares und übersichtliches Bild der Vermögens-, Finanz- (bei Kapitalgesellschaften; ihr gilt insb der Anhang zum Jahresabschluss) und Ertragslage des Unternehmens zu vermitteln vermag. Schon die Handelsbücher müssen geordnet und verständlich geführt werden (§ 190 Abs 1 HGB).

Das Erfordernis der Klarheit und jenes der Übersichtlichkeit lassen sich nicht scharf trennen. **Klarheit** meint vor allem die eindeutige und aussagekräftige Bezeichnung der *Posten* des Jahresabschlusses, **Übersichtlichkeit** meint vor allem eine aussagekräftige und ausreichende *Gliederung* der Bilanz und der GuV.

Für Kapitalgesellschaften stellt der Gesetzgeber entsprechende Gliederungsvorschriften zur Verfügung (§ 224 HGB). Diese Gliederungsvorschriften dienen aber allen Vollkaufleuten als Vorbild. Mindestanforderungen der Übersichtlichkeit sind: Die **Bilanz** ist in **Kontoform** zu erstellen. Bzgl der **GuV** ist die **Staffelform** der Kontendarstellung vorzuziehen. Bei Kapitalgesellschaften ist *nur* die Staffelform zulässig.

D. Grundsatz der Bilanzvorsicht

Der Grundsatz der Bilanzvorsicht umfasst eine ganze Reihe verschiedener Prinzipien. Gemeinsam ist ihnen das Anliegen, dass sich **der**

Vollkaufmann nicht reicher darstellen darf, als er ist. Wer ärmer erscheint, als er ist, erweckt bei Außenstehenden keine falschen Hoffnungen. Damit dient die Rechnungslegung nach HGB in besonderer Weise dem Gläubigerschutz. Freilich kann dies zur Bildung von (nicht in der Bilanz ersichtlichen) stillen Reserven führen, deren Entstehen, aber auch Erlöschen für Außenstehende kaum erkennbar ist.

Aus dem Grundsatz der Bilanzvorsicht ableitbar sind das

- Anschaffungswertprinzip,
- Niederstwertprinzip bei Aktiva,
- Höchstwertprinzip bei Passiva und das
- (imparitätische) Realisationsprinzip.

1. Das Anschaffungswertprinzip besagt, dass Vermögensgegenstände niemals zu einem höheren Wert angesetzt werden dürfen als jenem, zu welchem sie angeschafft wurden. Dies führt etwa bei Grundstücken dazu, dass die tatsächlichen Verkehrswerte oft ein Vielfaches der buchmäßigen Posten sind, was die Vermögensdarstellung verzerrt. Insofern bilden sich „stille Reserven".

Der Anschaffungswert wird bei Gütern mit längerer Nutzungsdauer von Bilanz zu Bilanz nicht in gleicher Höhe angesetzt. Vielmehr wird der idR eintretende **allmähliche Wertverlust durch Zeitablauf und Gebrauch** berücksichtigt. Die Vermögensgegenstände werden zu diesem Zweck **abgeschrieben.** Dh: Es wird von Jahr zu Jahr in der Bilanz ein niedrigerer Wert angesetzt, die Abschreibung mindert als Aufwand den Gewinn. Eine *Auszahlung* ist mit diesem Aufwand freilich nicht verbunden (man spricht auch von „Finanzierung durch Abschreibungen").

2. Bei Aktiva gilt das Niederstwertprinzip. Es besagt, dass bei mehreren möglichen Wertansätzen für Aktiva (vorsichtshalber) der niedrigste zu wählen ist (wobei der Wert zum Bilanzstichtag, der Wert zum Entstehungstag bzw der Wert zum letzten vorangegangenen Bilanzstichtag verglichen werden).

Innerhalb der Aktiva ist noch weiter zu differenzieren: Für das *Anlagevermögen* gilt das **gemilderte Niederstwertprinzip** (§ 204 Abs 2 HGB, ausgenommen Finanzanlagen), dh Wertminderungen sind nur zu berücksichtigen, wenn sie voraussichtlich von Dauer sind. Beim *Umlaufvermögen* gilt hingegen das **strenge Niederstwertprinzip,** dh Wertminderungen sind jedenfalls zu berücksichtigen (§ 207 Abs 1 HGB, Ausnahme in § 208 Abs 2 HGB). Siehe auch unten VII B und C.

3. Bei Passiva gilt das Höchstwertprinzip. Das Höchstwertprinzip besagt, dass bei mehreren möglichen Wertansätzen für Passiva (vorsichtshalber) der höchste Wert zu wählen ist.

4. (Imparitätisches) Realisationsprinzip. Zwischen dem Realisationsprinzip bei Erträgen und jenem bei Aufwendungen wird unterschieden.

a) Bei potenziellen Gewinnen. Erträge dürfen erst dann angesetzt werden, wenn sie tatsächlich „realisiert“ wurden.

Ein Ertrag hat sich realisiert, sobald der Vollkaufmann seine eigene Leistung erbracht hat und sein Anspruch auf die Gegenleistung so gut wie sicher ist. Forderungen des Vollkaufmanns müssen bereits entstanden sein. Ob im laufenden Geschäftsjahr ein Gewinn entstanden ist, hängt also allein von den in der laufenden Periode zu buchenden Geschäftsvorfällen ab, nicht aber von Umständen, die erst in Zukunft gebucht werden dürfen. *Künftige* Gewinne dürfen somit nicht schon die Bilanz des *laufenden* Geschäftsjahres verbessern. Daher hat die Bilanz nur die am Abschlussstichtag bereits auf Grund der im laufenden Geschäftsjahr gebotenen Buchungen eingetretenen bzw verwirklichten Gewinne auszuweisen (§ 201 Abs 1 Z 4 lit a HGB). Dieser Grundsatz heißt Realisationsprinzip.

b) Bei potenziellen Verlusten. Das Realisationsprinzip ist *imparitätisch,* weil es für Verluste nicht gilt. (Man spricht insofern etwas missverständlich vom **„Imparitätsprinzip“.**)

Zwar sind grundsätzlich auch Aufwendungen erst in der Bilanz jenes Geschäftsjahres anzusetzen, in dem die Aufwendungen getätigt werden (Gleiches gilt für Verbindlichkeiten: Sie müssen bereits entstanden sein), doch anerkennt der Gesetzgeber aus Gründen der Bilanzvorsicht eine **bilanzielle Vorwirkung künftiger Aufwendungen.** Erkennbare Risken und drohende Verluste, die in dem Geschäftsjahr oder in einem früheren Geschäftsjahr verursacht wurden (aber noch nicht zu buchen sind, weil die diesbezüglichen Geschäftsfälle noch nicht eingetreten sind), sind demnach bereits in der Bilanz zu berücksichtigen (§ 201 Abs 1 Z 4 lit b HGB). Dies gilt nicht nur für bis zum Abschlussstichtag bekannt gewordene Risken und drohende Verluste, sondern auch für solche, die erst zwischen dem Abschlussstichtag und dem Tag der tatsächlichen Aufstellung des Jahresabschlusses bekannt wurden.

E. Grundsatz der Bilanzverknüpfung

Bilanzen aufeinander folgender Perioden müssen **vergleichbar** sein, dürfen daher in ihrem Gesamtaufbau und in ihren einzelnen Positionen keine Brüche und Divergenzen aufweisen, die es unmöglich machen, die Bilanzansätze zueinander sinnvoll in Beziehung zu setzen. Dies zu vermeiden, ist Aufgabe des Prinzips der Bilanzverknüpfung. Hat sich der Vollkaufmann aus bilanzpolitischen Gründen einmal für bestimmte bilanzielle Gestaltungsmöglichkeiten entschieden, muss er diese auch unter geänderten Umständen idR beibehalten, was für ihn nachteilig sein kann.

Der Grundsatz der Bilanzverknüpfung weist mehrere Facetten auf. Man unterscheidet die

- Bilanzidentität,
- formelle Bilanzkontinuität (Darstellungsstetigkeit) und die
- materielle Bilanzkontinuität (Bewertungsstetigkeit).

1. Bilanzidentität. Das Ende des Stichtages für die Jahresbilanz über das vergangene Geschäftsjahr ist zugleich der Beginn des neuen Geschäftsjahres. Die **Jahresschlussbilanz** für das vergangene Geschäftsjahr ist daher zugleich die **Jahreseröffnungsbilanz** für das folgende Geschäftsjahr. Schlussbilanz und Eröffnungsbilanz stimmen demnach überein.

2. Formelle Bilanzkontinuität (Darstellungsstetigkeit). Der Grundsatz der formellen Bilanzkontinuität sagt, dass die einmal gewählte Form der Darstellung, insb die Gliederung der aufeinander folgenden Bilanzen und GuV, beizubehalten ist (§ 223 Abs 1 Satz 1 HGB). Der Grundsatz der Darstellungsstetigkeit ist zwar nur für die Kapitalgesellschaften normiert, wird aber allgemein angewandt.

Von diesem Grundsatz darf nur dann abgewichen werden, wenn dies im Hinblick auf das Ziel, ein möglichst getreues Bild der Vermögens-, Finanz- und Ertragslage des Unternehmens zu vermitteln, erforderlich erscheint (§ 223 Abs 1 Satz 2 iVm § 222 Abs 2 HGB). Die Abweichungen sind im Anhang zum Jahresabschluss anzugeben und zu begründen.

Die formelle Bilanzkontinuität bezieht sich auf den Grundaufbau, die formale Gliederung (gesondert ausgewiesene Posten, Postenbezeichnungen, Reihenfolge der Einzelposten), aber auch auf den Inhalt der Einzelposten **(Ausweis- und Postenstetigkeit)** und die Abgrenzung zwischen der Darstellung in der Bilanz bzw GuV und im Anhang.

3. Materielle Bilanzkontinuität (Bewertungsstetigkeit). Dieser Grundsatz besagt, dass die Bewertungs- und Abschreibungsmethoden beibehalten werden sollen.

Voraussetzung für die Anwendung dieses Prinzips ist das Vorliegen einer **Methode,** die die einzelnen Verfahrensschritte zur Wertfindung vorschreibt, sowie eines sich darauf beziehenden **Wahlrechts.** Letzteres ist im gegebenen Zusammenhang entscheidend. Neben **Methodenwahlrechten** können auch **Wertansatzwahlrechte** vom Stetigkeitsgebot erfasst werden. Nach überwiegender Ansicht werden durch das Gebot der Bewertungsstetigkeit die Wertansatzwahlrechte jeweils nur für das idente Bewertungsobjekt eingeschränkt. Darüber hinaus unterliegt die Ausübung von Wertansatzwahlrechten grundsätzlich nicht dem Stetigkeitsgebot.

Der Grundsatz der Bewertungsstetigkeit erfasst auch nicht die Ausübung **steuerlicher Investitionsbegünstigungen;** die diesbzgl *jährliche* Wahlmöglichkeit ergibt sich aus dem steuerlichen Begünstigungszweck. Hingegen unterliegen freiwillig festgelegte **innerbetriebliche Grundsätze** dem Stetigkeitsgebot.

4. Durchbrechung des Stetigkeitsprinzips. Der Grundsatz der Bewertungsstetigkeit darf nur bei Vorliegen besonderer Umstände durchbrochen werden (§ 201 Abs 2 HGB). Änderungen müssen sachlich begründet werden und der Zielsetzung des Grundsatzes der Bewertungsstetigkeit entsprechen. Anlass zu Änderungen können wesentliche Veränderungen in den konkreten, unternehmensinternen oder -externen Rahmenbedingungen im Einzelfall sein, auch Änderungen der Rechtslage, Ergebnisse der steuerlichen Betriebsprüfung, erforderliche Sanierungsmaßnahmen, Konzernierung udgl.

F. Grundsatz der Einzelbewertung

Die Vermögensgegenstände und Schulden sind zum Abschlussstichtag *einzeln* zu bewerten (§ 201 Abs 1 Z 3 HGB). Der Wert ist unabhängig von anderen Bewertungsgegenständen zu ermitteln. Insb dürfen Vermögen und Schulden nicht als Gesamtheit bewertet werden **(Verrechnungsverbot, Bruttoprinzip).** Es dürfen keine Saldierungen von Wertminderungen und Wertsteigerungen vorgenommen werden. Dem steht nicht entgegen, dass für Fragen der Bewertung gleichartige Gegenstände zusammengefasst und „wirtschaftliche Einheiten" gebildet werden. Probleme macht hier die Abgrenzung der Bewertungseinheit; darüber gibt die Verkehrsauffassung Auskunft.

Ausnahmen vom Grundsatz der Einzelbewertung finden sich in Fällen der **Bewertungsvereinfachung** nach § 209 HGB, der **Pauschalwertberichtigung** von Forderungen und der Bildung von **Sammelrückstellungen.**

G. Grundsatz der Einheitlichkeit der Bewertung

Dieser Grundsatz besagt, dass innerhalb eines Jahresabschlusses für gleichartige Vermögensgegenstände unterschiedliche Bewertungsmethoden nur bei sachlicher Rechtfertigung gewählt werden dürfen. Gleichartige Vermögensgegenstände sollen also grundsätzlich nach derselben Methode bewertet werden. Der Grundsatz der Einheitlichkeit der Bewertung ist gesetzlich nicht verankert.

H. Grundsatz der Unternehmensfortführung (Going-concern-Prinzip)

Lit: *Dellinger,* Going-concern-Prinzip und Fortbestehensprognose, RdW 2000, 325; *Riegler,* Going concern – Flagge zeigen bis zum bitteren Ende? RdW 2000, 439; *Riel/Zehetner,* Handelsrechtliche Rechnungslegungs- und Offenlegungspflichten im Konkurs, ZIK 2001/185; *Bertl/Fraberger,* Rechnungswesenlexikon: Rechnungslegung in der Insolvenz, RWZ 2002/68.

Bei der Bewertung ist von der Fortführung des Unternehmens auszugehen, solange dem keine tatsächlichen oder rechtlichen Gründe entgegenstehen (§ 201 Abs 1 Z 2 HGB). Diese Regel wird Grundsatz der Unternehmensfortführung oder Going-concern-Prinzip genannt.

Für die Bewertung der einzelnen Posten der Aktiv- und Passivseite ist **nicht der Zerschlagungswert** anzusetzen, sondern jener Wert, der die bestimmungsgemäße Verwendung des Vermögensgegenstandes im **lebenden Unternehmen** berücksichtigt. Dieser ist regelmäßig höher als der Zerschlagungswert (man denke etwa an eine Spezialmaschine, die zwar in Kombination mit dem Produktionssystem des laufenden Betriebes eine wichtige Rolle spielt, für sich allein aber nicht verwendbar ist und daher nur als Schrott verkauft werden kann). Dieses Prinzip findet in verschiedenen Bewertungs- und Ansatzvorschriften seinen Niederschlag.

§ 201 Abs 1 Z 2 HGB spricht von „tatsächlichen oder rechtlichen Gründen", die eine Durchbrechung des Going-concern-Prinzips gebieten.

Die rechtlichen Gründe sind fassbarer: Konkurseröffnung, Ausgleichsantrag, gesellschaftsrechtliche Auflösungstatbestände. Die Liquidierung eines Teilbetriebes erfordert kein Abgehen vom Going-concern-Prinzip.

Die **tatsächlichen Gründe** bereiten hingegen erhebliche Schwierigkeiten: Denn es fehlt an hinreichend verlässlichen Ansätzen, den Zeitpunkt des Abgehens vom Going-concern-Prinzip bei Vorliegen „tatsächlicher Gründe" zweifelsfrei zu bestimmen. Wesentlich muss auch hier bleiben, dass die Liquidation bzw die Insolvenz feststehen muss; dies ist aber idR erst dann der Fall, wenn bereits dementsprechende rechtliche Schritte gesetzt worden sind.

I. Stichtagsgrundsatz

Die Bewertung ist nach den tatsächlichen Verhältnissen vorzunehmen, die am Abschlussstichtag herrschen (§§ 191 Abs 2; 193 Abs 2; 201 Abs 1 Z 3 HGB). Dabei sind sowohl **positiv als auch negativ wertaufhellende Umstände** zu berücksichtigen.

Das sind zusätzliche Informationen über *zum Bilanzstichtag bereits bestehende* Verhältnisse. ZB: Der Schuldner ist in Konkurs gegangen. Umstände, die erst *nach* dem Stichtag eintreten und die bestehende Situation verändern, dürfen grundsätzlich nicht berücksichtigt werden. Doch ist auch hier das **Vorsichtsprinzip** zu beachten (§ 201 Abs 1 Z 4 lit b HGB). Was bereits als Risiko erkennbar ist oder als drohender Verlust hinreichend feststeht, ist zu berücksichtigen, selbst wenn diese Umstände erst zwischen dem Abschlussstichtag und dem Tag der Aufstellung des Jahresabschlusses bekannt geworden sind.

J. Grundsatz der Periodenabgrenzung

Der Jahresabschluss ist ein periodenbezogenes Zahlenwerk. Der Grundsatz der Periodenabgrenzung besagt, dass Aufwendungen und Erträge jener Periode zuzurechnen sind, in der sie, wirtschaftlich betrachtet, angefallen sind. Dieser Grundsatz erfordert allerdings (soll der Einblick in die Vermögenslage vollständig sein und sollen Verzerrungen vermieden werden) die Einrichtung der aktiven und passiven **Rechnungsabgrenzungsposten** (§ 198 Abs 5 und 6 HGB) und der **Rückstellungen** (§ 198 Abs 8 HGB). Darüber weiter unten.

K. Gliederungsgrundsätze

Die gesetzlich vorgeschriebene **Bilanzgliederung für Kapitalgesellschaften** (§ 224 HGB) ist zugleich eine Orientierungshilfe für die Rechnungslegung aller Vollkaufleute. Insofern sind auch die damit verbundenen Gliederungsgrundsätze allgemein beachtlich, obwohl sie im Kontext mit den Ergänzungsvorschriften für Kapitalgesellschaften gesetzlich geregelt werden. Näheres vgl in § 223 HGB.

IV. Bilanzen

Buchführung und Inventar sind notwendige Voraussetzungen für die Erstellung der **Bilanz.**

1. Begriff der Bilanz. Bilanz (abgeleitet aus dem Lateinischen: bilanx, was so viel bedeutet wie: „zwei Waagschalen hebend"; vgl auch das Wort Balance) heißt die **Gegenüberstellung der betrieblichen Aktiva und**

Passiva, wobei die auf beiden Seiten der Bilanz ausgewiesenen jeweiligen Summen gleich sind.

Statt Aktiva wird auch **Vermögen,** statt Passiva wird auch **Kapital** (Eigenkapital und Fremdkapital; Letzteres wird als Verbindlichkeiten und Rückstellungen dargestellt) gesagt. Um etwaigen Verwirrungen, die dadurch entstehen könnten, vorzubeugen, ist klarzustellen, dass auf der Aktivseite all jene Posten angeführt sind, die über die **Kapitalverwendung** Auskunft geben, während auf der Passivseite alle Posten aufscheinen, welche die **Kapitalherkunft** bezeichnen.

2. Geschäftseröffnungsbilanz. Zweck der Geschäftseröffnungsbilanz ist die Feststellung der Vermögenslage zum Beginn der vollkaufmännischen Tätigkeit (§ 193 Abs 1 HGB), um die Grundlage für die Ermittlung des Unternehmenserfolges zu fixieren. Es gelten grundsätzlich die für die regelmäßige Jahresbilanz maßgeblichen Regelungen.

Von der Geschäftseröffnungsbilanz ist die jährliche Eröffnungsbilanz zu unterscheiden.

3. Jahresbilanz heißt die über ein Geschäftsjahr aufzustellende Bilanz. Sie baut auf der Eröffnungsbilanz zum Beginn des Geschäftsjahres auf; diese entspricht der Jahresbilanz des vorangegangenen Geschäftsjahres (Grundsatz der Bilanzidentität).

V. Jahresbilanz

A. Bilanzgliederung

1. Das Grobschema des § 198 Abs 1 HGB. Das HGB kennt für Vollkaufleute, die keine Kapitalgesellschaften sind, *keine* speziellen Gliederungsvorschriften, die über das in § 198 Abs 1 HGB genannte Grobschema hinausgehen.

Demnach sind in der Bilanz

einerseits *(auf der Aktivseite, also links)*

- **das Anlagevermögen,**
- **das Umlaufvermögen,**

andererseits *(auf der Passivseite, also rechts)*

- **das Eigenkapital,**
- **die unversteuerten Rücklagen,**
- **die Verbindlichkeiten,**
- **die Rückstellungen**

und jeweils

- **die Rechnungsabgrenzungsposten**

gesondert *auszuweisen* und unter Beachtung der GoB (§ 195 HGB) *aufzugliedern* (§ 198 Abs 1 iVm Abs 3 HGB). Es ist also zwischen **Ausweis** und **Gliederung** zu unterscheiden. Der Kaufmann darf sich nicht mit diesem Grobschema der Ausweise begnügen, wenn Art und Umfang des Unternehmens eine feiner verästelte Aufgliederung angesichts der GoB erforderlich machen. Dabei kommt den **Gliederungsvorschriften für Kapitalgesellschaften** (§ 224 HGB) allgemeine Vorbildfunktion zu.

2. Die Gliederungsvorschriften für Kapitalgesellschaften. § 224 HGB listet die Mindestgliederung für Kapitalgesellschaften auf. Die diesbezügliche Aufstellung lesen Sie sorgfältig im Gesetz nach (vgl auch *Hofians* in *Straube*[2], § 224 Rz 14 ff).

Dem Grobschema des § 198 Abs 1 HGB folgend, wird nunmehr zu einzelnen Grundpositionen der Bilanz kurz Stellung genommen. Dabei geht es lediglich um allgemeine Begriffsklärung.

B. Anlagevermögen

Lit: *Bertl/Fraberger,* Die Abgrenzung von Anlage- und Umlaufvermögen, RWZ 2001/70.

1. Begriff. Als Anlagevermögen sind dem Geschäftsbetrieb dauernd gewidmete Gegenstände auszuweisen (§ 198 Abs 2 HGB). Im Handelsrecht fehlt eine genaue zeitliche Abgrenzung, im Steuerrecht wird eine Einjahresgrenze zur Abgrenzung herangezogen (§ 7 EStG). Entscheidend ist die Zweckbestimmung; so kann ein Kraftfahrzeug in einem gewöhnlichen Betrieb zum Anlagevermögen zählen, bei einem Autohändler zum Umlaufvermögen. Anlagevermögen ist *Ge*brauchsvermögen; Umlaufvermögen hingegen *Ver*brauchs- bzw Veräußerungsvermögen.

Das Anlagevermögen umfasst drei große Gruppen: *immaterielle Vermögensgegenstände, Sachanlagen* und *Finanzanlagen.*

2. Immaterielle Vermögensgegenstände umfassen etwa (entgeltlich erworbene, also nicht selbst erstellte) Konzessionen, Patente, Lizenzen, Marken-, Urheber- und Verlagsrechte sowie den entgeltlich erworbenen Geschäfts(Firmen)wert.

3. Sachanlagen sind insb Grundstücke (bebaute und unbebaute), technische Anlagen und Maschinen, Betriebs- und Geschäftsausstattung (Fuhrpark, Büromöbel, EDV-Anlagen) sowie selbsterstellte Anlagen.

4. Finanzanlagen sind insb die Anteile an (konzernmäßig) verbundenen Unternehmen, Beteiligungen (vgl die Definition in § 228 HGB) und sonstige Wertpapiere des Anlagevermögens, also solche, die dauerhaft und nicht bloß zu spekulativen Zwecken gehalten werden.

5. Vor dem Posten „Anlagevermögen" auszuweisen sind Aufwendungen für das Ingangsetzen und Erweitern eines Betriebes. Sie *dürfen* als Aktivposten ausgewiesen werden (vgl *Premm,* Aufwendungen für das Ingangsetzen und Erweitern eines Betriebes, HGB, IAS, US-/UK-GAAP [2000]). Es handelt sich somit um ein **Aktivierungswahlrecht** (vgl oben III

B 3). Der diesbezügliche Posten ist vor dem Posten „Anlagevermögen" auszuweisen (§ 198 Abs 3 HGB). Diese Aufwendungen sind keine Vermögensgegenstände, sondern fungieren als **„Bilanzierungshilfen"**, die bestimmte, nicht regelmäßig anfallende, typischerweise erhebliche Aufwendungen auf einen längeren Zeitraum verteilen helfen (Solche Aufwendungen sind zB Kosten für Marktstudien, Versuchsproduktionen, Einführungswerbung, für die Aufnahme eines neuen Geschäftszweiges oder neuer Produkte, für atypische Kapazitätsausweitungen; nicht jedoch allgemeine Personalkosten, Gründungskosten, Kapitalbeschaffungskosten.) Der eingesetzte Betrag ist in jedem Geschäftsjahr mindestens zu einem Fünftel abzuschreiben; doch kann der Grundsatz der Bilanzvorsicht einen anderen Abschreibungszeitraum nahe legen (§ 210 iVm § 201 Abs 1 HGB).

C. Umlaufvermögen

1. Begriff. Das Umlaufvermögen bilden die dem Geschäftsbetrieb nicht dauernd dienende Vermögensgegenstände (§ 198 Abs 4 HGB).

2. Die Zuordnung zum Anlage- bzw Umlaufvermögen ist zu jedem Bilanzstichtag neu zu überprüfen. Die Absicht, ein Anlagegut zu veräußern, macht aus dem Anlagegut noch kein Umlaufgut. Vorsicht ist insb bei Umgliederungen vom Umlauf- in das Anlagevermögen geboten, weil hier in ein milderes Bewertungsregime gewechselt wird.

Wichtige Teile des Umlaufvermögens sind die Vorräte, die Forderungen, die Wertpapiere des Umlaufvermögens und der Kassenbestand, Schecks und Guthaben bei Kreditinstituten.

3. Vorräte. Der Posten Vorräte ist besonders in Produktionsbetrieben bedeutend. Er umfasst zunächst Roh-, Hilfs- und Betriebsstoffe. Rohstoffe gehen als Hauptbestandteile (Holz für einen Tisch), Hilfsstoffe als Nebenbestandteile (Schrauben und Farben für einen Tisch), Betriebsstoffe nur indirekt (Schmiermittel für die Sägemaschine zur Herstellung des Tisches) in das Produkt ein. Daneben zählen auch unfertige und fertige (noch nicht veräußerte, also auf Lager liegende) Erzeugnisse zu den Vorräten.

4. Forderungen werden nach ihrer Herkunft weiter unterteilt in Forderungen aus Lieferungen und Leistungen, Forderungen gegen verbundene Unternehmen, Forderungen gegen Unternehmen, mit denen ein Beteiligungsverhältnis besteht und sonstige Forderungen.

5. Wertpapiere des Umlaufvermögens unterscheiden sich nur in der Zweckwidmung von denen des Anlagevermögens.

6. Der Kassenbestand umfasst den Bestand an gesetzlichen Zahlungsmitteln, **Schecks** sind alle Inhaber- und Orderschecks, **Guthaben bei Kreditinstituten** sind insb Kontokorrentguthaben.

D. Eigenkapital

Nach § 198 Abs 1 HGB hat die Bilanz auch das Eigenkapital zu berücksichtigen. Dieses bildet betriebswirtschaftlich die *Differenz zwischen dem Vermögen und dem Fremdkapital* und wird deshalb auch **Reinvermögen** genannt. Das Eigenkapital stellt keine Einheit dar. Es wird aus verschiedenen Strömen gespeist. Es dient der Übersicht, diese Ströme zusammenzufassen und unter einer einheitlichen Bilanzposition auszuweisen.

Zum Eigenkapital zählen die *Einlagen* der Gesellschafter, der *endgültig im Unternehmen verbliebene Gewinn, Zuwendungen,* die dem Unternehmensvermögen endgültig bzw bis zur Liquidation des Unternehmens verbleiben sollen. Fremdkapital gibt zB der Darlehensgeber und iZw der stille Gesellschafter (§ 187 Abs 1 HGB).

Das Eigenkapital unterscheidet sich vom Fremdkapital vor allem dadurch, dass im Unternehmenskonkurs zwar die Fremdkapitalgeber die Stellung von Konkursgläubigern einnehmen, nicht aber die Eigenkapitalgeber.

1. Eigenkapital beim Einzelkaufmann

Die für Kapitalgesellschaften entwickelte Gliederung des Eigenkapitals (§ 224 Abs 3 A I–IV HGB) passt insofern nicht auf andere Vollkaufleute, als diese **kein starres Nennkapital** (Grund- oder Stammkapital) haben. Das Eigenkapital des Einzelkaufmanns zum Bilanzstichtag ist der Saldo aus dem dem Unternehmen gewidmeten Vermögen (zuzüglich der Bilanzierungshilfen und aktiven Rechnungsabgrenzungsposten) und den dem Unternehmen zuzurechnenden Schulden (zuzüglich Rückstellungen und passiven Rechnungsabgrenzungsposten).

Dem Einzelkaufmann steht es frei, das Eigenkapital auch im Wege nicht durch Gewinn gedeckter **Entnahmen** zu schmälern; desgleichen kann er ohne formalen Aufwand das **Eigenkapital aufstocken.** Derartige Maßnahmen müssen aber aus der Bilanz erkennbar sein. Fehlt dem Unternehmen das seine Verbindlichkeiten ausgleichende Eigenkapital, ist der entsprechende Fehlbetrag auszuweisen. Der Einzelkaufmann hat nicht über sein Privatvermögen Rechenschaft zu geben, obwohl er mit diesem für seine Geschäftsverbindlichkeiten haftet.

2. Eigenkapital bei Personengesellschaften

Meist sieht der Gesellschaftsvertrag feste Kapitalanteile der Gesellschafter am Gesellschaftsvermögen vor. Neben dem **Festkapitalkonto** gibt es in diesem Fall für jeden Gesellschafter weitere Konten. So insb ein **Verrechnungskonto (Privatkonto)** zur Erfassung von Gewinn- und Verlustanteilen, Einlagen und Entnahmen. Mitunter finden sich auch eigene

Verlustvortragskonten als **„Korrekturkonten"** zu den Festkapitalkonten. Das Verlustvortragskonto weist gemeinsam mit dem Festkapitalkonto, uU iVm einem vertraglich vorgesehenen **Rücklagenkonto,** das Eigenkapital des einzelnen Gesellschafters aus. **Rücklagenbildungen** sind auch bei Personengesellschaften möglich, doch bedarf es diesbzgl entsprechender Abreden. Werden solche Rücklagen gebildet, sind sie entsprechend auszuweisen.

Das Gesetz geht bei der OHG/KG, OEG/KEG und EWIV (dem OHG-Recht entsprechend) von flexiblen Kapitalkonten aus, die laufend durch Gewinne, Verluste, Einlagen und Entnahmen verändert werden (§ 120 Abs 2 HGB). Das macht besonders die Gewinnverteilung kompliziert.

Handelsrechtsreform: Im Zuge der Handelsrechtsreform ist die Einführung fester Kapitalanteile vorgesehen. Damit soll die gesetzliche Regelung an die betriebliche Praxis angepasst werden.

3. Eigenkapital bei Kapitalgesellschaften

Für Kapitalgesellschaften schreibt das RLG, internationaler (angelsächsischer) Praxis folgend, vor, dass alle das Eigenkapital betreffenden Posten in einer Gruppe zusammenzufassen sind. § 224 Abs 3 A I–IV HGB differenziert bei der Passivierung des Eigenkapitals der Kapitalgesellschaften zwischen dem **Nennkapital,** den **gebundenen und nicht gebundenen Kapitalrücklagen,** den **Gewinnrücklagen** und dem **Bilanzgewinn.**

a) Nennkapital und ausstehende Einlagen. Nennkapital meint das rechtsformspezifisch zu unterscheidene Grund- (AG) bzw Stammkapital (GmbH). Noch ausstehende Einlagen sind besonders auszuweisen.

b) Gewinnrücklagen werden aus Gewinnen gebildet. Als Gewinnrücklagen dürfen nur Beträge ausgewiesen werden, die im Geschäftsjahr oder in einem früheren Geschäftsjahr aus dem Jahresüberschuss gebildet worden sind. Es handelt sich um *einbehaltene (thesaurierte)* Gewinne. Sie stellen die *Innenfinanzierung* der Gesellschaft dar, im Gegensatz zur *Außenfinanzierung,* etwa im Zuge einer Kapitalerhöhung oder einer Kreditaufnahme. Ein Teil des Gewinns hat bei Aktiengesellschaften und „großen" Gesellschaften mit beschränkter Haftung in die gesetzliche Rücklage zu kommen.

c) Bilanzgewinn. Das Ziel, das Eigenkapital zusammengefasst darzustellen, gebietet, auch den Bilanzgewinn im Zusammenhang mit dem Eigenkapital gesondert auszuweisen. Ein stehen gelassener Bilanzgewinn scheint in der GuV des folgenden Jahresabschlusses als Gewinnvortrag auf und fließt in den neuen Bilanzgewinn ein.

d) Kapitalrücklagen sind Rücklagen, die nicht aus dem Gewinn *gebildet* werden. Es handelt sich um jene Beträge, die in § 229 Abs 2 Z 1–5 HGB aufgezählt sind (Näheres vgl dort). Dazu zählt insb der Betrag, der bei einer Gründung oder Kapitalerhöhung für Anteile über den Nennbetrag hinaus erzielt wird (das sog *Agio*).

Auch Gesellschafterdarlehen können, in der Unternehmenskrise gegeben, „eigenkapitalersetzende" Funktion haben.

e) Negatives Eigenkapital. Kommt es zu einem Bilanzverlust, ist dieser gleichfalls *auf der Passivseite* im Konnex mit dem Eigenkapitalausweis zu berücksichtigen. § 225 Abs 1 HGB sagt: Ist das Eigenkapital durch Verluste aufgebraucht und ergibt sich ein Überschuss der Schulden über die Vermögensgegenstände unter Berücksichtigung der Rechnungsabgrenzungsposten, so hat der Posten „Eigenkapital" nunmehr „negatives Eigenkapital" zu lauten. Solcherart scheint der Verlust also nicht auf der Aktivseite als Fehlbetrag, sondern auf der Passivseite als Minusposten auf. Diese Bilanzierungsweise kommt aus der angloamerikanischen Rechnungslegung. Kapitalgesellschaften haben überdies im Anhang zu erläutern, ob eine Überschuldung im Sinne des Insolvenzrechts vorliegt (§ 225 Abs 1 HGB). Diesfalls ist der Insolvenzantrag zu stellen.

E. Unversteuerte Rücklagen

Den Kapital- und Gewinnrücklagen nach § 224 Abs 3 A II und III HGB stehen die in § 224 Abs 3 B HGB genannten **unversteuerten Rücklagen** gegenüber (§§ 198 Abs 1; 205 HGB). Demnach sind **steuerrechtliche Sonderabschreibungen** von Vermögensgegenständen des Anlagevermögens **(Bewertungsreserve)** und **sonstige unversteuerte Rücklagen** (zB Investitionsfreibeträge gemäß § 10 EStG, die jedoch seit 1. 1. 2001 nicht mehr neu gebildet werden können; oder Übertragungsrücklagen gemäß § 12 EStG) unter Angabe der Vorschriften, nach denen sie gebildet sind, auf der Passivseite auszuweisen (§ 205 Abs 1 Satz 1 HGB).

F. Verbindlichkeiten

Nach § 198 Abs 1 HGB sind in die Bilanz ferner die „Verbindlichkeiten" des Vollkaufmanns einzustellen. Das HGB erklärt den Begriff „Verbindlichkeit" nicht. Gemeint ist jede gegenüber einem Gläubiger bestehende Verpflichtung des Vollkaufmanns (auch eine Naturalobligation). Die Teleologie des Bilanzrechts legt nahe, dass die Verbindlichkeit in Geld ausdrückbar und insofern quantifizierbar ist und das Unternehmen entsprechend belastet.

Auch die Verbindlichkeiten werden weiter unterteilt, sie umfassen etwa Verbindlichkeiten gegenüber Kreditinstituten, Verbindlichkeiten aus Lieferungen und Leistungen, Wechselverbindlichkeiten oder Verbindlichkeiten gegenüber verbundenen Unternehmen.

G. Rückstellungen

1. Begriff. Rückstellung heißt die bilanzielle Vorsorge für drohende Aufwendungen und Verluste (Verbindlichkeiten bzw Belastungen), die am Bilanzstichtag entweder nur bedingt oder zwar dem Grunde, nicht aber ihrer Höhe nach feststehen, wobei eine hohe Wahrscheinlichkeit für den Eintritt der Bedingung bzw für die Richtigkeit der angesetzten Höhe spricht. In dieser gewissen Unbestimmtheit der Höhe oder des Rechtsgrundes liegt der Unterschied zu den Verbindlichkeiten. Beide gehören aber zum Fremdkapital im betriebswirtschaftlichen Sinn.

§ 198 Abs 8 HGB nennt Beispiele für Rückstellungen (etwa für Abfertigungen, Pensionen, Produkthaftungsrisiken). Man unterscheidet generell Rückstellungen für ungewisse Verbindlichkeiten (sowie für drohende Verluste aus schwebenden Geschäften) und Aufwandsrückstellungen. Bei letzteren besteht keine Verpflichtung Dritten gegenüber (etwa bei Rückstellungen für unterlassene Instandhaltung). Sie sind international unüblich.

Rückstellungen dürfen auch von demjenigen gebildet werden, der auf eine vermögenswerte Leistung geklagt wird, mag er auch subjektiv der Meinung sein, dass die Klage zu Unrecht erfolgt ist. Der Umstand, dass geklagt wurde, reicht jedoch objektiv für die Annahme einer rückstellungsrelevanten Wahrscheinlichkeit einer drohenden Aufwendung aus.

2. Die Pflicht zum Ausweis von Rückstellungen entspricht dem **imparitätischen Realisationsprinzip** (§ 201 Abs 1 Z 4 lit b HGB) und wird insofern dem Grundsatz der **Bilanzvorsicht** zugerechnet.

3. Wesentlichkeitsprinzip. Die Rückstellungspflicht setzt allerdings voraus, dass die Rückstellung nicht von untergeordneter Bedeutung ist (§ 198 Abs 8 lt Satz HGB). Die Rückstellung muss also *wesentlich* sein. Unwesentlichkeit liegt im Allgemeinen vor, wenn der zur Diskussion stehende Betrag keine 5% der jeweils relevanten Bilanzposition erreicht. Bei Aufwandsrückstellungen wird eine größere Toleranzgrenze befürwortet.

4. Stille Reserven. In Rückstellungen können **stille Reserven** enthalten sein. Das ist dann der Fall, wenn der Rückstellungsbetrag, dh, der prognostizierte Aufwand, für höher eingeschätzt wird als der später tatsächlich erforderliche Betrag.

H. Aktive und passive Rechnungsabgrenzungsposten

1. Zweck. Die zu bilanzierenden (§ 196 Abs 1 HGB) Rechnungsabgrenzungsposten dienen dazu, eine **periodenwidrige Zuordnung von Aufwendungen bzw Erträgen zu vermeiden.** Einerseits sollen tatsächlich bereits getätigte Ausgaben nicht unberücksichtigt bleiben, es soll aber dennoch erkennbar sein, dass die dadurch zu erzielenden Vorteile in eine andere Periode fallen. Andererseits sollen die in der abzuschließenden Periode bereits erhobenen Einnahmen nicht ausgegrenzt bleiben, obwohl die korrespondierenden Aufwendungen erst in einer späteren Periode anfallen werden.

Beispiel: Im Dezember wird die Miete für das Geschäftslokal für ein Jahr im Voraus bezahlt. Nur ein Monat betrifft tatsächlich das laufende Geschäftsjahr. Der restliche Mietaufwand wird durch einen (hier Aktiven) Rechnungsabgrenzungsposten ausgeglichen.

2. Aktive Rechnungsabgrenzungsposten sind auf der Aktivseite auszuweisende Ausgaben vor dem Abschlussstichtag, soweit sie Aufwand für eine bestimmte Zeit nach diesem Tag sind (§ 198 Abs 5 HGB; Art 18 4. EG-RL). Es handelt sich um **Vorauszahlungen des Bilanzierenden.**

Der Ausweis von Aufwendungen, die eine erst in einer späteren Abschlussperiode anfallende Gegenleistung betreffen, wäre ohne Rechnungsabgrenzungsposten unzulässig, weil die getätigte Ausgabe in der abzuschließenden Periode noch keinen bilanzierungsfähigen Vermögensgegenstand schafft. Man spricht idZ von **aktiven (eigenen) Transitorien.**

3. Passive Rechnungsabgrenzungsposten sind auf der Passivseite auszuweisende Einnahmen vor dem Abschlussstichtag, soweit sie Ertrag für eine bestimmte Zeit nach diesem Tag sind (§ 198 Abs 6 HGB; Art 21 4. EG-RL).

Die als **Vorleistung eines Dritten** erhobenen Einnahmen, denen in der Abrechnungsperiode noch keine Gegenleistungen des Bilanzierenden gegenüberstehen, würden zwar den in der abzurechnenden Periode realisierten Gewinn mehren, jedoch das angestrebte korrekte Vermögensbild verzerren, weil die korrespondierende Gegenleistung noch nicht bilanziert werden kann. Man spricht idZ von **passiven (fremden) Transitorien.**

4. Antizipationen: Von den Transitorien sind die Antizipationen (Rückstände) zu unterscheiden. Dies sind Aufwände oder Erträge, die wirtschaftlich sehr wohl in das Abschlussjahr gehören, deren Zahlung jedoch erst im Folgejahr erfolgt. Sie sind in der Bilanz unter **„sonstige Verbindlichkeiten“** bzw **„sonstige Forderungen“** auszuweisen.

5. Wesentlichkeitsprinzip. Unwesentliche Abgrenzungen können unterbleiben.

I. Vermerk von Haftungsverhältnissen

Bereits feststehende Verpflichtungen des Vollkaufmanns oder solche, die zwar der Höhe nach ungewiss oder dem Grunde nach bedingt bestehen, *mit deren Eintritt aber zu rechnen ist,* müssen in der Bilanz als **Verbindlichkeit** oder als **Rückstellung** ausgewiesen werden. Potenzielle Verpflichtungen, mit deren Erfüllung hingegen *nicht* gerechnet wird **(Eventualverbindlichkeiten),** sind *nicht* in der Bilanz auszuweisen. Dennoch können auch solche Verbindlichkeiten die Vermögens- und Ertragslage des

Unternehmens erheblich beeinflussen. Für bestimmte Eventualverbindlichkeiten ordnet daher § 199 HGB zwar keine Angabe in der Bilanz, wohl aber eine **Vermerkpflicht** an: „Unter der Bilanz" sind Verbindlichkeiten aus der Begebung und Übertragung von Wechseln, aus Bürgschaften, Garantien sowie sonstigen vertraglichen Haftungsverhältnissen, soweit sie nicht auf der Passivseite auszuweisen sind, zu vermerken. Das betrifft lediglich vertragliche, nicht gesetzliche Verbindlichkeiten.

VI. Gewinn- und Verlustrechnung

A. Begriff und Zweck der Gewinn- und Verlustrechnung

Die Gewinn- und Verlustrechnung (GuV) ist eine neben der Bilanz vorgeschriebene **Aufstellung der Erträge und Aufwendungen** des Unternehmens (§ 200 Satz 1 HGB). Sie ist eine periodische Erfolgsrechnung und Teil des Jahresabschlusses (§ 193 Abs 4 HGB). Die allgemeinen Vorschriften kennen nur eine kurze Regel: § 200 HGB hält lediglich fest, dass in der GuV die Erträge und Aufwendungen unter Bedachtnahme auf die GoB aufzugliedern sind; der Jahresüberschuss (Jahresfehlbetrag) und der Bilanzgewinn (Bilanzverlust) sind gesondert auszuweisen.

Erträge sind alle bewerteten Vermögensmehrungen, die der Periode zuzurechnen sind; **Aufwendungen** sind alle bewerteten Vermögensminderungen, die der Periode wirtschaftlich zugehören.

Der Zweck der GuV liegt darin, die *Ursachen* für das Jahresergebnis erkennbar zu machen. Die GuV dient der Offenlegung der Erfolgsquellen. Die Bilanz allein reicht dazu nicht aus. Sie weist zwar das Jahresergebnis aus, zeigt aber nicht, *warum* es gut oder schlecht ist. Hauptfunktion der GuV ist die **Erfolgs(auf)spaltung.** Aus der GuV lässt sich ablesen, in welchen Bereichen Aufwendungen und Erträge in welcher Höhe angefallen sind. Die GuV gewährt somit einen besseren Einblick in die **Ertragslage** und geschäftliche Entwicklung des Unternehmens als die Bilanz, die sich auf die Darstellung der Vermögenslage konzentriert.

B. Darstellungsform der Gewinn- und Verlustrechnung

§ 200 HGB schreibt für Vollkaufleute, die keine Kapitalgesellschaften sind, keine spezielle Darstellungsform der GuV vor. Für **Kapitalgesellschaften** ist nach § 231 HGB eine Mindestgliederung sowohl für das Gesamtkosten- als auch für das Umsatzkostenverfahren vorgesehen. Diese Gliederung hat auch für die GuV der sonstigen Vollkaufleute Vorbildwirkung.

Für die GuV ist ausschließlich die Gliederung in **Staffelform** geboten. Demnach sind die Aufwendungen und Erträge untereinander in **skontrierter Abfolge** auszuweisen. Sonstige Vollkaufleute dürfen auch die Kontoform wählen. Doch bevorzugen auch sie die Staffelform.

C. Gesamtkosten- und Umsatzkostenverfahren

Bei der GuV in Staffelform werden zwei Verfahren unterschieden: Das Gesamtkosten- und das Umsatzkostenverfahren. Beide Verfahren werden für gleichwertig gehalten und führen auch zum selben Endergebnis. § 231 Abs 1 HGB gewährt den Kapitalgesellschaften ausdrücklich ein Wahlrecht.

1. Das Gesamtkostenverfahren. Beim Gesamtkostenverfahren sind *sämtliche* in der Periode angefallenen Aufwendungen auszuweisen, also alle Herstellungskosten, auch die für solche Erzeugnisse, die noch nicht umgesetzt wurden. Den Gesamtkosten stehen die Bestandsveränderungen und die (im Anlagevermögen zu aktivierenden) Eigenleistungen gegenüber. Die Aufwandsgliederung ist somit **produktionsbezogen.** Das Gesamtkostenverfahren zeigt die *gesamte* Leistung des Unternehmens: Nicht nur, was bereits *umgesetzt* wurde **(Umsatzerlöse),** wird berücksichtigt, sondern auch jene Eigenleistungen des Unternehmens, die noch nicht umgesetzt (veräußert) wurden **(Bestandsveränderungen).**

Das Gesamtkostenverfahren lässt sich einfach aus den Konten der Buchhaltung ableiten und geht daher von einer Gliederung der Aufwendungen des Geschäftsjahres nach den auf den Konten erfassten primären Aufwandsarten aus. So werden zB der Materialaufwand, Personalaufwand, die Abschreibungen und die sonstigen betrieblichen Aufwendungen ausgewiesen.

2. Das Umsatzkostenverfahren beschränkt sich hingegen auf die umgesetzten Leistungen. Von den Herstellungskosten sind daher nur jene Aufwendungen auszuweisen, die für in der Periode *umgesetzte* Leistungen entstanden sind. Daher werden, sofern nicht alles in der Periode umgesetzt, sondern auch auf Lager produziert wurde, nicht sämtliche Aufwendungen, die in der Periode angefallen sind, gezeigt. Andererseits enthält die GuV nach dem Umsatzkostenverfahren beim Verkauf von Erzeugnissen, die in einer *früheren* Periode produziert wurden, die Herstellungskosten, welche auf diese Produkte entfallen. Das Umsatzkostenverfahren ist nicht produktions-, sondern **umsatzbezogen.**

Die Gliederung nach dem Umsatzkostenverfahren bedingt eine Überleitung der auf den Konten erfassten primären Aufwandsarten in eigene Kostenstellen. Darin liegt ein Nachteil des Umsatzkostenverfahrens gegenüber dem Gesamtkostenverfahren. Als Vorteil wird gewertet, dass das Umsatzkostenverfahren auf Grund seiner Absatzorientierung oft der Gestaltung des innerbetrieblichen Berichtswesens und der Kostenrechnung entspricht; es erlaubt die Integration in das betriebliche Rechnungswesen und die Verbindung mit kurzfristigen Erfolgsrechnungen. Neben den Herstellungskosten der zur Erzielung der Umsatzerlöse erbrachten Leistungen werden die Verwaltungs- und Vertriebskosten und die sonstigen betrieblichen Aufwendungen gesondert ausgewiesen.

Das Umsatzkostenverfahren eignet sich eher für Betriebe mit Serienfertigung. Das Gesamtkostenverfahren ist dem Umsatzkostenverfahren in Betrieben mit langfristiger Fertigung überlegen.

D. Die weitere Gliederung der GuV

Gesamt- und Umsatzkostenverfahren unterscheiden sich nur bei der Darstellung des **Betriebserfolgs,** der beim Gesamtkostenverfahren nach § 231 Abs 2 HGB als „Zwischensumme aus Z 1 bis 8", beim Umsatzkostenverfahren nach § 231 Abs 3 HGB als „Zwischensumme aus Z 1 bis 7" ausgewiesen wird. Die weitere Gliederung stimmt bei beiden Verfahren überein.

Der nächste Bereich dient der Darstellung des **Finanzerfolgs.** Dieser (nach § 231 Abs 2 die „Zwischensumme aus Z 10 bis 15", nach § 231 Abs 3 die „Zwischensumme aus Z 9 bis 14") ist die Differenz von Finanzerträgen (etwa Beteiligungserträge, Zinserträge) und Finanzaufwendungen (etwa Zinsaufwendungen, Abschreibungen auf Finanzanlagen).

Die Summe von Betriebserfolg und Finanzerfolg ist das **Ergebnis der gewöhnlichen Geschäftstätigkeit** (EGT). Die Hinzurechnung des **außerordentlichen Ergebnisses** (etwa Betriebsstilllegungen, Katastrophenschäden) und der Abzug der **Steuern vom Einkommen und Ertrag** (insb Körperschaftsteuer) führt zum **Jahresüberschuss** oder **Jahresfehlbetrag.**

Dieser ist oft aussagekräftiger als der nach Berücksichtigung der Veränderungen von Kapital- und Gewinnrücklagen ermittelte **Bilanzgewinn** oder **Bilanzverlust,** der auch in der Bilanz (als Teil des Nennkapitals) ausgewiesen wird.

VII. Bewertungsvorschriften

Im Rahmen der Darlegung der GoB wurde bereits eine Reihe wichtiger allgemeiner **Bewertungsgrundsätze** vorgestellt: so der Grundsatz der Bewertungsstetigkeit, der Grundsatz der Einzelbewertung, der Grundsatz der Einheitlichkeit der Bewertung und der Stichtagsgrundsatz. Das Gesetz kennt aber darüber hinaus auch noch besondere Bewertungsvorschriften. Sie betreffen: Einlagen, Zuwendungen und Entnahmen, Umgründungen, Anlagevermögen, Umlaufvermögen, betriebliche Ingangsetzungs-, Erweiterungs- und Umstellungsaufwendungen, Passivposten.

A. Bewertung von Einlagen, Zuwendungen und Entnahmen

Einlagen, Zuwendungen und Entnahmen sind mit dem Wert anzusetzen, der ihnen **im Zeitpunkt ihrer Leistung** beizulegen ist (beizulegender Wert), soweit sich nicht aus der Nutzungsmöglichkeit im Unternehmen ein geringerer Wert ergibt (§ 202 HGB). Dieser Wert ersetzt die sonst maßgeblichen Anschaffungs- bzw Herstellungskosten. Es besteht kein Wahlrecht zu Unterbewertungen. Damit ist die Möglichkeit, stille Reserven zu bilden, in diesem Bereich erheblich eingeschränkt.

Geschäfts- oder Firmenwert bei Unternehmens- oder Beteiligungserwerb. Wird ein (Teil)-Betrieb erworben, darf (Aktivierungswahlrecht) als Geschäfts- oder Firmenwert jener Unterschiedsbetrag angesetzt werden, um den die Gegenleistung für die Übernahme eines Betriebes die Werte der einzelnen Vermögensgegenstände (nach Aufdeckung der stillen Reserven) abzüglich der Schulden im Zeitpunkt der Übernahme übersteigt. Man spricht vom derivativen (erworbenen) Firmenwert. (Beachte: Ein originärer, also selbst gebildeter, Firmenwert darf nicht aktiviert werden.)

Die Abschreibung des Geschäfts(Firmen)werts ist planmäßig längstens auf die Geschäftsjahre zu verteilen, in denen er voraussichtlich genutzt wird (§ 203 Abs 5 HGB). (Steuerrechtlich ist der Firmenwert zu aktivieren und auf 15 Jahre abzuschreiben, § 8 Abs 3 EStG.)

§ 202 Abs 2 HGB enthält besondere Bewertungsregeln bei Umgründungen (insb Verschmelzung, Umwandlung, Spaltung).

B. Bewertung des Anlagevermögens

Lit: *Bertl/Fraberger,* Herstellungskosten im Spannungsverhältnis von Kostenrechnung und Jahresabschluss, RWZ 2002/44; *Bertl/Fraberger,* (Nicht-)Aktivierung von Anschaffungsnebenkosten, RWZ 2002/37; *Mayr,* Herstellungsaufwand im Handelsrecht und Steuerrecht, ÖStZ 2003/56.

Gegenstände des Anlagevermögens sind mit den **Anschaffungs- oder Herstellungskosten,** vermindert um die gebotenen **Abschreibungen** (§ 204 HGB), anzusetzen (§ 203 Abs 1 HGB).

1. Anschaffungskosten sind die Aufwendungen, die geleistet werden, um einen Vermögensgegenstand zu erwerben und ihn in einen betriebsbereiten Zustand zu versetzen, soweit sie dem Vermögensgegenstand einzeln zugeordnet werden können. Sie umfassen daher etwa auch Transport- und Montagekosten. Anschaffungspreisminderungen (Nachlässe, Skonti) sind abzuziehen.

2. Herstellungskosten sind die Aufwendungen, die für die Herstellung eines Vermögensgegenstandes, seine Erweiterung oder für eine über seinen ursprünglichen Zustand hinausgehende wesentliche Verbesserung entstehen (vgl § 203 Abs 3 HGB).

3. Zinsen für Fremdkapital, das zur Finanzierung der Herstellung eines Vermögensgegenstandes verwendet wird, dürfen im Rahmen der *Herstellungskosten* angesetzt werden, soweit sie auf den Zeitraum der Herstellung entfallen (§ 203 Abs 4 HGB). Hingegen ist bei den *Anschaffungskosten* die Hinzurechnung von Zinsen für Fremdkapital, das zur Finanzierung der Anschaffung dient, grundsätzlich *nicht* vorgesehen.

4. Planmäßige Abschreibungen. Die Anschaffungs- und Herstellungskosten sind bei den Gegenständen des Anlagevermögens mit begrenzter Nutzungsdauer (abnutzbares Aktivvermögen) um planmäßige Abschreibungen zu vermindern. Der Plan muss die Anschaffungs- oder Herstellungskosten auf die Geschäftsjahre verteilen, in denen der Vermögensgegenstand voraussichtlich wirtschaftlich genutzt werden kann (§ 204 Abs 1 HGB).

Die voraussichtliche betriebliche Nutzungsdauer ist zu schätzen, sofern sie nicht durch den zeitlichen Ablauf eines Nutzungsrechts feststeht. Sie ist nicht mit der technischen Lebensdauer des Gegenstandes ident.

Es gibt verschiedene Abschreibungsmethoden. Die praktisch bedeutendste ist die **lineare (konstante) Abschreibung.** Bei ihr geht man davon aus, dass die Gebrauchsfähigkeit eines Anlagegegenstandes während der Nutzungsdauer konstant bleibt. Andere Arten sind die progressive und degressive sowie die leistungsabhängige Abschreibung. Steuerrechtlich ist grundsätzlich nur eine lineare Abschreibung zulässig. Wird handelsrechtlich eine andere Methode gewählt, führt dies zur Notwendigkeit einer Mehr-Weniger-Rechnung.

5. Sofortabschreibung. Geringwertige Wirtschaftsgüter des abnutzbaren Anlagevermögens können sofort abgeschrieben werden. Dabei orientiert man sich aus praktischen Gründen an den steuerrechtlichen Höchstbeträgen (vgl § 13 EStG).

6. Planänderung. Der **Grundsatz der Bewertungsstetigkeit** gebietet, dass der einmal festgelegte Plan grundsätzlich bis zum Ablauf der Nutzungsdauer eingehalten wird. Aus gesetzlichen Vorschriften können sich jedoch **zwingende Planänderungen** ergeben; sie werden vom Grundsatz der Bewertungsstetigkeit nicht berührt, freiwillige Planänderungen schon. Umstritten ist die Pflicht zur Planänderung bei Fehleinschätzungen der Nutzungsdauer. Der neue Plan muss in geänderten Bestimmungsfaktoren für die Abschreibung begründet sein.

7. Außerplanmäßige Abschreibungen. Gegenstände des Anlagevermögens müssen bei **unvorhergesehenen, voraussichtlich dauernden Wertminderungen** ohne Rücksicht darauf, ob ihre Nutzung zeitlich begrenzt ist, außerplanmäßig auf den niedrigeren Wert, der ihnen am Abschlussstichtag unter Bedachtnahme auf die Nutzungsmöglichkeit im Unternehmen beizulegen ist, abgeschrieben werden (§ 204 Abs 2 HGB). Voraussichtlich vorübergehende Wertminderungen dürfen (außer beim Finanzanlagevermögen) nicht zu Abschreibungen führen *(gemildertes Niederstwertprinzip).*

8. Zuschreibungen. Stellt sich in einem späteren Geschäftsjahr heraus, dass die Gründe für die außerplanmäßige Abschreibung nicht mehr bestehen, so ist der Betrag dieser Abschreibung im Umfang der Werterhöhung (Wertaufholung) unter Berücksichtigung der Abschreibungen, die inzwischen vorzunehmen gewesen wären, grundsätzlich zuzuschreiben (§ 208 HGB). Zuschreibung heißt demnach die Erhöhung des Bilanzwertes eines Vermögensgegenstandes ohne Realisierung durch einen Umsatz.

C. Bewertung des Umlaufvermögens, Langfristige Fertigung

Lit: *Denk,* Die handels- und steuerrechtliche Behandlung von langfristigen Fertigungsaufträgen unter Einbezug internationaler Aspekte, ÖStZ 2000/513; *Bertl/Fraberger,* Rechnungswesenlexikon: Bilanzierung langfristiger Fertigungsaufträge, RWZ 2001/96.

Gegenstände des Umlaufvermögens sind mit den Anschaffungs- oder Herstellungskosten, vermindert um Abschreibungen (§ 207 HGB), anzusetzen (§ 206 Abs 1 HGB). Es gilt das *strenge Niederstwertprinzip.*

Im Falle von Aufträgen, deren Ausführung sich über mehr als 12 Monate erstreckt (langfristige Fertigung), räumt § 206 Abs 3 HGB ein zusätzliches Wahlrecht zur Aktivierung angemessener Teile der Verwaltungs- und Vertriebskosten ein. Voraussetzung ist, dass eine verlässliche Kostenrechnung vorliegt und aus der weiteren Auftragsabwicklung keine Verluste drohen. Dieses Wahlrecht kann auch nur teilweise in Anspruch genommen werden.

Diese Regelung mildert Darstellungsverzerrungen, die dadurch eintreten, dass die künftigen Gewinne aus langfristigen Aufträgen im laufenden Geschäftsjahr auch nicht anteilig angesetzt werden dürfen (Realisationsprinzip), wohl aber die auf die Ausführung des Auftrages bereits aufgewendeten Ausgaben.

D. Bewertung von Passivposten

§ 211 HGB enthält Bewertungsregeln für das Fremdkapital. Es wird unterschieden zwischen Verbindlichkeiten, Rentenverpflichtungen, Rückstellungen, Rückstellungen für laufende Pensionen und Anwartschaften und Abfertigungsrückstellungen.

1. Verbindlichkeiten (zB die Pflicht, ein Darlehen zurückzuzahlen oder für eine bereits erhaltene Leistung eine Gegenleistung zu erbringen; das kann eine Geld-, Waren- oder Werkleistung sein) sind zu ihrem **Rückzahlungsbetrag** anzusetzen (§ 211 Abs 1 HGB). Er muss erstmals im Zeitpunkt der Einbuchung der Verbindlichkeit ermittelt werden. Der Rückzahlungsbetrag ist jener Betrag, den das Unternehmen künftig zur Erfüllung der Verbindlichkeit aus der Sicht des Bewertungszeitpunktes aufwenden wird.

2. Rentenverpflichtungen sind mit dem **Barwert der künftigen Auszahlungen** anzusetzen (§ 211 Abs 1 HGB). Renten sind periodisch wiederkehrende gleichmäßige Leistungen in Geld oder Geldeswert auf Grund eines Rentenstammrechts. Die Höhe des Barwertes hängt vom anzuwendenden Kapitalisierungszinssatz ab. Je höher dieser Zinssatz ist, desto niedriger ist der Rentenbarwert. Der Barwert ist zu jedem Bilanzstichtag neu zu ermitteln.

3. Rückstellungen sind in der Höhe anzusetzen, die nach **vernünftiger kaufmännischer Beurteilung** notwendig ist (§ 211 Abs 1 HGB). Hier sind mitunter Schätzungen geboten, die einen erheblichen Ermessensspielraum eröffnen. Hier ist einerseits das **Vorsichtsprinzip** zu beachten, andererseits darf die Festlegung der Rückstellungsbeträge nicht zur Bildung überhöhter **stiller Reserven** führen. Obwohl auch bei Rückstellungen der Grundsatz der Einzelbewertung gilt, sind aus Wirtschaftlichkeitsgründen auch **Sammelrückstellungen** (Pauschalrückstellungen) zulässig. Der Rückstellungsbetrag ist jährlich unabhängig von einem früheren Bilanzansatz neu zu ermitteln.

4. Pensionsrückstellungen und ähnliche Verpflichtungen. Rückstellungen für laufende Pensionen und Anwartschaften auf Pensionen sowie ähnliche Verpflichtungen sind mit dem sich nach versicherungsmathematischen Grundsätzen ergebenen Betrag anzusetzen (§ 211 Abs 2 HGB).

5. Anwartschaften auf Abfertigungen sind wie Rückstellungen für laufende Pensionen und Anwartschaften auf Pensionen grundsätzlich mit dem sich nach versicherungsmathematischen Grundsätzen ergebenden Betrag anzusetzen, wobei jedoch vereinfachend auch ein bestimmter Prozentsatz der fiktiven Ansprüche zum jeweiligen Bilanzstichtag angesetzt werden darf, sofern dagegen im Einzelfall keine erheblichen Bedenken bestehen (§ 211 Abs 2 Satz 2 HGB; vereinfachend meist 50%, weil steuerrechtlich nicht mehr anerkannt wird). Erhebliche Bedenken können sich aus den konkreten Umständen des Unternehmens ergeben, die den vereinfachten Ansatz unrealistisch erscheinen lassen. ZB auffallende, vom Üblichen abweichende Altersstruktur der Belegschaft, geplanter Abbau der Belegschaft, bevorstehende Betriebseinstellung.

VIII. Unternehmensbewertung

Lit: *Loitlsberger,* Firmenwert und Substanzwert, GesRZ 1973, 100; *Moxter,* Die Grundsätze ordnungsmäßiger Unternehmensbewertung (1977); *K. Lechner,* Der Wert der Unternehmung als Ganzes, in *K. Lechner* (Hrsg), Treuhandwesen (1978) 947; *Egger/Jud/Lechner/Wünsch,* Unternehmensbewertung. Betriebswirtschaftliche und juristische Beiträge (1981); *Kastner,* Zur Bewertung von Unternehmen als Sacheinlage, GesRZ 1984, 177; *G. E. Tichy,* Der Ertrag als Bestimmungsgröße des Unternehmenswertes (Bemerkungen zum Stand der Unternehmensbewertungstheorie), GedS K. Lechner (1987) 439; *G. Roth,* Börsenkurs, Unternehmenswert, Gewinnausschüttung: Das Vermögensinteresse des Aktiensparers, FS Ostheim (1990) 335; *G. E. Tichy,* Unternehmensbewertung in Theorie und Praxis (1994); *Elsner,* Untergrenzen der Unternehmensbewertung, ecolex 1996, 920; *Müller,* M & A-Transaktionen in der Rechtsberatung. Ein Überblick über Vertragspraxis und neuere Rechtsentwicklung, FS Jakobljevich (1996) 183; *Mandl/Rabel,* Zweckadäquate Auswahl von Verfahren zur Unternehmensbewertung, RWZ 1997, 350; *Brugger,* Übersicht über die Unternehmensbewertungsmethoden, ecolex-script 1998/13 (H 4); *Mandl,* Zum Stand der Unternehmensbewertung in Theorie und Praxis, RWZ 2000/58; *Nowotny/Gelter,* „Bilanzklausel" und Unternehmenserwerb, GesRZ 2000, 63; *Seicht,* Unternehmensbewertung und Risiko, GesRZ 2002, 114 (I), 174 (II); *Bertl/Schiebel,* Es gibt keinen objektivierten Unternehmenswert! Auch wenn es sich die betriebswirtschaftliche Bewertungspraxis bei der Schiedswertermittlung noch so sehr wünscht, RWZ 2003, 353; *Seicht,* Und es gibt ihn doch, den objektivierten Unternehmenswert! RWZ 2004/41; *Beiser,* Unternehmensbewertung ohne Bindung an Recht und Gesetz? SWK 2004, W 55.

A. Allgemeines

Fragen der Unternehmensbewertung sind nicht nur bei Käufen und Verkäufen von Unternehmen oder Anteilen, sondern etwa auch bei der Abfindung ausscheidender Gesellschafter oder der Verschmelzung von Gesellschaften von Bedeutung. Die Unternehmensbewertung ist Aufgabe der Betriebswirtschaftslehre und wird von speziellen Sachverständigen (Wirtschaftsprüfer, Investmentbanken) vorgenommen.

B. Substanz- und Ertragswert

Bei der Unternehmensbewertung spielt weit weniger der **Substanzwert** (Sachwert, gegenwärtiger Verkehrswert der Aktiven) eine Rolle als vielmehr der **Ertragswert,** der auch von in der Zukunft liegenden Umständen abhängt und daher schwer abschätzbar ist.

Firmenwert nennt man die Differenz zwischen dem für ein Unternehmen bezahlten Kaufpreis und dem Substanzwert des Unternehmens. Dieser sog **good will** respektiert insb den Ruf des Unternehmens, das Wohlwollen der Kunden, vor allem aber die *realistischen Ertragserwartungen.* Künftige gute Erwerbschancen machen ein Unternehmen für den Erwerber oft weitaus wertvoller als die bloße Unternehmenssubstanz. Umgekehrt führen schlechte Ertragsaussichten dazu, dass für ein Unternehmen ein geringerer als der Substanzwert erzielt wird, weil zB bei Fortbetrieb mit (weiteren) Verlusten zu rechnen ist.

C. Methoden der Unternehmensbewertung

Den jeweiligen Unternehmenswerten entsprechen verschiedene Methoden der Unternehmensbewertung, mit deren Hilfe (oft in Kombination) die **Betriebswirtschaftslehre** den Unternehmenswert zu ermitteln hilft.

1. Das Substanzwertverfahren berücksichtigt nur den Substanz- oder Sachwert des Unternehmens: also jenen Wert, den die bilanzierten materiellen wie immateriellen Aktiven des Unternehmens insgesamt haben. Auf die künftige Entwicklung des Unternehmens wird dabei nicht geachtet.

2. Das Ertragswertverfahren geht demgegenüber von der Kapitalisierung der angesichts der gegenwärtigen Umstände rebus sic stantibus wahrscheinlichen, künftigen Gewinne des Unternehmens aus. Das Ertragswertverfahren bezieht sich somit prinzipiell auf die zukünftigen Erwerbschancen des Unternehmens. Die zu erwartenden Erträge werden geschätzt und mit einem Diskontierungszinssatz auf den Bewertungsstichtag abgezinst. Statt der Gewinne wird als Basis für die Diskontierung häufig der aus dem Gewinn ermittelte Cash flow genommen (sog **Discounted Cash flow-Verfahren**).

Nach heute hA wird die Unternehmensbewertung wesentlich vom Ertragswert bestimmt (SZ 53/172), wobei allerdings auch die Substanz des Unternehmens angemessen mitberücksichtigt wird. Insofern kommen in der Praxis oft **gemischte Verfahren** zur Anwendung. Ein einfaches gemischtes Verfahren liegt in der Bestimmung des Durchschnitts von Substanz- und Ertragswert. Auch das häufig verwendete Wiener Verfahren ist ein Mischverfahren.

3. Bewertungsbandbreiten. Es gibt keinen mathematisch exakt ermittelbaren „wahren" Unternehmenswert, wenn die Bewertungsgutachten dies auch manchmal suggerieren. Je nach den gewählten Bewertungsmethoden und ihrer Mischung sowie den eingesetzten Parametern (etwa dem Zinssatz) kann die Bewertung eines Unternehmens vielmehr zu verschiedenen Ergebnissen bzw zu erheblichen Bewertungsbandbreiten führen. Dies ermöglicht den unmittelbar Betroffenen, „im Rahmen" sachverständiger Unterstützung zu verhandeln und (unter Beachtung zusätzlicher Aspekte) Entscheidungen zu treffen.

D. Bilanzanalyse

Lit: *Coenenberg,* Jahresabschluß und Jahresabschlußanalyse[9] (1987); *Taucher/Krischmann,* Unternehmenskennzahlen für Juristen, ecolex-Skript 2002/21; *Egger/Samer/Bertl,* Der Jahresabschluss nach dem HGB I – Der Einzelabschluss[8] (2002); *Baetge/Kirsch/Thiele,* Bilanzanalyse[2] (2004); *Küting/Weber,* Die Bilanzanalyse[7] (2004); *Lachnit,* Bilanzanalyse (2004); *Gräfer,* Bilanzanalyse[9] (2005).

1. Allgemeines. Aus der Bilanz lassen sich zahlreiche Informationen gewinnen. Der systematischen Untersuchung der im Jahresabschluss enthaltenen Informationen dient die Bilanzanalyse (auch Jahresabschlussanalyse). Sie erfolgt hauptsächlich anhand der Ermittlung von **Kennzahlen.** Die Bilanzanalyse ist Aufgabe der Betriebswirtschaftslehre; Näheres ist den einschlägigen BWL-Lehrbüchern zu entnehmen.

Grundsätzlich unterschieden werden (nach *Coenenberg*) bei den finanzwirtschaftlichen Kennzahlen die *Investitionsanalyse,* die *Finanzierungsanalyse* und die *Liquiditätsanalyse.*

2. Investitionsanalyse. Im Rahmen der Investitionsanalyse werden etwa *Kennzahlen zur Vermögensstruktur* (Anlagenintensität, Investitionsdeckung, Abschreibungsquote) ermittelt.

3. Finanzierungsanalyse. Bei der Finanzierungsanalyse geht es um *Kennzahlen zur Kapitalstruktur* (Verschuldungsgrad, Eigenkapitalquote, Selbstfinanzierungsgrad).

4. Liquiditätsanalyse. Die Liquiditätsanalyse bezieht sich auf *Kennzahlen zur Zahlungsfähigkeit.* Auch eine *Kapitalflussrechnung* dient letztlich der Liquiditätsanalyse.

5. Rentabilitätskennzahlen. Auch aus der Gewinn- und Verlustrechnung lassen sich zahlreiche Kennzahlen ableiten. Von besonderer Bedeutung sind Rentabilitätskennzahlen, etwa die Eigenkapitalrentabilität (Gewinn als Prozentsatz des Eigenkapitals) und die Gesamtkapitalrentabilität (Gewinn vor Fremdkapitalzinsen als Prozentsatz des Gesamtkapitals), die auch als *Return on Investment* (ROI) bezeichnet wird.

E. Due-Diligence Prüfung

Lit: *Nowotny,* „Due Diligence" und Gesellschaftsrecht, wbl 1998, 145; *Krejci,* Verschwiegenheitspflicht des AG-Vorstandes bei Due-Diligence Prüfungen, RdW 1999, 574; *Strasser,* Treuepflicht und due diligence-Prüfung, ecolex 2001, 748; *Wahl/ Parschalk,* Due-Diligence-Prüfung und Emittenten-Compliance, wbl 2002, 289.

Beim rechtsgeschäftlichen Unternehmenserwerb, sei es im Wege eines **Asset Deal** (Erwerb des Unternehmens als Sondervermögen) oder im Wege eines **Share Deal** (Anteils- oder Beteiligungserwerb), genügt es oft nicht, sich lediglich eingehend mit den Jahresabschlüssen der letzten Jahre zu befassen. So manche grundlegende Information über das Unternehmen gewinnt man erst, wenn man sich darüber hinaus eingehend mit bestimmten Unternehmensumständen beschäftigt, zB konkrete Verträge über wichtige unernehmensbezogene Geschäfte studiert, den Zustand bestimmter Produktionsanlagen oder Qualifikation und Eigenschaften bestimmter unternehmenswichtiger Vertragspartner des Unternehmers überprüft udgl. Wer ausschließlich Jahresabschlüsse studiert, weiß einerseits zu wenig über etwaige stille Reserven und kennt andererseits so manche „Mine" nicht, die im Unternehmen gegebenenfalls hochgehen könnte. Insofern empfiehlt es sich, vor Erwerb des Unternehmens oder der Beteiligung eine sog Due-Diligence Prüfung durchzuführen. Mit ihrer Hilfe wird das Unternehmen auf seine Vorzüge und Schwachstellen hin mit der gebotenen Sorgfalt (= „due diligence") fachmännisch durchleuchtet.

Da es nicht im Interesse des Veräußerers liegen kann, wichtige Interna (mitunter sogar mehreren) Kaufinteressenten, die nicht selten Konkurrenten des Unternehmens sind, offen zu legen, ist ein Weg zu wählen, der den Interessen aller Beteiligten entgegenkommt. IdR werden Sachverständige bestellt, denen allein die sensiblen Unternehmensdaten an einem nur ihnen zugänglich gemachten Ort („Datenraum") eröffnet werden. Die Sachverständigen machen sich ein Bild vom Unternehmen, dürfen den Kaufinteressenten jedoch keine Details offenbaren, sehr wohl jedoch das für die Kaufentscheidung wichtige Gesamtergebnis (idS OLG Frankfurt DB 1995, 1908).

Der Vorstand einer AG ist nur dann verpflichtet, verkaufswilligen Aktionären eine Due-Diligence Prüfung zu ermöglichen, wenn der angestrebte Aktienverkauf dem Unternehmenswohl dient. Dies wird nur bei solchen Anteilsveräußerungen der Fall sein, die für das weitere Schicksal des Unternehmens von positiver Bedeutung sind. Veräußert die Gesellschaft selbst ihr Unternehmen oder einen Unternehmensteil, so liegt die diesbezügliche Entscheidung von vornherein wesentlich beim Vorstand.

IX. Sonderregeln für Kapitalgesellschaften und Konzerne

Wir beschränken uns hier auf einige wenige, allgemeine Hinweise.

A. Größenklassen

Lit: *Hilber,* Geänderte Größenklasseneinteilung und größenabhängige Erleichterungen bei der Rechnungslegung, ecolex 2000, 651; *Bertl/Fraberger,* Die Änderung der Größenklassen, RWZ 2000/68; *Casey,* Änderungen durch das Rechnungslegungsänderungsgesetz 2004, SWK 2004, W 11.

1. Allgemeines. Das bisher besprochene Rechnungslegungsrecht gilt auch für Kapitalgesellschaften. Der Gesetzgeber schuf für sie darüber hinaus „ergänzende Vorschriften" (3. Buch, 2. Abschnitt des HGB). Sie sind nicht für alle AG und GmbH in gleicher Weise relevant. Vielmehr ist zwischen **drei Größenklassen** zu unterscheiden: „kleinen", „mittelgroßen" und „großen" (Näheres in § 221 HGB).

2. Die relevanten Kriterien betreffen *Bilanzsumme, Umsatzerlöse* und *Arbeitnehmer.* (Außerdem gelten börsenotierte Gesellschaften stets als groß). Die „ergänzenden Vorschriften" gelten überdies für bestimmte Kapitalgesellschaften & Co (§ 221 Abs 5 HGB) sowie für mittelgroße und große Genossenschaften (§ 22 Abs 4 GenG); vgl ferner § 18 PSG.

Die Zugehörigkeit zu einer Größenklasse führt zu unterschiedlichen Regelungen über den *Anhang* (§ 242 HGB), den *Lagebericht* (§ 243 Abs 3 HGB), die *Prüfungspflicht* (§ 268 Abs 1 HGB) und *Offenlegung* (§§ 277 Abs 2; 278 HGB).

Mit dem Rechnungslegungsänderungsgesetz 2004 wurden die Größenkriterien in Umsetzung der Schwellenwertrichtlinie (RL 2003/38/EG vom 13. Mai 2003) angehoben. Dies erfolgt grundsätzlich alle fünf Jahre zur Anpassung an die wirtschaftliche Entwicklung. Dies empfiehlt, im gegebenen Zusammenhang auf das Gesetz idgF zu verweisen.

B. Allgemeines zum Jahresabschluss

Mehr als der Jahresabschluss sonstiger Vollkaufleute dient jener der Kapitalgesellschaften auch der Information Dritter, mitunter auch der Allgemeinheit. Auch der Jahresabschluss der Kapitalgesellschaft hat ein möglichst getreues Bild der **Vermögens- und Ertragslage des Unternehmens** zu vermitteln; darüber hinaus betont § 222 Abs 2 HGB auch noch die **Finanzlage** des Unternehmens. Der Bilanz und GuV ist ein **Anhang** anzufügen. In diesem Anhang sind die erforderlichen zusätzlichen Angaben zu machen (§ 222 Abs 2 HGB); sie verdeutlichen vor allem die *Finanzlage* des Unternehmens. Die gesetzlichen Vertreter der Kapitalgesellschaft haben neben dem um den Anhang erweiterten Jahresabschluss auch noch einen **Lagebericht** aufzustellen. Er ist vor allem den Zukunftsaussichten des Unternehmens gewidmet.

C. Anhang

1. Aufgaben des Anhangs. Der Anhang dient dem besseren Verständnis der Bilanz und der GuV **(Interpretationsfunktion),** er hat einzelne Posten näher zu erklären **(Erläuterungsfunktion),** wichtige bilanzpolitische Maßnahmen zu begründen **(Begründungsfunktion),** zusätzliche Angaben zu machen, wenn die Befolgung von Gesetz und GoB keinen hinreichend sicheren Einblick in die Lage vermittelt **(Korrekturfunktion),** kann die Bilanz entlasten, weil manche Angaben wahlweise statt in die Bilanz in den Anhang aufgenommen werden können **(Entlastungsfunktion),** und enthält zusätzliche Angaben, die nicht unmittelbar Bilanz- oder GuV-Posten betreffen **(Ergänzungsfunktion).**

Auch der Anhang hat **klar, übersichtlich, wahr und vollständig** zu sein. Das **Prinzip der Wesentlichkeit** („materiality") schränkt aus Gründen der Übersichtlichkeit das Vollständigkeitsprinzip dahingehend ein, dass der Anhang alles enthalten muss, was für die Lagebeurteilung wesentlich ist, aber nicht in überflüssigen Details ersticken soll.

Das HGB kennt keine Darstellungsvorschriften für den Anhang. Die gesetzlichen Regelungen über den Anhang legen jedoch nahe, dass sein Aufbau zwischen Grundsätzlichem zum Jahresabschluss, Erläuterungen zur Bilanz, Erläuterungen zur GuV und ergänzenden Angaben über sonstige finanzielle Verpflichtungen, Beteiligungen und verbundene Unternehmen sowie über Arbeitnehmer und Organwalter differenzieren sollte. Aus Gründen der Vergleichbarkeit der Anhänge aufeinander folgender Perioden ist die **Darstellungsstetigkeit** zu beachten.

2. Inhalt des Anhangs. Der Anhang enthält ***Angaben, Erläuterungen, Darstellungen und Begründungen.***

Angaben nennen Beträge (Vergleichszahlen des Vorjahres); **Erläuterungen** kommentieren eine Position verbal (ein Sachverhalt wird berichtet); **Darstellungen** enthalten quantitative Angaben mit Erläuterungen oder Aufschlüsselungen; **Begründungen** rechtfertigen verbal eine bestimmten Maßnahme im Jahresabschluss. Die in den §§ 236–240 HGB aufgezählten, in den Anhang aufzunehmenden Angaben sind dort nicht taxativ und geordnet aufgelistet. Von besonderer praktischer Bedeutung sind die von § 226 HGB verlangten Angaben zur Entwicklung der einzelnen Posten des Anlagevermögens, die regelmäßig in einem **Anlagespiegel** zusammengefasst werden.

Schutzklausel: Angaben im Anhang haben zu unterbleiben, soweit es die nationale Sicherheit des Bundes oder das wirtschaftliche Wohl des Bundes, der Länder, der Gemeinden oder Gemeindeverbände erfordert (§ 241 Abs 1 HGB; vgl auch Art 8 Abs 2 MRK).

Für kleine GmbHs bestehen Erleichterungen bei der Erstellung des Anhangs (§ 242 Abs 2 HGB).

D. Lagebericht

Lit: *Fröhlich,* Ein neuer Lagebericht und ein neuer Bestätigungsbericht? RWZ 2004/83; *Haeseler/Hirschler,* Betriebswirtschaftliche Anmerkungen zur Erweiterung des Lageberichts gemäß der Regierungsvorlage des Rechnungslegungsänderungsgesetzes 2004, RWZ 2004/82; *Bertl/Auer,* Der Lagebericht in der Praxis, RWZ 2005/16.

Der Lagebericht ergänzt den Jahresabschluss um eine hauptsächlich verbale Darstellung, in der die Geschäftsführung eine **Gesamtsicht und**

Einschätzung der Unternehmensentwicklung bietet. Auch der Lagebericht soll ein möglichst getreues Bild der Vermögens-, Finanz- und Ertragslage vermitteln (§ 243 Abs 1 HGB). Er hat vor allem auf **Vorgänge** von besonderer Bedeutung einzugehen, die nach dem Schluss des Geschäftsjahres eingetreten sind, auf die **voraussichtliche Entwicklung** des Unternehmens und auf den Bereich der **Forschung und Entwicklung** (§ 243 Abs 2 Z 1–3 HGB). Außerdem sind Angaben zu Finanzinstrumenten zu machen (§ 243 Abs 2 Z 5 HGB idF Fair Value-Bewertungsgesetz). Mit dem Rechnungslegungsänderungsgesetz 2004 wurde der Lagebericht insofern erweitert, als die Analyse des Geschäftsverlaufs und der Lage des Unternehmens auch die wichtigsten finanziellen Leistungsindikatoren (Kennzahlen) sowie bei großen Kapitalgesellschaften auch nichtfinanzielle Leistungsindikatoren (gemeint sind etwa Schadstoffausstoß und Mitarbeiterstand) erfassen muss.

Der Lagebericht hat vor allem die **Zukunft** des Unternehmens im Auge. Das Gebot der Darstellungsstetigkeit tritt somit in den Hintergrund.

Die Schutzklausel (§ 241 Abs 1 HGB) gilt auch für den Lagebericht. Kleine GmbHs müssen keinen Lagebericht erstellen (§ 243 Abs 4).

E. Konzernrechnungslegung

Lit: *Janschek,* Konzernrechnungslegung[2] (1996); *Leissing,* Konzernrechnungslegung (2000); *Fröhlich,* Praxis der Konzernrechnungslegung (2002); *Egger/Samer,* Der Jahresabschluss nach dem Handelsgesetzbuch, Bd 2: Der Konzernabschluss[5] (2004).

1. Die konzernrechnungslegungspflichtigen Gesellschaften. Kapitalgesellschaften, Kapitalgesellschaften & Co, Genossenschaften, Privatstiftungen, große (und uU kleine) VVaG und – unabhängig von ihrer Rechtsform – Kreditinstitute mit dem Sitz im Inland haben bei Vorliegen bestimmter Konzernverhältnisse neben ihrem eigenen Jahresabschluss auch noch einen **Konzernabschluss (Konzernbilanz, Konzern-GuV und Konzernanhang)** und einen **Konzernlagebericht** aufzustellen.

Seit dem Rechnungslegungsänderungsgesetz 2004 muss in Anpassung an internationale Standards auch der HGB-Konzernabschluss zusätzlich eine **Kapitalflussrechnung** und eine **Eigenkapitalveränderungsrechnung** umfassen (§ 250 Abs 1 nF).

Aufstellungspflichtig ist die Muttergesellschaft; die Tochtergesellschaften sind vorlage- und auskunftspflichtig. Ein Konzernabschluss muss erstellt werden, wenn die Muttergesellschaft eine oder mehrere Tochtergesellschaften einheitlich leitet (§ 244 Abs 1 HGB) oder ihr bestimmte Einflussrechte in den Tochtergesellschaften zustehen (§ 244 Abs 2; *Control*-Konzept). Muttergesellschaften, die ihrerseits Tochterunternehmen mit österreichischem Sitz sind und in einen gleichwertigen Konzernabschluss samt Konzernlagebericht (befreiender Konzernabschluss) einbezogen sind, müssen keinen eigenen Teilkonzernabschluss aufstellen

(§ 245 HGB), sofern dies nicht vom Aufsichtsrat oder einer bestimmten Aktionärsminderheit verlangt wird (§ 245 Abs 1 HGB).

2. Aufgabe des Konzernabschlusses. Der Konzernabschluss soll ein möglichst getreues Bild der Vermögens-, Finanz- und Ertragslage des Konzerns vermitteln.

Die Darstellung hat so zu erfolgen, als ob die im Konzern zusammengefassten Unternehmen insgesamt ein *einziges* Unternehmen wären („Einheitsgrundsatz"; § 250 Abs 3 HGB). Dieser Grundsatz gebietet die vollständige Zusammenfassung der Jahresabschlüsse aller einzubeziehenden Unternehmen zu einem einzigen Jahresabschluss. Daher müssen konzerninterne Vorgänge (etwa eine Lieferung von einer Konzerngesellschaft an eine andere) eliminiert werden **(Konsolidierung).**

Konzernabschluss und Konzernlagebericht *dienen ausschließlich der Information,* haben also keinen Einfluss auf Gewinnbemessungen oder Steuerfragen. Je nach Konzerngröße ist die gebotene Information entweder nur für die Gesellschaftsorgane oder auch für die Öffentlichkeit gedacht.

Näheres über den Konzernabschluss regelt der 3. Abschnitt des 3. Buches des HGB (§§ 244–267 HGB). Insb werden die verschiedenen Schritte der Konsolidierung geregelt. Diese Techniken können hier nicht im Detail dargestellt werden.

3. Wahlmöglichkeit. Mit dem Konzernabschlussgesetz (KonzaG 1999) wurde für Konzerne eine Wahlmöglichkeit geschaffen: Gemäß § 245a HGB kann der Konzernabschluss und der Konzernlagebericht nach **international anerkannten Rechnungslegungsgrundsätzen** erstellt werden **(IAS, US-UK-GAAP).** Damit wurde für Konzerne, die bislang zusätzlich zu einem HGB-Konzernabschluss einen US-UK-GAAP- oder IAS-Abschluss erstellen mussten, um Zugang zu internationalen Kapitalmärkten zu erlangen, eine Erleichterung geschaffen, weil sie sich nunmehr den HGB-Konzernabschluss ersparen können.

Wegen der in letzter Zeit stark gestiegenen Bedeutung der internationalen Rechnungslegung wird im Folgenden kurz auf dieses Thema eingegangen.

F. Internationale Rechnungslegung

Lit: *Eberhartinger,* Ertragssteuerliche Konsequenzen der Internationalisierung der Rechnungslegung (1999); *Roth,* Grundsätze einer kapitalmarktorientierten Rechnungslegung, ÖBA 2000, 193; *Gassner,* Internationalisierung der Rechnungslegung, Steuerbemessung und Rechtspolitik, RWZ 2000/89; *Grünwald,* Europäische Rechnungslegung im Umbruch, in FS Koppensteiner (2001) 15; *Gelter,* Neue Rechnungslegungsnormen im Handelsrecht (2001); *Maukner/Rohatschek,* Rechnungslegung nach IAS/IFRS (2002); *Casey/Kunz/Prachner,* IAS – US GAAP – HGB (2002); *Bertl/Egger/Gassner/Lang/Nowotny* (Hrsg), Die Maßgeblichkeit der handelsrechtlichen Gewinnermittlung für das Steuerrecht (2002); *Arminger,* Der befreiende Konzernabschluss nach

§ 245a HGB – kein Zugang für US-GAAP-Bilanzierer? RWZ 2002, 273; *Auer,* IAS/IFRS kompakt[2] (2003); *Seicht,* Das Maßgeblichkeitsprinzip in seiner historischen Entwicklung, in *Seicht* (Hrsg), Jahrbuch für Controlling und Rechnungswesen 2003, 13; *Gedlicka/Grass/Lingner,* Studie zur IFRS-Konformität der Abschlüsse von Unternehmen des ATX Prime Market-Segments der Wiener Börse, RWZ 2003/100; *Gedlicka,* Die Regelungen zur Umstellung auf IFRS: Betrachtungen aus österreichischer Sicht, RWZ 2003/85; *Kickinger/Lehner,* Erstmalige Aufstellung eines IFRS-Abschlusses – IFRS 1 im Überblick, RWZ 2003, 276; *Haller* (Hrsg), Internationale Rechnungslegungsstandards für Österreich (2004); *Egger/Samer,* Der Jahresabschluss nach dem Handelsgesetzbuch, Bd 2: Der Konzernabschluss[5] (2004); *Christian,* Die Bilanzierung des Eigenkapitals nach IFRS, RWZ 2004, 374; *Hopf/Raml,* Umstieg auf IAS/IFRS – Gestaltungsoptionen, RWZ 2004, 283; *Wagenhofer,* Änderungen der IAS durch das Improvement Project, SWI 2004, 146; *Fuchs,* Ausweis und Offenlegung von Firmenwerten nach HGB, IFRS und US-GAAP, RWZ 2004/60; *Grünberger/Grünberger,* IAS/IFRS 2005[3] (2004); *Casey,* Änderungen durch das Rechnungslegungsänderungsgesetz 2004, SWK 2005, W 11; *Haberer/Rechberger,* Zur Umsetzung der Fair Value-Richtlinie, SWK 2005, W 14.

Dtld: *Adler/Düring/Schmaltz,* Rechnungslegung nach Internationalen Standards (Loseblattausgabe); *Wüstemann,* Generally accepted accounting principles (1999); *Förschle/Holland/Kroner,* Internationale Rechnungslegung[6] (2003); *Zeimes,* Zur erstmaligen Anwendung der International Financial Reporting Standards gemäß IFRS 1, WPg 2003, 982; *Buchholz,* Internationale Rechungslegung[4] (2004); *Buchholz,* Grundzüge des Jahresabschlusses nach HGB und IFRS[2] (2004); *Hayn/Graf Waldersee,* IFRS/US-GAAP/HGB im Vergleich[5] (2004); *Lüdenbach/Hoffmann,* Haufe IAS/IFRS-Kommentar[2] (2004); *Baetge/Dörner/Kleekämper/Wollmert/Kirsch,* Rechnungslegung nach International Accounting Standards[2] (Loseblatt ab 2002); *Zwirner/Boecker/Reuter,* Umstellung der Rechnungslegung von HGB auf IFRS, KoR 2004, 217; *KPMG Deutsche Treuhand-Gesellschaft,* International Financial Reporting Standards[3] (2004); *Arbeitskreis „Externe und Interne Überwachung der Unternehmung" der Schmalenbach-Gesellschaft für Betriebswirtschaft eV,* Auswirkungen des Sarbanes-Oxley Act auf die Interne und Externe Unternehmensüberwachung, BB 2004, 2399; *Fischer/Klöpfer/Sterzenbach,* Beurteilung der Rechnungslegung nach IAS – Ergebnisse einer Befragung deutscher börsennotierter Unternehmen, WPg 2004, 694; *Böcking/Baetge* (Hrsg), Übergang der Rechnungslegung vom HGB zu den IFRS (2004); *Pellens/Fülbier/Gassen,* Internationale Rechnungslegung[5] (2004); *Herzig,* IAS/IFRS und steuerliche Gewinnermittlung, WPg 2005, 211; *Hassler/Kerschbaumer* (Hrsg), Praxisleitfaden zur internationalen Rechnungslegung (IFRS)[3] (2005).

1. Das International Accounting Standards Board (IASB, bis 2001 International Accounting Standards Committee, IASC) wurde 1973 in London als privatrechtlicher Verein gegründet. Ursprünglich bildeten Institutionen aus dem angloamerikanischen Raum die Mehrheit der Mitglieder, was sich auch auf den Stil der vom IASC veröffentlichten Rechnungslegungsstandards auswirkt, der sich eher am *Case law*-System orientiert. Mittlerweile hat das IASB mehr als 150 Organisationen aus über 100 Ländern als Mitglieder.

2. Aufgabe des IASB. Das IASB hat die hauptsächliche Aufgabe, Rechungslegungsstandards zu publizieren und auf diese Weise zu einer Internationalisierung der Rechnungslegung beizutragen.

3. Die International Accounting Standards (IAS) und die International Financial Reporting Standards (IFRS). Das wichtigste Rechtsinstrument des IASB sind die International Accounting Standards (IAS).

Seit 2002 werden neue Standards als International Financial Reporting Standards (IFRS) bezeichnet, die bereits publizierten Standards behalten aber ihre bisherige Bezeichnung bei, was die Übersichtlichkeit nicht gerade fördert.

4. Beschlussfassungsprozess. Die Standards durchlaufen einen komplexen Prozess bis zur Beschlussfassung. Den Anfang macht ein als **Exposure Draft** bezeichneter Entwurf. Die konzeptionelle Grundlage der IFRS-Rechungslegung ist im **Framework** (Rahmenkonzept) dargelegt. **Interpretations** dienen der Klärung später auftretender Zweifelsfragen.

5. Liste der IAS und IFRS. Eine Liste der derzeit geltenden Standards kann auf der Website www.iasb.org.uk eingesehen werden.

Im Zuge des *Improvement Project* wurden bis Dezember 2003 13 Standards grundlegend überarbeitet. Besonders wichtige Standards sind

- IAS 1 *(Presentation of Financial Statements),* regelt grundsätzliche Prinzipien und Gliederungsvorschriften
- IAS 2 *(Inventories),* Vorräte
- IAS 7 *(Cash Flow Statements),* Kapitalflussrechnung
- IAS 11 *(Construction Contracts),* Fertigungsaufträge
- IAS 14 *(Segment Reporting),* Segmentberichterstattung
- IAS 16 *(Property, Plant and Equipment),* Sachanlagevermögen
- IAS 27 (Konzernrechnungslegung)
- IAS 32 und 39 *(Financial Instruments),* Finanzinstrumente
- IAS 38 *(Intangible Assets),* immaterielle Vermögensgegenstände
- IFRS 1 (erstmalige Anwendung von IFRS)

6. Die Elemente eines IFRS-Abschlusses entsprechen gemäß IAS 1.7 weitgehend jenen nach HGB:

a) Neben Bilanz, Gewinn- und Verlustrechnung und Anhang *(Notes)* sind aber auch eine **Kapitalflussrechnung** sowie eine **Eigenkapitalveränderungsrechnung** vorgeschrieben. Hingegen wird die Aufstellung eines Lageberichts nicht ausdrücklich verlangt.

b) Auch viele Bilanzierungsgrundsätze im *Framework* gleichen denen nach HGB. Erwähnt seien etwa die Grundsätze der Unternehmensfortführung (*going concern*), der Verständlichkeit *(understandability),* der Wesentlichkeit *(materiality),* der Verlässlichkeit *(reliability),* der wirtschaftlichen Betrachtungsweise *(substance over form),* der Stetigkeit *(consistency)* oder der Vollständigkeit *(completeness).* Auch das Vorsichtsprinzip *(prudence)* hat grundsätzlich Geltung. Es hat aber nicht die überragende Bedeutung wie im HGB-Abschluss, was sich auch darin äußert, dass die Bildung willkürlicher stiller Reserven ausdrücklich verboten ist (*Framework* Abs 37).

7. Unterschiedliche Ziele der HGB-Rechnungslegung und der IFRS. Wenn man also die Gewichtung der Bilanzierungsgrundsätze nach

IAS/IFRS und nach HGB vergleicht, zeigen sich Unterschiede. Diese ergeben sich aus der unterschiedlichen Zielrichtung der beiden Rechnungslegungssysteme.

Im HGB dominiert der **Gläubigerschutz** als wichtigste Aufgabe, daher kommt dem Prinzip der Bilanzvorsicht zentrale Bedeutung zu. Nach IFRS steht hingegen die **Informationsvermittlung für den Anleger** im Vordergrund. Primäres Ziel ist daher nicht die Sicherung von Haftungssubstanz, sondern die Bereitstellung von Information für Anlageentscheidungen *(decision usefulness)*. Dabei muss sich freilich auch die IFRS-Rechnungslegung damit zufrieden geben, im Jahresabschluss Vergangenheitswerte zu liefern, deren Nutzen für *künftige* Investitionsentscheidungen stets mit Unsicherheit belastet ist.

8. Beispiele für unterschiedliche Positionen. Die inhaltliche Darstellung der IFRS muss den einschlägigen Lehrbüchern des Bilanzrechts vorbehalten bleiben. Hier sollen nur anhand einiger besonders charakteristischer Beispiele interessante Unterschiede in der Behandlung von Positionen aufgezeigt werden.

- **Der Begriff des Vermögenswertes** *(asset)* nach IFRS ist weiter als der des Vermögensgegenstandes nach HGB und erfasst etwa auch den entgeltlich erworbenen Firmenwert, für den folgerichtig eine Aktivierungspflicht besteht.
- **Das strenge Ansatzverbot** des HGB für nicht entgeltlich erworbenes immaterielles Anlagevermögen besteht nach IFRS nicht. So können auch Entwicklungskosten, etwa für ein neues Produkt, unter bestimmten Voraussetzungen (IAS 38.57) aktiviert werden, nicht hingegen Kosten der Grundlagenforschung.
- **Bei langfristigen Fertigungsaufträgen** (etwa: Bau eines Kraftwerks oder einer Brücke) erfolgt die Gewinnrealisierung nicht erst mit Abnahme des Gesamtwerks *(completed contract method)*, sondern auf einer pro rata-Basis je nach Fertigstellungsgrad *(percentage of completion method)*.
- **Die Bildung von Aufwandsrückstellungen** (etwa für unterlassene Instandhaltung) ist nach HGB möglich, hingegen muss nach IFRS eine Verpflichtung gegenüber Dritten vorliegen, weshalb Aufwandsrückstellungen unzulässig sind.
- **Bewertung des Anlagevermögens.** Während nach HGB die Bewertung des Anlagevermögens nach den Herstellungskosten, vermindert um die planmäßige oder außerplanmäßige Abschreibung, erfolgt, ist nach IFRS in vielen Bereichen zumindest als alternatives Bewertungsverfahren *(allowed alternative treatment)* eine Bewertung nach dem Verkehrswert *(fair value)* möglich.

9. Die Umstellung von HGB auf IFRS ist in IFRS 1 ausführlich geregelt und für die bilanzierenden Unternehmen mit erheblichem Aufwand verbunden. Auf Grund der konzeptionellen Unterschiede wird das

Ergebnis nach IFRS nach Umstellung in der Regel (aber nicht notwendigerweise) höher sein als nach HGB.

10. Das Rechnungslegungsrecht der EU

a) Rechtsquellen. Das Bilanzrecht der EU ist insb in der Vierten RL vom 25. Juli 1978 (78/660/EWG, Jahresabschluss-RL) und in der Siebenten RLvom 13. Juni 1983 (83/349/EWG, Konzernabschlussrichtlinie) kodifiziert.

b) Das Ziel der Harmonisierung der bilanzrechtlichen Vorschriften der Mitgliedstaaten (in Österreich erfolgte die Umsetzung zum Teil bereits vor dem EU-Beitritt im RLG 1990, zum Teil im EU-GesRÄG 1996) wurde nur teilweise erreicht. Durch zahlreiche Wahlrechte wird die Vergleichbarkeit der Jahresabschlüsse erschwert, überdies sind spätere Änderungen der Richtlinien kaum möglich (Gefahr der „Versteinerung").

Diese Gefahren erkennend, hat die Europäische Kommission ab 1995 eine neue Strategie zur Harmonisierung der Rechnungslegung verfolgt, die statt einer ausschließlichen Modernisierung der RL darauf setzt, die Bemühungen des IASC (heute IASB) zu unterstützen und sich dabei besonders auf den Konzernabschluss zu konzentrieren.

In konsequenter Fortsetzung dieser Strategie wurde 2002 die sog IAS-Verordnung beschlossen (Verordnung [EG] 1606/2002 vom 19. Juli 2002 betreffend die Anwendung internationaler Rechnungslegungsstandards).

c) Konzernabschlüsse nach IAS/IFRS. Nach Artikel 4 IAS-VO sind kapitalmarktorientierte (dh börsenotierte) Unternehmen verpflichtet, ihre Konzernabschlüsse nach IAS/IFRS zu erstellen. Die IAS werden vorher einem speziellen Anerkennungsverfahren unterzogen und von der Kommission als Verordnung veröffentlicht. Mit der VO (EG) 1725/2003 wurden alle IAS bis auf IAS 32 und 39 in diesem Sinne anerkannt.

Die VO ist nur dahingehend verpflichtend, dass der Konzernabschluss kapitalmarktorientierter Unternehmen nach IAS erstellt werden muss. Dieser steht für den informationssuchenden Anleger regelmäßig im Vordergrund, da kaum eine börsenotierte Gesellschaft existiert, die nicht in einen Konzern eingebunden ist.

d) Wahlrecht der Mitgliedstaaten. Die VO enthält darüber hinaus aber ein Wahlrecht für die Mitgliedsstaaten, auch für den Konzernabschluss nicht börsenotierter Gesellschaften sowie für den Einzelabschluss (generell oder für börsenotierte Gesellschaften) die Anwendung internationaler Rechnungslegungsstandards zu gestatten oder sogar vorzuschreiben (Art 5 IAS-VO).

e) Umsetzung in Österreich. Die Umsetzung dieser europarechtlichen Vorgaben erfolgte in Österreich jüngst mit dem Rechnungslegungsänderungsgesetz 2004 vom 30. Dezember 2004 (BGBl I 2004/161).

Kapitalmarkorientierte Unternehmen haben gemäß § 245a Abs 1 nF HGB den Konzernabschluss nach IAS zu erstellen. Die bisherige Möglichkeit eines befreienden Konzernabschlusses nach US-GAAP musste entfallen, da die IAS-VO nur IAS-Abschlüsse akzeptiert. Doch ist für Unternehmen, die wegen der Notierung an einer außereuropäischen Börse bereits einen US-GAAP-Abschluss erstellen, eine Übergangsfrist bis 2007 vorgesehen (§ 906 Abs 12 nF HGB).

Auch nicht börsenotierte Gesellschaften können gemäß § 245a Abs 2 nF HGB einen IAS-Konzernabschluss erstellen. Insoweit wurde der Grundgedanke der bisherigen Regelung beibehalten.

f) Kein Einzelabschluss nach IAS. Der österreichische Gesetzgeber hat hingegen davon abgesehen, auch im Einzelabschluss IAS zuzulassen. Während nämlich beim Konzernabschluss die Informationsfunktion dominiert, die nach IAS zweifellos gut wahrgenommen werden kann, hat der Einzelabschluss auch andere Funktionen:

Zum einen ist der handelsrechtlich ermittelte Bilanzgewinn die Basis für die Ausschüttung an die Gesellschafter *(Ausschüttungsbemessungsfunktion).* Bei der Bemessung nach IAS besteht nach dem oben Dargestellten die Gefahr, dass noch nicht realisierte Gewinne ausgeschüttet und damit der Schutz der Gläubiger gefährdet wird. Zwar lassen sich auch diese Gefahren, etwa durch Ausschüttungssperren oder zusätzliche Voraussetzungen der Gewinnausschüttung (etwa ein „Solvenztest") beseitigen, dies würde aber einen gravierenden Umbau der gesellschaftsrechtlichen Grundlagen erfordern.

Zum Zweiten ist der handelsrechtlich ermittelte Gewinn auch die Basis für die Steuerbemessung. Handels- und Steuerbilanz sind gemäß § 5 EStG in der Weise verbunden, dass der handelsrechtlich ermittelte Gewinn für die Steuerbemessung maßgeblich ist, außer zwingende steuerrechtliche Vorschriften treffen abweichende Regelungen *(Maßgeblichkeitsprinzip).* Eine Umstellung der handelsrechtlichen Rechnungslegung auf IAS würde zwangsläufig zur Abkehr von der Maßgeblichkeit und somit zur Notwendigkeit der Entwicklung eines eigenständigen Steuerbilanzrechts führen. Überdies bestehen auch verfassungsrechtliche Bedenken, dadurch mittelbar einem ausländischen privaten Gremium (dem IASB) Einfluss auf die inländische Besteuerung zu gewähren.

g) Umsetzung der Modernisierungs-RL und Schwellenwert-RL. Neben den Regelungen zur IAS-VO enthält das ReLÄG 2004 auch Bestimmungen zur Umsetzung der Modernisierungs-RL (RL 2003/51/EG vom 18. Juni 2003), mit der die 4. und 7. RL inhaltlich an die IAS angepasst werden, sowie zur Umsetzung der Schwellenwert-RL (RL 2003/38/EG vom 13. Mai 2003), mit der die Schwellenwerte für kleine, mittelgroße und große Kapitalgesellschaften erhöht werden.

Auch der deutsche Gesetzgeber schreibt den Einzelabschluss nach dHGB aus Gründen der Maßgeblichkeit und der Ausschüttungsbemessung weiterhin verpflichtend vor, gestattet es großen Kapitalgesellschaften jedoch, zu Informationszwecken statt des HGB-Abschlusses den IAS-Abschluss im Bundesanzeiger zu veröffentlichen (§ 325 Abs 2a dHGB idFd Bilanzrechtsreformgesetzes).

h) Abschied von den US-GAAP. Nach § 245a HGB idF Konzernabschlussgesetz 1999 hatten die Unternehmen die Wahl, einen befreienden Konzernabschluss nach IAS oder US-GAAP *(Generally Accepted Accounting Principles)* zu erstellen. Mit der IAS-VO wird die Verwendung der IAS steigen, da ein Abschluss nach US-GAAP spätestens ab 2007 nicht mehr mit befreiender Wirkung ausgestattet sein wird. Der Hauptgrund liegt darin, dass die Organe der EU auf die amerikanischen Rechungslegungsstandards, die rein national sind, keinen Einfluss nehmen können, während dies im Rahmen des IASC sehr wohl geschieht.

Die US-GAAP bestehen aus einer Reihe von unterschiedlichen Rechtsquellen, darunter *Accounting Research Bulletins* (ARB), *Accounting Principles Board-Opinions* (APB-Opinions) und *Statements on Financial Accounting Standards* (SFAS). Gemeinsam bilden sie ein auch als *„House of GAAP"* bezeichnetes Rechnungslegunssystem, das freilich nicht als besonders übersichtlich bezeichnet werden kann. Auf inhaltliche Themen soll hier nicht eingegangen werden.

Als Reaktion auf große Bilanzskandale um die Jahrtausendwende (Enron, Worldcom) wurde als weiterer Baustein dieses Hauses der *Sarbanes Oxley Act 2002* beschlossen. Er sieht ua langjährige Haftstrafen für Vorstandsmitglieder vor, die wissentlich unrichtige Erklärungen hinsichtlich der Finanzlage ihres Unternehmens abgeben.

G. Abschlussprüfung

1. Die prüfpflichtigen Gesellschaften. Kapitalgesellschaften (ausgenommen: kleine Gesellschaften mbH [vgl § 221 HGB], sofern sie nicht auf Grund einer gesetzlichen Vorschrift aufsichtsratspflichtig sind), sowie Kapitalgesellschaft & Co Personengesellschaften haben ihre Jahresabschlüsse durch Abschlussprüfer prüfen zu lassen (§ 268 Abs 1 HGB). Seit dem GenRevRÄG 1997 sind auch mittelgroße und große Gen sowie aufsichtsratspflichtige Gen einer Abschlussprüfung zu unterziehen (§ 22 Abs 6 GenG). Gen unterliegen überdies der Genossenschaftsrevision, was zu einer wenig sinnvollen Doppelkontrolle führt. Prüfungspflichtig sind ferner Privatstiftungen (§ 21 PSG) und Kreditinstitute unabhängig von ihrer Rechtsform (§ 43 BWG). Ferner ist jede Muttergesellschaft, die einen Konzernabschluss und Konzernlagebericht aufstellen muss, prüfungspflichtig.

2. Zeitpunkt der Prüfung. Die Prüfung ist vorzunehmen, noch ehe der Jahresabschluss dem Aufsichtsrat vorgelegt und vom zuständigen Gesellschaftsorgan verbindlich festgestellt wird. Ein nicht geprüfter Jahresabschluss kann nicht festgestellt werden (§ 268 Abs 1 lt Satz HGB).

3. Zweck der Prüfung. Die Prüfungspflicht wird nicht nur aus Gründen des *Gläubiger- und Gesellschafterschutzes,* sondern auch aus darüber hinausreichenden *öffentlichen Interessen* angeordnet. Näheres über die Prüfungspflicht regeln die §§ 268–276 HGB.

4. Gegenstand und Umfang der Prüfung. Geprüft werden der Jahresabschluss (Bilanz, GuV samt Anhang) und Lagebericht sowie der Konzernabschluss (Konzernbilanz, Konzern-GuV samt Konzernanhang) und Konzernlagebericht, ferner uU die im Konzernabschluss zusammengefassten Jahresabschlüsse. In die Prüfung ist auch die Buchführung einzubeziehen (§ 269 Abs 1 HGB).

Die Abschlüsse sind daraufhin zu prüfen, ob die gesetzlichen Vorschriften und ergänzenden Bestimmungen des Gesellschaftsvertrages bzw der Satzung beachtet worden sind; die Lageberichte, ob sie mit den Abschlüssen in Einklang stehen und ob die sonstigen Angaben nicht eine falsche Vorstellung von der Lage des Unternehmens bzw des Konzerns erwecken (§ 269 Abs 1 HGB). Gegenstand der Prüfung ist hingegen nicht die Zweckmäßigkeit oder Wirtschaftlichkeit der Entscheidungen der Unternehmensführung (keine Geschäftsführungsprüfung).

5. Qualifikation und Unabhängigkeit der Abschlussprüfer

Lit: *Liebscher,* Der Abschlussprüfer (1998); *Bertl/Mayer,* Maßnahmen zur Verbesserung der Qualität der Jahresabschlussprüfung, RWZ 2001/104; *Bertl/Fraberger,* Die Unabhängigkeit der Abschlussprüfer, RWZ 2001, 54; *Gelter,* BHI-Pleite: Haftung des Abschlussprüfers, RdW 2001, 69; *Gelter,* Die ökonomische Diskussion um die Prüferrotation, RWZ 2001/103; *Nowotny/Gelter,* Die Prüferrotation nach dem FMAG, RWZ 2001/102; *Marx,* Die Unabhängigkeit des Abschlussprüfers, ZGR 2002, 292; *Gaggl/Kind,* Einführung einer externen Rotationspflicht für Bankprüfer, ÖJZ 2002, 481; *Gehringer,* Abschlussprüfung, Gewissenhaftigkeit und Prüfungsstandards (2002); *IWP,* Internationale Entwicklungen zur Unabhängigkeit des gesetzlichen Abschlussprüfers: Konsequenzen und Anpassungsbedarf, RdW 2002/527; *Stefani,* Abschlussprüfung, Unabhängigkeit und strategische Interdependenzen (2002); *Kleiner,* Zur Unabhängigkeit der Wirtschaftsprüfer, RdW 2002/324; *Haberer,* Zur Unabhängigkeit des Abschlussprüfers – national und international, SWK 2003, T 167; *Milla/Sterl/Gedlicka,* Regelung zur Unabhängigkeit des Abschlussprüfers, Reformbedarf und Lösungsansätze, WP-Jahrbuch 2003 (2003) 23; *Reiter,* Zur Rotation des Abschlussprüfers – internationaler Vergleich, RWZ 2003, 118; *Gelter,* BGH zur Unabhängigkeit des Abschlussprüfers im Fall HypoVereinsbank, RdW 2003/295; *ders,* Die Unabhängigkeit des Abschlussprüfers (2004); *ders,* Unabhängigkeit, Prüferbestellung und Audit Committee: Ein Vergleich zwischen Österreich und den USA, RWZ 2004, 54.

§ 271 Abs 1 HGB lässt ausschließlich Angehörige fachlich einschlägiger Berufe bzw entsprechende Gesellschaften als Abschlussprüfer zu. Abschlussprüfer müssen überdies **unabhängig und unbefangen** sein. § 271 Abs 2, 3 und 4 HGB zählt zahlreiche, nicht immer gerade einfach gestaltete Tatbestände der Unvereinbarkeit auf. Im GesRÄG 2005 ist eine massive Verschärfung der Unvereinbarkeitsbestimmungen vorgesehen.

Im FMAG war ursprünglich geplant, die Unabhängigkeit des Abschlussprüfers durch eine zwingend vorgeschriebene externe Prüferrotation (Wechsel der Prüfungsgesellschaft alle 6 Jahre) zu sichern. Mit einer externen Prüferrotation wären jedoch erhebliche Nachteile verbunden gewesen; überdies ist das international unüblich. Stattdessen ist im GesRÄG 2005 für bestimmte „große" (insb börsenotierte) Kapitalgesellschaften eine „interne Rotation" vorgesehen (§ 271 a HGB).

6. Wahl und Bestellung des Abschlussprüfers. Den Abschlussprüfer des Jahresabschlusses wählt bei Kapitalgesellschaften die Gesellschafterversammlung (HV der AG bzw GV der GmbH). Wenn ein Aufsichtsrat besteht, hat dieser einen Wahlvorschlag zu erstatten. Die Wahl hat jeweils vor Ablauf des Geschäftsjahres zu erfolgen, auf dessen Jahresabschluss sich die Prüfung bezieht (§ 270 Abs 1 HGB). Wird nicht rechtzeitig gewählt, hat das Gericht einen Abschlussprüfer zu bestellen (§ 270 Abs 4 HGB). Der Aufsichtsrat, wenn kein solcher besteht der Vorstand, hat nach der Wahl unverzüglich den Prüfungsauftrag zu erteilen.

§ 270 HGB enthält auch eingehende Regelungen über Fragen der gerichtlichen Abberufung des Abschlussprüfers und die Bestellung eines neuen; über Fälle sonstiger gerichtlicher Bestellung sowie über die Auflösung des Prüfungsauftrages.

Bei Gen erfolgt die Abschlussprüfung idR durch den vom Revisionsverband bestellten Revisor.

Den Konzernabschlussprüfer wählen die Gesellschafter des Mutterunternehmens.

7. Durchführung und Beendigung der Prüfung

Lit: *Arnold,* Zur Rede- und Vorlagepflicht des Abschlußprüfers (zivilrechtliche Folgen einer Pflichtverletzung), in *Bertl/Mandl/Mandl* (Hrsg), Handbuch für Wirtschaftstreuhänder (1989) 569; *Baetge/Lutter* (Hrsg), Abschlussprüfung und Corporate Governance. Bericht des Arbeitskreises „Abschlussprüfung und Corporate Governance" (2003); *Baetge/Matena,* Normative Überlegungen zur Ausgestaltung der Abschlussprüfung im Lichte aktueller Unternehmenskrisen, FS Lück (2003) 180; *Baetge,* Anmerkungen zum deutschen Enforcement Modell, ZHR 168 (2004) 428.

a) Vorlage- und Auskunftspflicht. Die gesetzlichen Vertreter haben dem Abschlussprüfer den Jahresabschluss und den Lagebericht unverzüglich nach der Aufstellung vorzulegen (§ 272 Abs 1 HGB). Die gesetzlichen Vertreter haben dem Abschlussprüfer zu gestatten, die Bücher und Schriften der Gesellschaft sowie die Vermögensgegenstände und Schulden zu prüfen. Der Abschlussprüfer kann alle erforderlichen Aufklärungen und Nachweise verlangen (auch von Mutter- und Tochtergesellschaften; § 272 Abs 2 und 3 HGB).

b) Redepflicht. Stellt der Abschlussprüfer bei Wahrnehmung seiner Aufgaben Tatsachen fest, die den Bestand eines geprüften Unternehmens gefährden oder seine Entwicklung wesentlich beeinträchtigen können oder die schwerwiegende Verstöße der gesetzlichen Vertreter gegen

Gesetz, Gesellschaftsvertrag oder Satzung erkennen lassen, so hat er darüber *unverzüglich* zu berichten (§ 273 Abs 2 HGB). Gleiches gilt, wenn die Kennzahlen des Unternehmensreorganisationsgesetzes erreicht werden. Er darf nicht bis zur Abfassung des schriftlichen Prüfungsberichtes warten.

c) Prüfungsbericht. Das Ergebnis der Abschlussprüfung bildet der schriftliche, vom Abschlussprüfer unterzeichnete Prüfungsbericht. Darin ist festzustellen, ob die Buchführung, der Jahresabschluss, der Lagebericht, der Konzernabschluss und der Konzernlagebericht den gesetzlichen Vorschriften entsprechen und die gesetzlichen Vertreter die verlangten Aufklärungen und Nachweise erbracht haben (§ 273 Abs 1 HGB). Nachteilige Veränderungen der Vermögens-, Finanz- und Ertragslage gegenüber dem Vorjahr und Verluste, die das Jahresergebnis nicht unwesentlich beeinflusst haben, sind anzuführen und zu erläutern (§ 273 Abs 1 HGB). Der Bericht ist den gesetzlichen Vertretern sowie den Aufsichtsratsmitgliedern vorzulegen (§ 273 Abs 3 HGB). Er ist hingegen nicht für die Öffentlichkeit bestimmt.

d) Bestätigungsvermerk, Versagungsvermerk

Lit: *Forster,* Gedanken zu einer Runderneuerung des Bestätigungsvermerks – Nationale oder internationale Grundsätze? FS Ludewig (1996) 353; *Kirsch,* Erwartungslücke und Bestätigungsvermerk, FS Baetge (1997) 955; *Krejci,* Empfiehlt sich eine Neuregelung des Bestätigungsvermerks? RWZ 1997, 251; *Patterer,* Der Bestätigungsvermerk zum internationalen Konzernabschluss, RWZ 2000/79 (I), /92 (II); *Fröhlich,* Ein neuer Lagebericht und ein neuer Bestätigungsbericht? RWZ 2004/83.

In den Prüfungsbericht ist auch der Bestätigungsvermerk oder der Vermerk über seine Versagung aufzunehmen (§ 274 Abs 6 HGB). Im Bestätigungsvermerk bestätigt der Abschlussprüfer gem § 274 HGB gegenüber der Allgemeinheit, dass nach dem abschließenden Ergebnis der Prüfung keine Einwendungen zu erheben sind. Der Text des Bestätigungsvermerkes war bisher vom Gesetzgeber vorformuliert. Die Neuregelung im Zuge des Rechungslegungsänderungsgesetzes 2004 brachte die Abkehr von diesem „Formeltestat". In Umsetzung der Modernisierungsrichtlinie (RL 2003/51/EG) und nach dem Vorbild von ISA *(International Standard of Auditing)* 700 umfasst der Bestätigungsvermerk nun eine Einleitung, (Z 1), Angaben zum Prüfungsumfang (Z 2) und das eigentliche Prüfungsurteil (Z 3). Dessen Formulierung orientiert sich freilich wieder an der bisherigen Formel.

Ergänzung des Bestätigungsvermerkes: Der Bestätigungsvermerk ist in geeigneter Weise zu ergänzen, wenn zusätzliche Bemerkungen erforderlich erscheinen, um einen falschen Eindruck über den Inhalt der Prüfung und die Tragweite des Bestätigungsvermerks zu vermeiden (§ 274 Abs 2 HGB).

Einschränkung oder Versagung des Bestätigungsvermerkes: Sind Einwendungen zu erheben, so hat der Abschlussprüfer seine Erklärung einzuschränken oder den Bestätigungsvermerk zu versagen. Die Versagung ist durch einen Vermerk zum Jahresabschluss oder zum Konzernabschluss zu erklären (§ 274 Abs 3 HGB). Der Bestätigungsvermerk ist auch dann zu versagen, wenn der Prüfer sich nicht in der Lage sieht, ein Prüfungsurteil abzugeben (§ 270 Abs 4 HGB, *disclaimer of opinion*). Die Einschränkung oder das Versagen des Bestätigungsvermerks ist zu begründen. Einschränkungen sind so darzustellen, dass deren Tragweite deutlich erkennbar wird. Ergänzungen iS des § 274 Abs 2 HGB sind keine Einschränkungen iS des § 274 Abs 3 HGB. Der Bestätigungsvermerk oder der Vermerk über seine Versagung ist unter Angabe von Ort und Tag vom Abschlussprüfer zu unterzeichnen (§ 274 Abs 6 HGB).

8. Sorgfalts- und Verschwiegenheitspflichten der Abschlussprüfer. Der Abschlussprüfer, seine Gehilfen und die bei der Prüfung mitwirkenden gesetzlichen Vertreter einer Prüfungsgesellschaft sind zur gewissenhaften und unparteiischen Prüfung und zur Verschwiegenheit verpflichtet. Sie dürfen nicht unbefugt Betriebs- und Geschäftsgeheimnisse verwerten, die sie bei ihrer Tätigkeit erfahren haben.

9. Haftung

Lit: *Harrer,* Die zivilrechtliche Haftung des Sachverständigen, in *Aicher/Funk* (Hrsg), Der Sachverständige im Wirtschaftsleben (1990) 177; *Ebke,* Die zivilrechtliche Verantwortlichkeit der wirtschaftsprüfenden, steuer- und rechtsberatenden Berufe im internationalen Vergleich (1996); *Land,* Wirtschaftsprüferhaftung gegenüber Dritten in Deutschland, England und Frankreich (1996); *Herrmann,* Ökonomische Analyse der Haftung des Wirtschaftsprüfers (1997); *Karollus,* Die beschränkte Haftung der Wirtschaftstreuhänder, RdW 1997, 583; *Herbst,* Organe der Bankaufsicht und Amtshaftung, ÖBA 1998, 278; *Krejci,* Amtshaftung für Bankprüfer, ÖBA 1998, 16; *Liebscher,* Der Abschlußprüfer. Aufgaben und Haftung (1998); *Nowotny/Sterl/Zehetner/Gelter,* Verantwortung und Haftung des Abschlussprüfers, WP-Jahrbuch 1998 (1999) 129; *Brogyányi/Isola/Höller,* Zur Haftung des Prüfers und Beraters, WP-Jahrbuch 1998 (1999) 177; *Grunewald,* Die Haftung des Abschlussprüfers gegenüber Dritten, ZGR 1999, 583; *Schauer,* Die Haftung des Abschlussprüfers, RdW 1999, 290; *Artmann,* Die Haftung des Abschlussprüfers für Schäden Dritter, JBl 2000, 623; *Haberl,* Die Haftung des Wirtschaftsprüfers als gesetzlicher Abschlussprüfer (2000); *Hauser,* Jahresabschlussprüfung und Aufdeckung von Wirtschaftskriminalität (2000); *Kalss,* Die rechtliche Grundlage kapitalmarktbezogener Haftungsansprüche, ÖBA 2000, 641; *Bertl/Fraberger,* Rechtsfolgen der Prüfung des Jahresabschlusses durch ausgeschlossene Prüfer, RWZ 2001, 25; *Ebke,* Die Haftung des gesetzlichen Abschlussprüfers in der EU, ZvglRWiss 100 (2001) 62; *Gelter,* BHI-Pleite: Haftung des Abschlussprüfers, RdW 2001, 81; *Krejci,* Amtshaftung für den Verlust BWG-widriger Investitionen in eine Bank, ÖBA 2001, 461; *Torggler,* Unbeschränkte Dritthaftung des Abschlussprüfers? wbl 2001, 545; *Vavrovsky,* Zur Haftung des Bankprüfers, ÖBA 2001, 577; *Bertl/Fraberger,* Dritthaftung des Abschlussprüfers, RWZ 2002, 60; *Chvosta,* Beschränkung der Abschlussprüferhaftung verfassungswidrig? GeS 2002, 72; *Dehn,* Die Haftung des Abschlussprüfers nach § 275 HGB (nF), ÖBA 2002, 377; *dies,* Dritthaftung des Abschlussprüfers nach OGH 5 Ob 262/01 t, JAP 2002/2003, 56; *Walter Doralt,* Dritthaftung des Abschlussprüfers, HAVE 2002, 285; *Gruber,* Die Dritthaftung des Abschlussprüfers – die Rechtsprechung in Deutschland und Österreich, ÖJZ 2002, 879; *Holoubek/Karollus/Rummel,* Die Haftung des Abschlussprüfers im Lichte des Gleichheitsgrundsatzes, ÖBA 2002, 953; *Kalss,* Die Haftung des Abschlussprüfers gegenüber Gläubigern, Gesellschaftern und Anlegern, ÖBA 2002, 187; *L. Mayer,* Bilanzfälschung und Abschlussprüfung, VR 2002, 163; *Wilhelm,* OGH anerkennt Dritthaftung des Abschlussprüfers, ecolex 2002, 83; *Baums/Fischer,* Haftung des Prospekt- und Abschlussprüfers gegenüber den Anlegern. Arbeitspapier der Johann Wolfgang Goete-Universität Frankfurt am Main (2003); *Walter Doralt/Stöger,* Zur Verfassungsmäßigkeit des § 275 Abs 2 HGB, ÖBA 2003, 265; *Eckert/Gröhs/Kalss/Stöger,* Die Haftung des Prüfers und Beraters im Licht der aktuellen Judikatur, WP-Jahrbuch 2003 (2003) 69; *Torggler,* Grundlegendes und anderes zur „Dritthaftung" des Abschlussprüfers, AnwBl 2003, 618; *Wenusch,* Die Haftung der Abschlussprüfer, AnwBl 2003, 10; *Baus,* Die Dritthaftung der Wirtschaftsprüfer zwischen Vertrag und Delikt, ZvglRWiss 103 (2004) 219; *Flühmann,* Haftung aus Prüfung und Berichterstattung gegenüber Dritten (2004); *Koziol/Walter Doralt,* Der Mitverschuldenseinwand des Abschlussprüfers gegen Ersatzansprüche der Gesellschaft, FS Doralt (2004) 337; *dies,* Abschlussprüfer, Haftung und Versicherung (2004); *Altenberger/Brandstetter/Kroiss,* Bilanzdelikte: Strafbestimmungen für Berater und Prüfer, WP-Jahrbuch 2004 (2004) 93; *Rebhahn,* Amtshaftung für den „Bankprüfer" – Wohltat oder Irrweg? ÖBA 2004, 267; *Walter Doralt,* Haftung der Abschlussprüfer (2005); *Gruber,* Kritische Anmerkungen zur Haftung des Abschlussprüfers de lege ferenda (Entwurf eines GesRÄG 2005), wbl 2005, 108.

Schuldhafte Pflichtverletzung löst nach § 275 Abs 1 HGB die Pflicht zum Ersatz des der **Gesellschaft** oder einem verbundenen Unternehmen daraus erwachsenen Schadens aus. Es haften nicht nur der Abschlussprüfer selbst, sondern auch seine Gehilfen und die bei der Prüfung mitwirkenden gesetzlichen Vertreter einer Prüfungsgesellschaft. Mehrere Schädiger haften als Gesamtschuldner.

Für fahrlässig zugefügte Schäden gilt eine **Betragsbeschränkung** (§ 275 Abs 2 HGB). Diese beträgt derzeit bei leichter Fahrlässigkeit 2 Millionen € pro Prüfung, bei börsenotierten Gesellschaften 4 Millionen €. Bei grober Fahrlässigkeit sind jeweils die fünffachen Beträge heranzuziehen. Gerade bei komplexen Tätigkeiten wie der Abschlussprüfung wird die Unterscheidung zwischen leichter und grober Fahrlässigkeit nicht immer einfach sein. Weitere vertragliche Haftungsbeschränkungen sind ausgeschlossen (§ 275 Abs 4 HGB). Bei vorsätzlichem Verhalten besteht keine Betragsbeschränkung. Die Ersatzpflicht verjährt in 5 Jahren (§ 275 Abs 5 HGB). Eine Verkürzung der Frist ist nicht zulässig (RdW 2004/686).

Bei den gesetzlichen Vorschriften der §§ 273–275 HGB handelt es sich um Schutzvorschriften iS des § 1311 ABGB, die gerade auch den Zweck haben, die geprüfte Gesellschaft vor Vermögensschäden zu schützen. Vom Schutzzweck ist nach dem OGH auch ein Aufdecken vorsätzlich unrichtiger Rechnungslegung durch den Vorstand und damit die Verhinderung einer weiteren Schädigung der Gesellschaft durch weiteres rechtswidriges Verhalten des Vorstands umfasst; der Einwand des Mitverschuldens ist daher ausgeschlossen. Dass durch rechtmäßiges Alternativverhalten der Schaden nicht verhindert worden wäre, hat der schädigende Abschlussprüfer zu beweisen (OGH in RdW 2001, 81).

Von der gesetzlich ausdrücklich geregelten Haftung gegenüber der Gesellschaft ist die Frage zu unterscheiden, ob auch eine Haftung des Prüfers gegenüber Dritten, etwa Gläubigern oder Anlegern, besteht, die auf seine im Bestätigungsvermerk getätigten Angaben vertrauten. Diese Haftung wurde vom OGH bejaht (ÖBA 2002, 820).

Zur Begründung ging der OGH von einem Vertrag mit Schutzwirkung zugunsten Dritter aus, nämlich zugunsten derjenigen, die durch die Veröffentlichung des Bestätigungsvermerks angesprochen werden sollen und bei ihren wirtschaftlichen Dispositionen davon ausgehen können, dass der Jahresabschluss den gesetzlichen Vorgaben entspricht. Konsequenterweise wurde die Betragsbeschränkung des § 275 Abs 2 HGB gegenüber der Gesellschaft auch auf die Außenhaftung ausgedehnt.

Das GesRÄG 2005 hebt die Haftungshöchstbeträge weiter an. Die Höchstbeträge richten sich außerdem nicht mehr nach der Börsenotierung, sondern nach den handelsrechtlichen Größenklassen. Die schwer handhabbare Differenzierung zwischen leichter und grober Fahrlässigkeit entfällt.

Fehlverhalten von Abschlussprüfern kann auch **strafrechtliche Tatbestände** erfüllen (zB Beihilfe bei Wirtschaftsdelikten; Verletzung von Betriebs- und Geschäftsgeheimnissen) und Berufs- und Standespflichten verletzen. Letzteres zieht auch disziplinarrechtliche Konsequenzen nach sich.

10. Qualitätssicherung. Im Zuge der jüngsten Bilanzskandale (Enron, WorldCom, Ahold, Parmalat, etc) kam es auch zu einer kritischen Hinterfragung der Qualität der Abschlussprüfung. In Deutschland wird mit dem Bilanzkontroll-Gesetz eine zweistufige *Enforcement*-Einrichtung geschaffen, die die Abschlüsse börsenotierter Unternehmen stichprobenartig kontrollieren soll. In Österreich ist eine gesetzliche Verankerung der Qualitätskontrolle bei Abschlussprüfern (sog *Peer Review*) geplant.

11. Meinungsverschiedenheiten. Kommt es zwischen dem Abschlussprüfer und der zu prüfenden Gesellschaft über die Auslegung und Anwendung von gesetzlichen Vorschriften oder von Bestimmungen des Gesellschaftsvertrags oder der Satzung, über den Jahresabschluss, Lagebericht, Konzernabschluss oder Konzernlagebericht zu Meinungsverschiedenheiten und ist ein Einvernehmen nicht herzustellen, so entscheidet auf Antrag des Abschlussprüfers oder der gesetzlichen Vertreter der Gesellschaft ausschließlich der für den Sitz des Unternehmens zuständige, zur Ausübung der Gerichtsbarkeit in Handelssachen berufene Gerichtshof erster Instanz im Verfahren außer Streitsachen (§ 276 HGB).

H. Offenlegung des Jahresabschlusses

Lit: *Nowotny,* Wässriger Wein für offenlegungspflichtige Gesellschaften, RdW 2000, 198; *Zehetner,* Offenlegung und Zwangsstrafen, ecolex 2001, 280; *Gruber,* Elektronische Übermittlung der Jahresabschlüsse an das FB-Gericht, wbl 2001, 159; *Casey-Rudorfer,* Elektronische Einreichung von Jahresabschlüssen beim Firmenbuch, SWK 2001, W 9.

1. Allgemeines. Mit den für (Konzern-)Jahresabschlüsse maßgeblichen **Publizitätsvorschriften** befassen sich die §§ 277–281 HGB. Zwischen der Offenlegungspflicht bei großen, mittelgroßen und kleinen AG bzw GmbH ist zu unterscheiden. Für kleine Gesellschaften mbH einerseits (§ 278 HGB) und für kleine und mittelgroße AGen und mittelgroße Gesellschaften mbH andererseits (§ 279 HGB) gibt es gewisse Erleichterungen. Besonderes ordnet ferner § 280 HGB für die Offenlegung des Konzernabschlusses an.

2. Begriff der Offenlegung. Unter Offenlegung versteht § 277 HGB zweierlei: einerseits die gesetzliche Pflicht zur **Einreichung des Jahresabschlusses** und bestimmter weiterer Unterlagen zum Firmenbuch und andererseits die gesetzliche Pflicht zur **Bekanntmachung** im Amtsblatt zur Wiener Zeitung. Sonstige gesetzliche Publizitätsvorschriften (zB im Rahmen der Börsenzulassung) werden in § 277 HGB nicht erwähnt, sollten aber nach denselben Grundsätzen behandelt werden.

Alle übrigen Veröffentlichungen und Vervielfältigungen des Jahresabschlusses sind jedoch vom Begriff der Offenlegung nicht erfasst. Der Begriff „Veröffentlichung" ist also insofern weiter als jener der „Offenlegung", weil die von der Offenlegung erfasste Veröffentlichung lediglich die gesetzliche Pflichtveröffentlichung insb nach § 277 HGB (einschließlich der Einreichung zum Firmenbuch) meint. Zum Verhältnis des Datenschutzes zu den gesellschaftsrechtlichen Publizitätsvorschriften: EvBl 2001/3.

Die Offenlegung ist Aufgabe der gesetzlichen Vertreter der Kapitalgesellschaft. Auch bei interner Geschäftsverteilung zwischen mehreren Geschäftsführern sind alle für die Erfüllung der Offenlegungspflicht verantwortlich (RdW 2000, 418).

Die gesetzlichen Vertreter von Kapitalgesellschaften haben den Jahresabschluss samt Lagebericht spätestens 9 Monate nach dem Bilanzstichtag beim FB-Gericht einzureichen. Dort sind die Unterlagen als Teil der Urkundensammlung für Dritte einsehbar. Bei Personengesellschaft hat der Gesetzgeber hingegen auf die Offenlegung verzichtet. Bei großen Aktiengesellschaften hat der Vorstand in derselben Frist zusätzlich die Veröffentlichung im Amtsblatt zur Wiener Zeitung zu veranlassen.

Seit 2001 kann die Einreichung des Jahresabschlusses auch elektronisch erfolgen (§ 277 Abs 7 HGB).

3. Pflichtpublizität. Der (Konzern-)Jahresabschluss ist so wiederzugeben, dass er den für seine Aufstellung maßgeblichen Vorschriften entspricht. Er hat in diesem Rahmen vollständig und richtig zu sein (§ 281 Abs 1 HGB).

Vorlage und veröffentlichte Wiedergabe müssen übereinstimmen. Kürzungen sind mit diesem Grundsatz unvereinbar. Das Datum der Feststellung des Jahresabschlusses ist anzugeben (§ 281 Abs 1 HGB). Der Bestätigungsvermerk oder der Versagungsvermerk ist im vollen Wortlaut wiederzugeben (§ 281 Abs 1 HGB). Auch die Mitglieder des Vorstandes und Aufsichtsrates müssen bei der Offenlegung kundgetan werden (§ 239 Abs 2 iVm § 277 Abs 1 HGB).

4. Freiwillige Publizität. Es steht den Unternehmen frei, über den gesetzlich zwingenden Rahmen der Pflichtpublizität hinaus Jahresabschlüsse zu veröffentlichen bzw Vervielfältigungen zu verteilen.

Kommt es im Zuge der Veröffentlichung oder Vervielfältigung zu Kürzungen, Zusammenfassungen, Teilwiedergaben udgl, so ist auf diesen Umstand bereits in einer Überschrift hinzuweisen (§ 281 Abs 2 HGB).

5. Gerichtliche Prüfung der Vollzähligkeit der Unterlagen und der vorgeschriebenen Bekanntmachung. Ob die Offenlegungsvorschriften eingehalten wurden, obliegt nicht mehr der Kontrolle durch den Abschlussprüfer. Hiezu ist vielmehr das Gericht zuständig. Vgl § 282 Abs 1 iVm §§ 277–281 HGB.

6. Unerlaubte Inanspruchnahme größenabhängiger Erleichterungen. Gibt die gerichtliche Prüfung Anlass zur Annahme, dass von der Größe der Gesellschaft abhängige Vorschriften nicht hätten in Anspruch genommen werden dürfen, so kann das Gericht zu seiner Unterrichtung innerhalb angemessener Frist die Mitteilung der erforderlichen Daten verlangen. Unterlässt die Gesellschaft die fristgemäße Mitteilung, gelten die Vorschriften als zu Unrecht in Anspruch genommen (§ 282 Abs 2 HGB).

7. Einschreiten des Gerichts. Ist eine verbotene Veröffentlichung unterblieben, so hat das Gericht auf Antrag eines Gesellschafters, Gläubigers, Betriebsrats oder einer gesetzlichen Interessenvertretung diese Tatsache ohne Durchführung eines Verbesserungsverfahrens auf Kosten der Gesellschaft bekannt zu machen.

8. Zwangsstrafen. Kommen die vertretungsbefugten Organe ihren Pflichten zur Offenlegung nicht nach, so kann das Gericht eine Zwangsstrafe von bis zu 3.600 € verhängen. Die wiederholte Verhängung von Zwangsstrafen ist zulässig (§ 283 HGB).

Zum stufenweisen Vorgehen bei der Erzwingung der Offenlegung durch Zwangsstrafen: RdW 2000, 735. Der OGH beurteilt in ständiger Rechtsprechung die österreichischen handelsrechtlichen Offenlegungsvorschriften und ihre Durchsetzung mittels Zwangsstrafen als verfassungsrechtlich und gemeinschaftsrechtlich unbedenklich (zuletzt ecolex 2004/338). Auch der VfGH sieht in den Offenlegungsvorschriften keine Grundrechtsverletzung. Zuletzt hat auch der EuGH die Regeln zur Bilanzpublizität als gemeinschaftsrechtskonform erkannt (vgl dazu *Gruber,* wbl 2005, 161).

3. Teil
Geschäftsverkehr

1. Abschnitt

Stellvertretung

11. Kapitel

Prokura

Lit: *Krummel,* Bestellung, Widerruf und Eintragung der Prokura in das Handelsregister, NZ 1955, 65; *Meeske,* Der Prokurist (1964); *Kostner,* Die Vertretung der Handelsgesellschaften und der Nachweis einer solchen Vertretung im IPR, NZ 1967, 65; *Ostheim,* Probleme bei Vertretung durch Geschäftsunfähige, AcP 169 (1969) 193; *Frotz,* Verkehrsschutz im Vertretungsrecht (1972); *Griehsler,* Form und Zuordnung gesellschaftlicher Vertretungshandlungen im Handelsrecht, GesRZ 1973, 36; *Hübner,* Die Prokura als formalisierter Vertrauensschutz, FS Klingmüller (1974) 173; *Weimar,* Prokura und Handlungsvollmacht, MDR 1974, 121; *Weimar,* Kann durch Vertrag ein Anspruch auf Erteilung von Prokura und Handlungsvollmacht begründet werden? MDR 1974, 720; *Walchshöfer,* Die Erteilung der Prokura und ihre Eintragung in das Handelsregister, DRPfl 1975, 381; *Weimar,* Der Prokurist als das zweite Ich des Prinzipals, MDR 1981, 898; *Heil,* Prokuraerteilung im Insolvenzverfahren, GesRZ 1983, 10; *Hügel,* Probleme des Offenlegungsgrundsatzes bei Rechtsgeschäften im Unternehmensbereich, JBl 1983, 449; *Honsell,* Die Besonderheiten der handelsrechtlichen Stellvertretung, JA 1984, 17, *Roth,* Strenges und billiges Recht: Zum Umfang handelsrechtlicher Vertretungsmacht, ZSR 126 (1985) 287; *Wurm,* Prokura und Handlungsvollmacht (1988); *K. Schmidt,* Die Prokura in Liquidation und Konkurs der Handelsgesellschaften, BB 1989, 229; *Spitzbarth,* Vollmachten im modernen Management[2] (1989); *Hofmann,* Der Prokurist[6] (1990); *Westphalen,* Die Prokura, DStR 1993, 1186; *Wisleitner,* Die Rechte des Prokuristen im Zivilverfahren, ÖJZ 1995, 454; *Stern,* Firmenbuchanmeldungen durch Prokuristen, RdW 1998, 451; *Fritz/Perktold,* Die Prokura, SWK 2001, W 115 = SWK 2001, 1029; *Lachmair,* Wirksame Stellvertretung: Prokura, Handlungsvollmacht, Vollmacht, Geschäftsführung – Ein Überblick, SWK 2003, W 164 = SWK 2003, 1304; vgl ferner bei VII.

I. Begriff und Zweck der Prokura

Die Stellvertretung ist ein bewährtes Institut des allgemeinen Privatrechts. Der Handelsgesetzgeber sah sich dennoch genötigt, vertretungsrechtliche Sonderregelungen zu schaffen, die den Bedürfnissen des kaufmännischen Geschäftsverkehrs besser entsprechen. Zwischen Prokura und Handlungsvollmacht wird unterschieden. Die auffälligeren handelsrechtlichen Besonderheiten weist die Prokura auf. Die Prokura (§§ 48–53 HGB) ist eine

- **im FB einzutragende,**
- **jederzeit widerrufliche,**
- **ihrem Umfang nach gesetzlich festgelegte,**
- **unübertragbare und**
- **unbeschränkbare (und deshalb Formal-)Vollmacht,**
- **die nur ein Vollkaufmann erteilen kann.**

Man sagt: Der Prokurist ist das „alter ego“ des Vollkaufmanns. Damit wird die Bedeutung der Prokura für den kaufmännischen Geschäftsverkehr hervorgehoben.

Die Prokura vereinfacht den vollkaufmännischen Geschäftsverkehr. Sie erhöht die Rechtssicherheit durch bessere Publizität und entlastet den Geschäftsverkehr von hinderlichen privatautonomen Differenzierungen des Vollmachtsumfanges: Die Publizität wird durch das Gebot, die Prokura im FB einzutragen, gesteigert. Die verkehrsvereinfachende Entlastung tritt durch den Umstand ein, dass die Prokura als ihrem Umfang nach gegenüber Dritten unbeschränkbare Formalvollmacht konzipiert ist.

II. Erteilung der Prokura

A. Wer kann Prokura erteilen?

1. Nur ein Vollkaufmann: dh ein Kaufmann, dessen Unternehmen einen nach Art und Umfang kaufmännisch eingerichteten Geschäftsbetrieb erfordert (§§ 2, 4 Abs 1 HGB); aber auch ein Formkaufmann, der keinen solchen Geschäftsbetrieb hat, sowie ein §-5-Kaufmann. **Scheinkaufleute kraft Auftretens** können zwar mangels Vollkaufmannseigenschaft keine Prokura erteilen, können sich aber nicht darauf berufen, wenn der gutgläubige Dritte den „Prokuristen“ des Scheinkaufmanns kraft Auftretens für einen solchen hält.

Sollte ein Nicht- oder Minderkaufmann jemandem „Prokura“ erteilen, so handelt es sich dabei nicht um eine Prokura iS der §§ 48ff HGB, sondern um eine sonstige rechtsgeschäftliche Vollmacht; bei einem Minderkaufmann um eine Handlungsvollmacht. Dies bedeutet nicht, dass eine derartige Vollmacht einen anderen Umfang als die Prokura haben muss. Gerade weil man von „Prokura“ spricht, ist es möglich, eine solche Vollmacht als im gleichen Umfang wie eine Prokura erteilt zu erachten. Der Unterschied zu einer „echten“ Prokura liegt aber darin, dass die Vollmacht nicht unbeschränkbar ist, ihr Inhalt lediglich durch Rechtsgeschäft und nicht gesetzlich umschrieben ist und auf die bei der Prokura erforderliche jederzeitige Widerruflichkeit im Rahmen des Zulässigen durchaus (unter Beachtung der Grenzen der Sittenwidrigkeit) verzichtet werden kann (JBl 1976, 100; EvBl 1988/5).

2. Erteilung durch Vertreter? Prokura kann nur der **Vollkaufmann selbst** erteilen; bei Gesellschaften deren **organschaftliche Vertreter;** *nicht* aber ein bloß rechtsgeschäftlicher Stellvertreter (zB Handlungsbevollmächtigter); auch kein Prokurist (OGH HS 9092; der Prokurist kann auch nicht seine eigene Löschung beantragen, NZ 1998, 188). Wenn § 48 Abs 1 HGB vom **„Inhaber des Handelsgeschäfts“** spricht, meint er auch den Pächter, Nießbraucher, Treuhänder oder die Erbengemeinschaft.

Bedarf der **geschäftsunfähige Kaufmann** eines gesetzlichen Vertreters, so kann dieser nur mit Zustimmung des anderen Elternteiles und des Gerichts Prokura erteilen, weil die Erteilung der Prokura nicht zum gewöhnlichen Wirtschaftsbetrieb gehört (vgl § 154 Abs 3 ABGB).

3. OHG. Zur Bestellung eines Prokuristen *vertretungsbefugt* ist iZw der einzelne Gesellschafter (§ 126 Abs 1 HGB). *Im Innenverhältnis* bedarf es jedoch der Zustimmung aller geschäftsführenden Gesellschafter, sofern nicht Gefahr im Verzug ist (§ 116 Abs 3 HGB). Die interne Zustimmung muss vom einzelvertretungsbefugten Gesellschafter nicht nachgewiesen werden (RPfl 1989/2, 33). Dies gilt gem § 1 EWIV-G auch für die EWIV.

4. KG. Zur Bestellung *vertretungsbefugt* ist iZw der einzelne Komplementär, nicht aber ein Kommanditist, selbst wenn er geschäftsführungsbefugt ist; denn Kommanditisten sind als solche nicht vertretungsbefugt (vgl § 170 HGB). Eine bloß rechtsgeschäftliche Vertretungsmacht reicht nicht aus, weil solche Stellvertreter keine Prokuristen bestellen können. *Im Innenverhältnis* gilt für die KG das Gleiche wie für die OHG: Alle geschäftsführenden Komplementäre müssen zustimmen (vgl § 164 HGB). Ist ausnahmsweise auch ein Kommanditist mit der Geschäftsführung betraut, ist auch seine Zustimmung erforderlich. Ansonst kommt den Kommanditisten keine Zustimmungsbefugnis zu; auch stillen Gesellschaftern nicht.

5. AG. Der Prokurist der AG wird im *Außenverhältnis* durch den Vorstand bestellt (§ 71 AktG); im *Innenverhältnis* ist die Zustimmung des Aufsichtsrates nach § 95 Abs 5 Z 10 AktG einzuholen; auch ohne sie ist die Bestellung aber im Außenverhältnis wirksam. Dieselbe Regelung gilt auch für VVaG.

6. GmbH. Die Erteilung der Prokura *im Außenverhältnis* erfolgt grundsätzlich durch alle Geschäftsführer (§§ 28 Abs 2 iVm 35 Abs 1 Z 4 GmbHG). *Im Innenverhältnis* entscheiden die Gesellschafter darüber, ob eine Prokura (oder Handlungsvollmacht) erteilt werden darf.

7. Gen sind nur dann befugt, Prokura zu erteilen, wenn sie vollkaufmännisch tätig oder Formkaufmann sind. Die Erteilung erfolgt *im Außenverhältnis* durch den Vorstand; es ist aber *im Innenverhältnis* die Zustimmung des Aufsichtsrates erforderlich, so es einen gibt (§ 24 Abs 4 GenG).

8. Bei sonstigen juristischen Personen, die ein Vollhandelsgewerbe betreiben (vgl §§ 33ff HGB), bestellt *im Außenverhältnis* das Vertretungsorgan die Prokuristen; *im Innenverhältnis* kann es zusätzliche Mitwirkungsbefugnisse anderer Organe geben. Fehlen derartige Zustimmungen, tangiert dies die Außenwirkung einer Prokuraerteilung durch die zuständigen Vertretungsorgane nicht.

9. Bei Sparkassen benötigt der den Prokuristen *im Außenverhältnis* bestellende Vorstand *im Innenverhältnis* die Zustimmung des Sparkassenrates (§ 16 Abs 6 SpG). Sie dürfen wie Kreditinstitute nur Gesamtprokuristen bestellen. Dies entspricht dem im Bankwesen maßgeblichen „Vieraugenprinzip" (§ 19 Abs 1 SpG; § 5 Abs 1 Z 12 BWG).

10. Masseverwalter und Abwickler (§ 210 Abs 5 AktG) dürfen keine Prokuristen bestellen, weil die Befugnisse des Prokuristen weiter reichen würden als jene, die zur Abwicklung des Unternehmens erforderlich sind. Soll allerdings im Rahmen eines Konkursverfahrens das Unternehmen weitergeführt werden, erscheint es jedoch zweckmäßig, auch dem Masseverwalter das Recht einzuräumen, einen Prokuristen zu bestellen. Im Ausgleich ist zur Prokuraerteilung die Zustimmung des **Ausgleichsverwalters** geboten.

11. Zwangsverwalter, öffentliche Verwalter und **Verlassenschaftskuratoren** dürfen im Rahmen ihrer Befugnisse Prokura erteilen (§ 5 Abs 2 VwG).

B. Wem kann Prokura erteilt werden?

1. Prokurist kann nur eine natürliche Person sein (OLG Wien HS 8082). Der Grund dafür liegt im höchstpersönlichen Vertrauensverhältnis zwischen Geschäftsherrn und Prokuristen, das bei einer jurP nicht gegeben sein kann (KG Berlin, ARD 5329/31/2002).

2. Geschäftsfähigkeit ist erforderlich und sollte wohl auch uneingeschränkt gegeben sein.

Obwohl die allgemeine Regel, wonach auch ein beschränkt Geschäftsfähiger Vertreter sein kann (§ 1018 ABGB), prima facie durch keine ausdrückliche handelsrechtliche Sondervorschrift verdrängt wird, kann zweckmäßigerweise für professionelles kaufmännisches Wirken die Bestellung von bloß beschränkt Geschäftsfähigen nicht ausreichen.

3. Einem geschäftsführungs- und vertretungsbefugten Gesellschafter einer OHG oder einem Komplementär einer KG Prokura zu erteilen, hat angesichts seiner ohnehin bestehenden Befugnisse keinen Sinn. Entsprechendes gilt für sonstige organschaftliche Stellvertreter (Vorstandsmitglieder, Geschäftsführer). Bei der GmbH & Co KG kann es aber zwecks Abkürzung der Firmenzeichnung zweckmäßig sein, den Geschäftsführer der Komplementär-GmbH zum Prokuristen der KG zu machen.

Kommanditisten (SZ 42/170), **nicht geschäftsführende GmbH-Gesellschafter, Aktionäre und stille Gesellschafter** können Prokura haben.

C. Wie wird Prokura erteilt?

1. Ausdrücklichkeit. Die Prokura muss **ausdrücklich** erteilt werden (§ 48 Abs 1 HGB).

Man erhält sie nicht bloß durch schlüssiges Verhalten (§ 863 ABGB) dessen, der zur Erteilung befugt ist; somit auch nicht durch tatsächliche Einräumung prokuragleicher Agenden. Hier mag eine Anscheinsvollmacht entstehen, nicht aber eine Prokura. Andererseits bedeutet Ausdrücklichkeit *nicht* schon das Erfordernis der *Schriftlichkeit.*

2. Wem gegenüber die Erklärung, jemanden zum Prokuristen zu machen, abzugeben ist, richtet sich grundsätzlich nach den allgemeinen Regeln über die Vollmachtserteilung. Demnach kann die Erklärung auch gegenüber einem Dritten oder gegenüber der Öffentlichkeit abgegeben werden.

Diese Ansicht kann nicht teilen, wer meint, die Erteilung der Prokura bedürfe der Zustimmung des Prokuristen (dazu unter 3). Davon abgesehen liegt es aus Zweckmäßigkeitsgründen und unabhängig von rechtlichen Erwägungen nahe, die Erteilung der Prokura jedenfalls vorerst demjenigen gegenüber zu erklären, der Prokurist werden soll. Davon zu unterscheiden ist die Frage der Offenlegung der Prokura gegenüber Dritten und der Allgemeinheit.

3. Einseitiges oder zweiseitiges Rechtsgeschäft? Vollmachten werden durch einseitige Willenserklärung erteilt. Da auch die Prokura eine Vollmacht ist, spricht dies dafür, dass auch die Erteilung der Prokura *einseitig* erfolgt. Auch das Wesen der Prokura liegt (wie das Wesen jeder Vollmacht) nicht darin, für den Vollkaufmann tätig werden zu *müssen.* Wer Prokura bekommt, erhält ein *Recht,* keine Pflicht.

Davon zu unterscheiden ist der Umstand, dass die Prokura idR nicht ohne besonderes, zwischen Vollkaufmann und Prokuristen bestehendes Innenverhältnis begründet wird. Dieses umfasst, wie immer es gestaltet sein mag (zB Dienstvertrag), meist wohl auch ein **Auftragsverhältnis,** das den Prokuristen nicht nur berechtigt, sondern auch verpflichtet, als solcher tätig zu sein. Eine solche Verpflichtung kann nicht ohne Zustimmung des Betroffenen begründet werden, *betrifft aber nur das Innenverhältnis und daher nicht die Prokura.*

Wer davon ausgeht, dass sich aus strafrechtlichen Bestimmungen (§ 161 iVm § 309 StGB) auch für Prokuristen ohne Anstellungsverhältnis rechtsgeschäftliche Pflichten ergeben, wird schon deshalb die Zustimmung des Betroffenen zur Prokuraerteilung annehmen müssen.

Davon abgesehen hat der Prokurist seine **Namensunterschrift** mit einem die Prokura andeutenden Zusatz zur Aufbewahrung bei Gericht zu zeichnen (§ 53 Abs 2 HGB). Das geht nicht ohne seine Mitwirkung und damit Zustimmung. Doch hat auch diese Musterzeichnungspflicht nicht unmittelbar mit der Prokuraerteilung als solcher zu tun, sodass man wegen der Pflicht zur Musterzeichnung nicht sagen kann, die Prokuraerteilung beruhe auf einem zweiseitigen Rechtsgeschäft.

4. Anmeldung zum FB (§ 53 Abs 1 HGB). Nicht erst durch Eintragung wird man Prokurist, sondern durch rechtsgeschäftliche Erteilung. Die Eintragung der Prokura im FB ist zwar verpflichtend vorgeschrieben, wirkt aber **nur deklarativ.**

Die *Befreiung des Prokuristen vom Verbot des Selbstkontrahierens* ist nicht eintragungsfähig. Ebenso wenig eine inhaltliche, ohnehin nur im Innenverhältnis wirksame Beschränkung der Prokura (NZ 1996, 114). Bei einer gemischten Gesamtvertretung kann die Prokura nicht ins FB eingetragen werden, wenn die organschaftliche Vertretung lediglich aus einer einzigen Person besteht (NZ 1996, 114).

III. Auftreten und Zeichnen als Prokurist

A. Auftreten als Prokurist

Wie jede Vollmacht muss auch die **Prokura Dritten gegenüber offen gelegt werden,** damit sie wissen, dass jemand im Namen eines anderen handeln will (Offenlegungsgrundsatz). Der Prokurist hat also als solcher aufzutreten.

Ein ausreichender Nachweis der Prokura liegt idR bereits in der Vorlage des Firmenbuchauszuges. Doch genügt auch die dem Dritten gegenüber abgegebene **Erklärung des Vertretenen,** dass Prokura erteilt worden ist. Eine derartige Erklärung ist oft in einer entsprechenden **Legitimationsurkunde** enthalten. Auch die Vorlage eines **Firmenbuchauszuges** genügt. Wurde tatsächlich Prokura erteilt, genügt auch die nicht weiter nachgewiesene Erklärung des Prokuristen, Prokura zu haben. (Ist diese Erklärung falsch, droht ihm die Haftung als falsus procurator.)

B. Zeichnung

Der Prokurist zeichnet im Geschäftsverkehr, indem er **der Firma seinen Namen und einen die Prokura andeutenden Zusatz beifügt** (§ 51 HGB).

Der Prokurazusatz lautet etwa: „per procura", „ppa", „als Prokurist". Die Firma muss nicht handschriftlich ausgefertigt werden. Meist wird ein Stempel verwendet. Firmenstempel genießen in der Praxis höheres Vertrauen als handschriftliches Festhalten der Firma.

Im Geschäftsverkehr kommt es immer wieder vor, dass Prokuristen auch ohne Firmen- bzw Prokurazusatz zeichnen. Deshalb verliert eine dennoch dem Prokuristen in seiner Funktion zurechenbare rechtsgeschäftliche Willenserklärung idR aber nicht ihre Wirkung; dies vor allem dann nicht, wenn eine laufende Geschäftsverbindung vorliegt und der Anerklärte aus den gegebenen Umständen auch ohne die erforderlichen Zeichnungszusätze weiß oder wissen muss, dass der Unterzeichnete als Prokurist im Namen seines Geschäftsherrn auftritt.

IV. Umfang der Prokura

A. Gesetzlich festgelegte Befugnisse

Die Prokura ermächtigt zu allen Arten von gerichtlichen und außergerichtlichen Geschäften und Rechtshandlungen, die der Betrieb eines Handelsgewerbes mit sich bringt (§ 49 Abs 1 HGB; HS 9086, 9087).

Erfasst sind also grundsätzlich **gewöhnliche wie außergewöhnliche Geschäfte;** es kommt nicht darauf an, ob sie regelmäßig oder nur ausnahmsweise getätigt werden (ZB: Die Prokura umfasst auch das Recht der Leerübertragung eines Markenrechts ohne Rücksicht darauf, ob dieses Recht für den Betrieb unersetzlich ist oder nicht, ÖBl 1986, 119). Nicht entscheidend ist, welches Handelsgewerbe der Kaufmann betreibt: denn die Prokura befugt zur Vornahme aller **Geschäfte, die irgendein Handelsgewerbe (also jedes) mit sich bringt.**

B. Ausnahmen

Folgende Geschäfte darf der Prokurist nicht tätigen:

- Veräußerung und Belastung von Grundstücken (§ 49 Abs 2 HGB: „Immobiliarklausel"),
- Erteilung einer Prokura (§ 48 Abs 1 HGB),
- Übertragung der eigenen Prokura auf einen anderen (§ 52 Abs 2 HGB),
- Anmeldungen zum FB (§ 12 HGB),
- Unterzeichnung des Jahresabschlusses (§ 194 HGB),
- Änderungen des Gesellschaftsvertrages des Unternehmensträgers (hiezu zählen zB Stilllegung des Geschäftsbetriebes, Veräußerung des Unternehmens, Änderung der Firma, Änderung der Rechtsform des Unternehmens).

Grundstücke *erwerben, vermieten oder verpachten* darf der Prokurist schon; er darf auch eine Hypothek auf ein neu erworbenes Grundstück aufnehmen, um auf diese Weise den Kaufpreis zu sichern. Insofern wird die Immobiliarklausel teleologisch reduziert.

Was der Prokurist auf Grund der gesetzlichen Umschreibung seiner Vertretungsmacht nicht kann, ist ihm freilich dann möglich, wenn ihm diesbzgl **zusätzliche Vollmachten** erteilt werden. (Vgl OLG Linz NZ 1994, 214: Ohne entsprechende Vollmacht darf der Prokurist keine Sitzverlegung zum FB anmelden.) Um solche Vollmachten zu erhalten, braucht man freilich nicht Prokurist zu sein.

V. Unbeschränkbarkeit der Prokura

A. Formalvollmacht

Eine Beschränkung des Umfanges der Prokura ist **Dritten gegenüber** (also im *Außenverhältnis*) unwirksam (§ 50 Abs 1 HGB).

ZB: Die Ausübung einer Einzelprokura für eine GmbH kann nach außen hin nicht an die Zustimmung eines Geschäftsführers gebunden werden, HS 9089.

Gerade darin liegt das Wesen der Formalvollmacht. Dritte sollen sich nicht auf die Frage einlassen müssen, ob und inwieweit die erteilte Vertretungsmacht durch anders lautende Ermächtigungen bzw Aufträge eingeschränkt ist. Dies erleichtert den Geschäftsverkehr.

Auch nach allgemeinem Privatrecht ist zwischen der im Außenverhältnis beachtlichen *Vollmacht* und dem Innenverhältnis zwischen Vertretenem und Vertreter zu unterscheiden *(Ermächtigung oder Auftrag)*. Der Umfang der Vollmacht kann aber nach Wunsch des Vertretenen gestaltet sein. Weicht der Auftrag oder die Ermächtigung von der Vollmacht ab, so ist der Umfang des Auftrages oder der Ermächtigung auch dem Dritten gegenüber beachtlich, sofern deren Inhalt dem Dritten bekannt ist oder bekannt sein musste. Der Streit darüber, ob dieser Inhalt nun im Einzelfall dem Dritten bekannt war oder bekannt sein musste, belastet den Geschäftsverkehr erheblich. Diese Komplikationen sollen bei den handelsrechtlichen Formalvollmachten zum Vorteil der Dritten bzw zwecks Förderung eines möglichst reibungslosen Geschäftsverkehrs vermieden werden.

Weiß der Dritte, dass der Prokurist auf Grund seiner Innenbindungen weniger tun *darf* als er *kann,* hat dies angesichts der Unbeschränkbarkeit der Vollmacht auf die Gültigkeit des diese Innenbindung missachtenden Geschäftes grundsätzlich keinen Einfluss. Dies ist nur in Fällen der **Kollusion** anders. Diese aber setzt die Absicht des Vertreters zur Schädigung des Vertretenen voraus. Näheres zur Kollusion vgl in den Darstellungen des bürgerlichen Rechts.

B. Beschränkungen im Innenverhältnis

sind nicht nur möglich, sondern kommen auch sehr oft vor. Auch wenn die vom Prokuristen im Rahmen seiner Vollmacht geschlossenen, die Innenschranken missachtenden Geschäfte im Allgemeinen (Ausnahme: Kollusion) gültig sind, so löst ein derartiger Vollmachtsmissbrauch im Innenverhältnis doch Schadenersatzansprüche des Vertretenen aus. In der Missachtung interner Beschränkung der Vollmachtausübung kann auch ein wichtiger Grund zur sofortigen Auflösung des Dienstvertrages des Prokuristen liegen. Die Prokura selbst kann auch ohne Vorliegen eines wichtigen Grundes widerrufen werden.

VI. Unübertragbarkeit der Prokura

Die Prokura kann nicht übertragen werden (§ 52 Abs 2 HGB). Weder ist der Prokurist selbst in der Lage, seine Befugnis einem Dritten zu übertragen, noch ist dies dem Geschäftsherrn möglich. Soll ein anderer als der bisherige Prokurist diese Funktion fortan ausüben, so ist die erteilte Prokura zu widerrufen und dem anderen eine neue zu erteilen.

VII. Arten der Prokura

Lit: *Demelius,* Über die gemischte Vertretung bei Handelsgesellschaften, JBl 1948, 149; *Kralik,* Der Gesamtprokurist, der nur mit einem Gesamtprinzipal auftritt, ÖJZ 1948, 436; *Wahle,*Ist die Beschränkung des Prokuristen auf die Kollektivzeichnung mit einem Gesellschafter zulässig? ÖJZ 1948, 270; *Kostner,* Der einzelne Gesamtprokurist, NZ 1966, 148; *Kötter,* Vom „alter ego" des Prinzipals zur gemischten „halbseitigen" Gesamtprokura, FS Hefermehl (1976) 75; *Stölzle,* Gesamtprokurist und organschaftliche Vertretung, AnwBl 1976, 68; *Beuthien,* Die Miterbenprokura, FS Fischer (1979) 1; *Hannak,* Alleinvertretung durch ein gesamtvertretungsbefugtes Organmitglied, GesRZ 1982, 107; *F. Bydlinski,* Gesamtvertretung und Verkehrsschutz, JBl 1983, 627; *Krassnig,* Halbseitige Gesamtvertretungsverhältnisse und der auf die gemischte Gesamtvertretung beschränkte Prokurist, GesRZ 1983, 70; *Harrer,* Grenzen der Zulässigkeit einer „gemischten Gesamtprokura", RdW 1984, 34; *Viehöfer/Eser,* Probleme der Vertretungsbefugnis bei der sog Gesamtprokura, BB 1984, 1326; *Ziegler,* Prokura mit einem gesamtvertretungsberechtigten Geschäftsführer, DtRPfl 1984, 5; *Hiermanseder,* Das Mitwirken von Prokuristen an der gemischten Vertretung der Handelsgesellschaften, NZ 1988, 152; *Bruckbauer,* Halbseitige Vertretungsverhältnisse, RPfl 1992/2, 29; *Kunstreich,* Gesamtvertretung. Eine historisch-systematische Darstellung (1992); *Thiell,* Ermächtigung unter Gesamtvertretern (1994); *Beuthien/K. Müller,* Gemischte Gesamtvertretung und unechte Gesamtprokura, DB 1995, 461.

A. Allgemeines

Nicht dem Umfang nach, wohl aber im Hinblick auf die Frage, ob der Prokurist allein oder nur mit anderen gemeinsam seine Befugnis ausüben kann, gibt es verschiedene Arten der Prokura. Insofern wird zwischen Einzelprokura und Gesamtprokura unterschieden. Darüber hinaus kann eine Prokura auch nur für eine Zweigniederlassung (Filiale) gegeben werden (Filialprokura).

B. Einzel- und Gesamtprokura

1. Einzelprokura hat, wer allein vertretungsbefugt ist.

2. Gesamtprokura (§ 48 Abs 2 HGB) verwehrt die aktive Alleinvertretungsbefugnis; der Gesamtprokurist kann vielmehr nur gemeinsam mit einem oder mehreren anderen aktiv vertreten. Ohne Zweiten gibt es keine Gesamtprokura. Gibt ein Gesamtprokurist *allein* eine Erklärung ab, mangelt ihm die Vertretungsbefugnis. Auf die Erklärung eines Gesamtprokuristen darf nicht vertraut werden, wenn sie den eingetragenen Beschränkungen widerspricht, ÖBl 1986, 82. Er ist dann falsus procurator.

Relativierungen: Die Gesamtprokuristen müssen nicht gleichzeitig und gemeinsam auftreten (HS 139/54). Ferner dürfen sie einander auch **zur Vornahme bestimmter Geschäfte gegenseitig bevollmächtigen,** sodass ein Gesamtprokurist im Namen auch der übrigen sprechen kann. Interne Zustimmung bzw schlüssige Genehmigung der übrigen Gesamtvertreter genügt (wbl 1987, 125). Zur Entgegennahme von Erklärungen Dritter **(passive Stellvertretung)** genügt ein *einziger* Gesamtprokurist.

C. Gemischte Gesamtvertretung

1. Zulässigkeitsgrenze. Es kann auch sein, dass ein Prokurist nur gemeinsam mit einem organschaftlichen Stellvertreter, einem vertretungsbefugten Gesellschafter oder sonstigen Dritten vertreten darf und umgekehrt (vgl § 125 Abs 3 HGB; § 18 Abs 3 GmbHG; § 71 Abs 3 AktG; § 17 Abs 3 GenG). Hier sind die verschiedensten Kombinationen denkbar. Man spricht von gemischter (oder auch unechter) Gesamtvertretung. Von „Gesamtprokura" zu sprechen, ist nicht empfehlenswert, wenn lediglich *ein* Prokurist mit einem sonstigen Vertreter gesamtvertretungsbefugt ist.

Wichtig ist hier vor allem eines: Aus Gründen der **Erhaltung der autonomen gesellschaftsrechtlichen Willensbildung und Vertretung** darf die gemischte Gesamtvertretung nicht so konzipiert sein, dass es den organschaftlichen Vertretern unmöglich gemacht wird, die Gesellschaft auch ohne Mitwirkung eines Gesamtprokuristen zu vertreten. Vielmehr muss den Gesellschaftsorganen trotz gemischter Gesamtvertretung die alleinige gesellschaftliche Dispositions- und Gestaltungsmacht erhalten bleiben.

Hingegen erscheint es durchaus zulässig, die Prokura als solche mit einer anderen Vertretungsform zu einer Gesamtvertretung zu verbinden.

2. Umfang der gemischten Gesamtvertretungsbefugnis des Prokuristen. Die Vertretungsbefugnis organschaftlicher Vertreter reicht weiter als die Prokura. Im Allgemeinen wird angenommen, dass in diesem Fall die Vertretungsbefugnis des Prokuristen auf das Niveau des organschaftlichen Vertreters angehoben wird.

Das ist letztlich eine Frage der Interpretation der erteilten Vollmacht. Wird die gemischte Gesamtvertretung anders gestaltet, nämlich so, dass sie ausschließlich für Geschäfte gedacht ist, die auch ein Prokurist als solcher schließen kann, liegt eine **„gebundene Prokura"** vor.

D. Halbseitige Gesamtprokura und halbseitige, gemischte Gesamtvertretung

Halbseitige Gesamtprokura liegt vor, wenn ein Prokurist nur gemeinsam mit einem anderen Prokuristen vertreten darf, der andere aber auch allein vertretungsbefugt ist. Auch eine gemischte Gesamtvertretung kann halbseitig sein. Sie wird Prinzipalprokura genannt.

Die hL hält derartige Konfigurationen für zulässig, die Rsp lehnte sie ursprünglich ab (NZ 1985, 108; RPfl 1990/2, 36), bejaht sie nunmehr aber doch (SZ 63/174). Dies ändert nichts daran, dass der Sinn und Zweck der halbseitigen Gesamtprokura bzw Prinzipalprokura eher fragwürdig ist. Denn wenn der eine der beiden Gesamtprokuristen ohnehin allein vertretungsbefugt ist, erscheint die „Mitnahme" des lediglich Gesamtvertretungsbefugten eher als Akt des Respekts und der Wertschätzung denn als dringliches Erfordernis. Man darf aber nicht übersehen, dass insb in großen Unternehmen die Erteilung der Prokura vor allem auch als Karrierestufe und Auszeichnung gesehen wird und weniger als Instrument kaufmännischer Vertretung.

E. Filialprokurist

ist, wer die Prokura nur für eine Zweigniederlassung erhalten hat (§ 50 Abs 3 HGB, HS 9090). Die Filialprokura setzt voraus, dass die Zweigniederlassung unter einer eigenen Firma betrieben wird.

VIII. Beendigung der Prokura

A. Die Beendigungsfälle

Die Prokura endet durch

- jederzeitigen Widerruf seitens des Vertretenen (§ 52 Abs 1 HGB),
- Kündigung durch den Prokuristen,
- Tod des Prokuristen,
- Verlust der Geschäftsfähigkeit,
- Konkurs des Prokuristen,
- Konkurs des Vertretenen,
- uU bei Beendigung des vertraglichen Grundverhältnisses der Prokura,
- übertragende Umwandlungen und Verschmelzungen,
- Einbringungen und Spaltungen,
- Verlust der Vollkaufmannseigenschaft,
- Übernahme der Position des Vertretenen bzw einer Organfunktion (HS 9091: Erlöschen der Prokura durch Bestellung zum Geschäftsführer einer GmbH).

Die Prokura endet insb nicht durch den Tod des Vertretenen (§ 52 Abs 3 HGB). Besondere Probleme ergeben sich in Fällen rechtsgeschäftlichen Betriebsüberganges und bestimmter Umwandlungen.

B. Widerruflichkeit der Prokura

Die Prokura kann jederzeit durch einseitige, formlose Willenserklärung ohne Rücksicht auf das der Erteilung zugrunde liegende Rechtsverhältnis widerrufen werden (§ 52 Abs 1 HGB). Das gilt auch für die spezielle Vollmacht, Liegenschaften veräußern oder belasten zu können (§ 49 Abs 2 HGB).

Dieses Recht des Geschäftsherrn ist unverzichtbar; es kann vertraglich nicht ausgeschlossen werden. Es lässt aber etwaige Ansprüche des Prokuristen auf eine vertragsmäßige Vergütung unberührt (§ 52 Abs 1 HGB). Widerspricht der Widerruf vertraglichen Zusagen, so ist der Widerruf zwar wirksam, der Prokurist verliert deshalb aber seine sonstigen Vertragsansprüche nicht. Ein Anspruch auf Fortsetzung des Prokuraverhältnisses besteht freilich nicht (HS 7088) („Schadenersatzprinzip" statt „Unwirksamkeitsprinzip").

Wird die Prokura aus einem wichtigen Grund widerrufen, der auch das der Erteilung der Prokura zugrundeliegende Vertragsverhältnis betrifft, so kann der Widerruf auch auf dieses Grundverhältnis durchschlagen. Eine „Prokurazusage" fällt bei Widerruf der Prokura fort, wbl 2000, 179.

Widerrufsberechtigt ist im Allgemeinen, wer die Prokura erteilen kann. Bei einer OHG oder KG kann und darf allerdings jeder vertretungsbefugte Gesellschafter, bei einer GmbH jeder Geschäftsführer die Prokura widerrufen (§ 126 Abs 1 HGB; § 28 Abs 2 GmbHG). Gesetzliche Vertreter eines geschäftsunfähigen Widerrufsberechtigten brauchen für die Wirksamkeit des Widerrufs keine gerichtliche Genehmigung des Widerrufes, weil dieser keine außergewöhnliche Geschäftsmaßnahme ist. Im *Innenverhältnis* kann der Widerruf an die Zustimmung aller Gesellschafter gebunden sein.

C. Anmeldung der Beendigung der Prokura

Der Widerruf der Prokura bzw ihr sonstiges Ende ist zum FB anzumelden (§ 53 Abs 3 HGB). Die Anmeldung kann nicht durch den betroffenen Prokuristen selbst durchgeführt werden (NZ 1988, 286). Wie die Eintragung ist auch die Löschung bloß *deklarativ*. Solange sie nicht erfolgt, bleibt die Publizitätswirkung des Firmenbuches aufrecht (§ 15 Abs 1 HGB). Eine Ausnahme bildet der Konkursfall. Eine erloschene Prokura ist im FB nicht von Amts wegen zu löschen (HS 9093).

IX. Organschaftliche Formalvertretungsmacht

Dem Regelungsanliegen der Prokura entsprechen auch die Vertretungsbefugnisse handelsgesellschaftlicher Organe. So ist die organschaftliche Vertretungsbefugnis

- der vertretungsbefugten Gesellschafter der OHG/KG (§ 126 Abs 1 und 2 HGB), der OEG/KEG (§ 4 Abs 1 EGG) und der EWIV,
- des Vorstandes der AG (§ 74 Abs 2 AktG), fraglich bei der SE;
- der Geschäftsführer der GmbH (§ 20 Abs 2 GmbHG)
- des Vorstandes der Erwerbs- und Wirtschaftsgenossenschaften (§ 19 GenG) und der EGen (Art 47 SCEV),

- des Vorstandes des Versicherungsvereines auf Gegenseitigkeit (§ 44 Abs 3 VAG)
- der vertretungsbefugten Vorstandsmitglieder einer Sparkasse (§ 19 Abs 1 lt Satz SpG)

eine Dritten gegenüber unbeschränkbare, ins FB einzutragende Formalvertretungsmacht.

Wie wertvoll das Institut der Formalvertretungsmacht ist, zeigen die erheblichen Komplikationen, die immer wieder entstehen, wenn andere juristische Personen des privaten wie des öffentlichen Rechts mit Dritten über die Grenzen der Vertretungsbefugnis ihrer Organe streiten: Derartige Konflikte ergeben sich bei der Vertretung von Gebietskörperschaften und (strittig) bei Privatstiftungen. Bei ideellen Vereinen hat das VerG 2002 die Formalvollmacht eingeführt.

12. Kapitel
Handlungsvollmacht

Lit: *Laband,* Die Stellvertretung bei dem Abschluß von Rechtsgeschäften nach dem AHGB, ZHR 10 (1866) 183; *Wellspacher,* Das Vertrauen auf äußere Tatbestände im bürgerlichen Recht (1906); *Frotz,* Verkehrsschutz im Vertretungsrecht (1972); *Honsell,* Die Besonderheiten der handelsrechtlichen Stellvertretung, JA 1984, 17; *Joussen,* Die Generalvollmacht im Handels- und Gesellschaftsrecht, WPM 1994, 273; *Haselberger,* Geschäftsführung und Vertretung unter dem Gesichtspunkt der Vertrauenstheorie, GesRZ 1999, 152; *Fritz,* Die Handlungsvollmacht, SWK 2001, W 121 = SWK 2001/1069; vgl auch die Hinweise beim 11. Kapitel und bei VIII.

I. Begriff und Zweck der Handlungsvollmacht

Handlungsvollmacht heißt **jede von einem Kaufmann im Rahmen seines Handelsgewerbes erteilte Vollmacht, die nicht Prokura ist** (§§ 54–58 HGB; Art 6 Nr 10 und 11 EVHGB; § 28 GmbHG; § 26 GenG). Anders als bei der Prokura ist die Erteilung einer Handlungsvollmacht nicht nur Vollkaufleuten vorbehalten.

Die Regeln über die Handlungsvollmacht unterscheiden sich erheblich weniger als jene über die Prokura vom Vertretungsrecht des allgemeinen Privatrechts. Insb ist die Handlungsvollmacht **keine der Prokura vergleichbare Formalvollmacht.** Vielmehr kann die Handlungsvollmacht nach Belieben gestaltet werden. Die gesetzlichen Anordnungen über den Umfang der Handlungsvollmacht gelten nur, sofern der Geschäftsherr keinen anderen Vertretungsumfang festgelegt hat, der dem Dritten bekannt ist oder bekannt sein musste (vgl § 54 HGB). Auch das allgemeine Privatrecht kennt eine dem § 54 HGB vergleichbare Regelung (§ 1029 ABGB). Überhaupt verfolgen die Regeln über die Handlungsvollmacht keine grundlegend anderen Ordnungsziele als das Recht der Stellvertretung nach allgemeinem bürgerlichen Recht: Sie adaptieren dieses zwar für den kaufmännischen Geschäftsverkehr, weichen aber nicht von dessen Grundprinzipien ab. Anders als die Prokura wird die Handlungsvollmacht nicht ins FB eingetragen.

II. Erteilung der Handlungsvollmacht

A. Wer erteilt Handlungsvollmacht?

1. Der Kaufmann entweder selbst oder durch seinen gesetzlichen Vertreter. Vollkaufmannseigenschaft ist nicht erforderlich. Da Minderkaufleute keine Prokuristen bestellen können, kommt für sie nur die Erteilung von Handlungsvollmacht in Betracht (HS 1160, 4077).

2. Gesellschaften und juristische Personen (§ 33 HGB) durch ihre organschaftlichen Stellvertreter. Doch sind auch

3. Prokuristen und idR auch Handlungsbevollmächtigte berechtigt, anderen Handlungsvollmacht zu erteilen. § 58 HGB untersagt jedoch die *privative* Übertragung der eigenen Handlungsvollmacht auf einen anderen **(Vollsubstitution)** ohne Zustimmung des Kaufmanns. Diese Zustimmung kann auch ein Prokurist geben.

Eine bloße Untervollmacht kann der Handlungsbevollmächtigte jedoch ohne Zustimmung des Kaufmanns erteilen, sofern dies die dem Handlungsbevollmächtigten übertragenen Geschäfte gewöhnlich mit sich bringen (§ 54 Abs 1 HGB). Will der Handlungsbevollmächtigte dem Kaufmann nicht schadenersatzpflichtig werden, hat er dafür zu sorgen, dass die Interessen des Kaufmanns trotz Bestellung eines Unterbevollmächtigten hinreichend gewahrt bleiben.

B. Wem wird Handlungsvollmacht erteilt?

Jeder geschäftsfähigen natürlichen Person. Das allgemeine Privatrecht legt nahe, dass beschränkte Geschäftsfähigkeit genügt (§ 1018 ABGB). Wer sein Handelsgewerbe professionell betreiben will, wird freilich gut beraten sein, von der Bestellung beschränkt geschäftsfähiger Handlungsbevollmächtigter Abstand zu nehmen.

Ob auch juristischen Personen Handlungsvollmacht eingeräumt werden kann, ist strittig, sollte aber bejaht werden: Prokurist kann zwar nur eine natürliche Person sein; für Handlungsvollmachten fehlt aber eine vergleichbare gesetzliche Beschränkung. Im Allgemeinen verbietet der Gesetzgeber nicht, einer juristischen Person Vertretungsbefugnisse einzuräumen.

Gesamthandlungsvollmacht. Handlungsvollmacht kann auch mehreren Personen gemeinsam gegeben werden. Dann spricht man von Gesamthandlungsvollmacht. Sie ist zwar nicht im Gesetz geregelt, dennoch aber zulässig. Die möglichen Varianten entsprechen jenen, die schon im Zusammenhang mit der Gesamtprokura besprochen wurden. Eintragungen von Gesamthandlungsvollmachten ins FB erfolgen auch dann nicht, wenn **gemischte Gesamthandlungsvollmachten** vorliegen, also **organschaftliche Vertreter** miterfasst sind.

C. Wie wird Handlungsvollmacht erteilt?

Es bestehen keine Formvorschriften. Ausdrückliche oder auch schlüssige Erklärung genügt. Maßgebend ist der nach dem Empfängerhorizont zu beurteilende Erklärungswert (HS 14064).

Eine schlüssige Erklärung gegenüber Dritten liegt schon vor, wenn der Inhaber des Handelsgewerbes einem Mitarbeiter nach außen hin eine Stellung und Befugnisse eingeräumt hat, die nach der Verkehrsanschauung auf das Bestehen einer zur Ausfüllung dieser Befugnisse erforderlichen Handlungsvollmacht schließen lassen (RdW 1994, 208; VR 1995/3, 57).

III. Auftreten und Zeichnen als Handlungsbevollmächtigter

Wie ein Handlungsbevollmächtigter im Geschäftsverkehr aufzutreten hat, besagt das allgemeine Privatrecht. Besonderes regelt § 57 HGB nur für die Zeichnung: Der Handlungsbevollmächtigte fügt der Firma seine Unterschrift mit einem das Vertretungsverhältnis ausdrückenden Zusatz bei. Ausdrücklich wird betont, dass sich der Handlungsbevollmächtigte jedes eine Prokura andeutenden Zusatzes zu enthalten hat. Er soll nicht mit einem Prokuristen verwechselt werden.

ZB: Fa Adam Ast, Unterschrift: Bertram Berger „als Handlungsbevollmächtigter"; oder nur: „Handlungsbevollmächtigter".

IV. Umfang der Handlungsvollmacht

A. Allgemeines

Der Gesetzgeber bietet für das Außenverhältnis eine Zweifelsregel. Sofern nichts anderes erklärt und dem Dritten bekannt ist oder bekannt sein musste, gilt als Vollmachtsumfang, was gesetzlich vorgesehen ist. Insofern ist die Handlungsvollmacht also **keine Dritten gegenüber unbeschränkbare Formalvollmacht** wie die Prokura oder die organschaftlichen Vertretungen; dennoch aber ist vorgesorgt, dass über den Umfang der Handlungsvollmacht möglichst wenig Unklarheiten herrschen.

§ 54 Abs 1 HGB unterscheidet – dem allgemeinen Privatrecht durchaus vergleichbar – dem Umfang nach zwischen der **Generalhandlungsvollmacht,** der **Arthandlungsvollmacht** und der Handlungsvollmacht für einzelne Geschäfte (auch **Einzelhandlungsvollmacht** genannt).

B. Generalhandlungsvollmacht (allgemeine Handlungsvollmacht)

1. Allgemeines. Generalhandlungsvollmacht hat, wer „zum Betrieb eines Handelsgewerbes" „ermächtigt" (dh: *bevollmächtigt*) ist (§ 54 Abs 1 HGB). Gemeint ist nicht jedwedes Handelsgewerbe (wie bei der Prokura), sondern nur das Handelsgewerbe des bevollmächtigenden Kaufmanns. Der Generalhandlungsbevollmächtigte kann alle zu *diesem* Handelsgewerbe gehörenden Geschäfte schließen und Rechtshandlungen setzen, die der Betrieb *dieses* Handelsgewerbes gewöhnlich mit sich bringt.

ZB darf der Bankkunde darauf vertrauen, dass der in der Wertpapierberatung tätige Kundenbetreuer über eine dieser Tätigkeit entsprechende Vertretungsmacht verfügt (SZ 71/32).

2. Zum Abschluss außergewöhnlicher Geschäfte ist der Generalhandlungsbevollmächtigte also nicht befugt. Was außergewöhnlich ist, ist nach den örtlichen, zeitlichen und branchenmäßigen Anschauungen zu beurteilen.

Die Gewöhnlichkeit eines Geschäfts iSd § 54 Abs 1 HGB ist nach den örtlichen, zeitlichen und branchenmäßigen Anschauungen zu beurteilen. Dieser Begriff darf nicht allzu eng ausgelegt werden; insb brauchen „gewöhnliche Geschäfte" keine alltäglichen zu sein. Daher ist der Vertragsabschluss des Leiters des Spezial-Hydraulik-Teilbetriebes über die Anfertigung einer LKW-Abschleppvorrichtung von seiner Handlungsvollmacht gedeckt (wbl 2003/205, 345). Außergewöhnlich ist ein Geschäft insb dann, wenn für die Verhältnisse eines dem betriebenen entsprechenden Unternehmens unüblich große Verpflichtungen oder unübliche Bedingungen vereinbart werden oder das Geschäft auch bei Anlegen eines großzügigen Maßstabes betriebswirtschaftlich unvertretbar erscheint (HS 1163; 1186/101; 10163; SZ 56/7; ecolex 1991, 456; die Frage der Branchenüblichkeit bestimmter Geschäfte ist eine Tatfrage, BGHZ 26, 268; bedarf also gegebenenfalls eines Sachverständigenbeweises, HS Erg/101).

Die Übernahme der Haftung des Werkunternehmers für den Ausfall einer öffentlichen Förderung zugunsten des Bestellers im Ausmaß von rund 30 Prozent des gesamten Auftragswerts stellt eine besondere Bedingung dar, wie sie im betreffenden Geschäftszweig nicht üblich ist. Dies ist vor allem dann der Fall, wenn mit Rücksicht auf die Verhältnisse des Unternehmens eine ungewöhnlich hohe finanzielle Verpflichtung eingegangen wird. Hat der Vertrag etwa das bisher größte Projekt der Errichtung einer bestimmten Anlage zum Gegenstand, muss die GmbH eine solche Zusage durch ihren Handlungsbevollmächtigten nicht gegen sich gelten lassen. Sie hat für ihn allerdings nach schadenersatzrechtlichen Grundsätzen einzustehen (§ 1313 a ABGB) (wbl 2002/384, 577).

3. Sonstige Beschränkungen. Die Generalhandlungsvollmacht – ebenso wie auch die Arthandlungsvollmacht – ist insofern **eingeschränkt,** als zu folgenden Geschäften eine Einzelvollmacht notwendig ist (§ 54 Abs 2 HGB):

- Veräußerung oder Belastung von Grundstücken,
- Eingehen von Wechselverbindlichkeiten,
- Aufnahme von Darlehen,
- Prozessführung.

Der Umfang der Generalhandlungsvollmacht erfasst weiters all jene Geschäfte nicht, die auch ein Prokurist nicht schließen kann.

4. Von der Generalhandlungsvollmacht ist die zivilrechtliche Generalvollmacht zu unterscheiden: Sie reicht über die allgemeine Handlungsvollmacht ebenso hinaus wie über die Prokura. Der Generalbevollmächtigte steht in seinen Befugnissen den organschaftlichen Vertretern nahe. Als reines Instrument des allgemeinen Privatrechts ist die Generalvollmacht trotz ihrer Bedeutung **nicht eintragungsfähig.** Gibt man einem Prokuristen Generalvollmacht, so deckt die Eintragung *nur* die Prokura.

5. IZw liegt Generalhandlungsvollmacht vor. Wer bei Erklärung einer Handlungsvollmacht nicht klarstellt, dass er eine Art- oder Einzelhandlungsvollmacht meint, hat sich diesbzgl nicht hinreichend klar geäußert. Im Interesse der Verkehrssicherheit haben Vollmachtsbeschränkungen jedoch eindeutig zum Ausdruck zu kommen (RdW 1994, 208). Das entspricht auch der Unklarheitenregel des § 915 ABGB.

C. Arthandlungsvollmacht

hat, wer befugt ist, eine bestimmte, zum Handelsgewerbe des Vollmachtgebers gehörende Art von Geschäften zu schließen. ZB: Geschäfte des Ein- bzw Verkaufs; Geschäfte, die einen bestimmten Betrag nicht übersteigen; Geschäfte, die sich auf eine bestimmte Region beziehen; Geschäfte, die mit einem bestimmten Ziel oder Aufgabenbereich des Unternehmens zusammenhängen: etwa alle Geschäfte, die mit der Vorbereitung und Durchführung einer bestimmten Messe zu tun haben.

Auch die Arthandelsvollmacht findet iZw ihre Schranke in Geschäften und Rechtshandlungen, die der Betrieb eines derartigen Handelsgewerbes oder die Vornahme derartiger Geschäfte gewöhnlich mit sich bringt (§ 54 Abs 1 HGB).

Geschäfte iS des § 54 Abs 2 HGB (siehe oben) darf auch der Arthandlungsbevollmächtigte nur mit zusätzlicher Vollmacht vornehmen.

Beschränkungen, die über jene des § 54 Abs 2 HGB hinausgehen, wirken nach § 54 Abs 3 HGB gegenüber einem Dritten nur dann, wenn er sie kennt oder kennen musste. Den diesbzgl Nachweis hat der Vertretene zu führen (JBl 1980, 92).

D. Handlungsvollmacht für einzelne Geschäfte (Einzelhandlungsvollmacht)

hat, wer lediglich zu einem einzelnen, zum Handelsgewerbe des Bevollmächtigenden gehörenden Geschäft befugt ist.

E. Filialhandlungsvollmacht

hat, wer nur im Rahmen einer Zweigniederlassung handlungsbevollmächtigt ist. Sofern es diesbezüglich keine Einschränkungen zusätzlicher Art gibt, ist die Filialhandlungsvollmacht eine Generalhandlungsvollmacht, die sich jedoch nur auf Filialgeschäfte bezieht.

F. Sonderregelungen für Handelsvertreter

Auch Handelsvertreter haben, soweit ihr Auftraggeber Kaufmann ist und ihnen überhaupt Vertretungsmacht eingeräumt wird (was idR der Fall ist), Handlungsvollmacht. Das HVertrG regelt nicht nur die Rechtsbeziehungen zwischen Handelsvertreter und Unternehmer, sondern enthält auch einige vertretungsrechtliche Sonderbestimmungen.

1. Vermutete Genehmigung. So wird auch beim bloßen Vermittler die Genehmigung des Geschäftes durch den Unternehmer vermutet, wenn dieser nicht unverzüglich nach Abschluss des Geschäftes die Ablehnung erklärt (§ 2 Abs 2 HVertrG).

2. Inkassovollmachten gelten nur für Zahlungen, die den vereinbarten Bedingungen entsprechen; diese dürfen vom Vertreter nicht geändert werden; Vergleiche und Nachlässe zu vereinbaren, steht dem Vertreter nicht zu (§ 3 Abs 2 HVertrG).

3. Reisende Handelsvertreter dürfen den Kaufpreis aus von ihnen geschlossenen Kaufverträgen einziehen und Zahlungsfristen bewilligen (§ 3 Abs 3 HVertrG) und Mängelrügen und vergleichbare Erklärungen, durch welche die Kundschaft ihre Rechte wahrt, entgegennehmen (§ 3 Abs 4 HVertrG). Vgl idZ auch § 55 HGB.

4. Zustandsprüfung. Der Handelsvertreter darf das Recht des Unternehmers auf Feststellung des Zustandes der Waren ausüben; zur Verfügung über die Ware ist er hingegen, Dringlichkeitsfälle ausgenommen, iZw nicht berechtigt (§ 3 Abs 5 HVertrG);

5. Abweichungen vom gesetzlichen Vollmachtsumfang. Im Übrigen gilt auch für Handelsvertreter, dass sich ein Dritter Abweichungen vom gesetzlichen Umfang der Handlungsvollmacht des Handelsvertreters nur gefallen lassen muss, wenn sie der Dritte kannte oder kennen musste (§ 3 Abs 6 HVertrG).

G. Sonderregelungen für Versicherungsagenten

Besonderes ordnen die §§ 43–46 VersVG über den Vollmachtsumfang von Versicherungsagenten an. Diese Bestimmungen dienen speziellen Schutzanliegen der Versicherungsnehmer und sind im Zusammenhang mit der Darstellung des Versicherungsvertragsrechts zu erörtern.

V. Vertrauensschutz durch gesetzlich vermuteten Vollmachtsumfang

Die Prokura ist unbeschränkbar; die Handlungsvollmacht *nicht.* Dennoch genießen Dritte den Schutz ihres Vertrauens darauf, dass die erteilte Handlungsvollmacht jenen Umfang hat, den § 54 HGB vorsieht.

Ist dem Vertreter (Frage der Rechtsbeziehung zwischen Vertretenem und Vertreter) bzw dem Dritten (Frage der Drittwirkung des Vollmachtsumfanges) unklar, ob eine General-, eine Art- oder eine Einzelvollmacht erteilt wurde, ist eine Generalhandlungsvollmacht anzunehmen. Beschränkungen der Handlungsvollmacht braucht ein Dritter nur dann gegen sich gelten zu lassen, wenn er sie kannte oder kennen musste (§ 54 Abs 3 HGB).

Wer die konkrete Vollmachtsbeschränkung nicht kennt und nicht kennen muss, darf sich auf jenen Vollmachtsumfang berufen, den das Gesetz für gegeben erachtet bzw vermutet. RdW 1994, 208: Eine Vollmachtsbeschränkung muss eindeutig zum Ausdruck kommen; dabei kommt es auf die Verkehrsanschauung über die einem Mitarbeiter nach außen hin gewährte Stellung und Befugnis an.

Besonderes gilt für Verbrauchergeschäfte: Nach § 10 KSchG muss der Verbraucher die Beschränkung der Vollmacht kennen; *bloß fahrlässige Unkenntnis genügt nicht.* Wohl aber steht dem Unternehmer bei grob fahrlässigem Verhalten des Verbrauchers das Recht zu, vom trotz fehlender Vertretungsmacht zustande gekommenen Vertrag zurückzutreten. § 10 KSchG geht konkurrierenden Regelungen vor. Das versteht sich bei § 54 Abs 1 HGB von selbst. Doch gilt dies auch für Sonderregelungen, zB für § 47 VersVG. Auch hier ist die Verbraucherschutzregel die lex specialis.

VI. Handelsrechtliche Fälle der Anscheinsvollmacht

Dem Schutz des Vertrauens auf den gesetzlich festgelegten *Umfang* der Vertretungsmacht verwandt sind jene Fälle, in denen der Gesetzgeber selbst dann das Vorliegen einer Vollmacht vermutet, wenn rechtsgeschäftlich *überhaupt keine* erteilt wurde. Hier wird nicht bloß angenommen, dass eine erteilte Vollmacht iZw einen bestimmten *Umfang* hat, sondern darüber hinaus, dass unter bestimmten Umständen **trotz Fehlens jedweder Vollmacht** eine solche von Gesetzes wegen vermutet wird. Dann spricht man von **Anscheinsvollmacht** (nicht zu verwechseln mit der falsa procuratio). Vgl Näheres in den Darstellungen des bürgerlichen Rechts. Das Handelsrecht kennt besondere Fälle der Anscheinsvollmacht:

A. Laden- und Lagervollmacht

Wer in einem Laden oder in einem offenen Warenlager angestellt ist, gilt als ermächtigt zu Verkäufen und Empfangnahmen, die in einem derartigen Laden oder Warenlager gewöhnlich geschehen (§ 56 HGB).

Laden heißt jede Verkaufsstätte, auch wenn sie nur vorübergehend zu Verkaufszwecken benützt wird. **Warenlager** ist jeder Ort, an dem Waren aufbewahrt werden. „Offen" ist ein solches Warenlager, wenn es Geschäftspartnern zugänglich ist und dort auch Geschäfte getätigt werden. Überhaupt kommt es igZ vor allem darauf an, dass es um Räumlichkeiten bzw Orte geht, die Geschäftsabschlüssen dienen können.

Ebenso wird das Tatbestandsmerkmal der **Anstellung** möglichst weit verstanden. Es geht keineswegs nur um Angestellte iS des Arbeitsrechts; auch andere Rechtsverhältnisse zum Geschäftsherrn reichen aus. Entscheidend ist lediglich, dass der Vertreter nach außen hin für den Geschäftsherrn tätig wird.

Die **Bedeutung der Laden- und Lagervollmacht** geht weit über jenen Rahmen hinaus, den der gesetzliche Tatbestand prima facie zieht. Denn es geht keineswegs nur um Läden und Lager. Auch andere spezifische Funktionen und Tätigkeiten, die im Rahmen eines Unternehmens einem Mitarbeiter zugewiesen werden, sind geeignet, einen entsprechenden Vollmachtsumfang zu gewähren. Dies schlägt die Brücke zur Verwaltervollmacht (§ 1029 ABGB).

B. Empfangsvollmacht des Überbringers einer Quittung

Der Überbringer einer Quittung gilt als bevollmächtigt, die quittierte Leistung zu empfangen, sofern nicht die dem Leistenden bekannten Umstände dagegensprechen (Art 8 Nr 9 EVHGB; vgl auch § 1030 ABGB).

VII. Beendigung der Handlungsvollmacht

Die Handlungsvollmacht endet wie die Prokura. Vgl diesbzgl oben. Ein Verzicht auf den jederzeitigen Widerruf ist grundsätzlich zulässig (Art 6 Nr 11 EVHGB). Doch kann auf einen Widerruf aus wichtigem Grund nicht wirksam verzichtet werden; überdies muss die gültige Vereinbarung der Unwiderruflichkeit zeitlich begrenzt sein (HS 26.021/1).

Inwieweit sich der Entzug der Handlungsvollmacht auf das Arbeitsentgelt des die Handlungsvollmacht ausübenden Arbeitnehmers auswirkt, hängt vom Inhalt des Arbeitsvertrags ab. Für das Erlöschen einer diesbezüglichen Funktionszulage im Falle des Entzuges der Handlungsvollmacht: ASG Wien, ARD 5305/16/2002; dagegen OLG Wien, ARD 5346/36/2002.

VIII. Missbrauch der Handlungsvollmacht

Lit: *Römer,* Rechtsgeschäfte des Vertreters mit sich selbst, ZHR 19, 67; *Boettger,* Das Selbstkontrahieren des Vertreters (1930); *Siebert,* Zur Lehre vom Mißbrauch der Vertretungsmacht, ZStaatsW 95 (1935) 629; *Stoll,* Der Mißbrauch der Vertretungsmacht, FS H. Lehmann (1937) 115; *Rinck,* Pflichtwidrige Vertretung (1936); *W. Blomeyer,* Zur Problematik des § 181 BGB für die Einmann-GmbH, NJW 1960, 127; *Berns,* Die Einmann-GmbH und das Selbstkontrahieren ihres geschäftsführenden Gesellschafters, GmbHR 1966, 226; *Heckelmann,* Mitverschulden des Vertretenen bei Mißbrauch der Vertretungsmacht, JZ 1970, 62; *Plander,* Insichgeschäfte des Alleingesellschafters, GmbHR 1971, 151; *Schott,* Der Mißbrauch der Vertretungsmacht, AcP 171 (1971) 385; *Frotz,* Verkehrsschutz im Vertretungsrecht (1972); *Wünsch,* Zur Lehre vom Selbstkontrahieren im Gesellschaftsrecht, FS Hämmerle (1972) 451; *Gessler,* Zum Mißbrauch organschaftlicher Vertretungsmacht, FS v Caemmerer (1978) 531; *John,* Der Mißbrauch organschaftlicher Vertretungsmacht, FS Mühl (1981) 349; *Jüngst,* Der Mißbrauch organschaftlicher Vertretungsmacht (1981); *Westermann,* Mißbrauch der Vertretungsmacht, JA 1981, 521; *Roth,* Mißbrauch der Vertretungsmacht durch den GmbH-Geschäftsführer, ZGR 1985, 265; *Wilhelm,* Der Vollmachtsmißbrauch im Zivil-, Handels- und Gesellschaftsrecht, JBl 1985, 449; *Nowotny,* Selbstkontrahieren im Gesellschaftsrecht, RdW 1987, 35; *Thöni,* Zum Selbstkontrahieren des Gesellschafter-Geschäftsführers einer Einmann-GmbH, wbl 1988, 102; *Winkler,* Insichgeschäfte des Gesellschafter-Geschäftsführers einer Einmann-GmbH, DNotZ 1990, 476; *Knöchlein,* Stellvertretung und Insichgeschäft. Die Gestaltung der Zulässigkeit im dt, österr und schweizerischen Zivil- und Gesellschaftsrecht (1994); *Auer,* Missbrauch der Vertretungsmacht im Handels- und Gesellschaftsrecht, GesRZ 2000, 138; *U. Torggler,* Insichgeschäfte, insbes Doppelvertretung bei der Einpersonen-GmbH, wbl 2000, 389.

A. Kollusion

Die Kollusion ist ein Phänomen des allgemeinen Privatrechts und ist daher igZ nicht näher zu erörtern. Die Rechtsfolgen der Kollusion (Nichtigkeit des Vertrages) sind auch bei Formalvollmachten beachtlich. Bezüglich bloßer Handlungsvollmachten gelten bezüglich des Vollmachtsmissbrauches auch alle übrigen Regeln des bürgerlichen Vollmachtsrechts.

Demnach genügt schon ein nach außen hin rechtzeitig erkanntes oder den Umständen nach offenbar auffallendes Abweichen des Vertreters vom erteilten Auftrag, um den Umfang der erteilten Vollmacht dementsprechend einzuschränken. Das Geschäft kommt also auch dann nicht zustande, wenn es (anders als bei Kollusion) gar nicht in der Absicht des Vertreters lag, den Vertretenen zu schädigen. Vielmehr genügt, dass der dem Dritten bekannte oder leicht erkennbare Auftrag das von der Vollmacht an sich umfasste Geschäft nicht deckt. Erkennbarkeit des Vollmachtsmissbrauches genügt (HS 26.775): Das Geschäft ist unwirksam; überdies setzt der Vertreter einen wichtigen Grund zum außerordentlichen Widerruf der Vollmacht.

B. Insichgeschäfte

1. Allgemeines. Bei Insichgeschäften droht unzulässige Interessenkollision. Der Vertreter tritt entweder als Vertreter beider Parteien auf **(Doppelvertretung),** oder er ist Vertreter der einen Seite und will zugleich selbst der Dritte sein **(Selbstkontrahieren).** Auch hiezu möge Näheres in den einschlägigen Lehrbüchern des Zivilrechts nachgelesen werden. IgZ wird auf handelsrechtliche Besonderheiten aufmerksam gemacht.

2. Insichgeschäfte bei organschaftlicher Stellvertretung. Organschaftliche Stellvertreter sind organisationsbedingt ebenso unerlässlich wie gesetzliche, weil die juristische Person als solche nur durch Vertretungsorgane handeln kann. Die *interne Willensbildung der juristischen Person erfolgt aber durch handlungsfähige Personen.* Dies aber bedeutet, dass die allgemeinen zivilrechtlichen Grundsätze über die Zulässigkeitsgrenzen von Insichgeschäften bei geschäftsfähigen Vertretenen im Wesentlichen auch für Insichgeschäfte organschaftlicher Stellvertreter juristischer Personen gelten.

a) § 25 Abs 4 GmbHG bestimmt, dass ein Geschäftsführer der Gesellschaft auch für den ihr aus einem Rechtsgeschäft erwachsenen Schaden haftet, das er mit ihr im eigenen (Selbstkontrahieren) oder fremden Namen (Doppelvertretung) abgeschlossen hat, ohne vorher die Zustimmung des *Aufsichtsrates* oder, wenn kein Aufsichtsrat besteht, *sämtlicher übriger Geschäftsführer* erwirkt zu haben. Über die Gültigkeit des Geschäftes selbst sagt diese Bestimmung nichts aus. Ein Schaden kann im einen wie im anderen Fall entstanden sein.

Die allgemeinen Grundsätze über die Zulässigkeit des Insichgeschäftes sind insofern durch § 25 Abs 4 GmbHG modifiziert, als es zumindest dann der Zustimmung der *Generalversammlung* (als des maßgeblichen Organs der internen Willensbildung der GmbH) nicht bedarf, wenn an ihrer Stelle der Aufsichtsrat oder die übrigen Geschäftsführer das Insichgeschäft genehmigen. Fehlt aber ein Aufsichtsrat oder gibt es keinen weiteren Geschäftsführer, hat der Geschäftsführer, will er ein gültiges Insichgeschäft schließen, die Genehmigung der Generalversammlung einzuholen, sofern es nicht um ein aus den schon oben genannten Gründen auch ohne Zustimmung des Vertretenen erlaubtes Insichgeschäft geht.

Auch die nachträgliche konkludente Genehmigung eines Insichgeschäftes durch sämtliche Gesellschafter ist zulässig, RdW 2001, 83.

Ist der Geschäftsführer selbst Gesellschafter, so ist er grundsätzlich auch an der internen Willensbildung der Gesellschaft beteiligt. Will er selbst mit der Gesellschaft einen Vertrag schließen und ist hiezu die Genehmigung der Generalversammlung erforderlich, so ist § 39 Abs 4 GmbHG anzuwenden. Der Gesellschafter hat insofern kein Stimmrecht.

Handelt es sich allerdings um eine Einmanngesellschaft, ist nicht anzunehmen, dass eine solche Gesellschaft überhaupt kein Geschäft mit ihrem einzigen Gesellschafter schließen dürfte bzw in einem solchen Fall immer ein Kollisionskurator bestellt werden müsste. Das Interesse des einzigen Gesellschafters, der allein den Willen der Gesellschaft bildet, und das Interesse des Geschäftsführers der Gesellschaft sind hier vielmehr deckungsgleich. Nicht zu leugnen ist allerdings, dass in einem solchen Fall die Interessen der Gesellschaftsgläubiger erheblich gefährdet sein können. Sie zu schützen, ist aber nicht das Anliegen der Regeln über das Insichgeschäft.

Über ungewöhnliche Rechtsgeschäfte des Einmanngesellschafters mit seiner GmbH ist unverzüglich eine Urkunde zu errichten, wobei vorzusorgen ist, dass nachträgliche Änderungen des Inhaltes und Zweifel über den Zeitpunkt des Abschlusses ausgeschlossen sind; gewöhnliche Insichgeschäfte des Einmanngesellschafters mit seiner GmbH bedürfen keiner Urkunde; vgl § 18 Abs 5 und 6 GmbHG. Diese Bestimmungen sind auf Fälle der Doppelvertretung nicht anzuwenden, ecolex 2000, 209.

b) Schließt eine AG mit ihrem Vorstandsmitglied einen Vertrag, kommt es zu keinem Insichgeschäft des Vorstandsmitgliedes, weil hier der Aufsichtsrat berufen ist, die AG zu vertreten (§ 97 AktG). Bzgl des Anstellungsvertrages mit dem Vorstandsmitglied kommt dem Aufsichtsrat das Vertretungsmonopol zu (§ 75 Abs 1 lt Satz AktG).

Ein Insichgeschäft wird ferner vermieden, wenn das Vorstandsmitglied im Falle eines Vertragsabschlusses mit der AG diese gar nicht selbst (mit)vertritt, sondern *die anderen Vorstandsmitglieder* für die AG handeln (§ 71 Abs 3 AktG). Ist dies nicht möglich, ist eine *Genehmigung des Aufsichtsrats* geboten (uU auch der Hauptversammlung), sofern nicht ein auf Grund seines ungefährlichen Inhalts auch ohne Zustimmung erlaubtes Insichgeschäft vorliegt.

c) Personengesellschaften. Will ein geschäftsführungsbefugter Gesellschafter mit der Gesellschaft (bzw mit der Gesamtheit aller Gesellschafter) ein Geschäft schließen, genügt im Wesentlichen, dass mit dem Gesellschafter andere Vertreter der Gesellschaft (zB alle übrigen oder ein alleinvertretungsbefugter Gesellschafter) für diese kontrahieren bzw die entsprechende Zustimmung erteilen.

IX. Handeln ohne Vertretungsmacht

Lit: *Hupka,* Die Haftung des Vertreters ohne Vertretungsmacht (1903); *Kipp,* Zur Lehre von der Vertretung ohne Vertretungsvollmacht, in: RG-Praxis im dt Rechtsleben II (1929) 273; *Frotz,* Die rechtsdogmatische Einordnung der Haftung für culpa in contrahendo, GedS Gschnitzer (1969) 163; *Ostheim,* Probleme der Vertretung durch Geschäftsunfähige, AcP 169 (1969) 193; *Welser,* Vertretung ohne Vollmacht (1970); *Frotz,* Verkehrsschutz im Vertretungsrecht (1972); *Welser,* Drei Fragen des Stellvertretungsrechts, JBl 1972, 337; *Welser,* Das Verschulden beim Vertragsabschluß im österr bürgerlichen Recht, ÖJZ 1973, 281; *Welser,* Die Haftung des handelsrechtlichen Scheinvertreters nach Art 8 Nr 11 EVHGB, GesRZ 1975, 1; *Weimar,* Handeln ohne Vertretungsmacht, MDR 1977, 10; *Ostheim,* Zur Haftung von culpa in contrahendo bei grundloser Ablehnung des Vertragsabschlusses, JBl 1980, 522, 570; *Welser,* Die vorvertraglichen Pflichten in der Rsp des OGH, FS Wagner (1987) 361; *K. Schmidt,* Falsus-procurator-Haftung und Anscheinsvollmacht, FS Gernhuber (1993) 435; *Thunhart,* Anschein und Vertrauensschutz im Vertretungsrecht, RZ 2000, 74; *Unger,* Kontoeröffnung durch „Private", ÖBA 2002, 470; *Kerschner,* Gedanken zur Haftung des falsus procurator nach Handelsrecht – de lege lata und de lege ferenda, JBl 2003, 901; *Krejci,* Abschied von der Falsus-procurator-Haftung nach Art 8 Nr 11 EVHGB, FS Welser (2004) 559.

Liegt weder eine rechtsgeschäftliche noch eine gesetzlich vermutete Vollmacht (Anscheins- oder Duldungsvollmacht) vor, wirkt auch keine bereits entzogene Vollmacht gegenüber dem gutgläubigen Dritten nach (§ 1026 ABGB) und wurde das in Frage stehende Geschäft auch nicht nachträglich genehmigt oder sein Vorteil ausgenutzt (§ 1016 ABGB), so wird derjenige, in dessen Namen dennoch gehandelt wird, aus dem Geschäft weder berechtigt noch verpflichtet. **Das Geschäft ist somit nicht zustande gekommen** (vgl RdW 2001, 10). Das gilt nicht nur in solchen Fällen, in denen **überhaupt keine Vollmacht** erteilt wurde, sondern auch dann, wenn der im Namen des Geschäftsherrn Handelnde zwar Vollmacht hat, aber im Hinblick auf das abgeschlossene Geschäft **die erteilte Vollmacht überschreitet (**SZ 44/21; 56/39; JBl 1975, 595 Anm *Welser*).

Zu fragen ist, welche sonstigen Rechtsfolgen das Handeln dessen hat, der ohne Vertretungsmacht im Namen eines anderen auftritt. Eine solche Person heißt **falsus procurator, Scheinvertreter oder Vertreter ohne Vertretungsmacht.**

Das Handelsrecht kennt hier vom allgemeinen Privatrecht abweichende Regelungen (Art 8 Nr 11 EVHGB). Auch wenn im gegebenen Zusammenhang in erster Linie das Handelsrecht interessiert, schadet es nicht, vorerst einen Blick ins allgemeine Privatrecht zu werfen:

A. Der Scheinvertreter im allgemeinen Privatrecht

1. Ersatz des Vertrauensinteresses bis zur Höhe des Erfüllungsinteresses. Der schuldhaft (mit culpa in contrahendo) handelnde Scheinvertreter hat dem Dritten all das zu ersetzen, was dieser im Vertrauen darauf, dass der Vertrag mit dem angeblich Vertretenen gültig zustande gekommen sei, an Schaden erlitten hat. Die Haftung des vollmachtlos Handelnden beruht darauf, dass mit dem scheinbar Vertretenen kein Vertrag zustande gekommen ist und dadurch das berechtigte Vertrauen des Dritten verletzt wurde.

Übersteigt das Vertrauensinteresse aber jenen Betrag, den der Dritte gewonnen hätte, wäre der Vertrag gültig zustande gekommen, dann erhält er das Vertrauensinteresse nur bis zur Höhe dieses Betrages. Grund: Die übersteigenden Nachteile hätte der Dritte ohnehin tragen müssen. Selbst der schlimmste falsus procurator soll nicht dazu herhalten, des Dritten eigene Fehlkalkulationen auszugleichen.

2. Fehlen schutzwerten Vertrauens. Sofern der Dritte weiß, dass der Handelnde keine Vertretungsmacht hat, ist er nicht schutzwert und erhält keinen Ersatz. Hätte der Dritte, der den Vollmachtsmangel nicht kennt, diesen aber kennen müssen (war der Dritte also fahrlässig), wird § 1304 ABGB sinngemäß angewandt: Je nach Grad der Fahrlässigkeit des Dritten und des Verschuldens des falsus procurator wird der Ersatzanspruch des Dritten gekürzt. Zumindest bei qualifiziert grob fahrlässiger Unkenntnis des Dritten sollte man auch im bürgerlichen Recht keinen guten Glauben annehmen und daher eine Haftung gänzlich versagen.

B. Der Scheinvertreter im Handelsrecht

1. Voraussetzung der Anwendung des Handelsrechts. Die Sonderregeln des Handelsrechts (Art 8 Nr 11 EVHGB), die insofern keine handelsrechtlichen Sonderregeln sind, als sie dem allgemeinen deutschen bürgerlichen Recht entstammen, kommen *in Österreich* nur dann zur Anwendung, wenn das nicht zustande gekommene Geschäft ein Handelsgeschäft gewesen wäre. Es kommt nach hM nicht darauf an, dass der Scheinvertreter selbst Kaufmann ist. Entscheidend ist vielmehr, ob einer der beiden – nur hypothetischen – Vertragspartner des vom falsus procurator nicht wirksam geschlossenen Geschäftes Kaufmannseigenschaft hat und das Geschäft zum Betrieb seines Handelsgewerbes gehört hätte.

Es hängt demnach nicht von eigenen Eigenschaften, sondern von jenen der bloß hypothetischen Vertragspartner ab, ob der falsus procurator strenger haftet oder nicht (SZ 44/21; 56/39; 60/192; JBl 1975/147 Anm *Welser;* wbl 1991, 142). Für diese Lösung spricht, dass die Kaufmannseigenschaft des angeblich Vertretenen beim Dritten, auch wenn er nicht Kaufmann ist, immerhin den Eindruck erweckt, mit einem Kaufmann zu tun zu haben und somit ein Handelsgeschäft zu schließen. Ist der Dritte hingegen selbst Kaufmann und würde das Geschäft zum Betrieb seines Handelsgewerbes gehören, darf er erst recht davon ausgehen, sich auf ein Handelsgeschäft eingelassen zu haben. Das damit verbundene besondere Haftungsrisiko des falsus procurator ist diesem also im einen wie im anderen Fall und erst recht, wenn beide hypothetischen Vertragspartner Kaufleute sind, hinreichend erkennbar.

2. Haftungsvoraussetzungen. Der falsus procurator muss im fremden Namen ohne Vertretungsmacht handeln. Auch hier genügt bloße Vollmachtsüberschreitung. Ein Untervertreter haftet auch für den Mangel der Hauptvollmacht. Der Vollmachtsmangel muss im Zeitpunkt des Geschäftsabschlusses vorliegen. Spätere Vollmachtsertcilung bedeutet nicht schon nachträgliche Genehmigung. Kommt es aber zu einer nachträglichen Genehmigung, ist das geschlossene Geschäft geheilt.

Wendet sich der Vertretene den Vorteil aus dem Geschäft zu, entspricht dies einer nachträglichen Genehmigung (§ 1016 ABGB; SZ 44/21; HS 10.678; wbl 1991, 34).

Wäre das Geschäft selbst dann, wenn Vertretungsmacht vorläge, unwirksam, greifen die Regeln über die Haftung des falsus procurator nicht (SZ 44/21).

Verschulden? Im Falle der Erfüllungshaftung wird Kenntnis des falsus procurator von seinem Vollmachtsmangels vorausgesetzt; insofern liegt Verschulden vor; für die Vertrauenshaftung wird hingegen im Handelsrecht *kein Verschulden* gefordert (SZ 44/21).

3. Erfüllung oder Ersatz des Erfüllungsinteresses bei Kenntnis des Handelnden vom Vertretungsmangel. Art 8 Nr 11 EVHGB sieht vor, dass der Scheinvertreter, so er den Vertretungsmangel kennt, nach Wahl des Dritten zu erfüllen oder das Erfüllungsinteresse zu leisten hat. Da das Erfüllungsinteresse idR höher als das Vertrauensinteresse ist (weil idR niemand Verlustgeschäfte machen will), ist die Erfüllungshaftung de facto (nicht aus rechtlichen Gründen) strenger als die Vertrauenshaftung.

Sowohl die Gewährung eines Erfüllungsanspruches als auch der Anspruch auf Ersatz des Erfüllungsinteresses befremdet insofern, als der Scheinvertreter keineswegs erklärt, er wolle selbst Vertragspartner oder zumindest bereit sein, in den nicht zustande gekommenen Vertrag einzutreten. Wenn das Gesetz dennoch (alternativ) solche Ansprüche gewährt, so kann dies nur heißen, dass der Dritte dem falsus procurator auf Grund eines *gesetzlichen Schuldverhältnisses* im Ergebnis die *Position des durch den Vertretungsmangel nicht gewonnenen Vertragspartners* aufzwingen kann. Der Grund für diese Gesetzesstrenge liegt vor allem im Anliegen, im Handelsverkehr auftretende Scheinvertreter, die um ihren Vertretungsmangel wissen, besonders streng zu behandeln. Überdies kann es sein, dass solche Personen durchaus über Beziehungen verfügen, die eine Erfüllung des Zugesagten möglich machen. Dies soll dem Dritten zugute kommen.

4. Ersatz des Vertrauensinteresses bis zur Höhe des Erfüllungsinteresses. Kennt der Scheinvertreter den Vertretungsmangel nicht, haftet er dem Dritten nur auf das Vertrauensinteresse. Doch bildet das Erfüllungsinteresse die Obergrenze der Haftung. Der Grund dafür wurde schon oben besprochen.

Der Vertrauensschaden wird bei Markt- und Börsenpreisen abstrakt berechnet; bei Nachweis eines Einzelgeschäftes konkret (EvBl 1991/101). Zu Bereicherungsansprüchen bei Scheinvertretung: ecolex 2000, 498 *(Thaler)*.

5. Fehlen schutzwerten Vertrauens. Nicht nur der Scheinvertreter, sondern auch der Dritte wird im Handelsrecht strenger behandelt als im allgemeinen Privatrecht: Er verliert seinen Schadenersatzanspruch schon dann, wenn er aus leichter Fahrlässigkeit nicht erkannt hat, dass ihm ein Scheinvertreter gegenübersteht. Hier liegt ein Fall der **Kulpakompensation** vor.

Diese Regelung bedeutet nicht, dass den Dritten umfassende Erkundigungspflichten träfen. Bloß den Angaben eines dem Dritten bislang unbekannten Scheinvertreters zu vertrauen, kann aber gefährlich sein.

6. IPR: Gem § 49 IPRG sind die Voraussetzungen und die Wirkungen der Stellvertretung im Verhältnis des Geschäftsherrn und des Stellvertreters zum Dritten nach dem Recht zu beurteilen, das der Geschäftsherr in einer für den Dritten erkennbaren Weise bestimmt hat. Bei der Vertretung ohne Vollmacht wird eine ausdrückliche oder schlüssige Bestimmung des maßgebenden Rechts durch den Geschäftsherrn oft nicht in Betracht kommen, weshalb die Anknüpfung an den Gebrauchsort der Vollmacht vorzunehmen ist und somit das Recht des Staates maßgeblich ist, in dem der Stellvertreter tätig wird (RdW 2002/277, 278 = JBl 2002, 327 = ZfRV 2002/32, 74 = ZfRV 2003/4, 22 = SZ 74/177).

Handelsrechtsreform: Art 8 Nr 11 EVHGB wird gestrichen. Die Haftung des falsus procurator wird ausschließlich nach den Grundsätzen des allgemeinen bürgerlichen Rechts beurteilt. Die Falsus-procurator-Haftung nach Art 8 Nr 11 EVHGB entstammt dem BGB, ist also keineswegs eine handelsrechtliche Sondernorm, sondern eine des allgemeinen dt bürgerlichen Rechts und passt nicht in das österreichische Haftungsrecht.

2. Abschnitt

Allgemeines Handelsgeschäftsrecht

13. Kapitel

Sonderregeln zur Rechtsgeschäftslehre

Lit: *Nitsche,* Die Eingliederung des Handelsgeschäftsrechts in die österr Privatrechtsordnung (unveröffentlichte Habilitationsschrift oJ); *Kramer,* Handelsgeschäfte – eine rechtsvergleichende Skizze zur rechtsgeschäftlichen Sonderbehandlung unternehmerischer Kontrahenten, FS Ostheim (1990) 299; *Bonell,* Die UNIDROIT-Prinzipien der internationalen Handelsverträge: eine neue Lex Mercatoria? ZfRV 1996, 152; *Karollus,* Praxisfragen der Vertragsauslegung, AnwBl 1996, 818; *Längle,* Gründungsgeschäfte werdender Unternehmer im Spannungsfeld zwischen HGB und KSchG, FS Krejci (2001) 227; *Beig/Größ,* Sonderprivatrechtliche Anknüpfung bei Vertragsübernahmen, RdW 2004/458, 519; *Neuteufel,* Das Europäische Übereinkommen über die internationale Handelsschiedsgerichtsbarkeit, AnwBl 2004, 547.

I. Begriff des Handelsgeschäfts

A. Allgemeines

1. Handelsgeschäfte sind alle Geschäfte eines Kaufmanns, die zum Betrieb seines Handelsgewerbes gehören (§ 343 Abs 1 HGB). Diese Umschreibung enthält ein *persönliches* und ein *sachliches* Element: Das persönliche liegt im Umstand, dass der Handelnde Kaufmann sein muss; das sachliche findet sich darin, dass ein zum Handelsgewerbe gehörendes Geschäft vorliegen muss.

„Kaufmann“ meint alle Kaufmannsarten; die Kaufmannseigenschaft muss im Zeitpunkt der Geschäftsvornahme vorliegen.

„Geschäft“ meint alle Arten von Rechtsgeschäften und rechtsgeschäftsähnlichen Handlungen (zB Mahnungen, Mängelanzeigen, Auskünfte, Empfehlungen im vorvertraglichen Verhältnis oder in laufenden Geschäftsverbindungen, letters of intent) nicht aber bloße Realakte und gesetzliche Schuldverhältnisse (GlUNF 2083; HS 6248).

2. Zum Betrieb des Handelsgewerbes gehören alle Geschäfte, die eine unmittelbare oder mittelbare Beziehung zum ausgeübten Handelsgewerbe aufweisen. Eine extensive Interpretation ist geboten. Nicht nur die gewöhnlichen, für das Handelsgewerbe **typischen und üblichen** Geschäfte sind gemeint, sondern auch **ungewöhnliche, außerordentliche** Geschäfte, auch **Vorbereitungs- und Abwicklungsgeschäfte.**

Abgrenzungsprobleme ergeben sich im Bereich der Frage, ob ein Geschäft zum Handelsgewerbe gehört, nur dort, wo zwischen jemandes Handels- und Privat- bzw sonstigen Geschäften unterschieden werden kann. Das ist bei Handelsgesellschaften gar nicht möglich. So kann zB eine OHG oder AG gar keine anderen als Handelsgeschäfte schließen; sehr wohl aber der Einzelkaufmann bzw ein Rechtsträger, der nur *nebenbei* ein Handelsgewerbe betreibt (zB eine Gemeinde oder ein ideeller Verein). Hier ist zwischen sonstigen Gemeinde- oder Vereinsgeschäften einerseits und Handelsgeschäften andererseits zu unterscheiden.

3. Hilfshandelsgeschäfte sind entweder Vorbereitungs- oder Abwicklungsgeschäfte.

ZB: Anmietung eines Geschäftslokals; Anschaffung von Büromöbeln und Produktionsmitteln.

Zu beachten ist, dass **Vorbereitungsgeschäfte im Bereich des KSchG** *keine* Unternehmergeschäfte sind: insofern kann ein Kaufmann auch bzgl eines Betriebsgeschäfts Verbraucher iS des KSchG sein. Gründungsgeschäfte eines Verbrauchers sind auch dann keine Handelsgeschäfte, wenn der Verbraucher mit Aufnahme des Unternehmensbetriebes (Minder)-Kaufmann wird (vgl SZ 68/66).

4. Nebenhandelsgeschäfte gehören nicht zu den gewöhnlichen Geschäften, die zur eigentlichen Gewerbeausübung zählen; sie werden nur gelegentlich vorgenommen.

ZB: ausnahmsweise Übernahme einer Kommission, obwohl der Kaufmann kein Kommissionär ist; ausnahmsweise Übernahme einer Spedition (§ 415 HGB) oder Güterbeförderung (§ 451 HGB), obwohl der Kaufmann kein Spediteur oder Frachtführer ist. Der Erwerb von Geschäftsanteilen einer GmbH ist an sich noch kein Handelsgeschäft (ecolex 1996, 15 Anm *Puck* = SZ 68/152 = SWK 1996, B 77 Anm *Heidinger*), wohl aber das Abtretungsanbot eines persönlich haftenden Gesellschafters (SZ 67/137). Der Erwerb von Geschäftsanteilen an einer GmbH durch einen Kaufmann ist nur dann ein Handelsgeschäft, wenn der Erwerb im Rahmen eines bereits bestehenden Handelsgewerbes erfolgt. Abgesehen von diesem Fall ist somit beim Erwerb eines GmbH-Gesellschaftsanteils stets die Anfechtung wegen laesio enormis möglich; es kann auch nicht vertraglich darauf verzichtet werden (wbl 2002/385, 579 = ecolex 2002/334, 880).

Handelsrechtsreform: Da der Anwendungsbereich des UGB nicht mehr auf den Kaufmann, sondern auf den Unternehmer abstellt, und überdies nicht mehr von „Handelsrecht“ gesprochen wird, wird in Zukunft aus dem „Handelsgeschäft“ das „unternehmensbezogene Geschäft“. Solche Geschäfte sind jene eines Unternehmers, die zum Betrieb seines Unternehmens gehören. Mit der Ausweitung des Anwendungsbereichs des UGB kommt es also auch zu einer erheblichen Ausweitung der vormaligen „Handelsgeschäfte“. Das 4. Buch gilt für alle Unternehmer iSd KSchG, also auch für die Angehörigen freier Berufe sowie für die Land- und Forstwirte. Sofern OG/KG kein Unternehmen betreiben (sondern lediglich ein Vermögen verwalten), gelten für sie die Vorschriften des 4. Buches jedoch nicht.

B. Zweifelsregeln

1. Rechtsgeschäfte, die ein Einzelkaufmann tätigt, *gelten* iZw als zum Betrieb seines Handelsgewerbes gehörig (§ 344 Abs 1 HGB), auch wenn sie ausnahmsweise unentgeltlich sind oder der Kaufmann nur mit seinem bürgerlichen Namen zeichnet. Diese Regel erleichtert die Zuordnung von Hilfs- und Nebengeschäften bzw ungewöhnlichen Geschäften zum kaufmännischen Geschäftsbetrieb.

Diese Vermutung gilt zB auch für eine Kaufleutegemeinschaft, welche die Reparatur einer Weihnachtsbeleuchtung beauftragt (RdW 1998, 745). Die Vermutung beschränkt sich nicht nur auf Geschäfte, die im betreffenden Betrieb ständig vorkommen, sehr wohl aber muss das Geschäft mit dem Betrieb in irgendeinem (zumindest mittelbaren) Zusammenhang stehen; es muss auf irgendeine Weise dem Interesse des Handelsgewerbes, zB der Gewinnerzielung oder der Erhaltung der Substanz dienen (wbl 1999, 84). Lässt sich aus dem Klagsvorbringen nicht mit Sicherheit ableiten, ob die Eigenschaft der Beklagten als Handels- und Versicherungsmaklerin zu bejahen ist, gilt § 344 Abs 1 HGB und zählt das streitgegenständliche Rechtsgeschäft im Zweifel zum Betrieb des Handelsgewerbes der Beklagten. Wird die beklagte Partei in der Klage ausdrücklich als „Versicherungsagentin" bezeichnet und auch vorgebracht, sie verfüge über eine entsprechende Gewerbeberechtigung, ist diese als Handelsvertreter und damit Betreiber eines Grundhandelsgewerbes iSd § 1 Abs 2 Z 7 HGB einzustufen (RdW 2004/128, 160).

2. Gemischte Geschäfte. Lassen sich der betriebszugehörige und der private Teil eines Geschäftes nicht genau trennen, ist das Geschäft als rechtliche Einheit zu behandeln; die Vorschriften über Handelsgeschäfte finden dann auf das gesamte Geschäft Anwendung.

3. Widerleglichkeit der Vermutung. Die Vermutung, es liege ein Handelsgeschäft vor, wird durch den Nachweis widerlegt, dass das Geschäft nach objektiven Kriterien (Verkehrsauffassung) ein Privatgeschäft ist, also nicht zum kaufmännischen Geschäftsbetrieb gehört und der private Charakter dem Kontrahenten auch erkennbar war. Offensichtlicher Privatcharakter erspart die Widerlegung (EvBl 1994/151).

4. Von einem Kaufmann gezeichnete Schuldscheine gelten als im Betrieb seines Handelsgewerbes gezeichnet, sofern sich aus dem Inhalt der Urkunde nicht ergibt, dass ein Privatgeschäft vorliegt (§ 344 Abs 2 HGB). **Der Begriff des Schuldscheins** ist im weitesten Sinn zu verstehen; er umfasst jede eine Schuldverpflichtung begründende oder bestätigende, vom Schuldner zu Zwecken der Beweissicherung für das Bestehen der Schuld ausgestellte Urkunde, also auch einen Wechsel.

II. Arten von Handelsgeschäften

A. Beiderseitige Handelsgeschäfte

Man unterscheidet *beiderseitige und einseitige* Handelsgeschäfte. Die beiderseitigen Handelsgeschäfte werden auch „zweiseitige" genannt. Beiderseitige Handelsgeschäfte sind *für beide Parteienseiten* Handelsgeschäfte, weil auf *beiden Seiten* Kaufleute stehen.

Sind am Geschäft mehr als zwei Parteien beteiligt und sind alle Kaufleute, spricht man mitunter von einem „mehrseitigen" Handelsgeschäft. Dies trägt allerdings zur Verwirrung bei. Denn *alle* Geschäfte, an denen *mehr als zwei* Parteien teilnehmen, sind *mehrseitig.* Korrekt müsste man in solchen Fällen zwischen *mehrseitigen beiderseitigen* bzw *mehrseitigen einseitigen* Handelsgeschäften unterscheiden.

B. Einseitige Handelsgeschäfte

sind *nur für eine der Parteien* Handelsgeschäfte, weil *nur eine* Partei Kaufmann ist. Sind mehr als zwei Personen beteiligt und sind teils Kaufleute, teils Nichtkaufleute darunter, so gelten gleichfalls die für einseitige Handelsgeschäfte maßgeblichen Regeln.

Verbrauchergeschäfte nach KSchG sind, sofern die Unternehmer iS des KSchG Kaufleute sind, einseitige Handelsgeschäfte, weil Verbraucher keine Unternehmer und somit auch keine Kaufleute sind. Zu beachten ist allerdings, dass bei Vorbereitungsgeschäften auch Unternehmer – und damit auch Kaufleute – nach dem KSchG den Verbrauchern gleichgestellt sind.

Der Umstand, dass einseitige Handelsgeschäfte nur „für einen der beiden Teile" Handelsgeschäfte sind, bedeutet nicht, dass nur für diesen Teil Handelsrecht gilt. Vielmehr ist bzgl der Geltung des Handelsrechts Folgendes zu beachten:

C. Geltung des Handelsrechts

1. Handelsrecht gilt grundsätzlich auch für einseitige Handelsgeschäfte (§ 345 HGB); dh: auch der *Nichtkaufmann* untersteht in diesen Fällen *grundsätzlich* dem Regime des Handelsrechts. Dieser Grundsatz *benachteiligt* jene, die nicht so gewandt wie Kaufleute sind, wenn die handelsrechtliche Regel gerade dieser Gewandtheit wegen so und nicht anders formuliert wurde.

2. Ausnahmen von diesem Grundsatz gibt es eine ganze Anzahl.

Bei einseitigen Handelsgeschäften gelten folgende Regelungen für den Nichtkaufmann nicht:

- § 346 HGB: Geltung von Handelsbräuchen,
- § 347 HGB: Gebot kaufmännischer Sorgfaltspflicht,
- § 348 HGB: Kein Mäßigungsrecht bei Vertragsstrafe,
- Art 8 Nr 3 EVHGB: Pflicht zum Ersatz höheren Schadens trotz Vertragsstrafe,
- § 349 HGB: Haftung als Bürge und Zahler,
- § 350 HGB: formfreie Bürgschaft,
- § 351 a HGB: Ausschluss der Verkürzung über die Hälfte,
- §§ 352 f HGB: handelsrechtliche Zinsen,
- § 354 HGB: Entgeltlichkeitsvermutung,
- § 362 HGB: Schweigen als Annahme,
- nach hM: Schweigen auf kaufmännische Bestätigungsschreiben,
- §§ 369–372 HGB: kaufmännisches Retentionsrecht,
- §§ 377, 378 HGB: Mängelrüge beim Handelskauf,
- § 379 HGB: Aufbewahrungspflicht beim Handelskauf,
- § 391 HGB: Mängelrüge bei Einkaufskommission.

Dabei sind folgende Nuancierungen bzgl der Geltung der genannten Regelungen zu beachten:

- Nur für beiderseitige Handelsgeschäfte gelten §§ 346, 352 f, 369–372, 391 HGB,
- nur für beiderseitige Handelskäufe gelten §§ 377–379 HGB,
- nur zu Lasten der am einseitigen Handelsgeschäft beteiligten Voll- und Minderkaufleute gelten §§ 347, 351 a, 354, 362 HGB und die Regel über das kaufmännische Bestätigungsschreiben,

- nur für am einseitigen Handelsgeschäft beteiligte Vollkaufleute gelten §§ 348, 349, 350 HGB; Art 8 Nr 3 EVHGB.
- §§ 362 und 366 HGB setzen jedenfalls voraus, dass der Schweigende bzw der Veräußerer Kaufmann ist; es mag ein beiderseitiges oder ein einseitiges Handelsgeschäft vorliegen. In diesen Fällen muss also eine ganz bestimmte Partei des Geschäftes Kaufmann sein.

Einige handelsrechtliche Besonderheiten bleiben für an einseitigen Handelsgeschäften beteiligte Nichtkaufleute immer noch zu beachten:

- so insb die haftungsrechtlichen Regelungen über die Solidarhaftung (Art 8 Nr 1 EVHGB)
- und volle Genugtuung (Art 8 Nr 2 EVHGB),
- über das Kontokorrent (§ 355–357 HGB) und
- über den Handelskauf (§§ 373 ff HGB), soweit sie nicht ausgenommen sind (ausgenommen sind die §§ 377–379 HGB).

Handelsrechtsreform: Die voranstehende Übersicht wird in Zukunft insofern Änderungen erfahren, als es zum einen den Unterschied zwischen Voll- und Minderkaufleuten nicht mehr geben wird und zum anderen auch einige der genannten Bestimmungen im UGB nicht mehr enthalten sein werden.

III. Abschluss von Handelsgeschäften

A. Allgemeines

Grundsätzlich kommen Handelsgeschäfte nicht anders zu Stande als andere Rechtsgeschäfte. Insofern gelten die **allgemeinen Rechtsgeschäftsregeln des bürgerlichen Rechts.** Ihre Kenntnis ist somit zwingende Voraussetzung für das Verständnis handelsrechtlicher Fragen.

Unternehmer legen ihr Anbot oft unter **Verwendung von AGB.** Dies führt zu besonderen zivilrechtlichen Fragen. Sie haben so gut wie ausschließlich im unternehmerischen Geschäftsverkehr Bedeutung. Daher ist es sachlich gerechtfertigt, ihnen igZ Aufmerksamkeit zu schenken. Entsprechendes gilt für den Problemkreis des **Kontrahierungszwanges.**

B. Allgemeine Geschäftsbedingungen als Anbotsinhalt

Lit: *Hannak,* Der Geltungsgrund allgemeiner Geschäftsbedingungen, ÖJZ 1962, 561; *F. Bydlinski,* Zur Einorndung der AGB im Vertragsrecht, FS Kastner (1972) 45; *Willvonseder,* Taktikspiel AGB? Zum Problem einander widersprechender AGB, RdW 1986, 69; *Nitsche,* Kollision AGB, FS Wesener (1992) 317; *Mayrhofer,* Überlegungen zum Recht der AGB, JBl 1993, 94, 174; *Westphalen,* Vertragsrecht und AGB-Klauselwerke (Lbl-Slg 1993); *Müller/Otto,* AGB im internationalen Wirtschaftsverkehr (1994); *Krusche,* Allgemeine Einkaufsbedingungen als Mittel der Vertragsgestaltung (1994); Allgemeine Geschäftsbedingungen in der europäischen Rechtspraxis, 14. DACH-Tagung in Baden bei Wien (1997); *Rabl,* TKG: Kontrahierungszwang, Abänderung und Inhaltskontrolle von AGB, ecolex 2000, 490.

Um im Einzelfall zwischen den Parteien eines Handelsgeschäftes beachtlich zu sein, **müssen AGB idR vereinbart werden,** somit im Anbot zum Ausdruck kommen. Nur ausnahmsweise werden AGB durch Gesetz oder VO festgelegt. Dann gelten sie kraft genereller Rechtsnorm (zB die Beförderungsbedingungen der Post und Bundesbahn). Im Allgemeinen sind AGB aber keine verbindlichen Normen, sondern lediglich *Vertragsschablonen,* die der Unternehmer seinen Verträgen zugrunde legt. Zur einseitigen nachträglichen Änderung im AGB: ecolex 2000, 497 = JBl 2000, 653.

1. Die Vereinbarung von AGB kann *ausdrücklich* oder *stillschweigend* (§ 863 ABGB) erfolgen. Wird der Vertrag schriftlich geschlossen, enthält entweder der *Vertragstext* selbst auch die Regeln der AGB, oder es wird auf die maßgeblichen AGB, die gesondert festgehalten sind, *verwiesen.* Solche Verweise können auch mündlich erfolgen.

Der Hinweis auf AGB muss vor bzw bei Abschluss des Vertrages erfolgen. Ist der Vertrag ohne Einbeziehung der AGB zustande gekommen, so können die AGB nicht nachträglich einseitig über Fakturavermerke oder vergleichbare Mitteilungen zum Vertragsinhalt gemacht werden. Zur **einseitigen nachträglichen Änderung** von AGB: ecolex 2000, 497 = JBl 2000, 653.

Kommentarlose Übersendung oder Übergabe der AGB vor Vertragsschluss wird zwar idR als Erklärung zu werten sein, dem Vertrag diese AGB zugrunde legen zu wollen; die Umstände des Falles können aber auch zu einem anderen Ergebnis führen.

Bloßer Aushang im Geschäftslokal genügt, wenn auf Grund der übrigen Umstände des Falles der Verhandlungspartner annehmen muss, dass der Unternehmer nur unter Zugrundelegen seiner AGB abschlussbereit ist. Das ist zu bezweifeln, wenn der Verhandlungspartner seinerseits ein Anbot unter Hinweis auf seine eigenen AGB stellt und der Unternehmer dieses Anbot ohne weiteres annimmt. Dann kann er sich nicht nachträglich auf seinen AGB-Aushang berufen.

Besteht eine laufende Geschäftsverbindung und werden regelmäßig die AGB des einen Vertragspartners verwendet, so ist iZw davon auszugehen, dass dies auch weiterhin so bleibt. Die Situation ändert sich jedoch, sobald der andere Teil im Zuge des Abschlusses eines neuen Vertrages die weitere Anerkennung der AGB ablehnt.

Für manche Branchen nimmt die Rsp an, dass der Vertragsabschluss unter AGB so üblich und bekannt ist, dass man bei **Schweigen der Parteien** ohne weiteres davon auszugehen hat, sie hätten die AGB konkludent vereinbart. In solchen Fällen sind weitere Hinweise nicht geboten.

2. Kollision von AGB. Mitunter berufen sich im Zuge des Vertragsabschlusses beide Teile auf ihre eigenen AGB, ohne den damit verbundenen Konflikt **(„battle of forms")** vorweg zu entdecken bzw zu klären. Erst im Zuge der Vertragserfüllung stellt sich die Frage nach den Konsequenzen der AGB-Kollision.

Die „Theorie des letzten Wortes" besagt, dass diejenigen AGB zum Zuge kommen, die dem letzten (Gegen-)Anbot zugrunde lagen. ZB: A bietet unter seinen AGB an. B erklärt sein Einverständnis mit dem Anbot, betont jedoch, nur zu seinen eigenen AGB abzuschließen. Insofern liegt ein Gegenanbot vor. Entspricht A diesem Anbot, sollen die AGB des B gelten. – Erfolgt eine mündliche Klarstellung, verdrängt diese die schriftliche Regelung (Zu einem diesbzgl Fall einer versuchten „battle of forms": ecolex 1995, 98; zu kreuzenden Verweisungen auf AGB, ecolex 2000, 356 Anm *Chr. Thaler*).

Abwehrklauseln und „Theorie des ersten Wortes“: Der „Theorie des ersten Wortes“ begegnet man mit sog Abwehrklauseln, die schon im Erstanbot klarstellen, dass ein späteres Gegenanbot der anderen Seite insoweit von vornherein abgelehnt wird, als es auf *andere* AGB verweist. Es soll also nicht dem „letzten“, sondern dem „ersten Wort“ zum Durchbruch verholfen werden. Was der andere Teil über AGB sagt, soll vorweg nicht anerkannt werden; außerdem soll klargestellt werden, dass man auch dann, wenn man dem Gegenanbot durch Erfüllungshandlungen entspricht, keinesfalls die AGB des anderen akzeptiert. So soll *dem ersten Wort* zum Durchbruch verhelfen.

Abwehrklauseln können freilich ein zuwiderlaufendes Gegenanbot nicht verhindern. Insb kann der Anerklärte mit **Gegenabwehrklauseln** kontern. Er weist zB in seinem Gegenanbot darauf hin, dass er auf der Verwendung seiner eigenen AGB beharrt und die Abwehrklausel des Offerenten nicht anerkennt. Dann liegt Dissens vor, der schwerlich durch die Annahme schlüssiger Zustimmung im Rahmen von Erfüllungshandlungen einer Seite wegzubringen ist.

Erkennen die Parteien diesen Dissens, werden sie weiter verhandeln. Wird hingegen trotz des den Parteien bewussten Dissenses einvernehmlich mit der Erfüllung des Vertrages begonnen, spricht dies dafür, dass die Parteien den **Restvertrag (ohne AGB) für abgeschlossen** erachten, obwohl sie bzgl der AGB keine Einigung erzielt haben.

Manche versuchen in solchen Fällen, die an sich widerstreitenden AGB, soweit dies überhaupt möglich ist, in Einklang zu bringen und ihnen insoweit **Teilgeltung** zu verschaffen. Derartiges haben die Parteien aber idR nicht gewollt. Auch wird ein solches Bemühen gerade dort versagen, wo die beiden AGB inhaltlich divergieren. Gerade bzgl solcher Fragen wird aber idR gestritten. Insofern wird es also meist beim Dissens bleiben.

Fällt den Parteien der AGB-Dissens nicht auf, kann aus der Erfüllung des Vertrages nicht ohne weiteres auf seine Restgültigkeit geschlossen werden. Ob Restgültigkeit anzunehmen ist oder nicht, ist nach dem – im Streitfall: hypothetischen – Parteiwillen zu beantworten. Das wirtschaftliche Interesse der Parteien, den Vertrag letztlich doch aufrechtzuerhalten, wird vor allem dann überwiegen, wenn bereits **schwer rückabwickelbare Erfüllungshandlungen** vorliegen. Dann wird die Entscheidung zugunsten der Annahme einer Restgültigkeit des Vertrages fallen. Sofern aber gerade die kollidierenden Partien der AGB für den Vertrag so wesentlich sein sollten, dass er ohne sie seinen Sinn verlöre, ist der **gesamte Vertrag nicht zustande gekommen.** Das wird insb dann der Fall sein, wenn die AGB die Hauptpunkte des Vertrages gestalten (wie dies zB im Versicherungs- bzw Bankrecht der Fall ist).

C. Schweigen als Zustimmung

Lit: *Canaris,* Schweigen im Rechtsverkehr als Verpflichtungsgrund, FS Wilburg (1975) 77; *Frotz,* Schweigen als Zustimmung, FS Ostheim (1990) 75.

1. Im bürgerlichen Recht gilt *bloßes* Schweigen auf einen Antrag nicht als Zustimmung.

§ 863 ABGB über die schlüssige Willenserklärung greift nur in zweifelsfreien Fällen; Schweigen ohne Hinzukommen sonstiger Umstände lässt aber idR Zweifel über den Grund des Schweigens offen. Im Schweigen auf ein Angebot, das auf Grund von alle wichtigen Punkte betreffenden Vorverhandlungen ergeht und ihnen im Ergebnis entspricht, ist idR eine stillschweigende Annahme zu sehen, BGH WM 1995, 695.

Selbst bei „Personen, welche **zur Besorgung bestimmter Geschäfte öffentlich bestellt** worden“ sind, gilt deren Schweigen auf einen Antrag *nicht* als Annahme; vielmehr sind sie verpflichtet zu antworten; tun sie es nicht, *haften* sie dem Antragsteller „für den dadurch veranlassten Nachteil“ (§ 1003 ABGB).

Auch in jenen Fällen, in denen nach der **Natur des Geschäftes** oder auf Grund bestehender **Verkehrssitte** mit keiner Annahmeerklärung gerechnet wird (§ 864 ABGB), kommt der Vertrag nicht durch Schweigen des Anerklärten zustande, sondern nur dann, wenn dem Antrag fristgerecht tatsächlich entsprochen wird.

Beim **Kauf auf Probe** gilt Schweigen allerdings ausnahmsweise als Zustimmung: Dann, wenn die Sache schon übergeben wurde und der Käufer in der Probezeit keine ausdrückliche Genehmigung erteilt (§ 1081 ABGB).

2. Das Handelsrecht modifiziert diese Regelungen.

Im Allgemeinen ist freilich auch im Handelsrecht davon auszugehen, dass bloßes Schweigen nicht Zustimmung bedeutet; es ist auch nicht als Ablehnung zu deuten; vielmehr liegt überhaupt keine Willenserklärung vor (RdW 1997, 273).

Nach § 362 HGB gilt Schweigen jedoch dann als Zustimmung, wenn

- einem Geschäftsbesorgungskaufmann
- ein Antrag über die Besorgung solcher Geschäfte
- von jemandem zukommt,
- mit dem er in Geschäftsverbindung steht,
- und der Geschäftsbesorgungskaufmann seiner Ablehnungspflicht nicht nachkommt;

oder wenn

- einem Kaufmann
- ein Antrag über die Besorgung von Geschäften
- von jemandem zukommt,
- dem gegenüber er sich zur Besorgung solcher Geschäfte erboten hat,
- und der Kaufmann seiner Ablehnungspflicht nicht nachkommt.

3. Grundgedanke dieser **fingierten Willenserklärung** ist der **Vertrauensschutz;** er ist stärker ausgeprägt als in § 1003 ABGB, weil der anerklärte Kaufmann *nicht bloß haftet,* sondern er überhaupt *an den Antrag gebunden* wird.

Auch der Antragsteller, der kein Kaufmann sein muss, ist an den durch Schweigen zustandegekommenen Vertrag mit dem Kaufmann gebunden (JUS 1988/39, 22). Das Stillschweigen auf ein Vertragsanbot ist nur dann als Einverständnis zu werten, wenn andernfalls nach Treu und Glauben bzw nach der Verkehrssitte hätte geantwortet werden müssen, RdW 1997, 273.

4. Geschäftsbesorgungen. § 362 HGB setzt entweder einen **Geschäftsbesorgungskaufmann** oder einen Kaufmann voraus, der sich im konkreten Fall **zur Geschäftsbesorgung angeboten** hat. Der Begriff der Geschäftsbesorgung wird weit verstanden (nicht bloß iS des Auftragsrechts: Besorgung von Rechtsgeschäften bzw Rechtshandlungen). Geschäfte iS des § 362 HGB besorgt, wer außerhalb eines dauernden Dienstverhältnisses eine an sich dem anderen zukommende Tätigkeit diesem abnimmt, sie mag rechtsgeschäftlicher oder tatsächlicher Art sein.

Zu den Geschäftsbesorgungen zählen das **Kommissions-, Speditions-, Lager-, Fracht-, Verwalter- und Treuhandgeschäft** sowie die meisten **Bank- und Börsegeschäfte;** reine Kauf- und Verkaufsangebote gehören hingegen nicht hieher (SZ 68/90).

5. Geschäftsbesorgungskaufmann ist, wessen Unternehmen nach der Verkehrsauffassung *derartige Geschäfte durchzuführen pflegt.* Das Unternehmen muss also nicht speziell auf die in Frage kommende Geschäftsbesorgung ausgerichtet sein; wohl aber muss ihre Durchführung allgemein erwartet werden.

6. Geschäftsverbindung. Zwischen Anbieter und Geschäftsbesorgungskaufmann muss eine Geschäftsverbindung bestehen. Sie liegt vor, wenn zwischen den Beteiligten eine solche, idR auf Dauer angelegte Beziehung besteht, die den *wiederholten Abschluss von Geschäften erwarten lässt.* Der bloße Hinweis darauf, dass in der Vergangenheit bereits öfter Geschäfte geschlossen wurden, reicht nicht aus (RdW 1987, 373). Auf die *zukunftsorientierte* Erwartungshaltung kommt es an. Das Bestehen eines Rahmenvertrages oder einer vergleichbaren Rechtsbeziehung ist für die Geschäftsverbindung nicht erforderlich. Es genügt die **durch faktische Beziehungen im Laufe der Zeit entstandene *Vertrauenslage.*** Sie löst Rücksichts- und Sorgfaltspflichten aus, deren Rechtsgründe jenen verwandt sind, von denen die Lehre von der culpa in contrahendo ausgeht.

7. Erbieten solcher Geschäfte. Weder die Eigenschaft als Geschäftsbesorgungskaufmann noch eine Geschäftsverbindung ist erforderlich, wenn ein Kaufmann einem anderen die Besorgung von Geschäften anbietet. Erbieten durch Rundschreiben genügt, bloßes Annoncieren genügt nicht.

8. Rechtsfolgen. Schweigen wird *als Annahme angesehen.* Dabei sind die allgemeinen Regeln über Willenserklärungen beachtlich. So bringt das Schweigen des Geschäftsunfähigen trotz der gesetzlichen Fiktion keinen Vertrag zustande. Wer sich über die Bedeutung seines Schweigens geirrt hat, kann bei Vorliegen der sonstigen Voraussetzungen den Vertrag irrtumshalber anfechten. Wer unverzüglich (ohne schuldhaftes Zögern) antwortet, schweigt nicht und stimmt daher auch nicht durch Schweigen zu (wbl 1992, 23 Anm *Ostheim*).

Auch wenn der Kaufmann den Antrag ablehnt, hat er mitgesendete Waren auf Kosten des Antragstellers einstweilen vor Schaden zu bewahren. Die Kosten müssen aber durch den Wert der Waren gedeckt sein, und es darf ihm kein Nachteil aus der Verwahrung erwachsen (§ 362 Abs 2 HGB). Ihm steht Lagergeld und das kaufmännische Zurückbehaltungsrecht zu.

Handelsrechtsreform: Das UGB streicht § 362 HGB und begnügt sich mit den allgemeinen zivilrechtlichen Regelungen.

D. Schweigen auf kaufmännische Bestätigungsschreiben

Lit: *Pfister,* Rechtswirkungen des kaufmännischen Bestätigungsschreibens nach österr Recht, RIW 1977, 530; *F. Bydlinski,* Die Entmythologisierung des „kaufmännischen“ Bestätigungsschreibens nach österr Recht, FS Flume (1978) 335; *Hämmerle,*

Kaufmännisches Bestätigungsschreiben, in Reformen des Rechts, FS 200 Jahre rechtswissenschaftliche Fakultät der Universität Graz (1978) 291; *Esser,* Die letzte Glocke zum Geleit? Kaufmännisches Bestätigungsschreiben im Internationalen Handel, ZfRV 1990, 167; *Moritz,* Vertragsfixierung durch kaufmännisches Bestätigungsschreiben, BB 1995, 420.

1. Kaufmännische Bestätigungsschreiben sind im Geschäftsverkehr übliche Mitteilungen über den Inhalt *bereits mündlich geschlossener* Verträge. Solche Schreiben wollen aktenkundig machen, was bereits rechtswirksam vereinbart wurde. Auch ein Telefax kann ein kaufmännisches Bestätigungsschreiben sein (OLG Hamm BB 1994, 1107).

Sofern die mündliche Vereinbarung **noch zu regelnde Fragen offen ließ** oder ein Formvorbehalt gemacht wurde (§ 884 ABGB), ist der beabsichtigte Vertrag *noch nicht* zustande gekommen. Dann liegt in einem die noch offenen Fragen regelnden „Bestätigungsschreiben" ein **annahmebedürftiges Anbot,** den Vertrag iS des Inhalts des Schreibens zu schließen bzw die noch erforderliche zusätzliche Vereinbarung zu treffen (ecolex 1993, 593).

Von solchen **„konstitutiven Bestätigungsschreiben"** sind jene **„deklarativen"** zu unterscheiden, die sich auf einen bereits vollständig und rechtswirksam geschlossenen mündlichen Vertrag beziehen, dessen Inhalt lediglich zu Beweiszwecken „bestätigt" werden soll. Keine Bestätigungsschreiben sind bloße Tagesauszüge bzw Kontoauszüge (EvBl 1979/45; JBl 1991, 314). Auch deklarative Bestätigungsschreiben sind unproblematisch, sofern sie mit dem bereits Vereinbarten inhaltlich übereinstimmen.

2. Probleme stellen sich ein, wenn das Bestätigungsschreiben den Inhalt des bereits mündlich geschlossenen Vertrages **nicht richtig wiedergibt, sondern ihn ändert bzw ergänzt.** Dann ist zu fragen, ob und inwieweit das kaufmännische Bestätigungsschreiben Einfluss auf den anders lautenden Vertrag hat. Das Gesetz gibt darauf keine ausdrückliche Antwort. Ein Anwendungsfall des § 362 HGB liegt mangels Erfüllung der Tatbestandsvoraussetzungen idR nicht vor. Lehre und Rsp haben demgegenüber das **Schweigen auf abweichende Bestätigungsschreiben** in einem im Laufe der Zeit zunehmend eingeschränkten Ausmaß **als Zustimmung anerkannt** (SZ 8/114; 13/150; HS V/13; VI/33; JBl 1970, 478, 479 Anm *F. Bydlinski;* EvBl 1957/303).

Die rechtsdogmatischen Begründungen dafür leuchten nicht ein. Da ein Bestätigungsschreiben lediglich eine Wissens- und keine Willenserklärung ist, dürfte ihm konsequenterweise überhaupt keine vertragsändernde Bedeutung zukommen. Will man das Ergebnis der Lehre vom kaufmännischen Bestätigungsschreiben dennoch beibehalten, empfiehlt sich, es als Gewohnheitsrecht zu akzeptieren. Sachlich überzeugender wird das Ergebnis dieser Lehre dadurch nicht.

In der österr Lit wurde gegen die frühere Lehre vom kaufmännischen Bestätigungsschreiben heftig opponiert, worauf die Rsp ihre Position modifizierte (Arb 8954; ZAS 1974/18 Anm *Rummel;* SZ 47/83; 50/112; 52/120; HS 9258; JBl 1977, 593; 1993, 782,784).

3. Vertragsändernde Wirkung löst nach nunmehr hM das Schweigen auf ein vom bereits geschlossenen Vertrag abweichendes Bestätigungsschreiben nur dann aus, **wenn die Abweichungen die erkennbaren Interessen des Empfängers nicht spürbar beeinträchtigen,** daher der Schreiber eine Zustimmung des schweigenden Empfängers **vernünftigerweise erwarten** kann. Dabei kommt es auf die redliche Verkehrsauffassung darüber an, ob mit einem Einverständnis mit der im kaufmännischen Bestätigungsschreiben enthaltenen Abweichung vom bisher Vereinbarten gerechnet werden darf. Dies wird vor allem dann angenommen, wenn es um bloße Konkretisierungen bzw Ergänzungen des Vertrages geht, die seinem Anliegen und wirtschaftlichen Zweck entsprechen. Der Rahmen des Üblichen und Billigen soll dabei nicht überschritten werden. Die Abweichungen vom Vereinbarten dürfen nur geringfügig sein, oder es muss sich um bewusst offen gelassene Punkte handeln (HS 24.084; 24.083).

Keine vertragsändernde Wirkung haben demnach solche Bestätigungsschreiben, bei denen der Absender angesichts der erheblichen Abweichung vernünftigerweise auch dann nicht mit dem Einverständnis des Empfängers rechnen darf, wenn dieser schweigt (vgl idS auch § 378 HGB).

Die Abgrenzung der „spürbaren Interessensbeeinträchtigung" mindert die Rechtssicherheit dieser Lehre.

> **Handelsrechtsreform:** Der Gesetzgeber nimmt angesichts der bemerkenswerten Fragwürdigkeiten der Lehre vom kaufmännischen Bestätigungsschreiben davon Abstand, diese Lehre im Gesetz zu verankern.

E. Kontrahierungszwang

Lit: *Heller,* Zur Frage der Verpflichtung zur Eingehung von Geschäften, JBl 1905, 577; *Nipperdey,* Kontrahierungszwang und diktierter Vertrag (1920); *Hedemann,* Der Kontrahierungszwang, FS Nipperdey (1955) 251; *Kramer,* Die Krise des liberalen Vertragsdenkens (1974) 55; *Oberndorfer,* Zur Leistungspflicht des daseinsvorsorgenden Staates, FS Eichler (1977) 433; *Plöchl/Reitböck,* Inhaltskontrolle AGB und Kontrahierungszwang, ÖZW 1977, 108; *F. Bydlinski,* Zu den dogmatischen Grundfragen des Kontrahierungszwanges, AcP 180 (1980) 1; *F. Bydlinski,* Kontrahierungszwang und Anwendung allgemeinen Zivilrechts, JZ 1980, 378; *F. Bydlinski,* Zum Kontrahierungszwang der öffentlichen Hand, FS Klecatsky (1980) 129; *Kilian,* Kontrahierungszwang und Zivilrechtssystem, AcP 180 (1980) 47; *Hackl,* Vertragsfreiheit und Kontrahierungszwang im dt, im österr und im italienischen Recht (1980); *Dittrich,* Der Kontrahierungszwang von Verwertungsgesellschaften (1992); *Eilmannsberger,* Geistiges Eigentum und Kontrahierungszwang, wbl 1995, 232; *Rabl,* TKG: Kontrahierungszwang, Abänderung und Inhaltskontrolle von AGB, ecolex 2000, 490; *Zöllner,* Kontrahierungszwang und Vertragsfreiheit – Negatin oder Immanenz? FS Bydlinski (2001) 517.

1. Allgemeines. Mitunter sind Unternehmer von Gesetzes wegen, also auch gegen ihren Willen, verpflichtet, Handelsgeschäfte abzuschließen. Man spricht von **Abschluss- bzw Kontrahierungszwang.**

Derartige Regelungen schränken zwar prima facie die **Privatautonomie** erheblich ein, dienen aber in Wahrheit dazu, die Privatautonomie auch in Bereichen zu erhalten, in denen ihre Bewährung auf Grund der bestehenden Machtgefälle ohne gesetzlichen Eingriff gefährdet erscheint. Statt in solchen Fällen die Privatautonomie durch ein öffentlich-rechtliches Verteilungssystem zu ersetzen, ist es noch allemal besser, sie auf angemessene Weise einzuschränken, um sie zu erhalten.

Wo Kontrahierungszwang besteht, ist auch geboten, den **Inhalt der zwingend abzuschließenden Verträge** in den wesentlichen Belangen zu bestimmen. Denn ein Kontrahierungszwang, der es dem Gezwungenen freistellen würde, zu welchen Bedingungen er einen Vertrag schließt, würde jenen, zu deren Schutz der Kontrahierungszwang besteht, Steine statt Brot bieten.

2. Gesetzlich geregelte Fälle. Kontrahierungszwang zur Vermeidung der Gefahr willkürlichen Ausschlusses von auf die Leistungen Angewiesenen ist prinzipiell für solche Unternehmen geboten, *die in weitgehender Alleinstellung lebenswichtigen Bedarf decken.*

Eine allgemeine, ausdrückliche Gesetzesregel fehlt. Stattdessen finden sich für manche Bereiche sehr spezielle Sondernormen (vgl § 3 EBG; § 8 Abs 2 KraftfahrlinienG; §§ 6, 8 ElektrizitätswirtschaftsG; § 6 EnergiewirtschaftsG; § 5 EnergielenkungsG; § 5 Abs 6 Z 5 EÖBevMG; §§ 13, 14 MOG; § 2 Abs 2 SalzmonopolG; § 13 MRG; §§ 4, 5 NahVG; § 18 Abs 1 BAG; §§ 10 Abs 3; 45f RAO).

3. Allgemeiner Kontrahierungszwang. a) Analogien: Mitunter lässt sich in spezifischen Fällen die Annahme eines Kontrahierungszwanges auf eine Analogie zu einzelnen Sondernormen stützen; eine allgemeine Regel kann aus solchen Sondernormen aber nicht abgeleitet werden.

b) Schadenersatzkonstruktion. Ansonst wird Kontrahierungszwang dort angenommen, *wo in sittenwidriger Schädigungsabsicht der Abschluss eines Vertrages verweigert wird* (§ 1295 Abs 2 ABGB). Der Vertragsabschluss entspricht dann dem Gebot der Naturalrestitution.

Die Rsp knüpft vor allem an dieser Konstruktion an (vgl SZ 33/74; 44/138; 46/54; 51/100; 52/52; ÖZW 1993, 55 Anm *Holoubek;* RdW 1994, 173; 1994, 207). Probleme ergeben sich insoweit, als mitunter durch den Vertragsschluss nicht bereits entstandener Schaden ausgeglichen, sondern künftiger Schaden verhindert werden soll.

Sittenwidrig ist die Verweigerung eines Vertragsabschlusses dann, wenn ein Unternehmer einem zum angesprochenen Publikum Zählenden, der auf den Unternehmer mangels zumutbarer Alternative angewiesen ist, einen Vertrag über eine im Allgemeinen angebotene Leistung ohne sachlichen Grund auch dann verweigert, wenn es um die Befriedigung eines Normal- oder gar Notbedarfes des Interessenten geht. Insb ist ein **Kontrahierungszwang der öffentlichen Hand,** die in besonderem Maße zur **Gleichbehandlung der Interessenten** verpflichtet ist (Fiskalgeltung der Grundrechte), anerkannt.

c) Vorbeugende Handlungsklage. Zu erwägen ist die Möglichkeit einer vorbeugenden Handlungsklage (in Entsprechung zur vorbeugenden Unterlassungsklage). Dieses Instrument liefert für sich allein aber noch keine Anspruchsgrundlage. Es ist daher nur iS eines vorbeugenden *Rechtsschutzes vor drohender, unzulässiger Schädigung* zu verstehen.

IV. Auslegung von Handelsgeschäften

Handelsgeschäfte sind nicht anders auszulegen als sonstige Rechtsgeschäfte; es gelten die Regeln des allgemeinen Privatrechts (§§ 914f ABGB). Lediglich auf § 346 HGB ist hinzuweisen:

1. Handelsbräuche. Demnach ist unter Kaufleuten in Ansehung der Bedeutung und Wirkung von Handlungen und Unterlassungen auf die im Handelsverkehr geltenden Gewohnheiten und Gebräuche Rücksicht zu nehmen. Handelsbräuche nehmen also bei der Auslegung von Handelsgeschäften die Position der Verkehrssitte iS des § 914 ABGB ein.

2. Auslegung von AGB. Besondere Interpretationsfragen stellen sich bei AGB, weil sie *ihrer Struktur nach* zwischen Einzelvertrag und Gesetz stehen: Zwar gelten AGB idR nur kraft **individueller Vereinbarung** und stellen diesbzgl nur ein Teilelement der privatautonomen Rechtsgestaltung der Parteien des konkreten Einzelfalles dar, was für die Anwendung der Regeln über die Vertragsinterpretation spricht; *funktionell* sind AGB aber für eine Vielzahl von Fällen (gleichsam – wie ein Gesetz – für eine „Allgemeinheit") gedacht und weisen insofern **Bauelemente einer generellen Norm** auf, ohne dass AGB rechtlich generelle Normen wären.

Die **Rationalisierungsfunktion** der AGB ginge verloren, würden sie von Fall zu Fall *verschieden* ausgelegt. Das *richtige* Verständnis von AGB hat sich daher vor allem an ihrem **objektiven Erklärungswert** zu orientieren; sie sind demnach so zu verstehen, wie sie von einem redlichen, verständigen und sorgfältigen Erklärungsempfänger verstanden werden müssen. Es kommt also nicht auf individuelle, dem objektiven Erklärungswert widersprechende Vorstellungen der den Vertrag konkret abschließenden Personen an.

Eine andere Frage ist, ob und inwieweit die Parteien im jeweiligen Einzelfall bewusst vom Text der AGB abweichen und *etwas anderes vereinbaren* wollen. Das ist ihnen selbstverständlich möglich. Im Einzelfall wird freilich zu prüfen sein, ob ein die Verhandlungen führender Vertreter Vollmacht hat, von den ihm vorgegebenen AGB abzuweichen.

Unklares geht bei beiderseitig verbindlichen Verträgen zu Lasten des Verwenders der AGB (§ 915 ABGB, Unklarheitenregel). Unverständliche und unklare AGB sind bei Verbrauchergeschäften überhaupt unwirksam, § 6 Abs 3 KSchG („Transparenzgebot").

Eine Abwehrklausel in AGB des Inhalts, dass Abweichungen davon zu ihrer Rechtswirksamkeit eines von der Geschäftsleitung unterfertigten Bestätigungsschreibens bedürfen, ist dahin auszulegen, dass nur Abweichungen von den Einkaufsbedingungen dem Formgebot unterworfen sind. Wird in den Einkaufsbedingungen weder zu einem Eigentumsvorbehalt oder auch nur zum Eigentumsübergang Stellung genommen, liegt hinsichtlich des Eigentumsvorbehaltes keine Abweichung in diesem Sinn vor (RdW 2002/133, 149 = wbl 2002/129, 181 = ecolex 2002/92, 244). Es besteht kein Handelsbrauch oder eine allgemeine Verkehrssitte, wonach der den Kaufpreis stundende Verkäufer sich das Eigentum vorbehalte (wbl 1989, 224; wbl 2002/129, 181 = ecolex 2002/92, 244).

V. Fehlerhafte Handelsgeschäfte

A. Allgemeines

Auch bzgl fehlerhafter Handelsgeschäfte gelten die Regeln des allgemeinen Privatrechts über die **Vertragsanfechtung** wegen Willensmängeln, über die **Nichtigkeit** anfänglich unmöglicher und unerlaubter Verträge sowie über die Rechtsfolgen verletzter Formvorschriften. insb ist auch auf die **Geltungs- und Inhaltskontrolle von AGB** (§§ 864a, 879 Abs 3 ABGB; vgl auch § 6 KSchG) hinzuweisen; darüber Näheres in den Darstellungen des bürgerlichen Rechts.

Hier wird lediglich auf zwei handelsrechtliche Besonderheiten bzgl der laesio enormis und der Bürgschaft aufmerksam gemacht. Sie laufen darauf hinaus, dass handelsrechtlich zulässig ist, was nach allgemeinem Privatrecht anfechtbar bzw rechtsunwirksam ist:

B. Kein Verbot der Verkürzung über die Hälfte

Die im Allgemeinen zwingende Norm des § 934 ABGB über die Vertragsaufhebung (wohl eine Vertragsanfechtung; vgl *P. Bydlinski,* JBl 1983, 410) wegen Verkürzung über die Hälfte (laesio enormis) gilt nicht für denjenigen, für den der Vertrag ein Handelsgeschäft ist (§ 351a HGB). Demnach kann sich zwar ein Nichtkaufmann auch im Rahmen eines einseitigen Handelsgeschäftes auf laesio enormis berufen, nicht aber ein Kaufmann, er mag Voll- oder nur Minderkaufmann sein. Es ist allerdings auch Kaufleuten erlaubt, die Regel über die Verkürzung über die Hälfte zu vereinbaren.

Gründungsgeschäfte einer Partei, die nicht Kaufmann ist, und der Erwerb von GmbH-Anteilen durch einen Nichtkaufmann können von diesen Personen wegen laesio enormis angefochten werden. OGH 2 Ob 184/02a, wbl 2002/385, 579 = ecolex 2002/334, 880.

> **Handelsrechtsreform:** Das UGB geht nicht mehr davon aus, dass sich Unternehmer auf die laesio enormis im Zweifel nicht mehr berufen dürfen. Vielmehr gilt die Regel über die Verkürzung über die Hälfte auch für Unternehmer. Anders als nach ABGB kann diese Regel aber zu Lasten eines Unternehmers vertraglich ausgeschlossen werden.

C. Keine Schriftlichkeit der Bürgschaftserklärung

Bürgschaftserklärungen bedürfen nach § 1346 Abs 2 ABGB der Schriftlichkeit. Dies gilt nicht für Bürgschaften, die auf Seite des Bürgen ein Handelsgeschäft sind (§ 350 HGB), sofern der Bürge Vollkaufmann ist. Minderkaufleute können demgegenüber nur schriftlich bürgen (§ 351 HGB). Dazu nochmals weiter unten.

> **Handelsrechtsreform:** Künftig soll die Möglichkeit, dass ein Vollkaufmann formlos bürgt, nicht mehr bestehen. In der Praxis kommen derartige formlose Bürgschaftserklärungen ohnehin kaum vor.

D. Geltungskontrolle von AGB

Lit: *Krejci,* Über „ungewöhnliche Klauseln" in AGB und Vertragsformblättern (§ 864a ABGB), ÖJZ 1981, 113, 150; *Kiendl,* Die RL des Rates über mißbräuchliche Klauseln in Verbraucherverträgen und ihre Auswirkung auf das österr Recht, JBl 1995, 87.

1. Allgemeines. Da idR nur Kaufleute mit AGB arbeiten, ist igZ auf die durch das KSchG eingeführten Regelungen der §§ 864a und 879 Abs 3 ABGB aufmerksam zu machen. Denn auch diese Bestimmungen haben auf die Gültigkeit von Handelsgeschäften größten Einfluss. § 864a ABGB betrifft die *Geltungskontrolle* von AGB; § 879 Abs 3 ABGB ihre *Inhaltskontrolle.*

2. Überraschende AGB-Klauseln. Bestimmungen ungewöhnlichen Inhaltes in AGB oder Vertragsformblättern, die ein Vertragsteil verwendet hat, werden nicht Vertragsbestandteil, wenn sie dem anderen Teil *nachteilig* sind und er mit ihnen auch nach den Umständen, vor allem nach dem äußeren Erscheinungsbild der Urkunde, *nicht zu rechnen brauchte:* es sei denn, der eine Vertragsteil hat den anderen besonders darauf hingewiesen (§ 864a ABGB). Diese Regelung sagt dem sog **„Kleingedruckten" in AGB** den Kampf an.

Auch wenn es für die Gültigkeit eines Vertrages nicht erforderlich ist, dass der Vertragspartner gelesen und verstanden hat, was der andere ihm an Vertragsinhalt vorformuliert hat, so soll die den Vertragsinhalt nicht kennende Partei doch davor geschützt sein, dass der andere im Vertragstext völlig Unerwartetes versteckt.

Dies kann einerseits bloß formal geschehen, indem die Vertragsurkunde so gestaltet ist, dass man Textteile einfach übersieht (Kleingedrucktes auf der Rückseite udgl); andererseits aber auch dadurch, dass man den Vertrag einem anderen Vertragstypus zuordnet, als seinem wahren Inhalt entspricht, oder dass man Regelungen so in den Vertragstext einarbeitet, dass sie der Leser dort nicht sucht, wo sie sich befinden, und dort nicht findet, wo er sie sucht.

Die überraschenden Klauseln müssen überdies dem Vertragspartner dessen, der die Klauseln in seiner Vertragserklärung verwendet, nachteilig sein. Dabei handelt es sich aber *nicht* um Nachteile, die es rechtfertigen würden, den Vertrag für *sittenwidrig* zu halten. In solchen Fällen wäre der Vertrag ja schon nach § 879 ABGB unwirksam. Es geht vielmehr um durchaus **zulässige Nachteile.** Es sind aber solche, mit denen der Anerklärte auf Grund der Konzeption und des Grundanliegens des Vertrages nicht zu rechnen brauchte und man annehmen muss, dass er einer solchen nachteiligen Regel nicht ohne weiteres zugestimmt hätte, wäre ihm klar gewesen, dass sie Vertragsinhalt werden soll.

Wird im Vertragstext ein *Vorteil* für den Anerklärten verborgen, darf man hingegen davon ausgehen, dass er einen solchen Vorteil durchaus akzeptiert hätte.

Überraschende Klauseln können auch auftreten, wenn keine AGB verwendet werden, ein Verhandlungspartner aber dessen ungeachtet den Vertragsinhalt *individuell vorformuliert.* In solchen Fällen ist § 864a ABGB analog anwendbar.

3. Rechtswirkungen. Die überraschenden Klauseln sind nicht ihres Inhaltes wegen ungültig, sondern sie werden von der Willenserklärung des Unwissenden von vornherein nicht erfasst. Es liegt also ein *Willensmangel* vor. Der Gesetzgeber fordert in diesen Fällen aber nicht, den beschwerlichen Weg der Irrtumsanfechtung (§§ 871f ABGB) zu gehen. Es genügt, die Ungewöhnlichkeit der betreffenden Klausel darzutun, um deren Unwirksamkeit zu erreichen. Nicht der Inhalt der Klausel ist verpönt, sondern die Art, wie versucht wurde, sie zum Vertragsinhalt zu machen.

Wird die Klausel später entdeckt, steht es dem Anerklärten frei, ihre Unwirksamkeit geltend zu machen oder aber die Klausel nachträglich zu akzeptieren.

E. Inhaltskontrolle von AGB

Lit: *Krejci,* Über „gröbliche benachteiligende Nebenbestimmungen" in AGB und Vertragsformblättern (§ 879 Abs 3 ABGB), JBl 1981, 169, 245; *Kiendl,* Die RL des Rates über mißbräuchliche Klauseln in Verbraucherverträgen und ihre Auswirkung auf das österr Recht, JBl 1995, 87.

1. Allgemeines. Die in AGB enthaltenen Verschiebungen der dispositiven Rechtslage zum Nachteil dessen, der sich die AGB des anderen meist aus Gründen der schwächeren Verhandlungsposition gefallen lässt, überschreiten mitunter die Grenze dessen, was Gesetz und gute Sitten zulassen. Diesbzgl Klauseln sind nichtig; mitunter kann es auch der ganze Vertrag sein.

An sich hätte die Rsp mit der Generalklausel des § 879 Abs 1 ABGB das Auslangen finden können, um solche Klauseln zu bekämpfen. Der Gesetzgeber sah sich jedoch veranlasst, eine eigene Regel zu schaffen, weil die Rsp die allgemeine Sittenwidrigkeitsklausel nur sehr zurückhaltend angewandt hat. Nunmehr ermuntert § 879 Abs 3 ABGB dazu, AGB beherzter anzugreifen.

2. Gröblich benachteiligende AGB-Klauseln. Eine in AGB oder Vertragsformblättern enthaltene Vertragsbestimmung, die nicht eine der beiderseitigen Hauptleistungspflichten festlegt, ist nach § 879 Abs 3 ABGB jedenfalls nichtig, wenn sie unter Berücksichtigung aller Umstände des Falles einen Teil gröblich benachteiligt.

Bei Nebenbestimmungen des Vertrages: Solche Nachteile können darin liegen, dass die dispositivrechtlich vorgesehene Rechtslage durch die verwendeten AGB auf unangemessene, weder durch die Natur des Geschäftes noch aus sonstigen sachlichen Gründen gerechtfertigte Weise zum Nachteil des Vertragspartners des Verwenders der AGB verschoben wird oder aber dass ein auffallendes Missverhältnis zwischen den frei vereinbarten (vom Gesetzgeber nicht durch dispositive Regelungen gestalteten) Rechtspositionen der Vertragsparteien besteht.

Bei Hauptbestimmungen des Vertrages: Sofern AGB aber auch Hauptleistungspflichten betreffen (wie zB im Versicherungs- oder Bankrecht), sind auch diesbzgl auffallende Missverhältnisse Anlass zur Annahme eines unerlaubten Inhaltes; dies analog zu § 879 Abs 2 Z 4 ABGB, weil die Verwendung von AGB zu einer der Situation des Bewucherten (Leichtsinn, Zwangslage, Verstandesschwäche, Unerfahrenheit, Gemütsaufregung) vergleichbaren Willensbeeinträchtigung führt.

Zur Konkretisierung solcher Klauseln kann insb auch der **Klauselkatalog des § 6 KSchG** herangezogen werden (Miet 35.094); bei Verbrauchergeschäften gilt dieser Katalog ohne Einschränkung; bei sonstigen Geschäften ermöglicht die „Berücksichtigung aller Umstände des Falles" eine elastischere Anwendung.

§ 879 Abs 3 ABGB ist auch auf Fälle, in denen keine AGB oder Vertragsformblätter verwendet werden, analog anwendbar, sofern zwischen den Vertragsparteien eine der Verwendung von AGB vergleichbare typische Ungleichgewichtslage besteht. Dies ist zB zwischen Unternehmern und Verbrauchern oder zwischen Arbeitgebern und Arbeitnehmern bzw arbeitnehmerähnlichen Personen der Fall.

3. Rechtswirkungen. IS des § 879 Abs 3 ABGB unzulässige Klauseln sind nichtig. IdR handelt es sich um Fälle der *geltendzumachenden* Nichtigkeit. Es obliegt also dem Benachteiligten, die Nichtigkeit einzuwenden.

Dass das Gericht *nicht von Amts wegen* die Nichtigkeit berücksichtigt, hängt damit zusammen, dass die Nichtigkeit nicht allein in der Verletzung einer öffentliche Interessen wahrenden Norm liegt, sondern zT auch auf einer gewissen Willensbildungsstörung beruht, freilich einer schwächeren als jener, die von den Willensmängeltatbeständen gefordert wird (Irrtum, List, Drohung). Willensmängel geltend zu machen, ist aber stets Angelegenheit der Betroffenen selbst und nicht des Gerichts. (Die Willensmängeltatbestände sind Anfechtungs- und nicht Nichtigkeitstatbestände). In den vorliegenden Fällen sind *Willensbildungsstörungen mit inhaltlichen Inäquivalenzen kombiniert.* Das Element der Willensbildungsstörung legt nahe, eine dem Anfechtungsrecht angenäherte Art der Geltendmachung der Nichtigkeit für geboten zu erachten.

4. Verbandsklage. Wer vereinbarte AGB für unzulässig hält, kann ihre Nichtigkeit gerichtlich geltend machen. Die Rechtskraft des Urteils betrifft allerdings lediglich die von ihm erfassten Parteien. Andere Vertragspartner können sich auf dieses Urteil zwar faktisch berufen; Rechtswirkung hat es für sie nicht. Um eine effektivere Bekämpfung von AGB zu ermöglichen, schuf der Gesetzgeber in den §§ 28–30 KSchG die Möglichkeit einer Verbandsklage: Ein Unternehmer, der AGB verwendet, die gegen ein gesetzliches Verbot oder gegen die guten Sitten verstoßen, kann auch von bestimmten Interessenverbänden **auf Unterlassung** geklagt werden. Die Unterlassungspflicht verbietet dem Unternehmer, die AGB weiterhin zu verwenden. Das Urteil zieht die unzulässigen AGB also mit *allgemeiner* Wirkung aus dem Verkehr.

Klageberechtigt sind die Wirtschaftskammer Österreich, die Bundesarbeitskammer, der Österreichische Landarbeiterkammertag, die Präsidentenkonferenz der Landwirtschaftskammern, der Österreichische Gewerkschaftsbund (ÖGB), der Verein für Konsumenteninformation (VKI). Die §§ 24, 25 Abs 3 bis 7 und 26 UWG gelten sinngemäß. Die Verbandsklage wird zwar in der Praxis nicht allzu häufig eingesetzt, wirkt aber als „Rute im Fenster“ und ermöglicht den Interessenverbänden, schon im Verhandlungsweg problematische AGB zu beseitigen. Die Verbandsklage führt zwangsläufig zu einer vom Einzelfall abstrahierenden Kontrolle. Soweit in einem solchen Verfahren § 915 ABGB angewandt wird, sind die AGB im kundenfeindlichsten Sinne zu verstehen (wbl 1994, 344). Es ist auch **kein Raum für eine „geltungserhaltende Reduktion“.** Verpönte Klauseln behalten somit auch bezüglich jener Inhalte, die zulässig erscheinen, keine Restgültigkeit (ecolex 1995, 26).

F. Transparenzgebot

Lit: *Graf,* Auswirkungen des Transparenzgebotes, ecolex 1999, 8; *St. Korinek,* Das Transparenzgebot des § 6 Abs 3 KSchG, JBl 1999, 149; *Schilcher,* Das Transparenzgebot im Vertragsrecht, in *Aicher/Holoubek* (Hrsg), Der Schutz von Verbraucherinteressen. Ausgestaltung im öffentlichen Recht und im Privatrecht (2000) 99.

Für Verbrauchergeschäfte ist ferner § 6 Abs 3 KSchG zu beachten. Demnach ist eine in AGB und Vertragsformblättern enthaltene Vertragsbestimmung unwirksam, wenn sie „unklar und unverständlich abgefaßt ist". Diese 1997 neu geschaffene Bestimmung verweist nicht, wie man prima facie meinen könnte, bloß auf ohnehin bereits geltendes Recht (§§ 869, 915 ABGB), sondern will den Verbrauchern darüber hinaus entgegenkommen.

Das Transparenzgebot hat eine Reihe von Streitfragen ausgelöst; so insb die, ob bei Mehrdeutigkeit einer AGB-Bestimmung § 6 Abs 3 KSchG die Anwendung des § 915 ABGB ausschließt (somit nicht etwa die für den Verbraucher günstigere Deutung der AGB-Bestimmung gilt, sondern *keine*) oder ob dies gerade umgekehrt ist (also § 915 ABGB der Regel des § 6 Abs 3 KSchG vorgeht). Ferner ist strittig, inwieweit § 6 Abs 3 KSchG lediglich ein Instrument der Geltungskontrolle oder (auch) der Inhaltskontrolle ist.

14. Kapitel
Schuldrechtliche Sonderregeln
I. Allgemeiner Schuldinhalt

Im Handelsrecht sind grundsätzlich die Regeln des allgemeinen Schuldrechts anzuwenden. Besonderes gilt jedoch in folgenden Fällen:

A. Geschuldete Gattungsqualität

Wird eine nur der Gattung nach bestimmte Ware geschuldet, so ist vom Kaufmann wie vom Nichtkaufmann **Handelsgut mittlerer Art und Güte** zu leisten (§ 360 HGB). Diese Regel gilt auch für einseitige Handelsgeschäfte (§ 345 HGB). Überhaupt ist der Grundsatz des § 360 HGB per analogiam auch im allgemeinen Privatrecht anerkannt. Insoweit kann gesagt werden, dass § 360 HGB von einem *allgemeinen,* nicht aber von einem typisch handelsrechtlichen Grundgedanken geprägt ist. Die Regel gilt lediglich iZw. Anderes kann vereinbart werden.

1. Waren sind bewegliche Gattungssachen; Wertpapiere sind ihnen gleichgestellt. Man sollte die Regel aber auch auf Dienstleistungen anwenden.

2. Handelsgut. Waren sind Handelsgut, wenn sie umsatzfähig sind. Durchschnittsqualität von Handelsgut kann uU mindereren Anforderungen genügen, weil der Handel uU auch schlechte Qualitäten verwerten kann, die der Einzelkunde nicht mehr akzeptiert. Insofern macht es einen Unterschied, ob *Handelsgut* oder *Ware* mittlerer Art und Güte geschuldet ist. Im bürgerlichen Recht stellt man nicht auf Handelsgut ab.

3. Die mittlere Art und Güte erfordert jedenfalls Gebrauchstauglichkeit (SZ 42/103) und bestimmt sich im Übrigen nach der Verkehrsanschauung am Erfüllungsort. Diese Regel ist problematisch, wenn der Erfüllungsort keinen Nahebezug zu den Vertragsparteien hat.

Handelsrechtsreform: Das UGB folgt der Erkenntnis, dass § 360 HGB einen Grundsatz des allgemeinen bürgerlichen Rechts zum Ausdruck bringt. Die handelsrechtliche Bestimmung wird daher gestrichen und durch eine einschlägige Regelung im ABGB ersetzt. Demnach ist für den Fall, dass eine der Gattung nach bestimmte Sache geschuldet wird, diese in mittlerer Art und Güte zu leisten.

B. Maß, Gewicht, Währung, Zeitrechnung, Entfernungen

richten sich iZw nach dem Erfüllungsort (§ 361 HGB). Das ordnet schon § 905 Abs 1 Satz 2 ABGB an. Insofern besteht kein Unterschied zwischen bürgerlichem Recht und Handelsrecht. Es handelt sich um eine Auslegungsregel, die lediglich iZw gilt.

Für Maße, Gewichte, Zeitrechnung und Entfernungen ist allg das **Maß- und EichG** maßgeblich; für die Zeitzählung auch das **ZeitzählungsG.** Grundlagen des österr Währungsrechts finden sich insb im **EuroG** BGBl I 2000/72, fußend auf der Verordnung (EG) 974/98 des Rates über die Einführung des Euro (ABl L 139 vom 11. 5. 1998).

Handelsrechtsreform: § 361 HGB wird gestrichen.

C. Fremdwährungsschulden

Lit: *Lentner,* Fremdwährungsforderungen und Exekution auf das unbewegliche Vermögen, ÖJZ 1967, 569; *Seiler,* Zur Kompensation beim Fremdwährungskredit, ÖBA 1987, 615; *Arend,* Zahlungsverbindlichkeiten in fremder Währung (1989); *Steenken,* Fremdwährungsschulden im dt und engl Recht (1992); *Wortmann,* Fremdwährungsumrechnungen im Konzernabschluß (1992); *Bachmann,* Fremdwährungsschulden in der Zwangsvollstreckung (1994); *Tichy,* Die Umstellung von Schillingbeträgen auf Eurobeträge im österr Handels- und Steuerrecht, SWK 1996, A 633.

1. Begriff. Eine Fremdwährungsschuld ist eine im Inland zu zahlende Geldschuld, die in einer fremden Währung ausgedrückt wird. Mit Einführung des Euro verlieren die Regelungen über Fremdwährungsschulden für die Euro-Länder erheblich an Bedeutung. Im Übrigen bleibt jedoch der Begriff der Fremdwährungsschuld relevant.

Zwischen echten und unechten, effektiven und ineffektiven Fremdwährungsschulden wird unterschieden.

2. Echte und unechte Fremdwährungsschuld

a) Bei der echten Fremdwährungsschuld hat der Gläubiger (ausschließlich oder wahlweise) *Anspruch* auf Zahlung in fremder Währung.

b) Bei der unechten Fremdwährungsschuld steht hingegen von vornherein *ausschließlich eine Forderung in inländischer Währung* zu und die Fremdwährung dient lediglich als Rechnungsgrundlage: ZB bei Wertsicherung einer Euro-Forderung durch eine Dollar-Währungsklausel.

Eine *unechte* Fremdwährungsschuld ist also in Wahrheit *überhaupt keine* Fremdwährungsschuld. Die Unterscheidung zwischen effektiver und ineffektiver Fremdwährungsschuld hat nur für echte Fremdwährungsschulden Bedeutung.

3. Effektive und ineffektive Fremdwährungsschuld

a) Die effektive Fremdwährungsschuld ist *jedenfalls* in Fremdwährung zu zahlen; eine Zahlung in inländischer Währung ist vertraglich ausgeschlossen. Eine facultas alternativa (Ersetzungsbefugnis) steht nicht zu, doch kann der Gläubiger dennoch bei Verzug oder devisenrechtlichen Hindernissen Exekution auf den Betrag in inländischer Währung führen (RdW 1989, 393).

b) Die ineffektive Fremdwährungsschuld ermöglicht dem Schuldner hingegen eine facultas alternativa (Ersetzungsbefugnis; ÖBA 1989, 735 Anm *Schuhmacher*). Sie betrifft zwar eine Schuld in Fremdwährung, kann jedoch auf Grund der Ersetzungsbefugnis auch in inländischer Währung beglichen werden.

4. Im Zweifel liegt eine ineffektive Fremdwährungsschuld vor. Wird eine Geldschuld lediglich in der Fremdwährung ausgedrückt, ohne dass darüber hinaus etwas vereinbart worden wäre, ist eine ineffektive Fremdwährungsschuld anzunehmen (Art 8 Nr 8 Abs 1 EVHGB).

Diese (auch § 244 BGB bekannte) Regelung gilt analog auch im bürgerlichen Recht. Sie entspricht dem währungsrechtlichen Grundsatz, dass die inländische, gesetzlich vorgesehene Währung jedem Geldgläubiger angeboten und von ihm auch nicht abgelehnt werden darf. Diese Regelung bevorzugt den inländischen Schuldner ebenso wie die inländische Währung („doppelte Privilegierungsfunktion“: wbl 1991, 72).

5. Die Umrechnung erfolgt nach dem Kurswert, der zur Zeit der Zahlung für den Zahlungsort maßgebend ist (Art 8 Nr 8 Abs 2 EVHGB; ÖBA 1989, 735 Anm *Schuhmacher*).

Bei Umrechnungen ist zwischen **Devisen und Valuten** zu unterscheiden. Unter Devisen werden die unbaren, unter Valuten die baren ausländischen Zahlungsmittel verstanden. Für die Umrechnung heranzuziehen ist der für die betreffende Währung verlautbarte **Devisenkurs.** Es steht den Vertragsparteien frei, stattdessen den Valutenkurs zu vereinbaren. Besteht für den Zahlungstag kein Kurs, ist der Wert des Zahlungsmittels auf andere Weise zu ermitteln. Es dürfen auch abweichende Vereinbarungen getroffen werden. Dann sind nur sie beachtlich (HS I/1).

> **Handelsrechtsreform:** Mit der gesamten EVHGB fällt auch ihr Art 8 Nr 8. Stattdessen wird eine entsprechende Bestimmung in das ABGB eingeführt. Diesbezüglich ist ein neuer § 905 a ABGB vorgesehen.

D. Leistungszeit

1. Allgemeines. Es gelten die allgemeinen Regeln des bürgerlichen Rechts über die Fälligkeit. Besonderes ordnen die §§ 358, 359 HGB an:

2. Gewöhnliche Geschäftszeit. Nach allgemeinem Privatrecht gerät der Schuldner erst mit Ablauf des letzten Tages der ihm eingeräumten Leistungsfrist in Verzug; der Gläubiger ist allerdings nicht verpflichtet, die Leistung zur Unzeit anzunehmen (§ 903 Satz 2 ABGB). Das Handelsrecht präzisiert bzw modifiziert diese Regel: Bei Handelsgeschäften kann iZw die Leistung (gilt nicht für die Abgabe von Willenserklärungen) nur während der gewöhnlichen Geschäftszeit bewirkt und gefordert werden (§ 358 HGB). Diese Regel gilt auch für einseitige Handelsgeschäfte (Das Handelsgeschäft muss auf Seite des Empfängers vorliegen). Bei Holschulden kommt es auf die Geschäftszeit des Schuldners an.

Die Dauer der gewöhnlichen Geschäftszeit richtet sich nach dem **Ortsgebrauch am Erfüllungsort.** Auf die Branchenüblichkeit, nicht auf die spezielle Geschäftszeit des Unternehmens kommt es an.

3. Rechtsfolgen. Bei Verstoß gegen § 358 HGB darf die zur Unzeit angebotene Leistung zurückgewiesen werden, ohne dass der Gläubiger in Annahmeverzug geriete. Vielmehr kommt der Schuldner seinerseits in Verzug. Annahme zur Unzeit ist aber wirksam.

4. Unklare Angaben. Ist als Zeit der Leistung lediglich „das Frühjahr" oder „der Herbst" oder ein in ähnlicher Weise (un)bestimmter Zeitpunkt vereinbart, so entscheidet iZw der **Handelsbrauch des Leistungsortes** (§ 359 Abs 1 HGB). Dabei sind aber jedenfalls die Umstände des konkreten Falles zu beachten.

5. Fristangaben. Ist eine Frist von 8 Tagen vereinbart, so sind darunter iZw volle acht Tage (und nicht bloß eine Woche) zu verstehen (§ 359 Abs 2 HGB). Diese Vorschrift ergänzt § 902 ABGB. Der übliche Sprachgebrauch wird korrigiert. Vgl in diesem Zusammenhang auch Art 36 Abs 4 WG. Der Tag der Fristvereinbarung selbst wird nicht mitgerechnet (§ 902 Abs 1 ABGB). Für den Fall, dass „14 Tage" vereinbart sind, gibt das HGB keine Auskunft. Man wird auch hier iZw volle 14 Tage zu verstehen haben. Gleiches gilt für andere Fristangaben in Tagen.

Handelsrechtsreform: Die §§ 358, 359 HGB werden gestrichen. § 358 HGB, wonach Handelsgeschäfte nur während der gewöhnlichen Geschäftszeit bewirkt und gefordert werden können, ergibt sich bereits aus den allgemeinen Grundsätzen der Vertragsauslegung. Die in § 359 HGB erklärten Begriffe „Frühjahr" und „Herbst" sowie „acht Tage" erscheinen als nicht notwendig. Die Regel des § 359 Abs 1 HGB, die auf den Handelsbrauch abstellt, ergibt sich bereits aus den allgemeinen Regeln über die Vertragsauslegung. §§ 914f ABGB haben den Vorteil, flexiblere Lösungen zu ermöglichen. § 359 Abs 2 HGB („acht Tage") widerspricht bei isolierter Lektüre dem allgemeinen Sprachgebrauch, weil eine Frist von „acht Tagen" idR den Ablauf einer Woche bedeutet. Liest man die Bestimmung iVm § 901 Abs 1 ABGB, der auch im Handelsrecht anzuwenden ist, so wird der erste Tag der Frist nicht mitgezählt. § 359 Abs 2 HGB lässt sich de lege ferenda auch nicht damit rechtfertigen, dass die Vereinbarung von „acht Tagen" im geschäftlichen Verkehr präzise verstanden werden sollen, weil demgegenüber in Österreich ein anderes Verständnis vorherrscht.

E. Leistungsort

Es gelten die Bestimmungen des bürgerlichen Rechts (§ 905 ABGB). IZw ist als Leistungsort für im Geschäftsbetrieb des Schuldners entstandene Verbindlichkeiten der **Ort der Niederlassung des Schuldners** maßgeblich.

II. Entgeltlichkeit

Welcher Vertrag notwendig oder zumindest iZw entgeltlich ist und welcher nicht, bestimmen die Regeln über die einzelnen Vertragstypen. Das HGB trifft überdies eine Teilaussage darüber, was iZw gilt.

1. Wer in Ausübung seines Handelsgewerbes einem anderen Geschäfte besorgt oder Dienste leistet, kann dafür auch ohne Verabredung Provision und, wenn es sich um Aufbewahrung handelt, Lagergeld nach den am Leistungsort üblichen Sätzen fordern (§ 354 HGB). Die Regel gilt auch für Minderkaufleute. Die Entgeltlichkeitsvermutung umfasst auch Fälle der Geschäftsführung ohne Auftrag (HS 10.658/10). Handelsgeschäfte sind jedoch **nicht zwingend** entgeltlich; Unentgeltlichkeit muss aber vereinbart werden (wbl 1993, 192, 193).

2. Für Darlehen, Vorschüsse, Auslagen und andere Verwendungen kann er vom Tag der Leistung an Zinsen verlangen (§ 354 Abs 2 HGB).

3. Ähnliche Regelungen: Der Gedanke, dass iZw Entgeltlichkeit anzunehmen ist, findet sich allerdings nicht nur im Handelsrecht; er prägt zB auch den Dienstvertrag: § 1152 ABGB. Bei manchen Verträgen ist von vornherein Entgeltlichkeit Wesensmerkmal: so beim Kauf, beim Werkvertrag, bei Bestandverträgen, beim Versicherungs- und Leibrentenvertrag. Auch der Tausch geht zwingend von einer Gegenleistung aus. Vgl auch §§ 969, 1004 ABGB.

Es kann überhaupt davon ausgegangen werden, dass, **wer erkennbar in Berufsausübung für einen anderen tätig wird, iZw angemessene Entlohnung erwartet** und seine Bereitschaft, tätig zu werden, nur unter dieser Bedingung erklärt.

4. Für die Erstellung eines Kostenvoranschlages hat ein Verbraucher nur dann ein Entgelt zu bezahlen, wenn er darauf vor Vereinbarung des Kostenvoranschlages ausdrücklich hingewiesen wurde (§ 5 KSchG).

Handelsrechtsreform: Der handelsrechtliche Entgeltlichkeitsgrundsatz kommt in § 354 HGB nur ansatzweise zum Ausdruck. Das UGB formuliert ihn allgemeiner: Ist in einem Geschäft kein Entgelt bestimmt und auch nicht Unentgeltlichkeit vereinbart, so gilt ein angemessenes Entgelt als bedungen. Die Regel über Vorschüsse, Auslagen und andere Verwendungen bleibt zusätzlich aufrecht; nicht aber die Regel über Darlehen. Nach der derzeit geltenden Bestimmung kann ein Kaufmann vom Tag der Leistung an Zinsen berechnen. IZw gelten dabei die gesetzlichen Zinsen als vereinbart, die auf Grund des ZinsRÄG gemäß § 1000 Abs 1 ABGB nunmehr 4% betragen. Besteht eine Zinsenpflicht nach Abs 2, kann daneben nicht noch eine Vergütung nach Abs 1 gefordert werden (*Schuhmacher* in *Straube*[3] § 354 Rz 16). Ein solcher Zinssatz von 4% wird in den meisten Fällen jedoch nicht marktadäquat sein. Deshalb soll die Verzinsung von Darlehen als Entgelt der allgemeinen Angemessenheitsregel des § 354 Abs 1 unterliegen.

III. Kontokorrent

Lit: *Göppert,* Zur Vereinfachung der Lehre vom Kontokorrent, ZHR 102 (1936) 161; *Fuchs,* Zur Lehre vom Kontokorrent, ZHR 103 (1937) 211; 106 (1940) 82; *Krapf,* Der Kontokorrentvertrag (1936); *Beitzke,* Probleme des Kontokorrents, FS J. v. Gierke (1950) 9; *Grigat,* Die Verrechnung im Kontokorrent, NJW 1952, 411; *Grigat,* Zur Rechtsnatur des Kontokorrentverhältnisses, MDR 1952, 411; *Hefermehl,* Grundfragen des Kontokorrents, FS Lehmann (1956) 547; *Schaudwet,* Bankenkontokorrent und AGB (1967); *Blaurock,* Das Anerkenntnis beim Kontokorrent, NJW 1971, 2206; *Canaris,* Funktionen und Rechtsnatur des Kontokorrents, FS Hämmerle (1972) 55; *Canaris,* Die Verrechnung beim Kontokorrent, DB 1972, 421, 469; *Herz,* Das Kontokorrent (1974); *Welser/Foglar-Deinhardstein,* Die Bedeutung von Sicherungszession, Kontokorrent und Anfechtung im Geschäftsverkehr der Banken, ÖZW 1976, 75; *Blaurock,* Das Kontokorrent, JA 1980, 691; *König,* Kontokorrent und Anfechtung gem § 30 Abs 1 KO, ÖJZ 1982, 458; *H. Schumacher,* Konkursanfechtung im Kontokorrentverkehr, ÖBA 1982, 330; *Gröger,* Die zweifache Doppelpfändung des Kontokorrents, BB 1984, 25; *Zwicker,* Die Pfändung kontokorrentzugehöriger Forderungen, BB 1984, 1713; *Canaris,* Börsentermingeschäft und Kontokorrent, ZIP 1985, 592; *Pfersmann,* Anfechtung bei Gutschrift auf Kontokorrentkonto? ÖJZ 1985, 711; *Wagner,* Die Pfändung nicht zweckgebundener Kontokorrentforderungen, JZ 1985, 718; *A. Maier,* Das Kontokorrent, JuS 1988, 196; *P. Bydlinski,* Bürgschaft und Kontokorrentkredite, ÖBA 1992, 879; *Liebeg,* Kontokorrent – Aufrechnung – abgabenbedhördliche Verrechnung: Gemeinsamkeiten und Unterschiede, FS Finanzprokuratur (1995) 121; *Apathy,* Das Saldoanerkenntnis nach österr Recht, ÖBA 1999, 679; *Widhalm,* Kontokorrentkredit und Konkursanfechtung (2000).

A. Allgemeines

Über die Besonderheiten eines Kontokorrentverhältnisses gibt das bürgerliche Recht keine nähere Auskunft. Dennoch ist es der privatautonomen Rechtsgestaltung auch ohne die §§ 355–357 HGB möglich, Gleiches zu vereinbaren. Die handelsrechtlichen Bestimmungen erleichtern das.

Kontokorrentverhältnisse werden zwischen Personen, die miteinander **in laufender Geschäftsbeziehung** stehen, begründet; mitunter iVm Kommissions- oder Handelsvertreterbeziehungen; vor allem spielt das Kontokorrent im Bankbereich als **Bankkontokorrent** eine wichtige Rolle. Diesbzgl sind die einschlägigen Bestimmungen der AGBKU zu beachten.

B. Begriff des Kontokorrents

Das Kontokorrent wird auch „laufende Rechnung" genannt (§ 355 Abs 1 HGB). Das echte Kontokorrentverhältnis setzt eine Parteienübereinkunft **(Kontokorrentabrede)** voraus, an der wenigstens ein **Kaufmann** teilnimmt, wonach alle aus der **Geschäftsverbindung** entspringenden beiderseitigen Ansprüche und Leistungen unter Anrechnung von **Zinsen** erst nach einer gewissen Zeitperiode abzurechnen sind und für das sich daraus für eine Partei ergebende Guthaben (den **Saldobetrag**) idR ein von den einzelnen Verrechnungsposten unabhängiger Zahlungsanspruch begründet werden soll.

Das Anliegen, einen neuen Rechtsgrund für den Anspruch auf Zahlung des Saldobetrages zu schaffen, wird vom Gesetzgeber allerdings nicht als ein Wesensmerkmal des Kontokorrent gesehen (vgl § 355 Abs 1 HGB). In der Praxis ist aber gerade dieses Anliegen von großer Bedeutung. Das Kontokorrentverhältnis setzt nicht voraus, dass auf beiden Seiten Forderungen entstehen müssen (EvBl 1975/7; QuHGZ 1983/221; NZ 1986, 15).

C. Zwecke des Kontokorrents

Das Kontokorrent dient folgenden Zwecken:

Vereinfachungszweck: Die Gesamtverrechnung soll den Geschäftsverkehr in der Rechnungsperiode vereinfachen.

Kompensationszwecke: Das Kontokorrent dient insofern auch allen Kompensationszwecken, als in der Verrechnung und Saldofeststellung auch eine alle in die Rechnungsperiode fallenden, gegenseitigen Forderungen umfassende Kompensation steckt.

Die Kompensationszwecke betreffen den *Befreiungszweck* (man wird von eigenen Verbindlichkeiten befreit), *Befriedigungszweck* (man erhält eigene Forderungen befriedigt) und *Sicherungszweck* (eigene Forderungen sind im Ausmaß der eigenen Verpflichtungen nicht uneinbringlich). Der *Verrechnungszweck* der Kompensation entspricht hingegen dem *Vereinfachungszweck* des Kontokorrent.

Vereinheitlichungszweck: Die neue Rechtsgrundlage des Saldofeststellungsvertrages soll die verschiedenen Rechtsgrundlagen der im Kontokorrent stehenden Forderungen ersetzen.

Nach hM kommt dem Kontokorrent hingegen **kein Kreditierungszweck** zu. Das Kontokorrent ist keine Einrichtung, die jenem Beteiligten, der gegenüber dem anderen mehr Schulden als Forderungen hat, Kredit verschaffen soll. Beim Bankkontokorrent ist das freilich anders. Überdies kann ein Kreditierungseffekt des Kontokorrents ganz allgemein nicht geleugnet werden: Denn gezahlt braucht während der Rechnungsperiode auch dann nicht zu werden, wenn die eigenen Verbindlichkeiten gegenüber dem anderen die eigenen Forderungen gegen ihn bei weitem übersteigen.

D. Kontokorrentabrede (echtes und unechtes Kontokorrent)

„Echtes" Kontokorrent setzt eine Kontokorrentabrede voraus; „unechtes" nicht. Entscheidend ist der Parteiwille. Beim echten Kontokorrent umfasst er das In-Rechnung-Stellen, eine Verrechnung in regelmäßigen Zeitabständen und rechtlich selbstständige Saldoforderungen. In den Fällen der laufenden **„offenen Rechnung"** werden nur die Forderungen einer Partei verbucht, nach bestimmten Zeitabschnitten addiert und beglichen (SZ 51/38). Hier liegt kein Anwendungsfall der §§ 355ff HGB vor.

E. Beteiligung eines Kaufmanns (eigentliches und uneigentliches Kontokorrent)

Zumindest eine Partei muss Kaufmann sein. Es genügt, Minderkaufmann (§ 4 HGB) oder § 5-Kaufmann zu sein (eigentliches Kontokorrent).

Die hM befürwortet grundsätzlich eine analoge Anwendung der HGB-Regeln zum Kontokorrent auch auf das „uneigentliche“ Kontokorrent.

Bzgl der **analogen Anwendung der Zinseszinsenregel** des § 355 Abs 1 HGB bestehen Meinungsverschiedenheiten. Da nach bürgerlichem Recht zum Schutz des Verpflichteten eine ausdrückliche Vereinbarung von Zinseszinsen verlangt wird (§ 3a RGBl 1868/62), ist hier in der Tat Vorsicht geboten. Zum Bankkontokorrent vgl in diesem Zusammenhang die AGBKU. Allgemein:

Auf eine Abrede zwischen Nichtkaufleuten, die alle sonstigen Merkmale des § 355 Abs 1 HGB aufweist, findet Kontokorrentrecht grundsätzlich analog Anwendung. Eine Kontokorrentabrede kann auch konkludent durch laufende Abrechnung in regelmäßigen Zeitabschnitten unter Vortrag des Saldos auf die nächste Periode zu Stande kommen.

Ein Hausverwalter und ein Hauseigentümer stehen, auch wenn keiner von ihnen Kaufmann ist, jedenfalls dann in einem „uneigentlichen“ Kontokorrentverhältnis, wenn alle übrigen gesetzlichen Merkmale des § 355 Abs 1 HGB auf ihre Geschäftsverbindung zutreffen. In einem solchen Fall sind die Rechtsfolgenanordnungen der §§ 355 ff HGB – wohl mit der Einschränkung, dass Zinseszinsen nur bei ausdrücklicher Vereinbarung verlangt werden können – analog anzuwenden; das trifft jedenfalls auf den Beginn der Verjährung zu, der dann an die Beendigung des Kontokorrentverhältnisses gebunden ist (wbl 2002/62, 89 = ecolex 2002/2, 18 = EvBl 2002/14 = SZ 74/137).

F. Geschäftsverbindung

Das Kontokorrent setzt eine laufende Geschäftsverbindung voraus. Sie ist auf gewisse Dauer angelegt; idR kommt es immer wieder zu Geschäftsabschlüssen bestimmter Art. Zumindest muss der wiederholte Abschluss von Geschäften von den Beteiligten *erwartet* werden. Die **rechtliche Qualifikation** einer derartigen, laufenden Geschäftsverbindung fällt insb dann nicht leicht, wenn kein diesbzgl **Rahmenvertrag** vorliegt. Dann wird sie als **gesetzliches Schuldverhältnis ohne primäre Leistungspflicht** gesehen. Eine laufende Geschäftsverbindung löst eine **besondere Vertrauenslage** aus (vgl die Strukturverwandtschaft mit den vorvertraglichen Schuldverhältnissen; culpa in contrahendo); sie kann zu „Geschäftsverbindungsbräuchen“ führen, die lediglich zwischen den Beteiligten beachtlich sind, und kann besondere Haftpflichten auslösen.

G. Die im Kontokorrent stehenden Forderungen

1. Kontokorrentfähigkeit. Kontokorrentfähig sind idR nur **buchungsfähige** Forderungen. Es muss sich dabei nicht um Geldforderungen handeln; ein anderer einheitlicher Maßstab genügt.

2. Kontokorrentzugehörigkeit. Nicht alle kontokorrentfähigen Forderungen sind deshalb auch schon **kontokorrentzugehörig (kontokorrentgebunden).** Ob eine Forderung kontokorrentzugehörig ist, entscheidet der Vertrag.

IZw sind alle im *gewöhnlichen* Geschäftsverkehr entstandenen Ansprüche kontokorrentzugehörig, auch Zinsenansprüche, unverzinsliche Forderungen, im Falle entsprechender Vereinbarung: auch Naturalobligationen. Wechsel- und Scheckforderungen sind idR wegen des kontokorrentrechtlichen Abtretungsverbotes, das die Umlauffähigkeit solcher Forderungen beeinträchtigt, nicht kontokorrentzugehörig.

3. Mehrfache Kontokorrentverhältnisse. Die Parteien können ihre Geschäftsverbindung auch gliedern und insofern **mehrfache Kontokorrentverhältnisse** einrichten. IdR kommt es in solchen Fällen zu keiner Verrechnung der verschiedenen Konten; jede Saldoforderung ist selbstständig.

H. Rechnungsperiode

heißt die Zeit zwischen erster Kontoeröffnung und erstem Rechnungsabschluss bzw zwischen zwei Rechnungsabschlüssen. Über die Dauer bestimmen die Parteien; iZw beträgt sie ein Jahr (§ 355 Abs 2 HGB). Ebenso beim Bankkontokorrent (Pkt 9 Abs 1 AGBKU).

Von der Rechnungsperiode zu unterscheiden sind **laufende Informationen über den jeweiligen Saldostand** *während* der Rechnungsperiode. Es steht den Parteien des Kontokorrentverhältnisses frei, diesbzgl Informationsrechte bzw -pflichten zu vereinbaren.

I. Wirkungen des Kontokorrent

Das Kontokorrent verändert zwar nicht die Rechtsnatur der eingestellten Forderungen, wohl aber löst der Kontokorrentvertrag eine Reihe spezifischer Rechtsfolgen aus:

1. Stundung. Ins Kontokorrent gestellte Forderungen werden zumindest bis zum Ablauf der Rechnungsperiode gestundet. Allerdings kann auch nach Ablauf der Rechnungsperiode die kontokorrentgebundene Forderung nicht mehr selbstständig geltend gemacht werden (vgl unten 2.); sie wird vielmehr nur noch verrechnet. Insofern führt die Einstellung einer Forderung ins Kontokorrent nicht bloß zu einer Stundung im üblichen Sinn. Auch wenn man davon ausgeht, dass die ursprüngliche Fälligkeit der Forderung bis zum Ende der Rechnungsperiode hinausgeschoben wird, ist die Forderung dennoch ab dem ursprünglichen Fälligkeitszeitpunkt zu verzinsen (vgl unten 6.), was bei einem echten Aufschub der Fälligkeit nicht der Fall wäre.

2. Verlust der Verfügungsmacht. Ins Kontokorrent gestellte Forderungen können nicht mehr selbstständig geltend gemacht werden; sie können **weder abgetreten noch ver- oder gepfändet** werden. Auch gibt es **keine gegenseitige Aufrechnung.** Wird eine kontokorrentgebundene Forderung eingeklagt, kann dagegen die **Kontokorrenteinrede** erhoben werden.

3. Zahlungen während der Rechnungsperiode haben keine schuldbefreiende Wirkung. Sie tilgen die ins Kontokorrent gestellte Forderung nicht, sondern verändern zunächst nur den buchmäßigen Saldo. Daher spielen in diesem Zusammenhang die §§ 1415f ABGB keine Rolle (JBl 1947, 82; SZ 40/119; EvBl 1971/76; QuHGZ 1976/144; aA JBl 1981, 256).

4. Verjährung. Die Verjährung der ins Kontokorrent gestellten Forderungen hängt von der Rechtsnatur des jeweiligen Anspruches ab. Bis zum Ablauf der Rechnungsperiode ist die Verjährung der kontokorrentgebundenen Forderungen **gehemmt** (SZ 11/130; HS 1601; IV/28; 7230; NZ 1986, 15). Die Verjährung beginnt erst wieder nach Ablauf der Rechnungsperiode zu laufen (NRsp 1994/76). Forderungen, die im Zuge der Saldofeststellung nicht anerkannt und daher aus der Verrechnung ausgeschieden werden, verjähren in der noch offenen Frist. Gehen die anerkannten Forderungen im Saldoanspruch auf, stellt sich nur mehr die Frage der Verjährung des Saldoanspruches. Wer demgegenüber meint, dass die alten Forderungen neben dem Saldoanerkenntnis weiter bestünden, hat diesbezüglich auf deren noch offene Verjährungsfrist zu achten.

Wird der Saldo auf neue Rechnung vorgetragen, ist die Verjährung bis zum Ende des weiterlaufenden Kontokorrentverhältnisses gehemmt.

5. Zinsen. Ins Kontokorrent gestellte Forderungen sind **ab dem Zeitpunkt ihrer ursprünglichen Fälligkeit** bis zur Saldofeststellung zu verzinsen (wbl 1990, 188; 1994, 129).

Der festgestellte Saldobetrag ist seinerseits ab jenem Zeitpunkt, zu dem er festzustellen ist (Stichtag des Endes der Kontokorrentperiode), zu verzinsen. Dies führt im Hinblick darauf, dass der Saldobetrag auch Zinsen für im Kontokorrent gestandene, vor Ablauf der Rechnungsperiode fällig gewordene Forderungen enthält, zu **Zinseszinsen** (§ 355 Abs 1 lt Satz HGB).

Verjährung von Zinsenansprüchen. Sie verjähren nicht separat nach § 1480 ABGB, sondern werden Teil der Gesamtforderung und teilen ihr rechtliches Schicksal; daher ist eine gesonderte Verjährung der Zinsenansprüche ausgeschlossen (RdW 1989, 303; 1990, 337; wbl 1994, 129; HS 24.090; ecolex 1998, 552 = RdW 1998, 407).

6. Gesicherte Forderungen. Pfänder und Bürgschaften für ins Kontokorrent gestellte Forderungen gehen durch das Saldoanerkenntnis nicht unter. Vielmehr darf sich der Gläubiger insoweit aus der Sicherheit befriedigen, als der Saldoanspruch die Höhe der gesicherten Forderung nicht übersteigt (§ 356 Abs 1 HGB). Was für Pfänder und Bürgschaften gilt, gilt auch für Fälle des **Sicherungseigentums,** der **Sicherungsabtretung,** des **Eigentumsvorbehaltes.**

§ 356 Abs 1 HGB wendet sich gegen die frühere Rsp, derzufolge das Saldoanerkenntnis die für einzelne Forderungen bestehenden Sicherheiten wie bei der Novation erlöschen ließ. Der Gesetzgeber bestätigt demgegenüber die Vorstellung, dass die ins Kontokorrent gestellten Forderungen im anerkannten Saldobetrag noch fortleben und erteilt insofern der „Novationstheorie“ eine Absage (HGB-Denkschrift 199). § 356 HGB rechtfertigt die Aufrechterhaltung von Sicherheiten nicht, sofern die gesicherte Forderung gar nicht mehr im kausalen Saldo (siehe K.) enthalten ist, weil sie zB bereits getilgt wurde (zum vom kausalen Saldo zu unterscheidenden Saldoanerkenntnis vgl unten L.).

7. Gesamtschuldnerhaftung. Haftet ein Dritter als Gesamtschuldner für eine ins Kontokorrent gestellte Forderung, so bleibt seine Haftung auch für den Saldoanspruch bis zur Höhe der ins Kontokorrent gestellten Forderung aufrecht (§ 356 Abs 2 HGB). Was zu den Sicherheiten gesagt wurde, gilt sinngemäß auch hier.

J. Verrechnung (Errechnung des Saldobetrages)

Nach Ablauf der Rechnungsperiode werden die Forderungen samt Zinsenansprüchen der einen Partei zusammengezählt und ebenso die Forderungen samt Zinsenansprüchen der anderen Partei. Die Differenz beider Beträge stellt den **Saldobetrag** dar. Er steht jener Partei zu, die mehr Forderungen gegen die andere als die andere gegen jene hat.

Die Verrechnung ist ein Anwendungsfall vereinbarter Aufrechnung **(Kompensation).** Sie stellt nicht nur einen Buchungsvorgang dar, sondern hat auch **Tilgungsfunktion.** Die Saldoforderung begründet einen Zahlungsanspruch und ist als solche einklagbar.

K. Die „kausale" Saldoforderung

Kommt es zu keinem Saldoanerkenntnis (dazu unten L.), ergeben sich bzgl des Anspruches auf Saldozahlung erhebliche Probleme: Der Betrag ist nichts anderes als das Ergebnis einer umfassenden Aufrechnung, beruht also selbst auf keiner rechtlich selbstständigen, einheitlichen Forderung. Umstritten ist, wie sich diese „kausale" Saldoforderung zusammensetzt.

Drei Lehren wurden entwickelt: die Lehre von der verhältnismäßigen Gesamtaufrechnung („Mosaiktheorie"); die Lehre vom Staffelkontokorrent; die Lehre von der zivilrechtlichen Tilgungsordnung.

1. Die Lehre von der verhältnismäßigen Gesamtaufrechnung („Mosaiktheorie") geht davon aus, dass die einzelnen Posten der größeren Seite jeweils zu jenem Anteil bestehen bleiben, zu welchem die Summe der Posten der größeren Seite die Summe der Posten der kleineren Seite überragt. Die Posten der kleineren Seite erlöschen hingegen völlig.

Stehen einander zB Forderungen des A von insgesamt 400 € und Forderungen des B von insgesamt 300 € gegenüber, so hat B gegen A keine Forderungen mehr, weil der Saldo von 100 € dem A zusteht. Die Summe der Forderungen des A stehen zur Summe der Forderungen des B im Verhältnis von 4 zu 3; daher ist jede Forderung des A um jeweils 75% zu kürzen. Die Summe der solcherart gekürzten Forderungen ergibt im Ergebnis den Saldo von 100 €.

Kritik: Diese Lehre widerspricht dem Anliegen der Vereinfachung, fußt auf keiner gesetzlichen Grundlage und entbehrt idR auch einer entsprechenden Vereinbarung. Dennoch ist diese Lehre in Dtld noch hM.

2. Die Lehre vom Staffelkontokorrent geht davon aus, dass sich die Verrechnung aus einer *Vielzahl einzelner Kompensationen* zusammensetze, die im Ablauf der Rechnungsperiode jeweils automatisch einträten, sobald sich zwei Posten verrechnungsfähig gegenüberstünden. Die Aufrechnung erfolge demnach „zeitlich gestaffelt" und nicht periodisch.

Kritik: Diese Lehre entspricht gleichfalls nicht der Gesetzeslage.

3. Die Lehre von der zivilrechtlichen Tilgungsordnung (HS IV/28; QuHGZ 1976/144) wendet im gegebenen Zusammenhang die §§ 1415f ABGB an. Diese Lehre wurde bis vor kurzem sowohl in Dtld als auch in Österreich abgelehnt, gewinnt aber nunmehr zunehmend an Boden (JBl 198s, 256): Nach § 1415 ABGB entscheidet für den Fall, dass mehrere Posten offen sind, der Wille der Parteien darüber, welche ausgeglichen werden sollen. IZw oder bei Widerspruch „sollen zuerst die Zinsen, dann das Kapital, von mehreren Kapitalien aber dasjenige, welches schon eingefordert oder wenigstens fällig ist, und nach diesem dasjenige, welches schuldig zu bleiben dem Schuldner am meisten beschwerlich fällt, abgerechnet werden" (§ 1416 ABGB).

Kritik: Auch § 1416 ABGB führt im gegebenen Zusammenhang zu Schwierigkeiten; insb im Hinblick auf pfand- bzw bürgschaftsgesicherte Forderungen. § 356 HGB legt die Wertung nahe, gesicherte Forderungen erst nach den ungesicherten für untergegangen zu erachten. Auch wenn § 1416 ABGB Anwendungsprobleme mit sich bringt, so handelt es sich doch um eine geltende Gesetzesregel; insofern empfiehlt sich sein Inhalt mehr als die Erwägungen der beiden zuerst genannten Lehren. Die Lehre von der zivilrechtlichen Tilgungsordnung entspricht der hM.

All die mit diesen Lehren (1.–3.) verbundenen Schwierigkeiten erspart sich, wer einen Saldoanerkenntnisvertrag schließt.

L. Saldoanerkenntnis

Ist der Saldo errechnet, kommt es meist zur einvernehmlichen **Feststellung des Saldos** durch die Parteien. Man spricht auch von der **Anerkennung des Rechnungsabschlusses.**

1. Die Rechtsnatur des Saldoanerkenntnisses ist umstritten. Das Saldoanerkenntnis kann mit der Rsp und einem Teil der Lehre als **Feststellungsvertrag (Anerkenntnisvertrag)** (SZ 11/130) verstanden werden, der dem Saldobetrag **konstitutiv** einen **neuen Rechtsgrund** gibt. Er löst den bisherigen, kausalen Saldoanspruch ab und hat insofern jedenfalls „Bereinigungswirkung".

Dabei ist zu beachten, dass Anerkenntnisverträge im Allgemeinen *strittige* Rechtsfragen bereinigen. Es spricht aber nichts dagegen, auch dann einen Saldo rechtswirksam anzuerkennen, wenn zwar (zumindest im Zeitpunkt des Abschlusses des Anerkenntnisvertrages) zwischen den Parteien kein Recht strittig ist, man aber aus Gründen **vereinfachter Verrechnung** oder auch zwecks **Vermeidung eventueller künftiger Streitigkeiten** einen neuen Rechtsgrund für die noch offene Saldoforderung schaffen will. Das Saldoanerkenntnis ist also nicht ohne weiteres als Vergleich anzusehen. Manche halten es eher für eine (Art) Novation („Novationstheorie"). Andere sehen darin ein Gebilde, das sich aus Elementen der Novation und des konstitutiven Anerkenntnisses zusammensetzt.

2. Zur Problematik der Abstraktheit des Saldoanerkenntnisses. Für die einen ist das Saldoanerkenntnis abstrakter Natur; für andere wieder – trotz „Bereinigungswirkung" – nicht (gegen die Abstraktheit: JBl 1974, 46 Anm *Koziol*).

Eine die Abstraktheit erheblich relativierende Ansicht geht davon aus, dass neben dem Saldoanerkenntnis auch noch die kausale Saldoforderung fortbestehe. Werde aus dem neuen, „abstrakten" Versprechen geklagt, so blieben dem Schuldner immer noch Bereicherungseinreden aus dem Kausalverhältnis erhalten. Der Nachteil dieser Ansicht liegt auf der Hand: Die „Bereinigungswirkung" des Saldoanerkenntnisses wirkt nur, wenn sich keine Partei auf die kausale Saldoforderung beruft; dies aber bedeutet, dass die „Bereinigungswirkung“ leer läuft: Sie kommt nur zum Tragen, wo sie gar nicht gebraucht wird; dort aber, wo sie die Schwierigkeiten eines nachträglichen Rechtsstreites verhindern soll, greift sie nicht, weil dieser Rechtsstreit durchaus vom Zaun gebrochen werden kann.

3. Privatautonome Klarstellung. Streitigkeiten über die Rechtsfolgen des Saldoanerkenntnisses vermeidet, wer im Zuge seiner Vereinbarung mit gebotener Deutlichkeit inter partes klarstellt, ob und inwieweit die Rechtslage durch die Saldofeststellung endgültig bereinigt werden soll. Denn § 355 HGB ist dispositives Recht und lässt daher privatautonome Klarstellungen durchaus zu.

4. Einheitliche Verjährung. Einig ist man sich darüber, dass für den anerkannten Saldo einheitliche Verjährungsregeln (30 Jahre) und ein einheitlicher Gerichtsstand gelten.

5. Selbstständige Klage aus dem Saldoanerkenntnis. Unstreitig ist auch, dass aus dem Saldoanerkenntnis selbstständig geklagt werden kann; lediglich das Anerkenntnis ist zu beweisen, nicht die den Saldo begründenden, früheren Einzelforderungen. Einwendungen können nur gegen das Anerkenntnis selbst, nicht gegen die früheren Einzelforderungen erhoben werden.

M. Saldopfändung

1. Allgemeines. Ins Kontokorrent gestellte Forderungen können nicht gepfändet werden. Dem Gläubiger eines Schuldners, der seinerseits eine Forderung in einem Kontokorrentverhältnis gegenüber einem Dritten (Drittschuldner) stehen hat, ist also nur mehr der **Griff auf den Saldoanspruch** seines Schuldners gegenüber dem Dritten möglich. § 357 HGB regelt damit zusammenhängende Ordnungsfragen.

2. Keine Beendigung des Kontokorrentverhältnisses. Die Pfändung beendet das Kontokorrentverhältnis nicht. Stattdessen kommt es zu einem buchungstechnisch vorläufigen Abschluss lediglich im Verhältnis zwischen dem Pfändungsgläubiger und dem anderen Kontokorrentpartner (BGHZ 80, 172, 176). Dies führt aber nicht zu einem sofortigen Zahlungsanspruch des Gläubigers; es sei denn, der Saldoanspruch stünde dem Schuldner des Gläubigers bereits zu.

3. Kein Kündigungsrecht des Gläubigers. Der den Saldoanspruch pfändende Gläubiger ist auch nicht berechtigt, das Kontokorrentverhältnis vorzeitig aufzukündigen. § 135 HGB ist hier nicht analogiefähig.

4. Saldoanspruch im Zeitpunkt der Pfändung. Erfasst wird der Saldoanspruch in jener Höhe, die er im Zeitpunkt der Pfändung hat. Gemeint ist also nicht der erst am Ende der Rechnungsperiode festzustellende Saldobetrag, sondern der im Pfändungszeitpunkt sich **buchmäßig** ergebende.

Gepfändet ist der Saldo im Zeitpunkt der Zustellung des Zahlungsverbotes an den Drittschuldner (das ist der Saldoschuldner).

5. Anrechnungsregeln. Aus § 357 HGB ergibt sich, dass den Gläubiger Schuldposten, die *nach* der Pfändung durch neue Geschäfte entstehen, nicht benachteiligen dürfen **(Gläubigerschutz);** zugleich aber wird klargestellt, dass Geschäfte, die auf Grund eines schon *vor* der Pfändung bestehenden Rechtes oder einer schon vor diesem Zeitpunkt bestehenden Verpflichtung des Drittschuldners vorgenommen werden, nicht als „neue", den Pfandgläubiger nicht tangierende Geschäfte gelten **(Drittschuldnerschutz).**

Das bedeutet: Vermindert sich der Saldo nach der Pfändung durch **neue Verbindlichkeiten** des Schuldners gegenüber dem Drittschuldner, so berührt dies den Anspruch des Pfandgläubigers nicht. Der von ihm bereits gepfändete Saldoanteil bleibt dem Pfandgläubiger also erhalten, obwohl der Schuldner in der Folge angesichts eigener, neuer Verbindlichkeiten nur mehr einen geringeren Saldoanspruch hat. Der *Pfandgläubiger* ist demnach davor geschützt, dass spätere Verbindlichkeiten des Schuldners den gepfändeten Saldobetrag verringern.

Das gilt aber nicht für solche Verbindlichkeiten des Schuldners gegenüber dem Drittschuldner, die zwar auch erst *nach* der Pfändung *entstehen,* wohl aber *aus Geschäften stammen, die schon vor der Pfändung geschlossen waren.* Damit soll der *Drittschuldner* geschützt werden; denn solche Verbindlichkeiten kann er trotz bereits erfolgter Pfändung nicht verhindern. Neue Geschäfte, die ihn angesichts der Verpfändung des Saldoanspruches belasten könnten, braucht der Drittschuldner hingegen nicht mehr abzuschließen; hier kann er sich also vor Verlusten schützen.

Kommen dem Schuldner nach Pfändung seines Saldoanspruches **neue Forderungen** gegen den Drittschuldner zu, so kommen diese dem Pfandgläubiger nicht zugute (HGB-Denkschrift 200).

6. Sicherheiten. Die Pfändung des Saldobetrages erstreckt sich auch auf Sicherheiten, soweit Guthaben und gesicherte Forderung einander decken.

7. Zahlungen des Drittschuldners an den Schuldner nach Zustellung des Zahlungsverbotes sind dem betreibenden Gläubiger gegenüber unwirksam.

8. Pfändung künftiger Saldoansprüche. Gläubiger dürfen auch künftige Saldoansprüche pfänden; das Exekutionsobjekt ist auf Grund des Kontokorrentverhältnisses inhaltlich hinreichend bestimmbar. So ist es möglich, auch auf Saldoansprüche zu greifen, die jene übersteigen, die im Zeitpunkt der Pfändung buchmäßig bestanden (BGHZ 80, 172, 181).

N. Beendigung des Kontokorrentverhältnisses

Das Kontokorrentverhältnis endet einvernehmlich, mit Zeitablauf, durch jederzeitige Kündigung, mit Ende der Geschäftsverbindung, mit Ende der Kaufmannseigenschaft, mit Eröffnung des Konkursverfahrens gegen eine der Parteien (EvBl 1996/28 = RdW 1996, 364).

Ausgleichseröffnung beendet die Rechnungsperiode, nicht aber das Kontokorrentverhältnis als solches; die Ausgleichseröffnung kann aber zur Kündigung veranlassen.

Die Kündigung nach § 355 Abs 3 HGB ist jederzeit während der Rechnungsperiode zulässig und formfrei möglich; Gründe müssen nicht angegeben werden; die Kündigung löst die Feststellung des Saldoanspruches zum Zeitpunkt der Beendigung des Kontokorrentverhältnisses aus. Das Kündigungsrecht kann vertraglich ausgeschlossen werden; eine Kündigung aus wichtigem Grund bleibt dessen ungeachtet zulässig.

Handelsrechtsreform: Das UGB ändert die bisherigen Regelungen über das Kontokorrent. Obwohl der Gesetzgeber die Ansicht teilt, dass die Kontokorrentregelungen im Grunde keine handelsrechtlichen Besonderheiten aufweisen, sondern im Grunde allgemeines Zivilrecht darstellen (*Canaris,* Handelsrecht[23] § 27 Rz 55), so hält er es dennoch rechtspolitisch für besser, auch weiterhin die analoge Anwendung der handelsrechtlichen Kontokorrentregelungen im allgemeinen Zivilrecht zu vertreten und die genannten Bestimmungen im UGB zu belassen, weil sich Kontokorrentverhältnisse insb angesichts des Umstandes, dass das UGB künftig ja für alle Unternehmer gilt, praktisch nur im unternehmerischen Geschäftsverkehr finden.

Die Änderungen des Kontokorrentrechts durch das UGB betreffen vor allem: Die Hervorhebung des rechtsgeschäftlichen Charakters des Kontokorrents; die Regelung des kausalen Saldos durch Verweisung auf §§ 1415 f ABGB iSd heute wohl hM; die Trennung des kausalen vom festgestellten Saldo. Demnach hat jeder Teil gegen den anderen einen Anspruch auf Feststellung des Rechnungsabschlusses. Liegt ein festgestellter Rechnungsabschluss vor, so kann derjenige, dem daraus ein Überschuss zusteht, sich zur Begründung seines Anspruchs auch auf diesen berufen. Insofern ist also der Anspruch auf den Saldo „abstrakt". Dies aber nur bis zu einem gewissen Grade. Denn die Einwendung des anderen Teils, der Gläubiger werde dadurch ungerechtfertigt bereichert, bleibt unberührt. Beruft sich ein Unternehmer darauf, dass das Saldo bereits festgestellt ist, obwohl der Berechnung unzulässige AGB zugrunde liegen, so hindert die Saldofeststellung eine Verbandsklage gegen die unzulässigen AGB in keiner Weise.

IV. Handelsbürgschaft

Lit: *Stammler,* Der Garantievertrag, AcP 69 (1886) 1; *Ohmeyer,* Der Bürge und Zahler, GZ 1927, 33; *Schinnerer,* Bankgarantie und Bürgschaft, ÖBA 1953, 216; *Bär,* Zum Rechtsbegriff der Garantie (1963); *Koziol,* Über den Anwendungsbereich des Bürgschaftsrechts, JBl 1964, 306; *Bergström/Schultz/Käser,* Garantieverträge im Handelsverkehr (1972); *Rumher,* Probleme der Patronatserklärung in der Kreditsicherungspraxis, WM 1974, 990; *Kleiner,* Die Abgrenzung der Garantie von der Bürgschaft und anderen Vertragstypen mit besonderer Berücksichtigung des Bankgarantiegeschäftes[2] (1975); *Obermüller,* Die Patronatserklärung, ZGR 1975, 1; *Schraepler,* Patronatserklärung als Sicherheit, ZKW 1975, 215; *Zeiss,* Die Umdeutung einer formnichtigen Bürgschaft in einen Kreditvertrag, WM 1976, 906; *Aichinger,* Die Patronatserklärung in Österreich, QuHGVZ 1978/4, 85; *Stecher,* „Harte" Patronatserklärungen, rechtsdogmatische und praktische Probleme (1978); *P. R. Altenburger,* Die Patronatserklärungen als „unechte" Personalsicherheiten (1979); *Koziol,* Der Garantievertrag (1981); *Schröder,* Die „harte" Patronatserklärung – verschleierte Bürgschaft/Garantie oder eigenständiger Kreditsicherungstyp? ZGR 1982, 552; *Avancini,* Rechtsprobleme der Patronatserklärungen, ÖJZ 1983, 546; *K. Schmidt,* Formfreie Bürgschaften eines geschäftsführenden Gesellschafters, ZIP 1986, 1510; *P. Bydlinski,* Die Bürgschaft im österr und dt Handels-, Gesellschafts- und Wertpapierrecht (1991); *Wilhelm,* Die neue Form der Garantie, ecolex 1993, 14; *Rabl,* Die Bürgschaft (2000).

Auch für Kaufleute gelten die allgemeinen Regeln über die Bürgschaft. Das HGB kennt jedoch einige Modifizierungen.

1. Bürge und Zahler. Der Vollkaufmann für den die Bürgschaft ein Handelsgeschäft ist, haftet iZw als Bürge und Zahler iS des § 1357 ABGB (§ 349 HGB).

Er kann also ohne Vorausmahnung des Schuldners (§ 1355 ABGB) in Anspruch genommen werden; der sonst das Bürgschaftsrecht prägende Grundsatz der Subsidiarität der Bürgenschuld gilt hier nicht. Näheres zu den Bürgschaftsarten vgl in den Darstellungen des allgemeinen Privatrechts.

2. Vollkaufmann. § 349 HGB gilt nur dann, wenn der *Bürge* Vollkaufmann ist. Gläubiger bzw Hauptschuldner müssen hingegen keine Kaufleute sein. Die Vollkaufmannseigenschaft muss im Zeitpunkt der Abgabe der Bürgschaftserklärung vorliegen. Auch Scheinkaufleute kraft Auftretens haben die Regel des § 349 HGB gegen sich gelten zu lassen.

3. Bürgschaftsübernahme im Betrieb seines Handelsgewerbes. § 349 HGB hat Bürgschaften vor Augen, die dem Handelsgewerbe des Vollkaufmanns dienlich sein sollen. Das ist nach § 344 HGB iZw anzunehmen.

4. Formfreiheit der Handelsbürgschaft. Auf die Bürgschaft, die auf der Seite des Bürgen ein Handelsgeschäft ist, findet das Schriftlichkeitsgebot des § 1346 Abs 2 ABGB keine Anwendung. Die Handelsbürgschaft kann demnach formfrei erklärt werden (§ 350 HGB). Wer professionell Geldgeschäfte tätigt, benötigt nicht den **zivilrechtlichen Schutz vor Übereilung.** Dieser Schutz wird daher im kaufmännischen Geschäftsverkehr als „Behinderung" empfunden. Dabei wird auf „schwächere" Kaufleute durchaus Rücksicht genommen: Minderkaufleute können trotz aller Liebe des Handelsrechts zur „Bewegungsfreiheit" des professionell Tätigen nur schriftlich bürgen (§ 351 HGB).

Wer in seiner Eigenschaft als Vorstandsmitglied, Geschäftsführer oder Gesellschafter persönlich für den Kaufmann bürgt (und nicht in dessen Namen als sein Vertreter), bürgt nicht als Kaufmann. Die Bürgschaftserklärung des Vorstandsmitgliedes, Geschäftsführers oder Gesellschafters, der persönlich für den Kaufmann bürgt, bedarf daher der Schriftlichkeit.

5. Bürgschaftsähnliche Geschäfte. Garantieverträge sind zwar keine Bürgschaften, ihnen aber oft sehr ähnlich. Daher stellt sich die Frage, ob und inwieweit die Regeln des Bürgschaftsrechts auf sie Anwendung finden. Soweit dies bejaht wird (SZ 67/128), sollten auch die handelsrechtlichen Sonderregeln zum Bürgschaftsrecht entsprechend beachtet werden. Wer also das bürgschaftsrechtliche Schriftlichkeitsgebot auch auf bürgschaftsähnliche Garantieverträge anwendet, sollte davon ausgehen, dass dieses Gebot für denjenigen nicht gilt, für den der Garantievertrag ein Handelsgeschäft ist.

Besondere Abgrenzungsprobleme bereiten die im Wirtschaftsleben häufig vorkommenden **„Patronatserklärungen"**, in denen ein Unternehmer erklärt, für die Zahlungsfähigkeit oder Erfüllung von Verbindlichkeiten eines anderen (meist einer Tochtergesellschaft oder eines ihm auf andere Weise verbundenen Unternehmens) hinreichend vorzusorgen. Solche Erklärungen sind mitunter nur *Absichtserklärungen* ohne Rechtsfolgewillen (letters of intent) oder *Verwendungszusagen.* Sie können aber auch

Garantie- oder Bürgschaftserklärungen sein. Es ist oft eine schwierige Auslegungsfrage, wie „weich“ oder „hart“ eine Patronatserklärung im konkreten Fall ist.

Handelsrechtsreform: Das UGB sieht eine Streichung des § 350 HGB vor.

V. Zinsen

Lit: *Canaris,* Der Zinsbegriff und seine rechtliche Bedeutung, NJW 1978, 1891; *Jud,* Marginalien zum Ersatz aufgewendeter oder entgangener Zinsen, FS Ostheim (1990) 113; *Rebhahn,* Entgangene Kapitalmarktzinsen sind positiver Schaden, ecolex 1993, 10; *Stahr,* Alles über Zinsen, SWK 1984 D 5; *Meller,* Zinseszinsen im Gerichtsverfahren, SWK 1987/14 B III 3; *R. Schmitz,* Zinsrecht. Eine Studie zum Recht der Zinsen in Dtld und in den Mitgliedstaaten der EU (1994); *Iro,* Der OGH und die Verzugszinsen, RdW 1995, 169; *Honsell,* Der Zinsschaden bei der Geldschuld, wbl 1999, 97; *Dehn,* Das Zinsrechts-Änderungsgesetz, RdW 2002/486, 514; *Feil,* Zinsrechts-Änderungsgesetz, GesRZ 2002, Kurzinfo XV; *Graf,* Die Neuregelung der Rechtsfolgen des Zahlungsverzugs, wbl 2002, 437; *Spunda,* Änderungen durch das Zinsenrechts-Änderungsgesetz (ZinsRÄG), ecolex 2002, 653.

A. Begriff der Zinsen

1. Nutzungsentgelt in gleichen vertretbaren Sachen. Was Zinsen sind, sagt weder das ABGB noch das HGB. Zinsen vergüten die Nutzung vertretbarer Sachen in gleichen vertretbaren Sachen. Zinspflicht setzt Kapitalschuld voraus. Zinsen sind: Vergütung in Geld für Geld; aber auch: Vergütung in Getreide für Getreide; in Heizöl für Heizöl; in Kohle für Kohle.

Zinsen werden in Bruchteilen des Kapitals bemessen und idR periodisch geleistet. Den diesbzgl Prozentsatz nennt man **Zinsfuß** oder **Zinssatz.** Jemand zahlt zB 5% per anno Zinsen. Oft ist die **Zinsperiode** ein Jahr. Das muss nicht so sein. Mitunter werden Zinsen auch viertel- oder halbjährlich abgerechnet.

2. Abgrenzungen. Keine Zinsen sind: *Gewinnanteile (Dividenden), Rentenzahlungen, Miet- und Pachtzinse, effektiv entstandene Kosten der Kapitalbeschaffung (Disagio), Raten zur Kapitaltilgung (Tilgungs- oder Amortisationsraten).*

Annuitäten nennt man Tilgungsbeiträge, die untrennbar mit Zinszahlungen verbunden sind. Ein nur bzgl Zinsen erhobener Verjährungsanspruch ist bei Annuitäten daher unwirksam (RdW 1999, 337 = EvBl 1999/83 = ecolex 1999/148 = ÖBA 1999/798).

B. Allgemeines zur Neuregelung des Zinsenrechts

Das ZinsRÄG BGBl I 2002/118 setzte die RL 2000/35/EG zur Bekämpfung des Zahlungsverzuges im Geschäftsverkehr (ABl L 200 vom 8. 8. 2000, 35) um und trat am 1. 8. 2002 in Kraft.

Der vormalige § 352 HGB erhielt eine neue Fassung, die sich allerdings lediglich darauf beschränkt, auf den gesetzlichen Zinssatz nach den

Bestimmungen des ABGB zu verweisen, „sofern nicht Besonderes festgesetzt ist“. § 352 HGB bezieht sich auf Zinsenverpflichtungen, die das HGB ausspricht.

Vgl dazu: § 110 Abs 2 HGB (Verzinsung von Geld, das der OHG-Gesellschafter für die Gesellschaft aufgewendet hat); § 111 HGB (Verzinsung von geschuldeten Einlagen und unbefugten Entnahmen bei der OHG); § 354 Abs 2 HGB (Verzinsung von Darlehen, Vorschüssen und Verwendungen der Kaufleute); § 355 HGB (Kontokorrentzinsen). Nicht von § 352 HGB erfasst, dessen ungeachtet aber nach ABGB zu beurteilen, sind die Zinsen, die nach § 57 Abs 2 AktG und § 65 Abs 1 GmbHG zu bezahlen sind (Verzug bei Erfüllung der Einlagenpflicht von Aktionären bzw GmbH-Gesellschaftern).

Die bisherigen Vorschriften des § 353 HGB und des Art 8 Nr 7 EVHGB wurden aufgehoben. Die Regelungen auch für unternehmensbezogene Geschäfte finden sich nunmehr im ABGB (§ 1333 Abs 2).

> **Handelsrechtsreform:** Die unternehmensbezogenen Zinsenregelungen des ABGB werden aus systematischen Gründen in das UGB transferiert.

C. Gesetzliche Zinssätze

Ist nichts anderes vereinbart, kommt der gesetzliche Zinssatz zum Tragen.

1. Allgemeiner gesetzlicher Zinssatz. § 1000 Abs 1 ABGB legt einen allgemeinen gesetzlichen Zinssatz von 4% fest. Die Zinsen sind, sofern nichts anderes vereinbart ist, bei der Zurückzahlung des Kapitals oder, sofern der Vertrag auf mehrere Jahre abgeschlossen ist, jährlich zu bezahlen (§ 1000 Abs 3 ABGB).

Der gesetzliche Zinsfuß des Handelsrechts in Höhe von 5% wurde durch das ZinsRÄG abgeschafft.

2. Allgemeine Verzugszinsen. Der Schaden, den der Schuldner seinem Gläubiger durch die Vezögerung der Zahlung einer Geldforderung zugefügt hat, wird durch die gesetzlichen Zinsen (§ 1000 Abs 1 ABGB) vergütet (§ 1333 Abs 1 ABGB). Wann eine „Verzögerung“ vorliegt, sagt § 1334 ABGB:

Eine Verzögerung fällt einem Schuldner zur Last, wenn er den durch Gesetz oder Vertrag bestimmten Zahlungstag nicht einhält. Sofern die Parteien nicht anderes vereinbart haben, hat der Schuldner seine Leistung bei vertragsgemäßer Erbringung der Gegenleistung ohne unnötigen Aufschub nach der Erfüllung durch den Gläubiger oder, wenn die Parteien ein solches Verfahren vereinbart haben, nach der Abnahme oder Überprüfung der Leistung des Gläubigers oder, wenn die Forderung der Höhe nach noch nicht feststeht, nach dem Eingang der Rechnung oder einer gleichwertigen Zahlungsaufforderung zu erbringen. Ist die Zahlungszeit sonst nicht bestimmt, so trägt der Schuldner die Folgen der Zahlungsverzögerung, wenn er sich nach dem Tag der gerichtlichen oder außergerichtlichen Einmahnung nicht mit dem Gläubiger abgefunden hat.

Sonstige Verzugsschäden. Der Gläubiger kann außer den gesetzlichen Zinsen auch den Ersatz anderer, vom Schuldner verschuldeter und ihm erwachsener Schäden geltend machen, insb die notwendigen Kosten zweckentsprechender außergerichtlicher Betreibungs- oder Einbringungsmaßnahmen, soweit diese in einem angemessenen Verhältnis zur betriebenen Forderung stehen (§ 1333 Abs 3 ABGB).

Der Verzugssschaden gemäß § 1333 ABGB ist – sei er nun rechtsgeschäftlichen oder rein deliktischen Ursprungs – schadenersatzrechtlich als Mindestpauschale zu qualifizieren, dessen Leistung der Geschädigte – unabhängig vom Nachweis eines konkreten Schadens in dieser Höhe – unabhängig vom Nachweis eines konkreten Schadens in dieser Höhe – jedenfalls verlangen kann. Der Geschädigte kann jedoch den – durch § 1333 ABGB nicht begrenzten – Verzugsschaden als Folgewirkung des Primärschadens schon dann geltend machen, wenn der Ersatzpflichtige infolge leichter Fahrlässigkeit des Schädigers für den positiven Schaden einzustehen hat. Es liegt dann an ihm, zu behaupten und zu beweisen, dass in seinem Vermögen ein die gesetzlichen Zinsen übersteigender Vermögensnachteil als positiver Schaden eingetreten ist. – Der infolge Zahlungsverzugs entgangene Geldanlagegewinn ist positiver Schaden, soweit der Geschädigte als Folge des Zahlungsverzugs eine Gewinnchance, die er wahrgenommen hätte und deren Realisierung nach typischen Marktverhältnissen praktisch gewiss gewesen wäre, verlor (SZ 71/56 = JBl 1998, 312 = EvBl 1998/119 [verstärkter Senat]; damit ist der OGH von seiner auf SZ 5/53 beruhenden Judikatur abgegangen; *Honsell,* wbl 1999, 97 ff; *Schuhmacher* in *Straube*[3] § 353 Rz 9). Muss mangels Zahlung ein Kredit aufgenommen werden, so sind dem säumigen Schuldner die den Kreditnehmer belastenden Bankzinsen anzurechnen (JBl 1988, 244); andernfalls die dem Gläubiger infolge Vereitelung rechtzeitiger Geldeinlage bei der Bank entgehenden Habenzinsen.

3. Unternehmensbezogene Verzugszinsen. Bei der Verzögerung der Zahlung von Geldforderungen zwischen Unternehmern aus unternehmerischen Geschäften beträgt der gesetzliche Zinssatz 8 Prozentpunkte über dem Basiszinssatz. Dabei ist der Basiszinssatz, der am letzten Kalendertag eines Halbjahres gilt, für das nächste Halbjahr maßgebend (§ 1333 Abs 2 ABGB).

Zweiseitige Unternehmergeschäfte. Diese Sonderregelung gilt nicht nur für zweiseitige Handelsgeschäfte zwischen Kaufleuten, sondern für alle zweiseitigen *Unternehmer*geschäfte. Der Unternehmerbegriff wird nicht näher definiert, ist weit zu verstehen und entspricht jenem des KSchG. Daher gilt der hohe Verzugszinssatz auch für Freiberufler und erwerbswirtschaftlich tätige Land- und Forstwirte.

Basiszinssatz. Das 1. Euro-Justiz-Begleitgesetz (BGBl I 1998/125) ersetzte den Diskontsatz der ONB durch den „Basiszinssatz“, der seit VO BGBl II 2002/309 der Höhe nach an den Hauptrefinanzierungszinssatz der EZB gekoppelt ist. Der Basiszinssatz schwankt. Über seine jeweilige Höhe informieren die Kreditinstitute.

Strafcharakter. Verzugszinsen in Höhe von 8 Prozentpunkten über dem Basiszinssatz sind weitaus höher als jene Zinsen, die der Gläubiger auf dem Markt erzielt hätte, wenn er den rechtzeitig erhaltenen Betrag zu üblichen Bankbedingungen angelegt hätte. Der Verzugszinsensatz für zweiweitige Unternehmergeschäfte hat daher „Strafcharakter“. Damit wird das Wesen der Verzugszinsen als pauschalierter Schadenersatz denaturiert.

4. Sonderregelungen bestehen im Wechsel- und Scheckrecht, für Forderungen im Zusammenhang mit einem Arbeitsverhältnis, im Verbraucherrecht, nach dem WucherG und im Wohnrecht.

a) Wechsel- und Scheckrecht. Der Wechsel- bzw Scheckinhaber kann im Wege des Rückgriffs Zinsen zu 6% seit dem Verfalltag verlangen (Art 48 Abs 1 Z 2 WG; Art 45 Z 2 SchG).

Wird der Rückgriff vor Verfall genommen, so werden von der Wechselsumme Zinsen abgezogen. Diese Zinsen werden auf Grund des öffentlich bekannt gemachten Diskontsatzes (Satz der Zentralnotenbank) berechnet, der am Tag des Rückgriffs am Wohnort des Inhabers gilt (Art 48 Abs 2 WG).

Wer den Wechsel bzw Scheck eingelöst hat, kann von seinen Vormännern Zinsen des gezahlten Betrages von 6% seit dem Tag der Einlösung verlangen (Art 49 Z 2 WG; Art 46 Z 2 ScheckG).

b) Arbeitsrecht. Die gesetzlichen Zinsen für Forderungen im Zusammenhang mit einem Arbeitsverhältnis betragen 8% pro Jahr über dem am Tag nach dem Eintritt der Fälligkeit geltenden Basiszinssatz. Beruht aber die Verzögerung der Zahlung auf einer vertretbaren Rechtsansicht des Schuldners, so sind nur die sonstigen Bestimmungen über die gesetzlichen Zinsen anzuwenden (§ 49a ASGG idF BGBl I 2002/118).

c) Verbraucherrecht. Der Erwerber von Rechten an Gebäuden und Wohnungen von Bauträgern oder von Teilzeitnutzungsrechten kann bestimmte zu Unrecht erbrachte Zahlungen zurückfordern. Für derartige un Unrecht angenommene Beträge sind Zinsen ab dem Zahlungstag in einer den jeweiligen Basiszinssatz um 6 Prozentpunkte übersteigenden Höhe zu zahlen (§ 14 Abs 1 BTVG; § 7 Abs 2 TNG).

d) WucherG. Ist eine Kreditgewährung nach dem WucherG nichtig, so hat der Benachteiligte für den erhaltenen Kreditbetrag vom Empfangstag bis zur Rückzahlung – sofern im Vertrag nicht eine geringere Verzinsung vorgesehen ist – Zinsen in der Höhe des Zweifachen des im Zeitpunkt des Vertragsschlusses geltenden Basiszinssatzes zu vergüten (§ 7 Abs 2 WucherG).

e) Wohnrecht. Der Wohnungseigentumsorganisator hat bestimmte zu Unrecht angenommene Beträge ab dem Zahlungstag mit einem den jeweiligen Basiszinssatz (§ 1 Abs 1 1. Euro-JuBeG) um 6 Prozentpunkte übersteigenden Zinssatz zu verzinsen (§ 37 Abs 1 lt Satz WEG).

Handelsrechtsreform: Die Zinsenregelungen, die unternehmensbezogene Geschäfte betreffen, werden vom ABGB in das UGB transferiert.

D. (Kein) Verbot des ultra alterum tantum

Hat der Gläubiger die Zinsen ohne gerichtliche Einmahnung bis auf den Betrag der Hauptschuld steigen lassen, so erlischt das Recht, vom Kapital weitere Zinsen zu fordern (Verbot des ultra alterum tantum; § 1335 erster Halbsatz ABGB).

Diese Beschränkung des Zinsenanstieges gilt nicht, sofern es sich um *Geldforderungen gegen einen Unternehmer aus unternehmerischen Geschäften* handelt. Vom Tag der Streitanhängigkeit an können jedoch neuerdings Zinsen verlangt werden (§ 1335 zweiter Halbsatz und zweiter Satz ABGB).

Diese Bestimmung gilt auch für *einseitige* Unternehmergeschäfte; dh: Auch der Nichtunternehmer kann vom Unternehmer Zinsen fordern, die den Betrag der Hauptschuld übersteigen.

E. Zinseszinsen

Zinseszinsen sind Zinsen von Zinsen. Der Gläubiger einer Geldforderung kann Zinseszinsen verlangen, wenn dies ausdrücklich vereinbart ist. Sonst kann er, sofern fällige Zinsen eingeklagt werden, Zinseszinsen vom Tag der Streitanhängigkeit an fordern. Wurde über die Höhe der Zinsen keine Vereinbarung getroffen, sind 4% jährlich zu entrichten (§ 1000 Abs 2 ABGB).

VI. Schadenersatz

Lit: *Lindacher,* Phänomenologie der Vertragsstrafe (1972); *Mayrhofer,* Zur Rechtsnatur der Stornogebühr im österr Privatrecht, FS Herdlitczka (1972) 187; *Lindacher,* Konventionalstrafe und „Vergütungsbeitrag", JBl 1973, 135; *Jud,* Zivilrechtliche Marginalien zur neuen Habenzinsregelung – insb zur Konventionalstrafenvereinbarung, QuHGZ 1979/2, 51; *D. Fischer,* Vertragsstrafe und vertragliche Schadenersatzpauschalierung (1981); *Ostheim,* Marginalien zum Ersatz entgangenen Gewinns im bürgerlichen Recht, Handelsrecht, gewerblichen Rechtsschutz und Urheberrecht, GedS Schönherr (1986) 367; *E. Bydlinski,* Interesseersatz im Handelsrecht, JBl 1989, 409; *Weilinger,* Zum Ersatz des die Vertragsstrafe übersteigenden Schadens im Handelsrecht, JBl 1989, 356; *Jud,* Marginalien zum Ersatz aufgewendeter oder entgangener Zinsen, FS Ostheim (1990) 113; *Beck-Managetta,* Probleme der Konventionalstrafe, ÖJZ 1991, 185; *Krejci,* Zur Vertragsstrafe im Bauvertrag, ecolex 1993, 80; *Hess,* Die Vertragsstrafe. Ein unerkanntes Mittel privater Genugtuung (1993); *Tutsch,* Umfang der Aufklärungs- und Beratungspflicht, ecolex 1995, 84; *Steinmaurer,* Euro-Umstellung und die Sorgfalt eines ordentlichen Geschäftsmannes, SWK 1998, W 113.

Auch im Bereich des Schadenersatzrechts finden sich handelsrechtliche Sonderregeln.

A. Kaufmännische Sorgfaltspflicht

1. Sorgfalt eines ordentlichen Kaufmanns. Der Kaufmann hat seinen Vertrags- und Kontaktpartnern gegenüber für die **Sorgfalt eines ordentlichen Kaufmanns** einzustehen (§ 347 HGB). Er hat somit auf einen besonderen Sorgfaltsmaßstab zu achten. Das entspricht der im bürgerlichen Recht üblichen rollenspezifischen Konkretisierung der Fahrlässigkeitsmaßstäbe.

2. Objektiver Fahrlässigkeitsmaßstab. Ob jemand die Sorgfalt eines ordentlichen Kaufmanns an den Tag legt, wird nach objektiven Gesichtspunkten beurteilt. Nicht nur um den **Grad der Aufmerksamkeit und des Fleißes** geht es; der Kaufmann hat auch dafür einzustehen, dass er über die für seine Tätigkeit gebotenen **Fähigkeiten und Kenntnisse** verfügt **(„Garantiehaftung").** Der Kaufmann steht insoweit einem **Sachverständigen** gleich (§ 1299 ABGB).

3. Berufs- und branchenspezifische Differenzierung. Der Fahrlässigkeitsmaßstab ist nach Berufs- bzw Branchengruppen zu differenzieren. Branchenspezifische Standards, Übungen und Anschauungen sind zu berücksichtigen. Mitunter können auch besondere Umstände des Einzelfalles von Einfluss sein.

Die Rsp zur Sorgfaltspflicht des ordentlichen Kaufmanns ist umfangreich und vielfältig (vgl die Fallgruppen bei *Schuhmacher* in *Straube*[2] § 347 Rz 18–29). Ein Verstoß gegen die kaufmännische Sorgfaltspflicht wird zB angenommen, wenn ein Verkäufer nicht jenen Vorrat hält, der zum Ausgleich normaler Lieferschwankungen ausreicht (SZ 23/47); wenn der Kaufmann nicht hinreichend vorsorgt, jene Waren zu erhalten, die zu liefern er versprochen hat („Übernahmeverschulden"; HS 14.173/14); wenn minderkundige Gehilfen eingesetzt werden; wenn ein Spediteur gegen eine erkennbar ungerechtfertigte Zollvorschreibung kein Rechtsmittel ergreift (EvBl 1964/127); wenn eine Einlagerung erkennbar zu Qualitätseinbußen des Lagergutes führt; wenn nicht dafür vorgesorgt wird, dass auch in Abwesenheit des Kaufmanns die Korrespondenz erledigt wird; wenn auf erkennbare Eignungsprobleme der zu liefernden Waren nicht hinwiesen wird (RdW 1993, 7); wenn einer Rückrufpflicht nicht gehörig nachgekommen wird. Vor einem Vertragabschluss eine Anfrage an das FB zu richten, um Näheres über den potenziellen Vertragspartner zu erfahren, überspannt *nicht* die kaufmännische Sorgfaltspflicht (wbl 1996, 247). Eine Bank ist nicht verpflichtet, bei Überweisungen vom Anderkonto zu prüfen, ob die Überweisungen den Interessen des Treugebers entsprechen (ÖBA 2003/1132, 626). Vgl auch *Schummer,* Der Institutsvorstand als „ordentlicher Kaufmann", FS Krejci (2001) I, 335.

4. Fahrlässigkeitsstufen. Das allgemeine Schadenersatzrecht unterscheidet zwischen grober und leichter Fahrlässigkeit. Ausnahmsweise spielt auch die culpa levissima eine Rolle (vgl DHG). Die zivilrechtlichen Vorschriften, nach welchen der Schuldner in bestimmten Fällen nur grobe Fahrlässigkeit zu vertreten hat, bleiben unberührt (§ 347 Abs 2 HGB).

Hier ist allerdings zu beachten, dass **Art 8 Nr 2 EVHGB von der gegliederten Schadenshaftung des ABGB abweicht** und für den Bereich der Schadenersatzansprüche aus Handelsgeschäften unabhängig vom Grad des Verschuldens über den positiven Schaden hinaus **auch den Ersatz des entgangenen Gewinnes** anordnet. Damit verliert aber die zivilrechtliche Unterscheidung zwischen Vorsatz und grober Fahrlässigkeit einerseits und leichter Fahrlässigkeit andererseits (§§ 1324, 1331, 1332 ABGB) für den Handelsrechtsbereich an Bedeutung (Näheres dazu unter B).

Wohl aber haftet der schuldende Kaufmann nach hA nur für Vorsatz oder grobe Fahrlässigkeit, wenn der Leistungsgegenstand während des Gläubigerverzuges beschädigt oder zerstört wird.

5. Die Sorgfalt in eigenen Angelegenheiten (diligentia quam in suis) soll gleichfalls nach zivilrechtlichen Grundsätzen beachtlich bleiben (§ 347 Abs 2 HGB). Dieser Maßstab der **konkreten Fahrlässigkeit** (culpa in concreto) ist dem ABGB allerdings fremd; das HGB denkt hier an das BGB, dem die diligentia quam in suis durchaus vertraut ist.

Die Sorgfalt in eigenen Angelegenheiten kennt jedoch das Recht der Personengesellschaften. Sie ist im Verhältnis der Gesellschafter untereinander beachtlich (vgl Art 7 Nr 3 und Art 7 Nr 23 Abs 2 EVHGB).

> **Handelsrechtsreform:** In Zukunft kommt es auf die Sorgfalt in eigenen Angelegenheiten nicht mehr an. Stattdessen gelten die allgemeinen Sorgfaltsregeln.

6. Anwendungsbereich des § 347 HGB

a) Kaufmann. Die Sorgfalt des ordentlichen Kaufmanns betrifft Kaufleute. Auch Minderkaufleute (§ 4 HGB) und §-5-Kaufleute sind angesprochen. Im Privatbereich wird auch an das Verhalten des Kaufmanns nicht der Sorgfaltsmaßstab des § 347 HGB angelegt.

b) Vergleichbare Nichtkaufleute. Die Sorgfalt des ordentlichen Kaufmanns wird allerdings mitunter auch – mit geringfügigen Nuancierungen – für Nichtkaufleute gefordert, die in vergleichbarer Position wirken. Dies legt schon § 1299 ABGB nahe. So fordern die §§ 84 Abs 1; 99 AktG; §§ 25 Abs 1; 27; 33 Abs 1 GmbHG für Vorstandsmitglieder, Geschäftsführer und Aufsichtsräte bei Erfüllung ihrer gesellschaftsrechtlichen Aufgaben und Funktionen die Sorgfalt eines ordentlichen Geschäftsleiters bzw Geschäftsmannes. Auch den Stiftungsvorstand der Privatstiftung trifft die Sorgfaltspflicht eines gewissenhaften Geschäftsleiters (§ 17 Abs 2 PSG).

c) Gehilfen des Kaufmanns. Kaufleute setzen idR Gehilfen ein, um Verbindlichkeiten zu erfüllen (Erfüllungsgehilfen: § 1313 a ABGB) oder sonstige eigene Angelegenheiten besorgen zu lassen (Besorgungsgehilfen: § 1315 ABGB). Für deren Verschulden haftet der Kaufmann wie für sein eigenes. Die besondere Sorgfaltspflicht des Kaufmanns wird nicht dadurch verringert, dass der Kaufmann Gehilfen einsetzt. Der Gehilfe *selbst* haftet dem Vertragspartner *nur deliktisch* (SZ 62/173; 51/176; JBl 1994, 331 Anm *Karollus*).

d) Handelsgeschäfte. § 347 HGB gilt für Sorgfaltspflichten aus Geschäften eines Kaufmanns, die auf seiner Seite Handelsgeschäfte sind. Es ist der Handelsgeschäftsbegriff der §§ 343, 344 HGB beachtlich. Doch fallen schon Fälle des vorvertraglichen Kontaktes **(culpa in contrahendo)** und andere **Schutzpflichtverletzungen** im Rahmen der geschäftlichen Tätigkeit (zB Haftung für Rat und Auskunft: § 1300 ABGB) darunter. Nicht aber bezieht sich § 347 HGB auf rein deliktisches Verhalten.

Nicht nur handelsgeschäftliche **Sorgfaltspflichten** sind beachtlich, sondern auch **Obliegenheitsverletzungen.**

Handelsrechtsreform: An sich erübrigen sich Sonderregeln über die kaufmännische Sorgfaltspflicht, weil sie ja im Grunde nichts anderes darstellt als die Sorgfaltspflicht des Sachverständigen. Dennoch behält das UGB die Sonderregelung bei, um zu vermeiden, dass eine Streichung dieser Bestimmung als „Aufhebung der kaufmännischen Sorgfaltspflicht“ missverstanden werden könnte.

B. Umfang der Schadenersatzpflicht

1. Allgemeines. Beim Vermögensschaden wird zwischen **positivem Schaden** (Beeinträchtigung *bestehender* Vermögensgüter und Rechte) und **entgangenem Gewinn** (Beeinträchtigung *künftiger* Erwerbs- und Gewinnchancen, ohne dass bereits ein *bestehendes* Vermögensgut oder Recht verletzt wurde) unterschieden. Nach allgemeinem Zivilrecht wird

„volle Genugtuung" (positiver Schaden *und* entgangener Gewinn) nur bei grobem Verschulden gewährt; damit ist vorsätzliches oder grob fahrlässiges Verhalten gemeint (vgl §§ 1324, 1331, 1332 ABGB). Bloß leichte Fahrlässigkeit rechtfertigt hingegen im Allgemeinen nur den Ersatz des positiven Schadens, nicht auch des entgangenen Gewinns.

Demgegenüber ordnet Art 8 Nr 2 EVHGB an, dass der auf Grund von Schadenersatzansprüchen aus (auch einseitigen, JBl 1988, 244; SZ 58/101) Handelsgeschäften zu ersetzende Schaden **auch bei leichter Fahrlässigkeit den entgangenen Gewinn** mitumfasst (HS 9269–9274).

2. Die dogmatische Rechtfertigung der Sonderregel bereitet Schwierigkeiten. Im professionellen Handelsverkehr sollen die Beteiligten angesichts erhöhter Haftung auch bei leichter Fahrlässigkeit ihre Kräfte offenbar noch mehr anspannen. Aber warum?

Man könnte sagen, dass professionelles Wirken auch erhöhte Verantwortung erfordert. Dann wird aber die (als solche freilich schwer verständliche) Miteinbeziehung der an einseitigen Handelsgeschäften beteiligten Nichtkaufleute fragwürdig. Mitunter wird auch gesagt, Kaufleute seien auf den Ersatz des Gewinnentganges angewiesen; daher müsse auch bei jedwedem Verschulden entgangener Gewinn ersetzt werden. Wäre die Rechtslage anders, würden die Kaufleute wohl entsprechend kalkulieren und sich versichern. Es könnte freilich auch sein, dass dem Handelsverkehr der mitunter lästige Streit darüber, ob ein Verhalten nun leicht oder grob fahrlässig ist, aus Gründen der „Beschleunigung" der Abwicklung handelsgeschäftlicher Beziehungen erspart bleiben soll.

Die dt Rechtsordnung hat solche Rechtfertigungsprobleme nicht. Denn in Dtld gewährt schon das BGB ganz allgemein bei jedem Verschulden den vollen, auch den entgangenen Gewinn umfassenden Schadenersatz (vgl §§ 249, 252 BGB). Insofern passen zwar HGB und BGB zusammen, nicht aber HGB und ABGB. Die störende Diskrepanz der beiden Schadenersatzregelungen lässt sich letztlich rechtsdogmatisch nicht überzeugend rechtfertigen. Der Grund der Übernahme der Grundsätze des dt Schadenersatzrechtes lag wohl darin, die „Gleichschaltung" des dt und österr Handelsrechts auch auf zentral wichtige wirtschaftsrelevante Bereiches des allgemeinen Zivilrechts auszudehnen und daher die entsprechenden BGB-Regelungen in Österreich miteinzuführen.

Handelsrechtsreform: Das UGB hält an der bisherigen, dem BGB entsprechenden Regelung fest, obwohl sie jener des ABGB nicht entspricht. Darin liegt kein Abweichen vom Grundsatz, sachlich nicht gerechtfertigte Unterschiede zwischen bürgerlichem Recht und Handelsrecht möglichst zu beseitigen; vielmehr sollen die rechtspolitischen Bemühungen unterstützt werden, im Zuge der Reform des österreichischen Schadenersatzrechts auch im allgemeinen Schadenersatzrecht den Ersatz des entgangenen Gewinns auch bei leichter Fahrlässigkeit anzuerkennen. Schon heute versucht die Rsp, den Begriff des positiven Schadens auszuweiten, um auch bei leichter Fahrlässigkeit Ersätze zuzulassen, die eigentlich Fälle des entgangenen Gewinns betreffen.

3. Schadenersatzansprüche aus Handelsgeschäften. Art 8 Nr 2 EVHGB sagt nicht ausdrücklich, dass er sich nur auf Schadenersatzansprüche aus Handelsgeschäften bezieht. Dies ergibt sich jedoch aus dem Sinn und Zweck der Gesetzesregel und ihrem systematischen Ort. Gemeint sind auch *einseitige* Handelsgeschäfte; demnach haftet der daran beteiligte Nichtkaufmann ebenso umfassend wie der Kaufmann (§ 345 HGB).

Handelsrechtsreform: *Rechtspolitisch* wird die Miteinbeziehung auch der an einseitigen Handelsgeschäften beteiligten Nichtkaufleute zu Recht für problematisch gehalten. Es ist nicht einzusehen, warum der Nichtkaufmann Kaufleuten mehr ersetzen soll als anderen Geschädigten. Sobald die derzeit zwischen dem allgemeinen bürgerlichen Recht und dem Handelsrecht bestehenden Unterschiede beim Ersatz des entgangenen Gewinns beseitigt sein werden, entfällt allerdings in Zukunft die derzeit störende Stellung der Nichtkaufleute. Dennoch will das UGB vermeiden, dass – bis zur einheitlichen Gesamtlösung – Nichtunternehmer dem Unternehmer aus unternehmensbezogenen Geschäften uneingeschränkt für den entgangenen Gewinn haften. Daher soll nur der *vom Unternehmer zu ersetzende Schaden* auch den entgangenen Gewinn erfassen.

C. Solidarhaftung bei teilbarer Leistung

1. Art 8 Nr 1 EVHGB. Nach § 889 ABGB ist bei teilbaren Leistungen iZw ein Teilschuldverhältnis anzunehmen. Art 8 Nr 1 EVHGB ordnet demgegenüber **iZw Gesamtschuld** an, wenn sich mehrere durch Handelsgeschäft gemeinschaftlich zu einer teilbaren Leistung verpflichten.

2. Dies gilt auch für *einseitige* Handelsgeschäfte; demnach haftet auch der am Geschäft beteiligte Nichtkaufmann wie der Kaufmann (§ 345 HGB).

Wenn sich also im Rahmen eines Handelsgeschäftes *mehrere Nichtkaufleute* zu einer teilbaren Leistung gegenüber Kaufleuten verpflichten, haften sie iZw wie Kaufleute gesamtschuldnerisch. Gleiches gilt, wenn *Nichtkaufleute neben Kaufleuten* im Rahmen eines Handelsgeschäftes eine teilbare Leistung schulden (vgl wobl 1995, 161/72 Anm *Call*). Betreiben die *Gesellschafter einer GesBR* ein Minderhandelsgewerbe, haften auch sie solidarisch (vgl diesbzgl § 1203 Satz 2 ABGB: „Handelsleute"). Gehört die Beteiligung eines Kaufmanns an einer GesBR zum Betrieb seines Handelsgewerbes (zB im Falle einer Arbeitsgemeinschaft im Bauwesen), so wird gleichfalls solidarisch gehaftet. Überhaupt geht die Rsp davon aus, dass sich iZw gesamtschuldnerisch verpflichtet, wer gemeinsam mit anderen auf Grund eines einheitlichen Vertrages einen Auftrag übernimmt (SZ 27/299; 41/68).

3. Zur Wirkung der Solidarhaftung vgl die §§ 891 ff ABGB.

Handelsrechtsreform: Art 8 Nr 1 EVHGB wird in den Text des UGB transferiert.

D. Vertragsstrafe

1. Allgemeines. Die Vorschriften des bürgerlichen Rechts über die Vertragsstrafe **(pauschalierter Schadenersatz)** gelten auch im Handelsrecht. Doch sind die folgenden Unterschiede zu beachten:

2. Kein richterliches Mäßigungsrecht. Nach bürgerlichem Recht können Vertragsstrafen durch den Richter gemäßigt werden (§ 1336

Abs 2 ABGB). Diese Möglichkeit schließt § 348 HGB für Zusagen einer Vertragsstrafe durch einen Kaufmann im Betrieb seines Handelsgewerbes aus. Diese Regelung betrifft nur **Vollkaufleute** (§ 351 HGB). Wer Mäßigung unter Hinweis darauf, Minderkaufmann zu sein, fordert, hat dies zu beweisen.

Gleiches gilt im Falle der Behauptung, die Vertragsstrafe außerhalb der kaufmännischen Tätigkeit versprochen zu haben (SZ 54/186). Für Scheinvollkaufleute kraft Auftretens gibt es kein Mäßigungsrecht (wbl 1994, 169). Die Kaufmannseigenschaft muss im Zeitpunkt des Versprechens vorliegen. Der aus der Zusage einer Vertragsstrafe **Berechtigte** braucht hingegen kein Kaufmann sein.

Sofern im bürgerlichen Recht das richterliche Mäßigungsrecht analog auch auf ähnliche Vertragsabreden angewandt wird (unverhältnismäßig hohe Angelder; „Stornogebühren", die keine Vertragsstrafen, sondern reuegeldähnliche Vereinbarungen darstellen, udgl), sollte dies, dem Sinn des § 351 HGB entsprechend, nicht für Vollkaufleute gelten.

Eine in einem Gründungsgeschäft, das kein Handelsgeschäft ist, versprochene Vertragsstrafe unterliegt der richterlichen Mäßigung, auch wenn der die Vertragsstrafe auslösende Sachverhalt erst in einem Zeitpunkt eintritt, zu dem der Kläger bereits Kaufmann ist (ecolex 1997, 922 = JBl 1998, 60).

Das richterliche Mäßigungsrecht gem § 1336 Abs 2 ABGB kommt nur dann zur Anwendung, wenn die Vertragsstrafe nicht von einem Vollkaufmann im Betrieb seines Handelsgewerbes versprochen worden ist (§§ 348, 351 HGB). Der Schutzzweck des § 351 HGB verlangt dessen Anwendung unabhängig davon, ob eine Vertragsstrafenverpflichtung erstmals begründet oder vertraglich übernommen wird. Das richterliche Mäßigungsrecht nach § 1336 Abs 2 ABGB kann daher – unabhängig von der Sachlage bei Vertragsabschluss und vom Vertragsinhalt – für eine die Vertragsposition eines Vertragspartners übernehmende Neupartei dann in Anspruch genommen werden, wenn die Neupartei im Zeitpunkt ihres Vertragseintritts Nicht- oder Minderkaufmann ist. Hat sich hingegen ein Vollkaufmann bei Vertragsabschluss ein richterliches Mäßigungsrecht einräumen lassen, indem § 348 HGB zulässigerweise abbedungen wurde, besteht kein Bedürfnis, diese Vertragslage nachträglich einseitig zu verändern; sie besteht daher unverändert auch zugunsten jedes weiteren Vollkaufmanns weiter, der an Stelle der verpflichteten Vertragspartei später in den Vertrag eintritt, es sei denn, die genannte Vereinbarung wäre aus Anlass des Vertragseintritts einvernehmlich abgeändert worden (ecolex 2004/2, 25 = RdW 2004/177, 210 = ÖJZ EvBl 2004/36, 183).

Handelsrechtsreform: Das derzeitige handelsrechtliche Verbot des richterlichen Mäßigungsrechts wird aufgehoben. Auch für Unternehmergeschäfte sollen somit in Hinkunft Vertragsstrafen gemäßigt werden können.

3. Sonstige Mäßigungsmöglichkeiten. Aufrecht bleibt jedoch auch bei Vertragsstrafen, die dem richterlichen Mäßigungsrecht entzogen sind, die **Inhaltskontrolle nach § 879 ABGB** (Sittenwidrigkeit).

Die Vereinbarung, dass ein 10-tägiger Leistungsverzug zum Entfall des gesamten Werklohns führt, ist die Vereinbarung einer Konventionalstrafe. Sie kann bei Entfall der Mäßigung sittenwidrig sein, wenn sie in auffallendem Missverhältnis zum Schaden steht (bbl 2001/87, 122 = ecolex 2001/142, 435). Eine in AGB enthaltene Vertragsstrafe kann nichtig sein, soweit sie den anderen Vertragsteil gröblich benachteiligt, wobei die Nichtigkeit gemäß § 879 Abs 3 ABGB nicht jedenfalls zu einem gänzlichen Entfall der davon betroffenen Vertragsklausel, sondern nur zu deren geltungserhaltenden Reduktion auf den rechtlich erlaubten Inhalt führt (ecolex 2004/2, 25 = RdW 2004/177, 210 = EvBl 2004/36).

4. Die Vertragsstrafe übersteigende Schäden bleiben nach Art 8 Nr 3 EVHGB ersatzfähig. Zu diesem Zweck muss aber der Berechtigte beweisen, dass der tatsächlich eingetretene Schaden die Pauschale übersteigt. Diese Regel gilt nur für **Vollkaufleute** (§ 351 HGB).

Gerade solche Beweise und die damit verbundenen Schwierigkeiten sollen aber durch die Vertragsstrafe abgeschnitten werden. Man wird sich also nur dann zu einer Mehrforderung entschließen, wenn der Beweis im konkreten Fall nicht schwer fällt. *Im bürgerlichen Recht* kommt es nur dann zum Ersatz eines den Betrag der Vertragsstrafe übersteigenden Schadens, wenn die Vertragsstrafe *als Mindestersatz vereinbart* wurde.

Handelsrechtsreform: In Zukunft wird auf die Bestimmung des Art 8 Nr 3 EVHGB verzichtet. Im ABGB wird die Möglichkeit, mehr als die vereinbarte Vertragsstrafe zu fordern, unter der Bedingung allgemein eröffnet, dass dies ausdrücklich vereinbart werden muss.

15. Kapitel
Sachenrechtliche Sonderregeln

I. Allgemeines

Die meisten vom bürgerlichen Recht abweichenden Sonderregeln über Handelsgeschäfte betreffen das Schuldrecht. Doch wird auch das Sachenrecht durch einige handelsrechtliche Bestimmungen modifiziert. Es geht dabei um Fragen

- des **Besitzes** (Art 5 EVHGB),
- des **gutgläubigen Eigentums- und Pfandrechtserwerbes** vom Nichtberechtigten (§§ 366–367 HGB),
- des **Verkaufs und der Verwertung von Pfändern** (§ 368 HGB, Art 8 Nr 14, 15 EVHGB) und
- des **Zurückbehaltungsrechts** (§§ 369–372 HGB).

Anliegen dieser Bestimmungen ist es, den Handelsverkehr durch Erweiterung des Vertrauensschutzes und durch Vereinfachung des Geschäftsverkehrs zu fördern.

II. Handelsrechtlicher Besitzbegriff

Lit: *Randa,* Der Besitz[4] (1895); *Herrmann,* Der Besitz, ABGB-FS (1911) I, 607; *Keifl,* Untersuchungen zur Besitzlehre des österr Rechts, ZBl 1927, 81; *Kralik,* Besitz und Besitzschutz heute, GA 2. ÖJT (1964); *Iro,* Besitzerwerb durch Gehilfen (1982).

Das bürgerliche Recht fordert für den Besitz und damit für alle an ihn geknüpften Rechtsfolgen nicht nur die Innehabung der Sache, sondern *auch Besitzwillen:* den animus rem sibi habendi (§ 309 ABGB). Demgegenüber ist es nach **Art 5 EVHGB** für den Besitz iS des HGB *nicht* erforderlich, dass der Inhaber den Willen hat, die Sache als die seinige zu behalten. Somit gilt im Handelsrecht ein *anderer* Besitzbegriff als im bürgerlichen Recht; nämlich jener des BGB.

Dies bedeutet jedenfalls, dass *handelsrechtliche* Tatbestände unter **Besitz lediglich die Innehabung** verstehen und somit die angesprochenen Rechtsfolgen schon an die Innehabung knüpfen.

Strittig ist, ob der handelsrechtliche Besitzbegriff Kaufleuten auch im Zusammenhang mit *zivilrechtlichen* Ordnungsfragen des Besitzes (insb in Fällen von Besitzstörungs- und Besitzentziehungsklagen) eine Sonderstellung einräumt. Eine solche zivilrechtliche Sonderstellung kommt den Kaufleuten nach zutreffender Meinung nicht zu. Art 5 EVHGB betrifft vielmehr ausschließlich den „Besitz iS des HGB", also *keine zivilrechtlichen Besitzfragen.*

Handelsrechtsreform: Soweit der handelsrechtliche Besitzbegriff lediglich Innehabung meint, wird in Zukunft statt von „Besitz" von „Innehabung" gesprochen.

III. Eigentums- und Pfandrechtserwerb vom Nichtberechtigten

Lit: *Goldschmidt,* Über den Erwerb dinglicher Rechte von dem Nichteigentümer und die Beschränkung der dinglichen Rechtsverfolgung, insb nach handelsrechtlichen Grundsätzen, ZHR 8 (1865) 225; 9 (1866) 1; *Lux,* Die Entwicklung des Gutglaubensschutzes im 19. und 20. Jhdt mit besonderer Berücksichtigung des Wechselrechts, Beiheft ZHR 16 (1939); *Frotz,* Gutgläubiger Mobiliarerwerb und Rechtsscheinprinzip, FS Kastner (1972) 131; *Tiedtke,* Gutgläubiger Erwerb im bürgerlichen Recht, im Handels- und Wertpapierrecht sowie in der Zwangsvollstreckung (1985); *Bollenberger,* Veräußerung von Vorbehaltsgut, ÖJZ 1995, 641; *Bollenberger,* Gutglaubenserwerb nach Maßgabe der Zahlung – Anhaltspunkte in der Rechtsordnung, ÖJZ 1996, 851; *Ertl,* Gutgläubiger Erwerb von Softwarepiraten. Zugleich ein Beitrag zum Gutglaubenserwerb an Forderungen, MR 1997, 314; *Karner,* Rechtsscheinwirkung des Besitzes und Scheinermächtigung, JBl 2004, 486.

A. Allgemeines

Immer wieder kommt es vor, dass jemand von einem anderen etwas auf Grund eines Rechtsgeschäftes erwirbt, ohne dass der andere berechtigt war, über den Vertragsgegenstand zu verfügen. Da im Allgemeinen niemand mehr an Rechten übertragen kann, als er selbst hat, bedeutet dies fürs Erste, dass eine derartige Verfügung rechtlich nicht möglich ist. Diese Konsequenz würde den Geschäftsverkehr erheblich belasten. So wurden die den Erwerber schützenden Regeln über den gutgläubigen Erwerb dinglicher Rechte vom Nichtberechtigten geschaffen. Sie benachteiligen zugleich den wahren Berechtigten. Das aber nimmt die Rechtsordnung als das offenbar geringere Übel in Kauf.

Hat der Eigentümer eines Kfz den Kommissionsvertrag mit einem Kfz-Händler widerrufen, so kann ein Dritter, der vom Kfz-Händler das Fahrzeug erwirbt, nur nach § 366 HGB Eigentum an Kfz erwerben (ecolex 2001/345, 908).

Die folgende Darstellung befasst sich ausschließlich mit dem Erwerb *beweglicher* Sachen. Bzgl gutgläubigen *Liegenschafts*erwerbes vom Nichtberechtigten finden sich keine handelsrechtlichen Sonderregelungen. Diesbezüglich ist daher ausschließlich auf die Ausführungen zum bürgerlichen Recht zu verweisen.

B. Allgemeine Tatbestandsvoraussetzungen des gutgläubigen Eigentumserwerbes vom Nichtberechtigten

Sowohl im bürgerlichen Recht als auch im Handelsrecht kommt es bei Vorliegen folgender Voraussetzungen zum gutgläubigen Eigentumserwerb vom Nichtberechtigten:

- Es geht um eine **bewegliche** Sache;
- sie wird **entgeltlich** erworben;
- das Titelgeschäft ist objektiv **gültig;**
- die Sache wurde bereits übergeben;
- der Erwerber ist **guten Glaubens;**
- der Veräußerer ist **nicht Eigentümer.**

C. Handelsrechtliche Besonderheiten

1. Anwendung des Handelsrechts ist geboten, wenn die Sache

- **von einem Kaufmann**
- **im Betrieb seines Handelsgewerbes**
- veräußert bzw verpfändet wurde.

Für den Erwerber günstigere zivilrechtliche Regelungen als die handelsrechtlichen bleiben aufrecht (§ 366 Abs 5 HGB). Dies wirkt sich in erster Linie in Fällen des Erwerbes **gestohlener, verlorener oder sonst abhanden gekommener Sachen** aus, für die §§ 366 Abs 4; 367 HGB an sich Besonderes anordnen.

2. Einzelfragen.

a) „Veräußerung oder Verpfändung" meint Rechtsgeschäfte *unter Lebenden.* Befindet sich im Nachlass eines Erblassers eine fremde Sache, so liegt in der *Einantwortung kein Veräußerungsgeschäft* iS des § 366 HGB. Der wahre Eigentümer darf seine Sache vom Erben herausverlangen. Bzgl des gutgläubigen Erwerbes vom Scheinerben kommt § 824 ABGB zur Anwendung.

b) „Bewegliche Sache". Kein Schutz nach § 366 HGB besteht bzgl des Erwerbes von *Grundstücken und Rechten. Inhaberpapiere* gelten jedoch als bewegliche Sachen. Keine Anwendung findet § 366 HGB auf den Erwerb von *Unternehmen;* sie sind insofern „unbeweglich". Gutglaubenserwerb von *urheberrechtlichen Verwertungsrechten:* Für einen gutgläubigen Erwerb von urheberrechtlichen Verwertungsrechten durch den Mieter eines Datenträgers, auf dem ein Werk gespeichert ist, bieten § 367 ABGB und § 366 HGB keine Grundlage (ecolex 2004/24, 45).

c) „Erworben" ist die Sache *erst mit Übergabe.* § 366 HGB ist eine sachenrechtliche Vorschrift. Es ist daher wie im Zivilrecht davon auszugehen, dass das Verfügungsgeschäft bereits stattgefunden hat.

d) „Kaufmann“ meint auch Minderkaufleute (§ 4 HGB) und §-5-Kaufleute. § 366 HGB ist auch auf den Erwerb vom Scheinkaufmann kraft Auftretens und unter den Voraussetzungen des § 15 HGB anzuwenden. Wird von einem Vertreter erworben, kommt es auf die Kaufmannseigenschaft des *Vertretenen,* nicht auf die des Vertreters an.

Von einem falsus procurator kann man hingegen schon deshalb nicht gutgläubig Eigentum erwerben, weil es zu keinem gültigen Verpflichtungsgeschäft kommt. Hat der falsus procurator selbst zu erfüllen, so bleibt der gute Glaube an das Eigentum oder die Verfügungsbefugnis dessen, den der falsus procurator zu vertreten vorgab, nicht erhalten. Der gute Glaube an die Vertretungsbefugnis des falsus procurator reicht weder aus, das ungültige Geschäft wirksam zu machen, noch gutgläubig Eigentum zu erwerben.

e) „Im Betrieb seines Handelsgewerbes.“ Maßgeblich sind die §§ 343f HGB. Auch Liquidationsgeschäfte gehören hierher (SZ 43/120). Verkaufsvermittlungen erfolgen zwar im Geschäftsbetrieb des vermittelnden Kaufmanns, das Vermittlungsgeschäft begründet aber noch keinen guten Glauben daran, dass der vermittelte Veräußerer Eigentümer oder Verfügungsbefugter ist (JBl 1972, 473). Die Betriebszugehörigkeit muss wirklich gegeben sein; bloß guter Glaube an die Betriebszugehörigkeit genügt nicht.

3. Der gute Glaube setzt voraus, dass der Erwerber im Zeitpunkt des Erwerbes nicht weiß, dass der Veräußerer oder Verpfänder nicht berechtigt ist zu veräußern oder zu verpfänden.

Guter Glaube iSd § 366 HGB setzt die positive Überzeugung von der Rechtmäßigkeit des Besitzers bzw dessen Verfügungsbefugnis voraus (RIS-Justiz RS0010197). Sofern irgendein Merkmal den Erwerbsakt objektiv verdächtig erscheinen lässt, liegt bereits kein gutgläubiger Erwerb vor (RdW 1999, 711 mwN; ecolex 2001/345, 908).

a) Nur grobe Fahrlässigkeit zerstört den guten Glauben (§ 366 Abs 1 lt Satz HGB). Somit ist derjenige, der lediglich infolge *leichter* Fahrlässigkeit nicht weiß, dass der Veräußerer oder Verpfänder nicht berechtigt ist, noch *gutgläubig* iS des § 366 HGB.

Im allgemeinen Privatrecht schadet hingegen nach strittiger Ansicht bereits leichte Fahrlässigkeit. Das bedeutet, dass in Fällen des gutgläubigen Erwerbes die Anforderungen des HGB weniger streng sind als die des allgemeinen Privatrechts. Die Differenzierung wird als verfassungskonform erachtet (ecolex 1999, 763). Der gute Glaube iSd § 366 HGB fehlt, wenn dem Erwerber bekannt oder infolge grober Fahrlässigkeit unbekannt ist, dass die Sache nicht dem Veräußerer gehört bzw dieser nicht befugt ist, über die Sache für den Eigentümer zu verfügen (ecolex 2001/345, 908).

Im Kfz-Handel und beim Gebrauchtwagenkauf sind besondere Verhaltensregeln zu beachten. Der Erwerber eines Kfz muss sich auf Grund des Umstandes, dass Kraftfahrzeuge häufig unter Eigentumsvorbehalt verkauft werden, besonders sorgfältig vergewissern, dass er nicht in fremde Rechte eingreift (ecolex 1999/301 mwN; ecolex 2001/345, 908). So ist vorerst insb die Einsicht in den Typenschein zu verlangen (SZ 68/196). Legen besondere Umstände den Verdacht nahe, der Verkäufer könnte unredlich sein, bedarf es weiterer Aufklärungen, dies insb, wenn der Käufer als Kfz-Händler mit der Sorgfalt eines ordentlichen Kaufmanns vorzugehen hat. Ein Kaufmann hat die Erklärung des Veräußerers durch das Verlangen nach Vorlage von Urkunden – insb der Typenscheine bei Kraftfahrzeugen, der Rechnungen und Zahlungsbelege – zu überprüfen. Die Unterlassung einer solchen Nachforschung verwirklicht idR grobe Fahrlässigkeit iSd § 366 Abs 1 HGB (ecolex 1999/301 mwN). Letztendlich hängt aber die Beurteilung, welche Anforderungen an die Sorgfalt des Erwerbers zu stellen sind, von den Umständen des jeweiligen Einzelfalles ab (ecolex 1999/301; RdW 1999, 711; ecolex 2001/345, 908).

Gutgläubiger Erwerb von unter Eigentumsvorbehalt stehenden Waren: Wer Sachen erwirbt, die üblicherweise unter Eigentumsvorbehalt verkauft werden, darf sich nicht mit der Erklärung des Verkäufers begnügen, Eigentümer oder Verfügungsberechtigter zu sein, sondern muss zur Überprüfung derartiger Angaben die Vorlage von Urkunden verlangen, andernfalls ist sein Verhalten als grob fahrlässig iSd § 366 Abs 1 HGB zu werten. Bei bloßem Vertrauen auf die Verfügungsbefugnis des Verkäufers unterliegt die Annahme der Gutgläubigkeit hohen Anforderungen (ecolex 2003/207, 521).

Erwirbt ein Kaufmann Waren unter Eigentumsvorbehalt zum Zwecke des Weiterverkaufs an Letztabnehmer, ist es verkehrsüblich, dass ihn der Vorbehaltsverkäufer zum Verkauf der Ware im ordnungsgemäßen Geschäftsbetrieb ermächtigt. Wurde die Verkaufsermächtigung ausnahmsweise nicht erteilt oder hat sich der Vorbehaltskäufer nicht an den Umfang seiner Verfügungsbefugnis gehalten, ist ein dritter Erwerber gutgläubig iSd § 366 Abs 1 HGB. Erwirbt ein Käufer unter Eigentumsvorbehalt stehende Waren jedoch erkennbar nicht zum Zweck der Weiterveräußerung, sondern für seinen eigenen Bedarf als Letztabnehmer, etwa als Anlagegut, besteht für den Vorbehaltsverkäufer kein Anlass, ihm die Ermächtigung zur Weiterveräußerung zu erteilen. Hier sind die Grundsätze für den gutgläubigen Erwerb eines Dritten maßgebend (ecolex 2003/207, 521).

Nachforschungspflicht beim gutgläubigen Pfandrechtserwerb an Schmuck: Eine allgemeine Nachforschungspflicht besteht für den Pfandnehmer nicht. Der Pfandgläubiger muss nur dann Erkundigungen einziehen, wenn besondere Verdachtsmomente vorliegen. Die im Einzelfall festzustellenden Sorgfaltspflichten sind umso größer, je stärker die Verdachtsmomente sind. Maßgeblicher Zeitpunkt für die Beurteilung, ob der Pfandgläubiger grob fahrlässig handelte, ist der Zeitpunkt der Verpfändung (RdW 2003/54, 75 = ÖBA 2003/1124, 536 = wbl 2003/85, 137).

b) Guter Glaube woran? Entscheidend ist nicht nur der gute Glaube an das Eigentum des Veräußerers oder Verpfänders, sondern auch der gute Glaube an die (sachenrechtliche) Verfügungsbefugnis (EvBl 1959/316; ÖBA 1993, 156 Anm *Bollenberger*).

Eine Beschränkung der Veräußerungsbefugnis schadet dem gutgläubigen Käufer nicht (RdW 1998, 394 = RdW 1998, 388 Anm *Iro*).

Im allgemeinen Privatrecht ist nach strittiger Meinung grundsätzlich nur der gute Glaube an das Eigentum geschützt. Der Grund für die Erweiterung des guten Glaubens auch an die Verfügungsbefugnis hängt damit zusammen, dass es auch Kaufleute gibt, die auf Grund ihrer Profession laufend fremde Waren veräußern (vgl insb den Kommissionär; HGB-Denkschrift 207). Insofern ist es aber auch im allgemeinen Privatrecht gerechtfertigt, dort den guten Glauben an die Verfügungsbefugnis zu schützen, wo ihr Gegebensein nach objektiven Kriterien angenommen werden darf (so beim Trödler, §§ 1086ff ABGB).

c) Nicht geschützt ist der gute Glaube an die Gültigkeit des Rechtsgeschäftes bzw an die Vertretungsbefugnis des Veräußerers oder Verpfänders (SZ 14/49; 53/163).

Umstritten ist die Beachtlichkeit des guten Glaubens an die Kaufmannseigenschaft des Veräußerers. Hier geht es nicht um den guten Glauben iS des § 366 HGB, sondern um die für den Scheinkaufmann kraft Auftretens entwickelten Lehren.

4. Lastenfreier gutgläubiger Erwerb. Wer iS des § 366 Abs 1 HGB gutgläubig erwirbt, erwirbt zugleich lastenfrei, auch wenn die Sache mit dem Recht eines Dritten belastet war. Der lastenfreie Erwerb setzt allerdings voraus, dass auch *bzgl der Lastenfreiheit guter Glaube* bestand.

5. Vorrang des gutgläubig erworbenen Pfandrechts an einer belasteten Sache. Wird die belastete Sache einem Gutgläubigen lediglich verpfändet, so bleiben die Vorlasten erhalten und gehen nicht wie im Falle des lastenfreien gutgläubigen Eigentumserwerbes unter. Das gutgläubig erworbene Pfandrecht geht den aufrecht bleibenden Lasten aber vor, sofern der Pfandgläubiger gutgläubig davon ausgeht, dass die Sache lastenfrei ist oder dass der Verpfänder ohne Vorbehalt der Rechte Dritter über die Sache verfügen darf (§ 366 Abs 2 HGB; SZ 58/166).

Zum gutgläubigen Erwerb einer *nicht belasteten Sache* als Pfand oder einer nicht rechtmäßig veräußerten Pfandsache vgl die besondere, nicht gerade einfach gestaltete Regelung des § 1244 BGB. Über den gutgläubigen Erwerb eines Pfandrechts an einem Gebrauchtwagen: RdW 1999, 711.

6. Gesetzliche Pfandrechte des Kommissionärs (§§ 397, 404 HGB), des Spediteurs (§ 410 HGB), des Lagerhalters (§ 421 HGB) und des Frachtführers (§ 440 HGB) werden wie durch Vertrag erworbene Pfandrechte behandelt (§ 366 Abs 3 HGB).

Da die gesetzlichen Pfandrechte nicht durch Verfügung des anderen entstehen, sondern durch Abschluss eines Kommissions-, Speditions-, Lager- oder Frachtgeschäftes und die Verschaffung des Besitzes, bezieht sich in solchen Fällen nach hM der gute Glaube auf die *Befugnis, diese Verträge zu schließen* (RdW 1992, 400).

Strittig ist, ob der gutgläubige Erwerb gesetzlicher Pfandrechte auch die Sicherung inkonnexer Forderungen rechtfertigt, wie sie insb das gesetzliche Pfandrecht des Kommissionärs umspannt.

7. Gestohlene, verlorene oder sonst abhanden gekommene Sachen

a) § 366 Abs 1–3 HGB gilt nicht für den Erwerb von Sachen, die dem Eigentümer gestohlen worden, verloren gegangen oder sonst abhanden gekommen sind, es sei denn, es handelt sich um

- Geld,
- Inhaberpapiere oder
- Sachen, die im Wege öffentlicher Versteigerung veräußert werden (§ 366 Abs 4 HGB).

b) Nach bürgerlichem Recht ist jedoch der gutgläubige Erwerb vom Nichteigentümer auch dann möglich, wenn es um gestohlene, verlorene oder sonst abhanden gekommene Sachen geht. Dies trifft beim Erwerb vom „befugten Gewerbsmann“ (§ 367 Fall 2 ABGB) ebenso wie bei einer „öffentlichen Versteigerung“ (§ 367 Fall 1 ABGB) zu, nicht aber beim Erwerb vom Vertrauensmann (§ 367 Fall 3 ABGB).

Da das Handelsrecht die *günstigere zivilrechtliche Regel gelten lässt* (§ 366 Abs 5 HGB), ist davon auszugehen, dass auch in Fällen handelsrechtlichen Gutglaubenserwerbes nach den Regeln des § 367 ABGB an gestohlenen, verlorenen oder sonst abhanden gekommenen Sachen, die nicht Geld oder Inhaberpapiere sind bzw in öffentlicher Versteigerung veräußert wurden, gutgläubig Eigentum erworben oder ein Pfandrecht begründet werden kann.

c) Ausschluss des guten Glaubens. Es versteht sich von selbst, dass auch in den Fällen des Schutzes des Erwerbes gestohlener, verlorener oder sonst abhanden gekommener Sachen guter Glaube vorliegen muss. Diesbzgl gilt, was schon allgemein gesagt wurde.

Darüber hinaus ordnet aber § 367 HGB Besonderes an: So ist der gute Glaube von Kaufleuten, die das Bankier- und Geldwechslergeschäft betreiben, bzgl des **Erwerbes oder Inpfandnahme bestimmter Wertpapiere** ausgeschlossen, wenn der Verlust dieser Papiere im „Anzeiger" (§ 6 Abs 2 KEG) bekannt gemacht wurde und nicht mehr als ein Jahr verstrichen ist. Der gute Glaube bleibt aber erhalten, wenn der Erwerber die Veröffentlichung infolge besonderer Umstände ohne grobe Fahrlässigkeit nicht kannte. Die eher komplizierten Details vgl in § 367 Abs 1 und 2 HGB; Art 17 Europarat-Übereinkommen über den Widerspruch bei international gehandelten Inhaberpapieren, BGBl 1978/582.

Handelsrechtsreform: Die Regelungen über den Gutglaubenserwerb sollen in Zukunft ausschließlich im entsprechend adaptierten ABGB geregelt sein. § 366 HGB wird daher gestrichen. Auch § 367 HGB erscheint verzichtbar.

IV. Pfandverwertung

Lit: *Laband,* Das kaufmännische Pfand- und Retentionsrecht, ZHR 9 (1866) 225; *Liebhan,* Realisierung des Pfandrechts, JBl 1934, 273; *Tschihan,* Der Pfandverkauf in der Praxis der Gerichte, ÖJZ 1952, 518; *Meyer,* Die Befugnis des öffentlichen Notars zur Durchführung des Pfandverkaufs, NZ 1953, 36; *Schießer-Reifegg,* Probleme des „anderweitigen" Verkaufs von Pfandgegenständen, ÖJZ 1955, 609; *Frotz,* Zur Fortbildung des Kreditsicherungsrechts durch Einführung neuer Formen der Begründung von Mobiliarpfandrechten, FS Demelius (1973) 323; *Böhler,* Die Verpfändung von Sparbüchern (1992); *Iro,* Banksicherheiten und unwirksame Verwertungsklauseln, RdW 1992, 395; *Angst,* Das Unternehmen als Zubehör der Pfandliegenschaft, ÖBA 1998, 82; *Harrer,* Sicherungsrechte (2002); *Spitzer,* Die Pfandverwertung im Zivil- und Handelsrecht (2004).

A. Allgemeines

Das bürgerliche Recht erlaubt dem Pfandgläubiger nicht, das Pfand unmittelbar zu verwerten; vielmehr ist die Mitwirkung des Gerichts geboten: Der Pfandgläubiger muss entsprechend klagen und Exekution führen (§ 461 ABGB). Erst nach Fälligkeit (Pfandreife) darf eine freie Veräußerung der Pfandsache oder ihr Verfall *vereinbart* werden (§ 1371 ABGB). *Von Gesetzes wegen* besteht ein solches Recht *nicht.* Diese Regelungen behindern den professionellen Geschäftsverkehr.

Daher sieht das Handelsrecht anderes vor. Zu diesem Zweck übernahm der österr Gesetzgeber zahlreiche Bestimmungen des BGB: §§ 1219–1221; 1228–1248 BGB; § 1244 BGB mit der Maßgabe, dass an Stelle der §§ 932–934, 936 BGB die in Österreich geltenden Vorschriften zugunsten derer, die Rechte von einem Nichtberechtigten herleiten, anzuwenden sind: also §§ 367, 368 ABGB; §§ 366, 367 HGB (Art 8 Nr 14 EVHGB). Art 8 Nr 14, 15 EVHGB erleichtern allerdings *nicht* die Verwertung *verpfändeter Forderungen;* hier gilt vielmehr § 461 ABGB (JBl 1995, 182).

B. Befriedigung durch Pfandverkauf

Ein Kaufmann kann sich aus einer *beweglichen* Sache, die ihm im Betrieb seines Handelsgewerbes verpfändet worden ist, auch durch Verkauf der Sache befriedigen (Art 8 Nr 14 EVHGB). Die einschlägigen Vorschriften gelten auch für das gesetzliche Pfandrecht des Kommissionärs, Spediteurs, Lagerhalters und Frachtführers.

Das Pfandrecht des Lagerhalters besteht zwar selbst dann, wenn wegen des hohen Werts eine erhebliche Übersicherung der Forderungen des Lagerhalters vorliegt, grundsätzlich am gesamten Lagergut; dennoch darf der Pfandgläubiger nur so viele Pfänder zum Verkauf bringen, als zur Befriedigung seiner Forderung erforderlich sind. Bei Verstoß gegen diese Bestimmung des § 1230 Satz 2 BGB ist die Veräußerung des Pfands rechtswidrig (wbl 2003/278, 495 = RdW 2003/483, 568 = EvBl 2003/153 = ecolex 2004/87, 176).

C. Berechtigung zum Pfandverkauf

1. Erst nach Fälligkeit der pfandgesicherten Forderung ist der Pfandgläubiger zum Verkauf des Pfandes berechtigt. Ist ein nicht in Geld bestehender Gegenstand geschuldet, ist der Verkauf erst zulässig, sobald die Forderung in eine Geldschuld übergegangen ist (§ 1228 BGB).

2. Verbot der Verfallklausel. Eine vor Eintritt der Verkaufsberechtigung getroffene Vereinbarung, wonach dem Pfandgläubiger, falls er nicht oder nicht rechtzeitig befriedigt wird, das Eigentum an der Pfandsache zufallen oder übertragen werden soll, ist nichtig (*Verfallklausel;* § 1229 BGB; vgl auch § 1371 ABGB).

Zum Pfandverkauf bei mehreren Pfändern: § 1230 BGB, bei Pfändern im Mitbesitz: § 1231 BGB, bei nachrangigem Pfandgläubiger: § 1232 BGB.

D. Androhung des Pfandverkaufs

Ist die Verkaufsberechtigung eingetreten, hat der Pfandgläubiger nach Tunlichkeit dem Eigentümer den Verkauf vorher anzudrohen. Der Verkauf darf nicht vor Ablauf einer Woche nach Androhung (bzw bei deren Untunlichkeit: nach Eintritt der Verkaufsberechtigung) erfolgen (§ 1234 iVm § 368 Abs 1 HGB).

Gem § 1234 Abs 1 BGB hat der Pfandgläubiger dem Eigentümer den Verkauf vorher anzudrohen und dabei den Geldbetrag zu bezeichnen, wegen dessen der Verkauf stattfinden soll. Die Androhung darf erst nach Eintritt der Verkaufsberechtigung erfolgen. Der tatsächliche Verkauf darf nicht vor Ablaufs eines Monats nach der Androhung erfolgen (wbl 2003/278, 495 = RdW 2003/483, 568 = EvBl 2003/153 = ecolex 2004/87, 176).

E. Arten des Pfandverkaufes

1. Der Verkauf kann auf mehrere Arten durchgeführt werden. Man unterscheidet die „Gesetzes-“, die „Privat-“ und die „Billigkeitsform“ des Pfandverkaufes:

a) „Gesetzesform“:

- durch öffentliche Versteigerung,
- durch Freihandverkauf über befugte Personen;

b) „Privatform“:

- auf Grund Vereinbarung auf andere Art;

c) „Billigkeitsform“:

- **auf andere Art,** wenn diese nach billigem Ermessen den Interessen der Beteiligten entspricht.

Hat der Pfandgläubiger für sein Recht zum Verkauf einen **vollstreckbaren Titel gegen den Eigentümer** erlangt, so kann er den Verkauf auch nach den für den Verkauf einer gepfändeten Sache geltenden Vorschriften bewirken lassen (§ 1233 Abs 2 BGB). Die Mitwirkung des Gerichts ist nicht vorgeschrieben, deswegen aber nicht schon ausgeschlossen (SZ 29/86).

2. Öffentliche Versteigerung. Die grundsätzlich vom Gesetzgeber vorgesehene Form des Pfandverkaufes ist die der öffentlichen Versteigerung (§ 1235 Abs 1 BGB). Sie findet auch im Falle **drohenden Verderbes** des Pfandes oder einer zu befürchtenden **wesentlichen Minderung des Wertes** der Sicherheit des Pfandgläubigers statt (§ 1219 BGB). In solchen Fällen ist die Versteigerung dem Verpfänder bei Tunlichkeit anzudrohen; bei Wertminderung muss dem Verpfänder eine Frist gesetzt werden, in der er anderweitige Sicherheit leisten kann (§ 1220 Abs 1 BGB).

a) Öffentliche Bekanntmachung. Zeit und Ort der Versteigerung sind unter allgemeiner Bezeichnung des Pfandes öffentlich bekanntzumachen; Eigentümer und berechtigte Dritte sind besonders zu benachrichtigen, sofern dies nicht untunlich ist (§ 1237 BGB).

b) Mitbieten des Pfandgläubigers und des Eigentümers. Sie können bei der öffentlichen Versteigerung mitbieten. Erhält der Pfandgläubiger den Zuschlag, so ist der Kaufpreis als von ihm empfangen anzusehen (§ 1239 Abs 1 BGB). Das Gebot des Eigentümers darf zurückgewiesen werden, wenn der Betrag nicht bar erlegt wird. Gleiches gilt für das Gebot des Schuldners, wenn das Pfand für eine fremde Schuld haftet (§ 1239 Abs 2 BGB).

c) Gold- und Silbersachen dürfen nicht unter dem Gold- oder Silberwert zugeschlagen werden. *Fehlt ein genügendes Gebot,* darf ein *Frei-*

handverkauf durch eine zur öffentlichen Versteigerung befugte Person zu einem den Gold- oder Silberwert erreichenden Preis erfolgen.

3. Freihandverkauf über befugte Personen. Hat das Pfand einen *Börsen- oder Marktpreis,* so kann der Pfandgläubiger den Verkauf aus freier Hand durch einen zu solchen Verkäufen öffentlich ermächtigten Handelsmakler oder durch eine zur öffentlichen Versteigerung befugte Person zum laufenden Preis bewirken (§ 1235 iVm § 1221 BGB). Zum Freihandverkauf durch eine solche Person kommt es auch, wenn eine öffentliche Versteigerung von Gold- und Silbersachen kein den Gold- und Silberwert erreichendes Gebot bringt.

Sofortige Kaufpreisentrichtung. Das Pfand darf nur unter der Bedingung verkauft werden, dass der Käufer den Kaufpreis sofort zu entrichten hat und er andernfalls seine Rechte verliert (§ 1238 Abs 1 BGB). Wird nicht unter dieser Bedingung verkauft, ist davon auszugehen, dass der Pfandgläubiger den Kaufpreis erhalten hat. Die Rechte des Pfandgläubigers gegen den Ersteher bleiben unberührt (§ 1238 Abs 2 BGB).

4. Pfandverkauf auf andere Art und Weise (insb durch Freihandverkauf durch den Pfandgläubiger selbst) ist zulässig, sofern dies *Eigentümer und Pfandgläubiger vereinbaren.* Steht einem Dritten aus dem Pfand ein Recht zu, das durch die Veräußerung des Pfandes erlischt, ist auch die Zustimmung des Dritten erforderlich. Die Zustimmung ist demjenigen gegenüber zu erklären, zu dessen Gunsten sie erfolgt. Sie ist unwiderruflich.

Auf die Vorschriften über die „Gesetzesform" der Pfandverwertung (§ 1235 BGB), die öffentliche Bekanntmachung von Zeit und Ort der Versteigerung, die allgemeine Bezeichnung des Pfandes (§ 1237 BGB) und das Gebot, Gold- und Silbersachen nicht unter dem Gold- oder Silberwert zu veräußern (§ 1240 BGB), darf im Vertrag nicht vor Eintritt der Verkaufsberechtigung verzichtet werden.

5. Pfandverkauf nach billigem Ermessen. Entspricht eine von der „Gesetzesform" abweichende Art der Pfandverwertung nach billigem Ermessen den Interessen der Beteiligten eher als die „Gesetzesform", so kann jeder Beteiligte diese abweichende Art der Pfandverwertung verlangen. Einigen sich die Beteiligten nicht, entscheidet das Gericht.

6. Benachrichtigungspflicht. Der Pfandgläubiger hat den Eigentümer vom Pfandverkauf und dem Ergebnis unverzüglich zu benachrichtigen, sofern dies nicht untunlich ist (§ 1241 BGB).

F. Rechtsfolgen

1. Rechte des Erwerbers. Durch den Pfandverkauf erhält der Erwerber dieselben Rechte, die er im Falle eines Erwerbes vom Eigentümer der Pfandsache erlangt hätte. Dies gilt auch dann, wenn der Pfandgläubiger die Sache ersteigert hat (§ 1242 Abs 1 BGB).

2. Die Pfandrechte erlöschen, auch wenn sie dem Erwerber bekannt waren (§ 1242 Abs 2 BGB).

3. Mangelnde Rechtmäßigkeit des Pfandverkaufes. Der Pfandverkauf kann aus verschiedenen Gründen nicht rechtmäßig sein.

Dies ist der Fall, wenn das Pfand verkauft wird, obwohl die Forderung noch nicht fällig war; die nicht in Geld bestehende Schuld noch nicht in eine Geldforderung übergegangen ist; Pfänder verkauft wurden, die zur Befriedigung des Pfandgläubigers nicht erforderlich waren; das Pfand keinen Börsen- oder Marktpreis hatte, dessen ungeachtet aber freihändig verkauft wurde; die öffentliche Versteigerung nicht gehörig bekannt gemacht wurde; Gold- und Silbersachen unter ihrem Gold- oder Silberwert zugeschlagen wurden (§ 1243 Abs 1 BGB).

4. Schadenersatzpflicht des Pfandgläubigers. Verletzt der Pfandgläubiger schuldhaft die Vorschriften über den Pfandverkauf, wird er schadenersatzpflichtig.

5. Befriedigung des Gläubigers. Sofern der Erlös aus dem veräußerten Pfand dem Pfandgläubiger zu seiner Befriedigung gebührt, gilt die Forderung als vom Eigentümer berichtigt. Im Übrigen tritt der Erlös an die Stelle des Pfandes (§ 1247 BGB).

6. Relative Eigentumsvermutung. Im Verhältnis zwischen Pfandgläubiger und Verpfänder gilt der Verpfänder im Falle des Pfandverkaufes als Eigentümer, es sei denn, der Pfandgläubiger weiß, dass der Verpfänder nicht Eigentümer ist (§ 1248 BGB).

G. Verwertung verpfändeter Wertpapiere und Einlagebücher

1. Grundsatz. Die dargelegten Regeln über den Pfandverkauf gelten auch für verpfändete Inhaberpapiere oder Papiere, die durch Indossament übertragen werden können.

2. Kündigung und Einziehung von Forderungen (Art 8 Nr 15 Abs 1 EVHGB). Sind Inhaberpapiere oder indossable Papiere verpfändet, ist der Pfandgläubiger berechtigt, eine etwa erforderliche Kündigung vorzunehmen und die Forderung aus dem Wertpapier einzuziehen, auch wenn seine eigene Forderung noch nicht fällig ist bzw noch nicht in eine Geldforderung übergegangen ist; also die Voraussetzungen des § 1228 Abs 2 BGB noch nicht gegeben sind.

3. Versteigerungsverbot. Wertpapiere, die einen Börsen- oder Marktpreis haben, dürfen nicht im Wege öffentlicher Versteigerung verkauft werden. Eine solche Verwertung ist auch bei Einlagebüchern von Kreditinstituten unzulässig (Art 8 Nr 15 Abs 2 EVHGB).

Handelsrechtsreform: Die Regelungen des BGB über die Pfandverwertung erscheinen zu kompliziert. Die derzeit geltenden Regelungen des ABGB sind hingegen insuffizient. Das UGB bringt eine Neuregelung der Pfandverwertung im ABGB, die einfacher als die deutsche und praktikabler als die bisherige allgemeine des ABGB sein wird.

V. Zurückbehaltungsrecht

Lit: *M. Wolff,* Das kaufmännische Zurückbehaltungsrecht, Ehrenbergs HB IV/1 (1917) 76; *Vogelsinger,* Das Zurückbehaltungsrecht, ÖBA 1958, 371; *Rummel,* Gutgläubiger Erwerb von Retentionsrechten? JBl 1977, 521; *Jabornegg,* Zurückbehaltungsrecht und Einrede des nicht erfüllten Vertrages (1982); *Braumüller,* Das Zurückbehaltungsrecht in Exekution und Insolvenz (1991).

A. Begriff des Zurückbehaltungsrechts

Es gibt **gesetzliche** und **vertragliche** Zurückbehaltungsrechte (Retentionsrechte). Im Folgenden interessieren nur die gesetzlichen. Zwischen Zurückbehaltungsrecht **iwS** und **ieS** wird unterschieden.

1. Zurückbehaltungsrecht iwS ist das Recht der Zug um Zug verpflichteten Vertragspartei, die *eigene Leistung* solange *zurückzuhalten,* bis die andere ihrer Verpflichtung nachgekommen ist (§§ 1052, 1062 ABGB).

2. Zurückbehaltungsrecht ieS ist das in § 471 ABGB und in den §§ 369 ff HGB geregelte Recht, die *Herausgabe einer Sache zu verweigern.* Die handelsrechtlichen Sonderregeln rechtfertigen es, diesbzgl vom **kaufmännischen Zurückbehaltungsrecht** zu sprechen.

B. Rechtsnatur des Zurückbehaltungsrechts

1. Das Zurückbehaltungsrecht iwS ist ausschließlich schuldrechtlicher Natur. Es ist hier nicht näher darzustellen.

2. Das Zurückbehaltungsrecht ieS ist gleichfalls ein Phänomen des Schuldrechts, weist jedoch **Elemente der Verdinglichung** auf.

Nach bürgerlichem Recht ist es ein Recht des Besitzers gegenüber dem seine Sache herausverlangenden Eigentümer. Das ABGB weist ihm zwar seinen systematischen Ort im Sachenrecht zu. Dennoch ist es kein dingliches Recht. Denn es steht grundsätzlich nicht gegenüber Dritten zu und kann auch nicht gutgläubig erworben werden.

Auch das kaufmännische Zurückbehaltungsrecht wird als schuldrechtlicher Anspruch mit Elementen der Verdinglichung qualifiziert. dass es einem dinglich berechtigten Dritten gegenüber nicht wirkt, stellt § 369 Abs 2 HGB klar. Die Elemente der Verdinglichung sind:

- **Gleichstellung mit den Pfandrechten:** So sind sie im Konkurs und Ausgleich (§ 10 Abs 2 KO; § 10 Abs 2 AO) sowie im IPR (§ 33 Abs 2 IPRG) den Pfandrechten gleichgestellt;
- **Befriedigungsrecht:** ferner rückt das Befriedigungsrecht (§ 371 HGB) das kaufmännische Zurückbehaltungsrecht in die Nähe des Pfandrechts.

C. Besonderheiten des kaufmännischen Zurückbehaltungsrechts

Das kaufmännische Zurückbehaltungsrecht zeichnet sich gegenüber dem zivilrechtlichen vor allem dadurch aus, dass es

- **keine Konnexität** voraussetzt, sondern nur eine Forderung aus einem beiderseitigen Handelsgeschäft;
- ein **pfandähnliches Befriedigungsrecht** gewährt;
- in bestimmten Fällen (Notretention) **keine Fälligkeit** des Anspruches erfordert, dessentwegen zurückbehalten wird;
- die zurückbehaltene Sache **nicht dem Schuldner gehören** muss;
- nur bei **Verwendungsbestimmung** bzw **Verwendungsverpflichtung** ausgeschlossen ist.

Rechtfertigung. Diese Besonderheiten des kaufmännischen (§§ 369ff HGB) gegenüber dem zivilrechtlichen Zurückbehaltungsrecht (§ 471 ABGB) erklären sich allesamt aus den besonderen **Sicherungsbedürfnissen des kaufmännischen Geschäftsverkehrs.**

Die gesetzlichen Pfandrechte sind nur auf bestimmte Vertragstypen beschränkt und erfordern überdies idR Konnexität (anders nur das gesetzliche Pfandrecht des Kommissionärs: § 397 HGB); laufend Sicherheiten zu *vereinbaren,* ist aber mühsam und würde den Geschäftsverkehr über Gebühr belasten. Das kaufmännische Zurückbehaltungsrecht dient also dem Bedürfnis, dem Gläubiger greifbares Vermögen des Schuldners zur Sicherung seiner Forderungen und zur Ausübung von Druck auf den Schuldner zu nutzen **(Gedanke der Vermögenshaftung).**

D. Tatbestandselemente des Zurückbehaltungsrechts

1. Ein Zurückbehaltungsrecht nach § 369 Abs 1 HGB hat:

- ein **Kaufmann** (Gläubiger)
- wegen der grundsätzlich **fälligen** (Ausnahme: Notretention) **Geldforderungen,** die ihm
- gegen einen **anderen Kaufmann** (Schuldner)
- aus den zwischen ihnen bestehenden (also beiderseitigen) **Handelsgeschäften** zustehen,
- an den **beweglichen Sachen und Wertpapieren** des Schuldners, welche
- mit **Willen des Schuldners** auf Grund von **Handelsgeschäften**
- **in den Besitz (= die Gewahrsame) des Gläubigers** gelangt sind,
- sofern er sie **noch in Gewahrsame hat** (insb mittels Konnossements, Ladescheins oder Lagerscheins darüber verfügen kann).
- Ob der **Schuldner oder der Gläubiger Eigentümer** des Retentionsgutes ist, spielt keine Rolle.

2. Einzelfragen

a) Gläubiger und Schuldner müssen Kaufleute sein. Auch Minderkaufleute (§ 4 HGB) und §-5-Kaufleute sind erfasst. Das Zurückbehaltungsrecht darf auch gegenüber einem Scheinkaufmann kraft Auftretens ausgeübt werden; nicht aber von einem solchen zum eigenen Vorteil. Die Kaufmannseigenschaft muss im Zeitpunkt des Entstehens der Forderung und des Zurückbehaltungsrechts gegeben sein.

b) Beiderseitiges Handelsgeschäft. Die zu sichernde Forderung muss ihre Grundlage in einem beiderseitigen Handelsgeschäft haben. Das Zurückbehaltungsrecht besteht auch wegen eines bereicherungsrechtlichen Herausgabeanspruchs, sofern dieser auf eine Leistung aus einem (wenn auch unwirksamen oder angefochtenen) beiderseitigen Handelsgeschäft zurückzuführen ist. Ob auch Ansprüche aus Geschäftsführung ohne Auftrag zur Retention berechtigen, ist strittig; analoge Anwendung des § 369 HGB erscheint aber vertretbar.

c) Fällige Geldforderungen. Die Forderungen, derentwegen das Zurückbehaltungsrecht ausgeübt werden kann, müssen, sofern nichts anderes vereinbart ist, Geldforderungen sein oder zumindest in solche übergehen können (JUS 1988/39, 22); ferner müssen sie fällig sein. Eine Ausnahme zum Erfordernis der Fälligkeit bildet das Notzurückbehaltungsrecht.

d) Notzurückbehaltungsrecht (§ 370 HGB). Das Zurückbehaltungsrecht kann *auch wegen nicht fälliger Forderungen* geltend gemacht werden, wenn

- über das Vermögen des Schuldners der Konkurs eröffnet ist *oder*
- der Schuldner seine Zahlungen eingestellt hat *oder*
- eine Zwangsvollstreckung in das Vermögen des Schuldners ohne Erfolg versucht worden ist;

per analogiam wohl auch bei

- Eröffnung des Ausgleichsverfahrens *oder*
- Verhängung der Geschäftsaufsicht.

In diesen Fällen steht das Zurückbehaltungsrecht auch dann zu, wenn es sonst nach § 369 Abs 3 HGB ausgeschlossen wäre, sofern die diesbzgl Tatsachen erst nach Übergabe des Retentionsgutes oder nach Übernahme der Verpflichtung dem Gläubiger bekannt werden (§ 370 Abs 2 HGB).

e) Nur bewegliche Sachen und Wertpapiere sind Gegenstand des Zurückbehaltungsrechts. Es müssen individualisierte Gegenstände sein **(Spezialitätsgrundsatz).** *Was nicht pfändbar ist, ist auch nicht retentionsfähig.*

Zwar kann es auch an Gesamtsachen ein Zurückbehaltungsrecht geben, nicht aber an Vermögen, Unternehmen oder Nachlässen. **Wertpapiere** sind im gegebenen Zusammenhang nur Inhaber- und Orderpapiere, nicht Rektapapiere, weil diese nicht selbstständig verwertbar sind.

f) Mit Willen des Schuldners muss das Retentionsgut in die Gewahrsame des Gläubigers gekommen sein; von diesem eigenmächtig dem Schuldner Entzogenes kann also nicht Gegenstand des Zurückbehaltungsrechts sein. Wohl aber sind Sachen, die entlehnt, in Verwahrung oder in Bestand gegeben wurden, mit Willen des Schuldners dem Gläubiger zugekommen. Insofern deckt der Hinweis auf den Willen des Schuldners nicht alle in § 1440 ABGB genannten Ausschlussgründe für eine Retention ab. Wohl aber wird man davon ausgehen müssen, dass ein auf Zurückbehaltung zielendes, listiges Herauslocken (schon wegen Sittenwidrigkeit) unzulässig ist. Auch was von Dritten ohne Zustimmung des Schuldners in die Gewahrsame des Gläubigers gelangt ist, rechtfertigt kein Zurückbehaltungsrecht. Mangelnde Geschäftsfähigkeit oder Willensmängel machen die Zustimmung des Schuldners unbeachtlich.

g) Gewahrsame des Gläubigers. Er muss Inhaber sein (Besitzer iSd HGB; Art 5 EVHGB). Mittelbare Innehabung genügt; nur in der Gewahrsame des Schuldners darf die Sache nicht sein. Die Gewahrsame muss im Zuge eines Handelsgeschäftes begründet worden sein. Ein beiderseitiges Handelsgeschäft ist allerdings nicht erforderlich. Die Innehabung kann auch mittels Konnossements, Ladescheins oder Lagerscheins gegeben sein (§ 369 Abs 1 HGB).

h) Eigentum am Retentionsgut. Der Schuldner muss nicht Eigentümer des Retentionsgutes, wohl aber berechtigt sein, es vom Gläubiger herauszuverlangen. ZB: Der Gläubiger hat vom Schuldner eine mangelhafte Ware gekauft und deshalb gewandelt; der Gläubiger hat daher die mangelhafte Ware dem Schuldner zurückzugeben. Eigentümer ist der Schuldner noch nicht, weil die Wandlung (ein Rücktrittsrecht) nicht zu einem automatischen Rückfall des Eigentums an den Veräußerer bewirkt, sondern lediglich einen bereicherungsrechtlichen Rückabwicklungsanspruch begründet. Der Gläubiger hat angesichts der noch nicht beglichenen Verbindlichkeit des Schuldners diesem gegenüber ein Retentionsrecht an der mangelhaften Ware.

Das Retentionsrecht besteht auch dann, wenn ein Dritter dem Gläubiger das Eigentum am Retentionsgut zugunsten des Schuldners übertragen hat (§ 369 Abs 1 HGB).

Gehört das Retentionsgut einem daran dinglich berechtigten Dritten, so kann *diesem gegenüber* ein an sich gegen den Schuldner gerichtetes Retentionsrecht nicht ausgeübt werden (§ 369 Abs 2 HGB).

i) Das Zurückbehaltungsrecht kann nicht gutgläubig erworben werden (JBl 1989, 584; 1992, 707; SZ 65/62; aA zu § 471 ABGB: JBl 1991, 241 mit abl Anm *Rummel*).

j) Keine Konnexität. Das HGB fordert nicht, dass die zurückbehaltene Sache im Rahmen gerade jenes Rechtsverhältnisses dem Gläubiger zugekommen ist, aus dem die offene Forderung stammt, derentwegen die Sache zurückbehalten wird.

E. Ausschluss des Zurückbehaltungsrechts

1. Besondere Verwendungsbestimmung oder Verwendungsverpflichtung. Das Zurückbehaltungsrecht ist ausgeschlossen, wenn die Zurückbehaltung des Retentionsgutes der vom Schuldner vor oder bei der Übergabe erteilten Anweisung oder der vom Gläubiger übernommenen Verpflichtung, in einer bestimmten Weise mit dem Retentionsgut zu verfahren, widerstreitet (§ 369 Abs 3 HGB).

So darf ein **Kommissionär, Handelsvertreter, Spediteur oder Frachtführer** das zum Verkauf, zur Versendung oder Beförderung übernommene Gut des Schuldners nicht zurückhalten.

Probleme ergeben sich, wenn der Gläubiger dem Schuldner auf Grund besonderer Abrede zur Herausgabe verpflichtet ist. Auf *jedwede* Herausgabepflicht kann es nicht ankommen: Wäre dem so, wäre das Zurückbehaltungsrecht immer ausgeschlossen. Es muss sich also um besondere Verpflichtungen des Gläubigers oder Weisungsrechte des Schuldners handeln.

ZB: Waren wurden auf ausdrücklichen Wunsch zur Ansicht übersendet, der Gläubiger will sie wegen einer anderen Forderung zurückbehalten; ein Kauf auf Probe kam nicht zustande, der Gläubiger gibt aber die Probe im Hinblick auf eine andere Forderung nicht heraus.

2. Entzug ohne Einverständnis des Schuldners. Hat sich der Gläubiger ohne Einverständnis des Schuldners in den Besitz des Retentionsgutes gesetzt, so fehlt eine wesentliche Voraussetzung des Zurückbehaltungsrechts (§ 369 Abs 1 HGB). Gleiches gilt für Fälle **sittenwidriger, listiger Herauslockung** (§§ 879; 1295 Abs 2 ABGB).

3. Überdeckung. Umstritten ist, ob auch der Umstand, dass die zurückbehaltene Sache den Wert der Forderung erheblich übersteigt, das Zurückbehaltungsrecht ausschließt. Ein generelles Überdeckungsverbot ist abzulehnen. Dessen ungeachtet ist eine schikanöse Ausübung des Zurückbehaltungsrechts unzulässig (§ 1295 Abs 2 ABGB).

Bei Verträgen, welche die Gefahr überdimensionierter Zurückbehaltungsrechte mit sich bringen (zB Bauverträge, wenn das Entgelt weitgehend erst nach Bauabschluss bezahlt werden muss), empfiehlt sich, das Zurückbehaltungsrecht von vornherein vertraglich einzuschränken.

4. Äquivalente Sicherheitsleistung. Die Zurückbehaltung kann durch äquivalente Sicherheitsleistung (§ 369 Abs 4 HGB) abgewendet werden. Ist der Retentionsgegenstand erheblich wertvoller als die offene Schuld, wird sich der Schuldner zur Sicherheitsleistung entschließen. Die Sicherheitsleistung darf nicht in einer Bürgschaft bestehen (§ 369 Abs 4 HGB; vgl auch § 471 Abs 2 ABGB). Für die Höhe der Sicherheitsleistung sind entweder der Wert der Forderung oder der Wert des Retentionsgutes maßgeblich. Der jeweils niedrigere Wert entscheidet.

F. Wirkungen des Zurückbehaltungsrechts

1. Verweigerung der Herausgabe. Der Gläubiger ist berechtigt, dem fordernden Schuldner die Herausgabe des Retentionsgutes zu verweigern. Dem Gläubiger steht insofern die **Zurückbehaltungseinrede (Retentionseinrede)** zu. Wird der Gläubiger auf Herausgabe des Retentionsgutes geklagt und hat der Schuldner für den Fall, dass er seine eigene Leistung erbringt, ein Recht auf das Retentionsgut, so wird seine Klage, gegen die der Gläubiger die Retentionseinrede erhebt, nicht abgewiesen, sondern der Gläubiger Zug um Zug gegen die ihm zustehende Leistung auf Herausgabe verurteilt.

2. Dinglich berechtigten Dritten gegenüber wirkt das Zurückbehaltungsrecht grundsätzlich nicht (§ 369 Abs 2 HGB).

3. Besitzschutz. Der Retentionsberechtigte ist **Rechtsbesitzer.** Er genießt demnach den Rechtsbesitzern zustehenden Besitzschutz.

4. Deliktische Schadenersatzansprüche. Fraglich ist, ob der Retentionsberechtigte gegenüber einem Dritten, der das Retentionsgut beschädigt, entzieht oder vernichtet, deliktische Schadenersatzansprüche geltend machen darf. Die Frage ist zu bejahen.

Begründung: Die Pfandrechtsnähe des Zurückbehaltungsrechts legt eine Gleichbehandlung des Retentionsberechtigten mit dem Pfandgläubiger nahe. Überdies haben Rechtsbesitzer ganz allgemein wegen § 372 ABGB Schadenersatzansprüche gegenüber schlechter als sie berechtigten Dritten.

5. Stellung im Konkurs und Ausgleich. Wird der Eigentümer des Retentionsgutes insolvent, kommt dem Retentionsberechtigten eine dem Pfandgläubiger gleiche Stellung zu. Er hat demnach ein *Absonderungs*recht (§ 10 Abs 2 KO; § 10 Abs 2 AO). Das Verfolgungsrecht des Verkäufers oder Einkaufskommissionärs (§ 45 KO) beeinträchtigt nicht das Zurückbehaltungsrecht, das vor Konkurseröffnung entstanden ist.

6. Stellung gegenüber andrängenden Gläubigern des Schuldners. Betreiben dritte Gläubiger die Exekution gegen den Schuldner und wollen sie auf das beim Gläubiger befindliche Retentionsgut greifen, so braucht er es nicht herausgeben (§ 262 EO). Wird es gegen seinen Willen gepfändet, kann der Gläubiger dagegen Beschwerde erheben (§ 68 EO).

7. Befriedigungsrecht. Der Retentionsberechtigte ist befugt, sich aus dem Retentionsgut für seine Forderung zu befriedigen (§ 371 HGB).

a) Vollstreckungsbefriedigung. Erfolgt die Befriedigung im Wege der Zwangsvollstreckung, muss der Retentionsberechtigte einen vollstreckbaren Titel gegen den Schuldner erwirken und in der Folge das Retentionsgut pfänden und verwerten lassen.

b) Verkaufsbefriedigung. Nicht im Wege der Zwangsvollstreckung erfolgende Befriedigung ist erst zulässig, nachdem der Gläubiger einen vollstreckbaren Titel für sein Recht auf Befriedigung aus dem Retentionsgut erlangt hat. Ohne vollstreckbaren Titel ist der Verkauf des Retentionsgutes nicht rechtmäßig (§ 371 Abs 3 HGB).

Die **Vorschriften über die Befriedigung aus Pfändern** (Art 8 Nr 14, 15 EVHGB) gelten auch hier (vgl oben).

Ein über die Forderung, derentwegen das Zurückbehaltungsrecht ausgeübt wird, erwirkter Exekutionstitel reicht nicht aus; es muss vielmehr ein **das Zurückbehaltungsrecht als solches betreffender Exekutionstitel** sein (aA EvBl 1955/126 gegen die hM). Die Klage geht auf Gestattung der Befriedigung und kann unbeschadet der Zuständigkeitsregeln der JN bei dem Gericht, in dessen Bezirk der Gläubiger seinen allgemeinen Gerichtsstand oder den Gerichtsstand der Niederlassung hat, eingebracht werden (§ 371 Abs 4 HGB).

c) Vorrang vor späteren Pfändungen. Das Zurückbehaltungsrecht geht Pfändungen, die *nach seiner Begründung* vorgenommen wurden, bzgl des Befriedigungsrechtes vor (§ 371 Abs 1 HGB). Nur ein später entstandenes *gesetzliches* Pfandrecht geht dem älteren Zurückbehaltungsrecht vor.

d) Relative Eigentumsvermutung. Weiß es der Gläubiger nicht besser, so vermutet § 372 HGB, dass jener Schuldner, der bei Begründung der Innehabung des Gläubigers Eigentümer des Retentionsgutes war, dies auch weiterhin geblieben ist.

Diese Regel läuft im österr Recht leer, weil es die dem dt Recht geläufige **Veräußerung durch Abtretung des Herausgabeanspruches** nicht kennt. Stattdessen kann der Schuldner in den vorliegenden Fällen nur im Wege der **Besitzanweisung** veräußern; diese aber erfordert jedenfalls die Verständigung des das Retentionsgut innehabenden Gläubigers; bei Beeinträchtigung seiner Rechte auch seine Zustimmung. Daher kann der Gläubiger nicht auf jene Weise überrascht werden, an die § 372 HGB denkt.

G. Erlöschen des Zurückbehaltungsrechts

Das Zurückbehaltungsrecht erlischt durch

- Sicherheitsleistung des Schuldners,
- Untergang der zurückbehaltenen Sache,
- Erlöschen der zu sichernden Forderung,
- Aufgabe der Gewahrsame,
- sonstigen Verlust der Verfügungsmacht über die zurückbehaltene Sache.

3. Abschnitt

Handelskauf

16. Kapitel

Allgemeines und Varianten des Handelskaufs

Lit: *Hüffer,* Rechtsfragen des Handelskaufs, JA 1981, 70, 143; *Hoyningen-Huene,* Der Handelskauf, Jura 1982, 8; *G. Walter,* Kaufrecht (1987) 364; *Emmerich,* Der Handelskauf, JuS 1997, 98; *U. Huber,* Wandlungen im Recht des Handelskaufs, ZHR 161 (1997) 160; *Staudegger,* Zur Qualifikation von Verträgen, die der Überlassung von Computersoftware dienen, JBl 1998, 604.

I. Rechtsquellen des Handelskaufs

Mit dem Handelskauf befassen sich die §§ 373–382 HGB einschließlich Art 8 Nr 17–21 EVHGB. Dabei geht es nicht um eine geschlossene Darstellung aller Rechte und Pflichten des Käufers. Diesbzgl bleibt es bei den Vorschriften des ABGB über den Kaufvertrag (§§ 1053–1089) einschließlich all jener Regeln des Allgemeinen Schuldrechts, die zwar für alle Verträge gelten, in Wahrheit aber weitgehend am Denkmodell des Kaufvertrages entwickelt wurden. Darüber hinaus finden sich Sonderregeln zum Kaufvertrag insb im KSchG (Abzahlungsgeschäft).

Ferner ist das **UNK** (Übereinkommen der Vereinten Nationen über Verträge über den internationalen Warenkauf, BGBl 1988/96) zu nennen.

Das Handelsrecht widmet sich nur einigen für den Handelsverkehr wichtigen Ordnungsfragen des Kaufrechts.

II. Begriff des Handelskaufs

Beim Kaufvertrag verpflichtet sich der Verkäufer, dem Käufer **eine Sache zu übergeben und zu übereignen,** während der Käufer gehalten ist, hierfür den **Kaufpreis in Geld** zu entrichten (vgl §§ 1053, 1061 ABGB).

Handelskauf liegt vor, wenn **Waren oder Wertpapiere** (§§ 373, 381 Abs 1 HGB) Kaufgut sind und wenigstens *ein* Vertragspartner Kaufmann ist. Bzgl der §§ 377–379 HGB (Mängelrüge, Aufbewahrungspflicht) ist allerdings ein beiderseitiger Handelskauf erforderlich. Waren und Wertpapiere sind bewegliche Sachen.

Auf *Liegenschafts- und Unternehmenskäufe* finden die §§ 373ff HGB *keine* Anwendung (RdW 2002/495, 531 = wbl 2002/291, 422 = ÖJZ EvBl 2002/136, 510 = RWZ 2002/74, 265 = GeS 2003, 22). *Energielieferungen* können hingegen Gegenstand eines Handelskaufs sein.

Dadurch, dass eine erst anzufertigende bewegliche Sache Bestandteil oder Zubehör eines Grundstücks werden soll, wird sie an sich noch nicht zu einer unbeweglichen Sache; § 381 Abs 2 HGB bleibt anwendbar, wenn die herzustellende Sache an sich beweglich, aber zum festen Einbau bestimmt ist (RdW 2002/134, 150). Die werklieferungsvertragliche Lieferung und Montage einer Holzstiege betrifft auch dann eine bewegliche Sache, wenn die Holzstiege nach dem Einbau sachenrechtlich zur unbeweglichen Sache wird (RZ 2003, 258 = ecolex 2003/372, 910 = RdW 2004/62, 87).

III. Anwendungsbereich der Handelskaufregeln

Lit: *Frotz,* Leasing in Österreich und seine Rechtsfragen, FS Hämmerle (1972) 323; *Krejci,* Zivilrechtsfragen zum Leasingvertrag, in *Egger/Krejci* (Hrsg), Das Leasinggeschäft. Zivil-, Bilanz- und Steuerrecht, Betriebswirtschaft und Praxis (1987) 1, 37, 57; *Lurger,* Zur Typologie internationaler Gegengeschäfte, wbl 1990, 353; *Lurger,* Die Anwendung des Wr UNCITRAL-Kaufrechtsübereinkommens 1980 auf den internationalen Tauschvertrag und sonstige Gegengeschäfte, ZfRV 1991, 415; *Bopp,* Vertragsstrukturen internationaler Kompensationsgeschäfte (1992); *Lurger,* HB der internationalen Tausch- und Gegengeschäftsverträge (1992); *Fülbier,* Das Vertrags- und Wirtschaftsrecht des Gegenkaufs im internationalen Wirtschaftsrecht (1992); *Fischer-Czermak,* Mobilienleasing. Rechtsnatur, Gewährleistung und Gefahrtragung (1995).

Die §§ 373 ff HGB gelten nicht nur für den Handelskauf, sondern auch für **Werklieferungsverträge** (§ 381 Abs 2 HGB). Darüber hinaus finden sich weitere Analogietendenzen.

Werklieferungsverträge sind Werkverträge (§§ 1165 ff ABGB) über nicht vertretbare, bewegliche Sachen, bei denen der *Werkstoff nicht vom Besteller,* sondern vom Unternehmer beigestellt wird (SZ 38/69; 41/133; 56/116). Sofern der Vertragsgegenstand nicht einmal nach den individuellen Wünschen des Bestellers zu fertigen ist, liegt von vornherein nur ein Kaufvertrag vor. Für Werkverträge, bei denen der Besteller auch den zu verarbeitenden Stoff liefert, gelten die Regeln über den Handelskauf nicht. Dies schließt die analoge Anwendung einzelner Handelskaufbestimmungen auf Werkverträge nicht aus.

Tauschverträge. Umstritten ist, ob die Bestimmungen über den Handelskauf auch für Tauschverträge gelten. Der Gesetzeswortlaut spricht dagegen. Die hM und Rsp lehnen eine analoge Anwendung der §§ 373 ff HGB auf den Handelstausch ab (HS 1769; aA SZ 36/95). Anders die dt Lehre. Es finden sich aber auch österr Befürworter einer Analogie. Die Analogie hat den Vorteil, dass man sich Abgrenzungen zwischen korrespondierenden Doppelkäufen, die jedenfalls dem Regime der §§ 373 ff HGB unterstehen, und Tauschverträgen, bei denen dies nach hM anders sein soll, erspart. Die enge Verwandtschaft zwischen Kauf und Tausch (nach österr Recht ist der Kauf ein Sonderfall des Tausches; nach dt Recht der Tausch ein Sonderfall des Kaufs) einerseits und das Fehlen einer sachlichen Rechtfertigung einer unterschiedlichen Behandlung andererseits sprechen eher für als gegen eine Analogie, soweit dies der Natur der Sache nach möglich ist. Der Tauschvertrag hat im Bereich internationaler „Kompensationsgeschäfte“ („Bartergeschäfte“) an Bedeutung gewonnen.

Finanzierungsleasingverträge sind zwischen Kauf und Miete angesiedelt. Soweit sie trotz Vermeidung eines Eigentumsüberganges wirtschaftlich darauf abzielen, beim Leasingnehmer letztlich den Erfolg eines Kaufs zu erreichen (Vollamortisationsvertrag), sind die §§ 373 ff HGB sinngemäß anwendbar, sofern nur die Übrigen handelsrechtlichen Voraussetzungen (Kaufmannseigenschaft) erfüllt sind und die vereinbarten Bedingungen nicht dagegen sprechen.

Handelsrechtsreform: Das UGB stellt klar, dass die §§ 377, 378 HGB auch auf den Tauschvertrag sowie auf Verträge anzuwenden sind, durch die aus einem vom Besteller beizustellenden Stoff eine bewegliche Sache herzustellen ist. Damit wird auch der klassische Werkvertrag über bewegliche Sachen vom Anwendungsbereich der §§ 377, 378 HGB miterfasst.

IV. Kaufpreis und Erfüllungskosten

1. Der Kaufpreis muss in Geld bestehen. Bargeld ist nicht geboten; es kann auch Buchgeld sein; es kann mit Scheck, Wechsel, Kreditkarte bezahlt werden. Wer statt Geld auch seinerseits Ware geben soll, kauft nicht, sondern tauscht.

2. Höhe des Kaufpreises. Früher wurde immer wieder betont, dass zwar der Abschluss eines Handelskaufs keine Preisvereinbarung erfordere, wohl aber ein Kaufvertrag nach allgemeinem Privatrecht. Dieser Gegensatz besteht in Wahrheit nicht.

Auch § 1054 ABGB fordert keinen der Höhe nach exakt bestimmten, sondern bloß einen **bestimmbaren Preis.** Bestimmbar ist der Preis, wenn zum Markt- oder Börsenpreis, zum ortsüblichen, handelsüblichen, kundenüblichen Preis kontrahiert wird. Auch einseitige Preisbestimmung durch Dritte oder den anderen Vertragspartner durch Einräumung eines entsprechenden Gestaltungsrechts ist im Rahmen „billigen Ermessens" zulässig. Der Schuldner darf auf diese Weise also nicht überrascht und ausgebeutet werden (HS IX/13; 10.844; SZ 56/32). Nach Handelsrecht gilt mangels anderer Einigung ein **angemessener Preis** als bedungen (analog § 354 HGB). Dieser Grundsatz entspricht § 1152 ABGB. Die Angemessenheit des Preises kann nur dann festgestellt werden, *wenn der Preis zugleich bestimmbar ist.* Finden sich keine objektivierbaren Ansätze für eine solche Preisbestimmung, so liegt weder nach bürgerlichem noch nach Handelsrecht ein gültiger Kaufvertrag vor.

3. Gesetzliche Höchst- oder Mindestpreise dürfen nicht missachtet werden. Wird ein Höchstpreis über- oder ein Mindestpreis unterschritten, gilt der gesetzliche Höchst- oder Mindestpreis und nicht die Abweichung; im Übrigen bleibt der Vertrag gültig (§ 917 a ABGB).

4. Preisberechnung nach dem Gewicht

a) Taragewicht: Ist nichts vereinbart und gibt es keinen für den Erfüllungsort maßgeblichen Handelsbrauch, wird vom vereinbarten Gewicht der verkauften Ware das **Verpackungsgewicht abgezogen** (§ 380 Abs 1 HGB). Es kann entweder genau **(rein netto Tara)** oder nach bestimmten, abstrahierenden Ansätzen ermittelt werden **(Usotara).** Auch hier entscheidet in erster Linie der Vertrag, in zweiter der Handelsbrauch des für den Verkäufer maßgeblichen Erfüllungsortes. Wird das Verpackungsgewicht mitberechnet, spricht man vom **„Brutto-für-netto-Gewicht“.**

b) Gutgewicht: Der Käufer bekommt mehr, als er zahlt. Das verrechnete Gewicht wird um eine **unverrechnete Zugabe** vermehrt (Mehrgewicht), um **natürlichen Schwund** auszugleichen, der bei Massenkäufen idR auftritt. Ob und inwieweit Gutgewicht zusteht, bestimmt der Vertrag oder der Handelsbrauch des Erfüllungsortes (§ 380 Abs 2 HGB). Dasselbe Ergebnis erreicht man durch

c) Refaktie: Der Käufer zahlt weniger, als er bekommt. Es wird angesichts regelmäßig bei Massenkäufen vorkommender **schadhafter oder unbrauchbarer Waren** „refaktiert“, dh: ein Preisnachlass gewährt, indem ein **geringeres Warengewicht in Rechnung gestellt** als tatsächlich geliefert wird. Auch dies muss entweder vertraglich vereinbart werden oder sich aus einem Handelsbrauch ergeben (§ 380 Abs 2 HGB).

5. Erfüllungskosten

a) Übergabekosten, insb Kosten des Messens und Wägens, trägt der Verkäufer (Art 8 Nr 19 Abs 1 EVHGB).

b) Abnahme- und Versendungskosten (Versendung der Ware an einen anderen als den Erfüllungsort) trägt der Käufer (Art 8 Nr 19 Abs 1 EVHGB). Die Übernahme der Versendungskosten bedeutet noch nicht, dass der Bestimmungsort Erfüllungsort ist.

V. Besondere Kaufvertragsvarianten

Lit: *Wichmann,* Die Beweislast beim Kauf nach Probe (1905); *Levy,* Der Kauf zur Probe (1915); *Mayrhofer,* Der Kauf mit Umtauschvorbehalt des Käufers, JBl 1972, 445; *Beck-Mannagetta,* Der Prüfungskauf, ÖJZ 1984, 427; *Csoklich,* Können die Btx-Teilnahmebedingungen einen „Kauf auf Probe“ anordnen? RdW 1986, 34.

1. Kauf auf Probe. Der Kauf auf Probe steht unter der iZw aufschiebenden Potestativbedingung, dass die Ware vom Käufer genehmigt wird (ecolex 1993, 521). Wird nicht innerhalb der Probezeit genehmigt, ist der Kauf nicht zustande gekommen. Wurde die Ware bereits übergeben, gilt Schweigen (ausnahmsweise) als Zustimmung. Die Probezeit beträgt, sofern nichts anderes vereinbart ist, bei beweglichen Sachen 3 Tage, bei unbeweglichen 1 Jahr (vgl §§ 1080–1082 ABGB).

Für **Handelskäufe auf Probe** ordnet Art 8 Nr 18 EVHGB Besonderes an: Ist die Probezeit durch Verabredung nicht bestimmt worden, so **kann der Verkäufer dem Käufer eine angemessene Frist als Probezeit setzen.** Es gelten also nicht die starren Fristen des § 1082 ABGB.

Die Grundsätze über den Kauf auf Probe sind auch auf Konditionsgeschäfte anwendbar: **Konditionsgeschäft** heißt ein Kaufvertrag, der dem Käufer das Recht gibt, Waren zurückzugeben, deren Weiterveräußerung nicht gelingt.

Vom **Prüfungskauf** unterscheidet sich der Kauf auf Probe insofern, als der Prüfungskäufer nicht nach Belieben vom Kauf Abstand nehmen kann, sondern nur bei Vorliegen eines objektiven Mangels. Im Übrigen wird auch der Prüfungskauf den Regeln über den Kauf auf Probe unterstellt (SZ 27/72; 53/84; RdW 1994, 76).

Bei Prüfung der Probe erkennbare Mängel muss der Käufer sofort und nicht erst nach der Hauptlieferung beanstanden (JBl 1989, 309).

2. Kauf nach Probe oder nach Muster. Es wird unter der Annahme gekauft, dass die Ware der Qualität einer „Probe" bzw eines „Musters" entspricht. Dessen Eigenschaften gelten somit als zugesichert (Art 8 Nr 17 EVHGB). Der Kauf nach Probe ist ein **unbedingter Kauf.** Die Eigenschaften der Probe gelten als gewährleistete dicta et promissa. Die Probe selbst muss nicht übergeben bzw erworben worden sein; sie kann auch vom Käufer selbst zur Verfügung gestellt werden, um dem Verkäufer die Käuferwünsche klarzumachen („Bestellprobe").

3. Kauf zur Probe. Auch hier liegt ein **unbedingter Kauf** vor; der Käufer stellt lediglich unverbindlich in Aussicht, bei Eignung der Ware weitere abzunehmen. Er nennt bloß sein Motiv für weitere Bestellungen (JBl 1953, 517). Der Kauf zur Probe ist heute nicht mehr gesetzlich geregelt; vormals sagte Art 341 AHGB etwas über ihn aus.

Unterscheide von den genannten Kaufvertragsvarianten:

4. Kauf auf Abruf. ermöglicht dem Käufer, die Lieferung innerhalb einer Abruffrist nach eigenen Vorstellungen fällig zu stellen.

5. Kauf mit Vorbehalt eines „besseren" Käufers. Der Kauf wird unter der Bedingung geschlossen, dass sich innerhalb einer bestimmten Frist kein anderer Käufer findet, der nach Ansicht des Verkäufers bessere Bedingungen bietet. Man spricht vom Kauf mit Vorbehalt eines „besseren" Käufers oder von einem Kauf mit Bessergebotsklausel. Ist die Sache noch nicht übergeben worden, liegt eine Suspensivbedingung vor; andernfalls eine Resolutivbedingung (vgl §§ 1083–1085 ABGB). Ist ein solcher Kauf Handelsgeschäft, bezieht sich die Verweisung des § 1084 Satz 2 ABGB auf Art 8 Nr 18 EVHGB.

6. Kauf mit Umtauschvorbehalt. Der Käufer behält sich das Recht vor, das Erworbene wieder zurückzugeben und gegen eine andere Ware auszutauschen. Das Wahlrecht ist idR auf die gleiche Ware (aber andere Größe, andere Farbe etc) oder auf ein bestimmtes Warensortiment beschränkt (SZ 24/64; EvBl 1960/332). Oft wird auch eine Umtauschfrist vereinbart. Die Umtauschware hat iZw dem Wert des ursprünglichen Kaufgutes zu entsprechen. Wird eine teurere Umtauschware gewählt, ist aufzuzahlen. Art 8 Nr 18 EVHGB ist analog anzuwenden.

VI. Das Recht der Kaufklauseln

Lit: Incoterms 2000. Die offiziellen Regeln der ICC zur Auslegung von Handelsklauseln (1999).

Der Geschäftsverkehr kennt eine Fülle **handelsüblicher Vertragsklauseln,** die vor allem den Handelskauf ergänzen. So finden sich zahlreiche Liefer- und Zahlungsklauseln, die oft nur aus einem einzigen Wort bestehen, wohl aber auf Grund Handelsbrauches in bestimmter Weise verstanden zu werden pflegen.

ZB: „auf Abruf“, „auf Besicht“, „frachtfrei“, „baldmöglichst“, „frei Haus“, „freibleibend“, „Preis freibleibend“, „Kasse“, „netto Kasse“, „Kasse gegen Dokumente“, „Kasse gegen Lieferschein“, „ab Lager“, „ex Tank“, „ab Kühlhaus“, „Dokumente gegen Akzept“, „Tel quel“ ua.

Zahlreiche handelsübliche Klauseln wurden für den internationalen Geschäftsverkehr von der Internationalen Handelskammer (ICC) in Paris gesammelt und veröffentlicht **(Trade Terms).** Inhaltlich vereinheitlicht wurden diese Klauseln in den **Incoterms** (International Commercial Terms). Zur Auslegung der Incoterms und Tradeterms (SZ 60/208).

Die Incoterms erläutern folgende Klauseln:

CFR cost and freight (Kosten und Fracht mit Nennung des Bestimmungshafens);

CIF cost, insurance, freight (Kosten, Versicherung, Fracht mit Nennung des Bestimmungshafens);

CIP carriage and insurance paid to (frachtfrei versichert mit Nennung des Bestimmungshafens oder -ortes);

CPT carriage and insurance paid to (frachtfrei versichert mit Nennung des Bestimmungsortes bei Beförderung zu Lande);

DAF delivered at frontier (geliefert Grenze);

DEQ delivered ex quay (ab Kai mit Nennung des Bestimmungshafens);

DES delivered ex ship (geliefert ab Schiff mit Nennung des Bestimmungshafens);

DDP delivered duty paid (geliefert verzollt);

DDU delivered duty unpaid (geliefert unverzollt);

EXW ex works (ab Werk);

FAS free alongside ship (frei Längsseite Schiff mit Nennung des Verschiffungshafens);

FCA free carrier (frei Frachtführer);

FOB free on board (frei an Bord mit Nennung des Beladungs- oder Verschiffungshafens).

Im Wesentlichen befassen sich die Incoterms mit Fragen der Gefahr- und der Transportkostentragung. Bei den sog **Einpunktklauseln** fallen der Übergang der Gefahr und der Kostentragung zusammen. Derselbe Zeitpunkt ist entscheidend.

Einpunktklauseln sind zB DEQ, DES, EXW, FAS und FOB. Bei den **Zweipunktklauseln** fallen Gefahr- und Kostenübergang zeitlich auseinander. Zweipunktklauseln sind insb CFR, CIF, FCA.

Die Vitalität des Handelsverkehrs, die Entwicklung neuer Technologien im Gütertransport und Datenaustausch und neue Dokumentenpraktiken werden dafür sorgen, dass der Bereich des Klauselwesens auch in Zukunft nicht erstarren wird.

Auf die zahlreichen Fragen, welche die Incoterms regeln und aufwerfen, kann hier nicht eingegangen werden.

VII. Das UN-Kaufrecht

Lit: *Doralt* (Hrsg), Das UNCITRAL-Kaufrecht im Vergleich zum österr Recht (1985); *Schlechtriem,* Uniform Sales Law (1986); *Herber/Czerwenka,* Internationales Kaufrecht. Kommentar zum Übereinkommen der Vereinten Nationen vom 11. April 1980 über Verträge über den internationalen Warenkauf (1991); *Karollus,* UN-Kaufrecht (1991); *Hoyer/Posch* (Hrsg), Das Einheitliche Wiener Kaufrecht (1992); *Piltz,* Internationales Kaufrecht. Das UNK in praxisorientierter Darstellung (1993); *Wilhelm,* UN-Kaufrecht (1993); *Caemmerer/Schlechtriem* (Hrsg), Kommentar zum Einheitlichen UN-Kaufrecht[2] (1995); *Magnus,* Stand und Entwicklung des UN-Kaufrechts, ZEuP 1995, 202; *Ziegler,* Leistungsstörungsrecht nach dem UNK (1995); *Bonell/Ligouri,* The UN-Convetion on the International Sale of Goods: a Critical Analysis of Current International Case Law, ULR 1997, 385, 583; *Ferrari,* General Principles and International Commercial Law Conventions: A Study of the 1980 Vienna Sales Convention and the 1988 Unidroit Conventions, ULR 1997, 451; *Rudolf,* Aktuelle Rechtsprechung zum UN-Kaufrecht, ecolex 2000, 565; *Cornides,* Braucht der Binnenmarkt ein einheitliches Vertragsrecht? wbl 2001, 407; *Ferrari,* Ausschluss des UN-Kaufrechts, Rügefrist und Beweislast in einem italienischen Urteil zum deutsch-italienischen Rechtsverkehr. Zu Tribunale Vigevano, 12. 7. 2000, IPRax 2001, 354; *Fogt,* Gerichtsstand des Erfüllungsortes bei streitiger Existenz des Vertrages, Anwendbarkeit des CISG und alternative Vertragsschlussformen, IPRax 2001, 358; *Gärtner,* Das Gesetz über die polnische Sprache im Lichte des Europäischen Rechts, ZfRV 2001, 9; *Kramer,* Rechtzeitige Untersuchung und Mängelanzeige bei Sachmängeln nach Art 38 und 39 UN-Kaufrecht, FS Koppensteiner (2001) 617; *Welling,* Gefahrtragung im UN-Kaufrecht und deren Beeinflussung durch die INCO-TERMS 2000, wbl 2001, 397; *Czernich,* Der Erfüllungsgerichtsstand im neuen Europäischen Zuständigkeitsrecht, wbl 2002, 337; *Janssen,* Kollidierende Allgemeine Geschäftsbedingungen im internationalen Kaufrecht (CISG), wbl 2002, 453; *Lurger,* Die neuere Rechtsprechungsentwicklung zum UN-Kaufrechtsübereinkommen, JBl 2002, 750; *Huber/Kröll,* Deutsche Rechtsprechung zum UN-Kaufrecht in den Jahren 2001/2002, IPRax 2003, 309; *Fogt,* Einheitlicher Vertrag oder Aufspaltung gemäß Art 3 Abs 2 UNK (CISG) bei einem Mietkauf (zu dänisches Ostre Landsret, 4. 12. 2000), IPRax 2003, 364; *Janssen,* Das Verhältnis nationaler Verjährungsvorschriften zur Ausschlussfrist des Art 39 Abs 2 CISG in der Schweiz, IPRax 2003, 369; *Apathy,* Der Verkauf „reisender Ware", RdW 2003/246, 299; *Bonsau/Feuerriegel,* Die Probleme der Bestimmung von Fälligkeitszinsen im UN-Kaufrecht, IPRax 2003, 421; *Corterier,* Zinsen in einheitlicher Rechtsanwendung, ZfRV 2003/10, 43; *Adensamer,* Zur kollisionsrechtlichen Anknüpfung von Formfragen bei der Übertragung von GmbH-Geschäftsanteilen, wbl 2004, 508.

Das UNK dient der Rechtsvereinheitlichung im Bereich des internationalen Geschäftsverkehrs.

Die Bemühungen, ein einheitliches Kaufrecht zu schaffen, reichen in die Zeit zwischen den beiden Weltkriegen zurück. Das **Internationale Institut für die Vereinheitlichung des Privatrechts in Rom (UNIDROIT)** wirkte an einschlägigen Vorarbeiten mit, die 1964 zur Verabschiedung des **Haager Übereinkommens** über das „Einheitliche Gesetz über den Abschluss von internationalen Kaufverträgen über bewegliche Sachen" (EAG) und das „Einheitliche Gesetz über den Internationalen Kauf beweglicher Sachen" (EKG) führten. Der Erfolg dieser Initiative war enttäuschend. Nur 9 Staaten traten dem Haager Übereinkommen bei. Die USA, Frankreich und die vormaligen COMECON-Staaten waren nicht dabei. Auch Österreich fehlte. Inzwischen wurden diese Regelungen durch das UNK abgelöst:

Die **United Nations Commission on International Trade Law (UNCITRAL)** legte in den Jahren 1976, 1977 und 1978 auf der Grundlage des Haager Kaufrechts Entwürfe eines Übereinkommens über internationale Warenkaufverträge vor; im Jahre 1980 wurde anlässlich einer UN-Konferenz in Wien das **Übereinkommen der Vereinten Nationen über Verträge über den Internationalen Warenkauf** (UNK; der englische

Titel des Abkommens lautet: „United Nations Convention on Contracts for the International Sale of Goods“, abgekürzt: CISG) geschlossen. Es trat am 1. 1. 1988 völkerrechtlich in Kraft. In Österreich gilt das UNK seit 1. 1. 1989 (BGBl 1988/86), in Dtl seit 1. 1. 1991. Bisher haben über 50 Staaten das UNK ratifiziert.

Die Geltung des UNK kann vertraglich ausgeschlossen werden (auch in AGB, ZfRV 1998, 211). Das UNK kommt auch dann zur Anwendung, wenn das IPR auf eine bestimmte nationale Rechtsordnung verweist. Es ist nach österreichischem Recht anzuwenden, sofern dies von den Parteien nicht einvernehmlich ausgeschlossen wurde.

Der Inhalt des UNK wird hier nicht näher dargestellt. Er weicht erheblich vom österreichischen Kauf- und allgemeinen Schuldrecht ab. Er ist handelsrechtlich von Bedeutung, weil das UNK im Wesentlichen den Handelskauf betrifft: Denn das UNK gilt *nicht* für den Ankauf von Waren *für den persönlichen Gebrauch oder den Gebrauch in der Familie oder im Haushalt.* Das UNK befasst sich mit dem Kauf beweglicher Sachen, der zwischen Parteien mit Niederlassungen in verschiedenen Vertragsstaaten geschlossen wird.

17. Kapitel
Leistungsstörungen beim Handelskauf
I. Gefahrtragung (Versendungskauf)

Lit: *Adler,* Der Übergang der Gefahr beim Handelskauf, ZHR 72 (1922) 388; *Schilcher,* Die Preisgefahr beim Kauf, JBl 1964, 395; *Brox,* Die Gefahrtragung bei Untergang oder Verschlechterung der Kaufsache, JuS 1975, 1; *Hager,* Die Gefahrtragung beim Kauf (1980).

A. Allgemeines zur Leistungs- und Preisgefahr

Zur Erinnerung: Geht das Kaufgut zufällig unter, ist zu klären, ob der Verkäufer eine gleiche Sache liefern muss oder von seiner Leistung frei wird **(Leistungsgefahr)** bzw ob der Käufer auch dann, wenn der Verkäufer keinen neuerlichen Lieferversuch machen muss, den Kaufpreis zu entrichten hat oder nicht, sodass der Verkäufer nichts bekommt (**Preisgefahr** = Gegenleistungsgefahr).

Die Leistungsgefahr trägt der Verkäufer dann, wenn er eine **Gattungssache** schuldet (genus non perit) und das Kaufgut noch nicht mit schuldbefreiender Wirkung übergeben wurde, es sei denn, der Käufer ist in **Annahmeverzug** geraten, sodass der Verkäufer nicht rechtzeitig übergeben konnte.

Die Preisgefahr trägt der Käufer ab dem Zeitpunkt der vereinbarten oder der früheren, tatsächlichen Übergabe, es sei denn, der Verkäufer ist in **Leistungsverzug** geraten.

B. Besonderheiten des Versendungskaufs

Wird eine Ware vom Erfüllungsort an einen anderen Bestimmungsort versendet, ist zu prüfen, ob die Gefahr schon mit Übergabe an den Transporteur oder aber erst mit Übernahme durch den Käufer übergeht.

1. Nach bürgerlichem Recht klärt dies mittelbar die sachenrechtliche Regelung des § 429 ABGB:

Hat der Übernehmer (in unseren Fällen: der Käufer) die gewählte **Versendungsart** selbst bestimmt oder die vom Versender gewählte genehmigt, so gilt die versendete Sache *mit Übergabe an den Transporteur* zugleich auch als dem Käufer übergeben; andernfalls (dh: wird die Versendungsart *nicht* vom Käufer bestimmt oder genehmigt) ist die versendete Sache erst dann dem Käufer übergeben, wenn sie *in seine Gewahrsame gelangt.* Dh: In diesem Fall wird der Transporteur nicht dem Käufer zugerechnet. *Verkehrsübliche Versendung* (Bahn, Post) gilt nach hM vorweg als genehmigt.

Sofern mit der Übergabe des Kaufgegenstandes zugleich auch die Gefahr übergeht, bestimmen die Regeln über die Übergabe auch den Zeitpunkt des Gefahrüberganges.

2. Die handelsrechtliche Sonderregelung. Art 8 Nr 20 EVHGB regelt *nicht* die sachenrechtliche Frage der Übergabe, sondern lediglich die **Gefahrtragung beim Versendungskauf.**

Versendet der Verkäufer die verkaufte Ware

- auf Verlangen des Käufers
- nach einem anderen Ort als dem Erfüllungsort,

so geht die Gefahr auf den Käufer über, sobald der Verkäufer die Ware dem Spediteur, dem Frachtführer oder der sonst zur Ausführung der Versendung bestimmten Person oder Anstalt ausgeliefert hat. Das Risiko des zufälligen Unterganges oder der zufälligen Beschädigung des Kaufgutes trägt in diesen Fällen also (*unabhängig* von der *sachenrechtlichen* Frage der Übergabe) der Käufer. Es liegt somit eine **einfache Schickschuld** vor. Dem Käufer werden alle Gefahren zugewiesen, die er bei Abholung der Ware am Erfüllungsort selber hätte tragen müssen.

Das Handelsrecht verlangt also für den angeordneten Gefahrübergang *nicht,* dass der Käufer die Übersendungsart auswählt oder die vom Verkäufer bestimmte Übersendungsart genehmigt. Vielmehr geht die Gefahr des zufälligen Unterganges des Kaufgutes schon dann auf den Käufer über, *wenn dieser die Übersendung an einen anderen Bestimmungsort als den Erfüllungsort verlangt,* wer auch immer die Übersendungsart bestimmen mag.

Gem Art 8 Nr 20 EVHGB geht die Gefahr beim Versendungskauf auf den Käufer über, sobald der Verkäufer die Ware dem Transporteur ausgeliefert hat. Uneingeschränkt gilt das aber nur dann, wenn der Verkäufer nach der Übergabe der verkauften Ware an den Transporteur nicht in den daran anschließenden Transport eingreift. Führt der Verkäufer hingegen die Ware mittels eigener Disposition (hier: durch Zurückhalten der Ware während einer mehrere Tage dauernden Zwischenlagerung) wieder in seinen Herrschaftsbereich zurück, springt die Gefahr rückwirkend auf ihn zurück, gleichviel, ob er zu einem solchen Eingriff berechtigt ist oder nicht (ecolex 2004/282, 613 = JBl 2004, 310 = RdW 2004/168, 207). Nur eine kurze Unterbrechung des eigentlichen Transportvorgangs, die auf andere Umstände als die Rückführung der Ware in die Gewahrsame des Verkäufers zurückzuführen ist, lässt die mit der Ausfolgung an den Transporteur auf den Käufer übergegangene Gefahr unberührt. Die Frage, ob ein derartiger Eingriff des Verkäufers in den Transport auch die mit der Auslieferung an die Transportperson verbundene Traditionswirkung nach § 429 ABGB nachträglich wieder zunichte macht, bleibt offen (ecolex 2004/282, 613 = JBl 2004, 310 = RdW 2004/168, 207).

Die Verteilung der Preisgefahr beruht auf der Überlegung, dass das wirtschaftliche Risiko denjenigen treffen soll, der die Ware wegen der tatsächlichen Innehabung und damit eines Naheverhältnisses zu ihr vor Gefahren schützen kann. Nur eine kurze Unterbrechung des eigentlichen Transportvorgangs, die auf andere Umstände als die Rückführung der Ware in die Gewahrsame des Verkäufers zurückzuführen ist, lässt die mit der Ausfolgung an den Transporteur auf den Käufer übergegangene Gefahr unberührt. Die Frage, ob ein derartiger Eingriff des Verkäufers in den Transport auch die mit der Auslieferung an die Transportperson verbundene Traditionswirkung nach § 429 ABGB nachträglich wieder zunichte macht, bleibt offen (ecolex 2004/282, 613 = JBl 2004, 310 = RdW 2004/168, 207).

3. Anwendungsbereich. Art 8 Nr 20 EVHGB wird angewandt bei Holschulden, beim Transport durch den Verkäufer selbst und bei Platzkäufen, sofern keine Bringschuld vorliegt. Die Bestimmung wird hingegen nicht angewandt bei Bringschulden, bei der vertraglichen Änderung des Erfüllungsortes und bei qualifizierten Schickschulden.

4. Verschiedene Zeitpunkte des Gefahr- und des Eigentumsüberganges. Da das Handelsrecht nicht auch die Voraussetzungen der Besitzübertragung anders als das bürgerliche Recht regelt, kann es sein, dass nach Handelsrecht zwar mit Übergabe des Kaufgutes an den Transporteur die Gefahr des zufälligen Unterganges auf den Käufer übergeht, dieser aber im selben Zeitpunkt nicht auch schon Eigentümer bzw Besitzer wird.

Dies kann insb in Fällen der *Beschädigung des Kaufgutes durch einen Dritten* während des Transportes schadenersatzrechtliche Probleme bereiten: Der (noch) dinglich berechtigte Verkäufer hat insofern keinen Schaden, als er infolge Gefahrüberganges bereits den Kaufpreis beanspruchen darf; der Käufer hat hingegen nur einen reinen Vermögensschaden, weil das Eigentum am Kaufgut noch nicht auf den Käufer übergegangen ist. Hier hilft dem Verkäufer die Lehre vom objektiven Schadensbegriff und der Vorteilsnichtanrechnung, dem Käufer die Lehre von der Schadensüberwälzung und dem sachlichen Rechtswidrigkeitszusammenhang. Keinesfalls darf der Schädiger entlastet werden; andererseits aber soll er auch nicht gehalten sein, den Schaden doppelt zu liquidieren.

5. Ersatzpflicht des Verkäufers: Trifft der Käufer besondere Anweisungen über die Versendungsart und weicht der Verkäufer ohne dringenden Grund davon ab, so haftet der Verkäufer für die dem Käufer daraus erwachsenden Schäden (Art 8 Nr 20 Abs 2 EVHGB).

Handelsrechtsreform: Das UGB hebt die gesamte EVHGB, somit auch deren Art 8 Nr 20 auf. Damit wird der Widerspruch zwischen Gefahrtragung und Eigentumsübergang beseitigt. Fortan orientieren sich Gefahrtragung und Eigentumsübergang auf harmonisierte Weise an § 429 ABGB. Kritisch dazu *Rabl,* HGB-Reform: Gefahrenübergang biem Versendungskauf – Bitte nicht so! ecolex 2004, 602.

II. Schuldnerverzug des Käufers (Spezifikationskauf, Kreditkauf)

Lit: *Oertmann,* Der Kauf „mit Spezifikation", AcP 85 (1986) 202; *Wünsch,* Probleme des Spezifikationskaufes, GedS Gschnitzer (1969) 477; *Nitsche,* Der Bestimmungsverzug beim Spezifikationskauf, Ass-FS Wilburg (1975) 147; *Hüffer,* Leistungsstörungen durch Gläubigerhandeln (1975); *E. Bydlinski,* Erfüllungsklage beim Spezifikationsverzug? ÖJZ 1990, 440; *Doralt,* Vorausleistung und Rücktritt beim Zahlungsverzug, RdW 2003/4, 8.

A. Allgemeines

Auch für den Handelskauf gelten die allgemeinen Vorschriften des bürgerlichen Rechts über die Leistungsstörungen. Näheres vgl in den Darstellungen des bürgerlichen Rechts (§§ 918ff ABGB). Das HGB kennt darüber hinaus besondere Regeln zum Verzug beim Handelskauf. Bzgl des Schuldnerverzuges des Käufers sind die Regelungen über den **Spezifikationskauf** (§ 375 HGB) und den **Kreditkauf** (Art 8 Nr 21 EVHGB) zu nennen.

B. Spezifikationskauf

1. Begriff. Von Spezifikationskauf spricht man, wenn der Käufer das Recht hat, die gekaufte Ware nach Form, Maß oder „ähnlichen Verhältnissen" auszuwählen (§ 375 HGB). Spezifikationskäufe kennt schon das bürgerliche Recht (§ 906 ABGB). Die handelsrechtlichen Regeln über den Spezifikationskauf werden im bürgerlichen Recht analog angewandt.

Es liegt eine **Wahlschuld mit Wahlrecht und -pflicht des Käufers** vor. Die Spezifikation nach § 375 HGB betrifft lediglich die Eigenschaften einer *einzigen,* einheitlich bestimmten Ware bzw Warengattung (Erfordernis der Einheitlichkeit des Leistungsgegenstandes), nicht mehrere Warengattungen (JBl 1979, 94, 95; HS I/28; SZ 47/128). Insb sind **Formen- und Sortenspezifikationen** üblich.

2. Ersatz- oder Selbstspezifikation. Eine Klage des Verkäufers auf Vornahme der Spezifikation wird abgelehnt; stattdessen gibt es die Ersatz- oder Selbstspezifikation. Gerät der Käufer mit der Erfüllung seiner Spezifikationspflicht in Verzug, darf der Verkäufer selbst spezifizieren oder vom Vertrag zurücktreten und das Erfüllungsinteresse fordern (§ 375 Abs 2 HGB iVm § 918ff ABGB). Hiezu bedarf es einer einseitigen, empfangsbedürftigen Willenserklärung. **Die Ersatzspezifikation ist nach billigem Ermessen vorzunehmen,** wie dies ganz allgemein bei der Leistungsbestimmung durch Dritte oder den Vertragspartner üblich ist (§ 1052 ABGB).

3. Pflicht zur vorherigen Verständigung und Nachfristsetzung. Entschließt sich der Verkäufer, statt des Käufers zu spezifizieren, hat der Verkäufer den Käufer vorerst davon zu verständigen und ihm eine **angemessene Nachfrist** zu setzen, die Ware doch noch selbst auszuwählen.

Keine Nachfrist ist zu setzen, wenn ein Fixgeschäft geschlossen wurde oder evident ist, dass der Käufer eine Nachfrist nicht nützen wird.

4. Rücktritt vom Vertrag und Ersatz des Erfüllungsinteresses. Der Verkäufer ist nicht gezwungen, selbst zu spezifizieren. Er kann stattdessen vom Vertrag zurücktreten und das Erfüllungsinteresse verlangen.

§ 375 Abs 2 HGB sagt versehentlich: „Schadenersatz wegen Nichterfüllung fordern oder vom Vertrag zurücktreten." Richtig muss es „und" heißen. Statt des Zitates „§§ 918, 920 und 921 ABGB" ist richtig: „§§ 918, 919 und 921 ABGB".

Der Ersatzanspruch setzt **Verschulden** voraus. Leichte Fahrlässigkeit genügt. Der Ersatzanspruch umfasst auch den entgangenen Gewinn (Art 8 Nr 2 EVHGB).

C. Kreditkauf

Beim Kreditkauf trifft den Verkäufer eine Vorleistungspflicht (§ 1063 ABGB). Er übergibt die Ware vor Zahlung des Kaufpreises. Dieser wird gestundet. Der Käufer erhält somit einen **Warenkredit** eingeräumt. Bei Kreditkäufen steht dem Verkäufer kein Rücktrittsrecht nach § 918 ABGB zu (Art 8 Nr 21 EVHGB); die Regel gilt allgemein, ist aber dispositiv.

> **Handelsrechtsreform:** Art 8 Nr 21 EVHGB wird aufgehoben. Auch ohne diese Regel ergibt sich, dass der Verkäufer, der einen Warenkredit einräumt, nicht deshalb wegen Nichterfüllung der Käuferpflicht, den Kaufpreis zu bezahlen, vom Vertrag zurücktreten kann, wenn der Käufer den Kaufpreis innerhalb der ihm eingeräumten Kreditfrist nicht bezahlt.

III. Schuldnerverzug des Verkäufers (Fixhandelskauf)

Lit: *Pisko,* Der Einfluß der 3. TN zum österr ABGB auf das Handelsrecht, ZHR 80 (1917) 70, 161 (221 ff); *Nastelski,* Die Zeit als Bestandteil des Leistungsinhalts, JuS 1962, 295; *F. Bydlinski,* Fälligkeit und Grundlagen des Entgeltanspruches bei Störungen in der Erfüllung des Kaufes und des Werkvertrages, JBl 1973, 281; *Leßmann,* Der Fixhandelskauf, JA 1990, 143.

1. Begriff des Fixgeschäftes. Fixgeschäfte (§ 919 ABGB; § 376 HGB) *können oder sollen ausschließlich* zum Fälligkeitszeitpunkt erfüllt werden (HS 14.170/14; 14.197/14).

Ein **absolutes Fixgeschäft** liegt vor, wenn eine spätere Erfüllung auf Grund der Natur des Geschäftes gar nicht mehr möglich ist (ZB: Fotografieren anlässlich einer Hochzeit.)

Relativ heißt ein Fixgeschäft dann, wenn die Erfüllung trotz Säumnis später noch möglich und uU auch noch sinnvoll sein kann (ZB: nachträgliche Lieferung eines Smokings, der für eine Hochzeit bestellt wurde).

Da jede Schuld mit Fälligkeit zu zahlen ist, muss die Besonderheit des Fixgeschäftes im Vertrag entsprechend zum Ausdruck kommen. Dies geschieht in sog **Fixklauseln** („fix", „prompt", „genau", „präzise", „längstens", „spätestens") oder durch sonstige, den Charakter des Fixgeschäftes zum Ausdruck bringende Erklärungen (ZB auch durch Vereinbarung des

Ausschlusses einer verspäteten Zahlung des Käufers, SZ 54/186). IZw ist kein Fixgeschäft anzunehmen.

Der Endpunkt der Erfüllungsfrist muss so festgelegt sein, dass kein Ermessensspielraum bleibt (RZ 1985, 110/37; EvBl 1987/201). Die Beweislast dafür, dass ein Fixgeschäft vorliegt, trägt, wer ein Fixgeschäft behauptet (SZ 54/3). Börsespekulationsgeschäfte sind Fixgeschäfte (EvBl 1987/201).

Zu beachten ist, dass **§ 919 ABGB von einem weiteren Tatbestand ausgeht als § 376 HGB.** § 919 Satz 2 ABGB erfasst auch jene Verträge, bei denen die **Natur des Geschäftes** oder der dem Verpflichteten **bekannte Zweck der Leistung** entnehmen lässt, dass die verspätete Leistung oder, im Falle der Verspätung einer Teilleistung, die noch übrigen Leistungen für den Empfänger nicht mehr von Interesse sind. Somit erfasst § 919 ABGB auch Fälle, in denen nicht vorweg ein fixer Fälligkeitszeitpunkt ausdrücklich vereinbart ist. Aus Art 4 EVHGB folgt aber, dass **auch der handelsrechtlich nicht geregelte Tatbestand des § 919 Satz 2 ABGB auf Handelsgeschäfte anzuwenden** ist (HS 646; VII/9).

2. Automatisches Erlöschen des Fixgeschäftes. Wird die Fixschuld infolge Verzuges nicht erfüllt, erübrigt sich, eine Nachfrist zu setzen; auch ein Rücktritt ist nicht erforderlich; der Vertrag erlischt vielmehr automatisch. Im Allgemeinen bleibt ein nicht gehörig erfülltes Schuldverhältnis vorerst weiterhin aufrecht; es wird crst durch Rücktritt oder einvernehmlich aufgelöst. Anders beim Fixgeschäft: Nichterfüllung beendet es automatisch, sofern man nicht anzeigt, dass man seinen Fortbestand wünscht. Dies aber ist nur bei *relativen* Fixgeschäften möglich. *Absolute* erlöschen *jedenfalls.*

§ 376 Abs 1 HGB spricht zwar ausdrücklich davon, dass der Gläubiger bei Nichterfüllung im Fälligkeitszeitpunkt vom Vertrag *zurücktreten* darf, dies bedeutet aber nicht, dass eine spezielle Rücktrittserklärung erforderlich wäre; mit der Nichterfüllung im Fälligkeitszeitpunkt gilt vielmehr der Rücktritt ohne sonstige Erklärung als vollzogen; in Wahrheit zerfällt in solchen Fällen also der Vertrag von selbst. Die handelsrechtliche Regelung unterscheidet sich insofern nicht von jener des allgemeinen Privatrechts.

3. Anzeige des Bestehens auf Erfüllung. Erfüllung und Schadenersatz. Wird beim relativen Fixgeschäft unverzüglich angezeigt, dass trotz versäumter Fälligkeit auf Erfüllung bestanden wird, ist nachträglich zu erfüllen und bei Verschulden der Verspätungsschaden zu ersetzen. Kommt es letztlich zu keiner Erfüllung mehr, ist das Erfüllungsinteresse zu ersetzen.

Im Konkurs des Schuldners darf der Masseverwalter nur das Erfüllungsinteresse fordern (§ 22 Abs 1 KO).

4. Schadenersatz bei Erlöschen des Fixgeschäftes. Erlischt das Fixgeschäft (was beim absoluten Fixgeschäft jedenfalls eintritt; beim relativen dann, wenn nicht rechtzeitig sein Aufrechtbleiben verlangt wird: Gestaltungsrecht), so steht dem Gläubiger bei Verschulden des anderen Teiles nur mehr der Anspruch auf Ersatz des Erfüllungsinteresses zu.

a) Abstrakte Schadensberechnung (ohne konkretes Deckungsgeschäft). Der Nichterfüllungsschaden ergibt sich, wenn die **Ware einen Börsen- oder Marktpreis** hat, aus der Differenz zwischen vereinbartem Preis der Ware und ihrem Börsen- oder Marktpreis zur Zeit und am Ort der geschuldeten Leistung (§ 376 Abs 2 HGB). Es bedarf weder eines konkreten Deckungsgeschäftes noch eines Schadensnachweises. Es genügt die Feststellung, dass sich der Käufer im Fälligkeitszeitpunkt mit gleicher, aber teurerer Ware eindecken hätte können **(fiktiver Deckungs[ver]kauf).**

Im Konkurs ist lediglich eine abstrakte Schadensberechnung vorgesehen (Näheres vgl in § 22 Abs 2 KO).

b) Konkrete Schadensberechnung (konkretes Deckungsgeschäft). Anstelle der abstrakten Schadensberechnung ist auch bei Waren mit Börsen- oder Marktpreis eine *konkrete* zulässig. Doch muss der Deckungskauf, um schuldnerfeindliche Spekulationen hintanzuhalten,

- sofort nach Fälligkeit durchgeführt werden, und zwar
- entweder durch öffentliche Versteigerung
- oder durch einen zu solchen Verkäufen oder Käufen öffentlich ermächtigten Handelsmakler
- oder durch eine zur öffentlichen Versteigerung befugte Person zum laufenden Preis.

Käufer und Verkäufer dürfen bei der öffentlichen Versteigerung mitbieten (§ 376 Abs 4 iVm § 373 Abs 4 HGB).

Hat die Ware keinen Börsen- oder Marktpreis, so hat der Käufer grundsätzlich nur die Möglichkeit konkreter Schadensberechnung. Die genannten Einschränkungen gelten hier nicht. Maßgeblich sind vielmehr die bürgerlichrechtlichen Regeln (§ 921 ABGB). Der Gläubiger muss sich bemühen, ein günstiges Deckungsgeschäft zu schließen (Treu und Glauben; Schadensminderungspflicht).

5. Schuldnerbenachrichtigung. Vom erfolgten Deckungsgeschäft hat der Gläubiger den Schuldner unverzüglich zu benachrichtigen; im Falle der Unterlassung ist er zum Schadenersatz verpflichtet. Eine vorherige Androhung eines Deckungsgeschäftes ist nicht vorgeschrieben.

Handelsrechtsreform: Die Regel des § 376 Abs 1 HGB über den Fixhandelskauf entfällt. Es gilt allgemeines Zivilrecht: § 919 ABGB. Die übrigen Bestimmungen des § 376 HGB bleiben aufrecht. Sie gelten fortan für unternehmensbezogene Geschäfte allgemein und nicht bloß für das Fixgeschäft. Eine Eingliederung der bestehen bleibenden Regelungen des § 376 HGB in das bürgerliche Recht erscheint im Hinblick auf die im Zivilrecht strittigen Fragen der abstrakten Schadensberechnung vorerst nicht empfehlenswert; für eine harmonisierende Analogie im bürgerlichen Recht: *Koziol/Welser* II[12], 55; dagegen *Chr. Rabl,* Schadenersatz wegen Nichterfüllung (1998) 87f.

IV. Gläubigerverzug des Käufers (Hinterlegung, Selbsthilfeverkauf)

Lit: *Adler,* Der Annahmeverzug des Käufers beim Handelskauf, ZHR 71 (1912) 449; *Apathy,* Schadenersatz und Rücktritt bei Annahmeverzug, JBl 1982, 561; *Chr. Rabl,* Hinterlegung, Selbsthilfeverkauf und Preisgabe – Rechtsbehelfe im Annahmeverzug des Gläubigers, ÖJZ 1998, 688.

A. Allgemeines

Nach bürgerlichem Recht trägt im Falle des Annahmeverzuges (§§ 1419, 1425 ABGB) der **Gläubiger die Preisgefahr;** der **Schuldner haftet** im Falle der vorwerfbaren Beschädigung oder Zerstörung der Kaufsache nach hM **nur mehr für Vorsatz und grobe Fahrlässigkeit** und er kann die Kaufsache mit schuldbefreiender Wirkung **gerichtlich hinterlegen.**

Der Annahmeverzug des Gläubigers gewährt dem *Schuldner kein Rücktrittsrecht;* es sei denn, den Gläubiger trifft eine Abnahmepflicht. Dann ist er insofern selbst Schuldner. In Fällen, die es dem Schuldner unzumutbar machen, die geschuldete Sache auf möglicherweise unabsehbare Zeit bereitzuhalten oder auf zumindest vorläufig eigene Kosten zu hinterlegen, sollte ein Recht des Schuldners auf Rücktritt vom Vertrag aus wichtigem Grund anerkannt werden. Ausnahmsweise darf auch nach allgemeinem Privatrecht zum **Selbsthilfeverkauf** geschritten werden, wenn gerichtliche Hinterlegung oder Verwahrung nicht in Betracht kommt und dem Schuldner die weitere Verwahrung nicht zugemutet werden kann (SZ 23/95).

§ 373 HGB verbessert die Rechtsposition des Verkäufers:

B. Erweiterte Hinterlegung

Der Verkäufer kann bei Annahmeverzug des Käufers die Ware *auf Gefahr und Kosten des Käufers* in einem öffentlichen Lagerhaus oder sonst in sicherer Weise hinterlegen (§ 373 Abs 1 HGB). Schuldbefreiende Wirkung hat diese Hinterlegung allerdings nicht.

Ob eine Hinterlegung „sonst in sicherer Weise" erfolgt, obliegt der Beurteilung des Verkäufers, der dabei mit der Sorgfalt des ordentlichen Kaufmanns vorzugehen hat. Die Hinterlegung muss nicht unbedingt am Erfüllungsort erfolgen. Der Käufer ist von der Hinterlegung unverzüglich zu verständigen. Mitunter ist es geboten, das hinterlegte Gut gehörig zu versichern.

C. Selbsthilfeverkauf

1. Allgemeines. Statt zu hinterlegen, darf der Verkäufer die vom Käufer nicht abgenommene Ware auch auf dessen Rechnung veräußern, um auf diese Weise zu seinem Geld zu kommen (§ 373 Abs 2 HGB).

Etwaiger Mehrerlös ist dem Käufer herauszugeben. Erreicht der erzielte den vereinbarten Preis nicht, hat der Käufer nachzuzahlen. Der Selbsthilfeverkauf hat für den Verkäufer schuldbefreiende Wirkung. Der Verkäufer hat sich um beste Bedingungen zu bemühen. Wo verkauft wird, bestimmt der Verkäufer nach pflichtgemäßem Ermessen.

2. Vorherige Androhung. Der Selbsthilfeverkauf muss dem Käufer vorher angedroht werden; es sei denn, die Ware könnte **verderben** oder es ist sonstige **Gefahr im Verzuge** oder die Androhung ist aus anderen Gründen **untunlich.** Die Androhung muss dem Käufer klarmachen, dass der Verkäufer die nicht abgenommene Ware verkaufen wird (SZ 54/3), und muss so rechtzeitig erfolgen, dass dem Käufer möglich ist, die Ware doch noch selbst zu übernehmen.

3. Öffentliche Versteigerung. Der Regelfall des Selbsthilfeverkaufes ist die öffentliche Versteigerung. Sie liegt vor, wenn durch öffentliche Kundmachung zu allgemeiner Teilnahme eingeladen wird.

Wie bei der öffentlichen Versteigerung bei Verwertung kaufmännischer Pfänder darf die Versteigerung auch *gerichtlich* vorgenommen werden (vgl §§ 267 ff AußStrG; FeilbietungsO 1786, JGS 1786/565). Öffentliche Versteigerungen können auch in *Auktionshallen* stattfinden (§ 3 AuktionshallenG) und durch *Gemeinden* erfolgen (§ 269 Abs 2 Satz 2 iVm § 272 AußStrG). Verkäufer und Käufer dürfen mitbieten (§ 373 Abs 4 HGB). Der Verkäufer hat den Käufer von der Zeit und dem Ort der Versteigerung vorher zu benachrichtigen (§ 373 Abs 5 HGB).

4. Freihändiger Verkauf. Hat die Ware einen Börsen- oder Marktpreis, darf der Selbsthilfeverkauf auch freihändig durch einen hiezu öffentlich ermächtigten Handelsmakler oder durch eine zur öffentlichen Versteigerung befugte Person (zB einen Börsesensal) zum laufenden Preis (mittlerer Durchschnittspreis) erfolgen (§ 373 Abs 2 HGB).

5. Zeitpunkt des Selbsthilfeverkaufs. Der Selbsthilfeverkauf darf frühestens zum Liefertermin erfolgen.

6. Benachrichtigung vom erfolgten Verkauf. Der Käufer ist vom erfolgten Verkauf unverzüglich zu benachrichtigen, außer es ist untunlich.

7. Rechtsfolgen nicht ordnungsgemäßen Selbsthilfeverkaufs. Wurde der Selbsthilfeverkauf *nicht vorschriftsmäßig angedroht oder von einer unzuständigen Stelle durchgeführt,* muss ihn der Käufer nicht als für seine Rechnung erfolgt gegen sich gelten lassen. Daher liegt keine Schuldbefreiung des Verkäufers vor. Der Käufer darf somit weiter Lieferung fordern. Ihre Unmöglichkeit hat der Verkäufer zu vertreten.

Selbsthilfeverkäufe *zur unrechten Zeit oder am falschen Ort* sollten vom Käufer nicht überhaupt abgelehnt werden dürfen; wohl aber kann der Verkäufer schadenersatzpflichtig werden. *Die Beweislast* für die Ordnungsmäßigkeit des Selbsthilfeverkaufs liegt beim Verkäufer (Rsp 1933/202). Zum zu ersetzenden Schaden bei Verletzung der Androhungspflicht: RdW 1986, 176.

Ein formwidriger Selbsthilfeverkauf ist im Falle des Schuldnerverzuges des Käufers als Deckungsverkauf auf Rechnung des Verkäufers zu werten (SZ 32/118; 37/47). Einen freihändigen Verkauf verderblicher Ware durch den Verkäufer wird der Käufer als nützliche Geschäftsführung ohne Auftrag (§ 1037 ABGB) gegen sich gelten lassen müssen (SZ 54/3).

V. Mängelrüge

Lit: *Oertmann,* Gewährleistungspflicht des Verkäufers bei Falschlieferung? ZHR 80 (1917) 48; *Hein,* Gewährleistungsrecht bei Falschlieferungen des Handelskaufs, ZHR 87 (1924) 54; *Pisko,* Gewährleistungs-, Nichterfüllungs- und Irrtumsfolgen bei Lieferung mangelhafter Ware[2] (1926); *Glaser,* Die Mängelrüge im Handelsrecht, JR 1955, 281; *Fikentscher,* Die Mängelrüge im dt, ausländischen und internationalen Recht (1956); *Laupichler,* Die aliud-Lieferung beim Kauf (1964); *Mailänder,* Die Lieferung falscher Mengen im Handelsrecht, ZHR 126 (1964) 89; *Fabricius,* Zur Rechtsnatur des § 377 HGB, JZ 1965, 271; *Meeske,* Die Mängelrüge (1965); *Kramer,* Die „aliud"-Lieferung im ABGB und HGB, ÖJZ 1972, 561; *Marburger,* Technische Normen, Gattungsbegriff und Rügelast (§§ 377, 378 HGB), JuS 1976, 638; *Hönn,* Positive Vertragsverletzung und kaufmännische Untersuchungs- und Rügeobliegenheit, BB 1978, 685; *Knöpfle,* Der Anspruch auf Rückübereignung des aliud bei nicht rechtzeitiger Rüge des Käufers, NJW 1979, 693; *Kramer,* Für eine gewährleistungsrechtliche Behandlung des „Identitätsaliud", NJW 1979, 2023; *M. Lehmann,* Die Untersuchungs- und Rügepflicht des Käufers in BGB und HGB, WM 1980, 1162; *Schultz,* Aliud und Gewährleistungsrecht, NJW 1980, 2172; *Recknagel,* Die Trennung von Zivil- und Handelsrecht unter besonderer Berücksichtigung der Untersuchungs- und Rügepflicht nach § 377 HGB (1985); *Nowotny,* Die verlorene Mängelrüge, RdW 1988, 2; *Roth,* Vertragsordnung, außervertragliche Haftung und Rügeversäumnis, JuS 1988, 938; *E. Bydlinski,* Mängelrüge und Schadenersatz, RdW 1989, 152; *Fitz,* Rügeversäumnis und Schlechterfüllungsfolgen, FS Ostheim (1990) 241; *Schwark,* Auswirkungen einer Verletzung der Rügeobliegenheit des § 377 HGB auf deliktsrechtliche Ansprüche, JZ 1990, 374; *Singer,* Sonderprivatrecht für Kaufleute? Zu den Rechtsfolgen der Schlecht- und Falschlieferung im Bürgerlichen Recht und Handelsrecht, ZIP 1992, 1058; *Niedrig,* Die Mängelrüge. Historische und teleologische Untersuchungen zu § 377 HGB (1994); *Menhofer,* Probleme bei der Rügelast nach §§ 377, 378 HGB im Lichte der neueren Rsp und Lit (Diss Mainz 1994); *Thamm,* Die Mängelrüge nach Gesetz, Rsp und AGB-Praxis, BB 1994, 2224; *Merwald,* Rügepflicht im Werkvertragsrecht, JAP 1994/95, 157, 218; *Böhler,* Grundwertungen zur Mängelrüge (2000); *Feuchtinger,* Die Gewährleistungsreform im Überblick. Änderungen auf Grund der Verbrauchsgüterrichtlinie. Das Gewährleistungsrechtsänderungsgesetz tritt per 1. 1. 2002 in Kraft, SWK 2001, W 69 = SWK 2001, 691; *Parschalk/Wahl,* Ausgewählte Fragen der Gewährleistung beim Unternehmenskauf, wbl 2003, 353.

A. Allgemeines

Auf Handelskäufe wie auf sonstige Handelsgeschäfte findet weitgehend das allgemeine Leistungsstörungsrecht des bürgerlichen Rechts Anwendung. Das gilt insb auch für die Gewährleistungsregeln des bürgerlichen Rechts sowie seine Vorschriften über den Schadenersatz bei positiver Vertragsverletzung in Fällen bereits **erbrachter Leistung.** Eine wichtige Sonderregel kennt jedoch § 377 HGB: die **Obliegenheit,** in Fällen beiderseitiger Handelsgeschäfte **die Ware unverzüglich auf Mängel zu untersuchen und die Mängel unverzüglich zu rügen.**

Sie gilt nicht nur für Mängel, sondern auch für **Falschlieferungen (aliud-Lieferungen),** sofern die gelieferte Ware nicht offensichtlich von der Bestellung so erheblich abweicht, dass der Verkäufer die Genehmigung des Käufers als ausgeschlossen betrachten musste (§ 378 HGB).

Keine Mängelrügeobliegenheit bei Gründungsgeschäften. Der Kaufvertrag, den ein Verbraucher als Gründungsgeschäft für sein künftiges Handelsgewerbe schließt, unterliegt nicht der kaufmännischen Rügepflicht der §§ 377f HGB. Die Ausnahmeregelung des § 1 Abs 3 KSchG gilt nicht nur für das erste Gründungsgeschäft des künftigen Kaufmanns, sondern für all die Geschäfte, die zur Aufnahme des Betriebs erforderlich sind (wbl 2003/276, 493 = RdW 2003/435, 504 = ecolex 2003/308, 754 = EvBl 2003/151).

B. Die Regelung des § 377 HGB

§ 377 Abs 1 HGB bestimmt, dass im Falle eines **beiderseitigen Handelskaufs** der Käufer die Ware

- unverzüglich nach Lieferung,
- soweit dies nach ordnungsgemäßem Geschäftsgang tunlich ist,
- zu untersuchen und,
- wenn sich ein Mangel zeigt,
- dem Verkäufer unverzüglich Anzeige zu machen hat.

Diese Obliegenheit gilt nicht für **versteckte Mängel;** doch kommt ein solcher später hervor, ist er unverzüglich nach Entdeckung anzuzeigen (§ 377 Abs 2 und 3 HGB). Näheres hiezu weiter unten.

Die Rügeobliegenheit betrifft Waren, also bewegliche Sachen. Sie besteht auch dann, wenn bewegliche Sachen in unbewegliche einzubauen sind; erst recht, wenn es um Zubehör geht, EvBl 2001/3. Umfasst ein Vertrag sowohl die Lieferung beweglicher als auch unbeweglicher Sachen, so ist darauf abzustellen, ob in der Gesamtheit die unbeweglichen oder beweglichen überwiegen und dadurch den Charakter des Vertrages bestimmen (EvBl 2001/3 = RdW 2000, 729). Beim Kauf eines Unternehmens besteht, auch wenn es sich um ein beiderseitiges Handelsgeschäft handelt, keine Untersuchungs- und Rügeobliegenheit des Käufers iSd §§ 377, 378 HGB (RdW 2002/495, 531 = wbl 2002/291, 422 = EvBl 2002/136 = RWZ 2002/74, 265 = GeS 2003, 22).

Der Käufer wahrt seine Rechte, wenn er die **Anzeige rechtzeitig absendet** (§ 377 Abs 4 HGB). Auf den Zugang der Anzeige kommt es nicht an. Dies mag auf den ersten Blick befremden, doch darf nicht übersehen werden, dass der Käufer durch die Verletzung der Rügeobliegenheit wertvolle Rechte verliert. Er soll nicht auch noch das Risiko tragen, dass seine Mängelrüge dem Verkäufer aus Gründen, für die der Käufer nichts kann, nicht zugegangen ist.

Unternimmt der Schuldner trotz der gerügten und tatsächlich vorhandenen wesentlichen Mängel an einer Sache keinen Verbesserungsversuch und übermittelt die unverbessert mangelhafte Sache neuerlich an den Gläubiger, ist dieser nicht verpflichtet, die Mängelrüge zu wiederholen (ecolex 2002/314, 815)

Vom Verkäufer **arglistig verschwiegene Mängel** begründen keine Rügeobliegenheit (§ 377 Abs 5 HGB).

Rechtsfolge: Es besteht keine Rüge*pflicht,* sondern lediglich eine Rüge*obliegenheit.* Wird sie verletzt, verliert der Käufer die den nicht gerügten Mangel betreffenden Vertragsansprüche, insb **Gewährleistungs-, aber auch vertragliche Schadenersatzansprüche.** § 377 Abs 2 HGB hält fest: Unterlässt der Käufer die Anzeige, so **gilt die Ware als genehmigt.**

Auch wenn § 377 Abs 1 HGB nicht nur von einer Rüge-, sondern auch von einer **Untersuchungsobliegenheit** spricht, so hängen die Rechtsfolgen doch zumindest in erster Linie davon ab, ob rechtzeitig *gerügt* wird. Auch **wer nicht untersucht, dennoch aber rügt,** wahrt seine Rechte. Wer hingegen die gelieferte Ware lediglich auf die gebotene Weise **untersucht, nicht aber rügt,** hat seine Rechte durch die angestellte Untersuchung noch nicht gewahrt.

C. Normzweck der §§ 377f HGB

§§ 377f HGB wurden im Interesse des Verkäufers geschaffen (ecolex 1991, 316 Anm *Wilhelm* = ZfRV 1992, 74, 76 Anm *Böhler*), sind jedoch dispositives Recht.

1. Der Verkäufer soll möglichst bald erfahren, ob seine Lieferung in Ordnung geht, er also weiter disponieren kann. Die Dispositionssicherheit des kaufmännischen Verkäufers soll geschützt bzw gefördert werden.

2. Überdies soll der Verkäufer möglichst bald die erforderlichen Beweise sicherstellen können. Er soll also vor jener **Beweisnot** geschützt werden, die eintritt, wenn der Reklamationsfall schon länger zurückliegt (BGH BB 1978, 1489).

3. Kritik. Diese Zwecke nehmen den Konsequenzen einer Verletzung der Rügeobliegenheit nichts an ihrer erheblichen Härte. Daher werden die §§ 377f HGB im Hinblick auf ihre grundsätzliche Orientierung mitunter kritisiert. Ein kleiner Fehler des Käufers – das Übersehen der Obliegenheit, unverzüglich zu rügen – kann dem Verkäufer erhebliche Vorteile bringen und ihn bezüglich seiner Schlechtleistung haftungsfrei stellen. Der Preis für die erzielte „Vereinfachung“ und „Beschleunigung“ des Geschäftsverkehrs zugunsten des Verkäufers wird mit einer erheblichen Ungerechtigkeit gegenüber dem Käufer bezahlt.

D. Anwendungsbereich der §§ 377f HGB

Angesichts der genannten Härte der Konsequenzen einer Verletzung der Rügeobliegenheit gegenüber dem Käufer sollen diese *nur Kaufleute* treffen; daher gelten die §§ 377f HGB nur in Fällen *beiderseitiger* Handelsgeschäfte. Es genügt, Minderkaufmann oder §-5-Kaufmann zu sein. Eine analoge Anwendung auf einseitige Handelsgeschäfte wird abgelehnt (JBl 1977, 543, 544; 1974, 264, 266). Analoge Anwendung der §§ 377f HGB auf *kaufmannsähnliche* Unternehmer sollte jedoch bejaht werden.

Die §§ 377f HGB gelten auch für das Verhältnis zwischen Kommittenten und **Einkaufskommissionär** (OLG Stuttgart MDR 1958, 774); für den **Kauf auf Abruf nach Probe** (SZ 63/126); ebenso für **Werklieferungsverträge** (ecolex 2000, 791 Anm *Wilhelm*), für den **Handelstausch** (aA AC 1574; EvBl 1958/8, HS I/91), das **Sachdarlehen** (BGH NJW 1985, 2417ff); *nicht* für **Mietverträge** (SZ 54/175); auch nicht analog für einseitige Handelsgeschäfte (HS 9389) bzw Handelsgeschäfte über unbewegliche Sachen (Sach 1984 H 4a, 17); sinngemäß aber wohl für **kaufgleiche Leasingverträge** und mangels überzeugender Sachargumente trotz des entgegenstehenden Gesetzeswortlautes (und gegen die in jüngerer Zeit jedoch mit guten Gründen angegriffene hM, HGB-Denkschrift 375ff) wohl auch für **Werkverträge** über bewegliche Sachen (*Böhler*, Grundwertungen 156 mwN; SZ 55/79: Rügepflicht nur bei Werkverträgen, bei denen eine gegenständliche Sache abgeliefert wird und überprüft werden kann; aA ecolex 1991, 238; HS 24.095; ecolex 1996, 853: keine Rügepflicht beim Werkvertrag). Regressansprüche nach § 12 PHG unterliegen auch dann, wenn der Regressberechtigte Kaufmann ist, nicht der Rügepflicht (ecolex 1997, 427 = RdW 1997, 533 = wbl 1997, 259).

E. Voraussetzungen der Untersuchungs- und Rügeobliegenheit

1. Ablieferung. Die Untersuchungs- und Rügeobliegenheit setzt Ablieferung voraus. Das Kaufgut muss also mit Annahmewillen des Käufers in dessen Dispositionsbereich gekommen sein (wbl 1993, 334). Die Ablieferung wird zwar als faktischer Vorgang verstanden; doch spielt dabei auch der Übernahme- bzw Abnahmewille eine entscheidende Rolle. IdR wird vor allem bei der Lieferung von Maschinen die Übernahme erst nach Durchführung von Probeläufen angenommen.

Ablieferung liegt auch bei der vom Käufer gewünschten Lieferung in ein Speditionslager vor (wbl 1990, 247). Bei **Platzkäufen** ist dies die Übergabe des Kaufgutes an den Käufer; bei **Versendungskäufen:** die Beendigung der Beförderung. Die Ware ist abgeliefert, sobald es dem Käufer möglich ist, sie auf Mängel zu untersuchen (JBl 1983, 39, 40; wbl 1990, 247, 248).

Sofern es sich um Mängel handelt, für die der Käufer bereits auf Grund der Regeln über den Versendungskauf die Gefahr trägt, spielt § 377 HGB keine Rolle. Denn für solche Mängel hat er weder Gewährleistungs- noch Schadenersatzansprüche.

2. Sachmängel, nicht Rechtsmängel sind betroffen. Auf Rechtsmängel lassen sich Waren schwerlich untersuchen. Ob die Mängel von vornherein bestanden oder erst durch unsachgemäße Verpackung und Beförderung verursacht wurden, spielt keine Rolle. Im Allgemeinen ist der Mangelbegriff des bürgerlichen Rechts beachtlich. Die Rügeobliegenheit betrifft sowohl Qualitäts- als auch Quantitätsmängel; Aliud-Lieferungen unter Beachtung des § 378 HGB.

Mängel der Verpackung sind beachtlich, wenn nicht nur die Ware selbst, sondern auch die Verpackung als solche erkennbaren Käuferzwecken dient.

Nicht erfasst sind **Lieferungen zur falschen Zeit, am falschen Ort oder auf sonst falsche Weise** sowie **Verletzungen vertraglicher Nebenleistungspflichten,** die lediglich zu Schadenersatzansprüchen des Käufers führen (BGHZ 47, 312, 319). Der Verkäufer stellt zB eine unzulängliche Bedienungsanleitung für die gelieferte Maschine zur Verfügung. Ebenso wenig bezieht sich die Rügeobliegenheit auf Viehmängel (§ 382 HGB).

3. „Genehmigungsunfähige" Mängel. Nach in Dtld hM bezieht sich § 377 HGB auch auf „genehmigungsunfähige" Mängel (vgl § 378 HGB). Demnach müssen auch solche Schlechtlieferungen gerügt werden, die so erheblich vom Vereinbarten abweichen, dass der Verkäufer mit einer Genehmigung durch den Käufer nicht rechnen darf (ecolex 1991, 610). Genehmigungsunfähig ist nur eine offensichtlich für jeden Zweck unbrauchbare Ware (HS 20.148/14).

Demgegenüber empfehlen andere in solchen Fällen eine Analogie zu § 378 HGB, der zwar an sich nur für Aliud-Lieferungen und reine Mengenabweichungen formuliert wurde, jedoch einen Grundsatz zum Ausdruck bringt, der, will man sachlich nicht gerechtfertigte Ungleichbehandlungen ähnlicher Fälle vermeiden, auch für Schlechtlieferungen gelten muss. Daher sollten auch Schlechtlieferungen, die eine so erhebliche Abweichung vom Zugesagten aufweisen, dass der Verkäufer eine Genehmigung des Käufers für ausgeschlossen halten muss, nicht rügepflichtig sein.

Bei Annahme der Ausnahmebestimmung des § 378 HGB ist ein strenger Maßstab anzulegen. Die Verschiedenheit der bestellten von der gelieferten Ware muss nach ihrer Beschaffenheit so erheblich sein, dass nach vernünftiger Auffassung der Sachlage ein Kaufmann mit dieser Ware einen Versuch, den Vertrag zu erfüllen, nicht machen würde. Die gelieferte Ware darf in diesem Sinn mit der bestellten „nichts mehr gemein" haben, sie muss „krass" von der bestellten Ware abweichen, dh offensichtlich für den Zweck des Käufers „untauglich" sein. Das ist jedenfalls dann nicht gegeben, wenn nur etwa 20 Prozent der gelieferten Menge die vertraglich vereinbarte Qualität nicht aufweist (wbl 2004, 491 = ecolex 2004/362 = RdW 2004/496, 548).

Zur nicht genehmigungsfähigen aliud-Lieferung: Hat der Käufer (Werkbesteller beim Werklieferungsvertrag) ein bestimmtes Material mit einer speziellen Artikelnummer bestellt und sich bei Vertragsabschluss dadurch, dass er sich zwischen zwei verschiedenen Materialien entschieden hat, eindeutig klar gelegt, dass er nur dieses Material als Erfüllung akzeptieren wollte, dann stellt die Lieferung des zwar Gegenstand der Verhandlung gewesenen aber ausdrücklich nicht bestellten Materials eine nicht genehmigungsfähige aliud-Lieferung dar, bei der der Käufer nicht zur Mängelrüge nach § 377 HGB verpflichtet ist (wbl 2005/70, 139).

4. Versteckte (verborgene) Mängel lösen die Rügeobliegenheit erst mit der Entdeckung aus. Versteckte Mängel sind solche, die trotz ordnungsgemäßer Untersuchung der Ware nicht erkennbar waren.

Das Fehlen besonders zugesicherter Eigenschaften stellt nicht schlechthin einen versteckten Mangel dar, ZfRV 1992, 74 *(Böhler)*. Die Lieferung eines gefälschten Gemäldes ist als Schlechtlieferung anzusehen und untersteht beim beiderseitigen Handelsgeschäft § 377 HGB. Die mangelnde Echtheit eines Gemäldes stellt einen verborgenen Mangel dar. Verborgene Mängel müssen sofort nach ihrer Entdeckung gerügt werden (ecolex 2003/38, 95 = wbl 2003/118, 186 = RdW 2003/164, 199).

Offene Mängel sind solche, deren Erkennen einer Untersuchung nicht bedarf, oder solche Mängel, die bei ordnungsgemäßer Untersuchung hervorkommen oder hätten hervorkommen müssen (SZ 53/63; 56/146; EvBl 1984/41; wbl 1993, 334; HS 24.096).

5. Arglistiges Verschweigen des Mangels (HS 9385; 9390) verwehrt es dem Verkäufer, dem Käufer die Verspätung der Mängelrüge entgegenzuhalten. Das gilt auch in Fällen arglistiger Zusicherung einer Eigenschaft der gekauften Sache. Verschweigen meint vorsätzlichen Verstoß gegen eine Aufklärungspflicht. Ihre Grenzen werden, so sie nicht speziell geregelt sind, nach Treu und Glauben unter Berücksichtigung etwaiger Handelsbräuche bestimmt. Offensichtlichkeit des Mangels schließt Arglist nicht aus. Bedingter Vorsatz (dolus eventualis) genügt. Kausalität der Arglist ist nicht erforderlich. Die Arglist von Gehilfen wird dem Geschäftsherrn zugerechnet. Die Beweislast dafür, dass der Verkäufer arglistig den Mangel verschwiegen hat, trägt der Käufer.

6. Untersuchung der Ware. Der Käufer hat die Ware unverzüglich nach Ablieferung durch den Verkäufer, soweit dies nach ordnungsgemäßem Geschäftsgang tunlich ist, zu untersuchen.

Auch bei Zusicherung bestimmter Eigenschaften der Kaufsache entfällt die Untersuchungs- und Rügeobliegenheit nicht. Anderes gilt iSd § 377 Abs 5 HGB bei Arglist. Dem arglistigen Verschweigen eines Mangels steht die arglistige Vorspiegelung (Zusicherung) einer Eigenschaft gleich (wbl 2004, 491 = ecolex 2004/362 = RdW 2004/496, 548).

„Unverzüglich“ meint: ohne schuldhaftes Zögern (HS 10.867; ecolex 1993, 737; zur Rügefrist: HS 24.096).

Sachgemäße, mit fachkundiger Sorgfalt vorgenommene Untersuchung ist geboten (SZ 53/63; wbl 1993, 334). Die Rücksichtnahme auf die **Tunlichkeit des ordnungsgemäßen Geschäftsganges** ermöglicht erhebliche Modifizierungen der Untersuchungsobliegenheit. Der Käufer muss allerdings seinen Betrieb so organisiert haben, dass er seiner Untersuchungsobliegenheit nachkommen kann (EvBl 1981/125).

Die Art der Ware, Handelsbrauch und Übung des Geschäftszweiges des Käufers sind beachtlich (EvBl 1981/125; SZ 53/63; wbl 1987, 121). Die Untersuchungserfordernisse müssen **zumutbar** sein (EvBl 1981/125; wbl 1990, 247, 248). Mitunter kann die Zuziehung von Sachverständigen erforderlich sein.

Die Lieferung großer Mengen bestimmter Waren lässt nicht zu, dass jede Einzelne untersucht wird; repräsentative **Stichproben** genügen (EvBl 1982/104; HS III/26; VII/22). Dabei braucht der Käufer nur solche (infolge der Stichprobe nicht mehr verwendbare) Mengen zu opfern, die nicht ins Gewicht fallen (BGH BB 1977, 1408).

Originalverpackt weiterzuleitende Ware: Soll die Ware mit Wissen des Verkäufers vom Käufer als Zwischenhändler originalverpackt an Endabnehmer weitergeleitet werden oder soll der Verkäufer die Waren auf Weisung des Käufers unmittelbar an den Endabnehmer senden **(„Streckengeschäft“ oder „Durchlieferung“),** so muss der Käufer selbst keine Untersuchungen vornehmen, Bemängelungen des Endabnehmers aber unverzüglich an den Verkäufer weiterleiten (EvBl 1952/213; SZ 33/146).

Teil- und Sukzessivlieferungen sind jeweils gesondert zu untersuchen (EvBl 1952/213; 1984/41).

Die Untersuchung durch eigens beauftragte Sachverständige kommt nur in Betracht, wenn die Kosten hierfür nicht außer Verhältnis zu dem mit der Ware zu erzielenden Gewinn stehen (RdW 2004/687, 735 = EvBl 2005/48). Die Beiziehung eines Sachverständigen kann dann geboten sein, wenn dem Käufer andere Untersuchungsmöglichkeiten nicht zur Vefügung stehen und Grund zur Annahme eines (nur für Sachkundige erkennbaren) Mangels besteht. Das gilt auch für chemische Produkte, zumal eine (aufwändige) chemische Analyse – gerade bei geringwertigen Erzeugnissen – in aller Regel nicht gefordert werden kann (RdW 2004/687, 735 = EvBl 2005/48).

Die Untersuchung ist keine zwingende Voraussetzung der Mängelrüge. Auch ohne Untersuchung können dem Käufer Mängel bekannt werden. Erfährt er von ihnen aber deshalb nichts, weil er die Ware nicht untersucht hat, so schadet ihm dies.

Das Rügen *konkreter* Mängel auf Verdacht, dass sie bestehen könnten, und ohne vorhergehende Untersuchung, sichert dem Käufer dennoch seine Ansprüche, sofern sich sein Verdacht nachträglich bestätigt. Wird hingegen zu Unrecht auf Verdacht gerügt und erwachsen dem Verkäufer daraus Nachteile, sind diese vom schuldhaften Käufer zu ersetzen.

Verdacht eines Mangels. Der Käufer darf zwar bei Verdacht eines Mangels nicht mit der Rüge warten, bis sich dieser zur Gewissheit verdichtet, der Mangel muss aber doch zumindest aus Indizien objektiviert sein. Kann die Echtheit des Gemäldes im Einzelfall nur sehr schwer festgestellt werden, löst daher nicht ein unsubstantiierter Verdacht der Fälschung, sondern erst das Vorliegen einer einschlägigen Expertise die Rügepflicht des Käufers aus (ecolex 2003/38, 95 = wbl 2003/118, 186 = RdW 2003/164, 199).

F. Rechtsnatur der Mängelrüge

Sie ist keine Willenserklärung, sondern lediglich eine **Vorstellungsmitteilung.** Dabei kann sich der Käufer vertreten lassen.

§ 377 Abs 4 HGB lässt zur Erhaltung der Käuferrechte die rechtzeitige Absendung der Anzeige genügen.

Strittig ist, ob die Vertragsansprüche des Käufers selbst dann gewahrt sind, wenn die Mängelrüge zwar rechtzeitig abgeschickt, beim Verkäufer aber nicht bloß verspätet, sondern überhaupt nicht angekommen ist. Trägt der Verkäufer nur das *Verspätungsrisiko* oder auch das *Verlustrisiko,* das mit der Zumittlung der Mängelrüge verbunden ist? Die Rsp und ein Teil der Lehre gehen davon aus, dass es für den Käufer genügt, den Nachweis des rechtzeitigen Absendens der Mängelrüge zu erbringen, um seine Rechte zu wahren. Demnach ist die Mängelrüge keine empfangsbedürftige Vorstellungsmitteilung; sie wirkt auch ohne Zugang. Der Verkäufer trägt somit nicht nur das Verspätungs-, sondern auch das Verlustrisiko (SZ 34/2; JBl 1999, 252; *Nowotny,* RdW 1988, 2; *Böhler,* Grundwertungen 213 mwN). Es mag zwar verwundern, dass eine Vorstellungsmitteilung auch dann wirkt, wenn ihr Adressat davon gar nichts erfährt, der Normzweck und die Gesetzesmaterialien sprechen aber dessen ungeachtet dafür, den Verkäufer sehr wohl auch mit dem Verlustrisiko zu belasten (anders noch *Krejci,* Grundriss 326 mwN).

G. Die Rechtzeitigkeit der Mängelrüge

hängt von den **Zeiterfordernissen** der gebotenen Untersuchung der Ware ab. Bedarf es keiner näheren Untersuchung, um den Mangel festzustellen, ist sogleich zu rügen.

Arbeitsfreie Tage sind zu berücksichtigen; Arbeitsrückstände nicht. Der Käufer hat zu beweisen, dass er rechtzeitig und gehörig gerügt hat (EvBl 1957/4; SZ 43/53; wbl 1990, 247, 248). Die Verlängerung der Rügefrist für verborgene Mängel endet jedenfalls mit der Gewährleistungsfrist (§ 933 ABGB; SZ 55/151). Lässt sich der Veräußerer auf eine vom Käufer angeregte Mängelprüfung ein, verzichtet er deshalb nicht schon auf den Einwand, dass die Mängel verspätet gerügt wurden (wbl 1990, 247). Die Weiterleitung der Mängelrüge eines Abnehmers der Ware nach 3 Wochen erfolgt nicht unverzüglich (HS 20.148/14). Je nach Art und Umfang der Leistung einerseits und der typischen Unternehmensorganisation des Käufer wird die Rüge entweder nach nur einem oder nur wenigen Tagen zu erfolgen haben. Zur rechtzeitigen Rüge durch Telefax: JBl 1999, 252.

Die Verspätung einer Mängelrüge ist nicht von Amts wegen zu beachten (JBl 1990, 254), sondern muss vom Verkäufer eingewendet werden. Die Beweislast für die Rechtzeitigkeit der Mängelrüge trifft den Käufer (RdW 1998, 736).

H. Inhalt der Mängelrüge

Sie muss **„substantiiert“** sein, dh, alle Angaben darüber enthalten, welche Waren betroffen sind; worin der Mangel im Einzelnen besteht und unter welchen Begleitumständen er aufgetreten ist. Allgemeine Redewendungen genügen nicht. ZB der bloße Hinweis, die Ware sei unbrauchbar, mangelhaft, weise Fehler auf udgl.

Sofern der Käufer von mehreren Mängeln nur bestimmte rügt, so bleiben seine Gewährleistungs-, Ersatz- und Anfechtungsansprüche nur bzgl der gerügten Mängel erhalten; bzgl der nicht gerügten gehen die Ansprüche hingegen unter, weil die nicht gerügten Mängel als genehmigt gelten.

I. Form der Mängelrüge

Sie kann **formfrei** abgegeben werden. Somit sind auch mündliche (telefonische) Anzeigen zulässig. Sie können sogar konkludent erfolgen: zB durch Rücksendung der Ware. Wird schriftlich gerügt, entscheidet fristgerechtes Absenden (§ 377 Abs 4 HGB). Zur Mängelrüge durch Telefax: RdW 1998, 736.

J. Rechtsfolgen der Obliegenheitsverletzung

§ 377 Abs 2 HGB sagt nur, dass bei nicht rechtzeitiger Mängelrüge die **Ware als genehmigt gilt.** Die gesetzliche Fiktion der Genehmigung tritt ohne Rücksicht auf den Parteiwillen ein (Sach 1984 H 4a, 24). Das bedeutet, dass der Käufer alle Ansprüche verliert, die ihm nach bürgerlichem Recht zustehen, wenn der Verkäufer in Erfüllung des Kaufvertrages eine mangelhafte Ware liefert (ecolex 1996, 356).

Damit sind nach hM sowohl Sachmängel betreffende **Gewährleistungsansprüche** als auch **Ansprüche auf Ersatz** der aus der Mangelhaftigkeit der Ware entstandenen Schäden **(Mangel- und Mangelfolgeschäden)** gemeint (RdW 1985, 337; 1998, 670; ecolex 1996, 356 gegen *Böhler* RdW 1989, 152 und *dies,* wbl 1991, 206; wbl 2004, 491 = ecolex 2004/362 = RdW 2004/496, 548). Die Genehmigung einer mangelhaften Ware schließt nach hM auch das Recht aus, dieses Mangels wegen den Vertrag **irrtumshalber anzufechten (**ecolex 1991, 316 Anm *Wilhelm*).

Dessen ungeachtet sprechen nach wie vor gute Argumente dafür, die „Genehmigung durch Unterlassen der Mängelrüge“ nur auf verschuldensunabhängige Ansprüche zu beziehen und bezüglich all jener, die infolge schuldhaften Verhaltens des Verkäufers bestehen, dem nicht rügenden Käufer lediglich die Vergünstigung der Beweislastregel des § 1298 ABGB zu nehmen (vgl die näheren Begründungen bei *Böhler,* Grundwertungen 228ff). Erst recht sollten deliktische Ersatzansprüche bestehen bleiben, bei denen der Käufer ohnehin mangels Anwendbarkeit des § 1298 ABGB das Verschulden des Verkäufers nachweisen muss.

Handelsrechtsreform: Die Regeln über die Mängelrüge werden „entschärft", weil sie in Zukunft ja für alle Unternehmer gelten. Der sachliche Anwendungsbereich wird insofern erweitert, als nicht nur (wie bisher) auch der Werklieferungsvertrag erfasst wird, sondern auch der Tauschvertrag und der Werkvertrag über bewegliche Sachen, wie dies von der Lehre bereits längst gefordert wird (vgl insb *Böhler,* Grundwertungen zur Mängelrüge [2000], 134ff; dagegen allerdings der OGH in ecolex 1991, 238 und ecolex 1996, 853).

Insb wird die Frist für die Erhebung der Mängelrüge entschärft: In Beachtung des UN-Kaufrechts muss in Zukunft die Mängelrüge nicht „unverzüglich", sondern nur noch „in angemessener Frist" erhoben werden.

Ferner werden die Rechtsfolgen der „Genehmigung" ausdrücklich geregelt. Es gehen nicht nur Gewährleistungsansprüche verloren, sondern auch die konkurrierenden Ansprüche auf Schadenersatz. Auch werden – im Einklang mit der bisherigen hM – Rechte auf Anfechtung oder Anpassung des Vertrags auf Grund eines wegen des Mangels unterlaufenen Irrtums ausgeschlossen. Der Ausschluss erstreckt sich hingegen nicht auf den Anspruch auf Ersatz von Mangelfolgeschäden. Desgleichen bleiben deliktische Schadenersatzansprüche trotz Unterlassen der Mängelrüge bestehen.

Der Verkäufer kann sich nicht auf die Unterlassung der Mängelrüge berufen, wenn er die Mängel selbst vorsätzlich oder grob fahrlässig verursacht oder verschwiegen hat. Die Mängelrüge soll weiterhin nur für beiderseitige unternehmensbezogene Geschäfte gelten.

VI. Aufbewahrungspflicht und Notverkauf beim Distanzkauf

A. Die Rechtsnorm des § 379 Abs 1 HGB

ordnet an, dass bei beiderseitigen Handelskäufen Distanzkäufer die Pflicht haben, bestellte, aber **beanstandete Waren einstweilig aufzubewahren.**

Ein Distanzkauf liegt vor, wenn die Ware dem Käufer von einem anderen Ort übersandt wird (SZ 28/132). Beanstandung heißt die Mitteilung, die Ware nicht behalten zu wollen; eine Mängelrüge muss deshalb nicht schon vorliegen; der Grund der Beanstandung ist unerheblich. Unbestellt zugesandte Ware darf sogleich auf Kosten dessen zurückgeschickt werden, der die Ware unbestellt übersandt hat.

Droht Verderb und ist überdies **Gefahr im Verzug,** dürfen diese Waren unter Beachtung der Vorschriften des § 373 HGB vom Distanzkäufer verkauft werden (§ 379 Abs 2 HGB). Man spricht vom **„Notverkauf".**

B. Normzweck des § 379 HGB

Der Distanzkäufer soll die beanstandete Ware nicht sogleich zurücksenden. Er darf sie auch nicht verkommen lassen. Vielmehr soll bis zur Klärung der Frage, auf welche Weise der Verkäufer die beanstandete Ware wieder zurücknimmt oder sonst über sie verfügt, für ihre Verwahrung gesorgt sein. Diese Bestimmung nützt vor allem dem Verkäufer:

Er erspart sich vorerst die Rück- und Weiterversendungskosten und hat nur die Kosten der Verwahrung durch den Käufer oder den von diesem bestimmten Verwahrer zu tragen. Sobald allerdings die Zeit der Überlegung, was mit der übersendeten Ware zu geschehen hat, verstrichen und die Verwahrungspflicht des Käufers erloschen ist, muss der Verkäufer überdies mit einer Rücksendung rechnen.

Der Notverkauf dient in erster Linie den Interessen des Käufers; mittelbar nützt er aber auch dem Verkäufer, weil ein Notverkauf durch den Käufer den drohenden Schaden in engeren Grenzen zu halten vermag.

C. Pflicht zur einstweiligen Aufbewahrung

1. Person des Verwahrers. Der Käufer muss die beanstandete Ware nicht selbst aufbewahren; er darf sie unter Beachtung gebotener Sorgfalt einem verlässlichen Dritten zur Verwahrung geben (Einlagerung beim Spediteur gilt als sichere Hinterlegung, SZ 54/90). Der Verwahrer hat das Gut ordnungsgemäß zu behandeln (sachgemäße Lagerung, Kühlung etc).

2. Die Verwahrungskosten (einschließlich der Verzinsung der Aufbewahrungskosten; vgl § 354 Abs 2 HGB) hat der Verkäufer zu tragen. Das Risiko der Deckung trägt vorerst der Käufer. Er darf die Verwahrung nicht verweigern, weil die Kostendeckung nicht gesichert ist.

3. Einstweiligkeit. Die Verwahrungspflicht besteht nur so lange, als innerhalb regelmäßigen Geschäftsganges eine Entscheidung des Verkäufers zu erwarten ist. Verfügt der Verkäufer nach Beanstandung nicht umgehend über die verwahrte Ware, endet die Verwahrungspflicht des Käufers. Er darf die Ware auf Kosten und Risiko des Verkäufers **zurücksenden** oder vom **Notverkaufsrecht** Gebrauch machen.

4. Verletzt der Käufer die Verwahrungspflicht, so kann dies zu Ersatzpflichten führen; der Verkäufer hat aber deshalb nicht schon das Recht, seinerseits vom Kaufvertrag zurückzutreten (HS 1802).

D. Das Recht zum Notverkauf

setzt voraus, dass die beanstandete **Ware verderblich** ist und überdies **Gefahr im Verzug** ist.

Dh: Wird die Ware nicht umgehend verkauft, droht ein größerer Schaden als der mit dem Notverkauf verbundene. Der Käufer hat ein *Recht,* nicht aber eine *Pflicht* zum Notverkauf. Widerspricht der Verkäufer dem Notverkauf, ist er zu unterlassen (RGZ 96, 72, 73).

Der Notverkauf ist unter Beachtung der **Verfahrensregeln des § 373 HGB über den Selbsthilfeverkauf** durchzuführen. Der Notverkauf erfolgt jedoch (anders als beim Selbsthilfeverkauf nach § 373 HGB) im Namen und auf Rechnung des Verkäufers. Der erzielte Erlös gebührt dem Verkäufer.

War die Beanstandung nicht gerechtfertigt, geht der Notverkauf ausschließlich auf Rechnung des Käufers. Der Käufer ist dem Verkäufer aus dem Kaufvertrag voll verpflichtet.

Ist die Ware nicht verderblich bzw keine Gefahr im Verzug oder werden die Verfahrensvorschriften des § 373 HGB nicht eingehalten, geht der Notverkauf gleichfalls nicht auf Rechnung des Verkäufers. Der Käufer verliert seinen Wandlungsanspruch sowie das Recht, eine mangelfreie Ware zu fordern.

Er ist auf den durch den Notverkauf erzielten Erlös zu verweisen und kann seiner Kaufpreisschuld nur noch Minderungsrechte entgegensetzen (SZ 28/132). Unter Umständen hat er aber auch noch Schadenersatzansprüche. In einem verfahrenswidrigen Notverkauf kann uU eine Geschäftsführung ohne Auftrag liegen (SZ 2/27).

E. Verfolgungsrecht

Erfolgt die **Absendung an einen Gemein- oder Ausgleichsschuldner,** der die Waren noch nicht (vollständig) bezahlt hat, darf der Verkäufer oder Einkaufskommissionär die Waren **mit Aussonderungswirkung zurückfordern,** sofern sie nicht schon vor Insolvenzeröffnung am Bestimmungsort angekommen und noch nicht in die Gewahrsame des Schuldners oder einer für ihn handelnden Person gelangt sind (§ 45 KO; § 22 AO).

4. Abschnitt

Absatzmittlergeschäfte

18. Kapitel

Kommissionsgeschäft

Lit: *Grünhut,* Das Recht des Commissionshandels (1879); *Müller-Erzbach,* Die Grundsätze der mittelbaren Stellvertretung aus der Interessenlage entwickelt (1905); *Weidmann,* Das Kommissionsgeschäft (1908); *Nußbaum,* Tatsachen und Begriffe im dt Kommissionsgeschäft (1917); *Biermann,* Der Kommissionsvertrag (1928); *Schmidt-Rimpler,* Das Kommissionsgeschäft, in Ehrenbergs HB V/I/1 (1928) 477; *Hartmann,* Das Ausführungsgeschäft im dt und engl Kommissionsrecht (1935); *Jenny,* Die Außenseite der Warenkommission (1962); *Rasmus,* Das Selbsteintrittsrecht des Effektenkommissionärs (1968); *Avancini,* Ist § 392 Abs 2 HGB auf die vom Kommissionär in Durchführung eines Kommissionsgeschäftes erworbenen Sachenrechte „analog" anzuwenden? FS Kastner (1972) 1; *Dalwigk zu Lichtenfels,* Das Effektenkommissionsgeschäft (1975); *Wolter,* Effektenkommission und Eigentumserwerb (1979); *Hager,* Die Prinzipien der mittelbaren Stellvertretung, AcP 180 (1980) 239; *Schwark,* Rechtsprobleme der mittelbaren Stellvertretung, JuS 1980, 777; *Schütte,* Leistungsstörungen im Kommissionsrecht (1988); *Voit,* Kauf, Handelskauf und Kommission (1988); *Gruber,* Die Treuhand in der Zwangsvollstreckung, JBl 2001, 207.

I. Rechtsquellen und Bedeutung des Kommissionsgeschäftes

Das Kommissionsgeschäft ist in den §§ 383–406 HGB geregelt. Subsidiär gelten die §§ 1002ff ABGB über Auftrag und Vollmacht. Die Einkaufskommission für Wertpapiere regeln die §§ 13–23 DepG. Ergänzungen enthalten die AGBKU und die Börsenusancen. Für vom Spediteur geschlossene Kommissionsgeschäfte ist § 2 lit a AÖSp beachtlich. Für Kommissionsagenten ist das HVertrG entsprechend anzuwenden. Obwohl das Kommissionsgeschäft weitgehend einem einheitlichen rechtlichen Regime unterstellt wurde, ist es in der Praxis sehr **vielfältig gestaltet.**

Dem Kommissionsgeschäft kommt heute vor allem im Binnenhandel erheblich geringere Bedeutung zu als noch im 19. Jhdt. Im Bereich des Warenhandels ist das Kommissionsgeschäft vor allem im Kunst- und Antiquitäten-, Instrumenten-, Briefmarken- und Gebrauchtwagenhandel gebräuchlich.

II. Begriff des Kommissionsgeschäftes

A. Kommissionär

1. Begriff. Das HGB unterscheidet nicht klar zwischen dem **Kommissionär** als Istkaufmann (§ 1 Abs 2 Z 6 HGB) und dem **Kommissions-**

geschäft als Handelsgeschäft. Ein Kommissionsgeschäft kann auch schließen, wer kein Kommissionär ist. Kommissionär ist gemäß § 383 HGB, wer es

- **gewerbsmäßig** übernimmt,
- **Waren oder Wertpapiere**
- **für Rechnung eines anderen** (des Kommittenten)
- **im eigenen Namen**
- **zu kaufen oder zu verkaufen.**

B. Abgrenzung des Kommissionärs

1. Gelegenheitskommissionär ist, wer, ohne gewerbsmäßiger Kommissionär zu sein, ein (uneigentliches) Kommissionsgeschäft schließt.

2. Kommissionsagent heißt ein Kommissionär, der vom Kommittenten *ständig* mit Kommissionsgeschäften betraut ist. Das HVertrG kommt hier insoweit sinngemäß zur Anwendung, als es auf eine dauernde Beschäftigung des Agenten Bezug nimmt.

3. Stellvertreter, insb Handelsvertreter. Der Kommissionär ist **kein Stellvertreter,** weil er im *eigenen* und nicht im fremden Namen handelt.

Da er aber auf Rechnung des anderen agiert, wird er mitunter **„indirekter Stellvertreter"** genannt. Dieser Ausdruck irritiert und sollte besser vermieden werden. Denn *Stellvertreter* ist der „indirekte Stellvertreter" gerade nicht. Stellvertretungsrechtlich von Bedeutung ist die „indirekte Stellvertretung" allerdings dann, wenn sie offenkundig bzw dem Gläubiger bekannt ist; dann gelten Forderungen im Verhältnis zwischen Stellvertreter und Gläubiger als Forderungen des Vertretenen (SZ 59/105).

4. Makler *vermitteln,* Kommissionäre *schließen ab.*

5. Eigenhändler (Vertragshändler; Propergeschäft) handeln auf *eigene* Rechnung, Kommissionäre auf *fremde.*

Die Abgrenzung zwischen Eigenhändler und Kommissionär fällt oft schwer, weil das Tatbestandsmerkmal des Handelns auf fremde Rechnung erhebliche Konkretisierungsprobleme macht. Weniger die Wortwahl (§ 914 ABGB) oder die Preiskalkulation geben den Ausschlag als vielmehr, wer (bei der Verkaufskommission) das *Risiko der Unverkäuflichkeit* trägt.

6. Generalrepräsentanten bzw „Generalvertreter" sind idR entweder Eigenhändler oder Kommissionäre, nicht aber Vertreter (SZ 32/1).

7. Verkaufsbeauftragte übernehmen bewegliche Sachen *für einen bestimmten Preis unter der Bedingung,* binnen vereinbarter Frist zu zahlen oder die Ware zurückzugeben (§ 1086 ABGB; Trödelkommission; HS 6494). Kommissionäre übernehmen keine solche Pflicht.

8. Käufer. Wer nicht „in Kommission nimmt", sondern kauft, *erwirbt zum vereinbarten Preis;* ob er das Erworbene weiterverkauft oder behält, ist seine Angelegenheit. Der Käufer schuldet dem Verkäufer keine Rechenschaft (HS 3189; SZ 2/128; 5/192) über den Erfolg einer

Weiterveräußerung und gibt das Erworbene im Falle des Misslingens einer Weiterveräußerung auch nicht wieder zurück.

C. Kommissionsgeschäft

heißt jener **formfreie Konsensualvertrag,** der den einen Teil (den **Kommissionär**) zum Kauf oder Verkauf von Waren oder Wertpapieren im eigenen Namen für Rechnung des anderen (des **Kommittenten**) und diesen zur Zahlung einer Provision an den Kommissionär verpflichtet. Das Kommissionsgut ist dem Kommissionär bloß anvertraut. Zueignung macht nach § 133 StGB strafbar.

Derjenige, dem der Kommissionär das Kommissionsgut verkauft oder von dem der Kommissionär für den Kommittenten das Kommissionsgut kauft, wird schlicht **„der Dritte"** genannt.

1. Vertragstypzuordnung. Das Kommissionsgeschäft betrifft eine *Geschäftsbesorgung.* Es handelt sich also um einen *Auftrag* iS der §§ 1002ff ABGB. Vollmacht wird nicht erteilt. Ob und inwieweit zusätzlich ein Dienst- oder Werkvertrag begründet wird, hängt vom jeweiligen Fall ab.

2. Eigentliches Kommissionsgeschäft nennt man den vorhin bereits beschriebenen Ein- und Verkauf von Waren oder Wertpapieren im eigenen Namen und auf fremde Rechnung durch einen **gewerbsmäßigen Kommissionär.**

3. Uneigentliche Kommissiongeschäfte sind

- einerseits alle *anderen* Geschäfte, die ein *gewerbsmäßiger Kommissionär* im Betrieb seines Handelsgewerbes für Rechnung eines anderen im eigenen Namen schließt (zB Werklieferungen, § 406 Abs 2 HGB);
- andererseits jene Kommissionsgeschäfte, die ein *Kaufmann, der nicht gewerbsmäßiger Kommissionär ist,* im Betrieb seines Handelsgewerbes schließt (§ 406 Abs 1 HGB).

D. Arten von Kommissionsgeschäften

Man unterscheidet:

- **Einkaufskommissionen** (der Kommissionär *kauft* das Kommissionsgut von einem Dritten für den Kommittenten);
- **Verkaufskommissionen** (der Kommissionär *verkauft* das Kommissionsgut des Kommittenten an einen Dritten);
- **Effektenkommissionen** (das Kommissionsgeschäft bezieht sich auf *Wertpapiere;* vgl Pkt 38 Abs 1 AGBKU),
- **Gelegenheitskommissionen** (es wird *kein gewerbsmäßiger Kommissionär* tätig).

E. Abgrenzung des Kommissionsgeschäftes

Das Kommissionsgeschäft ist einerseits vom Ausführungs-, andererseits vom Abwicklungsgeschäft zu unterscheiden:

1. Ausführungsgeschäft ist jener (vor allem: Kauf-)Vertrag, den der Kommissionär im eigenen Namen und auf Rechnung des Kommittenten mit einem Dritten schließt, um den Kommissionsauftrag durchzuführen. **Der Dritte** hat weder etwas mit dem Kommissions- noch mit dem Abwicklungsgeschäft zu tun.

Zu Abgrenzungsproblemen, wenn auch der Kommittent mit dem Dritten verhandelt und Vereinbarungen trifft: ecolex 1999, 624.

Forderungen aus dem Ausführungsgeschäft stehen somit vorerst dem Kommissionär und nicht dem Kommittenten zu. Der Kommittent selbst kann diese Forderungen erst dann gegenüber dem Dritten geltend machen, wenn der Kommissionär diese Forderungen dem Kommittenten abgetreten hat (§ 392 Abs 1 HGB).

Solche Forderungen gelten aber auch schon vor ihrer Abtretung im Verhältnis *zwischen dem Kommittenten und dem Kommissionär (und seinen Gläubigern)* **als Forderungen des Kommittenten** (§ 392 Abs 1 HGB).

Dh: Der Kommissionär darf nicht ohne Genehmigung des Kommittenten über die Forderungen aus dem Ausführungsgeschäft verfügen. Tut er dies dennoch, wird er dem Kommittenten ersatzpflichtig. Der Kommittent kann auch einer Pfändung der Forderungen durch Gläubiger des Kommissionärs *widersprechen* (§ 37 EO). Im Konkurs des Kommissionärs kann der Kommittent die Forderungen *aussondern* (§ 44 KO). Dabei ist unerheblich, ob die Gläubiger des Kommissionärs das Kommissionsverhältnis kennen. § 392 Abs 2 HGB dient dem Schutz des Kommittenten und betrifft nicht die Passivlegitimation des Kommissionärs aus dem Ausführungsgeschäft (ecolex 1999, 624).

Haftung des Dritten gegenüber dem Kommissionär: Verletzt der Dritte seine Vertragspflichten aus dem Ausführungsgeschäft, so haftet er dem Kommissionär. Der Kommissionär hat *auf Leistung an den Kommittenten* zu klagen (SZ 46/31).

Haftung des Dritten gegenüber dem Kommittenten: Diesem gegenüber haftet der Dritte grundsätzlich nur aus **Delikt;** es sei denn, das Ausführungsgeschäft ist als Vertrag mit Schutzwirkung zugunsten des Kommittenten konzipiert.

2. Abwicklungsgeschäfte heißen jene Vereinbarungen und Verfügungen, die der Kommissionär mit dem Kommittenten trifft, um diesem die Ergebnisse des Ausführungsgeschäftes zukommen zu lassen.

ZB: Die vom Dritten gekaufte Ware wird dem Kommittenten übereignet; der vom Dritten erzielte Erlös aus dem Verkauf der Ware des Kommittenten wird diesem herausgegeben.

III. Pflichten des Kommissionärs

A. Ausführungspflicht

1. Allgemeines. Der Kommissionär ist nach § 384 Abs 1 HGB verpflichtet, das übernommene Geschäft mit der **Sorgfalt** eines ordentlichen Kaufmanns **auszuführen,** dabei die **Interessen** des Kommittenten zu wahren und dessen **Weisungen** zu befolgen.

2. Gehilfen und Zwischen- bzw Unterkommission. Grundsätzlich hat der Kommissionär *selbst* (mit oder ohne **Gehilfen**) tätig zu werden.

Zwischen- bzw Unterkommissionäre übernehmen die Vertragsstellung des Kommissionäres. Sie dürfen nur mit Zustimmung des Kommittenten eingeschaltet werden. Die Zustimmung wird vermutet, wenn der erteilte Auftrag Bereiche betrifft, in denen der Kommissionär üblicherweise nicht tätig wird. Die Interessen des Kommittenten müssen aber weiterhin gewahrt, der Unterkommissionär daher entsprechend überwacht werden. Den Kommissionär trifft auch weiterhin die Pflicht, den Kommittenten von beachtlichen Umständen zu benachrichtigen (SZ 24/328).

Zulässige Zwischen- bzw Unterkommission schränkt die Haftung des Kommissionärs auf sein Auswahlverschulden ein **(culpa in eligendo).**

3. Interessenwahrung. Der Kommissionär hat sich zu bemühen, das Ausführungsgeschäft so bald und so günstig wie möglich abzuschließen. Der Kommissionär ist nicht berechtigt, aus Kulanz Rücktrittserklärungen des Erwerbers des Kommissionsgutes zu akzeptieren (SZ 64/190).

Interessenkollisionen sind grundsätzlich zugunsten des Kommittenten zu lösen. Dies gilt nicht für den Fall, dass rechtlich gegenüber dem Kommittenten geschützte Interessen des Kommissionärs auf dem Spiel stehen. Die Pflicht, Interessen des Vertragspartners zu wahren, findet dort ihre Grenzen, wo Eigeninteressen höheren Schutzwert genießen.

a) Herausgabe von Vorteilen. Erzielt der Kommissionär vorteilhaftere Bedingungen, als sie ihm vom Kommittenten gesetzt worden sind, hat der Kommittent Anspruch auf die Vorteile. Wird zu höherem Preis verkauft oder zu niedrigerem Preis erworben, so steht der Mehrerlös oder die Einsparung dem Kommittenten zu (§ 387 HGB).

b) Wahrung der Dispositionsschranken bei der Preisbestimmung in Fällen des Selbsteintritts des Kommissionärs (§§ 400f HGB).

c) Rechtswahrung gegenüber Dritten. Wird dem Kommissionär beschädigtes oder mangelhaftes Gut zugesandt, hat er seine Rechte gegen „Frachtführer und Schiffer" zu wahren, Beweise zu sichern und den Kommittenten unverzüglich zu verständigen (§ 388 Abs 1 HGB). Gleiches gilt auch in allen anderen Fällen der Nicht- bzw Schlechtlieferung. Der Kommissionär hat also insb **Gewährleistungs- und Schadenersatzansprüche** gegen die Dritten geltend zu machen.

d) Verwahrerpflichten. Der Kommissionär hat das ihm vom oder für den Kommittenten anvertraute Gut mit der Sorgfalt eines ordentlichen Kaufmanns zu verwahren.

e) Drohen Aufwendungen, so ist deshalb das Tätigwerden des Kommissionärs im Interesse des Kommittenten nicht einzustellen (EvBl 1992/52), vielmehr stehen dem Kommissionär nach § 396 Abs 2 HGB Aufwandersatzansprüche zu.

4. Weisungsgebundenheit

a) Der Kommissionär ist im Rahmen des vertraglich zulässigen weisungsgebunden (§ 384 Abs 1 HGB). Weisungswidriges Verhalten macht ersatzpflichtig; überdies braucht der Kommittent das Geschäft nicht für seine Rechnung gelten lassen (§ 385 Abs 1 HGB).

b) Von Weisungen darf abgewichen werden, wenn den Umständen nach angenommen werden darf, dass der Kommittent die Abweichung billigen würde. Dennoch hat der Kommissionär den Kommittenten vor der Abweichung zu verständigen und dessen Entscheidung abzuwarten, sofern der Aufschub das Geschäft nicht gefährdet (§ 385 Abs 2 HGB).

c) Abweichen vom gesetzten Preislimit (§ 386 HGB) widerspricht zwar dem Kommissionsauftrag, verhindert aber nicht die *Wirksamkeit* des getätigten Geschäftes. Wird dem Kommittenten angezeigt, dass der Kommissionär unter Missachtung des Preislimits ge- oder verkauft hat, muss der Kommittent *unverzüglich* erklären, ob er das Geschäft als nicht für seine Rechnung geschlossen zurückweist. Andernfalls gilt die Abweichung als *genehmigt.*

Der Kommissionär kann auch die rechtzeitige **Zurückweisung abwehren,** indem er dem Kommittenten schon in der Anzeige die Deckung des Preisunterschiedes anbietet. Etwaige sonstige **Ersatzansprüche** bleiben dem Kommittenten gewahrt. Zum Zurückweisungsrecht des Kommittenten beim Effektenkommissionsgeschäft: RdW 2000, 277 = ecolex 2000, 112. Die Zurückweisung des Geschäfts durch den Kommittenten setzt nicht voraus, dass der Kommissionär schuldhaft von Weisungen abgewichen ist. Voraussetzung ist aber, dass der wirtschaftliche Erfolg des weisungswidrig geschlossenen Geschäfts nicht dem gleichkommt, der eingetreten wäre, wäre das Geschäft weisungsgemäß geschlossen worden. Geringfügige Abweichungen berechtigen daher nicht zur Zurückweisung. Hat der Kommittent durch den Weisungsverstoß nur einen geringfügigen Nachteil erlitten, ist er auf den Schadenersatzanspruch zu verweisen (RdW 2004/64, 89).

d) Anweisung, das Gut zu versichern. Der Kommittent darf den Kommissionär anweisen, das von ihm in Verwahrung genommene bzw zu nehmende Kommissionsgut zu versichern (vgl § 390 Abs 2 HGB).

e) Verbot üblicher Stundung. Der Kommittent darf auch dann, wenn die Gewährung von Stundungen seitens des Kommissionärs Handelsbrauch ist, solche verbieten (§ 393 Abs 2 HGB).

B. Anzeige- und Benachrichtigungspflichten

Der Kommissionär hat dem Kommittenten die erforderlichen Nachrichten zu geben, insb die *Ausführung der Kommission* unverzüglich anzuzeigen (§ 384 Abs 2 HGB). Für vorwerfbar unrichtige Auskünfte haftet der Kommissionär.

Zugleich mit der Ausführungsanzeige ist dem Kommittenten der Dritte zu nennen, mit dem das Ausführungsgeschäft geschlossen wurde (§ 384 Abs 3 HGB).

Ferner sind beabsichtigte *Weisungsabweichungen* (§ 385 Abs 2 HGB), *beschädigte oder mangelhafte Lieferungen* (§ 388 Abs 1 HGB) sowie *drohendes Verderben oder befürchtete Entwertung* des Kommissionsgutes (§ 388 Abs 2 HGB) anzuzeigen.

C. Verbotene Vorschüsse und Kredite

Der Kommissionär darf Dritten ohne Zustimmung des Kommittenten keine Vorschüsse leisten oder Kredite gewähren. Tut er dies dennoch, so geschieht dies auf eigene Gefahr (§ 393 Abs 1 HGB).

Verkauft der Kommissionär unbefugt auf Kredit, hat er dem Kommittenten sofort selbst den Kaufpreis zu leisten. Sofern der Kaufpreis bei Barzahlung geringer gewesen wäre als infolge der Kreditierung, schuldet der Kommissionär den geringeren Preis. Sollte dieser aber niedriger als der ihm seitens des Kommittenten gesetzte sein, hat der Kommissionär den Unterschied auszugleichen (§ 393 Abs 3 HGB).

ZB: Der dem Kommissionär gesetzte Verkaufspreis beträgt 1000. Er verkauft allerdings ohne Zustimmung des Kommittenten auf Kredit und verlangt deshalb insgesamt 1200. Ein Verkauf ohne Kredit hätte stattdessen nur 900 gebracht. Der Kommissionär hat dem Kommittenten sogleich 900 zu bezahlen zuzüglich 100 als Ausgleich dafür, dass er unter 1000 verkauft hätte.

Kaufpreisstundungen sind, soweit sie Handelsbrauch sind, erlaubt, sofern sie der Kommittent nicht verbietet (§ 393 Abs 2 HGB).

D. Übliche und vorbehaltlose Wechselindossierung

Übernimmt der Kommissionär den Ankauf eines Wechsels, ist er, sofern der Kommittent nicht Anderes anweist, im Falle der Indossierung verpflichtet, in üblicher Weise und ohne Vorbehalte zu indossieren (§ 395 HGB), denn der Wert des Wechsels soll nicht durch Vorbehalte oder einschränkende Zusätze gemindert werden.

Sofern der Kommissionär dennoch den Wechsel nicht auf übliche Weise bzw mit Vorbehalten indossiert, haftet er dem Kommittenten für den daraus entstehenden Schaden. Das Ausführungsgeschäft darf der Kommittent in solchen Fällen aber nur zurückweisen, wenn der Kommissionär die gesetzwidrige Indossierung weisungswidrig vorgenommen hat.

E. Rechenschaftspflicht

Der Kommissionär ist verpflichtet, dem Kommittenten über das Geschäft Rechenschaft abzulegen und ihm herauszugeben, was aus der Geschäftsbesorgung erlangt wurde (§ 384 Abs 2 HGB). Er hat auf Verlangen die üblichen **Belege vorzulegen** und die erforderlichen **Auskünfte zu erteilen.** Zur Rechenschaft beim Selbsteintritt weiter unten.

Missachtet der Kommissionär seine Rechenschaftspflicht, droht ihm die **Stufenklage** des Kommittenten auf Rechnungslegung, eidesstattliche Vermögensangabe und Zahlung des geschuldeten Betrages. Der Anspruch auf Rechnungslegung verjährt wie jener Anspruch, auf den sich die Rechnungslegung bezieht.

Rechnungslegung der selbst eintretenden Bank bei der Wertpapierverkaufskommission über Verkaufsauftrag: Die selbsteintretende Bank muss nur darüber Rechenschaft ablegen, dass sie den Verkaufsauftrag zu dem in der Ausführungsanzeige angegebenen Zeitpunkt und zum damals geltenden Markt- oder Börsenpreis ausgeführt hat (ecolex 2002/99, 247 = ÖBA 2002/1054, 658 = SZ 74/182).

F. Herausgabepflicht

1. Allgemeines. Der Kommissionär muss dem Kommittenten herausgeben, was er zur Ausführung des Auftrages erhalten hat (HS 11.186; IV/29; V/2). Das Erhaltene ist **so herauszugeben, wie er es hat.**

ZB: Die Kommissionsware, die er hat, und nicht etwa ein Entgelt dafür (HS IV/29).

Ferner hat der Kommissionär jeden Vorteil herauszugeben, der ihm infolge der Ausführung des Auftrages zugekommen ist (§ 384 Abs 2 HGB).

ZB: Veräußerungserlöse; Forderungen aus dem Verkauf der Kommissionsware; die gekaufte Ware samt Früchten und Nutzungen; diesbzgl Begleit- und Beweisurkunden; stellvertretende commoda).

2. Unmöglichkeit der Herausgabe. Ist die Herausgabe unmöglich geworden, kommen die allgemeinen Regeln über die nachträgliche Unmöglichkeit der Leistung zum Tragen (§§ 921, 1447 ABGB).

3. Untersuchungs- und Rügeobliegenheit des Kommittenten. Liegt eine Einkaufskommission vor und ist sie ein beiderseitiges Handelsgeschäft, so trifft den Kommittenten bzgl des vom Kommissionär erworbenen und ihm herausgegebenen Kommissionsgutes die Untersuchungs- und Rügeobliegenheit der §§ 377 f HGB sowie die **Aufbewahrungspflicht** nach § 379 HGB (§ 391 HGB).

Eine verspätete Anzeige schmälert nicht das Recht des Kommittenten, vom Kommissionär die Abtretung seiner Rechte gegen den Dritten, von dem das Gut erworben wurde, zu fordern (§ 391 HGB).

4. Verjährung. Der Herausgabeanspruch verjährt in 30 Jahren.

G. Haftung des Kommissionärs

Vertragsverletzungen lösen die Haftpflicht des Kommissionärs aus.

Kommt eine Haftung wegen weisungswidrigem Geschäftsabschluss in Betracht, so entsteht kein Schaden, wenn der Erfolg des weisungswidrigen Geschäfts jenem des nicht geschlossenen, weisungsgemäßen gleichkommt (RdW 2000, 277).

1. Haftung für Verlust und Beschädigung des Kommissionsgutes. Der Kommissionär ist insb für den Verlust und die Beschädigung des in seiner Verwahrung befindlichen Gutes verantwortlich, es sei denn, dass der Verlust oder die Beschädigung auf Umständen beruht, die durch die Sorgfalt eines ordentlichen Kaufmanns nicht abgewendet werden konnten (§ 390 Abs 1 HGB).

2. Haftung wegen unterlassener Versicherung. Der Kommissionär ist wegen der Unterlassung der Versicherung des Kommissionsgutes nur verantwortlich, wenn er vom Kommittenten angewiesen war, eine Versicherung abzuschließen (§ 390 Abs 2 HGB).

3. Delkrederehaftung. Für die Erfüllung des Ausführungsgeschäftes durch den Dritten haftet der Kommissionär (Delkrederehaftung) grundsätzlich nicht, es sei denn:

- er hätte es vertraglich zugesagt oder
- es ist Handelsbrauch am Niederlassungsort des Kommissionärs (§ 394 HGB);
- er nennt den Dritten nicht zugleich mit der Ausführungsanzeige (§ 384 Abs 3 HGB) oder
- er gewährt dem Dritten ohne Zustimmung des Kommittenten Vorschuss oder Kredit (§ 393 Abs 1 HGB).

IV. Rechte des Kommissionärs

A. Recht auf Mitwirkung des Kommittenten

Mitunter trifft auch den Kommittenten im Rahmen der Ausführungspflicht des Kommissionärs eine Mitwirkungspflicht (zB: Ausstellung eines Akkreditivs bei einer Einkaufskommission). Keinesfalls darf der Kommittent die Tätigkeit des Kommissionärs behindern, insb das Ausführungsgeschäft vereiteln.

B. Provisionsanspruch

1. Allgemeines. Das Kommissionsgeschäft ist entgeltlich. Der Kommissionär hat, sofern nicht Anderes vereinbart ist, Anspruch auf Provision (§ 396 Abs 1 HGB), wenn

- das **Geschäft ausgeführt** wurde oder
- die Ausführung nur **aus einem in der Person des Kommittenten liegenden Grund unterblieben** ist;

- ohne Ausführung steht eine **Auslieferungsprovision** zu, sofern eine solche **ortsüblich** ist.

2. Der Provisionsbegriff ist weit. Alle Formen der Vergütung, auch Gewinnbeteiligungen, Anteile am Über- oder Unterpreis, feste Beträge können vereinbart werden.

3. Die Auslieferungsprovision (§ 396 HGB) vergütet jene Leistungen, die mit der Entgegennahme, Verwahrung und Auslieferung der Ware oder der sie repräsentierenden Papiere verbunden sind. Voraussetzung der Auslieferungsprovision ist die Übergabe des Kommissionsgutes an den Kommissionär.

4. Delkredereprovision. Besteht eine vertragliche Einstandspflicht des Kommissionärs gegenüber dem Kommittenten dafür, dass der Dritte das Ausführungsgeschäft erfüllt **(Delkrederehaftung),** so darf der Kommissionär dafür eine besondere Vergütung verlangen (Delkredereprovision; § 394 Abs 2 HGB).

5. „Ausführung des Geschäftes" heißt nach hA, dass der Dritte seine Leistung bereits vertragsgemäß erbracht hat. Der Erfüllung entsprechen jene Leistungen, die vom Dritten oder vom für ihn eintretenden Kommissionär (§§ 384 Abs 3; 394 HGB) bei Nicht- oder Schlechterfüllung erbracht werden. Teilleistung rechtfertigt eine Teilprovision.

6. Nichtausführung aus einem in der Person des Kommittenten liegenden Grund. Verschulden ist nicht gefordert (HS 1942). Ist die Ausführung des Geschäftes dem Kommittenten jedoch unzumutbar, ist eine Provision auch dann nicht gerechtfertigt, wenn die Gründe für die Nichtausführung in der Person des Kommittenten liegen.

7. Verjährung. Der Provisionsanspruch verjährt in 3 Jahren (§ 1486 Z 1 ABGB).

C. Anspruch auf Aufwandersatz

1. Allgemeines. Der Kommittent ist zum Ersatz der Aufwendungen verpflichtet, die der Kommissionär

- **zum Zweck der Ausführung** des Auftrages gemacht hat
- und **den Umständen nach für erforderlich** halten durfte.

2. Erforderlichkeit. Ob und inwieweit der Kommissionär Aufwendungen für erforderlich halten durfte, ist unter Anwendung pflichtgemäßer Sorgfalt nach verständigem Ermessen zu beurteilen. Aufwendungen, die unlauteren oder sittenwidrigen Zwecken dienen (zB Schmiergeldzahlungen), dürfen nicht für erforderlich gehalten werden. Dem Kommissionär sind die Aufwendungen auch dann zu ersetzen, wenn das Geschäft nicht ausgeführt oder erfüllt wird; dies unabhängig davon, ob der Kommittent das Scheitern des Geschäfts zu vertreten hat (RdW 2000, 605).

3. Arten der Aufwendungen. Nicht nur Baraufwendungen sind beachtlich. Auch sonstiges Vermögen des Kommissionärs kann zwecks Ausführung des Auftrages eingesetzt werden. Aufwendungen sind auch Verbindlichkeiten, die der Kommissionär auftragsbedingt eingeht; ferner der entgangene Nutzen eigenen Kapitals. Daher ist es ab dem Zeitpunkt der Aufwendung zu verzinsen (§ 354 Abs 2 HGB).

Was schon durch die Provision abgedeckt wird, kann nicht zusätzlich noch als Aufwand verrechnet werden.

Umstritten ist, ob und inwieweit **Schäden,** die der Kommissionär im Zuge der Ausführung der Kommission erleidet, als Aufwand verrechenbar sind. Hier ist wohl § 1014 ABGB anzuwenden. Demnach ist dem Kommissionär nicht nur jener Schaden zu ersetzen, den der Kommittent verschuldet hat, sondern auch der mit Erfüllung des Auftrages untrennbar verbundene (HS Erg 37).

4. Arten des Aufwandersatzes. Sie richten sich nach den Arten der Aufwendung. Geld ist zu erstatten. Der Wert aufgewandter sonstiger Leistungen ist zu ersetzen.

Zum Aufwandersatz gehört auch die Vergütung für die Benützung der Lagerräume und der Beförderungsmittel des Kommissionärs (§ 396 Abs 2 lt Satz HGB); auch auftragsbezogene Porti, Telefon- und Telegrammspesen, Zollauslagen, Transport- und Lagerspesen, wenn fremde Lagerhalter, Spediteure oder Frächter eingeschaltet werden udgl; ferner die Befreiung von Verbindlichkeiten (ÖJZ-LSK 2000/172).

Die Arbeit des Kommissionärs selbst und seines Personals ist durch die Provision abgegolten. Dies gilt überhaupt für die allgemeinen Geschäftsunkosten, die mit dem Geschäftsbetrieb des Kommissionärs verbunden sind, ausgenommen die im Gesetz genannten Lager- und Beförderungskosten.

5. Vorstreckung des Aufwandes, Vorschuss. Der Kommissionär ist nicht verpflichtet, Aufwendungen vorzustrecken. Er darf daher den (anstehenden) Aufwand noch vor Abrechnung der Provision gegen Nachweis ersetzt verlangen (§ 1014 ABGB). Der Kommissionär darf auch einen Vorschuss auf erforderliche Baraufwendungen verlangen. Ein klagbares Vorschuss*recht* setzt eine entsprechende vertragliche Vereinbarung oder das *Recht* des Kommissionärs voraus, die Kommission auszuführen.

6. Fälligkeit. Der Aufwandersatzanspruch wird erst fällig, sobald der Kommissionär Rechenschaft abgelegt hat; es sei denn, anderes wäre vereinbart oder üblich.

7. Verjährung. Der Aufwandersatzanspruch verjährt in 3 Jahren (§ 1486 Z 1 ABGB; SZ 10/153).

D. Gesetzliches Pfandrecht am Kommissionsgut

Der Kommissionär hat nach § 397 HGB ein gesetzliches Pfandrecht am Kommissionsgut, sofern er es innehat (insb mittels Konnossements, Ladescheins oder Lagerscheins darüber verfügen kann), wegen

- der auf das Gut aufgewandten **Kosten,**

- der auf das Gut gegebenen **Vorschüsse und Darlehen,**
- der mit Rücksicht auf das Gut gezeichneten **Wechsel** oder auf andere Weise eingegangenen **Verbindlichkeiten,**
- aller **Forderungen aus laufender Rechnung aus Kommissionen,**
- der **Provision.**

Dem Kommissionär stehen auf Grund des gesetzlichen Pfandrechts die einem Kaufmann gebührenden **Befriedigungsrechte (Pfandverwertung)** zu. Das gesetzliche Pfandrecht des Kommissionärs ist nicht auf konnexe Forderungen beschränkt, sondern betrifft auch andere Forderungen aus laufender Rechnung, sofern sie aus Kommissionsgeschäften entstanden sind.

Der **Rang des Pfandes** richtet sich nach dem Zeitpunkt seines Entstehens; das ältere Pfandrecht geht dem jüngeren vor; durch Versendung und Beförderung des Gutes entstandene Pfandrechte rangieren vor allen übrigen (§ 443 HGB).

Die Pfandverwertung erfolgt **außergerichtlich durch Verkauf** der Pfandsache (Art 8 Nr 14 EVHGB). Fälligkeit der Forderung genügt; ein vollstreckbarer Titel ist nicht notwendig.

Handelsrechtsreform: Die Pfandverwertung wird künftig im ABGB geregelt.

Zurückbehaltungsrecht. Neben dem gesetzlichen Pfandrecht steht dem Kommissionär bei beiderseitigen Handelsgeschäften auch das kaufmännische Zurückbehaltungsrecht (§§ 369ff HGB) zu; sonst jenes nach § 471 ABGB (Rsp 1925/42).

E. Gleichgestellte gesetzliche Befriedigungsrechte

Der Kommissionär kann sich, auch wenn er (insb als Einkaufskommissionär) **Eigentümer des Kommissionsgutes** ist, für die in § 397 HGB genannten Ansprüche (siehe oben C.) nach Maßgabe der für das Pfandrecht geltenden Vorschriften aus dem Kommissionsgut befriedigen (§ 398 HGB). Gleiches gilt für die Befriedigung aus Forderungen, die durch das für Rechnung des Kommittenten geschlossene Geschäft begründet sind. Das Befriedigungsrecht gibt dem Kommissionär gegenüber dem Kommittenten und dessen Gläubigern den Vorrang (§ 399 HGB).

Der Kommissionär muss hier nicht nach den Regeln der **Pfandverwertung** vorgehen. Er kann die Abtretung der Forderungen an den Kommittenten verweigern, kann sie einziehen und seine Ansprüche gegen die des Kommittenten aufrechnen.

F. Selbsteintrittsrecht

1. Selbsteintritt von Gesetzes wegen: Unter bestimmten Voraussetzungen ist es dem Kommissionär schon von Gesetzes wegen erlaubt, das

Kommissionsgut selbst als Verkäufer zu liefern oder das zu verkaufende Kommissionsgut selbst zu kaufen (§ 400 HGB).

Die Voraussetzungen für den Selbsteintritt sind:

- die Waren haben einen **Börsen- oder Marktpreis,**
- die *Wertpapiere* haben einen *amtlich festgestellten* Börsen- oder Marktpreis,
- der **Kommittent hat nichts anderes bestimmt** (§ 400 Abs 1 HGB).
- Der Kommissionär muss den **Selbsteintritt ausdrücklich erklären;** und zwar spätestens mit der Ausführungsanzeige (§ 405 Abs 1 HGB). Eine spätere Erklärung ist nichtig (§ 405 Abs 2 HGB).

2. Vereinbarter Selbsteintritt. Bei anderen Waren oder Wertpapieren kann ein Selbsteintritt vereinbart werden.

3. Empfangsbedürftige Willenserklärung: Der Selbsteintritt erfordert eine empfangsbedürftige Erklärung des Kommissionärs an den Kommittenten. Formlose, aber ausdrückliche Erklärung genügt. Die bloße Ausführungsanzeige ohne Selbsteintrittserklärung ist nach § 405 Abs 1 HGB als Anzeige eines Ausführungsgeschäftes mit einem Dritten zu verstehen.

4. Wirkungen des Selbsteintritts. Ein Ausführungsgeschäft *mit einem Dritten* erübrigt sich. Stattdessen kauft (bzw verkauft) der Kommissionär das Kommissionsgut direkt vom (bzw dem) Kommittenten. Die Rechte und Pflichten aus dem Kommissionsgeschäft bleiben dessen ungeachtet aufrecht.

Eben deshalb führt der Selbsteintritt nicht einfach zu einem Eigengeschäft des Kommissionärs mit dem Kommittenten. Wohl aber wird die Rechenschaftspflicht des Kommissionärs beim Selbsteintritt wesentlich beschränkt. Der Kommissionär muss lediglich nachweisen, dass er den zur Zeit des Selbsteintritts bestehenden Börsen- oder Marktpreis eingehalten hat.

5. Dispositionsschranken der Preisbestimmung. Im Falle des Selbsteintritts bestimmt sich der Preis für das Kommissionsgut nach dem Börsen- oder Marktpreis. Das HGB sieht in diesem Zusammenhang einige Schutzbestimmungen zugunsten des Kommittenten vor. Sie schränken die Dispositionsmöglichkeit des Kommissionärs ein:

a) Börsen- oder Marktpreis zum Ausführungszeitpunkt. Der Kommissionär hat nachzuweisen, wie hoch der Börsen- oder Marktpreis zur Zeit der Ausführung der Kommission war. Als **Zeit der Ausführung** gilt der Zeitpunkt, in welchem der Kommissionär die **Ausführungsanzeige an den Kommittenten abgesandt** hat (§ 400 Abs 2 HGB).

b) Preis zum Börsen- oder Marktschluss. Wird die Ausführungsanzeige nach Börsen- oder Marktschluss abgesandt, so darf der berechnete Preis nicht ungünstiger sein als der Preis zum Börsen- oder Marktschluss (§ 400 Abs 3 HGB).

c) Amtlich festgestellter Börsen- oder Marktpreis. In solchen Fällen darf bei Selbsteintritt kein ungünstigerer Preis in Rechnung gestellt werden (§ 400 Abs 5 HGB).

d) Preis zu bestimmtem Kurs. Soll eine Kommission zu einem bestimmten Kurs (erster Kurs, Mittelkurs, letzter Kurs) ausgeführt werden, ist der Kommissionär ohne Rücksicht auf den Zeitpunkt der Absendung der Ausführungsanzeige berechtigt und verpflichtet, diesen Kurs dem Kommittenten in Rechnung zu stellen (§ 400 Abs 4 HGB).

e) Erzielbarer günstigerer Preis. Auch bei Selbsteintritt zum Börsen- oder Marktpreis ist der Kommissionär gehalten, den bei pflichtgemäßer Sorgfalt erzielbaren, günstigeren Preis zu berechnen (§ 401 Abs 1 HGB).

f) Erzielter günstigerer Preis. Wurde mit einem Dritten noch vor Absendung der Ausführungsanzeige ein Vertrag geschlossen und tritt der Kommissionär später selbst ein, so darf er dem Kommittenten keinen ungünstigeren Preis verrechnen (§ 401 Abs 2 HGB).

g) Zwingendes Recht. Die Schutzbestimmungen der §§ 400 Abs 2–5; 401 HGB können nicht zum Nachteil des Kommittenten abbedungen werden.

G. Sachenrechtliche Aspekte

1. Rechte am Kommissionsgut

a) Verkaufskommission. Der Kommittent will über die Kommission das Kommissionsgut verkaufen. Er **bleibt Eigentümer,** bis es dem Dritten übergeben wird (JBl 1991, 805; HS 14.208). Der Kommissionär ist sowohl *schuld-* wie auch *sachenrechtlich verfügungsbefugt.* Der Kommissionär darf das Eigentum auch sicherungshalber dem Finanzier übertragen (HS II/23).

Sollte eine solche Verfügungsbefugnis ausnahmsweise nicht bestehen, kommt es dennoch zu einem Eigentumserwerb des Dritten, sofern er gegenüber dem gewerbsmäßigen Kommissionär **gutgläubig** ist (§ 366 HGB; §§ 367, 371 ABGB). Gerade im Kommissionsfall ist es gerechtfertigt, den guten Glauben an die Verfügungsbefugnis genügen zu lassen.

Bei Insolvenz des Kommissionärs hat der Kommittent einen **Aussonderungsanspruch** (§ 44 KO; § 21 AO). Greift ein Gläubiger des Kommissionärs auf das Kommissionsgut, steht dem Kommittenten die **Exszindierungsklage** zu (§ 37 EO).

b) Einkaufskommission. Der Kommittent will über die Kommission etwas erwerben. Der Kommissionär kauft vom Dritten auf Rechnung des Kommittenten. An sich erwirbt also der Kommissionär als Käufer das Eigentum am Kommissionsgut (AC 2793). Er ist aber schuldrechtlich verpflichtet, es dem Kommittenten herauszugeben.

Der Kommittent ist dem Kommissionär und seinen Gläubigern gegenüber auch dann geschützt, wenn ihm das Kommissionsgut noch nicht übereignet ist.

Begründung: Die **Vermutung des § 392 Abs 2 HGB,** wonach noch nicht abgetretene Forderungen im Verhältnis zwischen dem Kommittenten und dem Kommissionär oder dessen Gläubigern als Forderungen des Kommittenten gelten, wird **analog auch auf Sachenrechte angewandt** (SZ 12/160; 59/105).

Im Übrigen erwirbt der **Kommittent direkt Eigentum vom Dritten,** wenn der Kommissionär zumindest im Hinblick auf den Eigentumserwerb als Vertreter und Besitzmittler des Kommittenten auftritt.

Das Ausführungsgeschäft ist dann zwar immer noch als Kauf im eigenen Namen, aber bzgl des Eigentumserwerbs als *Vertrag zugunsten des Kommittenten* zu verstehen. Der Titel für den Eigentumserwerb liegt hier einerseits im Ausführungsgeschäft selbst; andererseits im Kommissionsauftrag.

Das Eigentum des Kommittenten kann noch vor Weitergabe des Gutes an ihn durch **Besitzkonstitut** begründet werden. Der Kommissionär überträgt das Eigentum durch Erklärung an den Kommittenten, behält das Kommissionsgut aber vorerst noch. Der Kommissionär wird vom Eigentümer zum Inhaber.

2. Rechte am für das Kommissionsgut Erhaltenen

IdR zieht der Verkaufskommissionär den für das Kommissionsgut vom Dritten zu zahlenden Kaufpreis ein. Der Dritte zahlt entweder bar oder überweist dem Kommissionär den geschuldeten Geldbetrag.

Bzgl erhaltener Barzahlungen gelten die allgemeinen Grundsätze über den **Eigentumserwerb an barem Geld (§ 371 ABGB).** Ohne Sonderabreden wird der Verkaufskommissionär Eigentümer des vom Dritten erhaltenen Geldbetrages. Desgleichen erwirbt der Einkaufskommissionär Eigentum an jenen Beträgen, die ihm der Kommittent zum Zweck des Erwerbes des Kommissionsgutes gibt.

Ist dies nicht gewünscht, können entweder Direktzahlungen vereinbart werden, oder der Kommissionär errichtet **Anderkonten.**

V. Beendigung des Kommissionsgeschäftes

Das Kommissionsgeschäft endet durch

- Erfüllung,
- Zeitablauf bei Befristung,
- Widerruf des Kommittenten (§ 1020 ABGB),
- Kündigung des Kommissionärs (§ 1021 ABGB),
- Rücktritt bzw Erlöschen bei Leistungsstörung (§§ 918ff; 1447 ABGB),
- uU durch den Tod des Kommittenten (§ 1022 ABGB),
- Konkurs des Kommittenten (§ 1024 ABGB; § 26 KO).

19. Kapitel
Handelsvertretergeschäft

Lit: *Lehoff,* Makler, Agenten und Angestellte (1922); *Linner,* Das Recht der Handelsvertreter, Provisionsvertreter und freien Vertreter (1964); *Ballerstedt,* Marktmacht und Handelsvertretervertrag im Spiegel österr-dt Rechtsvergleichung, FS Hämmerle (1972) 13; *Schmid,* Der Außendienst. Rechte und Pflichten der Handelsreisenden und Handelsvertreter in Österreich (1980); *Wachter,* Wesensmerkmale der arbeitnehmerähnlichen Person (1980); *Jabornegg,* Die Rechtsstellung der selbständigen Versicherungsvertreter im österr Recht, DRdA 1985, 85; *Fitz,* Risikozurechnung bei Tätigkeit im fremden Interesse (1985); *Jabornegg,* HVG. Handelsvertreter- und Maklerrecht (1987); *G. Schima,* Gibt es einen „freien" Handelsvertreter? RdW 1987, 16; *Ankele,* Das dt Handelsvertreterrecht nach Umsetzung der EG-RL, DB 1989, 2211; *Hügel/Viehböck,* Handelsvertretervertrag, ecolex 1990, 544; *Hopt,* Handelsvertreterrecht §§ 84–92c, 54, 55 HGB mit Materialien (1992); *Liebscher,* HVertrG und EG-RL, ecolex 1992, 217; *Wilhelm,* Ein neues HVertrG, ecolex 1992, 397; *Hofmann,* Zum Ausschluss des Ausgleichsanspruchs beim deutsch-österreichischen Handelsvertreter, FS Frotz (1993) 45; *Liebscher,* Der Werbeagenturvertrag (1993); *G. Schima,* Bund Gemischtes aus dem neuen HVertrG, ecolex 1993, 227; *G. Schima,* Ergänzende Anmerkungen zum HVertrG, ecolex 1993, 374; *G. Schima,* Haftung des Handelsvertreters, ecolex 1993, 448; *Tschuk/Fromherz,* Zur Stufenklage des Handelsvertreters, RdW 1993, 247; *Weilinger,* Zum Anwendungsbereich der zwei HVertrG, RdW 1993, 202; *Küstner,* Neues Handelsvertreterrecht in Österreich, RdW 1994, 390; *Völckler,* Handelsvertretervertrieb und EG-Kartellrecht (1994); *Westphalen,* Handelsvertreterrecht in den EU-Staaten einschließlich Österreich und der Schweiz (1994); *Küstner/Manteuffel/Evers,* Das neue Recht des Handelsvertreters² (1994); *Abrahamczik,* Der Handelsvertretervertrag (1995); *Ulmer/Habersack,* Zur Beurteilung des Handelsvertreter- und Kommissionsagenturbetriebes nach Art 85 Abs 1 EGV, ZHR 159 (1995) 109; *P. Burgstaller,* E-Commerce – Das Ende des Gebietsschutzes im Vertriebsvertragsrecht? RdW 2000, 715; *Nocker,* Der Handelsvertretervertrag (2000); *Fock,* Die europäische Handelsvertreter-RL (2001); *Harrer,* Wettbewerbsverbote im Recht der Vertragshändler, FS Krejci (2001), 149; *Höller,* Rechtswahl für Vertriebsverträge? RdW 2001/427, 396; *Liebscher/Heinrich/Petsche,* Vertriebsverträge (2001); *Nocker,* Ausgleichsanspruch des Handelsvertreters, Vertragshändlers und Franchisenehmers (2001); *Novacek,* Steuerliche Rückstellung für Ausgleichsansprüche der Handelsvertreter, RdW 2001/775, 762; *Beiser,* Der Ausgleichsanspruch des Handelsvertreters in der Handels- und Steuerbilanz, ÖStZ 2002/675, 374; *Naderhirn,* Probleme im Zusammenhang mit der Höchstgrenze des Ausgleichsanspruchs des Handelsvertreters (§ 24 Abs 4 HVertrG), RdW 2002/217, 226; *Nocker,* Zur Höchstgrenze des Ausgleichsanspruchs nach § 24 HVertrG (Replik zu RdW 2002/217, 226), ecolex 2002, 656; *Novacek,* Rückstellungen für Ausgleichsansprüche von Handelsvertretern – Neues zu diesen Rückstellungen? FJ 2002, 330; *Naderhirn,* Ausgleichsanspruch des Tankstellenverwalters. Zugleich eine Besprechung von OGH 28. 3. 2002, 8 ObA 290/01 g und 8 ObA 299/01 f, RdW 2003/85, 102; *Hirtzberger,* Der Prognosezeitraum bei Berechnung des Ausgleichsanspruchs des Handelsvertreters, RdW 2003/198, 243; *Nocker,* Ausgleichsanspruch des Kfz-Vertragshändlers, ÖJZ 2003/42, 701; *ders,* Die „Provisionsverluste" des (Kfz-)Vertragshändlers nach § 24 HVertrG, ecolex 2003, 828; *Pannagl,* Der Ausgleichsanspruch des Tankstellenhalters, wbl 2003, 59; *Nocker,* Handelsvertretervertrag, ZAS 2003, 142 und 190; *ders,* Der Ausgleichsanspruch des Versicherungsvertreters „analog" § 24 HVertrG, wbl 2004, 53; *Petsche,* Investitionsersatzanspruch in vertikalen Vertriebsbindungen, ecolex 2004, 95; *Wollmann,* Zur Bemessungsgrundlage für den Ausgleichsanspruch des Kfz-Vertragshändlers, ecolex 2004, 596.

I. Rechtsquellen und Bedeutung des Handelsvertretergeschäftes

Die Regeln des (d)HGB über die „Handlungsagenten" (nunmehr: Handelsvertreter) gelten in Österreich nicht. Das HVertrG 1921 und seine Novellen 1960 und 1978 wurden durch das HVertrG 1993 abgelöst. Das HVertrG 1921 gilt aber für „andere Geschäftsvermittler" iS des § 29 HVertrG 1921 weiter. Das HVertrG 1921 wird im Folgenden nicht berücksichtigt. Nur das HVertrG 1993 wird dargestellt.

Das HVertrG 1993 transformiert den Inhalt der EG-RL vom 18. 12. 1986 zur Koordinierung des Rechts der Handelsvertreter. Aus demselben Grund wurden auch die §§ 84 ff dHGB novelliert. Der österr Gesetzgeber nahm den Anpassungsbedarf nicht zum Anlass, das Handelsvertreterrecht in das HGB zu integrieren, obwohl der 7. Abschnitt des 1. Buches des HGB nach wie vor den systematischen Ort dafür bis heute bereithält.

Das HVertrG regelt die zwischen selbstständigen Handelsvertretern und Unternehmern bestehenden Vertragsbeziehungen. Obwohl selbstständige Handelsvertreter mangels persönlicher Abhängigkeit nicht des Arbeitnehmerschutzes bedürfen, löst dennoch die Stellung des Handelsvertreters gegenüber dem Unternehmer in einiger Hinsicht ein Schutzbedürfnis aus, das durch die relativ zwingenden Regeln des HVertrG befriedigt werden soll. Darüber hinaus gibt es Ordnungsfragen, die das allgemeine Privatrecht nicht ausreichend klärt.

II. Begriff des Handelsvertretergeschäftes

A. Selbstständiger Handelsvertreter

nach § 1 Abs 1 HVertrG ist, wer

- von einem **Unternehmer**
- mit der **Vermittlung oder** dem **Abschluss** von Geschäften,
- ausgenommen über unbewegliche Sachen,
- **in dessen Namen**
- und **für dessen Rechnung**
- **ständig betraut** ist
- und diese Tätigkeit **selbstständig und gewerbsmäßig** ausübt.

Handelsvertreter sind Kaufleute nach § 1 Abs 2 Z 7 HGB. Sie betreiben demnach ein **Grundhandelsgewerbe.** Sie können Voll- oder Minderkaufleute sein.

1. Physische oder juristische Personen. Handelsvertreter können nicht nur physische, sondern auch juristische Personen sowie Personenhandelsgesellschaften bzw EEG sein.

2. Unternehmer. Handelsvertreter werden für Unternehmer (nicht bloß Kaufleute) tätig. § 1 HVertrG sagt nicht, wer das ist. Der Unternehmerbegriff ist möglichst weit zu verstehen. Er entspricht wohl im Wesentlichen dem Unternehmensverständnis des § 1 Abs 2 KSchG.

3. Vertretung und Vermittlung. Der Handelsvertreter handelt im Namen des Unternehmers (SZ 53/102) und nicht im eigenen wie der Kommissionär. Soweit der Handelsvertreter lediglich vermittelt, tritt er nahe liegenderweise im eigenen Namen auf. Doch kommen auch einem Vermittler bestimmte Vertretungsfunktionen zu: So sind Vermittler idR befugt, namens dessen, für den sie tätig sind, Erklärungen entgegenzunehmen, Auskünfte zu geben udgl. Das führt mitunter zu heiklen Problemen der Abgrenzung der Zurechnungssphären.

4. Geschäfte, ausgenommen über unbewegliche Sachen. Es werden idR Handelsgeschäfte sein, das HVertrG beschränkt sich aber nicht darauf. Ausgeschlossen sind jedoch Geschäfte über unbewegliche Sachen. Die Verkaufsgeschäfte des Handelsvertreters umfassen auch Werklieferungs- und Werkverträge (ARD 4796/20/96). Die Lieferung und Montage von Holzstiegen, die nach dem Einbau sachenrechtlich als unbewegliche Sachen gelten, unterliegt dennoch den Bestimmungen des HVertrG, weil § 1 HVertrG 1993 auf die Rechtsnatur des vermittelten Geschäfts abstellt und beim Werklieferungsvertrag (§ 381 HGB) die gelieferten Sachen als bewegliche gelten (RZ 2003, 258 = ecolex 2003/372, 910).

5. Ständig betraut heißt, der Handelsvertreter steht mit dem Unternehmer in einer Dauerrechtsbeziehung (SZ 51/14); er ist laufend für den Unternehmer tätig.

6. Selbstständige, gewerbsmäßige Ausübung. Dieses Tatbestandsmerkmal entspricht den einschlägigen allgemeinen Vorstellungen von gewerblicher Tätigkeit.

B. Abgrenzung des selbstständigen Handelsvertreters

1. Unselbstständige Handelsvertreter sind *Arbeitnehmer;* sie unterliegen nicht dem HVertrG, sondern den für sie maßgeblichen arbeitsrechtlichen Bestimmungen, vor allem dem AngG.

2. Arbeitnehmerähnlich sind selbstständige Handelsvertreter dann, wenn sie zwar *nicht persönlich,* wohl aber *wirtschaftlich* vom Unternehmer abhängig sind. Von einem anderen wirtschaftlich abhängig ist man vor allem dann, wenn man von den zu ihm bestehenden Geschäftsbeziehungen und den daraus gezogenen Vorteilen lebt, sodass deren plötzlicher Verlust eine existenzielle Krise auslöst. Eine derartige wirtschaftliche Abhängigkeit nimmt Handelsvertretern nicht die Selbstständigkeit iS des HVertrG.

Ist der Handelsvertreter in einer wirtschaftlichen Abhängigkeit arbeitnehmerähnlich tätig, ist er vom personellen Geltungsbereich des DHG erfasst. Arbeitnehmerähnlichkeit liegt insb dann vor, wenn eine gewisse Regelmäßigkeit der Arbeitsleistung gegeben ist, die betreffende Person auf die Entlohnung angewiesen ist und die Arbeit in wirtschaftlicher Unterordnung für die Zwecke eines anderen geleistet wird. Beim Handelsvertreter ist daher entscheidend, ob er für einen einzigen Auftraggeber und in wirtschaftlicher Abhängigkeit von diesem tätig ist (RZ 2003, 258 = ecolex 2003/372, 910). Dass ein Tankstellenverwalter im Hinblick auf seine wirtschaftliche Abhängigkeit als arbeitnehmerähnlich einzustufen sein mag, ändert nichts an der zivilrechtlichen Qualifikation des Vertragsverhältnisses (hier: als Handelsvertretervertrag): RdW 2003/87, 109 = RdW 2003/85, 102 *(Naderhirn)* = wbl 2003, 59 *(Pannagl)* = ASoK 2003, 131 = Arb 12.203. Das in § 28 HVertrG normierte Verbot einer Konkurrenzklausel gilt auch für den arbeitnehmerähnlichen Versicherungsvertreter (wbl 2003/48, 86 = DRdA 2003, 66 = EvBl 2003/25 = RdW 2003/230, 279 = RZ 2003, 108).

3. „Freie" Handelsvertreter? Von Fragen der Arbeitnehmerähnlichkeit des selbstständigen Handelsvertreters zu unterscheiden ist die Diskussion, ob es auch Handelsvertreter gibt, die *weder* dem HVertrG *noch* dem AngG unterliegen, sondern als „freie" Handelsvertreter eine dritte Gruppe von Handelsvertretern bilden (idS Arb 6728; 9945; 10.025; SZ 54/30; 64/7; dagegen Arb 7641). Eine solche Gruppe gibt es nicht.

4. Realitäten-, Hypotheken-, Lokal- und Wohnungsvermittler sind keine Handelsvertreter, sondern idR Makler.

5. Selbstständige Versicherungsvertreter. Auf diese sind trotz der in § 28 Abs 1 HVertrG normierten Ausnahmen vom sachlichen Geltungsbereich weiterhin die handelsvertreterrechtlichen Vorschriften dieses Gesetzes analog anzuwenden. Andernfalls würde man die Personengruppe der selbstständigen Versicherungsvertreter ohne sachliche Rechtfertigung dem „rechtsfreien Raum" überantworten (wbl 2003/48, 86 = DRdA 2003, 66 = EvBl 2003/25 = RdW 2003/230, 279 = RZ 2003, 108).

C. Vertragstypus des Handelsvertretervertrages

Der Handelsvertretervertrag kombiniert Elemente des **Auftrages** mit solchen des **freien Dienstvertrages.**

Dies bedeutet freilich nicht, dass die für diese Vertragstypen vorgesehenen, allgemeinen Regeln allein maßgeblich wären. Sie gelten vielmehr nur, soweit das HVertrG nicht Besonderes vorsieht (§ 28 Abs 2 HVertrG).

Die Vertretungsbefugnisse des Handelsvertreters sind in den §§ 2 und 3 HVertrG geregelt. Sie wurden bereits im Zuge der Darstellung der Handlungsvollmacht erörtert. Der Handelsvertreter kann für den Unternehmer nur solche Geschäfte *vermitteln oder schließen,* zu denen er ermächtigt wurde. Dies ist vertraglich klarzustellen und ergibt sich nicht „automatisch" aus dem Abschluss eines Handelsvertretervertrages.

Abschluss des Handelsvertretervertrages. Er kann **formlos** abgeschlossen werden. Jede Vertragspartei ist jedoch verpflichtet, der jeweils anderen auf deren Verlangen eine **unterzeichnete Vertragsurkunde** zu verschaffen, die den zu diesem Zeitpunkt gültigen Inhalt des Vertretervertrages wiedergibt (§ 4 HVertrG; zwingendes Recht). Der Vertragsurkunde kommt nur deklarative Bedeutung zu (ARD 4868/19/97).

III. Pflichten des Handelsvertreters

A. Interessenwahrung als Haupt- und Grundpflicht

Im Rahmen der übernommenen Aufgaben hat der Handelsvertreter die geschäftlichen Interessen des Unternehmers mit der **Sorgfalt eines ordentlichen Kaufmanns** (§ 5 HVertrG, zwingendes Recht) wahrzunehmen. Diese Interessenwahrungspflicht ist nicht bloß eine vertragliche Nebenpflicht, wie sie in anderen Schuldverhältnissen auch zu finden ist, sondern die tragende Hauptpflicht des Handelsvertreters.

Die Interessenwahrungspflicht zeitigt auch nach bereits erfolgter Beendigung des Handelsvertreterverhältnisses **Nachwirkungen;** so darf der Handelsvertreter auch dann nicht auf Kunden einwirken, Verträge mit dem Unternehmer aufzulösen; der Unternehmer hat in solchen Fällen Unterlassungsansprüche, auch wenn noch kein Schaden entstanden ist (JBl 1992, 451).

Die Selbstständigkeit des Handelsvertreters lastet ihm eine entsprechende **Eigenverantwortung** auf. Der Handelsvertreter hat *von sich aus* tätig zu werden und *selbstständig* Abschluss- bzw Vermittlungsmöglichkeiten zu suchen. Die Selbstständigkeit des Handelsvertreters schließt ein laufendes Weisungsregime des Unternehmers ebenso aus wie eine Eingliederung in dessen Betriebsorganisation. Weisungen sind zwar nicht gänzlich ausgeschlossen, sie dürfen aber nicht die „Selbstorganisation" des Handelsvertreters beseitigen.

Die **Interessenwahrungspflicht** als Grundpflicht des Handelsvertreters wird durch die weiteren Pflichten des Handelsvertreters im Wesentlichen nur konkretisiert. Dazu gehören nicht nur die im HVertrG aufgelisteten Pflichten, sondern auch solche, die sich davon unabhängig aus der umfassenden Interessenwahrungspflicht ableiten lassen. Erwähnenswert ist hier insb die Pflicht, das im Zusammenhang mit der Vertretertätigkeit vom Dritten für den Unternehmer Erlangte herauszugeben **(Herausgabepflicht),** sowie die Pflicht, jedenfalls über jene Geschäftsangelegenheiten des Unternehmers zu schweigen, deren Bekanntwerden seine Interessen verletzen würde **(Verschwiegenheitspflicht).**

B. Bemühungspflicht

Der Handelsvertreter hat sich um die Vermittlung und den Abschluss von Geschäften zu **bemühen** (SZ 35/41). Eine Pflicht, *bestimmte* Geschäfte zustande zu bringen, besteht nicht (§ 5 HVertrG; zwingendes Recht).

C. Mitteilungspflicht

Der Handelsvertreter ist verpflichtet, dem Unternehmer insb die für ein vermittelbares Geschäft erforderlichen Mitteilungen zu machen und den Unternehmer unverzüglich von jedem Geschäft in Kenntnis zu setzen, das er für ihn geschlossen hat (§ 5 HVertrG; zwingendes Recht).

D. Verbot der Belohnungsannahme

Von einem Dritten, mit dem der Handelsvertreter für den Unternehmer Geschäfte vermittelt oder schließt, darf der Handelsvertreter keine Belohnung annehmen (auch nicht von jemandem, der am Nichtzustandekommen des Geschäftes interessiert ist, RdW 1990, 44); es sei denn, es besteht für den betreffenden Geschäftszweig ein entsprechender Handelsbrauch oder der Unternehmer stimmt zu (§ 7 Abs 1 HVertrG).

Das Geschenkannahmeverbot entspricht vergleichbaren Regelungen, die der Gesetzgeber auch für andere Rechtsbeziehungen aufgestellt hat (Vgl §§ 304–307 StGB; § 10 UWG; §§ 1009; 1013 ABGB; §§ 13; 26; 27 Z 1 AngG; § 26 GAngG).

Vom Handelsvertreter unrechtmäßig Empfangenes kann vom Unternehmer herausverlangt werden; überdies haftet der Handelsvertreter für einen dem Unternehmer darüber hinaus erwachsenen Schaden (§ 7 Abs 2 HVertrG). Der Dritte darf unrechtmäßig Gegebenes nicht zurückfordern (§ 1174 ABGB).

E. Wettbewerbsverbote

Handelsvertreter dürfen für mehrere Unternehmer tätig sein. Ein **gesetzliches Wettbewerbsverbot,** das Derartiges grundsätzlich ausschlösse, besteht nicht. Dennoch darf die Tätigkeit für einen anderen Unternehmer dem Vertragspartner nicht schaden.

In der Praxis kommt es durchaus häufig vor, dass sich Handelsvertreter einem **vertraglichen Wettbewerbsverbot** unterwerfen. Es ist nur für die Zeit des aufrechten Vertreterverhältnisses gültig, weil **Konkurrenzklauseln,** durch die der Handelsvertreter **nach Beendigung des Vertrags-**

verhältnisses in seiner Erwerbstätigkeit beschränkt wird, unwirksam sind (§ 25 HVertrG).

Demgegenüber lässt § 36 AngG für Angestellte Konkurrenzklauseln in beschränktem Ausmaß zu. Eine solche Konkurrenzklausel darf sich nur auf den Geschäftszweig des Dienstgebers beziehen, den Zeitraum eines Jahres nicht überschreiten und keine unbillige Erschwerung des Fortkommens des Angestellten enthalten).

IV. Rechte des Handelsvertreters

A. Recht auf Unterstützung durch den Unternehmer

Der Unternehmer hat den Handelsvertreter bei seiner Tätigkeit zu unterstützen: durch erforderliche Information; durch rechtzeitige Warnung vor Geschäftsrückgängen; durch rechtzeitige Mitteilung, dass ein Geschäft nicht akzeptiert oder erfüllt wird (§ 6 HVertrG; zwingendes Recht).

Erscheint es betriebswirtschaftlich zweckmäßig, bestimmte Werbemaßnahmen einzustellen udgl, so ist der Unternehmer dazu auch dann berechtigt, wenn dadurch die Tätigkeit des Handelsvertreters erschwert wird (SZ 62/67).

B. Vergütungsansprüche

Lit: *Michlmayr,* Der Geschäftsabschluß als Voraussetzung des Provisionsanspruchs, ImmZ 1954, 35; *Rustler,* Der Provisionsanspruch, ImmZ 1954, 266; *Rustler,* Der Alleinauftrag, ImmZ 1958, 251; *Rustler,* Abhängigkeit des Provisionsanspruchs von der Rechtsgültigkeit des Hauptgeschäftes, ImmZ 1960, 333; *Krehan,* Die Vermittlungsprovision nach § 6 HVG, ImmZ 1970, 35; *Albers,* Zum Einsatz von Provisionen bei der Steuerung von Handelsvertretern, in *Mazanek/Scheuch* (Hrsg), Marktorientierte Unternehmensführung (1984); *Kurschel,* Provisionsanspruch bei Nichtzustandekommen des Geschäftes, ecolex 1990, 533; *Nocker,* Ausgleichsanspruch des Handelsvertreters, Vertragshändlers und Franchisenehmers (2001).

Der Handelsvertreter hat Anspruch auf **Provision oder anderes Entgelt** (§ 8 HVertrG); insb kann auch ein Anspruch auf **Gewinnbeteiligung** gewährt werden (§ 17 HVertrG).

1. Voraussetzungen des Provisionsanspruches

a) Verdienstlichkeit. Der Provisionsanspruch gebührt iZw für jedes durch die Tätigkeit des Handelsvertreters zu Stande gekommene Geschäft.

Für *von vornherein ungültige Geschäfte* gebührt keine Provision (MietSlg 32.579; 32.585); wohl aber bei *grundlosem Rücktritt* (MietSlg 32.584). Wird die Anfechtung eines vermittelten Geschäftes unterlassen, so besteht Provisionspflicht (SZ 62/7). Der Abschluss eines bloßen *Vorvertrages* nach § 936 ABGB löst den Provisionsanspruch noch nicht aus (ecolex 1994, 463).

Voraussetzung des Provisionsanspruches ist, dass sich der Handelsvertreter um das Zustandekommen des Geschäftes **„verdienstlich"** gemacht hat. Man spricht vom **Verdienstlichkeitsprinzip** (SZ 9/16; 42/59; 48/122; HS 9115; 9764; 9770; 9771; 9804; MietSlg 32.576; 32.580). Die Verdienstlichkeit erschöpft sich nicht bloß darin, dass irgendein Verhalten des Handelsvertreters kausal für den Geschäftsabschluss ist. Vielmehr ist eine bestimmte **inhaltliche Qualifikation der Vertreter- bzw Vermittlertätigkeit** erforderlich.

Bloße Namhaftmachung eines potenziellen Vertragspartners, bloße Auskunftserteilung (zB über den Kaufpreis, SZ 7/196, oder die Übersendung eines Lageplanes, HS 11.721) und Beratung sind zu wenig (EvBl 1956/131; HS 4533/15). Die Kasuistik der Rsp zur Verdienstlichkeit ist umfangreich. Der Handelsvertreter muss den potenziellen Vertragspartner in seiner Willensbildung, mit dem Unternehmer abzuschließen, durch entsprechend geeignete Bemühungen positiv beeinflussen. Auch für ein „gleichwertiges" Geschäft gebührt Provision. Gleichwertig ist zB ein Vertragsabschluss durch eine Gesellschaft, die vom ins Auge gefassten Kunden beherrscht wird, ecolex 1999/149.

b) Provisionsanspruch ohne unmittelbare Mitwirkung. IZw gebührt Provision auch für Geschäfte, die ohne unmittelbare Mitwirkung des Vertreters während der Dauer seines Vertrages **zwischen dem Handelsvertreter zugewiesenen oder von ihm dem Unternehmer zugeführten Kunden und dem Unternehmer** geschlossen worden sind (§ 8 Abs 3 HVertrG).

Ist der Handelsvertreter ausdrücklich für ein bestimmtes Gebiet oder für einen bestimmten Kundenkreis als alleiniger Vertreter bestellt, so gebührt ihm iZw die Provision auch für solche Geschäfte, die ohne seine Mitwirkung während der Dauer des Vertragsverhältnisses durch den Unternehmer oder für diesen mit der zum Gebiet oder zum Kundenkreis des Handelsvertreters gehörigen Kundschaft geschlossen worden sind (§ 8 Abs 4 HVertrG).

Provision nach Beendigung des Vertragsverhältnisses. Für Geschäfte, die erst nach Beendigung des Handelsvertretervertrages zu Stande kommen, gebührt Provision, wenn das Geschäft überwiegend auf die Vertretertätigkeit zurückzuführen und in angemessener Frist nach Vertragsbeendigung zustande gekommen ist oder wenn die verbindliche Erklärung des Dritten, das Geschäft schließen zu wollen, noch vor Vertragsbeendigung dem Handelsvertreter oder dem Unternehmer zugegangen ist (§ 11 Abs 1 HVertrG). **Ein nachfolgender Vertreter** hat in solchen Fällen keinen Provisionsanspruch aus solchen Geschäften, es sei denn, die Umstände rechtfertigen eine Provisionsteilung (§ 11 Abs 2 HVertrG).

2. Entstehen des Provisionsanspruches. Der Provisionsanspruch entsteht mit der Rechtswirksamkeit des vermittelten Geschäftes, wenn und soweit es der Unternehmer oder Dritte *ausgeführt haben* oder es der Unternehmer auf Grund des Vertrages mit dem Dritten *ausführen hätte sollen* (§ 9 Abs 1 HVertrG). Der Provisionsanspruch entsteht *spätestens,* wenn der Dritte seinen Teil des Geschäftes ausgeführt hat oder ausgeführt haben müsste, hätte der Unternehmer seinen Teil des Geschäftes ausgeführt (§ 9 Abs 2 HVertrG; relativ zwingend zugunsten des Handelsvertreters). Der Anspruch auf die *volle* Provision entsteht mit Zahlung des *gesamten* Preises (RdW 1993, 276).

3. Entfall des Provisionsanspruches. Der Provisionsanspruch entfällt, wenn und soweit feststeht, dass der Vertrag nicht ausgeführt wird, *ohne dass dies der Unternehmer zu vertreten hätte.* Bei Zahlungsverzug des Dritten muss der Unternehmer alle zumutbaren Schritte unternehmen, um den Dritten zur Zahlung zu veranlassen (§ 9 Abs 3 HVertrG; relativ zwingend zugunsten des Handelsvertreters).

Der Provisionsanspruch kann auch durch Fehlverhalten des Handelsvertreters verloren gehen; zB dann, wenn der Handelsvertreter dem Geschäftsherrn bei der Geschäftsanbahnung gewonnene Erkenntnisse vorenthält (ARD 4744/39/96).

4. Höhe des Provisionsanspruches. Mangels anderer Vereinbarung sind die für den betreffenden Geschäftszweig am Ort der Niederlassung des Handelsvertreters üblichen Sätze maßgeblich (§ 10 Abs 1 HVertrG). Vom Unternehmer **dem Dritten gewährte Nachlässe** haben außer Ansatz zu bleiben, außer es wurde bei Geschäftsabschluss anderes vereinbart oder es besteht ein gegenläufiger Handelsbrauch. Nachlässe bei Barzahlung sind keinesfalls abzuziehen. Gleiches gilt für Nebenkosten (Fracht, Verpackung, Zoll, Steuern); es sei denn, die Nebenkosten wurden dem Dritten besonders in Rechnung gestellt. Der USt-Ausweis bedeutet kein In-Rechnung-Stellen (§ 10 Abs 2 HVertrG).

5. Abrechnung und Fälligkeit der Provision. Provisionsansprüche sind spätestens am letzten Tag des Monats, der auf das Quartal folgt, in dem der Provisionsanspruch entstanden ist, abzurechnen (§ 14 Abs 1 HVertrG, relativ zwingend zugunsten des Handelsvertreters). Es darf ein den Forderungen entsprechender **Vorschuss** verlangt werden (§ 14 Abs 2 HVertrG, relativ zwingend zugunsten des Handelsvertreters). Der Provisionsanspruch wird an dem Tag **fällig,** an dem die Abrechnung stattfinden soll (§ 15 HVertrG, relativ zwingend zugunsten des Handelsvertreters).

6. Buchauszug, Einsichts- und Auskunftsrecht. Der Handelsvertreter hat zur Nachprüfung der zustehenden Beträge ein Recht auf Buchauszug, Büchereinsicht und ergänzende Auskünfte (Näheres in § 16 HVertrG; Abs 1 und 2 sind relativ zwingend zugunsten des Handelsvertreters). Sinngemäß kommen auch die Beweissicherungsregeln der ZPO zur Anwendung (§§ 384–389 ZPO).

Über den Anspruch auf Buchauszug und -einsicht ist im **Außerstreitverfahren** zu entscheiden (WR 1987/251). Während des Prüfverfahrens läuft die Verjährung zwar fort, endet aber keinesfalls vor Ablauf von 3 Monaten nach rechtskräftiger Beendigung des Verfahrens und Erfüllung des Anspruches auf Buchauszug, Büchereinsicht und ergänzende Auskünfte (§ 16 HVertrG). Handelsvertretern steht (entgegen früherer Ansicht) die **Stufenklage** zu (JBl 1993, 249; ecolex 1994, 92).

Rechnungslegungsanspruch bei unvollständiger Auskunft: Sowohl dem selbstständigen als auch dem sogenannten „freien“ Handelsvertreter und dem provisionsberechtigten Angestellten steht dann, wenn der Arbeitgeber keine oder nur eine unvollständige Auskunft über die Provisionsgrundlagen erteilt hat, der klagbare Anspruch auf Vorlage einer Abrechnung durch Mitteilung eines Buchauszuges zur nachfolgenden Konkretisierung eines Leistungsbegehrens in Form einer Stufenklage nach Art XLII EGZPO zu. Nach seinem Namen und seiner Funktion ist der Buchauszug nur eine teilweise Abschrift aus den Geschäftsbüchern, die dem Provisionspflichtigen die Einzelkontrolle über alle provisionspflichtigen Geschäfte ermöglichen soll. Der Arbeitgeber ist verpflichtet, sämtliche im fraglichen Zeitraum im Vertretungsgebiet abgeschlossenen Geschäfte abzurechnen und dadurch dem Arbeitnehmer die genaue Berechnung seiner Ansprüche zu ermöglichen. Einzelne Geschäfte in Hinblick auf später eingegangene Zahlungen oder auf Akonti bzw Gegenforderungen auszunehmen, ist mit dieser Verpflichtung nicht in Einklang zu bringen. Hat daher der Unternehmer einzelne Aufträge mit der Begründung, dass sie erst in einigen Monaten von den Kunden bezahlt werden und damit noch nicht erledigt seien, nicht abgerechnet, besteht der Rechnungslegungsanspruch des Handelsvertreters zu Recht (ARD 5459/2/2003).

C. Anspruch auf Auslagenersatz

Seine **allgemeinen Betriebskosten** darf der Handelsvertreter dem Unternehmer *nicht* verrechnen; wohl aber bekommt er die **besonderen Auslagen** ersetzt, die er infolge des Auftrages des Unternehmers aufwenden musste (§ 13 HVertrG).

ZB: Die Kosten für einen ständigen Mitarbeiter, die Betriebskosten für das betrieblich genutzte Kfz sind „allgemeine Betriebskosten". Ist es hingegen erforderlich, ausschließlich zwecks Erfüllung des Auftrages auf die Bermudas zu fliegen, darf der Flug gesondert verrechnet werden. Zur Frage des Ersatzes von Auslagen, die mit der Vermittlung verbunden sind: wbl 1987, 67.

D. Anspruch auf angemessene Entschädigung

hat der Handelsvertreter insb dann, wenn er vom Unternehmer vertragswidrig gehindert wird, Provisionen im vereinbarten Umfang zu verdienen (§ 12 Abs 1 HVertrG, relativ zwingend zugunsten des Handelsvertreters).

Auch eine einseitige Einschränkung des Arbeitsgebietes des Handelsvertreters durch den Unternehmer kann einen Entschädigungsanspruch auslösen (DRdA 1990, 44 Anm *Jabornegg*). Gleiches gilt, wenn der Unternehmer während der Dauer des Vertragsverhältnisses sein Unternehmen veräußert oder den Warenvertrieb einer gemeinschaftlichen Verkaufsstelle übergibt (§ 12 Abs 2 HVertrG).

E. Ausgleichsanspruch bei Beendigung des Vertrages

Lit: *Habscheid,* Der Ausgleichsanspruch des Handelsvertreters, FS Schmidt-Rimpler (1957) 335; *Kaumanns,* Der Ausgleichsanspruch des Handelsvertreters (1971); *Hiekel,* Der Ausgleichsanspruch des Handelsvertreters und des Vertragshändlers (1985); *P. Huber,* Der Ausgleichsanspruch des Vertragshändlers nach österr Recht (1988); *Hofmann,* Zum Ausschluß des Ausgleichsanspruches beim deutschösterreichischen Handelsvertreter, FS Frotz (1993) 45; *Viehböck,* Der Ausgleichsanspruch nach dem neuen HVertrG, ecolex 1993, 221; *Tschuk,* Der Ausgleichsanspruch bei Beendigung des Handelsvertreterverhältnisses (1994); *Knöbl,* Kfz-Händler – der Ausgleichsanspruch, RZ 1999, 69; *Bertl/Eberhartinger,* Rückstellung für Ausgleichsansprüche des Handelsvertreters, RWZ 1997, 377; *Schoffer-Stampfer,* Der Ausgleichsanspruch des Handelsvertreters, ÖStZ 1997, 185; *Stern,* Provisionsanspruch ds Handelsvertreters und Verzugszinsen, RdW 1997, 9; *Nocker,* Ausgleichsanspruch des Handelsvertreters für die „wesentliche Erweiterung bereits bestehender Geschäftsverbindungen", ecolex 1998, 194; *Viehböck,* Strukturvertrieb und Ausgleichsanspruch des Handelsvertreters, wbl 1998, 434; *Nocker,* Ausgleichsanspruch des Handelsvertreters, Vertragshändlers und Franchisenehmers (2001).

1. Voraussetzungen des Ausgleichsanspruches (§ 24 HVertrG, relativ zwingend zugunsten des Handelsvertreters). Nach Beendigung des Vertrages gebührt dem Handelsvertreter ein angemessener Ausgleichsanspruch, wenn und soweit

- er dem Unternehmer **neue Kunden zugeführt** oder
- bestehende **Geschäftsverbindungen wesentlich erweitert** hat und
- daraus auch noch nach Auflösung des Vertrages **erhebliche Vorteile zu erwarten** sind, und
- die Ausgleichszahlung unter Berücksichtigung aller Umstände, insb der entgehenden Provisionen, der **Billigkeit** entspricht.

Unter diesen Voraussetzungen besteht der Ausgleichsanspruch auch dann, wenn das Vertragsverhältnis durch Tod des Handelsvertreters endet (§ 24 Abs 2 HVertrG). Der Ausgleichsanspruch stellt eine Abgeltung künftig entgehender Provisionen dar (VwSlg 7243F).

Der Ausgleichsanspruch besteht auch dann, wenn der Handelsvertreter nur in geringem Maße mit der Kundenzuführung befasst war, weil er hauptsächlich Mitarbeiter geschult und angeworben hat; Mitursächlichkeit bei der Kundenzuführung genügt (wbl 1998, 454). Er steht auch zu, wenn über das Vermögen des Geschäftsherrn der Konkurs eröffnet wurde (RdW 2000, 152; ecolex 2000, 496 Anm *H. Schumacher*). Der Handelsvertreter darf allerdings den Konkurs des Geschäftsherrn nicht schuldhaft verursacht haben (SZ 71/179). Nicht auf die tatsächlich erzielten, sondern auf die potenziell erzielbaren Vorteile des Geschäftsherrn oder seines Rechtsnachfolgers kommt es an (RdW 2000, 278).

Der Ausgleichsanspruch besteht nicht, wenn der Handelsvertreter selbst *ohne gerechtfertigten Anlass* (Näheres in § 24 Abs 3 HVertrG) sein Vertreterverhältnis gekündigt oder vorzeitig aufgelöst hat oder seine Rechte einem Dritten überbindet (wbl 1990, 152). Ansonsten hindert die Auflösung des Handelsvertretervertrages durch den Handelsvertreter selbst den Ausgleichsanspruch nicht (ARD 5015/19/99).

Die Konkurseröffnung über das Vermögens eines Handelsvertreters (hier: Tankstellenverwalters) stellt zwar einen wichtigen Grund für die Beendigung des Handelsvertretervertrages iSv § 22 HVertrG dar, ist aber nicht schon als solche ein schuldhaftes Verhalten iSd § 24 Abs 3 Z 2 HVertrG, das zum Ausschluss des Ausgleichsanspruches führt (RdW 2003/87, 109 = RdW 2003/85, 102 *(Naderhirn)* = wbl 2003, 59 *(Pannagl)* = Arb 12.203). Nur wenn die Konkurseröffnung verschuldet ist, entfällt der Ausgleichsanspruch (ZIK 2003/228, 161 = RdW 2003/561, 638).

Beweislast: Den Handelsvertreter trifft die Beweislast für das Vorliegen der Anspruchsvoraussetzungen, den Unternehmer die Beweislast dafür, dass die geschaffenen Verdienstchancen im Einzelfall über die Beendigung des Vertragsverhältnisses hinaus keinen Bestand haben (JBl 1997, 262; RdW 2000, 152; 2000, 278). Den Unternehmer trifft ferner die Beweislast dafür, dass der Handelsvertreter aus seinem Verschulden in Konkurs gefallen ist (ZIK 2003/228, 161 = RdW 2003/561, 638).

§ 24 HVertrG ist im Verhältnis Versicherer – selbstständiger Versicherungsvertreter analog anzuwenden (RdW 2003/212, 265 = AnwBl 2003/7884, 420 = EvBl 2003/82).

2. Wesen des Ausgleichsanspruches. Der Ausgleichsanspruch ist eine Abgeltung künftig entgehender Provisionen (nicht etwa ein Äquivalent für die Übertragung des Kundenstocks des Handelsvertreters und damit für eine Teilbetriebsveräußerung, RdW 1998, 508; vgl auch FLD OÖ ÖStZ 2002/346, 194).

Der Ausgleichsanspruch des Handelsvertreters hängt davon ab, dass der Unternehmer mit hoher Wahrscheinlichkeit nach Beendigung des Vertragsverhältnisses erhebliche Vorteile aus den Geschäftsverbindungen mit den vom Handelsvertreter geworbenen Kunden erzielen wird. Solcherart ist der Zusammenhang mit künftigen Erträgen des Unternehmers gegeben (VwGH, ecolex 2002/153, 378 = ÖStZ 2002/350, 197 = RWZ 2002/13, 44; ebenso SWK 2003, W 109 = SWK 2003, 883). Ein Ausgleichsanspruch setzt voraus, dass der Handelsvertreter dem Unternehmer neue Kunden zugeführt oder bereits bestehende Geschäftsverbindungen erheblich erweitert hat; dafür trifft ihn die Beweislast. Für die weiteren Voraussetzungen, nämlich dass der Unternehmer auch noch nach Auflösung des Vertrages erhebliche Vorteile ziehen kann und die Zahlung der Billigkeit entspricht, bestehen Beweiserleichterungen. Behauptet der Unternehmer, die vom Handelsvertreter geschaffenen Verdienstchancen hätten keinen Bestand, so trifft ihn die Beweislast (ZIK 2003/228, 161 = RdW 2003/561, 638 = JUS Z/3654).

3. Berechnung des Ausgleichsanspruches. IZw beträgt der Ausgleichsanspruch höchstens eine Jahresvergütung, die aus dem Durchschnitt der letzten 5 Jahre oder der geringeren Gesamtdauer des Vertragsverhältnisses errechnet wird.

Der Entschädigungsbetrag ist nach dem abstrakt zu berechnenden Vorteil des Geschäftsherrn auszumessen (ecolex 1990, 540 Anm *Siegl*). Bei einer mehrgliedrigen Vertreterorganisation kann dem übergeordneten „Generalvertreter" ein Ausgleichsanspruch gebühren, wenn seine Tätigkeit für eine erfolgreiche Kundenzuführung durch unechte Untervertreter ursächlich war. Der Ausgleichsbetrag kann in solchen Fällen zwischen dem Generalvertreter und den unechten Untervertretern nach § 273 ZPO geteilt werden (SZ 71/65 = wbl 1998, 328 = EvBl 1998/147; *Viehböck*, wbl 1998, 434). Wegen der notwendigerweise an den Besonderheiten des Einzelfalls auszurichtenden Ermittlung des Ausgleichsanspruchs ist für pauschale Berechnungsweisen oder die Ermittlung der Höhe des Anspruchs nach festen Formeln grundsätzlich kein Raum. Dies gilt insb auch für die sog „Münchner Formel" zur Berechnung des Ausgleichsanspruchs des Vertragshändlers. Die Ergebnisse der Umfragen von Meinungsforschungsinstituten (demoskopische Umfragen) sind nach der ZPO – wenn auch dort nicht besonders erwähnte – zulässige Beweismittel (OGH 4 Ob 54/02y).

Eine für den Ausgleichsanspruch des Handelsvertreters wesentliche Erweiterung der Geschäftsbeziehungen mit alten Kunden kann nicht nur in einer qualitativen, sondern auch in einer quantitativen Umsatzsteigerung liegen. Neukunden sind auch frühere Kunden, die ihre Geschäftsverbindung abgebrochen und auf Grund der Initiative des Handelsvertreters wieder aufgenommen haben. Grundlage der Berechnung kann nur eine zum Zeitpunkt der Vertragsbeendigung gestellte Prognose sein, die tatsächliche Entwicklung nach Beendigung kann nur insofern berücksichtigt werden, als sie bereits absehbar war. Der Prognosezeitraum ist je nach Sachlage mit zwei bis fünf Jahren zu bemessen (RdW 2003/373, 443 = ecolex 2003/272, 674).

Maßgeblicher Umstand bei der Berechnung des Ausgleichsanspruchs sind auch die dem Handelsvertreter entgehenden Provisionen. Hiebei kommt es nicht nur auf tatsächlich erzielte, sondern auch auf potenziell erzielbare Vorteile des Geschäftsherrn oder seines Rechtsnachfolgers aus den vom Handelsvertreter akquirierten oder erweiterten Geschäftsverbindungen an. Die Konkurseröffnung schließt nicht schlechthin aus, dass der Unternehmer oder sein Rechtsnachfolger auch noch nach Auflösung des Vertragsverhältnisses erhebliche Vorteile aus dem Kundenstock ziehen könnten (Arb 11.970).

4. Verlust des Ausgleichsanspruches. Der Anspruch geht verloren, wenn der Handelsvertreter dem Unternehmer nicht innerhalb eines Jahres nach Beendigung des Vertrages mitteilt, dass er den Anspruch geltend macht. Der Ausgleichsanspruch geht ferner verloren, wenn der Handelsvertreter den Geschäftsherrn nachträglich schädigt (ARD 5055/32/99).

F. Schadenersatzansprüche bei vorzeitigem Vertragsende

Wer die vorzeitige Auflösung verschuldet hat, haftet dem anderen für den dadurch verursachten Schaden. Fehlt ein wichtiger Grund für eine vorzeitige Auflösung, kann der andere Teil weiterhin auf Vertragserfüllung beharren oder Schadenersatz fordern. Trifft beide Teile ein Verschulden, entscheidet der Richter über die Höhe des Ersatzes nach freiem Ermessen (§ 23 HVertrG, relativ zwingend zugunsten des Handelsvertreters).

Schadenersatz gebührt dem Handelsvertreter auch, wenn das Vertragsverhältnis durch Konkurseröffnung vor Ablauf der vereinbarten Zeit oder Kündigungsfrist aufgelöst wird (§ 26 Abs 2 HVertrG, relativ zwingend zugunsten des Handelsvertreters).

G. Zurückbehaltungsrecht

Dem Handelsvertreter steht das kaufmännische Zurückbehaltungsrecht (§§ 369f HGB) auch an den ihm vom Unternehmer übergebenen Mustern zu. Vertragsauflösung schadet nicht. Sicherheitsleistung des Unternehmers hebt das Zurückbehaltungsrecht auf (§ 19 HVertrG; Zurückbehaltungsrecht an Musterkollektion: DRdA 1989, 110 Anm *Binder*).

H. Verjährung

Alle Vertragsansprüche (nicht Provisionsvorschüsse, Ind 1988/1, 16) verjähren in 3 Jahren (RdW 2004/508, 560 = EvBl 2004/200, 895), und zwar, je nach Anspruch, ab Ende des Abrechnungsjahres oder ab Ende des Jahres, in welchem der Vertrag aufgelöst wurde. Die Verjährung angemeldeter Ansprüche ist bis zum Einlangen der schriftlichen Antwort des Unternehmers gehemmt (§ 18 HVertrG; ImmZ 1990, 121). Erfolgt keine Abrechnung, beginnt die Verjährung frühestens mit Ablauf des Jahres, in welchem eine Teilzahlung eingegangen ist (RdW 1993, 276).

Zur Hemmung der Verjährungsfrist in Fällen eines Verfahrens auf Gewährung eines Buchauszuges, der Büchereinsicht und ergänzender Auskünfte (§ 16 Abs 6 HVertrG) siehe bereits oben.

V. Beendigung des Handelsvertretergeschäftes

A. Allgemeines

Der Handelsvertretervertrag endet, sieht man von der einvernehmlichen Auflösung ab, durch

- Fristablauf (§ 20 HVertrG),

- (ordentliche) Kündigung (§ 21 HVertrG),
- vorzeitige Auflösung aus wichtigem Grund (§ 22 HVertrG),
- Konkurs des Unternehmers (§ 26 HVertrG).

B. Fristablauf

Wird der Vertrag auf bestimmte Zeit, also befristet, geschlossen, bedarf seine Auflösung keiner Kündigung (SZ 13/59). Doch gilt der Vertrag als auf unbestimmte Zeit verlängert, wenn das Vertragsverhältnis nach Ablauf der vereinbarten Frist von beiden Parteien fortgesetzt wird (fingierte Willenserklärung).

C. Ordentliche Kündigung

1. **Vertragsabschluss auf unbestimmte Zeit** ist die Voraussetzung für die Möglichkeit, den Handelsvertretervertrag im Wege ordentlicher Kündigung einseitig aufzulösen.

2. **Kündigungsfristen.** Der Vertrag kann von jedem Teil im ersten Vertragsjahr unter Einhaltung einer einmonatigen Kündigungsfrist gelöst werden. Die Kündigungsfrist verlängert sich mit steigender Dauer des Vertrages (Näheres vgl in § 21 Abs 1 HVertrG). Frühere befristete Verträge werden mitgerechnet. Fristverkürzungen sind unwirksam. Vereinbarte längere Fristen dürfen für den Unternehmer nicht kürzer sein als für den Handelsvertreter.

3. **Kündigungstermine.** IZw darf nur zum Ende eines Kalendermonats gekündigt werden.

D. Vorzeitige Auflösung aus wichtigem Grund

ist für beide Seiten jederzeit möglich. **Wichtig** ist ein Auflösungsgrund dann, wenn sein Vorliegen die Fortsetzung des Rechtsverhältnisses für denjenigen, der es auflösen will, **unzumutbar** macht (EvBl 1993/16). Der Grund muss vor der Auflösungserklärung liegen.

ZB: Verweigerung der Pensionszahlung nach erklärter Auflösung ist kein wichtiger Grund für die vorangegangene Auflösungserklärung, HS 796/52.

Verschulden ist nicht erforderlich. Besteht bloß der **Verdacht,** dass ein wichtiger Auflösungsgrund vorliegen könnte, liegt das Risiko einer wirksamen sofortigen Auflösung aus wichtigem Grund beim Erklärenden.

Trifft einen Teil ein Verschulden an der vorzeitigen Auflösung oder hat er das Rechtsverhältnis ohne wichtigen Grund vorzeitig aufgelöst, kann der andere Teil **Erfüllung oder Schadenersatz** fordern. Gleiches gilt bei Verstößen gegen § 21 HVertrG. Trifft beide Teile ein Verschulden an der begründeten oder unbegründeten vorzeitigen Auflösung, entscheidet der Richter nach freiem Ermessen, ob und in welcher Höhe Ersatz gebührt (§ 23 HVertrG).

Der wichtige Grund ist **unverzüglich nach Kenntnis** von seinem Bestehen geltend zu machen (RdW 1999, 527 = EvBl 1999/169; ecolex 2000, 38). Notwendige vorangehende Untersuchungen, das Abwarten einer behördlichen bzw gerichtlichen Entscheidung, eine notwendige Überlegungsfrist sind jedoch toleriert (vgl ecolex 2000, 38). Schon in der Auflösungserklärung muss zum Ausdruck kommen, dass sie einen wichtigen Grund hat; nähere Angaben darüber können dem anschließenden Rechtsstreit vorbehalten bleiben (SZ 53/45).

Auf das außerordentliche Kündigungsrecht kann nicht verzichtet werden (hM; erneut bestätigt: ecolex 1995, 258).

1. Wichtige Gründe für den Unternehmer sind: Unfähigkeit des Handelsvertreters, seine Tätigkeit auszuüben; Vertrauensunwürdigkeit (insb Entgegennahme von Belohnungen seitens Dritter; Übermittlung tatsächlich nicht erteilter Aufträge; Irreführung in wesentlichen Geschäftsangelegenheiten); Verletzung der Bemühungspflicht oder Verletzung sonstiger wesentlicher Vertragsbestimmungen; Tätlichkeiten oder erhebliche Ehrverletzungen gegen den Unternehmer; Konkurs des Handelsvertreters (ZIK 2003/228, 161 = RdW 2003/561, 638). Verschulden des Handelsvertreters muss nicht vorliegen (RdW 1998, 674); soweit es jedoch erforderlich sein sollte, kommt § 1298 ABGB zur Anwendung. Ein wichtiger Grund für die Auflösung des vermittelten Geschäfts, der den Provisionsanspruch dahin fallen lässt, liegt auch vor, wenn der Auftraggeber bei Abschluss des vermittelten Geschäfts in einem Geschäftsirrtum befangen war, den der Partner des vermittelten Geschäfts veranlasst hatte. Die gilt auch, wenn der Irrtum dann nicht gerichtlich geltend gemacht, sondern das Geschäft wegen des Irrtums einvernehmlich aufgehoben wurde (ecolex 2002/74, 175 = VersE 1939).

2. Wichtige Gründe für den Handelsvertreter sind: Unfähigkeit, seine Tätigkeit auszuüben; Schmälern oder Vorenthalten der Provision (Fahrlässigkeit genügt, ARD 5406/9/2003) oder Verletzung sonstiger wesentlicher Vertragsbestimmungen durch den Unternehmer; Tätlichkeiten oder erhebliche Ehrverletzungen gegen den Handelsvertreter; Aufgeben des Geschäftszweiges, in dem der Handelsvertreter hauptsächlich tätig ist. – Die Unzumutbarkeit der Fortsetzung einer Handelsvertretertätigkeit trotz Krankheit ist daran zu messen, ob die konkret vereinbarten Tätigkeiten in zumutbarer Weise weiter ausgeübt werden können oder nicht. Es kommt nicht auf eine generelle Erwerbsunfähigkeit als Handelsvertreter, sondern auf das konkrete Vertragsverhältnis an (RdW 2004/716, 753).

20. Kapitel

Maklergeschäft

Lit: *Lenhoff,* Mäkler, Agenten und Angestellte (1922); *Jacusiel,* Das Recht der Mäkler[3] (1925); *Heymann,* Der Handelsmakler, in Ehrenbergs HB V/1 (1926) 321; *Schwarz,* Das Maklerrecht (1952); *Tschmarke,* Der Warenmakler (1962); *Jabornegg,* HVG, Handelsvertreter- und Maklerrecht (1987); *Schwerdtner,* Maklerrecht[3] (1987); *Wegner/Sailer,* Der Makler und sein Auftraggeber[4] (1988); *Fromherz,* Der Zivilmaklervertrag (1990); *Fromherz,* Zur sogenannten „Verdienstlichkeit" der Maklertätigkeit für das abgeschlossene Geschäft, JBl 1990, 150; *Griess/Zinnert,* Der Versicherungsmakler (1992); *Steiner,* Banken und Sparkassen als Immobilienmakler (1992); *Fenyves/Koban* (Hrsg), Die Haftung des Versicherungsmaklers (1993); *Matusche,* Pflichten und Haftung des Versicherungsmaklers[3] (1993); *S. Bydlinski,* Das neue MaklerG im Überblick, ecolex 1996, 587; *S. Bydlinski,* MaklerG (1996); *Degelsegger,* Das neue Maklergesetz – ein Überblick über das Immobilienmaklerrecht, wobl 1996, 195; *Feil,* Makler- und Handelsvertreterrecht (1996); *Jabornegg,* Das neue Versicherungsmaklerrecht, VR 1996, 109; *Knittl,* Neues Maklerrecht ab 1. 7. 1996, RdW 1996, 254; *Koban,* MaklerG 1996 (1996); *Koppler,* Neue Rahmenbedingungen für Versicherungsvermittler, VR 1996, 11; *Ostermayer/Schuster,* Maklerrecht. Stand 1. Juli 1996 (1996); *Weigand,* Das neue Maklerrecht im Überblick, JAP 96/97, 110; *Fromherz,* Kommentar zumMaklerG (1997); *Fenyves,* Zur Polizzen- und Solvenzprüfungspflicht des Versicherungsmaklers, VR 1999, 91; *Fromherz,* Die Haftung des Immobilienmaklers, ImmZ 1999, 151, 183; *Grassl,* Maklerrecht für Mehrfachagenten? RdW 1999, 445; *Iro,* Provision bei Identität von Hausverwalter und Makler? RdW 1999, 191; *Knittl,* Rechtsprechung zum Maklerrecht – Übersicht, ImmZ 2001, 181 und 205 und 229; *Assem/Knittl,* Provisionsanspruch und wirtschaftliches Naheverhältnis, ImmZ 2002, 21; *Grassl-Palten,* Das Bild des Maklers in der Judikatur, VR 2003, 135; *Knittl,* Rechtsprechung zum Maklerrecht – Übersicht, ImmZ 2003, 312; *Mascher,* Moderne Technologien und der Beruf des Versicherungsmaklers – ein gordischer Knoten, VR 2002, 143; *Weber,* Sind die Anforderung iSv best advice und die Vorstellung von einem Doppelrechtsverhältnis noch zeitgemäß? VR 2003, 143; *Jenssen,* Höchste Zeit für ein schärferes Maklerprofil! VR 2002, 128; *Benke/Brandl,* Haften Versicherer für Maklerei ihrer Mehrfachagenten? wbl 2004, 153; *Hohl,* Strengere Bestimmungen für Versicherungsvermittler – Eine Herausforderung für den Versicherungsstrukturvertrieb? RdW 2005/3, 11; *Hohl,* Auswirkungen der EU-Versicherungsvermittlerrichtlinie in der Praxis – Makler versus Agent? ecolex 2005, 33.

I. Rechtsquellen und Bedeutung des Maklergeschäftes

Das MaklerG hat das gesamte Maklerrecht auf eine neue Rechtsgrundlage gestellt. Auch wenn nahe liegt, dass eine Darstellung des Handelsrechts vor allem den *Handelsmakler,* dessen Recht vormals in den §§ 93–104 HGB und Art 6 Nr 13 EVHGB geregelt war, erörtern soll, so gebieten dennoch die Sachzusammenhänge, über den Tellerrand des Kaufmannsrechts hinauszusehen und das Recht aller Makler miteinzubeziehen.

Der Maklertätigkeit kommt im Wirtschaftsleben eine große Bedeutung insb im Bereich des Versicherungs-, Bank- und Börsegeschäftes sowie im Immobiliengeschäft zu.

II. Begriff des Maklergeschäftes

A. Makler

Nach § 1 MaklerG ist Makler, wer auf Grund einer privatrechtlichen Vereinbarung (Maklervertrag) für einen Auftraggeber Geschäfte mit einem Dritten **vermittelt, ohne ständig damit betraut zu sein.** Eine Vermittlungs*pflicht* besteht grundsätzlich nicht (vgl Miet 45.070/9).

1. Die Vermittlung beschränkt sich auf den *Nachweis einer Abschlussgelegenheit.* In der Praxis kommt es allerdings häufig vor, dass Makler auch zum Abschluss von Verträgen bevollmächtigt werden.

2. Nicht ständig betraut. Der Makler ist typischerweise von Fall zu Fall tätig. Er hat idR nicht nur *einen* Kunden, sondern mehrere oder viele. Dies schließt nicht aus, dass ein Makler dennoch laufend für einen bestimmten Kunden tätig ist. *Diese laufende Betrauung darf aber keinen Verpflichtungscharakter haben.* Wird aus der laufenden Betrauung ein den Vermittler *ständig verpflichtendes* Dauerrechtsverhältnis, ist bei gewerblichem Wirken zu prüfen, ob das HVertrG anzuwenden ist.

B. Abgrenzungen des Maklers

1. Makler und Handelsmakler. Handelsmakler sind Makler, die *gewerbsmäßig* Geschäfte über *Gegenstände des Handelsverkehrs* vermitteln. Sie sind Kaufleute nach § 1 Abs 2 Z 7 HGB. Näheres zum Handelsmakler vgl weiter unten.

2. Krämermakler sind *Handelsmakler,* welche die Vermittlung von *Warengeschäften im Kleinverkehr* besorgen (§ 25 MaklerG). Auch sie unterstehen dem Recht der Handelsmakler, doch finden auf sie die Bestimmungen über *Schlussnoten und Tagebücher* (dazu weiter unten) keine Anwendung.

3. Versicherungsmakler sind *Handelsmakler,* die *Versicherungsverträge* vermitteln.

§§ 26–32 MaklerG enthalten Sonderbestimmungen für Versicherungsmakler. Das MaklerG definiert den Begriff des Versicherungsmaklers (§ 26 MaklerG) und enthält Sonderregelungen über die Doppeltätigkeit des Versicherungsmaklers sowie über die Provision, ihre Abrechnung und Fälligkeit. Im Übrigen gelten die sonstigen Bestimmungen über den Makler und Handelsmakler. Soweit die §§ 43 ff VersVG anzuwenden sind, steht ihnen das MaklerG nicht entgegen (§ 26 Abs 3 MaklerG). Den Versicherungsmakler trifft eine Bemühungspflicht (§ 27 Abs 2 MaklerG idF BGBl I 2004/131). Vom Versicherungskunden für den Versicherer oder vom Versicherer für den Versicherungskunden bestimmte Geldbeträge sind stets über streng getrennte, bei einem Kreditinstitut geführte Kundenkonten (offene Treuhandkonten, Anderkonten) weiterzuleiten. Für diese Konten gelten zugunsten des Kunden das Widerspruchsrecht gemäß § 37 EO sowie das Aussonderungsrecht nach § 44 KO und § 21 AO (§ 31 a MaklerG idF BGBl I 2004/131).

Ferner ist auf die einschlägigen Bestimmungen der GewO sowie auf die V über den Befähigungsnachweis für das gebundene Gewerbe der Versicherungsmakler (BGBl 1989/316) hinzuweisen.

Gelegentliche Versicherungsvermittlung: Die für Versicherungsmakler geltenden Bestimmungen des MaklerG sind auch auf den anzuwenden, der eine entgeltliche Vermittlungstätigkeit bloß gelegentlich ausübt (§ 26 Abs 2 idF BGBl I 2004/131; aA noch RdW 2004/128, 160). Weiters sind diese Bestimmungen anzuwenden, solange ein Versicherungsvermittler den Versicherungskunden nicht darüber informiert hat, dass er nicht als Versicherungsmakler tätig ist.

Abgrenzung des Versicherungsmaklers vom Versicherungsagenten: Der Versicherer haftet für den Versicherungsmakler, wenn dessen wirtschaftliches Naheverhältnis zu ihm so intensiv ist, dass es zweifelhaft ist, ob der Makler in der Lage ist, überwiegend die Interessen des Versicherungsnehmers zu wahren (RdW 2001/550, 524 = ecolex 2001, 888; vgl auch RdW 2000, 731).

Als Fachmann auf dem Gebiet des Versicherungswesens ist es Hauptaufgabe des Versicherungsmaklers, dem Klienten mit Hilfe seiner Kenntnisse und Erfahrung bestmöglichen, den jeweiligen Bedürfnissen und Notwendigkeiten entsprechenden Versicherungsschutz zu verschaffen. Er hat auch die Pflicht, seinem Vertragspartner gegenüber darzulegen, welchen Versicherungsschutz er für seinen Kunden anstrebt. – Macht ein Makler ein bestimmtes, konkret bezeichnetes Versicherungsprodukt zum Gegenstand seiner Vertragsverhandlungen, muss der von ihm vertretene Kunde dessen Inhalt gegen sich gelten lassen. Der rechtsgeschäftlichen Erklärung des Maklers kann ein redlicher Erklärungsempfänger (Versicherer) keinen anderen Erklärungswert beimessen als den, der dem Produkt vollinhaltlich entspricht, es sei denn, der Makler gibt zu erkennen, dass er Abweichungen davon wünscht oder dass er die zu vermutende fachspezifische Kenntnis nicht hat und nähere Aufklärung fordert (RdW 2004/688, 736 = ÖJZ EvBl 2004/178, 809).

Der Versicherungsmakler ist der Sphäre des Versicherten zuzurechnen: Die Angebotserklärung eines Versicherers gegenüber einem Makler ist dahin gehend zu verstehen, dass dieser zu den betreffenden Versicherungsbedingungen abschließen will. Der Versicherer kann davon ausgehen, dass der Makler über ein fachspezifisches Produkt informiert ist; insofern muss der Versicherte eine in den Vertragsverhandlungen verwendete und für den Durchschnittsverbraucher nicht verständliche Kurzbezeichnung gegen sich gelten lassen (RdW 2004/478, 538).

Ansprüche: Löst ein Versicherer einen Versicherungsvertrag vorzeitig auf, so entfällt der Provisionsanspruch des Versicherungsmaklers jedenfalls auch dann, wenn der dafür ausschlaggebende wichtige Grund aus der Sphäre des Maklers stammt (EvBl 2003/64 = RdW 2003/372, 442). Kein Provisionsanspruch des Versicherungsmaklers bei Vertragskonvertierung zum Prämiensparen mangels Verdienstlichkeit (VR 2003, 142 = VR 2003, 135). Die Regelung über den Ausgleichsanspruch des Handelsvertreters wird nicht analog auf Versicherungsmakler angewandt (ecolex 1999, 388). Zur Abgrenzung des Versicherungsmaklers vom Versicherungsagenten: RdW 2000, 731.

4. Freie Makler nach § 57 BörseG sind vom Börseunternehmen bestellte, mit besonderen Berechtigungen ausgestattete *Börsemitglieder,* welche Geschäfte über die ihnen gemäß § 56 Abs 4 BörseG zugeteilten Verkehrsgegenstände vermitteln. Die einschlägigen börserechtlichen Bestimmungen und Handelsbräuche bleiben vom MaklerG unberührt.

Die Handelsbräuche für Freie Makler sind zT im VOBl der Wr Börse als VO der Wr Börsekammer veröffentlicht.

5. Börsesensale sind die für eine Börse *amtlich bestellten freiberuflichen Vermittler* (vgl §§ 32–44 BörseG). Die Finanzmarktaufsicht hat eine ausreichende Anzahl von Börsesensalen zu bestellen, wenn der Abschluss von Börsegeschäften nicht ausschließlich durch ein automatisiertes Handelssystem erfolgt (§ 32 Abs 2 BörseG).

Die Börsesensale sind berechtigt, Verträge über die an der Börse gehandelten Verkehrsgegenstände sowie über die zulässigen Hilfsgeschäfte zu vermitteln. Die Börsesensale unterstehen ausschließlich dem Regime des Börserechts. Sie sind schon wegen ihrer öffentlich-rechtlichen Bestellung keine Handelsmakler.

6. Immobilienmakler sind Makler, die *Geschäfte über unbewegliche Sachen* vermitteln. Immobilienmakler sind keine Handelsmakler, können aber Kaufleute nach § 2 HGB sein.

Für sie gelten die allgemeinen Vorschriften des MaklerG und insb die §§ 16–18 MaklerG. Diese Bestimmungen umschreiben den Begriff des Immobilienmaklers, regeln die besonderen Aufklärungspflichten im Falle des Tätigwerdens nur für einen Auftraggeber und erklären einige

Bestimmungen des MaklerG in Bezug auf das Immobilienmaklergeschäft für relativ zwingend zugunsten des Auftraggebers.

Darüber hinaus befassen sich die §§ 30a–30b KSchG mit dem Immobilien(makler)geschäft. Es werden ein besonderes Rücktrittsrecht, besondere Aufklärungspflichten des Immobilienmaklers, eine Höchstdauer für Alleinvermittlungsaufträge und Besonderes für Provisionsvereinbarungen bei fehlendem Vermittlungsauftrag vorgeschrieben.

Die Regeln über das Immobilienmaklergeschäft differenzieren also zwischen einem allgemeinen Schutz aller Auftraggeber eines Immobilienmaklers und einem besonderen Verbraucherschutz. Die auf Grund der GewO erlassene IMV hat nur mittelbare Auswirkungen auf den privatrechtlichen Immobilienmaklervertrag.

7. Kreditmakler sind Makler, die *Kredite und Darlehen* vermitteln. Soweit die Kreditvermittlung Gegenstände des Handelsverkehrs betrifft, ist der Kreditmakler *Handelsmakler.* Das ist nicht immer der Fall. So zählt die Vermittlung von *Hypothekarkrediten* wegen der Sicherung durch Liegenschaften zum Tätigkeitsbereich der Immobilienmakler. Von besonderem Interesse ist das Privatkreditvermittlungsgeschäft:

8. Personalkreditvermittler ist, wer als Makler gewerbsmäßig für Kreditwerber Kreditgeschäfte (Geldkreditverträge und Gelddarlehen) iS des § 1 Abs 1 Z 3 BWG vermittelt, die nicht durch Hypotheken grundbücherlich sichergestellt sind.

Für Personalkreditvermittler gelten insb die Bestimmungen der §§ 33–40 MaklerG. Für Personalkreditvermittler gilt überdies die PKVV über Ausübungsregeln für das Gewerbe der Personalkreditvermittlung. Der IMV vergleichbar, versucht auch die PKVV, über eine gewerberechtliche V mittelbar Einfluss auf die Gestaltung von Pesonalkreditverträge zu gewinnen.

9. Selbstständige Handelsvertreter unterscheiden sich vom Makler in folgender Hinsicht:

- Makler sind **nicht ständig betraut;** Handelsvertreter schon.
- Makler wahren iZw die **Interessen beider Seiten; Handelsvertreter wahren die Interessen dessen, den sie vertreten.**
- Makler **vermitteln** bloß; Handelsvertreter schließen (vor allem) ab.
- Makler trifft **keine Bemühungspflicht;** Handelsvertreter trifft eine Bemühungspflicht.

Was den Unterschied zu Handelsmaklern betrifft, ist ferner festzuhalten:

- Handelsmakler sind wie Handelsvertreter **Istkaufleute.**
- Handelsmakler vermitteln nur Verträge über **Gegenstände des Handelsverkehrs;** Handelsvertreter schließen Geschäfte jeglicher Art, ausgenommen solche über unbewegliche Sachen.

- Handelsmakler sind idR zur **Maklertreue** gegenüber beiden Seiten verpflichtet; Handelsvertreter nehmen nur die Interessen des Unternehmers wahr.

C. Vertragstypus des Maklergeschäftes

1. Bedingt entgeltlicher, einseitig verbindlicher Vertrag. Im Maklervertrag wird dem Makler für den Fall, dass durch seine Vermittlungstätigkeit ein gewünschter Vertrag zustande kommt, eine Belohnung, der Maklerlohn (Provision, Courtage), versprochen. Der Makler ist grundsätzlich *nicht verpflichtet, tätig zu werden* (§ 4 Abs 1 MaklerG); die Belohnung steht ihm aber nur zu, wenn er erfolgreich tätig wird. Insofern ist der Maklervertrag zwar *entgeltlich,* bezüglich des zentralen Anliegens des Vertrages aber *nicht zweiseitig verbindlich.* Auch den nicht tätigen Makler treffen gewisse Pflichten: So darf er die *Interessen des Vertragspartners* nicht verletzen und muss zumindest *Verschwiegenheit* bewahren (§ 3 MaklerG).

2. Vertrag sui generis. Der Maklervertrag wird als *entgeltlicher Vertrag sui generis* bezeichnet (HS 8574). Er birgt dessen ungeachtet **Elemente des freien Dienstvertrages ebenso wie solche des Auftrages,** auch wenn es idR an der Pflicht, die in Aussicht gestellten Dienste zu verrichten bzw den erteilten Auftrag auszuführen, fehlt.

3. Vertretungsbefugnisse des Maklers. Als bloßer Vermittler tritt er grundsätzlich **im eigenen Namen** auf. Dies schließt aber Vertretungsbefugnisse und dementsprechende Vertretungshandlungen nicht aus. Doch ist der Makler ohne ausdrückliche Vereinbarung nicht befugt, für den Auftraggeber das vermittelte Geschäft zu schließen oder vom Dritten Zahlungen entgegenzunehmen (§ 2 Abs 1 MaklerG). Eine Abschlussvollmacht muss dem Makler also expressis verbis erteilt werden. Sofern der Makler befugt ist, Erklärungen, die zum Abschluss des Vertrages mit dem Dritten führen können, mit Rechtswirkung für den Dritten entgegenzunehmen, kann der Auftraggeber, solange ihm der Dritte weder bekannt ist noch bekannt sein muss, Erklärungen zur Wahrung seiner Rechte an den Makler richten (§ 2 Abs 2 MaklerG).

4. Abschluss des Maklervertrages. Es gelten, sieht man von Sonderregeln für Verbrauchergeschäfte ab, die allgemeinen Regelungen; somit besteht **Formfreiheit.** Maklerverträge können **konkludent** geschlossen werden.

Auf Seite des Auftraggebers muss vorausgesetzt werden, dass diesem die Inanspruchnahme einer provisionspflichtigen Maklertätigkeit eindeutig erkennbar war; Zweifel gehen zu Lasten des Maklers (wbl 1994, 95). Wer Adressat eines Vermittlungsangebotes ist und um die Maklertätigkeit des Anbietenden Bescheid weiß und nicht widerspricht, willigt schlüssig in den Vermittlungsauftrag ein (RdW 1993, 303; vgl auch ecolex 1991, 382 Anm *Puck*). Zurückhaltung bei der Annahme schlüssiger Aufträge ist geboten, wenn dem Geschäftsherrn nahe stehende Personen vermitteln (JBl 1991, 727).

Zur Schlüssigkeit des Vertragsabschlusses reicht nicht schon allein die Kenntnis des Interessenten aus, dass der Hausverwalter gleichzeitig auch als Immobilienmakler tätig ist (WoBl 1996, 204/67).

Aus Gründen des Konsumentenschutzes müssen bestimmte Maklervereinbarungen schriftlich getroffen werden (vgl § 34 MaklerG; § 31 Abs 1 KSchG). Überdies sind die Bestimmungen der §§ 2 Abs 2; 3; 9; 10; 28 Z 4 und Z 5; 39 MaklerG zugunsten von Verbrauchern zwingend. Ebenso die §§ 30a bis 31 Abs 1 KSchG (betrifft Immobilienmaklerverträge).

III. Pflichten des Maklers

A. Interessenwahrungspflicht („Maklertreue")

1. Redliche und sorgfältige Interessenwahrung. Der Makler hat die Interessen des Auftraggebers redlich und sorgfältig zu wahren; dies auch dann, wenn er zugleich für den Dritten tätig ist (§ 3 Abs 1 MaklerG).

ZB trifft den Makler die Nebenpflicht zur Erhebung, ob die bedungene Lastenfreistellung mit dem Verkaufspreis möglich sein wird (NZ 1997, 118); die Pflicht, auf das Bestehen eines familiären Naheverhältnisses zwischen Makler und Verkäufer hinzuweisen (ImmZ 1999, 49). Ihn treffen auch Informationspflichten, zB über das Fehlen einer gewerbebehördlichen Genehmigung für das Bestandobjekt (JBl 1998, 801). Zu Aufklärungspflichten des Maklers: ecolex 2000, 202; zur Rückforderung der Provision bei Verletzung der Aufklärungspflichten: RdW 2001, 18. Der Immobilienmakler hat (zumindest) Verbraucher darüber aufzuklären, ob für das Haus, dessen Kauf er vermittelt, die erforderlichen Bau- und Benützungsbewilligungen vorhanden sind oder fehlen, zumindest aber, dass er das Vorhandensein dieser Bewilligungen nicht feststellen könne (bbl 2002/142, 218 = wbl 2002/289, 420 = EvBl 2002/168 = RdW 2003/15, 16 = immolex 2003/30, 57 = Sach 2003, 127 *[Rummel]*).

2. Im Zweifel keine Doppeltätigkeit. Der Makler darf ohne ausdrückliche Einwilligung des Auftraggebers nicht zugleich für den Dritten tätig werden oder von diesem eine Belohnung annehmen, wenn nicht für den betreffenden Geschäftszweig ein abweichender Gebrauch besteht (§ 5 Abs 1 MaklerG). Bei Zuwiderhandeln droht die Pflicht, das unrechtmäßig Empfangene herauszugeben, Ersatz zu leisten bzw eine Provisionskürzung (iS § 3 Abs 4 MaklerG) zu erleiden.

Äquidistanz bei Doppeltätigkeit. Wird der Makler als „Doppelmakler" tätig, hat er dies beiden Auftraggebern mitzuteilen, sofern er nicht annehmen darf, dass ihnen dieser Umstand ohnehin bekannt ist (§ 5 Abs 3 MaklerG). Bei erlaubter Doppeltätigkeit des Maklers sind die Interessen beider Auftraggeber redlich und sorgfältig zu wahren. Zwangsläufig führt dies zu einer Äquidistanz des „ehrlichen Maklers" gegenüber beiden Parteien: dh zu *neutralem und objektivem Verhalten.* Für Handelsmakler ist die Doppeltätigkeit typisch.

3. Im Allgemeinen keine Bemühungspflicht: Trotz dieser Interessenwahrungspflicht trifft den Makler keine Bemühungspflicht: Er ist nicht verpflichtet, sich um die Vermittlung zu bemühen (§ 4 Abs 1 MaklerG; RdW 1994, 48). Eine solche Pflicht kann aber vereinbart sein.

4. Bemühungspflicht beim Alleinvermittlungsauftrag: Ein Alleinvermittlungsauftrag liegt vor, wenn sich der Auftraggeber verpflichtet, für das zu vermittelnde Geschäft keinen anderen Makler in Anspruch zu nehmen (§ 14 Abs 1 MaklerG). Ein solcher Auftrag kann nur befristet auf angemessene Dauer abgeschlossen werden (§ 14 Abs 2 MaklerG).

Bei Alleinaufträgen an Immobilienmakler ist die Sonderbestimmung des § 30c KSchG über die Befristung von Alleinvermittlungsaufträgen für Verbraucherverträge zu beachten.

Liegt ein Alleinvermittlungsauftrag vor, muss sich der Makler „nach Kräften um die Vermittlung bemühen" (§ 14 Abs 1 MaklerG; so schon EvBl 1982/116; HS 9768; 9799 uva).

Zur Tätigkeit verpflichtet ist auch der Versicherungsmakler, der das gesamte Versicherungswesen seines Kunden zu betreuen hat (EvBl 1979/3).

Die Bemühungspflicht stellt ein „Gegengewicht" zum Vorteil des Alleinvermittlungsauftrages dar.

Der Auftraggeber verzichtet im Falle der Erteilung eines Alleinvermittlungsauftrages auf das Recht, ihn jederzeit zu widerrufen (EvBl 1981/73). Überdies besteht die Tendenz, beim Alleinvermittlerauftrag auch dann einen Provisionsanspruch anzunehmen, wenn der Vertrag während der Laufzeit des Alleinvermittlungsauftrages ohne Mitwirkung des Maklers zu Stande kommt. Die Rsp fordert aber eine diesbzgl eindeutige Vereinbarung (EvBl 1981/73; 1982/178; ImmZ 1982, 115).

5. Schadenersatzpflicht des Maklers. Verstößt der Makler gegen seine Pflichten, wird er schadenersatzpflichtig und hat mit einer Kürzung seines Provisionsanspruches bei Verringerung seiner Verdienstlichkeit infolge des Pflichtverstoßes zu rechnen (§ 3 Abs 4 MaklerG; RdW 1998, 44; RdW 1998, 446). Der Haftungsmaßstab des Maklers ist jener des § 1299 ABGB. Sämtliche von § 3 MaklerG und von § 30b Abs 2 KSchG erfassten Pflichten sind Sorgfaltsverbindlichkeiten (ecolex 2002/278, 745 = immolex 2003/31, 59).

Die Verletzung von Informationspflichten bei Abschluss des Vertrages verpflichtet den Makler zum Ersatz jenen Schadens, den der Auftraggeber im Vertrauen auf die korrekte Erfüllung des Maklervertrages erlitten hat; nicht jedoch ist das positive Erfüllungsinteresse zu ersetzen (ecolex 2002/278, 745 = immolex 2003/31, 59).

IV. Rechte des Maklers

Lit: *Reichel,* Die Mäklerprovision (1913); *Rustler,* Streitfälle in Provisionsfragen, RealZ 1949, 125, 141, 159, 220; *Czech,* Streitfälle bzgl der Vermittlungsprovision, ImmZ 1951, 6; *Hirsch-Stronsdorff,* Wann, gegen wen und unter welchen Voraussetzungen entstehen Provisionsansprüche im Realitätenvermittlergewerbe? ImmZ 1954, 35; *Rustler,* Der Provisionsanspruch, ImmZ 1954, 266; *Rustler,* Abhängigkeit des Provisionsanspruches von der Rechtsgültigkeit des Hauptgeschäftes, ImmZ 1960, 333; *Demelius,* Provisionsforderung des Realitätenvermittlers bei bloßer Nennung des Dritten, ImmZ 1961, 359; *Czech,* Die Vermittlungsprovision in der Rsp, ImmZ 1962, 5; *Lewisch,* Die Verjährung der Maklerprovision, ImmZ 1963, 163; *Czech,* Probleme der Vermittlungsprovision, ImmZ 1966, 295; *Ruttar,* Kausalität und Verdienstlichkeit der Vermittlung, ImmZ

1972, 19; *Knütel,* Die Provisionsteilung bei Mitwirkung mehrerer Makler oder Handelsvertreter, ZHR 144 (1980) 289; *Assem,* Die Provision des Immobilienmaklers im Bereich der Wertstufen, ImmZ 1981, 181; *Schimetschek,* Der Provisionsanspruch des Immobilienmaklers, ImmZ 1983, 19; *Jabornegg,* Der Provisionsanspruch des Versicherungsmaklers, VR 1988, 273, 337; *Migsch,* Der Courtageanspruch des Versicherungsmaklers nach österr Recht, VersR 1989, 321; *Fromherz,* Zur sogenannten „Verdienstlichkeit" der Maklertätigkeit für das abgeschlossene Geschäft, JBl 1990, 150; *Koban,* Provisionsanspruch des Versicherungsmaklers für Folge-, Anschluss- und Ersatzverträge, wbl 1990, 278, 308; *Hajek,* Versicherung und Makler. Ist die Provision noch zeitgemäß? VR 2002, 117; *Noss,* Maklerrecht (2004); *Koban/Funk/Riedelsberger,* Der Versicherungsmakler – Rechte und Pflichten (2005).

A. Anspruch auf Provision

Mit dem Provisionsanspruch des Maklers befassen sich die §§ 6–8, 15, 23 und 30 MaklerG sowie § 30b KSchG. Die Provision wird auch Maklerlohn, Maklergebühr oder Courtage genannt.

Auch wenn beide Parteien Kaufleute sind, richtet sich der Provisionsanspruch des Maklers ausschließlich nach dem Maklergesetz, das gegenüber § 354 HGB lex specialis ist. Arbeitet der Makler, für den Interessenten erkennbar, bereits für einen anderen Auftraggeber, so kommt ein provisionspflichtiger Maklervertrag mit dem Interessenten (konkludent) nur zustande, wenn der Makler diesem gegenüber seine Provisionserwartung erkennen lässt (ecolex 2002/340, 882 = RdW 2003/16, 17 = wbl 2003/52, 92).

1. Voraussetzungen des Provisionsanspruches

a) Verdienstlichkeit und Kausalitätsgebot. Auch wenn im Maklervertrag nichts über eine Provision vereinbart ist, darf sie gefordert werden (§ 354 HGB). Die Provision steht zu, wenn das zu vermittelnde Geschäft durch die vertragsgemäße verdienstliche Tätigkeit des Maklers mit einem Dritten zu Stande kommt (§ 6 Abs 1 MaklerG). Dies entspricht dem **Erfolgsprinzip,** dem Grundsatz der **Verdienstlichkeit** und dem **Kausalitätsgebot.** Dabei genügt, dass ein dem vertragsgemäß zu vermittelnden Geschäft seinem Zweck nach wirtschaftlich gleichwertiges Geschäft zustande kommt (§ 6 Abs 3 MaklerG; vgl auch wbl 1999/86).

Zweckgleichwertigkeit liegt zB auch vor, wenn der Vertragsabschluss nicht mit dem ursprünglichen Verhandlungspartner, sondern mit einer von ihm beherrschten GmbH zustande kommt (ecolex 1999, 149; vgl auch ImmZ 2001, 182; ecolex 2002/332, 879). Zweckgleichheit liegt nicht vor, wenn der Auftraggeber die vom Makler zum Verkauf angebotene Liegenschaft im Wege einer Zwangsversteigerung erwirbt. Der Nachweis einer Zwangsversteigerungsgelegenheit ist hingegen in der Regel vom Maklervertrag nicht erfasst, da dieser auf den Abschluss von Rechtsgeschäften hinzielt, eine freie Willenseinigung jedoch beim Erwerb durch Zwangsversteigerung ausscheidet (RZ 2001, 232 = ecolex 2001/341, 907; vgl auch RdW 2002/144, 155 = immolex 2002/10, 27).

b) Keine Provision steht zu:

- bei **bloßer Namhaftmachung** des Dritten, es sei denn, für den betreffenden Geschäftszweig besteht ein abweichender Gebrauch (§ 6 Abs 2 MaklerG; sog „Nachweisprovision"; RdW 1993, 306; RdW 2004/605, 664. Nachweisprovisionen werden insb im Geschäftszweig der Immobilienmakler vereinbart);

- bei **Selbsteintritt** des Maklers, mag auch das Geschäft nicht mit ihm, sondern mit einem Dritten geschlossen werden, sofern dieser Abschluss wirtschaftlich einem Selbsteintritt gleichkommt, zB auch dann, wenn der Makler geschäftsführender Gesellschafter mit überwiegender Beteiligung an jener Gesellschaft ist, die den vermittelten Vertrag geschlossen hat (ImmZ 2001, 230; vgl auch RdW 2003/623, 702 = EvBl 2003/187; RdW 2004/673, 728);
- ferner dann, wenn das Geschäft mit einem Dritten geschlossen wird, zu dem der Makler, ohne dies unverzüglich offen gelegt zu haben, in einem **Naheverhältnis** steht, das die gebotene Wahrung der Auftraggeberinteressen beeinträchtigen könnte (§ 6 Abs 4 MaklerG); zB im Falle personeller Verflechtung (RdW 1999, 205) oder eines familiären Naheverhältnisses (ImmZ 1999, 49).

Weist der Makler nicht schriftlich auf das oben genannte Naheverhältnis hin, entsteht kein Provisionsanspruch (ecolex 2001/210, 604 = EvBl 2001/184 = SZ 74/82 = RdW 2002/12, 20 = immolex 2002/37, 89 = ImmZ 2002, 21 *[Assem/Knittl]*).

Dem Makler steht kein Provisionsanspruch zu, wenn ihm gar kein Vermittlungsauftrag erteilt wurde, mag er auch verdienstlich tätig geworden sein (HS 20.403/2; 20.415/2; ImmZ 2001, 182). Jedoch besteht die Provisionspflicht des Käufers auch dann, wenn der vermittelte Liegenschaftskauf anfechtbar ist (ImmZ 2001, 206), aber nicht angefochten wird. Wird der Vertrag wegen Wurzelmangels angefochten, steht kein Provisionsanspruch zu (wobl 1999/140; immolex 2003/32, 59).

Ist das vermittelte Geschäft aufschiebend bedingt und wird es noch vor Eintritt der Bedingung einvernehmlich aufgelöst, so steht dem Makler kein Provisionsanspruch zu, es wäre denn, die Provision sollte absichtlich verhindert werden oder es läge eine Vereinbarung nach § 15 Abs 1 Z 1 MaklerG vor (RdW 2003/62, 81 = ecolex 2003/73, 172 = EvBl 2003/38 = wbl 2003/174, 286 = immolex 2003/116, 213).

c) Konkurrierende Vermittlung. Liegen die Provisionsvoraussetzungen für ein vermitteltes Geschäft bei mehreren Maklern vor, schuldet der Auftraggeber die Provision dennoch nur einmal. Provisionsberechtigt ist der Makler mit der überwiegenden Verdienstlichkeit. Ist ein Überwiegen nicht feststellbar, ist die Provision nach Maßgabe der jeweiligen Verdienstlichkeiten aufzuteilen; im Zweifel zu gleichen Teilen. Auch Überzahlung an einen befreit den Auftraggeber gegenüber den anderen. Die Makler haben den Ausgleich untereinander herzustellen (§ 6 Abs 5 MaklerG).

Hinterlegung der Provision bei verdienstlicher Tätigkeit mehrerer Makler: Der Gefahr unrichtiger Zahlung kann durch eine gerichtliche Hinterlegung des Provisionsbetrages vorgebeugt werden (immolex 2002/36, 88). Zur Teilung des Provisionsanspruchs zwischen einem Makler, der ein Palais als Kaufgegenstand namhaft machte und einem weiteren Makler, der in Verhandlungen den Kaufpreis erheblich zu senken vermochte: ImmZ 2001, 182. Die Erteilung doppelter Vermittlungsaufträge hat für die Teilung des Provisionsanspruchs nach § 6 Abs 5 MaklerG keine wesentliche Bedeutung; Provision gebührt auch für die Vermittlung zweckgleichwertiger Geschäfte (immolex 2003/197, 347).

§ 6 Abs 5 MaklerG betrifft nicht den Fall, dass sich der einzige, für den Auftraggeber tätig werdende Makler der Hilfe weiterer **„Untermakler“** bedient. Diese sind vielmehr *Gehilfen* des Maklers; wie sie entlohnt werden, hängt allein vom zwischen ihnen und dem Makler begründeten Rechtsverhältnis ab. Wurde der Auftrag hingegen an einen Untermakler substituiert, steht allein diesem die Provision zu. Es sind aber auch Vertragskonstruktionen denkbar, bei denen der Provisionsanspruch allen Beteiligten anteilsmäßig zusteht.

d) Kein Makleranspruch auf Abschluss des vermittelten Vertrages. Auftraggeber und Dritter sind nicht verpflichtet abzuschließen (§ 4 Abs 2 MaklerG). Einen Abschlussanspruch hat der Makler nicht (EvBl 1977/171). Kommt es zu keinem Vertragsschluss, steht grundsätzlich auch keine Abschlussprovision zu.

Insb ist der Geschäftsherr berechtigt, den Abschluss des vermittelten Vertrages abzulehnen, wenn der vermittelte Käufer zahlungsunfähig ist (HS 20.404/8).

e) Vereinbarte Ansprüche in Fällen fehlenden Vermittungserfolges. Vereinbarungen, wonach der Auftraggeber zB als Entschädigung oder Ersatz für Aufwendungen und Mühewaltung, auch ohne einen dem Makler zurechenbaren Vermittlungserfolg, einen Betrag zu leisten hat, sind nur beschränkt zulässig. Sie gelten als Konventionalstrafe (§ 15 Abs 3 MaklerG iVm § 1336 ABGB).

Zum einen dürfen derartige Zahlungen nach § 15 Abs 1 MaklerG **nur bis zur Höhe der vereinbarten oder ortsüblichen Provision** verlangt werden; zum anderen sind sie **nur für den Fall erlaubt,** dass

- das im Maklervertrag bezeichnete Geschäft wider Treu und Glauben nur deshalb nicht zustande kommt, weil der **Auftraggeber** entgegen dem bisherigen Verhandlungsverlauf einen für das Zustandekommen des Geschäftes **erforderlichen Rechtsakt ohne beachtenswerten Grund unterlässt;**
- mit dem vom Makler vermittelten Dritten ein **anderes als ein zweckgleiches Geschäft** zustande kommt, sofern die Vermittlung des Geschäftes in den **Tätigkeitsbereich des Maklers** fällt;
- das im Maklervertrag bezeichnete Geschäft nicht mit dem Auftraggeber oder nicht mit dem vermittelten Dritten, sondern **mit einer anderen Person** zustande kommt, weil einer der Beteiligten die Abschlussmöglichkeit weitergesagt hat;
- das Geschäft nicht mit dem vermittelten Dritten zustande kommt, weil ein gesetzliches oder ein vertragliches **Vorkaufs-, Wiederkaufs- oder Eintrittsrecht ausgeübt** wird.

Eine derartige Provision trotz fehlenden Vermittlungserfolges kann ferner **bei einem Alleinvermittlungsauftrag** für den Fall vereinbart werden, dass

- der Alleinvermittlungsauftrag vom Auftraggeber **vertragswidrig** ohne wichtigen Grund **vorzeitig aufgelöst** (ImmZ 2001, 183) wird oder
- das Geschäft während der Dauer des Alleinvermittlungsauftrages **vertragswidrig auf andere Art,** insb durch Vermittlung eines anderen vom Auftraggeber beauftragten Maklers, **zustande gekommen** ist.

Liegt ein Alleinvermittlungsauftrag vor, gebührt die Provision auch dann, wenn der Auftraggeber den Gegenstand des Vermittlungsauftrages selbst verkauft hat (SZ 53/117).

Gemäß § 15 Abs 1 Z 1 MaklerG ist eine Vereinbarung, nach der der Auftraggeber auch ohne einen dem Makler zurechenbaren Vermittlungserfolg einen Betrag zu leisten hat, nur für den Fall zulässig, dass das im Maklervertrag bezeichnete Geschäft wider Treu und Glauben nur deshalb nicht zustande kommt, weil der Auftraggeber entgegen dem bisherigen Verhandlungsverlauf einen für das Zustandekommen des Geschäfts erforderlichen Rechtsakt ohne beachtenswerten Grund unterlässt. Beachtenswert ist ein Grund auch dann, wenn er in der Privatsphäre des Auftraggebers liegt und von subjektiven Erwägungen getragen ist. Alle nicht vom Auftraggeber zu vertretenden Gründe sind beachtenswert im Sinne des § 15 Abs 1 Z 1 MaklerG. Ein Verstoß gegen Treu und Glauben iSd § 15 Abs 1 Z 1 MaklerG liegt nicht vor, wenn der Auftraggeber wegen zu befürchtender schwerer gesundheitlicher Probleme von einem Kaufanbot zurücktritt, sofern die tatsächlichen Voraussetzungen für die Möglichkeit des Eintritts solcher Schäden nicht bekannt waren und auch nicht bekannt sein mussten (ecolex 2004/51, 105).

Tritt die Bedingung (grundverkehrsbehördliche Genehmigung des Vertrages) nicht ein, steht ein Provisionsanspruch nur dann zu, wenn eine Vereinbarung nach § 15 Abs 1 Z 1 MaklerG getroffen wurde, oder nach allgemeinen Grundsätzen, wenn behauptet und bewiesen wird, dass der Auftraggeber die Erteilung der grundverkehrsbehördlichen Genehmigung wider Treu und Glauben vereitelt hat, also letztlich absichtlich die Provision vereitelt hat (RdW 2003/622, 702).

2. Entstehen des Provisionsanspruches

a) Vertragsabschluss entscheidet. Der Provisionsanspruch entsteht mit der Rechtswirksamkeit des vermittelten Geschäftes (§ 7 Abs 1 MaklerG; RdW 2003/622, 702; immolex 2003/198, 347; ecolex 2002/135, 351 = RdW 2002/447, 463 = ImmZ 2002, 334; ecolex 2004/51, 105). Auf den Vertragsabschluss, nicht auf die Erfüllung des Geschäftes kommt es an.

Maklerprovision für ein **Pilotprojekt:** Anders als ein Gesamtprojekt ist ein Pilotprojekt, nach dessen erfolgreichem Abschluss weitere Aufträge in Aussicht gestellt werden, für Fälligkeit und Verjährung einer Maklerprovision wie ein Einzelvertrag zu behandeln (immolex 2003/199, 348). Hat der Makler durch seine Tätigkeit erreicht, dass die Parteien eine **Punktation** schließen, ist damit sein Provisionsanspruch erworben (RdW 2003/621, 701).

Anfechtbarkeit. Ein Provisionsanspruch entsteht nicht, wenn das vermittelte Geschäft wegen Wurzelmangels einvernehmlich aufgelöst (bbl 1998/176; ImmZ 2001, 206) bzw erfolgreich angefochten wurde (bloße Anfechtbarkeit verhindert den Provisionsanspruch hingegen nicht, ecolex 1998, 465 = RdW 1998, 453). Hat der Käufer, obwohl ihn der Makler als Verhandlungsgehilfe des Verkäufers in einen wesentlichen Irrtum geführt hat, den Kaufvertrag nicht angefochten, sondern sich trotz des nachträglich hervorgekommenen Mangels mit dem Vertrag abgefunden, ist ein gänzlicher Entfall der Maklerprovision nicht gerechtfertigt (ecolex 2002/278, 745 = immolex 2003/31, 59).

b) Bei aufschiebend bedingtem Abschluss muss die Bedingung eingetreten sein. Bei auflösender Bedingung ist die Provision mit Vertragsschluss zu zahlen, der Makler hat sie aber im Falle des späteren Eintritts der auflösenden Bedingung wieder herauszugeben.

Bei Eintritt einer auflösenden Bedingung kann der Makler dennoch einen Provisionsanspruch behalten, wenn der Vertrag für den Partner trotz nachträglicher Auflösung von wirtschaftlichem Wert war (SZ 58/111). Kein Provisionsanspruch entsteht, wenn die Grundverkehrskommission den vermittelten Vertrag nicht genehmigt (ecolex 1995, 484). Modifizierend: Tritt die Bedingung (grundverkehrsbehördliche Genehmigung des Vertrages) nicht ein, steht ein Provisionsanspruch nur dann zu, wenn eine Vereinbarung nach § 15 Abs 1 Z 1 MaklerG getroffen wurde, oder nach allgemeinen Grundsätzen, wenn behauptet und bewiesen wird, dass der Auftraggeber die Erteilung der grundverkehrsbehördlichen Genehmigung wider Treu und Glauben vereitelt hat, also letztlich absichtlich die Provision vereitelt hat. Bezieht sich die Vereinbarung der Provisionspflicht nur auf jene Fälle, in denen der Kaufvertrag wirksam geschlossen wurde, so ist sie § 15 Abs 1 Z 1 MaklerG nicht zu unterstellen (RdW 2003/622, 702).

Bedarf der vom Makler vermittelte Vertrag zu seiner Wirksamkeit der behördlichen Genehmigung (hier: durch das Pflegschaftsgericht), so erwirbt der Makler den Provisionsanspruch erst mit der rechtskräftigen Erteilung der Genehmigung. Wird der (durch die pflegschaftsgerichtliche Genehmigung aufschiebend) bedingte Vertrag vor Eintritt der Bedingung aufgelöst, so ist der Provisionsanspruch dennoch erworben, wenn der Makler beweist, dass die Bedingung eingetreten wäre (RdW 2003/61, 80).

c) Vorschuss: Ausdrücklich hält das Gesetz überdies fest, dass der Makler *keinen* Anspruch auf Vorschuss hat (§ 7 Abs 1 MaklerG).

3. Fälligkeit des Provisionsanspruchs. Fällig ist der Provisionsanspruch mit seinem Entstehen (§ 10 MaklerG).

4. Höhe der Provision

a) Ortsüblichkeit und Angemessenheit. Meist wird ein Prozentsatz des Geschäftswertes festgesetzt. Fehlt eine Vereinbarung darüber, gebührt dem Makler die für die erbrachten Vermittlungsleistungen ortsübliche Provision. Lässt sich eine solche nicht oder nur mit unverhältnismäßigen Schwierigkeiten feststellen, steht eine angemessene Provision zu (§ 8 Abs 1 MaklerG).

b) Nachlässe, die der Auftraggeber dem Dritten gewährt, vermindern nur dann die Berechnungsgrundlage der Provision, wenn sie schon bei Abschluss des Geschäfts vereinbart worden sind (§ 8 Abs 2 MaklerG).

c) Unzulässige Entgelte dürfen der Provision nicht zugrunde gelegt werden (§ 8 Abs 3 MaklerG).

5. Entfall des Provisionsanspruches. Der Provisionsanspruch entfällt, wenn und soweit feststeht, dass der Vertrag zwischen dem Dritten und dem Auftraggeber aus nicht vom Auftraggeber zu vertretenden Gründen nicht ausgeführt wird. Bei Leistungsverzug des Dritten hat der Auftraggeber nachzuweisen, dass er alle zumutbaren Schritte unternommen hat, um den Dritten zur Leistung zu veranlassen (§ 7 Abs 2 MaklerG).

Unterbleiben der Ausführung aus nicht vom Auftraggeber zu vertretenden Gründen. Die Ausführung des wirksam abgeschlossenen Geschäfts ist für den Provisionsanspruch irrelevant; nur wenn die Ausführung des Vertrags zwischen dem Auftraggeber und dem Dritten aus nicht vom Auftraggeber zu vertretenden Gründen unterbleibt, entfällt der Provisionsanspruch (§ 7 Abs 2 MaklerG; ecolex 2004/51, 105). Dass der Auftraggeber den Kaufpreis für die vermittelte Liegenschaft nicht aufbringen kann, ist kein Grund, dem Makler den Provisionsanspruch abzuerkennen (ecolex 2002/135, 351 = RdW 2002/447, 463 = ImmZ 2002, 334). – Hat der Auftraggeber dem Makler mitgeteilt, dass bei ihm ein Aufenthalt in größeren Höhen zu gesundheitlichen Problemen führen könnte und unterfertigt er zunächst ein Kaufanbot über ein Objekt, dessen Höhenlage ihm nicht bekannt ist, so ist das spätere Unterbleiben der Ausführung (Verbücherung) des Kaufvertrages nicht iSd § 7 Abs 2 MaklerG vom Auftraggeber zu vertreten, wenn dies auf die wegen der tatsächlichen Höhenlage des Objekts drohenden Gesundheitsprobleme zurückzuführen ist (ecolex 2004/51, 105).

Einvernehmliche Aufhebung des Grundgeschäfts. Der Provisionsanspruch entfällt dann, wenn das Grundgeschäft aus nicht vom Auftraggeber des Maklers zu vertretenden Gründen nicht ausgeführt wird, wofür der Auftraggeber behauptungs- und beweispflichtig ist. Die Provisionspflicht bleibt bestehen, wenn der Auftraggeber ein unberechtigtes Stornierungsbegehren seines Vertragspartners des Grundgeschäfts akzeptiert hat (immolex 2003/198, 347). Dass der Käufer den Kaufpreis für die vertragsgemäß vermittelte Realität nicht aufbringen kann, ist für sich allein kein Grund, dem Makler den Provisionsanspruch abzuerkennen, und zwar insb dann nicht, wenn das Kaufanbot in keiner Weise von der Finanzierbarkeit des Kaufpreises abhängig gemacht wurde (RdW 2003/621, 701).

Unmöglichkeit bzw Unzumutbarkeit der Ausführung. Der Auftraggeber muss, um sich von seiner Provisionspflicht zu befreien, nachweisen, dass die Ausführung des vermittelten Geschäftes ohne sein Verschulden infolge nachträglicher Änderungen der Verhältnisse unmöglich oder unzumutbar geworden sei. Die nachfolgende Enttäuschung bereits unrealistischer Hoffnungen, finanzielle Mittel doch noch auftreiben zu können, ist dafür nicht ausreichend (RdW 2004/63, 88).

Vertragsauflösung aus wichtigem Grund. Löst ein Versicherer einen Versicherungsvertrag vorzeitig auf, so entfällt der Provisionsanspruch des Versicherungsmaklers jedenfalls auch dann, wenn der dafür ausschlaggebende wichtige Grund aus der Sphäre des Maklers stammt (EvBl 2003/64 = RdW 2003/372, 442).

6. Mäßigung und Verlust des Provisionsanspruches. Bei Verletzung wesentlicher Maklerpflichten kann der Auftraggeber eine Mäßigung der Provision nach Maßgabe der durch den Pflichtenverstoß bedingten geringeren Verdienstlichkeit des Maklers verlangen.

Verdienstlichkeitsschmälerung durch Vertragsverletzung kann also zur Provisionsminderung führen (JBl 1999, 388). Das je nach Gewicht der Vertragsverletzung unterschiedliche, im Extremfall bis zum gänzlichen Verlust des Anspruches reichende Maß der Provisionsverwirkung stellt erhebliche Anforderungen an die Treffsicherheit des Klägers. Die Mäßigung der Provision bei nicht voll verdienstlicher Tätigkeit tritt unabhängig von konkret beweisbaren Schäden ein, wenn der Makler nicht darüber informiert hat, dass ihm die gewerbebehördliche Genehmigung seiner Tätigkeit fehlt (SZ 71/78 = NZ 1999, 335; ImmZ 2001, 205).

Nach neuer einhelliger Rsp ist eine Mäßigung des Provisionsanspruches nach § 30b KSchG iVm § 3 Abs 4 MaklerG bereits dann vorzunehmen, wenn die Pflichtverletzung im Hinblick auf die dem Makler erkennbaren Interessen seines Auftraggebers wesentlich war. Dass das Geschäft anders abgewickelt worden wäre, ist nicht Voraussetzung (RdW 2004/63, 88). Hat der Makler eine wesentliche Pflicht, zB jene zur **Aufklärung seines Auftraggebers,** verletzt, kann sein Provisionsanspruch gemindert werden (§ 3 Abs 4 Satz 2 MaklerG). Das Ausmaß der Mäßigung richtet sich nach der Schwere der vom Makler begangenen Vertragsverletzung (ecolex 2002/278, 745 = immolex 2003/31, 59). Die nachfolgende Enttäuschung bereits unrealistischer Hoffnungen, finanzielle Mittel doch noch auftreiben zu können, ist dafür nicht ausreichend (RdW 2004/63, 88).

Minderung der Provision eines Immobilienmaklers wegen **Beratungsmangel** bei Vermittlung einer kleinen Landwirtschaft, die im Winter keine Sonneneinstrahlung hat: Die Provisionsminderung wegen eines Verstoßes gegen § 30b Abs 1 KSchG kann nicht deshalb abgelehnt werden, weil das Geschäft nicht anders abgewickelt worden wäre, hätte der Auftraggeber ein Hinweisblatt erhalten. Es ist vielmehr zu prüfen, in welchem Maß die dadurch bedingte Minderung der Verdienstlichkeit eine Minderung der Provision rechtfertigt. Eine Provisionsminderung wegen Beratungsmängeln erfordert nicht, dass der Immobilienmakler den Auftraggeber nicht aufklärt; es reicht vielmehr aus, wenn seine Angaben nicht richtig oder auf Grund ihrer Unvollständigkeit missverständlich sind (immolex 2002/21, 55 = ImmZ 2002, 104 = MietSlg LIII/23). Abweichend von der Vorstellung, die Provision werde bei Verstoß gegen § 30b Abs 1 KSchG gemindert: Bei Verletzung der schriftlichen **Hinweispflicht nach § 30b Abs 1**

KSchG des Immobilienmaklers entsteht ein Anspruch auf Provision gar nicht, sodass er auch nicht gemindert werden kann (ecolex 2001/210, 604 = EvBl 2001/184 = SZ 74/82).

7. Verjährung. Der Provisionsanspruch verjährt in 3 Jahren (§ 11 MaklerG; § 1486 Z 1 ABGB). Die Verjährungsfrist beginnt nicht vor Kenntnis des Maklers vom Zustandekommen des vermittelten Geschäftes zu laufen (vgl MietSlg XLIX/28). Kennenmüssen genügt.

B. Anspruch auf Aufwandersatz

Der Makler kann für die durch den Geschäftsbetrieb entstandenen allgemeinen Kosten und Auslagen keinen Ersatz verlangen (§ 9 MaklerG). Aufwendungen des Maklers auf Grund von zusätzlichen Aufträgen sind nur dann zu ersetzen, wenn die Ersatzpflicht ausdrücklich vereinbart worden ist. Dies gilt auch dann, wenn das angestrebte Rechtsgeschäft nicht zustande kommt. Nach § 31 Abs 1 Z 1 KSchG muss diese Vereinbarung mit dem Verbraucher hinsichtlich des Ersatzes von Aufwendungen auf Grund zusätzlicher Aufträge nicht nur ausdrücklich, sondern auch *schriftlich* erfolgen.

C. Recht auf Mitwirkung des Auftraggebers

1. Informationspflicht. Der Auftraggeber hat den Makler bei der Ausübung seiner Vermittlungstätigkeit redlich zu unterstützen hat. Nach § 3 Abs 3 MaklerG haben Makler und Auftraggeber einander die erforderlichen Nachrichten zu geben.

2. Verschwiegenheitspflicht. Überdies hat der Makler ein Recht darauf, dass der Auftraggeber eine Weitergabe mitgeteilter Geschäftsgelegenheiten unterlässt (§ 3 Abs 2 MaklerG).

D. Ausgleichsanspruch haben Makler keinen. Eine analoge Anwendung des HVertrG ist unangebracht; so bzgl Versicherungsmakler: RdW 1999, 208 = ecolex 1999/146.

V. Beendigung des Maklergeschäftes

Der Maklervertrag endet, von der einvernehmlichen Auflösung abgesehen, nicht schon mit Ablehnung des vermittelten Vertrages durch die Parteien, wohl aber durch

- Auftragserfüllung,
- Direktabschluss der Parteien,
- Fristablauf,
- Widerruf,
- Konkurseröffnung über das Vermögen des Auftraggebers,
- Tod des Handelsmaklers.

Befristete Maklerverträge können während laufender Frist nicht widerrufen werden, es sei denn, es läge ein wichtiger Grund für die sofortige

Auflösung des Auftrages vor. Ein solcher Grund kann auch darin liegen, dass der Makler untätig ist oder auf sonstige Weise seine Vertragspflichten gröblich verletzt.

VI. Handelsmaklergeschäft

A. Rechtsquellen

Für Handelsmakler gelten die allgemeinen Vorschriften des MaklerG nebst einigen Sonderregelungen (§§ 20–14 MaklerG). Sie betreffen die Doppeltätigkeit, die Schlussnote und das Tagebuch.

B. Begriff des Handelsmaklers

Handelsmakler ist, wer als Makler (§ 1 MaklerG) **gewerbsmäßig Geschäfte über Gegenstände des Handelsverkehrs vermittelt** (§ 19 Abs 1 MaklerG).

Zu den **Gegenständen des Handelsverkehrs** gehören insb die Vermittlung von Waren, Wertpapieren, Versicherungen, Güterbeförderungen, Bodmerei, Schiffsmiete, auch die Vermittlung gewerblicher Schutzrechte, von Reisen (SZ 55/71), sowie die Kreditvermittlung mit oder ohne hypothekarischer Sicherung (RdW 1991, 357; Kreditmakler). Kein Gegenstand des Handelsverkehrs sind Grundstücke (Immobilienmakler).

Handelsmakler sind Kaufleute nach § 1 Abs 2 Z 7 HGB; sie üben ein Grundhandelsgewerbe aus. Sonstige Makler sind nur dann Kaufleute, wenn ihre gewerbliche Tätigkeit nach Art und Umfang einen kaufmännisch eingerichteten Geschäftsbetrieb erfordert.

Handelsmakler waren ursprünglich Amtspersonen („Hofagenten"). Heute sind sie lediglich private Gewerbetreibende, können aber immer noch öffentlich ermächtigt sein, Versteigerungen (§ 373 Abs 2 HGB) und Not- bzw Selbsthilfeverkäufe (§ 376 Abs 3 HGB) durchzuführen.

Ein bloßes gewerbemäßiges Tätigwerden allein reicht für die Qualifikation als Handelsmäkler noch nicht aus. Gewerbsmäßige Tätigkeit gem § 19 Abs 1 MaklerG ist nicht iSd Gewerbeordnung zu verstehen. Maßgeblich ist allerdings die Gewinnnutzungsabsicht als eine dauernde, regelmäßige berufsmäßige selbstständige Tätigkeit. Zur Qualifikation als Handelsmäkler genügt es nicht, wenn nur vereinzelt Verkaufsvermittlungen für Masseverwalter in Konkurssachen vorgenommen werden, auch wenn diesbezüglich gegenüber dem Finanzamt Einkommensteuerabrechnungen vorgenommen wurden (wbl 2003/278, 495 = RdW 2003/483, 568 = EvBl 2003/153 = ecolex 2004/87, 176).

C. Doppeltätigkeit

1. Maklertreue. Handelsmakler sind, anders als allgemeine Makler, **grundsätzlich für beide Parteien** des zu vermittelnden Geschäfts tätig. Daher gelten für sie die Regeln über den **„ehrlichen Makler":** Sie haben die Interessen *beider* Auftraggeber redlich und sorgfältig wahrzunehmen, also **äquidistant iS von neutral und objektiv** zu sein. Als Kaufmann trifft den Handelsmakler die Sorgfaltspflicht des ordentlichen Kaufmanns (§ 347 HGB). Er darf zur Erfüllung seiner Pflichten auch die Dienste eines Untermaklers in Anspruch nehmen (bzgl Immobilienmakler: SZ 56/122; ImmZ 1985, 130).

2. Mitteilungspflicht bei Interessenwahrnehmung nur für eine Seite. Da dies beim Handelsmakler die *Ausnahme* ist, hat er diesen Umstand dem Dritten mitzuteilen (§ 20 MaklerG).

3. Provisionsteilung. Sofern der Handelsmakler doppeltätig ist und keine andere Vereinbarung oder ein abweichender Ortsgebrauch vorliegt, gebührt ihm die ansonst nach den für allgemeine Makler geltenden Grundsätzen zu gestaltende Provision von den beiden Auftraggebern je zur Hälfte (§ 23 MaklerG).

D. Schlussnote

1. Begriff und Funktion der Schlussnote. Die Schlussnote ist eine vom Handelsmakler ausgestellte **Urkunde über das von ihm vermittelte Geschäft und seinen Inhalt.** Sie ist keine schriftliche Ausfertigung des Vertrages selbst. Die Schlussnote als solche lässt den Vertrag nicht zustande kommen; sie enthält auch keine rechtsgeschäftlichen Willenserklärungen der Parteien, sondern ist nur eine der freien Beweiswürdigung unterliegende Bestätigung über die das vermittelte Geschäft betreffende Tätigkeit des Handelsmaklers. Die Schlussnote ist demnach ein **Beweismittel für den Abschluss und den Inhalt des vermittelten Geschäftes.**

Aus der **Annahme der Schlussnote** kann aber uU auf die Genehmigung des Geschäftes durch die Parteien geschlossen werden. Dies kann insb dann der Fall sein, wenn die Schlussnote für beide Teile gleich lautet, keinerlei Vorbehalt gemacht wird (RGZ 123, 97) und auch die übrigen Umstände des Falles für die Deutung als Genehmigung des Geschäftes sprechen.

2. Inhalt. Die Schlussnote gibt Auskunft über den Gegenstand und die Bedingungen des Geschäfts, insb bei Verkäufen von Waren oder Wertpapieren deren Gattung und Menge sowie den Preis und die Zeit der Lieferung (§ 21 Abs 1 MaklerG).

3. Ausstellungspflicht. Der Handelsmakler ist, so ihn Vertrag oder Ortsgebrauch nicht davon entbindet, verpflichtet, jeder Partei unverzüglich nach Abschluss des Geschäftes eine von ihm unterschriebene **„Schlussnote“** (auch **„Schlussschein“** genannt) zuzustellen (§ 21 Abs 1 MaklerG).

4. Unterschriften der Parteien. Bei nicht sofort erfüllbaren Geschäften ist die Schlussnote von den Parteien zu unterschreiben und jeder Partei eine von der jeweils anderen unterschriebene Schlussnote zu übersenden (§ 22 Abs 2 MaklerG).

5. Benachrichtigungspflicht bei Unterschriftsverweigerung. Eine Unterschriftsverweigerung ist der anderen Partei unverzüglich anzuzeigen (§ 21 Abs 3 MaklerG). Damit soll sichergestellt sein, dass die Partei sogleich von den Zweifeln der anderen erfährt. Anerkanntermaßen hat der Handelsmakler auch andere Umstände, die das Zustandekommen des Geschäftes gefährden können, mitzuteilen.

6. Schlussnoten unter Vorbehalt der Bezeichnung der anderen Partei. Der Handelsmakler kann auch eine Schlussnote unter Vorbehalt der Bezeichnung der anderen Partei zustellen. Wird eine solche Schlussnote angenommen, ist die Partei daran gebunden, sofern sie keine begründeten Einwände gegen die in angemessener (ortsüblicher) Frist nachträglich genannte andere Partei erheben kann (§ 22 Abs 1 MaklerG).

Wird die andere Partei bloß nicht genannt, ohne dass ein entsprechender Vorbehalt gemacht wird, liegt keine ordnungsgemäß ausgestellte Schlussnote vor.

7. Pflicht zum Selbsteintritt. Unterbleibt die rechtzeitige Bezeichnung der anderen Partei oder bestehen begründete Einwände gegen sie, *darf der Handelsmakler selbst auf Erfüllung des Geschäftes in Anspruch genommen werden,* sofern die berechtigte Partei unverzüglich mitteilt, dass sie dies verlange (§ 22 Abs 3 MaklerG). Diese Pflicht des Handelsmaklers zum „Selbsteintritt" gibt ihm *nicht auch ein Recht auf Selbsteintritt,* wie es dem Kommissionär zusteht (§ 400 HGB).

E. Tagebuch

1. Begriff und Funktion des Tagebuches. Das Tagebuch ist ein Handelsbuch, in welches der Handesmakler laufend alle vom Handelsmakler abgeschlossenen Geschäfte mit allen Angaben, wie sie auch Schlussnoten enthalten, einzutragen und täglich zu unterzeichnen hat. Das Tagebuch dokumentiert laufend und vollständig die Tätigkeit des Handelsmaklers.

2. Führungspflicht. Den Handelsmakler trifft die Pflicht, das Tagebuch zu führen (§ 24 MaklerG).

3. Aufbewahrungs- und Vorlagepflicht. Die Regeln über die Aufbewahrung und Vorlage von Unterlagen (§§ 190; 212–216 HGB) gelten auch für das Tagebuch.

4. Tagebuchauszüge. Der Handelsmakler ist den Parteien gegenüber verpflichtet, ihnen auf Verlangen Auszüge aus dem Tagebuch zu geben, die von ihm unterzeichnet sind und alles enthalten, was von ihm in Ansehnung des vermittelten Geschäfts eingetragen ist. Das gilt auch für den Fall der automationsunterstützten Führung des Tagebuchs. Der Handelsmakler hat für die inhaltsgleiche, vollständige und geordnete Wiedergabe zu sorgen.

21. Kapitel

Vertragshändler- und Franchisegeschäft

Neben den bisher genannten, gesetzlich geregelten Absatzmittlern finden sich noch *andere,* gesetzlich nicht näher vertypte. Hier sind insb die **Vertragshändler** und das **Franchising** zu nennen.

Die Ordnungsprobleme der gesetzlich nicht näher geregelten Absatzmittler liegen einerseits in der rechtlichen Einordnung ihrer Verträge, andererseits in der Frage, ob und inwieweit die Regeln des Handelsvertreterrechts anzuwenden sind.

I. Vertragshändlergeschäft

Lit: *Nipperdey,* Handelsvertreter und Eigen-(Vertrags-)Händler. Der Ausgleichsanspruch des § 89b HGB, FS Hedemann (1958) 207; *Ulmer,* Der Vertragshändler (1969); *Evans v. Krbek,* Die analoge Anwendung der Vorschriften des Handelsvertreterrechts auf den Vertragshändler (1977); *Stumpf/Zimmermann,* Der Vertragshändlervertrag[2] (1979); *Ebenroth,* Absatzmittlerverträge im Spannungsfeld zwischen Kartell- und Zivilrecht (1980); *Ahlert,* Vertragliche Vertriebssysteme zwischen Industrie und Handel (1981); *Bunte,* Interessenkollision und Interessenabwägung im Vertragshändlervertrag, ZIP 1982, 1166; *Westphalen,* Das Dispositionsrecht des Prinzipals im Vertragshändlervertrag, NJW 1982, 2465; *Semler,* Aktuelle Fragen im Recht der Vertragshändler, DB 1985, 2493; *Ganal,* Die handels- und kartellrechtliche Beurteilung von Agentursystemen (1986); *Goffin,* Der Alleinvertriebsvertrag im Europäischen Gemeinschaftsrecht, GedS Schönherr (1986) 357; *Vollmer,* Preisbindungen bei kooperativem Warenabsatz (1986); *Martinek,* Moderne Vertragstypen II: Franchising, Know-how-Verträge, Management- und Consultingverträge (1992); *Schwintowski,* Alleinvertriebssysteme – Ökonomische Funktionen – Wettbewerbsrechtliche Grenzen (1992); *Schwytz,* Vertragshändlerverträge. Mit einer Einführung zur Stellung des Vertragshändlers beim Absatz von Waren[3] (1992); *Gugerbauer,* Der Eigenvertrieb des Kfz-Generalimporteurs. Zum kartellrechtlichen Rahmen der EG-GruppenfreistellungsV 123/85, wbl 1994, 389; *Schiele,* Kraftfahrzeugvertrieb. Die kartellrechtliche Zulässigkeit und der wettbewerbsrechtliche Schutz der Vertragshändlersysteme der Kfz-Industrie (1994) *Flubacher,* Strukturen von internationalen Vertriebsorganisationen für Schweizer Konzerne, FS Hempel (1997) 197; *Wollmann,* Ausgleichsanspruch und Mindestkündigungsfrist des Kfz-Eigenhändlers, ecolex 1998, 489; *Ceipek,* Kfz-Vertrieb in der EU – Liberalität oder neue Schranken (1999); *Knöbl,* Kfz-Händler – der Ausgleichsanspruch, RZ 1999, 69; *Geist,* Direktvertrieb (2000); *Knöbl,* Der Ausgleichsanspruch der Kfz-Händler – Die Münchner Formel, RZ 2000, 15; *Liebscher/Petsche,* Checklist: Entspricht ein Vertriebsvertrag der neuen EG-Gruppenfreistellungsverordnung? ecolex 2000, 299; *Harrer,* Neue Vertragstypen im Handelsrecht. Ein Leitfaden für Ausbildung und Wirtschaftspraxis (2001); *Nocker,* Ausgleichsanspruch des Handelsvertreters, Vertragshändlers und Franchisenehmers (2001).

Es gibt keine gesetzliche Definition des Vertragshändlers. Vielmehr ist lediglich der typische Sachverhalt zu skizzieren: IdS stellt man sich im Allgemeinen unter einem Vertragshändler vor:

- einen Kaufmann,
- der insofern das **Vertriebssystem eines anderen erweitert,**
- als er es **ständig** übernimmt,
- **im eigenen Namen und auf eigene Rechnung**
- in einem bestimmten Gebiet
- die **Waren des Vertragspartners zu vertreiben** und ihren Absatz auch sonst nach Kräften zu fördern,
- wobei er im Geschäftsverkehr auch die **Firma und Marken des anderen herausstellt.**

Zu klären ist, welchem Vertragstypus der Vertragshändlervertrag entspricht und vor allem, ob und inwieweit Regeln über den Handelsvertreter oder Handelsmakler anwendbar sind.

Ohne Zweifel zielt der Vertragshändlervertrag darauf ab, insb die **Geschäfte eines anderen zu besorgen** und diesem dienlich zu sein. Dabei wird idR ein **Rahmenvertrag** geschlossen, unter dessen Regime zahlreiche Einzelverträge laufen.

Sowohl vom freien Dienstnehmer und Auftragnehmer als auch vom Handelsvertreter und Makler unterscheiden sich die Vertragshändler dadurch, dass sie nicht nur **im eigenen Namen,** sondern **auch auf eigene Rechnung handeln.** Schon deshalb sind wichtige Regeln der genannten Verträge unanwendbar. Es können daher nur einzelne Bauelemente der genannten Verträge zu Analogien anregen. Eine allgemeine Richtschnur lässt sich schwer geben, weil die im Wirtschaftsleben vorkommenden Vertragshändlerverträge durchaus verschieden gestaltet sind und in ihren Zielsetzungen erheblich variieren können.

Eine der wichtigsten Streitfragen des Vertragshändlerrechts ist die, ob Vertragshändler wie Handelsvertreter nach Beendigung ihres Rechtsverhältnisses einen **Ausgleichsanspruch** iS des § 24 HVertrG haben. Dies ist zwar angesichts der dieser Norm zugrunde liegenden, allgemeinen bereicherungsrechtlichen Rechtsgedanken grundsätzlich zu bejahen, doch ist dabei besonders darauf zu achten, ob das im jeweiligen Fall zu beurteilende Vertragshändlergeschäft im Wesentlichen dem eines Handelsvertreters gleicht (RdW 1999, 786 = ecolex 2000/44). Die Erl zur RV HVertrG, BlgNR 578 XVIII GP 10 betonen, dass der Gesetzgeber eine Einbeziehung anderer Absatzmittler in das HVertrG gerade nicht beabsichtigt. Fehlt es an dieser Gleichheit, ist eine analoge Anwendung des § 24 HVertrG unangebracht.

Die analoge Anwendung des HVertrG auf Vertragshändler (wbl 1997, 171) ist insb bei Einbindung des Vertragshändlers in die Vertriebgsorganisation des Herstellers der vom Vertragshändler zu vertreibenden Waren zu bejahen (so für Kfz-Vertragshändler: ecolex 1998, 912 = RdW 1998, 674; vgl auch ecolex 1998, 912; 1999, 322; HS 25.324; wbl 1997, 171); entscheidend ist das Vorliegen handelsvertreterähnlicher Beziehungen zwischen Vertragshändler und Hersteller (ecolex 1998, 467, 489 = RdW 1998, 269 = wbl 1998/275; *Eilmannsberger,* wbl 1998, 340).

Für das Ersatzteilgeschäft des Kfz-Vertragshändlers wird kein Ausgleichsanspruch zugestanden (RdW 2000, 279 = SZ 73/16; aA noch RdW 1998, 269). Der Ausgleichsanspruch entfällt bei schuldhaftem, einen wichtigen Auflösungsgrund darstellenden Verhalten des Vertragshändlers (JBl 1999, 322). Zum Ausgleichsanspruch eines Vertragshändlers bei außerordentlicher Kündigung: wobl 2000, 526; vgl ferner zum Ausgleichsanspruch von Vertragshändlern: ecolex 2000, 111; RdW 2000, 666.

Wenn von einem gemischten Vertragsverhältnis auszugehen ist, so ist für die hier maßgebliche Frage des Ausgleichsanspruches – im Hinblick auf den Schutzcharakter der teilweise auch zwingenden Bestimmungen des HVertrG und der zumeist zentralen Bedeutung der Handelsvertretertätigkeit für den Gesamtvertrag – dem HVertrG jedenfalls gegenüber Vertragstypen mit geringerem Schutzcharakter als sachlich geeignetster Regelung der Vorrang einzuräumen. Das Betreiben einer Tankstelle stellt ein Zuführen neuer Kunden iSd § 24 Abs 1 Z 1 HVertrG dar. Der „Standortvorteil" bei Tankstellen führt nicht zum Ausschluss des Ausgleichsanspruches, sondern zu dessen Minderung (RdW 2003/87, 109 = RdW 2003/85, 102 *(Naderhirn)* = wbl 2003, 59 *(Pannagl);* RdW 2003/86, 107).

II. Franchisegeschäft

Lit: *Beier/Deutsch/Fikentscher,* Die Warenzeichenlizenz. Rechtsvergleichende Untersuchung über gemeinschaftliche Benutzung von Warenzeichen (1963); *Gross/Skaupy,* Das Franchise-System (1968); *Schulthess,* Der Franchisevertrag nach schweizerischem Recht (1975) *Behr,* Der Franchisevertrag (1976); *Stumpf,* Der Know-how-Vertrag[3] (1977); *Tiezt/Mathieu,* Das Franchising als Kooperationsmodell für den mittelständischen Groß- und Einzelhandel (1979); *Schlemmer,* Der Franchisevertrag, RdW 1984, 298; *Martinek,* Franchising (1987); *Skaupy,* Franchising (1987); *Forkel,* Der Franchisevertrag als Lizenz am Immaterialgut Unternehmen, ZHR 153 (1989) 511; *Ekkenga,* Die Inhaltskontrolle von Franchise-Verträgen (1991); *Joerges* (Hrsg), Franchising and the Law (1991); *Henn,* Patent- und Know-how-Lizenzvertrag[3] (1992); *Kramer* (Hrsg), Neue Vertragsformen der Wirtschaft. Leasing, Factoring, Franchising[2] (1992); *Martinek,* Moderne Vertragstypen II: Franchising, Know-how-Verträge, Management- und Consultingverträge (1992); *Pauli,* Franchising[2] (1992); *Skaupy,* Zu den Begriffen „Franchise“, „Franchisevereinbarung“ und „Franchising“, NJW 1992, 1785; *Spiegelfeld,* Franchising aus rechtlicher und betriebswirtschaftlicher Sicht (1993); *Stumpf/Groß,* Der Lizenzvertrag[3] (1993); *Berning,* Die Abhängigkeit des Franchisnehmers: Selbständigkeit durch vertikale Gruppenkooperation oder Auflösung des Normalarbeitsverhältnisses? (1994); *Beuthien ua,* Handelskooperation und Franchisesysteme im Distributionswettbewerb in Europa. Eine handelspolitische und wettbewerbsrechtliche Darstellung und Analyse (1994); *Bräutigam,* Deliktische Außenhaftung im Franchising. Eine Untersuchung zur außervertraglichen Schadenersatzhaftung der Mitglieder von Franchise-Systemen (1994); *Epp,* Franchising und Kartellrecht (1994); *Flohr,* Franchise-Handbuch. Recht, Steuern, Versicherungen, Finanzierungen (1994); *Metzlaff,* Franchiseverträge und EG-Kartellrecht. Die GruppenfreistellungsV 4087/88 für Franchiseverträge (1994); *Fritz,* Die richtige Gestaltung von Franchiseverträgen, SWK 1996, C 1; *Mendelsohn,* Franchising, ULR 1996, 679; *Grohmann,* Die Praxis des Franchising. Wirtschaftliche Rahmenbedingungen, rechtliche Beurteilung, Mustervertrag[2] (1999); *Mohr,* Der Franchisevertrag. Formen, Gestaltung, Checklist (1999); *Schulze* (Hrsg), Franchising im europäischen Privatrecht (2001); *Flohr/Frauenhuber/Liebscher/Wildhaber,* Franchising – Die Königsklasse der Vertriebsysteme (2002); *Giesler/Nanschütt* (Hrsg), Franchiserecht. Handbuch für die anwaltliche und gerichtliche Praxis (2002); *Liebscher,* Franchising in Österreich[2] (2002).

Der Ausweitung des unternehmerischen Wirkens, der Verbreitung seiner Produkte und Förderung des good will des Unternehmens dienen auch Franchiseverträge. Nicht selten werden sie mit einem Vertragshändlervertrag kombiniert oder sind ein Teil von ihm. Auch der Franchisevertrag ist gesetzlich nicht geregelt. Im Wesentlichen geht es um Folgendes:

Im Franchisevertrag verpflichtet sich

einerseits der Franchisegeber,

- dem Franchisenehmer **Nutzungsrechte an Schutzrechten** einzuräumen
- sowie **Know-how** zur Verfügung zu stellen;

andererseits der Franchisenehmer,

- **im eigenen Namen und auf eigene Rechnung**
- die vertraglich bezeichneten **Produkte**
- nach den vorgegebenen Vorstellungen des Franchisegebers
- zu **vertreiben** und
- dem Franchisegeber ein **Entgelt zu bezahlen.**

Der Franchisevertrag kombiniert einerseits **Elemente des Lizenz- mit solchen des Know-how-Vertrages.** Andererseits geht er weit über diese Elemente hinaus. Insb verpflichtet er den Franchisenehmer, gegen Entgelt die Ausstattung des Franchisegebers zu übernehmen. Der Franchisegeber rüstet also das Unternehmen des Franchisenehmers auf dessen Kosten im Stil des Franchisegebers aus.

Franchiseverträge gibt es in den unterschiedlichsten Bereichen: so in der Gastronomie, insb bei Schnellimbiss-Ketten, bei Hotelketten, Unterrichtsinstituten, Fitnessstudios, Kfz-Reparaturen, Reinigungsdiensten, Schnelldruckereien, Reiseunternehmen, in der Getränkeerzeugung, in der Haus- und Wohnungsausstattung, im Bereich der Betriebsführungs- und Vertriebssyteme usw.

Die Übernahme eines gesamten Marketing-Konzepts macht es notwendig, dass der Franchisegeber weit reichende **Überwachungs- und Weisungsrechte** in Anspruch nimmt. Schlichte Vertragshändlerverträge überlassen es meist dem Vertragshändler, ein eigenes Marketing-Konzept aufzubauen. Der Franchisegeber nimmt dem Franchisenehmer diese Arbeit hingegen in hohem Maße ab. Der Franchisenehmer unterwirft sich sohin weit mehr einem fremden Regime. Er hat die Chance, davon mehr zu profitieren, als bliebe er auf sich allein gestellt, riskiert aber andererseits mehr, wenn sich das fremde Regime nicht bewährt bzw die Kooperation mit ihm versagt.

Auch beim Franchisevertrag ist für den Fall, dass die Vertragsparteien nicht durch entsprechende Vereinbarung Vorsorge getroffen haben, so manche Rechtsfrage unklar, weil darüber gestritten werden kann, welche Gesetzesregeln des Rechts der vertraglichen Schuldverhältnisse zu Zwecken der Vertragsergänzung herangezogen werden dürfen.

Zur analogen Anwendung des § 25 HVG (nunmehr § 24 HVertrG) auf einen Subordinationsfranchisevertrag: RdW 1991, 323.

Franchiseverträge können jedenfalls aus wichtigem Grund mit sofortiger Wirkung einseitig aufgelöst werden (SZ 60/77). Ein solcher wichtiger Grund liegt nicht in einer versicherbaren Betriebsunterbrechung durch einen Brand (SZ 60/218; RdW 1987, 226; 1988, 88). Der Franchisenehmer kann sich nicht darauf berufen, dass sich wichtige Gründe für die Kündigung in seinem unter einer anderen Firma geführten Betrieb verwirklicht haben (ecolex 1991, 845).

5. Abschnitt

Transportgeschäfte

22. Kapitel

Speditionsgeschäft

Lit: *Burchard,* Das Recht der Spedition (1894); *Grünberg,* Das Speditionsrecht in seinen Grundzügen (1907); *Senckpiehl,* Das Speditionsgeschäft nach dt Recht (1907); *Isaak,* Das Recht des Spediteurs (1928); *Schlichting,* Die Aufgaben des Spediteurs für wirtschaftliche Transportgestaltung (1954); *Capelle,* Speditionsrecht, HWB der Sozialwissenschaften (1956); *Schlichting,* Spedition, HWB der Sozialwissenschaften (1956); *Schwartz,* Verladene Wirtschaft und Speditionsversicherung, ZHR 125 (1963) 241; *Baumhöfener,* Der Speditionsvertrag im grenzüberschreitenden Verkehr (1971); *Diederich,* Stellung und Aufgaben der Spedition in der modernen Wirtschaft (1971); *H. Schmidt,* Zur Frachtführerhaftung des Spediteurs in den Fällen der §§ 412, 413 HGB, VersR 1975, 984; *Helm,* Nochmals: Die zwingende Frachtführerhaftung des Spediteurs, VersR 1976, 601; *Blaschke,* Der Spediteur als Frachtführer, AnwBl 1979, 163; *Enderlein* (Hrsg), Transport, Spedition, Lagerung, Kontrolle, Versicherung (1984); *Hügel,* Drei OGH-Entscheidungen zur Frachtführerhaftung nach der CMR und den AÖSp, JBl 1984, 57; *Jungfleisch,* Der Selbsteintritt des Spediteurs (1984); *Wiesbauer/Zetter,* Transporthaftung (1984); *Büchner-Ketterl,* Das Pfandrecht des Spediteurs nach dem HGB und den ADSp, TR 1986, 129; *Csoklich,* Die AÖSp und das KSchG, ÖJZ 1986, 437; *Helm,* Speditionsrecht (Sonderausgabe GroßK[4] §§ 407 ff) 1986; *J. Schmidt,* Die Ersetzung der Haftung des Spediteurs durch Versicherung – Metamorphose einer sozialgesetzgeberischen Idee, TR 1986, 410; *Csoklich,* Monopol der Speditionsversicherung? RdW 1987, 3; *Dubischar,* Grundriß des gesamten Gütertransportrechts (1987); *Fiebinger,* §§ 39 ff AÖSp – muß der Spediteur bestmöglich versichern? TR 1988, 225; *Koller,* Die Abgrenzung zwischen Speditions- und Frachtvertrag, NJW 1988, 1756; *Schwanke,* Speditions-, Lager- und Frachtrecht (1988); *Tuma,* AÖSp, SVS, SP. Wann darf, wann muß der Spediteur anstelle eines SVS eine Speditionspolizze zeichnen? TR 1988, 217; *Csoklich,* OGH bestätigt: Kein Monopol der Speditionsversicherung, RdW 1989, 150; *Csoklich,* Einführung in das Transportrecht (1990); *Spera,* HB des Gütertransports (1990); *Alff,* Fracht-, Lager- und Speditionsrecht[2] (1991); *Gass,* Der Speditionsvertrag im internationalen Handelsrecht (Diss Tübingen 1991); *Krien/Valder,* Speditions- und Lagerrecht (Lbl-Slg); *Piper,* Höchstrichterliche Rsp zum Speditions- und Frachtgeschäft[7] (1994); *Jesser,* Rsp-Übersicht Transportrecht, ecolex 1995, 163; *Koller,* Transportrecht[4] (2000); *Stefula,* Schadenersatz für Passagiere im Luftfahrtgesetz (2001); *Csoklich,* Anmerkungen zu Art 34 CMR, ÖJZ 2003, 41; *Pfeiffer,* Das Aushandeln im Transportrecht (2004); *Koller,* Unbeschränkte Haftung des Luftbeförderers nach dem Montrealer Abkommen 1999? Transportrecht 2005, 178; *Rogov,* Neuauslegung des Art 1 Abs 5 CMR, Transportrecht 2005, 185.

Das Speditionsgeschäft ist gemeinsam mit dem Lager- und dem Frachtgeschäft Teil eines Zweiges des Handelsrechts, der sich bereits weitgehend vom HGB emanzipiert hat: Diese Geschäfte sind die Grundbausteine des **Transportrechts,** das in einer Vielzahl von Gesetzen, internationalen Übereinkommen, aber auch üblichen Geschäftsbedingungen zu finden ist.

Noch weiter als der Begriff des Transportrechts greift der des **Beförderungsrechts:** Er umfasst auch das Recht der Personenbeförderung und schließt damit auch das sog **Reiserecht** mit ein. Letzteres ist zu einem erheblichen Teil Konsumentenschutzrecht und zählt insofern nicht mehr zum Unternehmensrecht. Eine systematisch geschlossene Darstellung des gesamten Transport- bzw Beförderungsrechts würde den Rahmen dieses Grundrisses sprengen. Daher werden hier nur die wichtigsten Elemente des Transportrechts anhand des Speditions-, Lager- und Frachtgeschäftes vorgestellt.

I. Rechtsquellen und Bedeutung des Speditionsgeschäftes

A. Gesetzesrecht

HGB: Das Speditionsgeschäft ist in den §§ 407–415 HGB geregelt. *Subsidiär* gelten die Regeln über das Kommissionsgeschäft (§ 407 Abs 2 HGB).

An HGB-Regeln über das Kommissionsgeschäft sind auf Speditionsgeschäfte anwendbar:

- § 384 Abs 2 Halbsatz 2 (Rechenschafts- und Herausgabepflicht);
- § 385 (Abweichung von Weisungen);
- § 386 (Preisgrenzen beim Ausführungsgeschäft);
- § 387 (Vorteilhafterer Abschluss);
- §§ 388–390 (Kommissionsgut);
- § 392 (Forderungen aus dem Ausführungsgeschäft);
- § 393 Abs 1 (Kreditgewährung an Dritte);
- § 394 (Delkredere);
- § 396 Abs 2 (Aufwandersatz);
- § 399 (Befriedigungsrecht an Forderungen).

ABGB: Soweit das HGB keine gesetzlichen Regelungen zur Verfügung stellt, kommen die §§ 1002ff ABGB über den Auftrag zur Anwendung.

B. Allgemeine Geschäftsbedingungen

Für das Speditionswesen von großer praktischer Bedeutung sind neben den eher spärlichen gesetzlichen Bestimmungen die **AÖSp:** Allgemeinen Österreichischen Spediteurbedingungen; hrsg vom Fachverband der Spediteure der WKÖ. Die laufend aktualisierten AÖSp werden jeweils im Amtsblatt der Wiener Zeitung kundgemacht; erstmals erfolgte dies am 9. 8. 1947. Die AÖSp entsprechen weitgehend den ADSp, die es seit 1927 gibt.

An Anlagen zu den AÖSp sind zu nennen: **SVS:** Anlage 1 zu den §§ 39–42 AÖSp über den Speditionsversicherungsschein; **RVS:** Anlage 2 zu den §§ 39–42 AÖSp über den Rollfuhrversicherungsschein (RVS) betr Warenschäden aus Rollfuhraufträgen im Orts- und Nahverkehr. Zu erwähnen sind ferner die **BMT:** Beförderungsbedingungen für den Möbeltransport, hrsg vom Fachverband der Spediteure der WKÖ; ferner die **EMT:** Einlagerungsbedingungen für den Möbeltransport, hrsg vom Fachverband der Spediteure der WKÖ; sowie die **MSVS:** Anlage A zu den BMT und EMT über den Möbel-Speditionsversicherungsschein. All diese Regelungen sind AGB.

Die AÖSp werden in der Sammlung der Handelsbräuche Österreichs als gesamtösterr Handelsbrauch genannt. Der OGH prüft demgegenüber stets, ob die AÖSp vereinbart wurden (SZ 26/180; EvBl 1966/194). Die Anwendung der AÖSp setzt jedenfalls das Vorliegen eines Vertrages voraus. Stillschweigend vereinbart gelten sie nur bei für einen Spediteur typischen Verträgen und gegenüber branchenkundigen Auftraggebern (EvBl 1970/229; HS 7606). Bei Branchenunkundigen muss mit hinreichender Deutlichkeit darauf hingewiesen werden, dass dem Vertrag die AÖSp zugrunde gelegt werden sollen. Inwieweit ausländische Auftraggeber auch ohne solchen Hinweis die AÖSp gelten lassen müssen, ist umstritten. Bei laufenden österreichischen Geschäftsbeziehungen wird die Annahme einer stillschweigenden Vereinbarung vertretbar sein (EvBl 1958/100). Auf den auftragserteilenden Spediteur werden die AÖSp nicht angewandt (ecolex 1995, 258 = JBl 1995, 467 = RdW 1995, 302). Die AÖSp gelten bei ausländischen Vertragspartnern nicht als Handelsbrauch (ZfRV 2001/56, 191 = RdW 2001/611, 592).

C. Bedeutung des Speditionsgeschäftes

Die Zunahme des Warenverkehrs, insb auch des internationalen, verschafft dem Speditionsgeschäft eine zentrale Bedeutung im Wirtschaftsleben. Meist wird das Speditionsgeschäft nicht isoliert betrieben, sondern gemeinsam mit dem Lager- und Frachtgeschäft. Die großen Speditionsunternehmen sind also idR zugleich auch Lagerhalter und Frächter.

II. Begriff des Speditionsgeschäftes

A. Begriff des Spediteurs

1. Spediteur ist, wer es

- **gewerbsmäßig** übernimmt,
- **Güterversendungen durch Frachtführer** oder durch Verfrachter von Seeschiffen
- **für Rechnung eines anderen** (des Versenders)
- **im eigenen Namen**
- **zu besorgen** (§ 407 Abs 1 HGB).

2. Spediteure sind Istkaufleute (§ 1 Abs 2 Z 6 HGB). Sie betreiben ein Grundhandelsgewerbe. Sie können Voll- oder Minderkaufleute sein.

3. Systemproblem – uneigentliche Speditionsgeschäfte. Das HGB hat beim Spediteur dieselben *Systemprobleme* wie beim *Kommissionär, Lagerhalter und Frachtführer.* Es definiert die gewerbliche Tätigkeit und nicht den Vertragstypus. Auch ein Kaufmann, der kein Spediteur ist, kann aber im Zuge seines anderen Zwecken gewidmeten Gewerbes ein Speditionsgeschäft schließen; auch in diesem Falle gelten die Regeln über das Speditionsgeschäft (§ 415 HGB).

Gleiches gilt für das Frachtgeschäft (§ 451 HGB). Hingegen kennt das HGB keine Parallelbestimmung für das Lagergeschäft. Wer also bloß gelegentlich im Rahmen seines nicht dem Lagergeschäft gewidmeten Gewerbes als Lagerhalter fungiert, unterfällt nicht den Regeln der §§ 416–424 HGB über das Lagergeschäft. Es gibt nicht nur uneigentliche Kommissions-(Gelegenheitskommissionäre), sondern auch *uneigentliche Speditions- und Frachtgeschäfte (Gelegenheitsspediteure, Gelegenheitsfrachtführer); nicht* aber gibt es uneigentliche Lagergeschäfte.

B. Speditionsvertrag

heißt jener **formfreie Konsensualvertrag,** der die Besorgung (Organisation) der Güterversendung im eigenen Namen und auf Rechnung des Versenders zum Gegenstand hat. **Hauptpflicht** des Spediteurs ist dabei der Abschluss jener Frachtverträge, die erforderlich sind, um das Speditionsgut an den Bestimmungsort zu befördern. Der Frachtführer ist nicht Erfüllungsgehilfe des Spediteurs (HS 14.210/8 und 14.217/8).

1. Vertragstypzuordnung

a) Kommissionsgeschäft. Der Speditionsvertrag wird üblicherweise als Sonderform des Kommissionsgeschäftes verstanden. Das irritiert insofern, als der Spediteur für einen anderen weder Waren kauft noch verkauft. Die Nähe zum Kommissionsgeschäft ergibt sich lediglich daraus, dass der Gesetzgeber zahlreiche Bestimmungen über das Kommissionsgeschäft auch auf das Speditionsgeschäft angewandt wissen will. Soweit nichts Besonderes angeordnet ist, gilt auch für Speditionsgeschäfte Kommissionsrecht (SZ 25/184).

b) Auftrag. Der Spediteur steht zum Versender in einem Auftragsverhältnis (OGH SZ 25/184). Daher sind weiters subsidiär die §§ 1002 ff ABGB anzuwenden.

c) Freier Dienstvertrag. Das Auftragsverhältnis kann bei Dauerbetrauung in ein idR freies Dienstverhältnis eingebettet sein. Das Weisungsrecht des Versenders beeinträchtigt die Qualifikation des Speditionsvertrages als freien Dienstvertrag nicht. Denn dieses Weisungsrecht tangiert nicht die Dispositionsfreiheit des Spediteurs im eigenen Unternehmensbereich. Der Spediteur ist nicht verpflichtet, das Speditionsgeschäft persönlich auszuführen; er darf Gehilfen einsetzen. Besonderes gilt für Fälle privativer Substitution.

d) Werkvertrag. Der Speditionsvertrag kann mitunter auch Elemente des Werkvertrages enthalten (RZ 1970, 40) sie spielen jedoch, wenn überhaupt, nur eine untergeordnete Rolle.

2. Parteien des Speditionsgeschäftes sind:

- der **Spediteur** (organisiert die Beförderung) und
- der **Versender** (beauftragt die Beförderung).

Demgegenüber sind vom auf Grund des Speditionsvertrages abzuschließenden **Frachtvertrag** erfasst:

- der **Spediteur** (als Absender),
- der **Frachtführer** (befördert das Gut),
- der **Empfänger** (soll das Gut bekommen).

Der Frachtführer steht zum speditionsvertraglichen Versender in keiner Vertragsbeziehung, es sei denn, der Spediteur fungiert selbst als Frachtführer.

C. Abgrenzungen des Spediteurs

1. Gegenüber dem Frachtführer. Der Spediteur *organisiert* die Güterbeförderung (die Fracht); der Frachtführer *führt sie durch* (§ 425 HGB). Oft sind Spediteure zugleich auch Frachtführer.

In der Praxis stößt man mitunter auf erhebliche Abgrenzungsschwierigkeiten, weil Spediteure oft nicht nur Organisationsaufgaben übernehmen. Im Zweifel entscheidet das *Gesamtbild* der für den einen oder anderen Vertrag sprechenden Elemente. Die einvernehmliche *Bezeichnung* des Vertrages ist ein Indiz, reicht aber nicht aus (§ 914 ABGB). Stärker ist der Aspekt der Ausstellung der *Beförderungsdokumente.*

2. Gegenüber dem Lagerhalter. Der Spediteur organisiert die Beförderung; der Lagerhalter übernimmt gewerbsmäßig die Lagerung und Aufbewahrung von Gütern. Oft sind Spediteure zugleich auch Lagerhalter. Sie üben dann beide Funktionen zugleich aus.

3. Gegenüber Reiseveranstaltern und Reisebüros. Diese organisieren Reisen von Personen; sie wirken daher nicht im Bereich der Güterbeförderung – also des Transportes – und sind deshalb keine Spediteure.

4. Gegenüber Agenten und Maklern. Diese sind entweder direkte Stellvertreter oder bloße Vermittler. Sie sind daher entweder im fremden und nicht im eigenen Namen tätig; oder sie wirken zwar im eigenen Namen, schließen unter diesem aber keine Verträge ab, sondern führen lediglich Interessenten zusammen, die ihrerseits abschließen. Auch wer solcherart in der Beförderungsbranche tätig ist, wird deshalb nicht schon zum Spediteur.

5. Gegenüber dem „Empfangsspediteur" („Adressspediteur"). Empfangsspediteur ist, wer *vom Versender beauftragt* ist, die versandten Güter in Empfang zu nehmen. Empfangsspediteure schließen *keine Speditionsgeschäfte* iS des § 407 HGB ab, sofern sie darüber hinaus keine Güterversendung organisieren. Es kommt lediglich Auftragsrecht (§§ 1002ff ABGB) zur Anwendung; uU auch nur Werkvertragsrecht (§§ 1151, 1165ff ABGB). Auftraggeber ist der Versender; zum eigentlichen *Empfänger,* der das Gut letztlich bekommen soll, bestehen idR keine Rechtsbeziehungen. Die Aufgaben des Empfangsspediteurs sind von § 2 lit a AÖSp miterfasst; die AÖSp werden daher üblicherweise auch von Empfangsspediteuren vereinbart. Vgl insb § 26 AÖSp.

6. Gegenüber dem „Vollmachtspediteur" („Hausspediteur"). Vollmachtspediteur ist, wer *vom Empfänger beauftragt* ist, das an diesen versandte Gut entgegenzunehmen, abzuholen, zu lagern udgl. Sofern Vollmachtspediteure darüber hinaus keine Güterbeförderung organisieren, sind sie wie die Empfangsspediteure *keine Spediteure* iS des § 407 HGB. Auftraggeber ist der Empfänger; zum *Versender* bestehen idR keine Rechtsbeziehungen. Auch die Aufgaben der Vollmachtspediteure zählen zu jenen des § 2 lit a AÖSp; auch Vollmachtspediteure schließen regelmäßig unter Beachtung der AÖSp ab.

7. Gegenüber dem „Grenzspediteur" („Zollspediteur"). Grenzspediteur ist, wer im Auftrag des Absenders, des Empfängers oder des Beförderers die Abwicklung der mit Güterbeförderungen verbundenen Zoll- und anderen Grenzformalitäten übernimmt. Auch der Grenzspediteur ist idR kein Spediteur iS des § 407 HGB, sofern er darüber hinaus keine Güterbeförderung organisiert. § 2 lit a AÖSp erfasst auch diese Geschäfte; daher pflegen auch Grenzspediteure die AÖSp ihren Verträgen zugrunde zu legen.

8. Gegenüber dem „Bahnspediteur". Bahnspediteur ist der bahnamtlich bestellte Rollfuhrunternehmer und insofern lediglich Erfüllungsgehilfe der Bahn. Er ist kein Spediteur. Die AÖSp werden nicht angewandt.

9. Gegenüber dem „Möbelspediteur". Möbelspediteur ist, wer mit der Beförderung von Möbelgut beauftragt ist; insofern ist er Frachtführer und nicht Spediteur. Möbelspediteure schließen nach den BMT und EMT ab. Gleiches gilt für **Zeitungsspediteure.** Auch sie führen lediglich den Transport durch und sind daher Frachtführer.

III. Pflichten des Spediteurs

Im Folgenden werden die Pflichten und Rechte des Spediteurs dargestellt. Dabei wird auf all jene, die schon im Zusammenhang mit der Erörterung des Kommissionsgeschäftes besprochen wurden, nicht mehr neuerlich eingegangen. Lediglich jene Pflichten und Rechte werden hervorgehoben, die *zusätzlich speziell* für Spediteure geregelt sind.

A. Ausführungspflicht

1. Allgemeines. Der Spediteur hat die **Versendung zu organisieren.** Dabei obliegt ihm insb die Auswahl des Frachtführers, der Verfrachter und der Zwischenspediteure. Der Spediteur hat demnach in erster Linie **Fracht-, Speditions- und Lagerverträge abzuschließen.** Darüber hinaus treffen den Spediteur auch noch zahlreiche, mit der Organisation der Versendung zusammenhängende Nebenpflichten.

All diese Pflichten hat der Spediteur (wie der Kommissionär) mit der

- **Sorgfalt** eines ordentlichen Kaufmanns unter
- Wahrung der **Interessen** des Versenders und
- Befolgung von dessen **Weisungen** auszuführen (§ 408 HGB; vgl auch § 384 Abs 1 HGB bzgl des Kommissionärs).

2. Unter- und Zwischenspedition. Die Unterscheidung zwischen Unter- und Zwischenspedition entspricht dem allgemeinen *Unterschied zwischen Gehilfenschaft und Substitution.* (Beachte allerdings: Beim Kommissionsgeschäft hat die „Unterkommission" Substitutionswirkung. Man sollte daher besser von Zwischenkommission sprechen.) Der seine Aufgabe übertragende Spediteur heißt idZ **Hauptspediteur.**

IZw ist davon auszugehen, dass ein Spediteur die ihm übertragene Aufgabe selbst (mit seinen Gehilfen) durchzuführen hat (SZ 45/59; HS X/XI/8). IZw gilt daher das Einschalten eines weiteren Spediteurs als Unterspedition.

a) Unterspedition. Der Unterspediteur wird auf Rechnung des Hauptspediteurs tätig und ist im Verhältnis zum Versender **Erfüllungsgehilfe des Hauptspediteurs** (§ 1313a ABGB). Dh: Der **Hauptspediteur bleibt dem Versender voll verpflichtet.** Er setzt lediglich erlaubterweise einen Gehilfen ein und haftet für dessen Verschulden wie für sein eigenes. Der Unterspediteur ist Subunternehmer des Hauptspediteurs. Der Unterspediteur ist **kein Vertragspartner des Versenders.** Er haftet ihm daher nicht aus Vertrag, sondern nur aus Delikt.

b) Zwischenspedition. Der Zwischenspediteur übernimmt die Organisationsarbeit des Hauptspediteurs als **Substitut;** dh: der Hauptspediteur *überträgt* ihm grundsätzlich *schuldbefreiend* den *eigenen* Auftrag. Die Weiterversendung des Gutes soll zumindest für einen Teil der Beförderungsstrecke vom Zwischenspediteur im eigenen Namen für Rechnung des Hauptspediteurs organisiert werden. Der **Hauptspediteur haftet** nicht nach § 1313a ABGB für das Verschulden des Substituten, sondern **nur für culpa in eligendo und für Instruktionsfehler;** § 1010 ABGB ist anzuwenden.

Ein Zwischenspediteur darf vom Hauptspediteur nur beauftragt werden, wenn

- der Versender **zustimmt** oder
- derartige Substitutionen **handelsüblich** sind oder
- die Substitution aus sachlichen Gründen **im Interesse des Versenders geboten** erscheint.

3. Mitwirkung des Versenders. Wie den Kommittenten beim Kommissionsgeschäft so treffen auch den Versender beim Speditionsgeschäft Mitwirkungspflichten. So obliegt ihm die **Beschaffung von speditions- und frachtwichtigen Dokumenten** und Unterlagen; er ist dem Spediteur in mancherlei Hinsicht **auskunftspflichtig;** iZw trifft ihn auch die **Pflicht zur Beladung.**

4. Interessenwahrung. Die im allgemeinen Auftragsrecht entwickelte **Treuepflicht** des Auftragnehmers findet sich auch beim Speditionsvertrag. Sie ist ein Aspekt der auch in anderen Schuldverhältnissen maßgeblichen Interessenwahrungspflicht. Die Wahrnehmung der Versenderinteressen zählt zu den tragenden Anliegen des Speditionsrechts und ist daher im Wesentlichen unabdingbar und überdies Auslegungsmaxime (EvBl 1981/126). Doch trifft bis zu einem gewissen Grad auch den Versender eine Interessenwahrungspflicht gegenüber dem Spediteur.

Die an die Interessenwahrungspflicht gestellten Anforderungen dürfen nicht überspannt werden. Widerstreitende Interessen sind gegeneinander abzuwägen; dabei sind aber die Versenderinteressen auf die gebührende Weise bevorzugt zu berücksichtigen (BGH NJW 1982, 1752; ZIP 1985, 1001, 1002).

a) Keine höheren Frachtkosten als die eigenen. Die *allgemeine* Interessenwahrungspflicht des Spediteurs schlägt sich insb auch im Gebot nieder, dem Versender keine höheren Frachtkosten zu verrechnen, als der Spediteur mit dem Frachtführer vereinbart hat (§ 408 Abs 2 HGB).

b) Maßgeblichkeit des Speditionsvertrages für den Frachtvertrag. Ferner ist der Spediteur verpflichtet, den ihm erteilten Auftrag im Rahmen des abzuschließenden Frachtvertrages ordnungsgemäß zu berücksichtigen. Hat der Frachtvertrag einen anderen Inhalt als der dem Spediteur gegebene Auftrag des Versenders, hat der Spediteur dafür einzustehen.

c) Benachrichtigungs- und Auskunftspflicht. Aus der Interessenwahrungspflicht ergibt sich jedenfalls dann die Pflicht, den Versender zu benachrichtigen, wenn dieser an der Kenntnis vertragsrelevanter Umstände ein offensichtliches Interesse hat. Desgleichen ist der Spediteur zur Erteilung von Auskünften verpflichtet, sofern diese nicht schikanös verlangt werden (SZ 28/133; 25/218).

d) Verbot der Geschenkannahme. Der Interessenwahrungspflicht entspricht auch das Verbot der Geschenkannahme (§ 1013 ABGB).

e) Speditionsvertragliche Nebenpflichten. Ferner prägt die Interessenwahrungspflicht auch eine ganze Reihe von speditionsvertraglichen Nebenpflichten, die hier nicht näher erörtert werden.

Sie bestehen im Zusammenhang mit Fragen der Entgegennahme, Abholung und Lagerung des Speditionsgutes, seiner Untersuchung (§§ 388 Abs 1; 407 Abs 2; 438 HGB; Art 30 CMR), des Verpackens und sonstiger Schutzmaßnahmen zugunsten des Speditionsgutes, der Verwiegung (§ 7 lit b AÖSp), Wertdeklaration, der Begleitpapiere und abzuschließender Versicherungen (§ 39 lit a AÖSp; §§ 390 Abs 2; 407 Abs 2 HGB), der Verzollung (§ 25 AÖSp), der Beweissicherung (§ 388 Abs 1 HGB), des Quittierens und der Lieferung bei Nachnahme. Im Übrigen ist auf die einschlägigen Interessenwahrungspflichten des Kommissionärs zu verweisen.

5. Weisungsgebundenheit. Spediteure besorgen ein fremdes Geschäft; sie sind daher nicht anders als der Kommissionär an die Weisungen des Versenders gebunden.

Will der Spediteur von der Weisung des Versenders abweichen, muss er, sofern nicht Gefahr im Verzuge ist, den Versender von seiner Absicht **benachrichtigen.**

ZB: wenn die Verpackung mangelhaft ist; erforderliche Papiere fehlen; der Termin der Versendung oder der beabsichtigte Transportweg nicht eingehalten werden kann; immer dann, wenn dem Versender Schaden drohen kann.

Der **Zwischenspediteur** hat **Weisungen dritter Personen** zu befolgen, wenn ihn der Hauptspediteur dazu anwies (ZVR 1960/170). Auch der Versender kann dem Zwischenspediteur Weisungen geben (HS 4383/7).

B. Sonstige Pflichten, die auch der Kommissionär hat

Spediteure haben ferner wie Kommissionäre

- **Rechenschaftspflichten** und

- **Herausgabepflichten.** Auch treffen sie das
- **Vorschuss- und Kreditgewährungsverbot** (§ 393 Abs 1 HGB) und
- die **Delkrederehaftung** (§ 394 HGB);

nicht aber die Pflicht zur üblichen und vorbehaltlosen **Wechselindossierung** (§ 395 HGB) sowie die Pflichten des Kommissionärs nach § 384 Abs 2 HGB **(Ausführungsanzeige).**

Auch ohne Pflicht zur Ausführungsanzeige ist aber der Spediteur auf Grund seiner allgemeinen Interessenwahrungspflicht gehalten, **den Versender zumindest über auftretende Probleme zu informieren** bzw über alle Umstände, aus denen dem Versender Nachteile erwachsen können.

C. Haftung des Spediteurs

1. Verschuldensabhängige Obhutshaftung. Den Spediteur trifft grundsätzlich die gleiche Haftung wie den Kommissionär (§§ 407 iVm 384 HGB). Er haftet dem Versender im Falle seines Verschuldens für den **Verlust** (der nicht nur bei Zerstörung, sondern auch bei sonstiger Unmöglichkeit der Auslieferung vorliegt, zB bei Auslieferung an einen Dritten, der in der Folge die Rückgabe verweigert, HS 11.196/8; 11.878/8), für die **Minderung,** die **Beschädigung** oder **verspätete Ablieferung** des zur Versendung übernommenen Gutes (§ 414 Abs 1 HGB).

Der Spediteur haftet nur für solche Schäden, die in der **Zeit zwischen Annahme und Ablieferung** des Gutes an den Frachtführer entstanden sind, also in der Zeit, in welcher er das Gut in seiner Obhut hatte (Obhutshaftung).

Das Verschulden des Spediteurs wird vermutet; die Vermutung betrifft nur das leichte Verschulden des Spediteurs; Vorsatz und grobe Fahrlässigkeit hat der Geschädigte bzw Anspruchswerber zu beweisen (ecolex 1995, 165; vgl § 1298 ABGB).

2. Haftung für Auswahlverschulden. Für Fehlleistungen des ausgewählten Frachtführers oder für Substituten (Zwischenspediteure) haftet der Spediteur nur, wenn ihn ein Auswahlverschulden (culpa in eligendo) trifft (HS 14.210/8; 14.217/8; RdW 1997, 133 = SZ 69/134).

3. Sorgfalt des ordentlichen Kaufmanns. Das Verschulden orientiert sich an der Sorgfalt des ordentlichen Kaufmanns (§ 408 Abs 1 HGB), somit nach objektiven Kriterien.

Der Spediteur hat den Mangel der für die Erfüllung der übernommenen Pflichten erforderlichen Kenntnisse zu vertreten (EvBl 1964/127; SZ 25/184). Auch bei der Auswahl von Zwischenspediteuren ist die Sorgfalt eines ordentlichen Kaufmanns anzuwenden (TR 1991, 37).

4. Verjährung. Die Ersatzansprüche verjähren in einem Jahr; die Verjährung darf jedoch vertraglich verlängert werden (§ 414 Abs 1 HGB).

Die kurze Verjährungsfrist gilt nicht für deliktische Ansprüche (HS 24.102; JBl 1986, 248; SZ 59/147; EvBl 1990/62; in diesen Fällen gilt § 1489 ABGB), wohl aber bei allen Formen der Fahrlässigkeit (EvBl 1973/77; 1983/159).

Die Verjährungsfrist läuft bei Beschädigung oder Minderung ab dem Ende des Ablieferungstages; bei Verlust oder Verspätung ab dem Ende jenes Tages, an dem abgeliefert hätte werden müssen (§ 414 Abs 2 HGB).

Aufrechnung: Auch mit bereits verjährten Ersatzansprüchen kann nach § 414 Abs 3 HGB aufgerechnet werden, sofern schon vor Verjährung der Schaden dem Spediteur angezeigt bzw die Anzeige abgesandt wurde oder der Antrag auf gerichtliche Beweissicherung gestellt oder ein den Schadensfall betreffender Rechtsstreit zwischen Versender und Empfänger oder späterem Erwerber verkündet wurde.

5. Allgemeine Grundsätze; Versicherung statt Haftung; vertragliche Haftungsbeschränkungen. Ansonst orientiert sich die Haftung des Spediteurs an den allgemeinen zivil- und handelsrechtlichen Grundsätzen des Schadenersatzrechts.

Die AÖSp sind vom **Prinzip „Versicherung statt Haftung"** getragen. Nach § 39 lit a AÖSp ist der Spediteur, sofern keine gegenteilige Weisung des Versenders vorliegt, zum Abschluss einer **Speditionsversicherung** verpflichtet. Diese Versicherung wird auf Kosten des Versenders abgeschlossen und deckt die Schäden, deretwegen der Spediteur nach HGB in Anspruch genommen werden kann, bis zu bestimmten Höchstsummen (§§ 2, 3 SVS; Ausnahmen: § 5 SVS). Für höhere Schäden haftet der Spediteur selbst. Diese Haftung wird von den AÖSp weitgehend beschränkt, wobei jedoch die allgemeinen Zulässigkeitsgrenzen vertraglicher Haftungsausschlüsse zu beachten sind.

Kommt der Spediteur seinem Auftrag zur Deckung der Speditionsversicherung iSd § 39 AÖSp nach, so haftet gemäß § 41 lit a AÖSp grundsätzlich der Speditionsversicherer an seiner Stelle. Die Haftungsbefreiung tritt allerdings nur in dem Umfang ein, in dem der Schaden durch die Speditionsversicherung nach den Bedingungen des SVS/RVS gedeckt ist. Fehlt die Deckung oder reicht sie nicht aus, weil die Haftung der Versicherer nach dem SVS/RVS etwa gemäß § 5 SVS nicht vorliegt oder begrenzt ist, so bleibt die Haftung des Spediteurs nach Maßgabe der Beschränkungen der AÖSp für den ungedeckten Teil aufrecht (EvBl 2004/100 = RdW 2004/312, 340). Es ist primär Sache des Auftraggebers, dem Spediteur den Betrag mitzuteilen, zu dem das Risiko versichert werden soll. Den Spediteur trifft zwar bei von ihm erkennbarer unzureichender Versicherungssumme eine Hinweispflicht, zur Schätzung ist er jedoch nur berechtigt, aber nicht verpflichtet (ecolex 2003/174, 414).

IV. Rechte des Spediteurs

A. Provisionsanspruch

1. Allgemeines. Dem Spediteur steht für seine vereinbarte Tätigkeit ein Provisionsanspruch zu (§ 409 HGB). Besteht eine vertragliche Einstandspflicht des Spediteurs, darf dafür eine besondere Vergütung verlangt werden (**Delkredereprovision;** § 394 Abs 2 HGB).

2. Provision heißt das gesamte, alle Nebenleistungen des Spediteurs umfassende Entgelt, Frachten und Auslagen ausgenommen, das der Spediteur für seine Leistung erhält. Für längere Lagerungen und besondere Beförderungen, die über den vereinbarten bzw üblichen Rahmen hinausgehen, hat der Spediteur Anspruch auf Aufwandersatz nach § 396 Abs 2 HGB.

3. Schuldner. Der Provisionsanspruch richtet sich grundsätzlich gegen den **Versender** als Vertragspartner.

Es kann jedoch auf Grund der zwischen Versender und Empfänger bestehenden Rechtsbeziehungen vorgesehen sein, dass der Empfänger für die Provision des Spediteurs aufzukommen hat. Dann hat der Spediteur den gegen den Versender zustehenden Provisionsanspruch **beim Empfänger einzuziehen.** Lehnt der Empfänger die Annahme des Gutes ab, ist auch in solchen Fällen die Provision vom Versender zu zahlen.

4. Die Höhe der Provision ergibt sich aus der Vereinbarung; mangels ausdrücklicher Festsetzung gilt das Übliche als vereinbart (§§ 346, 354 HGB).

Der Österreichische Speditionstarif für Kaufmannsgüter wird in HBÖ Folge 6 Nr 61 als Handelsbrauch genannt. Dagegen ist dieselbe Skepsis angebracht wie gegen die Qualifikation der AÖSp als Handelsbrauch. Sind die AÖSp vereinbart, gelten die darin enthaltenen Provisionsregelungen.

5. Fixkostenspedition. Die Vertragsparteien können sich darüber einigen, die **Beförderung zu „festen“ oder „fixen Kosten“** durchzuführen (§ 413 Abs 1 HGB). Die Einigung umfasst neben den eigentlichen Beförderungskosten (Fracht) auch die sonst üblichen Nebenkosten der Versendung. Es geht also insgesamt um die Versendungskosten. In einem solchen Fall gilt ausschließlich Frachtrecht: dh der Spediteur hat ausschließlich die Rechte und Pflichten eines Frachtführers (wbl 1994, 340).

Eine Spedition zu Fixkosten liegt auch dann vor, wenn lediglich einzelne Kosten, die nur einen geringen Anteil an den Gesamtkosten darstellen, der gesonderten Verrechnung vorbehalten werden: ZfRV 2001/61, 192 = RdW 2001/612, 593 = ecolex 2002, 870 = VersE 1902.

6. Sammelladungsspedition. Mitunter liegt nahe, dass der Spediteur das **Frachtgut mehrerer Versender gemeinsam einem Frachtführer** übergibt; es wird ein Frachtvertrag über eine **Sammelladung** geschlossen. Auch auf einen solchen Fall wird ausschließlich Frachtrecht angewandt. Der Spediteur kann, sofern nicht eine Fixkostenvereinbarung vorliegt, eine den Umständen nach angemessene Fracht, höchstens aber die für die Beförderung des einzelnen Gutes gewöhnliche Fracht verlangen (§ 413 Abs 2 HGB); eine darüber hinausgehende Provision steht nur dann zu, wenn sie ausdrücklich vereinbart wurde.

Die Rechtsfolgen der Sammelversendung treten erst mit Übergabe des Gutes an den Sammelbeförderer ein, der mit dem Spediteur nicht identisch sein darf.

Befördert der Spediteur selbst, liegt Selbsteintritt nach § 412 HGB und keine Sammelladungsspedition vor. Die Sammelladungsspedition als solche ist kein Selbsteintritt.

Für das Vorliegen einer Sammelladung kommt es nicht auf die Willenserklärungen der Vertragsparteien (Absender und Spediteur), sondern auf das tatsächliche Handeln des Spediteurs an, der im Interesse des Kunden idR die günstigen Mengenstaffeltarife, die sich nach dem Gewicht der Ladung richten, ausnützt. Entscheidend ist das faktische Bewirken einer Sammelladung. Die frachtrechtliche Haftung des Spediteurs beginnt ab der Zusammenstellung der Sammelsendung und gilt während der gesamten Beförderung (RdW 2002/598, 661 = EvBl 2002/192).

7. Fälligkeit. Dem Spediteur steht für seine Tätigkeit ein Provisionsanspruch zu, sobald das Gut dem Frachtführer oder dem Verfrachter zur Beförderung übergeben ist (§ 409 HGB). Beim Abschluss **mehrerer Frachtgeschäfte** muss das Gut dem *letzten* Frachtführer übergeben worden sein; bei **Selbsteintritt** muss die Beförderung *begonnen* haben.

8. Provision bei Leistungsstörungen. Das HGB sieht hier keine Sonderregelungen vor; es gelten daher die Grundsätze des allgemeinen Schuldrechts, überdies die §§ 1020, 1021 ABGB. Sonderregelungen enthalten jedoch die AÖSp.

B. Anspruch auf Aufwandersatz

Die §§ 407 ff HGB über das Speditionsgeschäft enthalten keine Sonderregelungen über Ansprüche des Spediteurs auf Aufwandersatz. Es gilt § 396 Abs 2 HGB. Überdies erwähnt § 410 HGB (Pfandrecht) die „Auslagen und Verwendungen" des Spediteurs. Ersatzfähig ist nur der notwendige und nützliche Aufwand.

Der Spediteur muss ihn als sorgfältiger Kaufmann unter Berücksichtigung der Interessen und allfälligen Weisungen des Versenders für erforderlich halten (ecolex 1996, 757 = RdW 1996, 361 = wbl 1996, 372).

Zum Aufwandersatz gehören insb das vom Spediteur bezahlte Fracht-, Zustell-, Lagerentgelt, Zoll, sonstige Leistungen, die der Spediteur an Dritte bezahlt hat; insb für den Versender ausgegebene Versicherungsprämien. Der Aufwand für *eigene* Leistungen ist nur insoweit ersatzfähig, als diese Leistungen nicht durch die Provision abgedeckt sind.

Der Anspruch auf Aufwandersatz bleibt trotz Vereinbarung fester Beförderungskosten bestehen, soweit es sich nicht um Kosten handelt, die bereits von der Fracht bzw der Fixkostenvereinbarung umfasst sind (RdW 1996, 361 = wbl 1996, 372).

C. Gesetzliches Pfandrecht, Befriedigungs- und Zurückbehaltungsrecht am Speditionsgut

1. Allgemeines. § 410 HGB gewährt dem Spediteur ein spezielles gesetzliches Pfandrecht am Speditionsgut wegen

- der Fracht,
- der Provision,
- der Auslagen und Verwendungen sowie wegen
- der auf das Gut gegebenen Vorschüsse.

2. Konnexität. Das gesetzliche Pfandrecht des Spediteurs sichert nur **konnexe Forderungen** (also nur solche, die mit dem konkreten Speditionsgeschäft zusammenhängen; SZ 54/8). Forderungen des Spediteurs, die ihm aus *anderen* Speditionsgeschäften gegen den Versender zustehen, sind nicht gesichert. Auch von den konnexen Forderungen werden nicht alle erfasst, sondern *nur die oben aufgezählten;* diesbzgl aber gegenwärtige wie zukünftige, noch nicht fällige wie bedingte.

Das gesetzliche Pfandrecht des Kommissionärs betrifft demgegenüber auch nicht konnexe Forderungen, nämlich auch alle aus laufender Rechnung (§ 397 lt Satz HGB); das gesetzliche Pfandrecht des Lagerhalters und des Frachtführers besteht hingegen im Hinblick auf alle konnexen Forderungen (§§ 421, 440 HGB). Das gesetzliche Pfandrecht der Spediteure ist also besonders eng geraten. In der Sache überzeugt diese Differenzierung nicht. Die Praxis geht ohnehin darüber hinweg, weil die AÖSp den Spediteuren ein inkonnexes Pfandrecht einräumen.

3. Das Pfandrecht erfasst alle Speditionsgüter, die der Spediteur im Rahmen eines einheitlichen Speditionsauftrages innehat; er darf das Pfandrecht hinsichtlich der gesamten gesicherten Forderung an jedem Teil der Sendung geltend machen (HS 695/58).

4. Das Pfandrecht wird erst wirksam, sobald der Schuldner Eigentümer des Speditionsgutes geworden ist (SZ 54/8); es **besteht nur solange,** als der Spediteur das Speditionsgut noch innehat, er also darüber insb mittels Konnossements, Ladescheins oder Lagerscheins verfügen kann.

5. Befriedigungsrechte und Zurückbehaltungsrecht. Dem Spediteur stehen auf Grund des gesetzlichen Pfandrechts die einem Kaufmann gebührenden Befriedigungsrechte (Pfandverwertung) und das kaufmännische Zurückbezahltungsrecht (§ 369 ff HGB) zu.

D. Selbsteintrittsrecht

1. Allgemeines. Der Spediteur darf iZw die **Güterbeförderung auch selbst durchführen** (§ 412 Abs 1 HGB). Angesichts der Sonderbestimmungen über das Selbsteintrittsrecht des Spediteurs kommen igZ nach hM die Regeln der §§ 400–405 HGB über das Selbsteintrittsrecht des Kommissionärs *nicht* zur Anwendung.

2. Voraussetzungen. Das Selbsteintrittsrecht setzt einen gültigen **Speditionsvertrag** voraus. Ist hingegen vorweg vereinbart, dass der Spediteur die Fracht durchführt, wird sogleich ein Fracht- und kein Speditionsvertrag geschlossen. Bloße Überlassung eigener Beförderungsmittel des Spediteurs an den Frachtführer ist noch kein Selbsteintritt.

Von **„unechtem Selbsteintritt"** wird dann gesprochen, wenn der Spediteur zwar den Selbsteintritt erklärt, tatsächlich aber durch Dritte befördern lässt.

Wer im „unechten Selbsteintritt" eine unzulässige Umgehung des § 408 Abs 2 HGB bzw eine Umgehung der Rechenschafts- bzw Rechnungslegungspflicht des Spediteurs sieht, missachtet, dass der insoweit günstigeren Position des unecht Selbsteintretenden die erweiterte Frachtführerhaftung gegenübersteht.

Unzulässig ist der Selbsteintritt dann, wenn ihm Vertragsabreden entgegenstehen oder er gegen berechtigte Interessen des Versenders verstößt.

3. Rechtsnatur des Selbsteintritts. Umstritten ist, ob der Selbsteintritt Rechtsgestaltung oder bloßes Faktum ist. Bei Anerkennung des Erfordernisses einer Willenserklärung ist strittig, ob die Willenserklärung empfangsbedürftig ist oder nicht. Manifestation genügt; Zugang ist nicht erforderlich. Dies korrespondiert mit dem Fehlen einer einschlägigen Benachrichtigungspflicht.

4. Wirkungen des Selbsteintritts. Tritt der Spediteur selbst ein, erübrigt sich für ihn der Abschluss eines Frachtvertrages *mit einem Dritten.* Stattdessen kommt *zusätzlich* ein Frachtvertrag zwischen Spediteur und Versender zustande. **Speditions- und Frachtvertrag bestehen nebeneinander.** Der selbsteingetretene Spediteur hat daher die Rechte und Pflichten sowohl des Spediteurs (soweit diese nicht mit dem Abschluss eines Frachtvertrages mit einem Dritten zusammenhängen) als auch des Frachtführers (§ 412 Abs 1 HGB).

Der Spediteur hat insb

- Anspruch auf **Provision** (§ 409 HGB) und
- auf die bei Speditionsgeschäften üblichen **Kosten** (ob sie nun tatsächlich erwachsen sind oder nicht),
- ferner als Frachtführer Anspruch auf **gewöhnliche Fracht** (§ 412 Abs 2 HGB)
- sowie auf **Aufwandersatz** (§ 440 HGB).

Soweit infolge Selbsteintritts des Spediteurs unabdingbares Frachtrecht zur Anwendung kommt, kann es zwischen Spediteur und Versender nicht abbedungen werden.

E. Schadenersatzansprüche

stehen dem Spediteur gegenüber dem Versender nach allgemeinen Grundsätzen des bürgerlichen Rechts zu. Insb ist auf § 1014 ABGB hinzuweisen. Der Versender haftet demnach für alle mit der Erfüllung des Speditionsauftrages adäquat verbundenen Schädigungen des Spediteurs; Rechtswidrigkeit und Verschulden sind insofern nicht erforderlich.

Die AÖSp konkretisieren: Der Versender haftet insb

- für Schäden aus der **Übergabe gefährlicher Güter ohne entsprechenden Hinweis** (§ 5 lit b AÖSp);
- für **fehlerhafte Angaben** im Auftrag (§ 7 AÖSp);
- für Schäden infolge **mangelnder Aufklärung** über öffentlich-rechtliche Verpflichtungen (§§ 30 lit b, 31 lit a AÖSp).

V. Beendigung des Speditionsgeschäftes

Das HGB kennt keine Sonderregelungen. Es gelten daher die allgemeinen Vorschriften des bürgerlichen Rechts (vgl §§ 918ff; 1020; 1022; 1024; 1447 ABGB).

23. Kapitel
Lagergeschäft

Lit: *Berndorff,* Das Lagergeschäft (Diss Leipzig 1903); *Schetelech,* Das Lagergeschäft mit Ausschluß des Lagerscheins (1906); *Wölzl,* Das Lagergeschäft (1909); *Senckpiehl,* Das Lagergeschäft nach dt Recht (1914); *Zehnder,* Das Lagergeschäft (Diss Bern 1931); *Ziebell,* Die neuzeitliche Entwicklung des Lagerrechts (1933); *Sieg,* Lagervertrag und Lagerversicherung, BB 1965, 516; *Sellschopp,* Die vertragliche Haftung des Lagerhalters (1974); *Alff,* Neuere höchstrichterliche Rsp zum Speditions- und Lagerrecht[3] (1983); *Wiesbauer/Zetter,* Transporthaftung (1984) 26; *Koller,* Die Prüfungspflichten des Lagerhalters vor Auslieferung, TR 1985, 111; *Harten,* Die Haftung des Terminal Operators, TGR 1990, 55; *Koller,* Der Entwurf eines Übereinkommens über die Haftung von Umschlagbetrieben im internationalen Handel, TR 1990, 89; *Krien/Valder,* Speditions- und Lagerrecht (Lbl-Slg).

I. Rechtsquellen und Bedeutung des Lagergeschäftes

A. Gesetzesrecht

HGB: Das Lagergeschäft ist in den §§ 416–424 HGB geregelt. Bzgl der Empfangnahme, Aufbewahrung und Versicherung des Lagergutes gelten ferner die §§ 388–390 HGB über das **Kommissionsgeschäft** (§ 417 Abs 1 HGB).

ABGB: Subsidiär sind die §§ 957–967 ABGB über den Verwahrungsvertrag anzuwenden, sofern sie nicht ausdrücklich durch HGB-Regeln ausgeschlossen sind.

DepG: Für die Verwahrung von Wertpapieren iS des DepG kommen die §§ 1–12 und 23–30 DepG zur Anwendung. Der Verwahrer nach dem DepG ist nicht Lagerhalter iS des HGB.

EBG: Für die Aufbewahrung von Reisegepäck durch Eisenbahnen gilt § 52 EBG; über vorläufiges Verwahren von Gütern, die mit der Eisenbahn zu befördern sind, § 65 EBG.

B. Allgemeine Geschäftsbedingungen

Auf Lagergeschäfte der Spediteure können insb die §§ 43–49 **AÖSp** Anwendung finden; auf die Möbellagerung der Spediteure die **EMT;** für öffentliche Zolllager des Bundes ist die „Lagerordnung für öffentliche Zolllager des Bundes" beachtlich.

C. Bedeutung des Lagergeschäftes

Das Lagergeschäft ist mit dem Transportwesen untrennbar verbunden; ihm kommt daher eine der Speditions- und Frachtbranche durchaus vergleichbare wirtschaftliche Bedeutung zu.

II. Begriff des Lagergeschäftes

A. Lagerhalter

ist, wer es **gewerbsmäßig** übernimmt, **Güter zu lagern und aufzubewahren** (§ 416 HGB).

Lagerhalter sind **Istkaufleute** (§ 1 Abs 2 Z 6 HGB). Sie betreiben ein Grundhandelsgewerbe und können Voll- oder Minderkaufleute sein. Lagerhalter verlieren die Kaufmannseigenschaft nicht, wenn sie zugleich auch ein anderes Gewerbe betreiben.

Kommissionäre, Spediteure und Frachtführer sind häufig zugleich auch Lagerhalter.

Anders als beim Kommissions-, Speditions- und Frachtgeschäft kennt das HGB beim Lagergeschäft aber keine „uneigentlichen" Lagergeschäfte. Dh: unter das Regime der §§ 416ff HGB fallen keine bloßen Gelegenheitslagergeschäfte.

B. Lagervertrag

heißt jener **formfreie Konsensualvertrag,** den ein gewerbsmäßiger Lagerhalter mit dem Einlagerer über die Lagerung und Aufbewahrung von Gütern schließt. Der Lagervertrag ist im Gegensatz zum zivilrechtlichen Verwahrungsvertrag *kein* Realvertrag.

Parteien des Lagergeschäftes sind:

- der **Lagerhalter** und
- der **Einlagerer.**

Ein **Lagervertrag zugunsten Dritter** liegt vor, wenn die Parteien einem Dritten (zB einer Bank) das Recht einräumen, das gelagerte Gut nur mit Zustimmung des Dritten herauszugeben **(Sperrverpflichtung).** Einer Annahme dieser Verpflichtungserklärung gegenüber dem Dritten bedarf es nicht.

Ein Dritter erwirbt aus dem Lagervertrag unmittelbar Rechte, wenn Verfügungen über das Lagergut nur mit seiner Zustimmung getroffen werden sollen (HS 26.116/5).

C. Arten des Lagergeschäftes

1. Stücklagergeschäft (Einzellager-, Sonderlagergeschäft): Dieses ist das im Allgemeinen übliche Lagergeschäft. Der Lagerhalter hat das übernommene Lagergut *gesondert* zu lagern und *identisch* wieder zurückzugeben. Eben an *dieses* Lagergeschäft denken die §§ 416–418 HGB. Der Lagerhalter erwirbt kein Eigentum am Lagergut, auch nicht für die Dauer der Lagerung. Er ist auch nicht Rechtsbesitzer, sondern bloß Inhaber (Besitzer iS des Art 5 EVHGB).

2. Sammellagergeschäft (Mischlager) (§ 419 Abs 1 und 2 HGB; §§ 4ff DepG). Der Lagerhalter darf mit Erlaubnis des Einlagerers vertretbares Gut mit fremdem gleicher Art und Güte *vermischen* (gemeint ist nicht nur die Vermischung ieS, also insb von Flüssigkeiten oder Gasen, sondern auch die Vermengung fester Gegenstände), erwirbt aber dennoch nicht Eigentum daran; vielmehr entsteht **Miteigentum aller Einlagerer am Gesamtvorrat (Quantitätseigentum).** Der Lagerhalter ist berechtigt, jedem Einlagerer den ihm gebührenden Anteil herauszugeben, ohne dass es der Genehmigung der übrigen Einlagerer bedarf. Sammellagerung bedarf **ausdrücklicher Gestattung** des Einlagerers; Konkludenz reicht nicht aus. Für Schäden des Einlagerers aus schuldhafter, unbefugter Sammellagerung haftet der Lagerhalter.

3. Summenlagergeschäft. Bei ihm erwirbt der Lagerhalter *Eigentum* an den eingelagerten Sachen. Er ist lediglich verpflichtet, Sachen gleicher Art, Güte und Menge wieder herauszugeben. Hier liegt ein **depositum irregulare** iS des § 959 ABGB vor, nicht aber ein Lagergeschäft iS des HGB (§ 419 Abs 3 HGB). Man spricht von **„irregulärer Lagerung"** (vgl auch § 8 DepG).

4. Wertpapierdepot. Die Verwahrung von Wertpapieren bei den hiezu nach § 1 Abs 1 Z 5 BWG berufenen Kreditinstituten **(Depotgeschäft)** ist kein Lagergeschäft iS des HGB. § 1 DepG zählt auf, welche Wertpapiere nach dem DepG verwahrt werden können. Geld ist ausgenommen.

III. Pflichten des Lagerhalters

A. Lagerungs- und Aufbewahrungspflicht

1. Hauptpflicht des Lagerhalters ist das Lagern und Aufbewahren fremden Gutes (§ 416 HGB).

a) Lagern bedeutet Unterbringen in dazu bestimmten und eingerichteten Räumen auf gewisse Dauer (EvBl 1949/298).

b) Aufbewahren meint in **Obhut oder Obsorge** nehmen. Die Güter werden also in die Gewahrsame des Lagerhalters übernommen; ihn trifft nicht nur die Pflicht, sie in (eigenen oder fremden) Räumen unterzubringen (Mietelement), sondern auch die Pflicht zu einer die Güter sichernden und schützenden Tätigkeit: also zu positivem Handeln **(Dienstleistungselement).**

Wer gegen Entgelt bloß Räume zur Verfügung stellt, in denen der Interessent seinerseits Waren lagert, ist Vermieter, nicht Lagerhalter.

Gebrauchs- oder Nutzungsrechte an den gelagerten Gütern kommen dem Lagerhalter nicht zu; daher ist er kein Rechtsbesitzer, sondern bloß Inhaber (§ 958 ABGB; Art 5 EVHGB).

c) Lagergut können alle *lagerfähigen, beweglichen Sachen* sein. Es muss sich *nicht* um *Waren* des Handelsverkehrs handeln. Die Mat zum HGB schließen *Geld, Wertpapiere und lebende Tiere* aus (HGB-Denkschrift 249). Bzgl der Verwahrung von Wertpapieren ist das DepG beachtlich. Geld legt man idR bei einem Kreditinstitut ein und „lagert“ es nicht.

2. Sorgfalt eines ordentlichen Kaufmanns. Der Lagerhalter hat seinen Pflichten mit der Sorgfalt eines ordentlichen Kaufmanns nachzukommen, auch wenn dies § 416 HGB nicht ausdrücklich erwähnt (§ 347 HGB).

Der Lagerhalter hat das Gut ordnungsgemäß unterzubringen und regelmäßig zu kontrollieren. Er hat mit dem Lagergut sorgfältig umzugehen. Die Lagerräume sind so zu halten, dass eine sachgerechte Lagerung möglich ist. Sie sind trocken zu halten; entsprechend zu bewachen; die erforderlichen Kühl- oder Heizanlagen haben zu funktionieren etc. Sofern der Einlagerer bestimmten Lagerweisen zugestimmt hat, ist dem Lagerhalter kein Vorwurf zu machen, wenn er sich vereinbarungsgemäß verhält (zB Lagerung im Freien), außer der Lagerhalter musste auf Grund seines Fachwissens erkennen, dass die ventilierte Lagerweise dem Gut schädlich sein kann und der Einlagerer die diesbzgl Gefahr nicht sieht. Den Lagerhalter trifft die Beweislast, dass er ohne sein Verschulden nicht in der Lage ist, das ihm übergebene Lagergut zurückzugeben (SZ 24/25; OLG Wien EvBl 1950/175).

3. Einlagerung bei einem Dritten. Wird das Gut vom Lagerhalter bei einem Dritten eingelagert, greift § 965 ABGB: Nur im **Notfall** oder mit **Zustimmung des Einlagerers** darf der Lagerhalter das Gut einem Dritten zur Lagerung übergeben. Andernfalls haftet der Lagerhalter auch für zufällige Schäden, die am Gut nicht entstanden wären, hätte sie der Lagerhalter behalten. Diese **Haftung für gemischten Zufall** (casus mixtus) ist eine Sonderform der Verschuldenshaftung. Sie tritt ein, wenn der Dritte als **Gehilfe** des Lagerhalters zu qualifizieren ist.

Von diesen Fällen sind die einer **Substitution** zu unterscheiden, die zu einem Eintritt des Dritten in den Vertrag des Lagerhalters führen. Hier wird der Dritte neuer Vertragspartner des Einlagerers. Eine den ursprünglichen Lagerhalter entpflichtende Vertragsübernahme bedarf der Zustimmung des Einlagerers.

4. Ausstellung eines Lagerscheins. Von Gesetzes wegen besteht keine Pflicht des Lagerhalters, über die Einlagerung des Gutes einen **Lagerschein** auszustellen. Wohl aber sieht dies § 48 lit a AÖSp vor, sofern es der Einlagerer verlangt. Näheres zum Lagerschein unter V.

B. Pflichten des Lagerhalters, die auch ein Kommissionär hat

1. Rechtswahrung gegenüber Dritten und Verständigung des Einlagerers. Geht das Gut dem Lagerhalter von einem Dritten zu und ist es äußerlich erkennbar beschädigt oder mangelhaft, so sind die Rechte des Einlagerers gegen den Dritten zu wahren und Beweise zu sichern. Überdies ist der Einlagerer unverzüglich zu verständigen (§ 388 Abs 1 HGB).

Mitunter hat der Lagerhalter auch die Pflicht, die Annahme des beschädigten oder mangelhaften Gutes zu verweigern (BGHZ 46, 50).

2. Ersatzpflicht bei Verlust und Beschädigung. Der Lagerhalter haftet für Verlust und Beschädigung des verwahrten Gutes, wenn die kaufmännische Sorgfaltspflicht vernachlässigt wurde (§ 390 Abs 1 HGB).

3. Versicherungspflicht. Der Lagerhalter ist nur im Falle eines diesbzgl Auftrages des Einlagerers zur Versicherung des Gutes verpflichtet (§ 390 Abs 2 HGB).

C. Benachrichtigungspflichten

1. Treten Veränderungen am Lagergut ein, die dessen Entwertung befürchten lassen, hat der Lagerhalter den Einlagerer bei sonstiger Haftung unverzüglich davon zu verständigen (§ 417 Abs 2 HGB). Gleiches gilt für den Fall, dass sonstige **Gefahren** dem Lagergut drohen. Der Einlagerer soll auf diese Weise möglichst bald Gelegenheit haben, geeignete Verfügungen treffen zu können.

2. Ist Gefahr im Verzug, also eine rechtzeitige Verständigung des Einlagerers nicht möglich oder dessen rechtzeitige Reaktion aller Voraussicht nach ausgeschlossen, oder verabsäumt der verständigte Einlagerer, rechtzeitig eine Verfügung zu treffen, darf der Lagerhalter einen **Selbsthilfeverkauf** vornehmen (§ 417 Abs 1 iVm § 388 Abs 2 und § 373 HGB).

D. Gestattungspflicht

Der Lagerhalter hat dem Einlagerer die Besichtigung des Gutes, die Entnahme von Proben und die zur Erhaltung des Gutes notwendigen Handlungen während der Geschäftsstunden zu gestatten (§ 418 HGB). Der Einlagerer darf sich dabei vertreten lassen (vgl insb §§ 43–46 AÖSp; § 7 EMT).

E. Haftung des Lagerhalters

1. Allgemeine Grundsätze. Lagerhalter haften für die schuldhafte Verletzung ihrer vertraglichen Pflichten schon nach den allgemeinen Grundsätzen des bürgerlichen Rechts. Es ist jedoch auf die Besonderheiten des **kaufmännischen Sorgfaltsmaßstabes** zu achten. Die einschlägigen AGB ergänzen bzw modifizieren diese Haftung (§§ 51–63 AÖSp). Vgl ferner die Haftungsregeln der §§ 388 Abs 1; 390 HGB.

2. Verjährung. Die Ansprüche gegen den Lagerhalter wegen Verlustes, Minderung, Beschädigung oder verspäteter Ablieferung des Gutes verjähren in einem Jahr (§ 423 iVm § 414 HGB; vgl ferner § 64 AÖSp; § 15 EMT). Für all jene Ersatzansprüche, die nicht von § 423 HGB erfasst sind, gelten die allgemeinen Verjährungsregeln (§ 1489 ABGB). *Ergänzend* ordnet § 423 HGB an, dass im Falle gänzlichen Verlustes des Lagergutes die Verjährungsfrist mit Ablauf des Tages zu laufen beginnt, an dem der Lagerhalter dem Einlagerer den Verlust anzeigt. Zeigt er nicht an, dann beginnt die Verjährungsfrist auch nicht zu laufen; der Anspruch des Einlagerers bleibt somit länger gewahrt.

IV. Rechte des Lagerhalters

A. Anspruch auf das Lagergeld

1. Das Entgelt für die Lagerung und Aufbewahrung des Gutes ist das Lagergeld. Es wird entweder ausdrücklich bedungen oder steht auch ohne Vereinbarung nach Ortsüblichkeit zu (§ 420 HGB). Kann kein ortsübliches Lagergeld ermittelt werden, steht ein angemessenes Lagergeld zu. Vom Lagergeld zu unterscheiden ist der gesondert zu ersetzende Aufwand. Lagergeld und Aufwand bilden zusammen die Lagerkosten.

2. Schuldner des Lagergeldes. Der Anspruch auf Lagergeld steht gegenüber dem Einlagerer, nicht gegenüber dem Eigentümer des Lagergutes zu (EvBl 1955/134). Auch wenn das Lagergeld auf Weisung des Einlagerers bei einem Dritten erhoben werden soll, bleibt der Einlagerer Schuldner des Lagergeldes.

3. Fälligkeit. Das Lagergeld ist nach Ablauf von je 3 Monaten ab Einlagerung oder mit der Zurücknahme des Gutes fällig. Teilrücknahmen lösen die Fälligkeit des entsprechenden Entgeltteiles aus (§ 420 Abs 2 HGB).

B. Anspruch auf Aufwandersatz

1. Erforderliche Auslagen. Der Lagerhalter hat ferner Anspruch auf Erstattung der Auslagen für Fracht und Zölle sowie der sonst für das Gut gemachten Aufwendungen, soweit er sie den Umständen nach für erforderlich halten durfte (§ 420 Abs 1 HGB).

Solche Aufwendungen sind auch Auslagen für die Versicherung des Gutes bzw zu seiner Erhaltung, soweit solche Aufwendungen nicht schon durch das Lagergeld abgegolten sind. Zu solchen Aufwendungen ist der Lagerhalter entweder ausdrücklich auf Grund des Lagervertrages verpflichtet oder weil sie mit einer derartigen Lagerung gewöhnlich verbunden sind.

2. Fälligkeit. Barauslagen sind dem Lagerhalter sofort zu erstatten (§ 420 Abs 2 HGB). Andere Aufwendungen sind nicht anders fällig als das Lagergeld.

Die Bestimmungen des § 420 Abs 2 HGB gelten nur für **Lagerkosten,** nicht also zB für Ansprüche aus einem Darlehen oder für Ansprüche gegen den Einlagerer auf Ersatz von Schäden, die durch das Lagergut verursacht wurden.

C. Gesetzliches Pfandrecht und Zurückbehaltungsrecht

1. Wegen der Lagerkosten. § 421 HGB gewährt dem Lagerhalter wegen der Lagerkosten ein spezielles gesetzliches Pfandrecht am Lagergut, solange er es innehat, insb mittels Konnossements, Ladescheins oder Lagerscheins darüber verfügen kann.

Für andere Ansprüche steht das gesetzliche Pfandrecht *nicht* zu. Bzgl solcher Ansprüche kann entweder ein Pfandrecht vereinbart werden oder es liegen Gründe für ein anderes gesetzliches Pfandrecht vor. § 50 AÖSp und die EMT begründen vertragliche Pfandrechte.

2. Das Pfandrecht erfasst unabhängig von der Höhe der offenen Lagerkosten das gesamte Lagergut. Auch die Verpackung. Sogar eingelagerte Gegenstände des persönlichen Gebrauches.

3. Pfandverwertung. Dem Lagerhalter stehen auf Grund des gesetzlichen Pfandrechts die einem Kaufmann gebührenden Befriedigungsrechte (Pfandverwertung) zu.

4. Das kaufmännische Zurückbehaltungsrecht (§§ 369ff HGB) steht dem Lagerhalter neben dem gesetzlichen Pfandrecht zu.

D. Rücknahmeanspruch

1. Aus wichtigem Grund darf der Lagerhalter vom Einlagerer verlangen, dass dieser sein Gut vorzeitig zurücknimmt (§ 422 Abs 2 HGB).

2. Befristete Lagerung. Liegt kein wichtiger Grund vor und wurde die Lagerung befristet vereinbart, so ist der Lagerhalter nicht berechtigt, vom Einlagerer eine vorzeitige Rücknahme zu verlangen (§ 422 Abs 1 HGB).

3. Lagerung über die Frist hinaus. Bleibt das Gut über die vereinbarte Frist hinaus auf Lager, so kann die Rücknahme nur nach vorheriger Kündigung unter Einhaltung einer Kündigungsfrist von einem Monat gefordert werden (§ 422 Abs 1 HGB).

4. Lagerung auf unbestimmte Zeit. In diesem Fall darf ohne wichtigen Grund keine Rücknahme des Gutes vor dem Ablauf von drei Monaten nach Einlagerung verlangt werden. Die Rücknahme kann auch sonst nur nach vorheriger Kündigung unter Einhaltung einer Kündigungsfrist von einem Monat gefordert werden (§ 422 Abs 1 HGB).

Der **Einlagerer** kann seinerseits das Lagergut jederzeit zurücknehmen, also auch während noch laufender Lagerfrist (§ 962 ABGB). In solchen Fällen hat der Einlagerer überdies Anspruch auf teilweise Rückstellung des im Voraus entrichteten Lagergeldes (§ 1435 ABGB). Der Lagerhalter kann dagegen allfällige Schadenersatzansprüche aus der vorzeitigen Rückstellung der Sache geltend machen (JBl 1974, 622).

E. Recht zum Selbsthilfeverkauf

Ist das Gut dem Verderb ausgesetzt oder treten spätere Veränderungen am Gut ein, die dessen Entwertung befürchten lassen, und kann eine Verfügung des Einlagerers nicht mehr abgewartet werden, oder aber verabsäumt der verständigte Einlagerer, eine Disposition zu treffen, obwohl er den Umständen nach dazu verpflichtet ist, so darf der Lagerhalter das Gut nach § 373 HGB verkaufen (§ 417 Abs 1 iVm § 388 Abs 2 und § 389 HGB).

V. Lagerscheine

Lit: *Münch,* Die Verkehrsform des dt Lagerscheins (1928); *Abraham,* Der Lagerschein (1933); *Serick,* Die Rechtsnatur des Orderlagerscheins, FS W. Schmidt (1959) 315; *Reinicke,* Guter Glaube und Orderlagerschein, BB 1960, 1368; *Wiedemann,* Der Lagerschein als Inhaber- und Legitimationspapier, DB 1960, 1368.

A. Begriff des Lagerscheins

Lagerscheine sind Urkunden, in denen Lagerhalter bestätigen,

- das **Lagergut empfangen** zu haben,
- und dessen **Rückgabe (**gegen den Lagerschein) **versprechen.**

Der Lagerschein sagt also eine Leistung zu. Lagerscheine sind Wertpapiere.

B. Abgrenzungen des Lagerscheins

1. Gegenüber dem Lagerempfangsschein. So heißt die vom Lagerhalter ausgestellte *Bescheinigung über den Empfang* des Lagergutes. Weitere Wirkung hat dieser Schein nicht. Insb ist der Lagerhalter nicht verpflichtet, das Gut nur demjenigen herauszugeben, der einen Lagerempfangsschein vorweist (vgl demgegenüber aber § 48 lit c AÖSp). Lagerempfangsscheine sind **Inhaberlegitimationspapiere.**

2. Gegenüber dem Lieferschein (Freistellungsschein). So heißt die bloße *Anweisung* an den Lagerhalter, das Lagergut dem Käufer *auszuhändigen.* Der Lieferschein begründet weder einen Verwahrungs- oder Herausgabeanspruch, noch etwa Eigentum am Lagergut; er stellt lediglich eine *Ermächtigung des Einlagerers an den Lagerhalter* dar, das Gut herauszugeben; zugleich wird der Inhaber des Lieferscheins ermächtigt, sich die Ware vom Lagerhalter aushändigen zu lassen. Lieferscheine sind **Anweisungen.**

C. Arten von Lagerscheinen

Man unterscheidet zwischen **Inhaber-, Rekta-** und **Order**lagerscheinen.

1. Inhaberlagerschein. In diesem Papier verpflichtet sich der Lagerhalter, das Lagergut jedem auszuliefern, der den Schein vorlegt und quittiert. Es wird kein Berechtigter namentlich genannt. Inhaberlagerscheine sind **Inhaberpapiere.**

Sofern jemand im Papier namentlich genannt wird, erhält der Lagerschein erst dann die Funktion eines Inhaberpapiers, wenn hinzugefügt wird, dass auch jeder Rechtsnachfolger des im Papier Genannten aus dem Papier berechtigt ist **(hinkender Inhaberlagerschein).**

Berechtigt, Inhaberlagerscheine auszugeben, ist jeder Lagerhalter. Inhaberlagerscheine sind nicht gebräuchlich.

Berechtigt, die Herausgabe des Lagergutes zu verlangen, ist, wer den Inhaberlagerschein vorlegt. Die Übertragung des Herausgabeanspruches an einen Dritten erfolgt durch bloße Übereignung des Papiers. Das Recht am Papier sichert das Recht aus dem Papier. Wer das Recht am Papier überträgt, überträgt damit auch das Recht aus dem Papier **(volle Transportfunktion).**

2. Rektalagerschein. Im Rektalagerschein verpflichtet sich der Lagerhalter, das Lagergut nur dem in der Urkunde namentlich Genannten gegen Rückgabe der Urkunde herauszugeben. Der Rektalagerschein ist ein **Rektapapier;** er wird mitunter auch **Namenslagerschein** genannt. (Dies ist insofern missverständlich, als man im Allgemeinen sowohl Rekta- als auch Orderpapiere als Namenspapiere bezeichnet. Man sollte daher besser nur von Rektalagerscheinen sprechen.)

Berechtigt, Rektalagerscheine auszugeben, ist jeder Lagerhalter.

Berechtigt, die Herausgabe des Lagergutes zu verlangen, ist auch, wem der im Namenslagerschein Genannte seinen Herausgabeanspruch *zivilrechtlich abgetreten* hat. Der Zessionar muss auch den Rektalagerschein haben, um seinen Anspruch erheben zu können.

3. Orderlagerschein. Der Orderlagerschein verpflichtet den Lagerhalter, das Lagergut dem in der Urkunde namentlich Genannten oder dem legitimierten Indossatar gegen Rückgabe des quittierten Papiers herauszugeben. Legitimiert ist der letzte Indossatar (§§ 364, 365 HGB). Orderlagerscheine sind **gekorene Orderpapiere.** Sie bedürfen der **Orderklausel.** Sie sind überdies **Traditionspapiere.**

Orderlagerscheine verbriefen den Anspruch auf Herausgabe des Lagergutes. Man sagt auch, der Orderlagerschein sei ein **Umlaufpapier,** weil die Weitergabe des Papiers das Lagergut im Rechtsverkehr belässt, obwohl es eingelagert bleibt.

§ 424 HGB bestimmt: Ist das Gut vom Lagerhalter übernommen worden, so hat die Übergabe des Orderlagerscheins an denjenigen, der durch den Schein **zur Empfangnahme des Gutes legitimiert** wird, für den **Erwerb von Rechten an dem Gute** dieselben Wirkungen wie die Übergabe des Gutes. Dingliche Rechte am Lagergut können also durch Indossament und Übergabe des Orderlagerscheins übertragen werden **(modifizierte Transportfunktion).**

Voraussetzung ist, dass das Gut vom Lagerhalter übernommen wurde. Verfügt der Lagerhalter nicht mehr über das Gut, so hat auch die Übergabe des Orderlagerscheins nicht mehr die in § 424 HGB genannte Wirkung.

Eigentums- bzw Pfandrechtsübertragung. Soll Eigentum übertragen werden, ist ein Vollindossament vonnöten; soll ein Pfandrecht übertragen werden, ein Pfandindossament.

Berechtigt, Orderlagerscheine auszugeben, war nach der OLSchV, die 1999 aufgehoben wurde, nur, wer hiezu öffentlich-rechtlich ermächtigt war. Nunmehr gilt diese Einschränkung nicht mehr.

Berechtigt, die Herausgabe des Lagergutes zu verlangen, ist, wen der Orderlagerschein als Herausgabeberechtigten ausweist.

VI. Beendigung des Lagergeschäftes

Das HGB kennt grundsätzlich keine besonderen Regelungen über die Beendigung des Lagergeschäftes. Es kommen insofern die allgemeinen Grundsätze des bürgerlichen Rechts zur Anwendung. Demnach ergibt sich die Dauer des Verwahrungsvertrages entweder aus dem Vertrag selbst, aus den Umständen oder ist nach Belieben durch Kündigung zu beenden (§ 963 ABGB). Nähere Auskunft über Kündigungsfristen oder -termine gibt das ABGB nicht.

Einige diesbzgl Sonderaspekte finden sich im HGB aber doch: Vgl oben die Ausführungen über den Rücknahmeanspruch (§ 422 HGB). Hieraus ergibt sich, dass das Lagergeschäft jedenfalls aus wichtigem Grund vorzeitig beendet werden kann; im Übrigen hat der Lagerhalter Kündigungsbestimmungen einzuhalten.

24. Kapitel
Frachtgeschäft

Lit: *Felber,* Die Ablieferung des Gutes als Beendigung des Frachtvertrages, JBl 1954, 612; *Züchner,* Die Ermittlung des Ersatzwertes im Frachtrecht, DB 1965, 1277; *Helm,* Haftung für Schäden an Frachtgütern (1966); *Emmerich,* Beschränkte Vertragshaftung und konkurrierende Ansprüche aus unerlaubter Handlung im Frachtrecht, JuS 1967, 345; *Eberhardt,* Berührt die Beschränkung der Vertragshaftung des Frachtführers auch die außervertragliche Haftung? ZfVw 1968, 645; *Konow,* Frachtrecht als Sonderordnung, DB 1971, 1095; *Konow,* Haftungsfragen bei Frachtgeschäften, an denen mehrere Frachtführer beteiligt sind, DB 1973, 905; *Konow,* Grundfragen des frachtrechtlichen Schadensausgleiches, DB 1976, 469; *Pelz,* Frachtbrief und Übergabe des Frachtgutes in ihrer Bedeutung für den Frachtvertrag (1980); *Alff,* Neuere höchstrichterliche Rsp zum Speditions- und Frachtrecht (1982); *Wiesbauer/Zetter,* Transporthaftung (1984); *Spera,* Grundsatzprobleme des Dokumentengeschäftes im Gütertransport, ZIE 1985, 85; *Enzinger,* Zur Haftung des Frachtführers, RdW 1986, 360; *Chr. Huber,* Zur Verjährung des Schadenersatzanspruches gegen den Frachtführer, JBl 1986, 227; *Dubischar,* Grundriß des gesamten Gütertransportrechts (1987); *Koller,* Die Abgrenzung zwischen Speditions- und Frachtverträgen, NJW 1988, 1756; *Blaschczok,* Die Haftung beim Transport mit vertragswidrigen Beförderungsmitteln, VersR 1988, 432; *Piper,* Höchstrichterliche Rsp zum Speditions- und Frachtrecht[6] (1988); *Herber,* Haftung beim multimodalen Transport, TR 1990, 4; *Schwanke,* Speditions-, Lager- und Frachtrecht (1988); *Lenz,* Konkurrierende Verjährungsfristen im Straßengütertransportrecht, TR 1989, 396; *Csoklich,* Einführung in das Transportrecht (1990); *Alff,* Fracht-, Lager- und Speditionsrecht[2] (1991); *Jesser,* Frachtführerhaftung nach der

CMR. Internationaler und nationaler Straßengütertransport (1992); *Starosta,* Falschauslieferung an den Empfänger? – Zur Abgrenzung von Verlust- und Vermögensschäden, VersR 1992, 804; *Herber,* Drittschadensliquidation im Güterbeförderungsgewerbe, TR 1993, 1; *Mann,* Haftungsfragen bei der Paketbeförderung durch Privatunternehmen, TR 1993, 13; *Rajewski,* Der Gütertransport und seine Versicherung. Ein Leitfaden für Theorie und Praxis (1993); *Helm* in GroßK[4] §§ 425 ff = Sonderausgabe Frachtrecht I[2] (1994); *Heuer,* Du sollst einen anderen Fahrer haben neben dir, TR 1994, 107; *Piper,* Höchstrichterliche Rsp zum Speditions- u. Frachtrecht[4] (1994); *Jesser-Huss,* Rechtsprechungsübersicht Transportrecht, ecolex 2000, 22; *dies,* Verjährung von Ansprüchen des Haupt- gegen den Unterfrachtführer. Änderung der Rechtsprechung, ecolex 2000, 864; *Koller,* Transportrecht[4] (2000); *Saria,* Tiere als Güter, ÖJZ 2001, 161; *Stefula,* Schadenersatz für Passagiere im Luftfahrtgesetz (2001); *Fremuth/Thume,* Frachtrecht (2002); *Helm,* GroßK[4] Anh VI nach § 452 = Frachtrecht II CMR (2002); *Csoklich,* Neuerungen im internationalen Lufttransport, RdW 2004, 591; *Koller,* Unbeschränkte Haftung des Luftbeförderers nach dem Montrealer Abkommen 1999? Transportrecht 2005, 178.

I. Rechtsquellen und Bedeutung des Frachtgeschäftes

A. Bedeutung und Zersplitterung des Frachtrechts

Freier Handel und freier Wettbewerb sind ohne freien Warenverkehr nicht denkbar. Der zunehmende Abbau von Handelshemmnissen in großen Regionen, insb in Europa (EU, EWR), fördert den freien Warenverkehr in erheblichem Maße. Das Anschwellen des nationalen wie internationalen Verkehrsaufkommens ist in hohem Maße auch auf die Zunahme des Warentransportes zurückzuführen. Seine Bedeutung ist evident.

Das Recht des Frachtgeschäftes ist zersplittert und unübersichtlich. Es kommt noch weniger als das Recht des Speditions- und Lagergeschäftes mit den Regeln des HGB aus. Vielmehr sind für verschiedene Bereiche des Frachtgeschäfts noch zahlreiche andere Gesetze beachtlich. Darüber hinaus haben die unterschiedlichsten AGB prägende Bedeutung erlangt.

An Frachtrechtsbereichen unterscheidet man:

- **das allgemeine Frachtrecht des HGB,**
- **das Straßenfrachtrecht,**
- **das Eisenbahnfrachtrecht,**
- **das Luftfrachtrecht,**
- **das Seefrachtrecht,**
- **das Recht des kombinierten Transportes,**
- **das Recht der Postbeförderung.**

Es ist hier nicht möglich, all diese Rechtsbereiche darzustellen. Ich greife stattdessen die frachtrechtlichen Bestimmungen des HGB heraus, die einen Einblick in die grundsätzlichen Regelungsstrukturen bieten.

B. Rechtsquellen des HGB-Frachtrechts

Das Frachtrecht des HGB ist in den §§ 425–453 HGB geregelt. Die Bestimmungen über den Frachtvertrag gelten auch für solche Frachtverträge, die nicht von Frachtführern abgeschlossen werden: insb also für Frachtverträge von Gelegenheitsfrachtführern (§ 451 HGB); für selbsteintretende Spediteure (§ 412 HGB), für die Spedition zu festen Kosten und die Sammelladungsspedition (§ 413 HGB).

Die Sonderfrachtrechte schränken den Anwendungsbereich dieser Bestimmungen weitgehend ein, verweisen jedoch subsidiär auf die §§ 425 ff HGB.

Die §§ 425 ff HGB gelten im Übrigen nicht für die **Beförderung von Gütern durch die Post** (§ 452 HGB).

Vielmehr ist das **PostG** 1997 anzuwenden. Das HGB geht zwar davon aus, dass die „Postverwaltungen" nicht als Kaufleute iS des HGB gelten; dessen ungeachtet ist aber die Post- und Telekom Austria AG (vgl das Poststrukturgesetz – PTSG) Formkaufmann. Es gibt zahlreiche **internationale Postabkommen;** sie werden vom **Weltpostverein** verabschiedet (Satzungen des Weltpostvereins: BGBl 1965/350 idgF). Im gegebenen Zusammenhang hervorzuheben ist das **Postpaketabkommen** vom 26. 10. 1979 (BGBl 1981/504). Es regelt den Austausch von Postpaketen zwischen den vertragsschließenden Ländern. **Sonstige Weltpostabkommen:** Allgemeine Verfahrensordnung, Postanweisungs- und Postreisegutscheinabkommen, Postscheckabkommen, Postnachnahmeabkommen, Postauftragsabkommen, Postzeitungsabkommen.

Für sich allein haben die §§ 425 ff HGB einen eher bescheidenen Anwendungsbereich:

Nämlich die Güterbeförderung zu Lande durch bloße Menschenkraft („Dienstmann"), durch von Tieren gezogene Fuhrwerke und einspurige Fahrzeuge (Fahr- und Motorräder) sowie die Beförderung mittels LKW zwischen zwei ausländischen Staaten, die *beide* keine Vertragsstaaten der CMR sind. Darüber hinaus gelten die §§ 425 ff HGB für Frachtverträge über die Güterbeförderung auf Flüssen oder sonstigen Binnengewässern.

Dennoch gewährt die Darstellung des Frachtrechts des HGB nach wie vor einen durchaus tauglichen ersten Einblick in die grundlegenden Ordnungsfragen des Frachtrechts. Überdies gelten die §§ 425 ff HGB in den Sonderfrachtrechten subsidiär und dienen dort als wichtige Auslegungshilfe.

II. Begriff des Frachtgeschäftes

A. Frachtführer

ist, wer es

- **gewerbsmäßig** übernimmt,
- die **Beförderung von Gütern**
- zu **Lande**
- oder auf **Flüssen oder sonstigen Binnengewässern**
- **auszuführen** (§ 425 HGB).

Der Frachtführer ist Kaufmann nach § 1 Abs 2 Z 5 HGB; er betreibt ein **Grundhandelsgewerbe.** Er kann Voll- oder Minderkaufmann sein. Da er *Güter* zu befördern hat, erfassen die §§ 425 ff HGB *nicht* auch die Personenbeförderung.

Beachte: Personenbeförderung zu Lande und auf Binnengewässern erfordert einen *anstaltsmäßigen* Geschäftsbetrieb. Wer ohne einen solchen gewerbsmäßig Personenbeförderung betreibt, ist weder Ist- noch Sollkaufmann. Die Beförderung von Handgepäck oder lebenden Tieren gemeinsam mit einer Person ist Nebenleistung der Personenbeförderung und nicht Güterbeförderung.

Gelegenheitsfrachtführer: Wer zwar Kaufmann ist, sich aber hauptsächlich anderen gewerblichen Tätigkeiten widmet als dem Frachtgeschäft, ist nicht Frachtführer, auch wenn er gelegentlich ein Frachtgeschäft schließt. Er ist diesbzgl bloß *Gelegenheitsfrachtführer.* Dennoch schließt er einen Frachtvertrag, auf den die §§ 426ff HGB anwendbar sind (§ 451 HGB).

Frachtgut sind transportfähige körperliche Sachen. Sie müssen keine Handelsware sein. Transportfähig ist, was, ohne Schaden zu leiden, mit fremder oder eigener Kraft von einem Ort zu einem anderen gebracht werden kann.

Beförderung erfordert Ortswechsel. Auf die Überwindung großer Strecken kommt es nicht an.

Schon das Verbringen einer Sache von einem Stockwerk zum anderen genügt. Es muss aber einen Bestimmungsort geben. Bloßes Fortschaffen (zB Müllabfuhr) ist nicht gemeint. Probleme können sich hier beim *Sondermülltransport* ergeben, der vereinbarungsgemäß an einen bestimmten Verwertungsort gebracht werden soll. Das Gut kann von Menschen getragen (Dienstmann), in Straßen-, Wasser- oder Luftfahrzeugen transportiert werden; doch ist auch der *Viehtrieb* Beförderung; ebenso das Zustellen eines Kraftfahrzeuges, indem man es fährt und nicht verlädt. Auch *Verflößen* von Holz auf einem Fluss ist Beförderung. Wird elektrischer Strom zugeleitet, liegt darin allerdings keine frachtmäßige Beförderung.

Zu Lande, auf Flüssen oder sonstigen Binnengewässern: also nicht zur See. Diesbzgl enthält das 5. Buch des HGB einschlägige Bestimmungen. Von der Luft wird nicht gesprochen. Dennoch spricht das Schweigen des § 425 HGB aus Gründen sachlich gerechtfertigter Gleichbehandlung nicht für einen Umkehrschluss, sondern für analoge Anwendung.

B. Frachtvertrag

ist der **formfreie Konsensualvertrag** über die Beförderung von Gütern iS des § 425 HGB (anders beim Eisenbahnfrachtvertrag: Er kommt erst durch Annahme des Gutes und des Frachtbriefes durch die Eisenbahn zustande; § 69 EBG; Art 11 § 1 CIM). Wie bei allen Handelsgeschäften ist auch beim Frachtvertrag davon auszugehen, dass er entgeltlich ist. Das Entgelt heißt Fracht. Einer Einigung über die Höhe der Fracht bedarf es nicht (§ 354 HGB).

1. Vertragspartner sind

- der **Frachtführer** und
- der **Absender.**

Beachte: Vom **Versender** spricht man, wenn jemand einen *Spediteur* beauftragt, für Rechnung des Versenders mit dem Frachtführer zu kontrahieren. Der Spediteur selbst ist in einem solchen Fall als Vertragspartner des Frachtführers jedoch **Absender.** Im Seefrachtrecht (§§ 556ff HGB) heißt der Frachtführer **Verfrachter,** der Absender **Befrachter.**

Aus dem Vertrag berechtigt wird auch der **Empfänger.** Er ist deshalb aber nicht schon Vertragspartner, es sei denn, er wäre zugleich der Absender. Der Empfänger ist der aus dem **Frachtvertrag als echtem Vertrag zugunsten Dritter** (§ 881 Abs 2 ABGB) berechtigte Dritte. Es treffen ihn allerdings auch gesetzlich vorgesehene Pflichten (§ 436 HGB), sodass sich die Rechtsstellung des Empfängers nicht allein aus der Figur des Vertrages zugunsten Dritter erklären lässt. Diese Pflichten machen den Frachtvertrag aber keineswegs zu einem unzulässigen Vertrag zu Lasten des Empfängers. Denn die Pflichten treffen den Empfänger erst, sobald er sich durch Abnahme des Frachtgutes auf den Frachtvertrag eingelassen hat.

2. Werkvertragselemente. Der Frachtvertrag zielt nicht bloß auf eine Bemühung oder eine vom Eintritt eines Erfolges unabhängige Verrichtung; vielmehr soll der Frachtführer ein durchaus bestimmtes Ergebnis erreichen: Das Frachtgut soll den Bestimmungsort erreichen und dem Empfänger übergeben werden. Insofern weist der Frachtvertrag erhebliche **werkvertragliche Elemente** auf. Daher gelten für den Frachtvertrag subsidiär auch die Bestimmungen des Werkvertragsrechts (§§ 1165ff ABGB; RZ 1970, 40; SZ 49/48 ua).

3. Auftragselemente. Er entspricht aber in mancher Hinsicht auch dem **Auftrag.** Daher spielen subsidär auch die §§ 1151, 1002ff ABGB eine Rolle.

C. Abgrenzungen des Frachtvertrages

1. Gegenüber dem Kommissionsgeschäft. Der Frachtvertrag weist, anders als das Speditions- und, abgeschwächt, das Lagergeschäft, keine kommissionsgeschäftlichen Elemente auf. Die Regeln über den Frachtvertrag kennen keine den §§ 407 Abs 2; 417 Abs 1 HGB vergleichbare Bestimmung.

2. Gegenüber dem Speditionsgeschäft. Der Spediteur *organisiert* die Beförderung; der Frachtführer *führt sie durch.* Freilich sind Frachtführer oft auch Spediteure und umgekehrt.

3. Gegenüber dem Lagergeschäft. Der Frachtführer *befördert* das Frachtgut; er *lagert* es aber *nicht,* von kurzfristigen Zwischenlagerungen insb bei multimodalen Transporten abgesehen. Frachtführer sind aber mitunter zugleich auch Lagerhalter und umgekehrt.

4. Gegenüber der Personenbeförderung. Der Frachtführer befördert *Güter* und *keine Personen.* Die mit der Personenbeförderung verbundene Beförderung von Reisegepäck ist eine Nebenleistung der Personenbeförderung und beruht nicht auf einem Frachtvertrag.

5. Gegenüber dem Lohnfuhrvertrag. Wer nur ein bemanntes Fahrzeug zu beliebiger Beladung und Fahrt nach Weisung des Auftraggebers zur Verfügung stellt, schließt keinen Fracht-, sondern einen Lohnfuhrvertrag (EvBl 1984/13; ZfRV 1981, 44; HS 12.273/13; zur Abgrenzung zum Mietvertrag: SZ 49/4). Der Lohnfuhrvertrag ist ein aus Elementen der Fahrzeugmiete und Arbeitnehmerüberlassung zusammengesetzter, gemischter Vertrag (ecolex 1996, 849).

6. Gegenüber dem Schleppvertrag. Bei ihm wird ein Schiff von einem anderen ins Schlepptau genommen. Frachtrecht kommt nicht zur Anwendung, sofern das geschleppte Schiff unter selbstständiger Leitung steht. Dann liegt ein gewöhnlicher Werkvertrag bzw uU ein freier Dienstvertrag vor (SZ 23/292; ZVR 1985/144).

III. Pflichten des Frachtführers

A. Beförderungs- und Ablieferungspflicht

1. Allgemeines. Der Frachtführer hat die Beförderung des Frachtgutes auszuführen (§ 425 HGB). Dabei hat der Frachtführer die Interessen des Absenders zu wahren **(Interessenwahrungspflicht),** was insb auch an der **Obhutspflicht** des Frachtführers erkennbar ist (EvBl 1978/113).

Das Frachtgut ist **an den Bestimmungsort zu bringen und dem Empfänger abzuliefern.** Es muss in die Dispositionssphäre des Empfängers gelangen.

Wurde ein Ladeschein ausgestellt, so ist der Frachtführer nur gegen Rückgabe des Ladescheins verpflichtet, das Frachtgut abzuliefern (§ 448 HGB).

Mangels ausdrücklicher abweichender Vereinbarung umfasst die Verpflichtung zur Verladung des Ladeguts auch die Verpflichtung zu dessen Sicherung. Denn die Sicherung der Ladung ist Bestandteil des Verladevorgangs, RdW 2004/190, 217.

2. Die Sorgfalt eines ordentlichen Frachtführers ist zu beachten (§ 429 HGB). Da der Frachtführer Kaufmann ist, hat man darunter nichts anderes als die **Sorgfalt eines ordentlichen Kaufmanns** unter Beachtung der Besonderheiten des Frachtgeschäftes zu verstehen. Der Frachtführer hat alle handelsüblichen, den Umständen des Falles nach zumutbaren Maßnahmen zum Schutz des Gutes vor Verderb, Diebstahl, Witterungseinflüssen udgl zu treffen.

3. Art, Mittel, Zeit und Weg der Beförderung legt grundsätzlich der Vertrag fest. IZw hat der Frachtführer die schnellste und sicherste Transportart und ein taugliches Transportmittel zu wählen.

4. Beginn der Beförderung. Ist über die Zeit, in der die Beförderung durchzuführen ist, nichts vereinbart, gilt Ortsgebrauch. Gibt es keinen, ist binnen einer den Umständen nach angemessenen Frist zu befördern (§ 428 Abs 1 HGB).

Tritt ohne Verschulden des Absenders eine Verzögerung ein, darf der Absender vom Vertrag zurücktreten. Trifft auch den Frachtführer kein Verschulden, darf der Frachtführer Entschädigung für die Vorbereitung der Reise, das Wiederausladen bzw den bereits zurückgelegten Teil der Reise verlangen; die Höhe der Entschädigung bestimmt der Ortsgebrauch; andernfalls ist angemessen zu entschädigen (§ 428 Abs 2 HGB).

5. Gehilfen und Beförderung durch andere Frachtführer. IZw darf sich der Frachtführer bei Erfüllung seiner Beförderungspflicht der Mithilfe Dritter bedienen. Handelt es sich dabei bloß um seine **Gehilfen** (§ 1313a ABGB), bleibt ausschließlich der Frachtführer selbst Vertragspartner des Absenders. Dh: Er hat für das Verschulden des Erfüllungsgehilfen wie für sein eigenes einzustehen. § 432 HGB ordnet die Haftung des Frachtführers für die Ausführung der Beförderung im Falle einer Weitergabe des Frachtgutes an einen anderen Frachtführer allerdings umfassender an. Es geht nicht nur um Gehilfen. Im Allgemeinen unterscheidet man zwischen den folgenden Konstellationen:

a) Dem Frachtvertrag nicht beitretender („einfacher") Unterfrachtführer. Hauptfrachtführer ist, wer die Beförderung des Frachtgutes für eine bestimmte Strecke übernommen hat und die Beförderung für die ganze oder Teile der Strecke im eigenen Namen und auf eigene Rechnung *einem weiteren selbstständigen Frachtführer überträgt.* Diesen weiteren Frachtführer nennt man **Unterfrachtführer.**

Tritt er dem Frachtvertrag des Hauptfrachtführers mit dem Absender nicht bei, so ist er lediglich **Erfüllungsgehilfe** des Hauptfrachtführers und steht daher in keinem Vertragsverhältnis zum Absender (SZ 58/6). Ein solcher Unterfrachtführer heißt „einfacher" Unterfrachtführer. Wohl aber gewährt auch sein Unterfrachtvertrag mit dem Hauptfrachtführer dem Empfänger direkte Ansprüche gegen den Unterfrachtführer nach Maßgabe des § 434 HGB (SZ 55/20; aA BGH TR 1988, 338).

Wurde für die Gesamtbeförderung kein Frachtbrief ausgestellt, wird der nachfolgende Unterfrachtführer nicht Vertragspartner des Absenders; er haftet nur dem Hauptfrachtführer nach Maßgabe des Unterfrachtvertrages (HS XXVII/2).

b) Dem Frachtvertrag beitretender („qualifizierter") Unterfrachtführer. Auch hier übergibt der Hauptfrachtführer das Frachtgut einem Unterfrachtführer zur Weiterbeförderung; dieser tritt jedoch dem Frachtvertrag bei. Es findet zwar *keine privative Substitution* statt, wohl aber erhält der Absender einen zusätzlichen Vertragspartner. Es liegt keine Vertragsübernahme, sondern ein **Vertragsbeitritt** vor. Der Unterfrachtführer ist somit nicht bloß Gehilfe. Er ist vielmehr selbst aus dem Frachtvertrag zur Durchführung der Beförderung verpflichtet. Deshalb heißt er „qualifizierter" Unterfrachtführer.

Ein derartiger Vertragsbeitritt kann nach allgemeinen Regeln vereinbart sein. § 432 Abs 2 HGB sieht überdies vor, dass der Vertragsbeitritt schon dann stattfindet, wenn der nachfolgende Frachtführer das **Frachtgut mit dem ursprünglichen Frachtbrief annimmt.** Besonderer zusätzlicher Erklärungen des Unterfrachtführers bedarf es nicht.

Da der Hauptfrachtführer aus dem Frachtvertrag nicht ausscheidet, haftet er gemeinsam (solidarisch) mit dem beigetretenen Unterfrachtführer für Vertragsverletzungen (§ 896 ABGB). Sie sind **Gesamtschuldner.**

Sie heißen **Gesamtfrachtführer oder „Samtfrachtführer“.** Wer von ihnen vom Absender auf Schadenersatz in Anspruch genommen wurde, darf auf denjenigen zurückgreifen, der den Schaden verschuldet hat. Lässt sich ein schuldhafter Frachtführer nicht ermitteln, haben die beteiligten Frachtführer den Schaden nach dem Verhältnis ihrer Anteile an der Fracht gemeinsam zu tragen, soweit nicht festgestellt wird, dass der Schaden nicht auf ihrer Beförderungsstrecke entstanden ist (§ 432 Abs 3 HGB). Der Hauptfrachtführer kann die Beförderung auch zur Gänze an qualifizierte Unterfrachtführer weitergeben (SZ 57/75).

Nachfolgende Frachtführer, die das Frachtgut auf Grund eines Ladescheins übernehmen, sind nach Maßgabe des Ladescheins und nicht des von ihm abweichenden Frachtvertrages verpflichtet (§ 449 HGB).

c) Zwischenfrachtführer. Der Hauptfrachtführer übergibt das Frachtgut einem nachfolgenden Frachtführer; es wird jedoch ein **neuer Frachtbrief** ausgestellt. Schließt der Hauptfrachtführer im eigenen Namen **auf Rechnung des Absenders** einen weiteren Frachtvertrag ab, so handelt er wie ein Spediteur. Der nachfolgende Frachtführer heißt in einem solchen Fall Zwischenfrachtführer. Er wird *nur Vertragspartner des Hauptfrachtführers,* nicht des ursprünglichen Absenders.

Ob und inwieweit der Hauptfrachtführer befugt ist, seine eigene Verpflichtung als Frachtführer gegenüber dem Absender einseitig in die eines bloßen Spediteurs zu ändern, hängt vom ursprünglichen Frachtvertrag ab. Ist eine solche Dispositionsmöglichkeit zulässig, haftet der ursprüngliche Frachtführer nur für Auswahlverschulden; andernfalls trifft ihn bzgl des Zwischenfrachtführers die volle Gehilfenhaftung.

Auf Zwischenfrachtführer findet § 432 HGB keine Anwendung.

d) Teilfrachtführer ist, wer auf Grund eines eigenen, gesonderten Frachtvertrages mit dem Absender das Frachtgut für eine Teilstrecke zur Beförderung übernimmt. Der Frachtvertrag kommt ausschließlich zwischen dem Absender und dem Teilfrachtführer zustande. Der Teilfrachtführer haftet daher nicht solidarisch mit anderen, vielmehr nur für Schäden, die anlässlich der Erfüllung seines eigenen Vertrages entstehen.

Auf Teilfrachtführer findet § 432 HGB keine Anwendung.

B. Ausstellung eines Ladescheins

Der Frachtführer kann auf Verlangen des Absenders einen Ladeschein ausstellen (§ 444 HGB). Ein solches Verlangen wird im Bereich des Landfrachtrechts kaum gestellt; Ladescheine sind hier unüblich. Die §§ 444–450 HGB sind also totes Recht. Das gilt im Wesentlichen auch für den Einsatz von Ladescheinen im Bereich des österr Binnenschifffahrtsrechts. Die Darstellung des Ladescheins ist also lediglich von akademischem Interesse. Daher mögen die folgenden Hinweise genügen:

1. Funktion des Ladescheins. Der Ladeschein wurde aus dem Binnenschifffahrtsrecht in das AHGB übernommen, um dem Wunsch nach einem indossablen Frachtdokument zu entsprechen. Es sollte sich deutlich vom Frachtbrief unterscheiden. Der vom Frachtführer ausgestellte Ladeschein wird dem Absender übergeben. Der Absender reicht ihn dem Empfänger weiter. Dieser soll legitimiert werden, vom Frachtführer die Ablieferung des Frachtgutes verlangen zu dürfen.

2. Inhalt des Ladescheins. Im Ladeschein bestätigt der Frachtführer, das Frachtgut empfangen zu haben, und verpflichtet sich, dem im Ladeschein genannten Empfänger gegen Rückgabe des Ladescheins (§ 448 HGB) und Zahlung der Fracht das Frachtgut auszuhändigen. Näheres in § 445 Abs 1 HGB. Der Ladeschein ist vom Frachtführer zu unterschreiben (§ 445 Abs 2 HGB). Er kann vom Absender eine Ladescheinabschrift verlangen (§ 445 Abs 3 HGB).

3. Wirkung und Rechtsnatur des Ladescheins. Der Ladeschein zählt zu den kaufmännischen Wertpapieren. Er verbrieft den schuldrechtlichen Anspruch des legitimierten Inhabers des Ladescheins auf Ablieferung des Frachtgutes. Der Ladeschein ist ein Traditionspapier.

Das gilt sowohl für den **Rektaladeschein** (Namensladeschein; lautet auf einen Namen) als auch für den **Orderladeschein** (lautet an Order) und den **Inhaberladeschein** (lautet auf Inhaber) (vgl § 450 HGB). Beachte: Beim Lagerschein hat nur der Orderlagerschein diese Traditionswirkung; beim Ladeschein hingegen neben dem Orderladeschein auch der Rekta- und Inhaberladeschein.

Voraussetzung für diese Wirkungen ist, dass das Frachtgut vom Frachtführer übernommen worden ist (§ 450 HGB). Der aus dem Ladeschein Legitimierte hat die Verfügungsrechte des Absenders über das Frachtgut schon vor Ankunft des Gutes (§ 447 Abs 2 HGB). Voraussetzung dieser Legitimation ist die Übergabe des Ladescheins.

Funktioneller Ersatz des Ladescheins durch andere Dokumente. Die Praxis arbeitet statt mit dem Ladeschein mit dem **Frachtbriefdoppel.**

Überdies sind spezielle Dokumente im Einsatz: so das **FCR** (Forwarders [Forwarding-Agents] Certificate of Receipt; auch Spediteur-Übernahmebescheinigung genannt), das **FCT** (Forwarders [Forwarding-Agents] Certificate of Transport), das **FBL** (FIATA Negotiable Combined Transport Bill of Lading). Diese Urkunden sind jedoch keine indossablen kaufmännischen Orderpapiere (EvBl 1981/97). Das FBL ist aber mit den in § 363 HGB genannten Wertpapieren eng verwandt; es ist im Wesentlichen nichts anderes als eine Kombination der dort genannten Papiere und daher in Analogie zu Konnossement und Ladeschein als Orderpapier zuzulassen (RdW 1992, 402).

C. Weisungsunterworfenheit und Benachrichtigungspflichten

1. Weisungen des Absenders vor Ablieferung. Der Absender kann den Frachtführer anweisen, das **Frachtgut „anzuhalten"** (dh: Der Frachtführer soll mit der Durchführung des Frachtvertrages innehalten), **zurückzugeben** (entspricht dem Rücktrittsrecht des Werkbestellers, § 1168 Abs 2 ABGB) oder **an einen anderen** als den im Frachtbrief bezeichneten Empfänger **auszuliefern** (bei wesentlicher Änderung reicht eine Weisung nicht aus, sondern ist Einvernehmen erforderlich). Die damit verbundenen Mehrkosten sind unter Anrechnung des Ersparten (analog § 1168 ABGB) dem Frachtführer zu erstatten (§ 433 Abs 1 HGB).

2. Weisungen des Absenders bei Ablieferungshindernissen und Benachrichtigungspflicht. Grundsätzlich hat der Absender die Anschrift des Empfängers auszuforschen. Ist die Angabe falsch, hat der Frachtführer in den Grenzen des Zumutbaren die Empfängeranschrift zu ermitteln (OLG Hamburg TR 1988, 277). Ist dies nicht möglich oder weigert sich der Empfänger endgültig, das Frachtgut anzunehmen (vorübergehende Weigerung ist bloß Annahmeverzug), oder stellen sich sonstige Ablieferungshindernisse (Beförderungshindernisse) ein, so hat der Frachtführer den Absender zu benachrichtigen und seine Weisungen einzuholen (§ 437 Abs 1 HGB); es sei denn, dies ist den Umständen nach untunlich, der Absender ist mit der Erteilung der Weisung säumig oder die Weisung ist undurchführbar (§ 437 Abs 2 HGB).

Dann darf der Frachtführer das Frachtgut in einem öffentlichen Lagerhaus (damit ist eine öffentlich betriebene [auch private, nicht etwa nur öffentlich-rechtliche] Anstalt gemeint) oder sonst in sicherer Weise hinterlegen oder bei Verderblichkeit des Gutes und Gefahr im Verzug zum Selbsthilfeverkauf schreiten (§ 437 Abs 2 HGB iVm §§ 373, 374 HGB). Von der Hinterlegung bzw dem Verkauf des Frachtgutes hat der Frachtführer den Absender und den Empfänger unverzüglich zu benachrichtigen, es sei denn, dies ist untunlich (§ 437 Abs 3 HGB).

3. Weisungen des Empfängers vor Ankunft des Frachtgutes am Ablieferungsort. Schon vor Ablieferung des Frachtgutes am Ablieferungsort ist der Empfänger dem Frachtführer gegenüber berechtigt, alle zur Sicherstellung des Frachtgutes erforderlichen Maßnahmen zu ergreifen; insb darf er auch die *zu diesem Zweck notwendigen* (und keine anderen) Anweisungen erteilen (§ 434 Satz 1 HGB). Empfänger ist die vom Absender bezeichnete Person, an die das Frachtgut auszuliefern ist.

Die Auslieferung des Frachtgutes vor Ankunft am Ablieferungsort darf der Empfänger jedoch nur fordern, wenn der Absender den Frachtführer zu einer derartigen Auslieferung ermächtigt hat (§ 434 Satz 2 HGB).

Widerstreiten Weisungen des Absenders mit solchen des Empfängers, gehen die des Absenders vor.

4. Weisungen des Empfängers nach Übergabe des Frachtbriefes oder nach Klage. Ist das Frachtgut am Ablieferungsort angelangt und der Frachtbrief dem Empfänger tatsächlich (EvBl 1969/140) übergeben oder der Frachtführer vom Empfänger geklagt worden (vgl § 435 HGB), so erlischt das Verfügungsrecht des Absenders gemäß § 433 Abs 1 HGB. Der Frachtführer hat in einem solchen Fall nur mehr die Anweisungen des Empfängers zu beachten; andernfalls wird er diesem bei Verschulden ersatzpflichtig (§ 433 Abs 2 HGB).

5. Benachrichtigung des Empfängers bzw Absenders von der Pfandverwertung. Macht der Frachtführer sein gesetzliches Pfandrecht am Frachtgut geltend, so hat er dem Empfänger den Pfandverkauf anzudrohen, sofern dies nicht untunlich ist (§ 1234 Abs 1 BGB), Zeit und Ort der Versteigerung bekannt zu geben (§ 1237 BGB) und den Empfänger, soweit tunlich, vom Pfandverkauf zu benachrichtigen (§ 1241 BGB). Ist der

Empfänger nicht zu ermitteln oder verweigert er die Annahme des Gutes, sind diese Benachrichtigungen an den Absender zu richten (§ 440 Abs 4 HGB).

D. Nebenpflichten des Frachtführers

Den Frachtführer treffen mitunter auch zahlreiche Nebenpflichten, die großteils im HGB nicht geregelt sind.

Sie betreffen Fragen der Verpackung, des Ladens und Entladens, Paletten und Container, die Übernahme mangelhaften Frachtgutes, Vor-, Nach- und Zwischenlagerungen, Verzollung, Abschluss von Versicherungen und die Einziehung zur Nachnahme.

E. Pflichten gegenüber dem Empfänger

1. Weisungsunterworfenheit und Benachrichtigungspflicht gegenüber dem Empfänger. Darüber wurde bereits oben berichtet.

2. Herausgabepflichten gegenüber dem Empfänger. Nach Ankunft des Frachtgutes am Ablieferungsort ist der Empfänger berechtigt, die durch den Frachtvertrag begründeten Rechte (bei Ladeschein: soweit sie im Ladeschein festgehalten sind, § 446 HGB) **gegen Erfüllung der sich daraus ergebenden Pflichten** (also Zug um Zug) im eigenen Namen gegen den Frachtführer geltend zu machen, mag der Empfänger in eigenem oder fremdem Interesse handeln. Insb ist der Frachtbrief zu übergeben und das Frachtgut abzuliefern (§ 435 Satz 1 und 2 HGB). Es handelt sich nicht nur um die aus dem Frachtbrief hervorgehenden Rechte, sondern um **alle Rechte aus dem Frachtvertrag.**

Dazu zählen auch Ansprüche gegen den Frachtführer aus Beschädigung des Frachtgutes und Verspätungsschäden (BGHZ 82, 170). Auch bei Verlust des Gutes ist der Empfänger gegenüber dem Frachtführer klagebefugt (ZfRV 1999/25).

Die Ansprüche des Empfängers bestehen nicht bzw erlöschen, wenn der Absender dem Frachtführer noch eine entgegenstehende, zulässige Weisung iS des § 433 HGB (Zurückhalten, Zurückgeben, Umleiten des Frachtgutes) erteilt (§ 435 Satz 3 HGB). Die Rechte des Empfängers hängen also bis zur Übergabe des Frachtbriefes bzw bis zum Zeitpunkt der Erhebung der Klage auf Übergabe des Frachtbriefes oder Auslieferung des Frachtgutes noch vom Willen des Absenders ab.

Keine Ansprüche hat der Empfänger ferner, wenn das Frachtgut gar nicht am Ort der Ablieferung ankommt (§ 435 Satz 1 HGB), etwa weil es unterwegs verloren ging oder an einen anderen Ort verbracht wurde (SZ 55/20; RGZ 120, 315).

Strittig ist, was rechtens sein soll, wenn **nur ein Teil des Frachtgutes am Ablieferungsort eingetroffen** ist, ein anderer nicht. Die hM anerkennt trotz Fehlens eines Teiles bereits die Rechte des Empfängers, dies jedenfalls dann, wenn der fehlende Teil eindeutig verloren ist (BGH TR 1983, 73), andere halten den Absender mangels Ablieferung der gesamten Sendung noch für verfügungsberechtigt. Die Sonderfrachtrechte gewähren dem Empfänger auch bei Teilablieferung die Rechte aus dem Frachtvertrag, kennen aber besondere Verlustvermutungen. Anerkennt man zutreffend, dass dem Empfänger jedenfalls dann die Rechte aus dem Frachtvertrag zukommen sollen, wenn der fehlende Teil der Sendung *verloren* ist, so sollte man sich auch den Streit darüber, ob im Einzelfall tatsächlich Verlust eingetreten ist oder nicht, ersparen und ganz allgemein schon bei Teilablieferung die Empfängerrechte bzgl der gesamten Sendung anerkennen.

F. Pflichten des „letzten Frachtführers"

1. Einziehung und Geltendmachung der Vormännerrechte. Gelangt das Frachtgut über eine Kette von Frachtführern an den Empfänger, so hat, sofern im Frachtbrief nichts anderes vorgesehen ist, der letzte Frachtführer bei Ablieferung die auf dem Frachtgut haftenden Nachnahmen einzuziehen und die Rechte der Vormänner, insb auch das Pfandrecht, auszuüben. Das Pfandrecht der Vormänner besteht solange wie das Pfandrecht des letzten Frachtführers (§ 441 Abs 1 HGB).

2. Legalzession. Wird der vorhergehende Frachtführer vom nachfolgenden befriedigt, gehen dessen Forderungen und Pfandrechte auf den nachfolgenden von Gesetzes wegen über (§ 441 Abs 2 HGB; vgl auch § 1358 ABGB). In gleicher Art gehen die Forderungen und das Pfandrecht des Spediteurs auf den nachfolgenden Spediteur und den nachfolgenden Frachtführer über (§ 441 Abs 3 HGB). Erfasst sind alle Ansprüche, die dem nachfolgenden Frachtführer bzw Spediteur auf irgendeine Weise mitgeteilt werden, sowie jene Ansprüche, welche die Kosten des betreffenden Frachtführers selbst durch den Frachtvertrag erfassen.

G. Haftung des Frachtführers

1. Allgemeines. Der Frachtführer haftet schon nach allgemeinen Grundsätzen für schuldhafte Vertragsverletzung (SZ 57/173; 57/196; RdW 2003/65, 83); sie liegt nicht nur in jenen Fällen vor, die das HGB ausdrücklich aufzählt. Leges speciales gehen zwar vor, verdrängen aber die allgemeinen Regeln der Vertragshaftung für all jene Ordnungsfragen nicht, die das HGB nicht besonders erwähnt. Vertragliche Haftungsausschlüsse sind nur wirksam, soweit sie die ihnen gezogenen Grenzen des zwingenden Rechts nicht überschreiten.

Zur Unwirksamkeit der Haftungsfreizeichnung des Frachtführers: RdW 1999, 658.

Hat der Transportauftrag von vornherein die Beförderung mit verschiedenen Beförderungsmitteln zum Gegenstand, richtet sich die Ersatzpflicht immer nach der für das jeweilige Beförderungsmittel geltenden Haftungsordnung (SZ 67/4).

Haben bei der Verladung des Frachtguts Leute des Absenders und des Frachtführers zusammengewirkt, ist die Verladung als von jenem Teil vorgenommen anzusehen, der persönlich oder durch seine Leute die Oberaufsicht innehatte. Hat der LKW-Fahrer, dessen Verhalten als Erfüllungsgehilfe (§ 1313a ABGB) des Frachtführers nicht dem Absender, sondern dem Auftraggeber des Frachtführers zuzurechnen ist, tatsächlich für die Verladung und Verstauung Sorge getragen, so fallen auch die Folgen der unsachgemäßen Verladung und Verstauung ausschließlich dem Auftraggeber zur Last (RdW 2002/448, 463).

2. Verlust bzw Beschädigung des Frachtgutes, Ablieferungsverzug. Der Frachtführer haftet für den Schaden, der durch Verlust oder Beschädigung des Frachtgutes **in der Zeit von der Annahme bis zur Ablieferung** oder durch **Verzug** entsteht, außer der Verlust, die Beschädigung oder der Verzug hätte durch die **Sorgfalt eines ordentlichen Frachtführers** nicht abgewendet werden können (§ 429 Abs 1 HGB).

3. Verschuldensabhängige Obhutshaftung. Der Frachtführer hat für den **Beförderungserfolg** sowie für die Erfüllung seiner *Obhutspflicht* einzustehen. Die Haftung für Güterschäden während der Obhutszeit nennt man auch *Obhutshaftung.* Laden und Entladen fällt nur dann in die Obhutszeit, wenn der Frachtführer zum Laden und Entladen verpflichtet ist; eine solche Verpflichtung besteht nach HGB nicht; vgl demgegenüber §§ 66, 88 EBG; Art 20 CIM 1980; im Übrigen entscheiden Vertrag bzw Verkehrssitte (SZ 55/123); iZw trifft den Frachtführer die Ladepflicht (HS 6509/38; für Ladepflicht des Absenders: SZ 50/43; 57/150; 57/205; ZVR 1986/97). Der Frachtführer haftet nur für *Verschulden.* Die *Beweislastumkehr* entspricht § 1298 ABGB (EvBl 1964/127).

Sorgfaltswidrigkeit des Frachtführers wird sohin widerleglich vermutet. Diese Beweislastumkehr erfasst nur das leichte Verschulden (ecolex 1995, 164 Anm *Jesser*). Vorsatz und grobe Fahrlässigkeit des Frachtführers sind vom Geschädigten zu behaupten und zu beweisen, sofern dies möglich und zumutbar ist (AnwBl 1995, 133 Anm *Horak*). Der Frachtführer kann sich zur Haftungsbefreiung nicht auf Fahrzeugmängel berufen (ZfRV 1999/27). Man spricht von einer vermuteten Verschuldenshaftung des Frachtführers mit verschärftem Sorgfaltsmaßstab (HS XXVII/3).

4. Kostbarkeiten, Kunstgegenstände, Geld und Wertpapiere. Gehen sie verloren oder werden sie beschädigt, so haftet der Frachtführer nur, wenn ihm der Wert des Gutes angegeben oder mitgeteilt wurde, dass es solche Sachen umfasst (§ 429 Abs 2 HGB). Auf diese Bestimmung kann sich nicht berufen, wer auch ohne solche Angaben weiß, dass er Gegenstände der genannten Art befördert. Solches Wissen kann sich zB aus laufender Geschäftsbeziehung ergeben oder aus sonstigen Umständen, etwa der Branche des Absenders.

Kostbarkeiten sind Gegenstände, die im Verhältnis zu ihrem Umfang und Gewicht und im Vergleich zu anderen Frachtgütern einen ungewöhnlich hohen Wert haben (zB ein Zobelpelz, Schmuck, Seide, wertvolle Briefmarken). **Kunstgegenstände** sind Erzeugnisse der Kunst oder des Kunstgewerbes (zB Gemälde, Plastiken). **Geld** sind alle im Umlauf befindlichen Münzen und Papiergeldsorten, auch ausländisches Geld (BGH WM 1981, 715). **Wertpapiere** sind alle Urkunden, die Rechte verbriefen, auch alle Ausweis- und Legitimationspapiere, Sparbücher, Pfandbriefe udgl. **Vermischtes Gut:** Befinden sich Kostbarkeiten etc in sonstigem Frachtgut, ist nicht das gesamte Frachtgut kostbar; vielmehr ist jeder Gegenstand gesondert zu beurteilen (BGHZ 9,4; RGZ 106, 372).

5. Leutehaftung. Der Frachtführer haftet aus dem Frachtvertrag nicht nur für eigenes, sondern auch für das Verschulden seiner Gehilfen, wobei § 431 HGB vom Verschulden **„seiner Leute"** und **„anderer Personen"** spricht, deren er sich bei der Ausführung der Beförderung einschließlich vorbereitender Handlungen (SZ 42/160; JBl 1972, 609) bedient. Den Frachtführer trifft also nicht nur die uneingeschränkte Haftung für **Erfüllungsgehilfen** (§ 1313a ABGB); er haftet vielmehr auch für **Besorgungsgehilfen ohne Rücksicht auf die haftungsbeschränkenden Tatbestandselemente** des § 1315 ABGB. Man spricht von Leutehaftung. Vgl auch die Leutehaftung nach § 19 Abs 2 EKHG, § 970 Abs 1 ABGB (Gastwirtehaftung) und § 1319a ABGB (Wegehalterhaftung). Die Leutehaftung ist unter Beachtung der guten Sitten abdingbar.

6. Solidarhaftung mit Unterfrachtführern. Der Hauptfrachtführer haftet für die Ausführung der Beförderung bis zur Ablieferung des Frachtgutes an den Empfänger auch dann, wenn Unterfrachtführer die Beförderung durchführen. Gegen den, der den Schaden schuldhaft verursacht hat, hat, wer in Anspruch genommen wurde, Regressansprüche (§ 432 Abs 1 und 3 HGB). Handelt es sich um einen **einfachen Unterfrachtführer,** der lediglich Erfüllungsgehilfe des Hauptfrachtführers ist, so haftet der Hauptfrachtführer dem Absender (bzw Empfänger) für das Verschulden seines Erfüllungsgehilfen; dieser selbst haftet dem Absender lediglich deliktisch.

Der Vertrag zwischen Geschäftsherrn und Gehilfen ist im Hinblick auf die Schadenersatzansprüche des Dritten auch kein Vertrag mit Schutzwirkung zugunsten des Dritten; SZ 62/173; JBl 1994, 331 Anm *Karollus.*

Tritt ein **qualifizierter Unterfrachtführer** dem Frachtvertrag bei (§ 432 Abs 2 HGB), haften Haupt- und qualifizierter Unterfrachtführer dem Absender als **„Samtfrachtführer“** solidarisch aus dem Frachtvertrag.

7. Haftung des letzten Frachtführers gegenüber Vormännern. Wer das Gut ohne Bezahlung abliefert *und* das Pfandrecht nicht binnen dreier Tage nach Ablieferung gerichtlich geltend macht, ist seinen Vormännern verantwortlich. Überdies gehen **Rückgriffsansprüche** gegen die Vormänner unter; der Anspruch gegen den Empfänger bleibt jedoch aufrecht (§ 442 HGB). Zur Verjährung von Regressansprüchen zwischen Frachtführern: ecolex 2000, 866.

8. Umfang der Schadenersatzpflicht (Haftungsbeschränkung)

a) Ist für Verlust des Frachtgutes einzustehen, so ist der gemeine Handelswert bzw, wenn es keinen gibt, der gemeine Wert zu ersetzen, den ein Gut derselben Art und Beschaffenheit am Ort und zur Zeit der Ablieferung hatte. Abzuziehen ist, was an Kosten erspart wurde (§ 430 Abs 1 HGB). Probleme bereitet der Fall, dass das verlorene Frachtgut später wieder auftaucht.

b) Im Falle der Beschädigung des Frachtgutes ist der Unterschied zwischen dem Verkaufswert des beschädigten Gutes und dem gemeinen Handelswert bzw gemeinen Wert des unbeschädigten an Ort und Zeit der Ablieferung zu ersetzen. Auch hier ist etwaige Kostenersparnis abzuziehen (§ 430 Abs 2 HGB).

c) Ungerechtfertigte Besserstellung. Der Frachtführer ist bei Verlust und Beschädigung des Frachtgutes besser gestellt als andere haftpflichtige Kaufleute, die den individuellen Wert des Gutes für den Geschädigten bzw auch den entgangenen Gewinn zu ersetzen haben. Die für Frachtführer geltende Regelung ist demgegenüber so, dass nicht einmal Reparaturkosten verlangt werden können. Die Sonderregelung hat ihren ursprünglichen Grund darin, dass früher den Frachtführer eine Zufallshaftung traf. Das ist heute nicht mehr der Fall; insofern leuchtet die weitgehende Haftungsbeschränkung nicht mehr ein. Da man Schadenersatzansprüche bei leichter Fahrlässigkeit grundsätzlich abdingen darf, würde eine Korrektur des Gesetzes wohl nur dazu führen, dass die bisherige Haftungsbeschränkung über AGB aufrechterhalten würde.

d) Keine Beschränkung des Umfanges des Schadenersatzes gilt, wenn **Verzug** vorliegt (vgl § 429 Abs 1 iVm § 430 Abs 1 und 2 HGB) bzw der Frachtführer oder seine Leute **vorsätzlich oder grob fahrlässig** gehandelt haben (§ 430 Abs 3 HGB).

e) Deliktische Ansprüche. Strittig ist, inwieweit sich die Haftungsbeschränkung des § 430 HGB auf deliktische Ansprüche auswirkt. Wer gegen eine *allgemeine,* über die vertraglichen Interessenwahrungspflichten hinausgehende Rechtspflicht verstößt, soll sich wohl nicht auf die nur für Frachtverträge gedachte Haftungsbeschränkung berufen dürfen (BGHZ 46, 140; VersR 1966, 40; 1985, 36). Vgl demgegenüber aber die einschlägigen Regelungen in den Sonderfrachtrechten (vgl zB §§ 50, 106 EBG; Art 51 CIM 1980; Art 46 CIV 1980; Art 28 CMR).

Soweit die Haftungsbeschränkung zur Anwendung gelangt, kommt sie auch mittelbar am Frachtvertrag Beteiligten (insb dem Versender) zugute (SZ 54/165). Ohne Bedeutung ist sie für Schadenersatzansprüche Vertragsfremder.

9. Erlöschen der Ansprüche. Nach § 438 HGB erlöschen die Ansprüche gegen den leicht fahrlässigen (§ 438 Abs 5 HGB) Frachtführer:

- sobald **Fracht und frachtgutbezogene Forderungen bezahlt** worden sind und das **Frachtgut angenommen** worden ist (§ 438 Abs 1 HGB);
- *es sei denn,*
- die **Beschädigung oder Minderung des Frachtgutes** ist **vor Annahme durch amtlich bestellte Sachverständige festgestellt** worden (§ 438 Abs 2 HGB) oder
- die Beschädigung oder Minderung war **bei Annahme äußerlich nicht erkennbar,** der Mangel ist **zwischen Übernahme** des Frachtgutes durch den Frachtführer **und der Ablieferung** entstanden *und* die Feststellung des Mangels durch amtliche Sachverständige wurde **unverzüglich** nach Entdeckung und **spätestens binnen einer Woche nach Annahme beantragt** (§ 438 Abs 3 HGB).

Erstreckung der Antragsfrist bei Mängelanzeige: Ist der Mangel dem Frachtführer unverzüglich nach Entdeckung binnen der genannten Wochenfrist angezeigt worden, so genügt es, wenn die Feststellung unverzüglich nach dem Zeitpunkt beantragt wird, bis zu dem der Eingang einer

Antwort des Frachtführers unter regelmäßigen Umständen erwartet werden darf (§ 438 Abs 3 HGB).

Kostentragung: Die Kosten einer vom Empfangsberechtigten beantragten Feststellung trägt zur Gänze der Frachtführer, wenn dieser die Beschädigung oder Minderung ersetzen muss (§ 438 Abs 4 HGB).

10. Verjährung. Die Ersatzansprüche gegen den Frachtführer wegen Verlustes, Minderung, Beschädigung oder Verzug bei Ablieferung des Frachtgutes verjähren in einem Jahr. Näheres regelt § 414 HGB (§ 439 HGB).

Die Verjährungsregel gilt nicht für die Regressansprüche gegen schuldhaft schädigende Unterfrachtführer (§ 432 Abs 3 HGB), ebenso wenig für deliktische Ersatzansprüche (JBl 1968, 248; SZ 59/147; EvBl 1990/62).

IV. Rechte des Frachtführers

A. Anspruch auf die Fracht und Aufwandersatz

1. Allgemeines. Das HGB regelt nichts Näheres über den Entgeltanspruch des Frachtführers: die sog Fracht. Es gelten die allgemeinen Grundsätze des bürgerlichen Rechts. Der Werkunternehmer hat Anspruch auf den Werklohn (§ 1151 Abs 1; § 1170 ABGB). Im Übrigen ist auf § 354 HGB zu verweisen.

Ob und inwieweit der Frachtführer überdies gesonderte **Ansprüche auf den Ersatz von Aufwendungen** hat, ergibt sich aus dem jeweiligen Frachtvertrag.

Da dieser idR gewisse Geschäftsbesorgungen mitumschließt, ist § 1014 iVm § 1151 Abs 2 ABGB beachtlich. Nicht ersatzfähig sind Aufwendungen, die mit der durch die Fracht entgoltenen Beförderung als solcher verbunden sind; wohl aber sind Aufwendungen infolge leistungsändernder Weisungen zu ersetzen, sofern diese Änderungen nicht auf einem Verschulden des Frachtführers beruhen (§ 433 HGB). Der Frachtführer hat insb Anspruch auf Ersatz ausgelegter Liege- und Zollgelder sowie von Vorschüssen, die er auf das Frachtgut geleistet hat.

Die verschiedenen AGB befassen sich eingehend mit dem Entgeltanspruch des Frachtführers (vgl AÖSp, ATL).

2. Die Höhe der Fracht richtet sich nach der Vereinbarung oder nach der Angemessenheit (§ 1152 ABGB). Sie orientiert sich an der Ortsüblichkeit bzw an gebräuchlichen Tarifen (vgl §§ 346, 354 HGB).

3. Schuldner ist grundsätzlich der **Absender** als Vertragspartner des Frachtführers.

Durch Annahme des Frachtgutes und des Frachtbriefes wird der **Empfänger** von Gesetzes wegen verpflichtet, nach Maßgabe des Frachtbriefes zu zahlen (§ 436 HGB).

Dies bedeutet nicht, dass der Empfänger in den Frachtvertrag als solchen einträte. Auch sonst erfahren die Zahlungspflichten keine Konkretisierung durch den Frachtvertrag, sondern durch den *Frachtbrief* (§ 436 HGB, arg: „nach Maßgabe des Frachtbriefes"). Die Zahlungspflicht des Empfängers setzt entweder vertragliche Einigung oder aber die Annahme nicht nur des Frachtgutes, sondern auch des Frachtbriefes voraus. **Der Empfänger wird Gesamtschuldner** neben dem Absender.

4. Liefert der Frachtführer ab, ohne vom Empfänger Zahlung zu fordern, geht deshalb der Frachtanspruch nicht unter. Die Zahlungsansprüche gegenüber dem Empfänger bleiben aufrecht. Verweigert der Empfänger aber die Zahlung oder sind die Ansprüche mangels Vermögens des Empfängers nicht einzutreiben, so haftet der Frachtführer seinen Vormännern; außerdem verliert er seine Rückgriffsrechte gegen sie (§ 442 HGB).

5. Fällig ist die Fracht, sobald das Frachtgut abgeliefert und der Frachtbrief übergeben ist (§ 1170 ABGB).

6. Distanzfracht. Ist die Beförderung aus Gründen, für die der Absender nichts kann, nicht durchführbar, so kann der Absender vom Frachtvertrag zurücktreten, hat aber dem schuldlosen Frachtführer die bisherige *Vorbereitung* der Reise, die *Wiederausladung* und den *zurückgelegten Teil der Reise* zu entschädigen. Über die Höhe entscheidet der Ortsgebrauch, andernfalls die Angemessenheit (§ 428 Abs 2 HGB).

B. Ausstellung des Frachtbriefes

Lit: *Muth,* Frachtbrief und andere internationale Dokumente des IRU/CMR, ZfV 1964, 647; *Weimar,* Der Orderlagerschein und das Frachtbriefduplikat, MDR 1971, 550; *Konow,* Frachtbrief – Ladeschein – Frachtbrieddoppel. Zur rechtlichen Bedeutung der Urkunden der Frachtgeschäfte des Binnenverkehrs, DB 1972, 1613; *Helm,* Das Dokument des kombinierten Transports – ein neues Wertpapier (1976); *Pelz,* Frachtbrief und Übergabe des Frachtguts in ihrer Bedeutung für den Frachtvertrag (1980).

Der Frachtführer kann die Ausstellung eines Frachtbriefes verlangen (§ 426 Abs 1 HGB). Der **Anspruch des Frachtführers** auf Ausstellung eines Frachtbriefes setzt den Abschluss eines entsprechenden Frachtvertrages voraus. Sonderfrachtrechte schreiben die Pflicht zur Ausstellung von Frachtbriefen mitunter zwingend vor.

1. Begriff und Wesen des Frachtbriefes

a) Der Frachtbrief ist eine vom Absender ausgestellte Beweisurkunde über den Frachtvertrag, aber **kein Wertpapier.** Er ist nicht indossabel. Seine Beweiskraft entspricht jener anderer Privaturkunden (§ 294 ZPO). Bestimmungen in den Sonderfrachtrechten stellen widerlegliche gesetzliche Vermutungen auf (vgl Art 9 CMR; § 69 Abs 3 und 4 EBG; Art 11 §§ 3 und 4 CIM 1980; Art 3, 4 und 11 Abs 1 und 2 WA; zur Zulässigkeit von Gegenbeweisen EvBl 1984/13; ZVR 1986/7). Der Frachtbrief beweist insb den Abschluss und Inhalt des Frachtvertrages, wer Absender, Frachtführer und Empfänger ist, die Übernahme des Frachtgutes, sowie Identität, Stückzahl, Menge, Art und Zustand des übernommenen Gutes.

b) Für den Abschluss und die Wirksamkeit des Frachtvertrages ist der Frachtbrief im Allgemeinen ohne Bedeutung. (Im Eisenbahnfrachtrecht ist die Ausstellung eines Frachtbriefes sehr wohl Voraussetzung für die Gültigkeit des Frachtvertrages [§ 57 EBG]; im Luftfrachtrecht nicht. Der Inhalt des Frachtbriefes wird aber durch Annahme seitens des Frachtführers zum Inhalt des Frachtvertrages.

c) Garantieschein. Da der Absender dem Frachtführer für die Richtigkeit und Vollständigkeit der in den Frachtbrief aufgenommenen Angaben verschuldensunabhängig haftet (§ 426 Abs 3 HGB), ist der Frachtbrief überdies ein dem Frachtführer zugedachter Garantieschein.

d) Weg des Frachtbriefes. Der vom Absender ausgestellte Frachtbrief wird *mit dem Gut befördert* und im Zuge der Ablieferung *dem Empfänger ausgehändigt.* Vgl demgegenüber den Weg des Frachtbriefdoppels.

e) Die Verfügungsrechte des Absenders erlöschen, sobald das Frachtgut am Ablieferungsort angekommen ist und der Frachtbrief dem Empfänger übergeben wird (§ 433 Abs 2 HGB). Deswegen ist aber der Frachtbrief nicht schon ein Transportpapier.

2. Inhalt des Frachtbriefes

Der Frachtbrief enthält die für den Frachtvertrag wichtigen Angaben. § 426 Abs 2 HGB schreibt vor, dass der Frachtbrief insb angeben *soll:*

- den Ort und Tag der Ausstellung,
- den Namen und Wohnort des Frachtführers,
- den Namen des Empfängers,
- den Ablieferungsort,
- die Bezeichnung des Gutes nach Beschaffenheit, Menge und Merkzeichen,
- die Bezeichnung der Begleitpapiere,
- die Bestimmung über die Fracht und ihre etwaige Vorauszahlung,
- die besonderen Vereinbarungen, welche die Beteiligten über andere Punkte (zB die Zeit der Beförderung, Ersatz des Verspätungsschadens, auf dem Frachtgut haftende Nachnahmen) getroffen haben,
- die (Faksimile-)Unterschrift des Absenders.

Diese Aufzählung ist angesichts der modernen Anforderungen unvollständig und überdies lediglich eine „Soll"- bzw „Kann"-Vorschrift. Die Sonderfrachtrechte weisen eingehendere Bestimmungen auf (vgl Art 6 CMR; § 11 ATL; § 58 EBG; Art 13 CIM 1980; Art 8 WA).

3. Frachtbriefdoppel

a) Begriff. Das Frachtbriefdoppel ist ein Duplikat des Frachtbriefes, seine zweite Ausfertigung. Man spricht auch vom **„Duplikatfrachtbrief"**. Der Absender lässt sich darauf vom Frachtführer die Übernahme des Frachtgutes bestätigen und händigt es in der Folge dem Empfänger aus. Die Sonderfrachtrechte sehen derartige Frachtbriefdoppel vor (vgl Art 5 CMR; § 10 Abs 2 ATL; § 69 Abs 5 EBG; Art 11 § 5 CIM 1980; Art 6 WA).

b) Sperrwirkung. Die Funktion des Frachtbriefdoppels liegt vor allem in seiner Sperrwirkung gegenüber nachträglichen Verfügungen des Absenders (vgl Art 12 CMR; §§ 82 Abs 5; 97 Abs 6; 108 Abs 4 EBG; Art 30 § 2 CIM 1980; Art 12 Abs 3 WA). Man bezeichnet es deshalb auch als **„Sperrpapier"**: *Übergibt der Absender* das Frachtbriefdoppel einem Dritten, insb dem Empfänger, so verliert der Absender das sonst bis zur Ablieferung des Frachtgutes beim Empfänger ihm zustehende *Verfügungsrecht* über das Frachtgut (§ 433 Abs 2 HGB). Der Absender darf demnach nicht mehr über das Transportgut disponieren.

Das ist auch für Kreditinstitute von Interesse. Sie gewähren Kredit gegen Aushändigung des Frachtbriefdoppels. Dies bedeutet zwar nicht, dass nunmehr das Kreditinstitut über das Frachtgut verfügen dürfte (wie im Falle des Erwerbes eines Transportpapiers); es genügt, dass der *Absender* keine Verfügungen mehr treffen kann.

C. Übergabe der Begleitpapiere

Der Absender ist im Rahmen seiner Mitwirkungspflicht iS des § 1168 ABGB verpflichtet, dem Frachtführer die Begleitpapiere zu übergeben, die zur Erfüllung der Zoll-, Steuer- oder Polizeivorschriften vor der Ablieferung an den Empfänger erforderlich sind (Vgl auch Art 11 CMR; § 12 ATL; § 71 EBG; Art 25 CIM 1980; Art 16 WA).

Der Absender haftet dem schuldlosen Frachtführer für alle Folgen, die aus dem Mangel, der Unzulänglichkeit oder der Unrichtigkeit der Papiere entstehen (§ 427 HGB). Ein Verschulden des Frachtführers lässt die Absenderhaftung fortfallen, sofern der Absender schuldlos ist. Andernfalls kann es zur Schadensteilung nach § 1304 ABGB kommen.

D. Recht auf Hinterlegung und Selbsthilfeverkauf

Ist der Empfänger des Frachtgutes nicht zu ermitteln, verweigert er die Annahme oder ergibt sich sonst ein Ablieferungshindernis, hat der Frachtführer überdies den Absender hiervon verständigt, aber keine oder nur eine undurchführbare Anweisung erhalten, oder ist es den Umständen nach überhaupt untunlich, den Absender zu verständigen bzw eine Anweisung einzuholen, dann darf der Frachtführer das Frachtgut in einem öffentlichen Lagerhaus hinterlegen oder, falls das Frachtgut verderblich und Gefahr im Verzug ist, nach § 373 Abs 2–4 HGB verkaufen lassen (§ 437 Abs 1 und 2 HGB).

Von der Hinterlegung und dem Verkauf des Gutes sind der Absender und der Empfänger bei Tunlichkeit unverzüglich zu verständigen (§ 437 Abs 3 HGB).

E. Gesetzliches Pfandrecht

1. Konnexität. Dem Frachtführer steht nach § 440 HGB wegen aller durch den Frachtvertrag begründeten Forderungen, insb der Fracht- und Liegegelder, der Zollgelder und anderer Auslagen und auf das Gut geleisteter Vorschüsse ein gesetzliches Pfandrecht am Frachtgut zu. Es wird also Konnexität gefordert.

Werden Teile des Frachtgutes ausgeliefert, haften die restlichen Teile für die gesamte Fracht.

2. Dauer des Pfandrechts. Das Pfandrecht besteht, solange der Frachtführer das Frachtgut innehat, insb mittels Ladescheins (Konnossements) oder Lagerscheins darüber verfügen kann (§ 440 Abs 2 HGB). Auch nach Ablieferung bleibt es erhalten, sofern es der Frachtführer binnen dreier Tage nach Ablieferung gerichtlich geltend macht und das Gut noch in der Gewahrsame des Empfängers ist (§ 440 Abs 3 HGB).

Der Sinn der Regel, das Pfandrecht trotz Ablieferung des Frachtgutes aufrechtzuerhalten, liegt darin, die Sicherung des Frachtführers zu erhalten, zugleich aber dem Empfänger die Möglichkeit zu bieten, das Frachtgut näher in Augenschein zu nehmen, um sich Klarheit zu verschaffen, ob er es risikolos bezahlen kann oder nicht. Diese Regel belässt dem Frachtführer dennoch ein erhebliches Risiko, nicht mehr auf das Frachtgut greifen zu können.

3. Pfandverwertung. Sie erfolgt nach den für Kaufleute maßgeblichen Regeln. Ihre Besonderheit liegt darin, dass grundsätzlich der Empfänger zu verständigen ist, es sei denn, er wäre nicht zu ermitteln oder verweigerte die Annahme des Frachtgutes.

4. Rangordnung unter mehreren gesetzlichen Pfandrechten. Bestehen am Frachtgut zugleich mehrere Pfandrechte von Kommissionären, Spediteuren, Lagerhaltern und Frachtführern (§§ 397, 410, 421, 440 HGB), so geht unter denjenigen **Pfandrechten, die durch die Versendung oder durch die Beförderung des Gutes entstanden** sind, das *später* entstandene dem *früher* entstandenen vor (§ 443 Abs 1 HGB).

Die Pfandrechte, die durch die Versendung und die Beförderung des Gutes entstanden sind, haben allesamt Vorrang vor den nicht aus der Versendung entstandenen Pfandrechten des Kommissionärs und des Lagerhalters sowie vor dem Pfandrecht des Spediteurs und des Frachtführers für Vorschüsse (§ 443 Abs 2 HGB).

In dieser zweiten Gruppe herrscht die bürgerlichrechtliche Prioritätsregel. Gleiches gilt, wenn Pfandrechte des § 443 HGB mit anderen Pfandrechten zusammentreffen. Nach § 112 Abs 1 EBG geht allerdings das **Pfandrecht der Eisenbahn** allen Pfandrechten des HGB mit Ausnahme des Pfandrechts des Lagerhalters vor.

Die Sonderregeln des § 443 HGB haben ihren Grund darin, die Beförderung des Frachtgutes durch andere Frachtführer nicht durch Verunsicherungen über ausreichende Sicherheiten zu behindern. Spätere Frachtführer sollen nicht befürchten müssen, uU leer auszugehen, weil das Frachtgut bereits mit älteren oder anderen, nicht aus der Versendungs- und Beförderungssphäre stammenden Pfandrechten belastet ist.

F. Ersatzansprüche des Frachtführers

1. Allgemeines. Soweit der Absender den Frachtvertrag verletzt, stehen dem Frachtführer für ihm daraus erwachsene Schäden schon nach den allgemeinen Regeln der Vertragshaftung Schadenersatzansprüche zu. Desgleichen hat der Frachtführer Anspruch auf Aufwandersatz, soweit er Geschäfte des Absenders zu besorgen und dabei Auslagen hatte (§ 1014 ABGB). Auch der Werkunternehmer hat Anspruch darauf, Mehrkosten ersetzt zu erhalten, deren Ursache aus der Sphäre des Bestellers kommt (vgl §§ 1168, 1168 a ABGB).

2. Kostenersatz bei Weisungen. Weist der Absender den Frachtführer an, die Beförderung zu unterbrechen, das Frachtgut zurückzugeben oder an einen anderen als den im Frachtbrief ausgewiesenen Empfänger abzuliefern, so hat der Frachtführer Anspruch auf Ersatz der Mehrkosten, die durch eine solche Verfügung entstehen (§ 433 Abs 1 HGB).

3. Kostenersatz bei Rücktritt des Absenders. Wird die Beförderung des Frachtgutes durch den Frachtführer zeitweilig verhindert, steht dem Absender ein Rücktrittsrecht zu. Er muss den schuldlosen Frachtführer aber für bisher Geleistetes (Vorbereitung der Reise, Wiederausladen, Zurücklegung eines Teiles der Reise) entschädigen. Er hat die **Distanzfracht** zu zahlen (§ 428 Abs 2 HGB).

4. Regressansprüche bei mehreren Frachtführern. Wird das Frachtgut an Unterfrachtführer weitergegeben und haftet der Frachtführer mit diesen solidarisch, so steht ihm, wird er vom Gläubiger in Anspruch genommen, der Rückgriff auf jenen Frachtführer zu, der den Schaden schuldhaft verursacht hat. Lässt sich kein Schuldiger ermitteln, tragen die solidarisch Verpflichteten den Schaden gemeinsam nach dem Verhältnis ihrer Anteile an der Fracht, soweit nicht festgestellt wird, dass der Schaden nicht auf ihrer Beförderungsstrecke entstanden ist (§ 432 Abs 3 HGB).

V. Beendigung des Frachtgeschäftes

Das HGB kennt, von wenigen Ausnahmen abgesehen, keine Regeln über die Beendigung des Frachtvertrages.

§ 428 Abs 2 HGB gibt dem schuldlosen Absender für den Fall der **Verhinderung des Antritts oder der Fortsetzung der Reise** ein Rücktrittsrecht. Dieses Rücktrittsrecht entspricht dem Rücktrittsrecht des Gläubigers bei Schuldnerverzug. Das Recht des Absenders, das Frachtgut nach § 433 Abs 1 HGB **endgültig zurückzuverlangen,** wird gleichfalls als Fall der Beendigung des Frachtvertrages gesehen. Wird das Frachtgut berechtigterweise **in einem öffentlichen Lagerhaus hinterlegt** oder infolge **drohenden**

Verderbens nach § 373 Abs 2–4 HGB verkauft (§ 437 Abs 2 HGB), so wird auch auf diese Weise der Frachtvertrag beendet (vgl auch § 1425 ABGB).

Im Übrigen kommen die Regeln des bürgerlichen Rechts zur Anwendung, insb die des **allgemeinen Schuldrechts,** denn das für den Frachtvertrag subsidiär geltende **Werkvertragsrecht** kennt seinerseits keine eingehende Regelung der Beendigung des Werkvertrages.

VI. Besondere Frachtgeschäfte

Die besonderen Frachtgeschäfte können hier nicht näher dargestellt werden. Es wird daher lediglich auf die maßgeblichen Rechtsquellen des Straßen-, Eisenbahn- und Luftfrachtrechts hingewiesen.

A. Straßenfrachtgeschäft

1. Österreichische Gesetzeslage

a) Art 2–30 und 32–41 CMR. § 439a HGB ordnet an, dass für den wesentlichen Bereich des österreichischen Landfrachtrechts, nämlich den **Straßengütertransport mit Kraftfahrzeugen und Anhängern** die Art 2–30 und 32–41 CMR anzuwenden sind.

Kommt § 413 HGB zur Anwendung, so führt dies auch zur Anwendung der CMR-Bestimmungen und damit zur Unwirksamkeit einer allfälligen Vereinbarung über die Geltung der AÖSp. Da die CMR eine Beschränkung der Haftung im Sinne der §§ 2, 51 ff AÖSp nicht kennt, wäre eine Vereinbarung über die Anwendung der AÖSp nichtig (ZfRV 2001/56, 191 = RdW 2001/611, 592).

CMR: Übereinkommen vom 19. 5. 1956 BGBl 1961/138 über den Beförderungsvertrag im internationalen Straßengüterverkehr idF Prot 5. 7. 1978 BGBl 1981/192; Convention relative au contrat de transport international de marchandises par route; die CMR war schon lange vor 1990 geltendes österreichisches Recht, BGBl 1961/138 idF 1981/192, bezog sich jedoch nur auf den internationalen Straßengütertransport.

Anliegen des § 439a HGB ist es, das in Österreich geltende Landfrachtrecht in einem seiner wichtigsten Bereiche **neu zu regeln** und dabei gleichzeitig innerstaatliches und internationales Recht möglichst zu **vereinheitlichen.**

Die CMR gilt nach § 439a HGB im innerstaatlichen Bereich in ihrer jeweils geltenden Fassung (dynamische Verweisung) für den Abschluss und die Ausführung von Verträgen über die entgeltliche Beförderung von Gütern (keine Anwendung der CMR auf Lager- und Verwahrungsgeschäfte, OGH wbl 1993, 360), ausgenommen Umzugsgut, auf der Straße mittels „Fahrzeugen" (Kraftfahrzeuge, Sattelkraftfahrzeuge, Anhänger und Sattelanhänger gemäß Art I lit p, q, r und u des Übereinkommens über den Straßenverkehr BGBl 1982/289) sowie für die Haftung des Straßenfrachtführers, Reklamationen und das Rechtsverhältnis zwischen aufeinander folgenden Frachtführern und zwar auch dann, wenn es sich **nicht um grenzüberschreitende Frachtgeschäfte** handelt. § 439a HGB ordnet somit praktisch **für den gesamten Bereich des Straßenfrachtgeschäftes** die Geltung nahezu der gesamten CMR an.

Das gilt zT auch für den **multimodalen Transport:** Denn wird das mit dem Frachtgut beladene Fahrzeug auf einem Teil der Strecke mit der Eisenbahn, auf Binnenwasserstraßen oder auf dem Luftwege befördert und wird das Gut nicht umgeladen (abgesehen von Fällen des Art 14 CMR), so gilt die CMR für die *gesamte* Beförderung. Ausgenommen sind Haftungsfälle, die während und wegen der Beförderung durch die Bahn, das Schiff oder Luftfahrzeug verursacht wurden (Näheres in Art 2 CMR).

Zwingendes Recht. Die Bestimmungen der CMR sind weitgehend zwingendes Recht (Art 41 Abs 1 CMR). In der CMR nicht geregelte Fragen sind nach nationalem Recht zu beurteilen (RdW 1996, 361 = ZfRV 1996, 158/31).

b) HGB: Die Regeln der CMR sind Sondernormen zu den §§ 425–453 HGB. Soweit die CMR keine leges speciales enthält, kommen die §§ 425–453 HGB zur Anwendung.

Somit werden die §§ 425ff HGB im Straßenfrachtrecht durch die CMR weitgehend verdrängt. Die Regelungen der CMR stehen allerdings zu den Vorschriften der §§ 425ff HGB keineswegs in schroffem Widerspruch. Viele Regeln entsprechen einander; die CMR geht aber viel mehr ins Detail.

c) ABGB: Subsidiär gelten die §§ 1151, 1165–1171 ABGB über den Werkvertrag. Sofern mit dem Frachtvertrag überdies Aufträge verbunden sind, kommt auch Auftragsrecht zum Zuge (§§ 1151 Abs 2; 1002ff ABGB).

d) Sonstige Gesetze: Vgl igZ auch das EKHG, GütBefG, GGSt (auf Grundlage des ADR) und das TiertransportG.

2. Allgemeine Geschäftsbedingungen

Es gibt eine Reihe von AGB, die von den zuständigen Fachverbänden der WKÖ herausgegeben werden. Soweit die CMR zwingende Regelungen trifft, sind die AGB unanwendbar. Soweit die AGB ohnehin nur die Regeln der CMR enthalten, sind sie durch § 439a HGB überflüssig geworden.

a) AÖSp: Frachtverträgen österr Spediteure werden idR die AÖSp zugrunde gelegt (vgl § 2 lit a AÖSp). Die AÖSp sind auch auf Luft-, See- und Binnenschifffahrtstransporte anwendbar.

b) AGG: Hinzuweisen ist ferner auf die AGB für den gewerbsmäßigen Güterverkehr in Österreich (AGG), die vom Fachverband für das Güterbeförderungswesen der WKÖ auf Grund Ermächtigung nach § 10 GütBefG herausgegeben werden. Die AGG entsprechen im Wesentlichen der CMR. Nunmehr gilt die CMR iS des § 439a HGB auch ohne Vereinbarung derartiger AGB. Die AGG haben den früheren Österr Straßengüter-Tarif **(ÖStGT)** und den Österr Straßen-Mineralöl-Tarif **(ÖStMT)** abgelöst.

c) ATL: In Verwendung stehen weiters die Allgemeinen Transportbedingungen für das Lastfuhrwerksgewerbe (ATL), herausgegeben vom Fachverband für das Lastfuhrwerksgewerbe der WKÖ. Die ATL entsprechen weitgehend den AÖSp.

d) BMT und EMT: Die Beförderungsbedingungen für den Möbeltransport regeln den Möbeltransport; für Lagergeschäfte im Zusammenhang mit Möbeltransporten werden idR die Einlagerungsbedingungen für den Möbeltransport verwendet.

3. Internationales Recht

Im **grenzüberschreitenden Straßengütertransport** findet die **CMR** Anwendung.

Ihr unterliegen alle entgeltlichen Verträge über Straßentransporte von Gütern, sofern die Orte der Übernahme und der Ablieferung in verschiedenen Ländern liegen, von denen mindestens eines die CMR ratifiziert hat. Die Regeln der CMR sind mit

Ausnahme der Bestimmungen über den Regress von aufeinander folgenden Frachtführern (Art 34–40 CMR) absolut zwingendes Recht.

ADR: Am 30. 9. 1957 wurde das Europäische Übereinkommen über die internationale Beförderung gefährlicher Güter auf der Straße beschlossen (Accord européen relatif au transport international des marchandises dangereuses par route, BGBl 1973/522 idgF).

B. Eisenbahnfrachtgeschäft

1. Österreichische Gesetzeslage

a) EBG. Für die Güterbeförderung durch öffentliche Eisenbahnen Österreichs, Straßen- und Seilbahnen ausgenommen, gilt das EBG.

Das EBG befasst sich nicht nur mit dem **Eisenbahnfrachtgeschäft;** es regelt auch die **Personen- und Reisegepäckbeförderung.** Es hat im Zuge der Neugestaltung des internationalen Eisenbahnbeförderungsrechts durch die COTIF die frühere **EVO** abgelöst. Die EVO (Eisenbahnverkehrsordnung BGBl 1967/170) ging aus dem Eisenbahn-Betriebsreglement 1909 hervor.

b) HGB und ABGB: § 453 HGB verweist auf das EBG. Das HGB gilt nur insoweit, als das EBG keine besonderen Bestimmungen enthält. Somit gelten insb die §§ 425 ff HGB sowie das Werkvertrags- und Auftragsrecht des ABGB (§§ 1165 ff; §§ 1002 ff) subsidiär. Dabei geht – wie auch sonst – das HGB als die speziellere Regelung dem ABGB vor. ZT ist auch das EKHG beachtlich.

2. Allgemeine Geschäftsbedingungen

Die Eisenbahn hat gemäß § 2 EBG **Beförderungsbedingungen** festzusetzen. Diese Bedingungen sind AGB, die Eisenbahn ist aber gesetzlich verpflichtet, sich an diese Bedingungen zu halten; das gibt den Beförderungsbedingungen im Ergebnis normähnliche Wirkung.

Zu nennen sind in diesem Zusammenhang der Österreichische Gütertarif I und II **(ÖGT I, II)** und der Österreichische Eisenbahn Personen- und Reisegepäcktarif **(ÖPT),** ferner die Allgemeinen Beförderungsbedingungen für die Beförderung lebender Tiere (Art 4 § 1 lit d CIM; § 50 PostO).

3. Internationales Recht

Es versteht sich von selbst, dass gerade der Eisenbahnverkehr internationale Regelungen erfordert. Zu nennen sind:

COTIF: Übereinkommen vom 19. 5. 1980 über den internationalen Eisenbahnverkehr (COTIF) BGBl 1985/225 idgF; Convention relative aux transports internationaux ferroviaires. Die Parteien dieses Übereinkommens bilden als Mitgliedstaaten die „Zwischenstaatliche Organisation für den internationalen Eisenbahnverkehr" **(OTIF).** Sie hat ihren Sitz in Bern und ist rechtsfähig. Zweck dieser Organisation ist vor allem, eine einheitliche Rechtsordnung für die Beförderung von Personen, Gepäck und Gütern im durchgehenden internationalen Verkehr zwischen den Mitgliedstaaten auf Eisenbahnlinien aufzustellen.

Maßgeblich sind ferner die Anhänge A und B sowie die Anlagen I–IV:

CIV 1980 (Anhang A): Einheitliche Rechtsvorschriften für den Vertrag über die internationale Eisenbahnbeförderung von Personen und Gepäck (CIV), Convention internationale concernant le transport des voyageurs et des bagages par chemin de fer;

CIM 1980 (Anhang B): Einheitliche Rechtsvorschriften für den Vertrag über die internationale Eisenbahnbeförderung von Gütern (CIM), Convention internationale concernant le transport des marchandises par chemin de fer, samt Einheitlichen Zusatzbestimmungen (DCU) und Besonderen Zusatzbestimmungen (DCS); die Bestimmungen der CIM sind mit Ausnahme der Regeln über den Rückgriff der Eisenbahnen untereinander absolut zwingend (Art 3 CIM). Zur CIM gibt es „Einheitliche Zusatzbestimmungen" **(DCU);** CIM und DCU sind im Internationalen Eisenbahngütertarif Teil I **(IGT I)** zusammengefasst. Es gibt auch Besondere Zusatzbestimmungen **(DCS).**

RID (Anlage I): Ordnung für die internationale Eisenbahnbeförderung von gefährlichen Gütern (Règlement international concernant le transport des marchandises dangereuses par chemin de fer; BGBl 1986/11);

RIP (Anlage II): Ordnung für die internationale Eisenbahnbeförderung von Privatwagen (BGBl 1985/227);

RICo (Anlage III): Ordnung für die internationale Eisenbahnbeförderung von Containern (BGBl 1985/227);

RIEx (Anlage IV): Ordnung für die internationale Eisenbahnbeförderung von Expreßgut (BGBl 1985/225).

SAT: Internationaler Eisenbahngütertarif Österreich – UdSSR. Da die (vormalige) UdSSR der COTIF nicht angehört, schloss Österreich das genannte Sonderabkommen (abgedruckt bei *Wiesbauer/Zetter,* Transporthaftung Erg-Bd 202).

4. Hinweise auf einige Besonderheiten des Eisenbahnfrachtrechts

a) Kontrahierungszwang. Die Eisenbahn ist auf Grund ihrer Monopolstellung bei Vorliegen der in § 3 EBG näher beschriebenen Bedingungen von Gesetzes wegen verpflichtet, Personen, Reisegepäck und als Wagenladung aufgegebene Güter zu befördern. Voraussetzungen des Kontrahierungszwanges sind: vorschriftsmäßiges Verhalten des Bahnbenützers; übliche Beförderungseignung und Fehlen von unabwendbaren bzw unbehebbaren Umständen.

b) Pflicht zur Festsetzung und Veröffentlichung von Beförderungsbedingungen und Tarifen. Die Eisenbahn hat eng an gesetzliche Vorgaben gebundene Beförderungsbedingungen und Tarife festzulegen und im Anzeigeblatt für Verkehr zu veröffentlichen. Diese Regelwerke sind zwar keine Verordnungen, sondern AGB, die Eisenbahn ist jedoch von Gesetzes wegen gehalten, keine abweichenden Vereinbarungen zu treffen.

c) Realvertrag. Der Eisenbahnfrachtvertrag ist ein formbedürftiger Realvertrag. Er ist erst geschlossen, sobald die Eisenbahn das Gut mit dem Frachtbrief zur Beförderung übernommen hat (§ 69 Abs 1 EBG). Wird das Frachtgut von mehreren Eisenbahnen nacheinander befördert, tritt die jeweils nachfolgende in den Frachtvertrag ein, sobald sie Frachtgut und Frachtbrief übernommen hat (§ 113 Abs 2 EBG).

d) Obligatorischer Frachtbrief. Dem Frachtgut muss ein Frachtbrief beigegeben werden (§ 57 Abs 1 EBG). Form und Inhalt des Frachtbriefes sind gesetzlich vorgeschrieben (§§ 57, 58 EBG). Der von der Eisenbahn zum Zeichen der Annahme des Frachtgutes gestempelte Frachtbrief beweist den Vertragsabschluss. Überdies muss die Annahme des Frachtgutes auf einem gleichfalls gestempelten Frachtbriefdoppel bescheinigt und dem Absender ausgehändigt werden. Nachträgliche Verfügungen über das Frachtgut können vom Absender nur unter Vorlage des Frachtbriefdoppels getroffen werden (Sperrwirkung des Frachtbriefdoppels).

e) Vorrang des gesetzlichen Pfandrechts der Eisenbahn. Die Eisenbahn hat für alle Forderungen, die ihr nach dem Frachtvertrag zustehen, ein gesetzliches Pfandrecht am Gut, auf das sich ihre Forderungen beziehen (Konnexität), es sei denn, sie kannte den Mangel der Verfügungsgewalt des Absenders über das Frachtgut oder musste diesen Mangel kennen. Das gesetzliche Pfandrecht der Eisenbahn hat Vorrang vor dem Pfandrecht anderer Frachtführer, der Spediteure oder Kommissionäre. Der Vorrang steht jedoch nicht gegenüber dem gesetzlichen Pfandrecht der Lagerhalter. Das Pfandrecht der Eisenbahn besteht nur so lange, als sich das Gut in ihrer Gewahrsame befindet (§ 112 Abs 1 EBG).

f) Haftung der Eisenbahn. Die Frachtführerhaftung der Eisenbahn ist insofern verschärft, als die Eisenbahn sich nur befreien kann, wenn sie beweist, dass der Schaden durch Verschulden des Verfügungsberechtigten oder durch eine nicht von der Eisenbahn verschuldete Anweisung des Berechtigten, durch besondere Mängel des Frachtgutes oder durch höhere Gewalt entstanden ist. Besonderes gilt, wenn eine besondere Transportgefahr durch die vom Absender gewählte Beförderungsart oder die besondere Beschaffenheit des Transportgutes entstanden ist (zB Beförderung in offenen Wagen; Selbstbeladen; Tiertransport; besondere Schwundneigung). Die Ansprüche bedürfen der schriftlichen Reklamation bei der Eisenbahn (§ 107 EBG) oder der Klage (§ 109 EBG). Die Ersatzansprüche erlöschen mit Frachtgutannahme durch den Berechtigten (es gibt jedoch Ausnahmen; § 110 EBG).

C. Luftfrachtgeschäft

1. Österreichische Gesetzeslage

a) LuftVG und LFG: Die Haftung des Luftfrachtführers aus dem Beförderungsvertrag wird durch die §§ 29a–29i LuftVG (RGBl 1936 I 563) geregelt (vgl § 151 Abs 1 und § 152 Abs 1 lit a LFG), doch ist auf internationale Übereinkommen Bedacht zu nehmen.

b) HGB: Luftfrachtführer werden in § 425 HGB nicht genannt; die Bestimmungen der §§ 425ff HGB sind jedoch analog subsidiär anzuwenden.

2. Internationales Recht

a) Warschauer Abkommen (WA): Auf internationale Beförderungen von Gütern, Personen und Reisegepäck durch Luftfahrzeuge, sofern diese Beförderungen durch ein Luftfahrtunternehmen (entgeltlich oder unentgeltlich) oder gegen Entgelt (aber nicht durch ein Luftfahrtunternehmen) durchgeführt werden, fand bis vor Kurzem umfassend das WA über die Beförderung im internationalen Luftverkehr Anwendung.

Das WA wurde von Österreich sowohl idF 1929 (BGBl 1961/286 idF BGBl 1987/100) als auch idF des Haager Protokolls 1955 (BGBl 1971/161 idF BGBl 1987/101) ratifiziert. Die beiden Fassungen sind insofern nebeneinander bedeutsam, als die jeweiligen Kreise der Mitgliedstaaten nicht identisch sind.

b) Abkommen von Guadalajara (BGBl 1966/46 idF BGBl 1982/439): Österreich hat ferner das Zusatzabkommen vom 18. 9. 1961 zum WA zur Vereinheitlichung von Regeln über die von einem anderen als dem vertraglichen Luftfrachtführer ausgeführte Beförderung im internationalen Luftverkehr ratifiziert.

Ergänzende Empfehlungen enthalten die Beförderungsbedingungen der **IATA** (International Air Traffic Association: Internationale Lufttransportvereinigung für Passagiere und Gepäck und für Frachtgut; Resolution 1601; abgedruckt bei *Wiesbauer/Zetter* 974 ff). Auch auf die **IATA-Frachtbrief-Bedingungen** sei hingewiesen (Conditions of Contract of the Air Waybill, Resolution 600 b (II), abgedruckt bei *Wiesbauer/Zetter* 995 ff).

c) Montrealer Übereinkommen: Nunmehr wurde das WA weitgehend vom Montrealer Übereinkommen (Übereinkommen zur Vereinheitlichung bestimmter Vorschriften über die Beförderung im internationalen Luftverkehr, BGBl III 2004/131) verdrängt. Das WA gilt neben dem Montrealer Übereinkommen weiter, bis alle Vertragsstaaten des WA auch das Übereinkommen von Montreal unterzeichnet und ratifiziert haben.

Wie das WA gilt das Montrealer Übereinkommen für jede internationale Beförderung von Personen, Reisegepäck und Gütern, sofern diese Beförderung durch ein Luftfahrtunternehmen (entgeltlich oder unentgeltlich) oder gegen Entgelt (aber nicht durch ein Luftfahrtunternehmen) durchgeführt wird (Art 1 Abs 1 Übk von Montreal). Mit dem Übk von Montreal wurde die Haftung der Luftfrachtführer für Passagier-, Reisegepäck- und Güterschäden im internationalen Luftverkehr einer strengeren Regelung unterworfen.

Wann eine internationale Beförderung vorliegt, sagt Art 1 Abs 2 Übk von Montreal (Art 1 Abs 2 WA). Die Haftungsregelungen des Übk von Montreal sind zu Gunsten des Absenders relativ zwingend (Art 26, 47 Übk von Montreal; Art 23 WA); absolut zwingend sind die Zuständigkeitsvorschriften des Übk (Art 49 Übk von Montreal; Art 32 WA).

Zwischen Vertragsstaaten des Übk von Montreal, die gemeinsam Vertragspartner des WA einschließlich damit zusammenhängender

Übereinkünfte (insb Haager Protokoll und Zusatzabk von Guadalajara) sind, normiert Art 55 des Übk von Montreal den Vorrang des Übk. Im Verhältnis von Vertragsstaaten des Übk zu „sonstigen" Staaten gilt – uzw entsprechend dem jeweiligen Ratifikationsstand – auch weiterhin das „Warschauer System".

d) EU-Lufthaftungs VO: Gleichzeitig mit dem Übk von Montreal trat auch die an das Übk angepasste EU-LufthaftungsVO in Kraft (VO 889/2002), die gem Art 1 auch für rein innerstaatliche Beförderungen in einem Mitgliedstaat der EU gilt und bestimmt, dass für die Haftung eines EU-Luftfahrtunternehmens für Fluggäste und deren Gepäck die Bestimmungen des Übk von Montreal gelten.

VII. Kombinierter (multimodaler) Transport

Unter **kombiniertem (multimodalem oder gemischtem) Transport** versteht man die Beförderung mit mindestens zwei verschiedenen Transportmitteln auf Grundlage eines einheitlichen Frachtvertrages und eines einheitlichen Beförderungsdokuments für die gesamte Transportstrecke.

Davon zu unterscheiden ist der **segmentierte Transport:** Bei ihm übernimmt jeder der beteiligten Beförderer die vertraglichen Verpflichtungen nur für seinen eigenen Beförderungsabschnitt. Wird auf ein anderes Transportmittel umgeladen, reist das Transportgut auf Grund eines neuen Frachtvertrages weiter.

Probleme bereitet der multimodale Transport insb bzgl der Frage, welche der angesichts verschiedenartiger Transportmittel (Kraftfahrzeug, Eisenbahn, Schiff, Flugzeug) an sich in Frage kommenden (mitunter zwingenden) Sonderfrachtrechte anzuwenden sind; unklar ist ferner, was gelten soll, wenn man nicht feststellen kann, auf welcher Teilstrecke der Frachtschaden verursacht wurde.

In Österreich bestehen dzt keine Bestrebungen, die Probleme des multimodalen Transports einer innerstaatlichen gesetzlichen Regelung zuzuführen. Der OGH hat sich nunmehr der Ansicht des BGH angeschlossen, wonach bei multimodalen Transporten das jeweils verwendete Transportmittel entscheidet, welches Sonderfrachtrecht zur Anwendung kommt (wbl 1994, 340; 1994, 415; BGH TR 1987, 447).

Wird zB das Transportgut von der Straße auf die Schiene verladen, dann ändert sich auch dementsprechend das den Transport beherrschende Regime. Demgegenüber vertrat die ältere dt Rsp die Ansicht, dass für die gesamte Strecke nur ein einheitliches Frachtrecht maßgeblich sein dürfe (Gesamtbetrachtungstheorie), ließ aber offen, nach welchen Kriterien dieses einheitliche Frachtrecht zu bestimmen sei. Teils wurde auf das „berechtigte Vertrauen des Versenders" abgestellt, dass eine bestimmte Haftungsordnung maßgeblich sei (BGH VersR 1984, 680); teils wurde auf den hypothetischen Parteiwillen abgestellt (BGH NJW 1972, 866); teils sollte es auf die längste Strecke ankommen (BGH NJW 1982, 1943). Die Gesamtbetrachtungstheorie stieß in der Lehre auf Kritik und dürfte heute auch international überwunden sein. Die Ansicht, dass das jeweils verwendete Transportmittel für das anzuwendende Regime entscheidend ist, löst viele andere Rechtsfragen des multimodalen Transports nicht, insb nicht die Fälle des unbekannten Schadensortes.

Art 2 Abs 1 CMR regelt lediglich den „Huckepackverkehr“, bei dem nach Vereinbarung das Straßenfahrzeug selbst auf einem Teil der Strecke mit der Ladung auf einem anderen Beförderungsmittel weiterbefördert wird. Bei bekanntem Schadensort ist das zwingende Frachtrecht des das Straßenfahrzeug befördernden Transportmittels maßgebend. Bei unbekanntem Schadensort sowie während des Straßenverkehrsabschnittes gilt ausschließlich die CMR.

An internationalen Rechtsquellen seien die CIM, das WA, die ICC-Rules (ICC-Publikation Nr 481), die FBL und die MT-Konvention der Vereinten Nationen genannt.

Welches Frachtrecht anzuwenden ist, hängt davon ab, welches Transportmittel bzw welcher Transportweg gewählt wird. Soweit keine zwingenden Frachtrechtsregeln maßgeblich sind, verdrängen jedoch die üblicherweise vereinbarten AÖSp das anzuwendende Frachtrecht (wbl 1994, 340).

Stichwortverzeichnis

Die Zahlen verweisen auf die Seiten.

B

C

G

H

K

L

M

N

O

Q

R

S